여러분 … 원하는
해커스공무원의 특별 혜택

FREE 공무원 행정학 **특강**

해커스공무원(gosi.Hackers.com) 접속 후 로그인 ▶ 상단의 [무료강좌] 클릭 ▶ [교재 무료특강] 클릭 후 이용

해커스공무원 온라인 단과강의 **20% 할인쿠폰**

22A43C56669DA9CA

해커스공무원(gosi.Hackers.com) 접속 후 로그인 ▶ 상단의 [나의 강의실] 클릭 ▶
좌측의 [쿠폰등록] 클릭 ▶ 위 쿠폰번호 입력 후 이용

* 등록 후 7일간 사용 가능(ID당 1회에 한해 등록 가능)

 합격예측 **온라인 모의고사 응시권 + 해설강의 수강권**

FC8824F97EA87458

해커스공무원(gosi.Hackers.com) 접속 후 로그인 ▶ 상단의 [나의 강의실] 클릭 ▶
좌측의 [쿠폰등록] 클릭 ▶ 위 쿠폰번호 입력 후 이용

* ID당 1회에 한해 등록 가능

쿠폰 이용 관련 문의 **1588-4055**

단기 합격을 위한 해커스공무원 커리큘럼

탄탄한 기본기와 핵심 개념 완성!

누구나 이해하기 쉬운 개념 설명과 풍부한 예시로 부담없이 쌩기초 다지기

TIP 베이스가 있다면 **기본 단계**부터!

필수 개념 학습으로 이론 완성!

반드시 알아야 할 기본 개념과 문제풀이 전략을 학습하고
심화 개념 학습으로 고득점을 위한 응용력 다지기

문제풀이로 집중 학습하고 실력 업그레이드!

기출문제의 유형과 출제 의도를 이해하고 최신 출제 경향을 반영한
예상문제를 풀어보며 본인의 취약영역을 파악 및 보완하기

동형모의고사로 실전력 강화!

실제 시험과 같은 형태의 실전모의고사를 풀어보며 실전감각 극대화

시험 직전 실전 시뮬레이션!

각 과목별 시험에 출제되는 내용들을 최종 점검하며 실전 완성

* 커리큘럼 및 세부 일정은 상이할 수 있으며,
자세한 사항은 해커스공무원 사이트에서 확인하세요.

단계별 교재 확인 및
수강신청은 여기서!

gosi.Hackers.com

해커스공무원

현 행정학

기본서 | 1권

해커스공무원

서문

승리는 가장 끈기 있는 자에게 돌아간다.

많은 수험생 여러분들이 행정학 과목의 방대한 양에 막연한 두려움을 느끼곤 합니다. 더불어 2022년부터 9급 행정학개론이 일반행정직의 필수과목으로 변경되면서, 과목의 중요성이 높아졌습니다. 이에 **『해커스공무원 현 행정학 기본서』**는 수험생 여러분들이 행정학 과목을 보다 쉽게 이해하고 효율적으로 학습할 수 있도록 내용을 구성하였습니다.

『해커스공무원 현 행정학 기본서』는 다음과 같은 특징이 있습니다.

행정학의 핵심 내용만을 체계적으로 구성한 본 교재는 본인의 학습 과정 및 수준 등에 맞추어 수험생활 전반에 두루 활용할 수 있도록 다음과 같은 특징을 가졌습니다.

첫째, 본문에 수록된 '핵심정리', '개념PLUS', '고득점 공략' 등 다양한 학습장치를 통해 행정학의 기초부터 심화 이론까지 꼼꼼하게 학습할 수 있습니다.

둘째, 중요한 기출문제를 엄선하여 수록한 CHAPTER별 '학습 점검 문제'를 통해 본문에서 학습한 내용을 다시 한번 확인하고 문제 응용력을 키울 수 있습니다.

셋째, 각 PART 도입부에 수록된 '10초 만에 파악하는 5개년 기출 경향'을 통해 최근 5개년 공무원 행정학 기출문제의 출제 비중을 파악할 수 있으며, 혼자 학습하는 경우에도 학습의 강도를 조절할 수 있도록 도와줍니다.

넷째, 부록으로 수록한 '법령으로 보는 행정학'을 통해 행정학에서 필수적인 주요 법령을 학습하고, 최근 출제 비중이 높아지는 법령 문제를 대비할 수 있습니다.

그 밖의 자세한 책의 구성 및 특징은 **'이 책의 활용법(p.8~9)'**을 참고하시기 바랍니다.

행정학 학습은 어떻게 해야 할까요?

행정학은 양이 방대하고 생소한 용어도 많이 쓰여, 처음 접하는 수험생들은 어렵고 막연하게 느낄 수 있는 과목입니다.
행정학을 처음 학습할 때에는 욕심내지 않고 차분하게 이해를 바탕으로 기본적인 개념들을 먼저 정리해야 합니다. 어느 정도 개념에 대한 정리가 되었다면, 전체적인 이론의 흐름을 파악할 수 있도록 다리를 놓아야 합니다. 그 다리가 바로 반복학습입니다. 행정학은 충실한 반복학습이 반드시 필요하며 특히 출제되었던 지문에 익숙해질 수 있도록 기출문제를 함께 학습하는 것이 중요합니다.
이러한 과정들이 유기적으로 연결될 때 비로소 **행정학적 마인드**가 형성되며, 이를 통해 실제 시험장에서 기본적인 개념을 묻는 문제부터 지엽적이고 난도 높은 문제까지 어렵지 않게 풀 수 있게 될 것입니다.

더불어, 공무원 시험 전문 사이트 **해커스공무원(gosi.Hackers.com)**에서 교재 학습 중 궁금한 점을 나누고, 다양한 무료 학습 자료를 함께 이용하여 학습 효과를 극대화할 수 있습니다. 부디 **『해커스공무원 현 행정학 기본서』**와 함께 공무원 행정학 시험 고득점을 달성하고 합격을 향해 한걸음 더 나아가시기를 바랍니다.

2024년 7월

서현, 해커스 공무원시험 연구소

목차

1권

PART 1 행정학의 기초이론

PART 2 정책학

CHAPTER 5 정책평가론

CHAPTER 6 정책변동론과 기획론

PART 3 행정조직론

CHAPTER 1 조직의 기초이론

CHAPTER 2 조직구조론

CHAPTER 3 조직행태론

CHAPTER 4 조직과 환경

CHAPTER 5 조직관리 및 개혁론

목차

2권

PART 4 인사행정론

PART 5 재무행정론

PART 6 행정환류론

CHAPTER 1 행정책임과 행정통제

CHAPTER 2 행정개혁론

CHAPTER 3 정보화와 행정

PART 7 지방행정론

CHAPTER 1 지방행정의 기초이론

CHAPTER 2 지방행정의 조직

CHAPTER 3 지방자치단체의 사무

CHAPTER 4 지방자치단체와 국가의 관계

CHAPTER 5 지방자치와 주민참여

CHAPTER 6 지방자치단체의 재정

이 책의 활용법

만점이 보이는 이론 구성

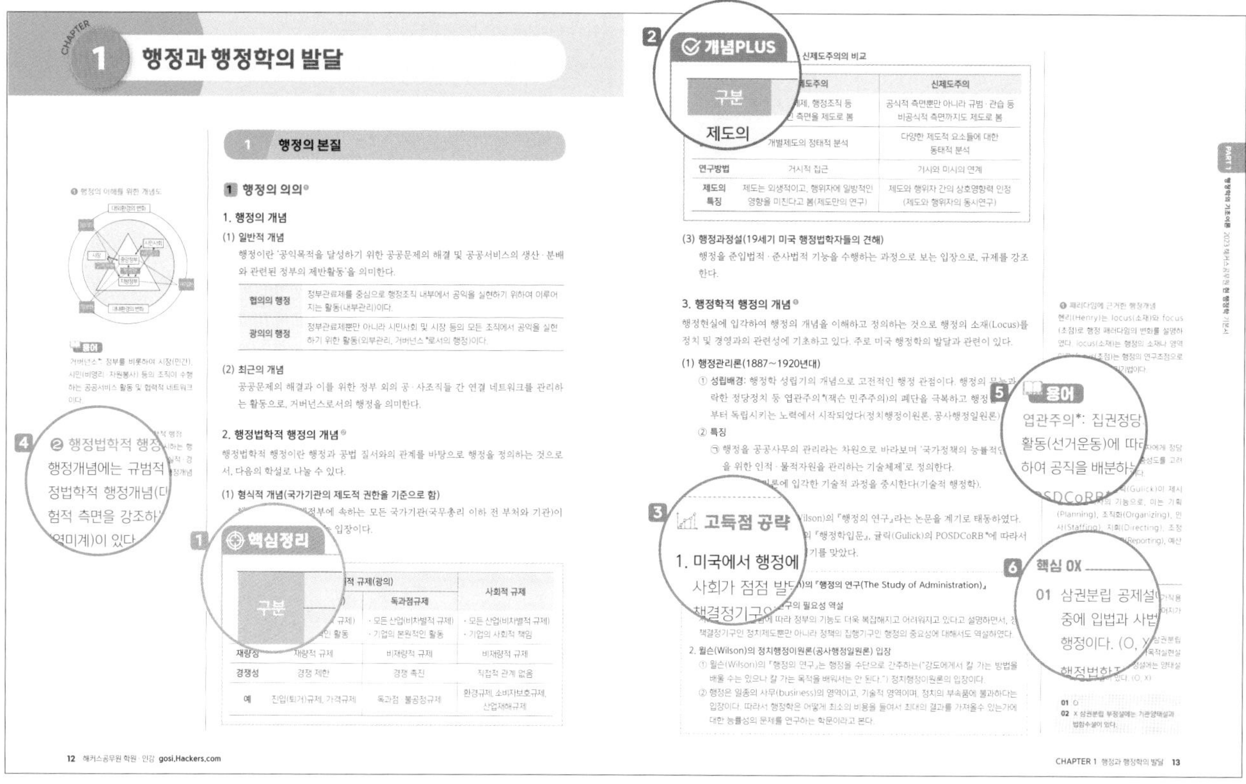

1 핵심정리

출제 가능성이 가장 높은 개념들을 요약·정리하여 방대한 행정학 이론의 핵심 내용을 한눈에 파악할 수 있습니다.

2 개념PLUS

공무원 행정학 시험을 준비한다면 한 번은 반드시 확인하고 학습해야 할 개념을 수록하여 출제 가능성이 있는 개념들을 빠짐없이 학습할 수 있습니다.

3 고득점 공략

난도 높은 문제를 대비하기 위해 더 알아두면 좋은 내용을 알기 쉽게 정리하여, 보다 깊이 있는 학습을 할 수 있습니다.

4 참고

관련 개념이나 법령 등을 보조단에 따로 정리하여, 기본 개념에 대한 이해를 확장시키며 세부적인 내용까지 함께 학습할 수 있습니다.

5 용어

어렵고 생소한 행정학 용어를 보조단에 상세히 풀이하여 보다 쉽게 이해할 수 있습니다.

6 핵심 OX

본문의 이론을 OX문제로 수록하여 학습한 내용을 잘 이해하였는지 바로 점검해볼 수 있습니다.

합격이 보이는 교재 활용

1. 출제 경향 분석

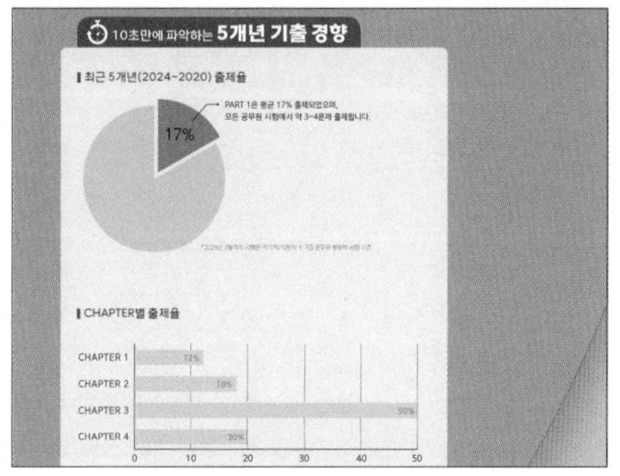

학습의 우선순위와 방향을 설정할 수 있는 출제 경향 제시

1. PART별 출제 비중을 그래프로 제시하여, 해당 PART의 중요도를 한눈에 파악할 수 있습니다.
2. PART 내 CHAPTER별 출제 비중을 그래프로 제시하여, 어떤 CHAPTER를 더 중점적으로 학습하여야 할지 쉽게 파악할 수 있습니다.

2. 학습 점검 문제

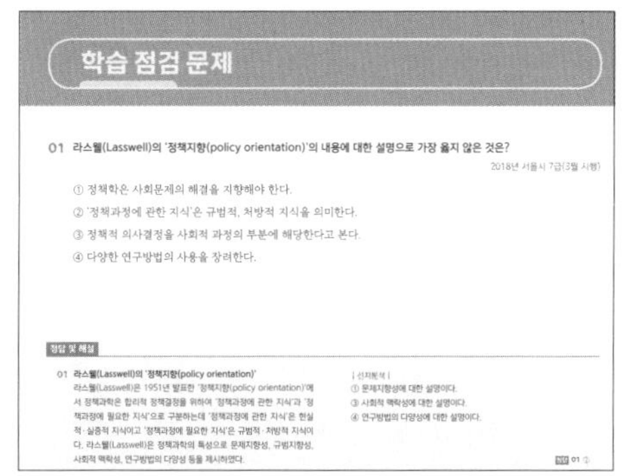

학습 점검 문제

01 라스웰(Lasswell)의 '정책지향(policy orientation)'의 내용에 대한 설명으로 가장 옳지 않은 것은?

2018년 서울시 7급(3월 시행)

① 정책학은 사회문제의 해결을 지향해야 한다.
② '정책과정에 관한 지식'은 규범적, 처방적 지식을 의미한다.
③ 정책적 의사결정을 사회적 과정의 부분에 해당한다고 본다.
④ 다양한 연구방법의 사용을 장려한다.

정답 및 해설

01 라스웰(Lasswell)의 '정책지향(policy orientation)'
라스웰(Lasswell)은 1951년 발표한 '정책지향(policy orientation)'에서 정책과학은 합리적 정책결정을 위하여 '정책과정에 관한 지식'과 '정책과정에 필요한 지식'으로 구분하는데 '정책과정에 관한 지식'은 현실적·실증적 지식이고 '정책과정에 필요한 지식'은 규범적·처방적 지식이다. 라스웰(Lasswell)은 정책과학의 특성으로 문제지향성, 규범지향성, 사회적 맥락성, 연구방법의 다양성 등을 제시하였다.

| 선지분석 |
① 문제지향성에 대한 설명이다.
③ 사회적 맥락성에 대한 설명이다.
④ 연구방법의 다양성에 대한 설명이다.

정답 01 ②

문제 응용력을 키울 수 있는 기출문제 및 상세한 해설

1. 공무원 행정학 기출문제 중 다시 출제될 가능성이 높은 문제들을 수록하여, 실제 시험에 출제되는 문제의 유형을 확인하고 문제에 대한 응용력을 키울 수 있습니다.
2. 상세한 해설과 더불어 관련 이론 및 법령을 함께 정리하여, 학습한 내용을 점검할 수 있고 이를 통해 반복학습 효과를 누릴 수 있습니다.

3. 법령으로 보는 행정학

[시행 2023.12.11., 일부개정 2022.6.10.]

08 공무원의 노동조합 설립 및 운영 등에 관한 법률

관련단원 PART 4. 인사행정론 > CHAPTER 4. 공무원의 근무규율과 인사행정개혁

공무원의 노동조합의 설립

제 1 조 목적
이 법은 「대한민국헌법」 제33조 제2항에 따른 공무원의 노동기본권을 보장하기 위하여 「노동조합 및 노동관계조정법」 제5조 제1항 단서에 따라 공무원의 노동조합 설립 및 운영 등에 관한 사항을 정함을 목적으로 한다.

제 2 조 정의
이 법에서 "공무원"이란 「국가공무원법」 제2조 및 「지방공무원법」 제2조에서 규정하고 있는 공무원을 말한다. 다만, 「국가공무원법」 제66조 제1항 단서 및 「지방공무원법」 제58조 제1항 단서에 따른 사실상 노무에 종사하는 공무원과 「교원의 노동조합 설립 및 운영 등에 관한 법률」의 적용을 받는 교원인 공무원은 제외한다.

제 4 조 정치활동의 금지
노동조합과 그 조합원은 정치활동을 하여서는 아니 된다.

법령PLUS 공무원의 정치활동 금지 규정
「국가공무원법」 제65조 【정치 운동의 금지】 ① 공무원은 정당이나 그 밖의 정치단체의 결성에 관여하거나 이에 가입할 수 없다.
② 공무원은 선거에서 특정 정당 또는 특정인을 지지 또는 반대하기 위한 다음의 행위를 하여서는 아니 된다.
1. 투표를 하거나 하지 아니하도록 권유 운동을 하는 것

합격을 위한 필수 법령집

1. 행정학 시험에서 자주 출제되는 필수 법령들을 모아 최신 개정 법령을 모두 반영하여, 행정학 이론과 법령을 연계한 학습을 할 수 있습니다.
2. 중요 조문들을 OX문제로 정리하고, 핵심기출을 통해 법령이 어떻게 문제로 출제되는지 확인하여 법령 문제에 완벽하게 대비할 수 있습니다.

10초만에 파악하는 5개년 기출 경향

최근 5개년(2024~2020) 출제율

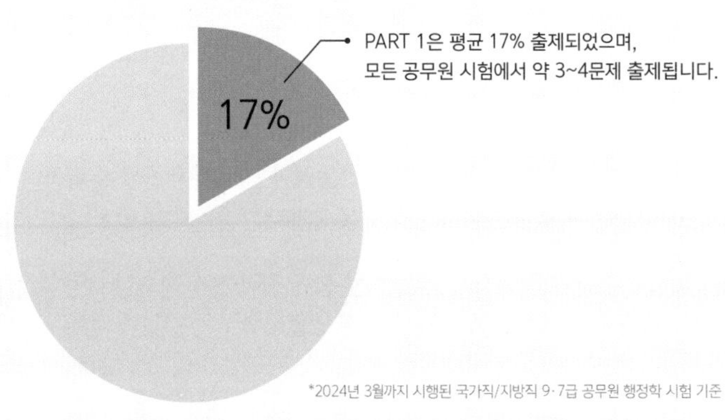

*2024년 3월까지 시행된 국가직/지방직 9·7급 공무원 행정학 시험 기준

CHAPTER별 출제율

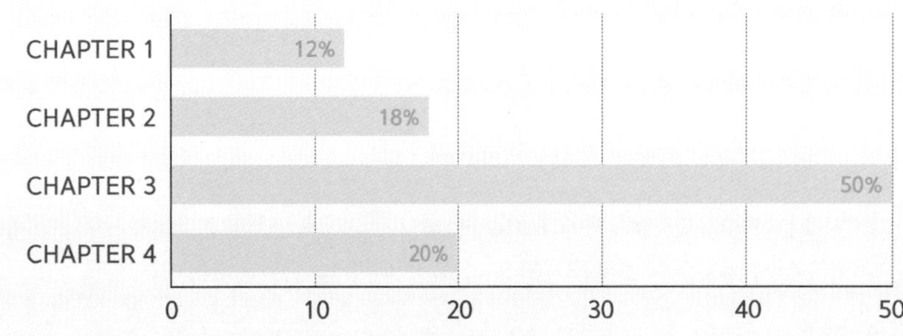

PART 1

행정학의 기초이론

CHAPTER 1 행정과 행정학의 발달

1 행정의 본질

1 행정의 의의[1]

1. 행정의 개념

(1) 일반적 개념

행정이란 '공익목적을 달성하기 위한 공공문제의 해결 및 공공서비스의 생산 · 분배와 관련된 정부의 제반활동'을 의미한다.

협의의 행정	정부관료제를 중심으로 행정조직 내부에서 공익을 실현하기 위하여 이루어지는 활동(내부관리)이다.
광의의 행정	정부관료제뿐만 아니라 시민사회 및 시장 등의 모든 조직에서 공익을 실현하기 위한 활동(외부관리, 거버넌스*로서의 행정)이다.

(2) 최근의 개념

공공문제의 해결과 이를 위한 정부 외의 공 · 사조직들 간 연결 네트워크를 관리하는 활동으로, 거버넌스로서의 행정을 의미한다.

2. 행정법학적 행정의 개념[2]

행정법학적 행정이란 행정과 공법 질서와의 관계를 바탕으로 행정을 정의하는 것으로서, 다음의 학설로 나눌 수 있다.

(1) 형식적 개념(국가기관의 제도적 권한을 기준으로 함)

행정의 개념을 행정부에 속하는 모든 국가기관(국무총리 이하 전 부처와 기관)이 행하는 작용이라고 보는 입장이다.

(2) 실질적 개념(국가작용의 성질을 기준으로 함)

행정의 개념을 실질적 · 논리적으로 파악하는 입장이다. 삼권분립을 기준으로 입법이나 사법과 행정을 구별하는데, 이는 구별긍정설과 구별부정설로 나뉜다.

① **구별긍정설**: 입법 · 사법으로부터 행정개념을 구별할 수 있다고 보는 입장이다.

㉠ **소극설(공제설)**: 입법부와 사법부의 활동을 제외한 일체의 국가작용을 행정으로 본다(Jellinek).

㉡ **적극설(국가목적실현설, 양태설)**: 행정은 일정한 법 질서하에서 국가목적을 실현하려고 하는 행위라는 국가목적실현설(Mayer)과 행정은 법 아래에서 국가목적을 적극적으로 실현하는 전체라는 양태설(Fleiner)이 있다.

② **구별부정설**: 입법 · 사법으로부터 행정개념을 구별할 수 없다고 보는 입장이다.

㉠ **기관양태설**: 삼권 간에는 본질적인 차이가 없어 담당기관의 양태로 구별한다.

---

❶ 행정의 이해를 위한 개념도

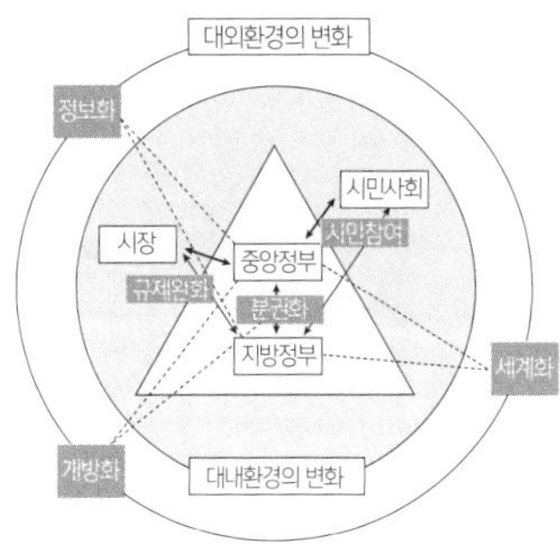

용어

거버넌스*: 정부를 비롯하여 시장(민간), 시민(비영리 · 자원봉사) 등의 조직이 수행하는 공공서비스 활동 및 협력적 네트워크이다.

❷ 행정법학적 행정과 행정학적 행정

행정개념에는 규범적 측면을 중시하는 행정법학적 행정개념(대륙계)과 사실적 · 경험적 측면을 강조하는 행정학적 행정개념(영미계)이 있다.

㉡ **법함수설:** 행정을 법의 함수로 본다(Kelsen).

(3) 행정과정설(19세기 미국 행정법학자들의 견해)

행정을 준입법적 · 준사법적 기능을 수행하는 과정으로 보는 입장으로, 규제를 강조한다.

3. 행정학적 행정의 개념❶

행정현실에 입각하여 행정의 개념을 이해하고 정의하는 것으로 행정의 소재(Locus)를 정치 및 경영과의 관련성에 기초하고 있다. 주로 미국 행정학의 발달과 관련이 있다.

(1) 행정관리론(1887~1920년대)

① **성립배경:** 행정학 성립기의 개념으로 고전적인 행정 관점이다. 행정의 무능과 타락한 정당정치 등 엽관주의*(잭슨 민주주의)의 폐단을 극복하고 행정을 정치로부터 독립시키는 노력에서 시작되었다(정치행정이원론, 공사행정일원론).

② **특징**

㉠ 행정을 공공사무의 관리라는 차원으로 바라보며 '국가정책의 능률적인 실현을 위한 인적 · 물적자원을 관리하는 기술체제'로 정의한다.

㉡ 과학적 관리론에 입각한 기술적 과정을 중시한다(기술적 행정학).

③ **주요 학자**

㉠ **태동:** 1887년 윌슨(Wilson)의 『행정의 연구』라는 논문을 계기로 태동하였다.

㉡ **발전:** 화이트(White)의 『행정학입문』, 귤릭(Gulick)의 POSDCoRB*에 따라서 고전적 행정학은 전성기를 맞았다.

고득점 공략 윌슨(Wilson)의 『행정의 연구(The Study of Administration)』

1. 미국에서 행정에 대한 연구의 필요성 역설

사회가 점점 발달함에 따라 정부의 기능도 더욱 복잡해지고 어려워지고 있다고 설명하면서, 정책결정기구인 정치제도뿐만 아니라 정책의 집행기구인 행정의 중요성에 대해서도 역설하였다. 특히 미국의 행정은 유럽의 행정에 비해 낙후되어 있으므로 미국은 유럽 행정의 선진적인 면을 받아들여야 한다고 주장하였다.

2. 윌슨(Wilson)의 정치행정이원론(공사행정일원론) 입장

① 윌슨(Wilson)의 『행정의 연구』는 행정을 수단으로 간주하는("강도에게서 칼 가는 방법을 배울 수는 있으나 칼 가는 목적을 배워서는 안 된다.") 정치행정이원론의 입장이다.

② 행정은 일종의 사무(business)의 영역이고, 기술적 영역이며, 정치의 부속품에 불과하다는 입장이다. 따라서 행정학은 어떻게 최소의 비용을 들여서 최대의 결과를 가져올수 있는가에 대한 능률성의 문제를 연구하는 학문이라고 본다.

3. 유럽 행정의 미국화 주장

미국의 행정은 유럽의 행정에 비해 낙후되어 있으므로 미국은 유럽 행정의 선진적인 면을 받아들여 유럽 행정을 미국화시켜야 한다고 주장하였다.

4. 유럽의 행정과 미국의 민주적 정치체제와의 조화

① 정치체제는 '절대군주국가단계 → 과도단계 → 국민주권국가단계'를 거치게 되는데, 미국은 이미 국민주권국가단계에 이르렀기 때문에 더욱 우월하다고 보았다.

② 미국의 민주적 정치체제와 유럽의 비민주적 행정체제(관료제)가 결합이 가능한 이유는 정치와 행정이 분리될 수 있기 때문이라고 믿었다.

❶ 패러다임에 근거한 행정개념

헨리(Henry)는 locus(소재)와 focus(초점)로 행정 패러다임의 변화를 설명하였다. locus(소재)는 행정의 소재나 영역이고, focus(초점)는 행정의 연구초점으로서 접근방법이나 관리기법이다.

용어

엽관주의*: 집권정당의 추종자에게 정당활동(선거운동)에 따라 그 충성도를 고려하여 공직을 배분하는 것이다.

POSDCoRB*: 귤릭(Gulick)이 제시한 최고관리자의 기능으로, 이는 기획(Planning), 조직화(Organizing), 인사(Staffing), 지휘(Directing), 조정(Coordinating), 보고(Reporting), 예산(Budgeting)을 의미한다.

핵심 OX

01 삼권분립 공제설에 따르면 국가작용 중에 입법과 사법을 제외한 나머지가 행정이다. (O, X)

02 행정법학적 행정개념에서 삼권분립 인정설에는 공제설과 국가목적실현설이 있고, 삼권분립 부정설에는 양태설과 법함수설이 있다. (O, X)

01 O
02 X 삼권분립 부정설에는 기관양태설과 법함수설이 있다.

(2) 통치기능론(1930~1940년대)

① **성립배경:** 1930년대의 경제대공황과 그에 대한 대책인 뉴딜정책[1]으로 인해 행정은 단순히 정책을 집행하는 영역에 국한되지 않고, 시장실패 등의 사회문제를 해결하기 위한 가치판단기능이 강조되었다(기능적 행정학). 따라서 행정이 시장과 사회영역에 대한 적극적인 개입자로 행동하게 되었다.

② **특징 - 공사행정이원론(정치행정일원론):** '정치 = 정책결정', '행정 = 집행'의 도식을 거부하고 양자 간의 유기적 관련성을 인정하는 정치행정일원론의 입장이다. 이는 공행정과 사행정의 차이를 부각시키는 것과 같다(공사행정이원론).

③ **주요 학자**

㉠ **디목(Dimock):** 사회적 능률성을 강조하며 "통치는 정책형성과 정책집행으로 구성되며 이들은 상호배타적이 아니라 상호협조의 과정이다."라고 하였다.

㉡ **애플비(Appleby):** 뉴딜정책을 담당하였으며 "행정은 정책형성이다."라고 주장하면서 정치와 행정은 단절적 관계가 아니라 연속적 관계임을 강조하였다.

(3) 행정행태론(1950~1960년대 초반)

① **특징**

㉠ **가치중립적 · 과학적 연구:** 가치가 배제된(가치중립성) 사실 중심의 합리적인 연구로서, 행정을 의사결정과정이나 목적달성을 위한 인간의 집단적이고 협동적인 노력으로 보았다. 또한 외면적으로 표출된 인간의 행태(behavior)에 대한 과학적 연구를 중시하였다.

㉡ **공사행정새일원론(정치행정새이원론)[2]:** 사이먼(Simon)은 과학성의 확립을 위하여 행정과 경영을 동일시하는 공사행정일원론의 입장에 있었다.

㉢ **논리실증주의:** 가치와 사실을 구분하여 사실의 영역을 연구대상으로 삼는 논리실증주의 입장을 취하여 과학적 이론 구축에 기여하였고, 행정연구의 과학화 및 사회심리학적 접근을 중시하였다.

② **주요 학자:** 인간의 협동적 노력을 강조한 버나드(Barnard)와 만족모형에 따른 의사결정을 강조한 사이먼(Simon) 등이 있다.

(4) 발전행정론(1960년대)

① **특징**

㉠ 행정은 국가발전목표를 설정하고 이를 달성하기 위한 적극적인 사회변동활동으로, 특히 행정인의 적극적이고 쇄신적인 역할이 중시된다고 보았다.

㉡ **공사행정새이원론(정치행정새일원론):** 행정을 정치적 기능과 밀접한 관련이 있다고 파악하였으며(정치행정새일원론), 공행정과 사행정의 차이점을 부각시켰다.

㉢ 행정의 사회변동 대응능력을 강조하였으며, 쇄신적 가치의 추구와 목표달성도를 의미하는 효과성이 중시되었다.

② **주요 학자:** 기관형성을 중시한 에스만(Esman), 와이드너(Weidner) 등이 있다.

---

[1] 경제대공황과 뉴딜정책
1929년부터 1939년까지 전세계적으로 이어진 경제공황을 1930년대의 경제대공황이라고 한다. 이로 인해 여러 기업이 도산하고 대량 실업이 발생하자 루스벨트 미국 대통령은 실업문제를 해결하고 경제 구조를 개혁하기 위해 뉴딜정책을 시행하였다. 즉, 뉴딜정책은 사회문제를 해결하기 위해 정부가 적극적으로 시장에 개입하려는 움직임이었다.

[2] 공사행정새일원론의 배경
사이먼(Simon)은 조직에 대한 보편적 이론을 구축하기 위해서 정부행정조직만이 아니라 사기업의 조직도 같이 연구하였다. 연구가 진행되면서 대상이 훨씬 많고 실증적 연구가 쉬운 사기업을 위주로 연구하게 되면서 본래의 행정조직의 연구는 차츰 뒷전으로 밀리게 되었다.

(5) 신행정론(New Public Administration, 1970년대)[1]

① **성립배경:** 미국의 정치·경제·사회적 문제에 대하여 종래의 행정이론으로는 문제해결에 어려움을 겪으면서 이에 불만을 품었던 미국의 소장학자들, 특히 1968년의 왈도(Waldo)가 주최한 미노부룩(Minnowbrook) 회의에 참여하였던 젊은 학자들을 중심으로 주장되었던 이론이다. 마리니(Marini)는 이 회의에서 토의된 내용들을 정리하여 『신행정학을 지향하여』라는 제목의 책자를 발간하였다.

② **특징**

㉠ 행정이 능동적이고 책임 있는 역할을 담당해야 함을 촉구하면서, 현실문제해결의 적실성과 사회적 형평성을 함께 강조하였다.

㉡ 행정인은 본래적인 목적수행에 헌신하는 '책임 있는 능동성'을 발휘해야 하고, 행정조직은 이를 뒷받침해야 한다고 보았으며, 참여와 합의를 중시하였다.

③ **주요 학자:** 왈도(Waldo), 프레드릭슨(Fredrickson) 등이 있다. 또한 웜슬리(Wamsley) 등이 제창한 블랙스버그 선언(Blacksburg Manifesto, 1987)*에서도 신행정학의 모습이 잘 구현되어 있다.

(6) 신공공관리론(1980년대)

① **성립배경:** 1980년대 이후부터 정부실패의 문제에 대응하기 위해서 정부의 기능감축을 주장하는 신공공관리론이 등장하였다.

② **특징:** 신공공관리론에 따르면 정부는 경쟁과 고객을 강조하는 시장화 전략을 추구한다.

③ **주요 학자:** 오스본(Osborne), 개블러(Gaebler) 등이 있다.

④ **영향:** 신공공관리론에 대한 대안으로 민주주의 이론에 입각한 공동체이론과 담론에 기초한 신공공서비스론이 등장하였다.

(7) 신국정관리론(뉴거버넌스, 1990년대)

① **성립배경:** 1990년대 이후 시민들의 적극적인 참여를 바탕으로 국가와 시장과 시민사회의 협력을 통해서 국정을 운영하려는 신국정관리론(뉴거버넌스)이 등장하였다.

② **특징**

㉠ 신국정관리론(뉴거버넌스적 입장)에 따르면 신뢰와 협력이 강조되는 서비스 연계망(공동체)에 의한 행정이 중시된다.

㉡ 1990년대의 행정에 대한 개념은 거버넌스로서, 이는 정부의 독점적 서비스가 아니라 '정부·준정부·비정부·비영리·자원봉사조직 등 다양한 조직에 의한 협력적 공공활동'으로 정의된다[프레드릭슨(Fredrickson)의 『행정의 정신』(1997)].

③ **주요 학자:** 피터스(Peters), 로즈(Rhodes) 등이 있다.

[1] 정책화기능설(1970년대)

1. 1950년대 태동한 정책학의 개념을 반영한 것으로서, 행정이 단지 정책의 집행활동이라는 소극적 입장을 거부하고 공공문제의 해결과 관련된 전반적 정책과정에 걸친 광범위한 활동으로 본다.
2. 행정이 공공정책의 수행에 있어서 정책의 결정과 집행에 중요한 역할을 수행하고(정치행정새일원론 = 공사행정새이원론) 갈등현상에 대한 적극적인 대처가 필요하다고 보면서 행정의 모든 활동을 정책분석의 기법과 정책과정의 기술로써 설명하려는 것이다.
3. 앨런스워스(Allensworth), 샤칸스키(Sharkansky) 등이 주요 학자이다.

용어

블랙스버그 선언*: 블랙스버그 선언은 웜슬리(Wamsley), 굿셀(Goodsell), 울프(Wolf), 로어(Rohr) 그리고 화이트(White) 등이 공동선언한 것으로, 미국사회에서 일어나고 있는 필요 이상의 관료공격(bashing bureaucrat), 대통령의 반관료적 성향, 정당정치권의 반정부어조 등 행정의 정당성을 침해하는 정치사회적 문제점을 지적하고 그 원인의 일부를 행정학 연구의 문제점에서 찾았다.

핵심 OX

01 행정관리론은 공사행정일원론의 입장이고, 통치기능론은 공사행정이원론의 입장이다. (O, X)

01 O

핵심정리 **행정학적 행정개념의 비교**

구분	행정관리론	통치기능론	행정행태론	발전행정론	신행정론	신공공관리론	신국정관리론
행정의 본질	사무관리 (집행)	적극적 정책결정	합리적인 의사결정행위	행정주도의 국가발전	현실문제해결	신관리주의와 시장주의	신뢰와 협력의 거버넌스
특징	엽관주의의 폐단 극복	경제대공황 극복	행정의 과학성 추구	개발도상국의 행정발전	선진국의 문제해결	신자유주의, 행정의 시장화	공동체주의, 행정의 정치화
경영과 관계	공사행정 일원론	공사행정 이원론	공사행정 새일원론	공사행정 새이원론	공사행정 새이원론	경영우위 새일원론	공사행정 새이원론
정치와 관계	정치행정 이원론	정치행정 일원론	정치행정 새이원론	행정우위 새일원론	행정우위 새일원론	정치행정 새이원론	정치우위 새일원론
행정이념	(기계적) 능률성	민주성, (사회적) 능률성	합리성, 가치중립성	효과성 (목표달성도)	적실성, 사회적 형평성	생산성 (효율성)	신뢰, 투명성
주요 학자	윌슨 (Wilson), 화이트 (White)	디목 (Dimock), 애플비 (Appleby)	버나드 (Barnard), 사이먼 (Simon)	에스만 (Esman), 와이드너 (Weidner)	왈도 (Waldo), 프레드릭슨 (Fredrickson)	오스본 (Osborne), 개블러 (Gaebler), 프래스트릭 (Plastrik)	피터스 (Peters), 로즈 (Rhodes)

❶ 행정학의 주요 변수

1. 행정의 변수

행정의 3대 변수	구조, 인간, 환경
행정의 4대 변수	구조, 인간, 환경, 기능
행정의 5대 변수	구조, 인간, 환경, 기능, 가치관(이념)

2. 정책의 변수

정책의 3대 변수	정책목표, 정책수단, 정책대상집단
정책의 4대 변수	정책목표, 정책수단, 정책대상집단, 정책결정 주체

3. 조직구조의 변수

조직구조의 기본변수	복잡성, 공식성, 집권성
조직구조의 상황변수	규모, 과업, 기술, 환경, 문화

4. 인사행정의 변수

인사행정의 3대 변수	임용, 능력발전, 사기 앙양
실적주의의 3대 변수	정치적 중립성, 신분 보장, 기회균등

2 행정의 변수❶

1. 의의

(1) 행정의 변수는 '행정행위에 영향을 미치는 요인', 즉 행정현상을 야기시키는 요인이 무엇인가에 대한 것이다. 일반적으로 행정의 3대 변수로는 구조, 인간, 환경이 있다. 4대 변수는 여기에 기능을 포함하며, 5대 변수는 가치관과 태도까지 포함한다.

(2) 행정의 변수 중 무엇이 강조되었는가는 행정학의 발달과정과 관련되며, 국가나 시대적 상황에 따라 다르다.

2. 변수

(1) 구조

① **개념**: 정부형태, 법령체계, 정부조직, 업무의 배분, 권한이나 책임, 의사전달체제, 집권과 분권, 행정기구 등과 관련되는 공식적 요인과 제도일반을 의미한다. 이는 고전적 이론에서 중시되었다.

② **관련 이론**: 기계적 능률을 강조한 '과학적 관리론', 피라미드 형태의 조직구조를 강조한 '관료제이론', '행정관리론', '조직원리론' 등이 있다.

(2) 인간

① **개념**: 인간의 행태(가치관, 태도, 신념)로서 지식, 기술, 인간관계, 귀속감 등 사회적 · 심리적 · 비공식적 요인을 의미한다. 이는 신고전적 조직이론에서 중시되었다.

② **관련 이론**: 비공식적 조직과 인간의 심리적 측면을 강조한 '인간관계론', 인간행태를 과학적으로 분석한 '행정행태론' 등이 있다.

(3) 환경

① **개념:** 행정을 둘러싸고 있는 정치 · 경제 · 사회 · 문화 등의 외부환경을 의미한다.

② **관련 이론:** 외부환경을 최초로 인식한 '생태론', 환경을 바탕으로 한 거시적 체제 연구 경향인 '체제론' 등이 있다.

(4) 기능

① **개념:** 제도나 규칙이 수행하는 기능, 즉 정부의 실제 수행 업무를 의미한다.

② **관련 이론:** 구조기능주의적 접근을 강조하는 '비교행정론' 등이 있다.

(5) 가치관과 태도❶

① **개념:** 변동대응능력을 가진 인간의 창의적 · 쇄신적 가치관과 태도를 의미한다. 이는 인간의 적극적 측면이나 독립변수적 역할에 해당한다.

② **관련 이론:** 쇄신적 관료를 중시한 '발전행정론', 사회적 형평성을 강조한 '신행정론' 등이 있다.

개념PLUS **행정이론의 변천에 따른 주요 행정변수의 변화**

행정학의 발달과정에 따라 시기별로 강조되었던 행정변수는 모두 다르다.

구분	제1기	제2기	제3기		제4기
시기	1880~1920년대	1930~1940년대	1950년대		1960~1970년대
행정이론	· 과학적 관리론 · 관료제이론 · 행정관리설	· 인간관계론 · 행정행태론	· 생태론 · 체제론	비교 행정론	· 발전행정론 · 신행정론
행정변수	구조	인간	환경	기능	가치관과 태도

❶ 가치관과 태도를 강조한 이론
1. **파이(pie)의 법칙:** 스코트(Scott)는 파이가 고정되어 있다는 생각은 소극적 · 침체적 가치관(X이론)이며, 파이가 확대된다는 생각은 적극적 · 쇄신적 가치관(Y이론)이라고 하였다.
2. **맥클리랜드(McClelland):** 조직발전의 중요한 요소를 '성취동기'로 보았다.

3 행정과정

1. 의의

행정과정이란 합리적인 수단을 통해 행정목표를 달성하는 일련의 연쇄적 과정으로, 행정은 행정과정을 통해 합리성을 확보하고 사회적 욕구를 충족시키며 사회를 발전시킨다.

2. 전통적 행정과정

(1) 체제론적 접근과 귤릭(Gulick)의 POSDCoRB

① 전통적 행정과정으로는 행정체제를 하나의 살아있는 유기체로 보는 체제론적 접근법과 귤릭(Gulick)의 접근법이 대표적이다.

② 귤릭(Gulick)은 1937년 『행정학논총』에서 행정관리에서의 원리를 제시하였으며, 행정에서 제일 중요한 제1의 공리로 능률을 제시하였다. 귤릭(Gulick)이 제시한 최고관리자의 기능은 POSDCoRB로 압축되는데 이는 기획(Planning)❷, 조직화(Organizing), 인사(Staffing), 지휘(Directing), 조정(Coordinating), 보고(Reporting), 예산(Budgeting)이다.

❷ POSDCoRB의 P
P는 Planning으로 기획을 의미하나 여기서의 기획기능은 구체적인 수단(how, when)에 관한 것으로서, 목표를 설정하고(where) 정책을 수립하는 기획기능과는 거리가 먼 것으로 정태적 · 수단적 차원에서 파악한 과정이다(행정관리설, 정치행정이원론).

핵심 OX

01 행정의 3대 변수는 구조, 인간, 환경인데 여기에 비교행정론의 주요 변수인 기능과 발전행정론의 주요 변수인 가치관 및 태도를 추가하면 4대 또는 5대 변수가 된다. (O, X)

02 발전행정론과 신행정론은 모두 행정변수로서 행정인의 역할을 중시한다. (O, X)

01 O
02 O

(2) 단계

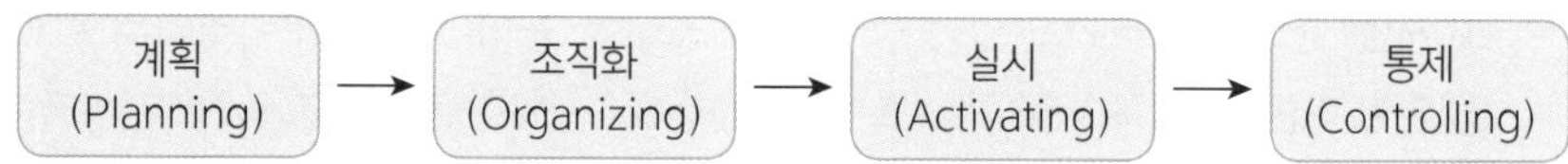

3. 현대적 행정과정

(1) 특징

① **정치행정일원론·발전행정론적 관점:** 행정을 목표와 수단의 연쇄과정으로 파악하고 목표설정 및 정책결정과정을 중시하므로, 전통적 행정과정보다 내용과 폭이 다양하다.

② **환류 중시:** 행정의 결과를 분석·검토하는 평가와 환류의 과정을 새로이 추가하여 환경과의 상호작용을 고려한다.

③ **동작화 중시:** 강제적인 지시·명령보다는 동기부여에 의한 자발적인 동작화 과정을 중시한다.

(2) 단계

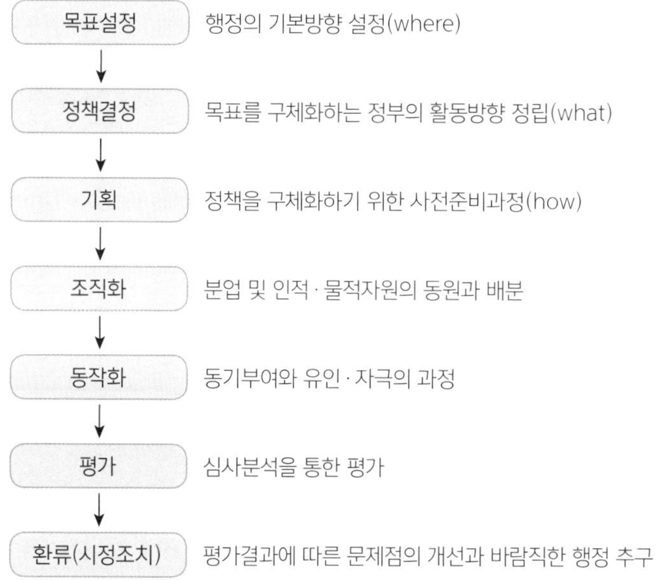

핵심 OX

01 전통적 행정과정에서 기획은 체제론적 관점에서 구체적 수단을 추구하는 정태적·수단적인 개념인 데 비해서, 현대적 행정과정의 기획은 발전행정론적 관점에서 동태적·목적지향적 관점이다. (O, X)

01 O

2 행정학의 성격

1 과학성과 기술성

행정학은 과학성(science)과 기술성(art)을 가지고 있다. 사이먼(Simon)은 과학성을, 왈도(Waldo)는 기술성을 강조하면서 행정학의 양면적 성격을 인정하고 있다.

1. 과학성(science) - why

(1) 연구방법 - 논리실증주의

① 자연과학적 방법을 도입하여 '이론 → 가설 → 사실조사 → 검증 → 이론정립'이라는 과정을 통해서 연구한다.

② 행정이론이나 모델을 구성할 때에는 논리의 치밀성, 개념의 조작적 정의, 가설의 경험적 검증, 자료의 수량적 처리 등을 강조하여 방법론적으로 엄밀성을 추구한다.

(2) 목적 - 이론적 체계의 구축

① 행정학의 과학성은 행정현상과 관련하여 견고한 이론적 체계를 구축할 수 있고, 동시에 이를 통해 행정현상을 설명하고 예측할 수 있느냐에 관한 것이다.

② '왜(why)'를 중심으로 설명성 · 인과성 · 객관성을 강조한다.

(3) 관련 이론

정치의 영역으로부터 행정을 분리시켜 합리성과 과학성을 증진시키려는 정치행정이원론(공사행정일원론)적 행정연구와 밀접한 관련이 있다.

(4) 주요 학자

사이먼(Simon), 란다우(Landau) 등이 있다.

2. 기술성(Art) - how

(1) 연구방법 - 문제해결의 기법 탐구

기술성은 실제 적용과정에 초점을 두고 현실문제해결이나 목표달성을 위한 기법을 탐구한다.

(2) 목적 - 실제적 처방

① 행정의 기술성은 '어떻게(how)'를 중심으로 행정연구나 현실행정에 있어서 실천성과 처방성을 중시한다.

② 행정의 활동 자체 또는 처방하고 치료하는 행위(Waldo)를 말하며, 정해진 목표를 효율적으로 성취하는 방법을 연구한다.

(3) 관련 이론

행정의 적극적 정치영역의 개입을 의미하는 정치행정일원론(공사행정이원론) 계열의 행정연구와 밀접한 관련이 있다.

(4) 주요 학자

왈도(Waldo), 세이어(Sayre)[1] 등이 있다.

3. 행정학의 종합적 성격

행정의 기술성과 과학성에 대한 논쟁은 행정의 기술성과 과학성 중 어느 측면을 더욱 중시하느냐의 문제이다. 이러한 논쟁은 역사적 · 사회적 상황과 관련된 것으로서 현대행정은 과학성과 기술성이라는 양면성을 가지고 있으나 또한 상호 보완적이다.

[1] 세이어(Sayre)의 법칙(1947)
행정은 중요하지 않은 것만 경영과 같다. 즉, 중요한 것은 다르다는 주장이다. 행정은 정치성과 권력성이 강하므로 경영과 본질이 다르고 정치와 같다는 정치행정일원론의 의미이다.

핵심 OX

01 행정학에서 과학성을 강조하는 입장은 공사행정일원론과 밀접한 관련이 있다. (O, X)

01 O

2 가치중립성과 가치판단(불가피)성

1. 가치중립성

(1) 개념

연구자의 주관적 판단을 배제하고 객관적인 하나의 현실이나 사실로서 이해하고 파악하려는 학문상의 태도이다(사실 중시). 이는 정치행정이원론(공사행정일원론)과 관련이 있다.

(2) 관련 이론

윌슨(Wilson)과 테일러(Taylor)가 대표적인 기술적 행정학과, 사이먼(Simon)이 대표적인 행정행태론에서 가치중립성이 강조되었다.

2. 가치판단성

(1) 개념

어떤 현상이 올바르고 바람직한지를 판단하려는 태도이다(가치문제 중시). 행정은 가치판단이 개입된 규범적이고 실천적인 연구를 추구한다. 이는 정치행정일원론(공사행정이원론)과 관련이 있다.

(2) 관련 이론

통치기능설과 발전행정론, 신행정론 등에서 가치판단성이 강조되었다.

3 보편성과 특수성

1. 보편성 - 일반법칙적 접근

(1) 개념

행정현상에 있어서 시대나 상황을 초월하여 존재하는 일반적 법칙이 있다고 보는 입장이다.

(2) 적용

각종 행정문제의 해결을 위해서 선진국의 제도를 고찰하고 도입하는 것의 근거가 된다.

㉄ 선진국의 성과급제도가 개발도상국에서도 그대로 제도적 효과가 발현될 것이라고 믿는 현상(성과급제도는 시대나 상황을 초월해 합리적인 보수체계라 생각되기 때문)

(3) 관련 이론

1940년대 행정행태론이나 1950년대 비교행정론에서 주로 연구된 것으로서, 행정학의 일반이론을 구축하려는 노력과 관계된다.

2. 특수성 - 개별사례적 접근

(1) 개념

행정학의 보편성이 존재한다는 것과 반대되는 입장으로, 시대나 상황을 초월하는 일반적 법칙은 존재하지 않고 그 역사적 · 시대적 상황에 따라 행정은 달라진다고 보는 입장이다.

(2) 적용

① 행정제도 이식의 실패현상과 관련된다.

㉕ 성과급제도가 선진국에서는 능률 향상을 위한 적절한 유인체제가 되지만, 개발도상국에 그대로 도입하게 되면 권위주의적 · 계층주의적 행정문화로 인해 왜곡되는 현상이 나타남

② 각 국가의 특수한 문화적 맥락과 환경 등을 고려해야 하는 필요성에 대한 근거가 된다.

3 행정의 기능

1 의의

1. 개념

(1) 행정의 기능이란 정부가 '하는 일', 즉 정부가 제도상 또는 사실상 담당하여 처리하는 행정사무를 말한다.

(2) 현대의 행정기능은 고도의 다양성과 복잡성을 띠고 있다.

2. 소극적 기능과 적극적 기능

(1) 소극적 기능(19세기 행정)

① 정치적으로 서구는 사회계약설 이래 국가로부터 국민의 자유와 재산권의 보장을 가장 중요한 가치로 여겨왔다. 따라서 국민이나 사회에 대한 국가의 간섭은 국방, 외교, 공공재의 생산 등 공적인 부분에만 국한되어 최소한으로 이루어졌다.

② 경제적으로 스미스(Smith)의 '보이지 않는 손', 즉 시장가격체계에 의한 원활한 조정기능을 절대적으로 확신하였기 때문에 정부의 경제적 영역이나 복지영역에 대한 간섭은 배제되었다.

③ 피고스(Pigors)는 '사회의 안정자와 전통의 수호자'로서의 정부기능을 강조하였고, 제퍼슨(Jefferson)은 '최소의 행정이 최선의 행정'이라고 강조하였다.

(2) 적극적 기능(20세기 행정)

① **미국**: 1929년에 경기침체와 실업으로 인한 경제대공황을 겪었는데, 이러한 상황에서 케인즈(Keynes)적 총수요확장정책*이 필요하였다. 또한 제2차 세계대전을 끝으로 냉전이 시작됨에 따라 미국이 세계의 공산화를 막기 위해 많은 해외원조를 하는 과정에서 정부의 기능이 커졌다.

② **개발도상국**: 서구의 지원을 받아 국가발전, 특히 경제발전을 달성하기 위해서 정부와 관료가 중심이 되어 행정이 적극적인 역할을 하였다.

③ 20세기 행정기능은 계획과 변동의 촉진을 강조하였으며, 유사한 맥락에서 아담스(Adams)는 행정의 적극적 기능을 강조하였다.

용어

총수요확장정책*: 1930년대 극심한 경제위기상황에서 케인즈(Keynes)는 "공급은 무한히 존재하지만 수요가 부족하여 경제위기가 초래되었으므로 정부가 적극적인 총수요관리정책을 펼쳐야 한다."라고 보았다. 즉, 각종 일자리를 만들어 유효수요를 창출하고 이를 통해서 소비를 촉진시키면, 소비는 다시 기업들의 투자를 증가시키고, 이는 다시 일자리를 창출시켜 국민경제가 활성화될 것이라고 보는 견해이다.

핵심 OX

01 개발도상국에서 우수한 외국제도도입의 실패는 행정학의 보편성과 관련된다. (O, X)

01 X 행정문화나 체제가 가지고 있는 고유한 문제를 고려하지 못한 것과 관련되므로 행정의 특수성과 관련된다.

2 우리나라 행정기능의 분류

1. 성질별 분류[1]

규제행정기능, 지원 · 조장행정기능, 중재 · 조정행정기능, 기업행정기능으로 구분할 수 있다. 이 중 규제행정기능의 비중이 가장 높다.

(1) 규제행정기능

법령에 기초하여 국민의 권리나 자유를 제한하는 기능이다. ㉠ 인 · 허가 등

(2) 지원 · 조장행정기능

정부가 직접 사업의 주체가 되어 공적 서비스를 제공하는 기능이다. ㉠ SOC 건설 등

(3) 중재 · 조정행정기능

이해관계나 갈등에 대한 조정으로 합의를 도출하는 기능이다. ㉠ 노사분쟁조정 등

(4) 기업행정기능

정부기업이나 공기업 등을 통한 수익사업기능이다. ㉠ 조달, 양곡관리, LH공사 등

2. 과정별 분류

정책(결정)기능과 집행기능으로 구분할 수 있으며, 이 중 집행기능의 비중이 더 높다.

3. 주체별 분류

중앙기능과 지방기능으로 구분할 수 있으며, 이 중 중앙기능의 비중이 더 높다.

고득점 공략 진보주의 정부와 보수주의 정부

구분	진보주의 정부[2]	보수주의 정부
이데올로기	좌파	우파
인간관	경제인관 부정 – 루소(Rousseau)의 인간관	경제인관 인정 – 홉스(Hobbes)의 인간관
자유	적극적 자유	소극적 자유
평등	결과의 평등(실질적 평등)	기회의 평등(형식적 평등)
시장	시장의 잠재력은 인정, 문제발생 시 정부개입	자유시장의 자율성을 강조, 정부개입 반대
정책방향	소외집단을 위한 정부의 적극개입 선호	소외집단을 위한 정부의 적극개입 선호하지 않음
정부규제	시장실패 치료를 위한 정부규제 선호	시장에 대한 정부규제 선호하지 않음(자유시장 신뢰)
재분배정책	선호	선호하지 않음
이념	형평성(수직적 공평)	효율성(수평적 공평)

[1] 학자별 행정기능의 분류
1. **디목(Dimock)의 분류:** 보안기능, 규제기능, 원호기능, 직접봉사기능
2. **케이든(Caiden)의 분류:** 사회안정기능, 국민형성기능, 경제관리기능, 사회복지기능, 환경통제기능, 인권기능
3. **알몬드와 파웰(Almond & Powell)의 국가발전단계에 따른 행정기능의 변화:** 국가형성단계 → 국민형성단계 → 경제발전단계 → 참여단계 → 분배단계

[2] 진보주의의 정부개입
진보주의도 번영과 진보에 대한 자유시장의 잠재력을 부인하지는 않지만 시장에는 문제가 발생할 우려가 있으므로 정부가 개입하여 문제를 해결해야 한다고 본다.

4 행정과 환경

행정은 여러 가지 환경과 상호작용하고 있다. 행정을 둘러싼 환경은 크게 경영, 정치, 법, 사회 등이 있다.

1 행정과 경영(공행정과 사행정)

1. 의의❶❷

양자의 유사점은 수단으로서의 'administration' 측면을, 차이점은 목적으로서의 'public'과 'private' 측면을 고려하였을 때 두드러진다.

2. 유사점

(1) 목표달성을 위한 수단

행정과 경영은 추구하는 목표는 다르나, 그 목표를 달성하기 위한 수단적 성격을 띤다는 점에서는 유사하다.

(2) 관료제적 및 탈관료제적 성격

행정조직뿐만 아니라 경영조직의 경우에도 어느 정도의 관료제가 구축되어 있으며, 최근에는 양자 모두 환경변화에 따른 탈관료제적 성격도 띠고 있다. 즉, 정도의 차이에 불과하다.

(3) 관리기법이나 기술

행정과 경영은 모두 사무관리나 집행, 통제 등에서 유사점을 지닌다. 즉, 주어진 목표달성을 위해서 최선의 행정관리를 동원하며, 능률적 행정을 위해서 집행과 통제 등이 강조된다.

(4) 합리적 의사결정과정

행정과 경영은 모두 목적달성을 위한 합리적 의사결정과정이라는 점에서 유사하다. 사이먼(Simon)은 행정의 본질을 합리적 의사결정이라고 보고 있다.

(5) 협동적 행위

행정과 경영은 모두 목표의 효율적인 달성을 위해서는 개인이 아닌 조직이나 집단의 협동이 필요하다.

(6) 봉사성

행정은 국민에 대한 봉사, 경영은 고객에 대한 봉사라는 측면에서 유사점을 지닌다.

❶ 행정과 경영의 관계 변천

관계	관련 이론
공사행정일원론	행정관리론 (~1930)
공사행정이원론	통치기능론 (1930~1940)
공사행정새일원론	행정행태론 (1940~1960)
공사행정새이원론	발전행정론, 신행정론 (1960~1970)
경영우위 새일원론	신공공관리론 (1980~)
공사행정새이원론	신국정관리론 (1990~)

❷ 행정과 경영의 관계에 대한 견해

1. **케이든(Caiden)**: 양자의 관계를 명확히 설정한다는 것은 어려운 일이다.
2. **사이먼(Simon)**: 양자의 차이는 본질적인 것이 아니라 양·정도상의 차이에 불과하다.
3. **세이어(Sayre)의 법칙**: 공사행정은 모든 중요하지 않은 점에 있어서는 같다(공사행정이원론적 입장).

핵심 OX

01 행정은 봉사성이 있지만 경영은 봉사성이 있다고 보기 어렵다. (O, X)

01 X 행정은 국민에 대한 봉사, 경영은 고객에 대한 봉사라는 측면에서 공통점을 갖는다.

3. 차이점

(1) 주체

행정의 주체는 정부 · 공공단체이나, 경영의 주체는 민간단체 · 사기업이다.

(2) 목적

행정은 국민의 복리증진 등의 공익을 추구하나, 경영은 이윤극대화를 추구한다. 이는 행정과 경영의 가장 중요한 차이점이다.

(3) 규모 및 영향력

행정은 전체 국민을 대상으로 하여 규모와 영향력이 크지만, 경영은 상대적으로 규모와 영향력이 미치는 범위가 작다.

(4) 정치성의 강약❶

행정은 정치적 성격을 가지고 공권력을 배경으로 행해지나, 경영은 정치적 제약이 약한 경우가 많다. 즉, 행정에는 주로 정치적 합리성이, 경영에는 주로 경제적 합리성이 중요하다.

❶ 행정과 정치의 관계 변천

관계	관련 이론
정치행정이원론	행정관리론 (~1930)
정치행정일원론	통치기능론 (1930~1940)
정치행정새이원론	행정행태론 (1940~1960)
행정우위 새일원론	발전행정론, 신행정론 (1960~1970)
정치행정새이원론 (탈정치화)	신공공관리론 (1980~)
정치우위 새일원론 (재정치화)	신국정관리론 (1990~)

(5) 권력성 여부

행정은 권력적 성격이 강하나, 경영은 권력적 성격이 약하다.

(6) 독점성 정도

행정은 독점적 공급자인 경우가 많고, 경영은 독점성이 완화된다. 즉, 행정은 정부가 단독적으로 공공서비스를 제공하지만, 경영은 기업이 다른 다수의 경쟁기업과의 관계 속에서 재화와 서비스를 공급하게 된다.

(7) 법적 규제 정도

행정은 법에 따른 집행을 원칙으로 하므로 법적 규제가 강한 편이지만, 경영은 이러한 법적 규제가 완화된다.

(8) 평등원칙의 적용 정도

행정은 '시민의 권리'를 강조하기 때문에 평등원칙이 엄격히 적용되지만, 경영은 '수익자 민주주의'가 적용되는 경우가 많아 평등원칙이 약하게 적용된다.

(9) 능률성 척도

행정은 일률적 계량화가 불가능한 경우가 많으나, 경영은 상대적으로 측정(계량화)이 가능한 경우가 많다.

㉥ '치안서비스의 확립'은 명확한 계량화가 불가능하나(행정), '이윤 매출액 200억 원'은 구체적으로 측정이 가능함(경영)

(10) 경쟁성 정도

행정은 독점적 서비스 공급으로 경쟁력이 약하지만, 경영은 완전경쟁체제하에서 이루어지므로 경쟁력이 강하다.

핵심정리 행정과 경영의 차이점

구분	행정(공행정)	경영(사행정)
주체	정부·국가	민간기업·사기업
목적	국민의 복리증진, 다원적	사익 이윤극대화, 일원적
규모 및 영향력	큼	작음
정치성 강약	정치적 합리성	경제적 합리성
권력성 여부	권력적 성격	비권력적 성격
독점성 정도	강함	약함
법적 규제 정도	강함	완화
평등원칙 적용 정도	강함	약함
능률성 척도	일률적 계량화 곤란	계량화 용이
경쟁성 정도	약함	강함

4. 최근의 경향(행정과 경영의 상대화)

(1) 행정의 경영화

최근에 행정의 시장원리 도입이 확대되어 민영화·민간위탁 등 행정의 경영화가 확산되고 있다.

(2) 경영의 공적 특성 강화

경영조직(사기업)의 경우, 사회적 책임성 및 윤리성의 요구에 따라 완전한 시장논리에 의해서는 기업을 운영하기가 어려워지고 있다. 또한 그 규모가 커져서 국민들에 대한 영향력의 범위가 확대되고 있으며, 과거보다 더 큰 법적 책임을 요구받기도 한다.

2 행정과 법(법치행정)

1. 의의

헌법은 모든 국가작용의 근원과 정당성의 근거를 이루기 때문에 행정도 헌법에 의해 정당화되며, 헌법의 테두리 안에서 이루어져야 한다. 입헌주의 정신의 핵심은 기본권 보장과 권력분립 및 법치주의이다.

2. 행정의 법적 기초(입헌주의)

(1) 기본권 보장

국민에게 부여된 자유와 평등의 기본권을 행정이 침해해서는 안 되며, 주권자인 국민의 인간으로서의 존엄과 가치를 존중하고 인간다운 삶을 보장하여야 한다.

(2) 권력분립

국가권력을 구성하는 삼권을 분립시켜 상호 간의 견제와 균형을 보장하는 자유주의적인 국가 통치구조의 원리이다. 국가권력의 남용을 방지하고 불법적인 권력의 행사로부터 국민의 기본권을 보장할 수 있다.

(3) 법치주의

국가권력을 헌법 질서 내에서 통제함으로써 국민의 기본권을 보장하기 위한 국가기관의 통치원리이다. 법치행정의 원리는 다음의 세 가지 요소로 구성된다.

① **법률의 법규 창조력:** 입법권은 의회의 전속 권한으로, 행정권은 입법권에 의한 수권(授權)이 없는 한 법규를 창조할 수 없다는 원칙이다.

② **법률의 우위:** 모든 법규는 행정에 우선하고, 행정은 그 법규에 위반되는 행위를 해서는 안 된다는 원칙이다(소극적 의미의 행정의 법률적합성).

③ **법률의 유보:** 행정은 법률에 근거하여 이루어져야 한다는 원칙이다(적극적 의미의 행정의 법률적합성).

고득점 공략 행정과 법의 관계

1. 법의 행정에 대한 작용(법이 행정에 미치는 영향)

① **합법적 권위의 원천:** 각종 법규는 행정에 합리적이고 법적인 권위를 부여하는 원천이다(Weber).

② **행정의 근거와 한계 설정:** 법은 행정작용의 근거와 한계를 이루는 동시에 행정활동의 기준으로 기능한다.

③ **행정과정에 대한 통제를 통한 책임성 확보:** 적법절차 및 행정절차에 대한 통제(「행정절차법」, 「공공기관의 정보공개에 관한 법률」, 「개인정보 보호법」 등)와 행정행위에 대한 사법적 심사를 통한 권리구제(「행정소송법」, 「행정심판법」 등) 등을 통해 국민의 자유와 권리를 보장하며 행정의 책임성을 확보할 수 있다.

④ **정책 및 행정관리를 위한 도구:** 법은 정부의 정책형성 및 집행을 위한 수단인 동시에 법 자체가 정책형성의 산물이기도 하다. 또한 법은 행정관리와 갈등 조정을 위한 도구로서의 역할을 수행한다.

⑤ **예측가능성과 법적 안정성 보장:** 법률에 의한 행정은 행정의 자의적인 권력 행사로부터 국민을 보호함과 아울러 행정작용의 예측가능성과 법적 안정성을 보장하는 기능을 수행한다.

2. 행정의 법에 대한 작용(행정이 법에 미치는 영향)

① **법 집행으로서의 행정:** 행정은 법을 통해 표현된 정책을 구체화 · 현실화한다. 이는 행정의 가장 전통적인 기능 중 하나이다.

② **행정의 준입법적 기능:** 행정은 환류과정을 통해 정책결정 및 입법에 영향을 미친다. 또한 최근에는 입법부의 전문성 저하로 인해서 위임입법 등 입법의 행정주도 경향이 나타나고 있다.

③ **행정의 준사법적 기능:** 합의제 행정기관(위원회)에 의한 준사법적 심판기능을 수행하기도 하며, 행정쟁송에서 행정기관이 이를 직접 심리 · 재결하는 행정심판이 이루어지기도 한다.

3. 행정과 법의 갈등 및 보완관계(합법성과 효율성의 관계)

① 법은 기본적으로 정적이고 현상유지적 규범으로서의 성격을 내포하고 있는 데 비해, 행정은 동적이고 미래형성적인 국가목표달성 행위로서의 성격을 내포하고 있어 법의 안정성과 행정의 역동성이 상충되는 갈등관계에 놓일 수 있다. 따라서 행정과 법이 충돌할 경우에는 합법성이라는 제약으로 인하여 행정의 효율성이 저해될 수 있다.

② 합법성과 효율성이 항상 서로 상충되는 관계인 것만은 아니며, 보완적 관계로 작용하기도 한다.

3 행정과 시민사회

1. 시민사회의 의의[1]

행정과 사회의 관계를 이해하는 데 있어서 가장 중요한 것이 시민사회이다. 시민사회는 공익이나 집단적 이익의 보호·증진을 위하여 집단행동을 하는 자발적이고 매개적인 사회적 집단의 집합체이다.

2. 시민사회의 주요 특징

(1) 사회적 집단의 집합체[2]

시민사회의 기본적인 구성단위는 사회적 집단이다. 사회적 집단에는 이익집단(압력단체), 시민운동단체, 비영리조직(NPO), 비정부조직(NGO) 등이 포함된다.

(2) 자발적 구성

시민사회의 구성집단들은 구성원들의 자발적 참여에 의해 구성되었다.

(3) 매개적 집단

시민사회의 구성집단들은 국가와 시민의 상호작용을 매개하는 집단으로 국가작용에 대한 시민참여를 강화시키는 데 기여한다.

(4) 느슨한 연계

시민사회의 구성집단들 간의 관계는 느슨한 것으로서 어느 한 집단에 완전하게 소속된다고 볼 수는 없다. 이와 같은 느슨한 형태의 연계를 '상대적 독자성'이라고 한다.

(5) 자유주의 국가

시민사회의 기본전제로서 자유주의를 지향한다. 시민사회의 구성과 활동은 언론·집회·결사의 자유가 보장된 자유주의 국가에서만 실현이 가능하기 때문이다.

3. 시민단체 해석을 위한 관점

(1) 결사체 민주주의

이상적인 사회는 NGO 등의 결사체적 자원조직들이 많이 생겨서 효과적으로 활동하며 사회적 의미를 부여하는 것이다. 바람직한 정부의 역할은 결사체들이 성장하고 활동하면서 서로 경쟁하도록 보장할 수 있어야 한다.

(2) 공동체주의

개인의 자유를 중시하는 전통적 자유주의와 개인의 책임을 강조하는 보수주의를 절충한 입장이다. 공동체를 위한 책임 있는 개인의 봉사정신을 강조한다.

(3) 다원주의

이익집단에 기반한 사회적 다원성을 전제로 한다. 시민사회와 시민단체의 등장을 이익집단에 기반하여 효과적으로 설명할 수 있다.

(4) 사회자본론

시민의 자발적 참여에 의해 생산되는 신뢰와 같은 무형의 자본을 중시한다. 사회자본론은 시민사회와 시민단체에 대해 의미 있는 해석을 강화한다.

[1] 시민사회의 변화와 현대 시민사회

1. 19세기 시민혁명을 통해서 수립된 근대 시민사회는 20세기 행정국가화로 인하여 역할을 상실하게 되었다. 이후 거대한 관료제에 의한 정부실패가 발생하였고 이에 대한 대안으로서 20세기 말 신자유주의, 참여민주주의의 확산과 함께 재평가되고 있는 것이 현대적인 의미의 시민사회이다.
2. 현대 시민사회의 각종 사회문제에 대한 진단과 처방을 제시하는 데 있어서 비정부조직(NGO)이 중요한 역할을 하고 있다.

[2] 비영리단체와 비정부조직의 차이

구분	비영리단체 (NPO)	비정부조직 (NGO)
초점	비영리성	비정부성
특징	자발성, 공익성, 자율성, 이익의 비배분성	자발성, 공익성, 비영리성
사용 국가	미국	UN, 유럽, 제3세계 국가

4 비정부조직(NGO)

1. 의의 및 특징

(1) 의의

① **비정부조직(NGO; Non-Governmental Organization):** 자원봉사주의에 입각하여 공공목적의 실현을 위해 자발적·능동적으로 참여하는 공식조직이다.

② NGO는 대중적 풀뿌리조직, 지역공동체, 민중단체, 자조적 기관 등을 말하며 '제5의 힘' 또는 '시민의 힘'에 비유되기도 한다.

③ 노동조합, 정당, 정부가 설립한 민관혼합기관, 회원들의 이익을 추구하는 이익단체, 회원가입이 강제적인 직능단체 등은 제외된다.

④ **공동생산:** NGO에 의한 자발적인 봉사활동을 공동생산이라고 한다. 종래의 계급혁명적인 운동방식을 극복하고 새롭게 생활개선이나 정책개혁적인 역할을 수행하기 때문에 신시민운동으로 이해된다.

(2) 등장배경

① **시장실패(계약실패)의 극복:** 이윤극대화를 추구하는 시장에서 개인은 열악한 지위를 가지기 때문에 불리하다. 또한 시장에서는 생산자와 소비자 간의 정보획득능력의 차이로 인하여 계약실패가 발생할 수 있다. 이에 대한 대안으로서 NGO가 등장하였다.

② **정부실패의 극복:** 권력독점과 정부정책의 파생적 외부효과, 통제 메커니즘의 부재로 인한 정부실패를 극복할 수 있는 수단이다.

③ **공공재의 공급문제해결:** 공공재의 비배제성으로 인한 무임승차문제의 해결책이 될 수 있다.

④ **행정환경의 변화:** 세계화·지방화·정보화·민주화·민간화(복권화) 등 다양한 환경변화 때문에 NGO가 등장하게 되었다.

(3) 특징[1]

① **제3섹터의 조직:** 제3섹터로서 정부 및 시장과는 독립적으로 운영되는 민간조직(사적 조직)이다.

② **비영리 조직:** 무보수성·이타성을 지니며 편익의 배분을 금지한다.

③ **자발적 자치조직:** 시민의 자발적인 참여에 의한 자기통치성을 가진다.

④ **공식적 조직:** 공식적이고 제도적인 조직이다. 즉, 정기적인 회의와 사업을 수행하고 정관 또는 회칙을 갖춘 조직이다. 『UN헌장』에서도 NGO를 공식적인 협의대상기구로서 인정하고 있다.

⑤ **지속적 조직:** 조직이 일시적·임시적 모임으로 그치는 것이 아니라 지속성을 가진다.

[1] 준(비)정부조직[QUA(N)GO]

1. **준(비)정부조직의 영역:** 민간부문이 비영리활동을 수행하거나 공공기관이 영리활동을 수행하는 영역을 준(비)정부조직이라 하며, 아래 표의 제3섹터에 해당한다.

구분		주체	
		공공 부문	민간 부문
목적	영리	제3섹터 (QUAGO)	제2섹터 (민간의 시장)
	비영리	제1섹터 (정부)	제3섹터 (QUANGO)

- 제1섹터: 공공부문의 비영리활동 영역
- 제2섹터: 민간부문의 영리활동 영역(시장)
- 제3섹터: 민간부문의 비영리활동 또는 공공부문의 영리활동 영역

2. QUAGO와 QUANGO

광의의 중간조직(제3섹터)	
준정부조직 (QUAGO)	준(비)정부조직 (QUANGO)
법적으로 정부조직은 아니지만 공공부문에 속하며 공적 기능을 수행하는 준정부기관 ㉠ 공기업(자체수입이 50% 이상인 경우), 재단, 공단	법적으로 사적 부문이지만 공적 기능을 수행하는 영역으로 국가와 긴밀한 관계를 맺기도 함 ㉠ 관변단체

2. 정부와 NGO와의 관계

(1) 일반적 관계

대체적 관계	정부가 가진 다양한 정치적·기술적 한계로 인해 시민들에게 제공해야 할 공공재의 공급을 NGO가 대신 맡게 되는 경우이다.
보완적 관계	· 정부와 NGO가 서로 긴밀한 협조관계에 있게 되는 경우이다. · 보완적 관계는 NGO가 생산하는 공공재나 집합재의 생산비용을 정부가 지원하는 경우 형성된다.
대립적 관계	· 국가와 NGO 간에 공공재의 성격이나 공급에 대해 근본적으로 시각의 차이를 보이고 있기 때문에 긴장상태에 있게 되는 경우이다. · 양자 간에 서로 투명한 활동을 위해 상호감시하는 관계이다.
의존적 관계	개발도상국과 같은 급속한 산업화 과정에서 정부가 지지나 자원의 필요성을 위해 특정한 NGO의 성장을 유도해 온 경우이다.
동반자 관계	· 독립된 파트너로서 서로의 존재를 인정하고 협력하는 경우이다. · 최근에 점차 일반화되고 있는 바람직한 관계모형이다.

(2) 정부와 NGO와의 관계 변화

NGO의 조직화 방식의 변화로 인해 정부와 NGO와의 관계를 보는 시각은 초기의 협력이냐 갈등이냐의 이분법적이고 단선적인 권력관계적 시각에서 최근에는 매우 중층적이고 복잡한 관계로 바뀌고 있다.

3. 기능과 한계

시민사회에서 주도적인 역할을 수행하는 NGO도 신시민운동의 일환으로서 긍정적인 기능과 함께 파벌을 통한 기능적 한계, 이상주의나 책임성의 실패 등 부정적인 측면을 가지고 있다. 즉, NGO는 '파벌의 해악(Madison)'과 '결사의 예술 (Toqueville)'이라는 두 가지 측면을 갖는다.

(1) NGO의 역할과 기능

① **정부실패 및 시장실패의 보완:** 정부실패와 시장실패 등 정부와 시장이 대응하지 못하는 부분을 보완한다.

② **공공서비스의 공급주체:** 공공재나 재해구조, 사회봉사 등의 공공서비스를 NGO가 직접 공급함으로써 정부조직의 확대 없이 공공서비스의 총량을 증가시킨다.

③ **정책과정에서의 파트너 역할:** 정책의제설정 및 정책집행과정에서의 정보제공 및 공조 역할을 한다.

④ **부패에 대한 견제:** 정부에 대한 감시와 부패방지(시민감시운동)의 기능을 한다.

⑤ **복지사업의 확대·보완:** 소비자보호, 재해구호 등의 기능을 한다.

⑥ **갈등의 조정:** 정부와 국민 간, 이익집단 간 갈등을 중립적으로 조정하여 지역이기주의나 집단이기주의적 문제를 해결한다.

⑦ **교육적 기능:** 시민들 간 토론, 정보제공 및 공유 등을 통한 시민교육을 수행한다.

⑧ **국제적 협조자:** 국제기구에 대한 영향력 행사, 국경을 초월한 연대와 협조 등 국제적인 협조자로서의 역할을 수행한다.

(2) NGO의 한계와 NGO 실패모형(Salamon)

① 우리나라 NGO의 한계

㉠ 정부로부터의 재정적 · 정치적 독립성이 약하다.

㉡ 역할분담이 미약하며, 백화점식 운동전개방식으로 모든 사회문제를 해결하려는 경향이 있다.

㉢ 지역차원의 NGO가 미약하다. 즉, 중앙에 인적 · 물적자원이 집중되어 있다.

㉣ 공공재의 무임승차성, NGO의 관변단체화, 구속력 미흡 등의 문제점이 실패원인으로 지적된다.

② NGO 실패모형(Salamon, 1995): 시장실패이론과 정부실패이론을 다른 시각에서 바라본 것이다. 정부의 개입을 이끄는 NGO의 실패이유들은 다음과 같다.

박애적 불충분성	NGO는 활동에 절대적으로 필요한 자원을 지속적이고 안정적으로 획득하는 데 많은 어려움이 있다.
박애적 배타주의	NGO가 제공하는 서비스가 모든 대상에게 전달되지 않고 활동영역과 공급대상이 한정되어 있는 경우가 많다.
박애적 온정주의	NGO의 활동내용과 방식은 NGO에게 가장 많은 자원을 공급하는 사람이나 집단의 결정에 의하여 좌우될 수 있다.
박애적 아마추어리즘	사회문제의 해결이나 서비스의 제공은 전문적인 지식을 필요로 하는 경우가 많다. 도덕적 · 종교적 신념에 바탕을 둔 일반적인 도움은 한계가 있다.

(3) NGO 실패의 해결(정부의 개입)

① NGO의 실패는 정부의 개입으로 해결될 수 있다. 정부는 사회적 강제성을 바탕으로 안정적 · 지속적으로 사회문제해결에 필요한 자원을 동원할 수 있고, 민주적 절차에 의하여 이슈 간의 상대적 중요성을 결정할 수 있으며, 서비스의 질을 통제하는 기준을 제도화할 수 있다.

② 정부가 공공재를 공급할 경우 NGO와 상호보완적인 협력관계를 유지함으로써 더 효과적으로 공공재를 공급할 수 있다.

4. NGO 활성화를 위한 향후과제

(1) 핵심역량 강화와 전문성 확보

정부와의 관계에 있어 수동적인 입장에 처하지 않도록 내부의 지배구조를 개선 하는 등 가시적인 조치를 취하여야 한다. 또한 내부교육을 강화하고 전문직 자원봉사자의 참여를 확대하여야 한다.

(2) 재정적 자립과 대표성 확보

정부지원에 의존하지 않는 재정적 자립과 일반시민의 참여 증대를 통한 대표성 확보에 역점을 두어야 한다.

(3) NGO와 정부 간 올바른 정책적 협력관계 정립

상호 간 자율성과 독립성을 해치지 않는 범위에서 양자 간의 정책적 협력관계를 발전시켜 나가야 한다.

(4) 외부적 지지기반 확대

다른 NGO와의 연대를 강화하고 정책결정자와의 교류를 확대하여 지지기반을 탄탄히 다져야 한다.

고득점 공략 사회적 기업(social enterprise)

1. 의의

① 사회적 기업(social enterprise)이란 취약계층에게 사회서비스 또는 일자리를 제공하거나 지역사회에 공헌함으로써 지역주민의 삶의 질을 높이는 등의 사회적(공익적) 목적을 추구하면서 재화 및 서비스의 생산·판매 등 영업활동을 하는 기업으로 고용노동부장관의 인증을 받은 기업이다(「사회적기업 육성법」 제2조 제1호).

② 사회적 기업은 유급근로자를 고용하여 영리활동을 수행한다는 점에서 자원봉사자들로만 구성되는 비정부기구(NGO)와는 구분된다.

③ 우리나라의 사회적 기업(social enterprise)은 1990년대 후반부터 시민을 중심으로 조금씩 태동을 하다가 2007년에 「사회적기업 육성법」이 시행되면서 본격적으로 등장하게 되었다.

④ 주주나 소유자를 위한 이윤극대화를 추구하기보다는 우선적으로 사회적 목적을 추구하면서 이를 위해 이윤을 사업 또는 지역공동체에 재투자하는 기업이다.

2. 인증요건(「사회적기업 육성법」 제8조 제1항)

① 「민법」에 따른 법인·조합, 「상법」에 따른 회사, 비영리민간단체 등 대통령령으로 정하는 조직형태를 갖출 것

② 유급근로자를 고용하여 재화와 서비스의 생산·판매 등 영업활동을 할 것

③ 취약계층에게 사회서비스 또는 일자리를 제공하거나 지역사회에 공헌함으로써 지역주민의 삶의 질을 높이는 등 사회적 목적의 실현을 조직의 주된 목적으로 할 것(구체적인 판단기준은 대통령령으로 정한다)

- **일자리 제공형:** 근로자의 30% 이상이 취약계층
- **서비스 제공형:** 서비스 수혜자의 30% 이상이 취약계층

④ 서비스 수혜자, 근로자 등 이해관계자가 참여하는 민주적인 의사결정구조를 갖출 것

⑤ 영업활동을 통하여 얻는 수입이 대통령령으로 정하는 기준 이상일 것

⑥ 일정한 정관이나 규약 등을 갖출 것

⑦ 회계연도별로 배분 가능한 이윤이 발생한 경우 이윤의 3분의 2 이상을 사회적 목적을 위하여 사용할 것(「상법」에 따른 회사인 경우에만 해당)

3. 지원

고용노동부장관은 사회적 기업의 설립·운영에 대해 다음의 지원을 할 수 있다.

① **경영 지원:** 경영·기술·세무·노무(勞務)·회계 등의 분야에 대한 전문적인 자문 및 정보 제공 등을 지원할 수 있다.

② **교육훈련 지원:** 전문인력의 육성이나 근로자의 능력향상을 위한 교육훈련을 지원할 수 있다.

③ **시설비 등 지원:** 국가 및 지방자치단체는 부지구입비·시설비 등을 지원·융자하거나 국유·공유 재산 및 물품을 임대 지원할 수 있다.

④ **공공기관의 우선 구매:** 공공기관의 장은 사회적 기업이 생산하는 재화·서비스를 우선 구매할 수 있다.

⑤ **조세감면 및 사회보험료 지원:** 「조세특례제한법」에 따라 국세 및 지방세 감면을 지원할 수 있다.

⑥ **재정 지원:** 예산범위 안에서 인건비, 운영경비, 자문비용 등을 지원할 수 있다.

핵심 OX

01 NGO는 정부와 시장에 대한 견제역할을 담당한다. (O, X)

02 우리나라에서는 시민단체의 자율성을 위하여 정부가 재정지원을 하지 않는다. (O, X)

01 O

02 X 우리나라는 「비영리민간단체 지원법」에 의하여 비영리민간단체에 보조금 등의 재정지원을 하고 있다.
→ 행정안전부장관 또는 시·도지사는 등록된 비영리민간단체에 대하여 다른 법률에 의하여 보조금을 교부하는 사업 외의 사업으로서 공익활동을 추진하기 위한 사업에 대하여 소요경비를 지원할 수 있다(「비영리민간단체 지원법」 제6조 제1항).

5 행정학의 발달

1 독일 행정학의 발달

❶ 관방학의 유래
관(官)의 금·은·보화와 곡식을 저장하는 창고에서 유래하였으며 '행복촉진주의적 국가관'하에서 절대군주의 지배가 시민생활의 말단에까지 강하게 스며들던 시대로 절대군주의 지배를 위한 통치학이었다.

1. 관방학(官房學)[1]

(1) 의의

① 관방학은 16세기 중엽에서 18세기 말엽까지 독일과 오스트리아에서 발달한 정책학 내지 절대주의 통치기술학이다.

② 봉건적 소영역 국가와 자유도시가 통합된 통일 민족국가를 형성하기 위한 통치학이었다. 독일은 ㉠ 군주의 정치적 권력이 강화되어 인접도시의 정복·병합이 이루어지고, ㉡ 경제정책에 대한 노력이 요청되며, ㉢ 군주의 부강은 곧 나라의 부강과 동일하다는 식의 경제정책을 지향하였다.

❷ 관방학 시대의 구분
전기 관방학과 후기 관방학은 1727년 빌헬름(Willhelm) 1세가 할레(Halle) 대학과 프랑크프루트(Frankfurt) 대학에서 관방학 강좌를 개설한 시기를 기준으로 하여 나누어진다.

(2) 관방학 시대의 구분[2]

전기 관방학 (16~17세기)	· 사상적 기초: 공공복지의 사상적 기초를 신학에서 찾았고, 왕권신수설에 기반을 두었다(국가권력은 미분화된 상태이다). · 목적: 왕실재정과 국가재정이 미분화된 상태였으므로 왕실의 경제적 수입을 유지하고 증식시키는 데 그 목적이 있었다. · 성격: 여러 사회과학이 미분화된 상태로 혼재되어 있었으며, 특히 재정학적 성격을 강하게 띠고 있었다.
후기 관방학 (18~19세기)	· 사상적 기초: 공공복지의 사상적 기초를 계몽사상에 기반(자연법 사상)을 두었다. 유스티(Justi)가 대표적 학자이다. · 경찰학으로 분화 - 유스티(Justi)는 『경찰학 원리』(1756)에서 국가목적을 국가재산의 증대와 유지 그리고 국가재산의 유효한 사용으로 구분하여 전자를 다루는 정치학과 경찰학을 후자를 다루는 재정학으로부터 분리시켰다. - 경찰학은 행정제도에 의거하여 국가전체의 재산을 유지·증진시키고, 이를 통해 공동의 복지를 실현시키는 것을 연구하는 학문으로 정의하여 경찰학을 정치학으로부터 구분하였다.

❸ 슈타인(Stein) 행정학에서 헌정과 행정의 관계
헌정과 행정과의 관계를 헌정의 절대적 우위관계로 파악한 것이 아니라 양자가 서로 우위를 점하는 상대적 우위로 파악하였다.

2. 슈타인(Stein) 행정학[3]

(1) 슈타인(Stein)은 유스티(Justi)가 제시하였던 관방학의 기본개념인 절대적인 경찰개념을 헌정과 행정의 두 개념으로 분리시킴으로써 관방학을 비판하였다.

(2) 헌정과 행정의 구분

① **헌정**: 개인이 국가의사결정에 참여하는 국가적 권리 또는 정책결정단계로 파악하였다.

② **행정**: 개인의 향상을 추구하는 국가의 활동수단이며 정책의 집행으로 보면서 행정을 외교, 내무, 재무, 법무, 군무의 5대 영역으로 구분하였다.

(3) 한계

슈타인(Stein)의 행정학은 독일, 더 나아가 유럽에서 독자적인 행정학으로 발전해 나가지 못하였다. 결국 행정학의 정통적 위치를 미국에게 양보하게 되었고, 오히려 메이어(Mayer)에 의해 법률학적 행정법학으로 자리를 굳히게 되었다.

2 미국 행정학의 발달

1. 사상적 기초

행정부를 중심으로 한 국가체제의 구축이라는 점에서 1787년부터 1887년까지의 100여 년간 행정학의 발달에 커다란 사상적 영향을 미친 사람들이 있다. 특히 해밀턴(Hamilton)과 제퍼슨(Jefferson), 매디슨(Madison)의 영향이 지대하였다.

해밀턴주의	· **중앙집권:** 미국의 초대 재무성장관이었던 해밀턴(Hamilton)은 『연방주의자』라는 논문을 발표했는데, 정치권력의 근원을 국가로 보고 강력한 연방정부(중앙정부)의 역할을 강조하였다. · 책임을 분산하지 않고 한 개인에게 집중시키는 통합된 행정을 목적으로 하였고, 행정기능의 수행을 위해서 그 책임에 상응하는 행정권한을 부여하고자 하였다. 이는 능률적 행정을 강조하는 입장이다.
제퍼슨주의	· **지방분권:** 미국의 제3대 대통령인 제퍼슨(Jefferson)은 정치권력의 근원을 국민으로 보았기 때문에 강력한 중앙정부보다는 지방분권과 민주성을 강조하였다. · 제퍼슨(Jefferson)은 '최소의 행정이 최선의 행정'이라고 주장하였다. 즉, 강력한 국가보다는 국민의 천부불가양의 권리를 지킬 수 있으면서 국민 아래에서 봉사하는 제한적인 정부가 이상적인 정부라고 보았다.
매디슨주의	· **다원주의:** 미국의 제4대 대통령인 매디슨(Madison)은 사적 이익집단 간의 갈등이 정치과정의 핵심이라고 보고, 사적 이익집단들의 상호견제와 균형에 의해 국민의 자유가 더욱 잘 보장될 것이라고 주장하였다. · 경우에 따라서, 도당화가 계속적이고 격렬한 갈등을 낳을 수 있다는 '파벌의 해악'을 견제할 만한 장치가 필요하다고 주장하였다.
잭슨주의	· **엽관주의:** 미국의 제7대 대통령인 잭슨(Jackson)은 행정의 대응성과 민주성을 강조하면서 엽관주의를 공식적으로 표방하였다. 즉, 소수계급이 관직을 장기간 독점하는 것을 경계하며 행정의 단순성과 아마추어리즘을 강조하였다. · 관료제의 민주적 성격을 강조하였으며, 고급관료의 직선제와 선거권 확대를 주장하였다.

2. 발달요인

(1) 행정국가로의 발전

① 도시화로 인해 상하수도 · 도로건설 등 공공사업이 폭발적으로 증가하였다.

② 연방적 수준에서도 우편 · 전보사업뿐만 아니라 남북전쟁 이후에 본격화된 대륙횡단철도 부설과 이에 따른 각종 규제활동 등 행정업무가 증가하였다.

(2) 과학적 관리론의 발달

테일러(Taylor) 등은 과학적 관리론을 연구하여 능률적 행정학 및 행정의 과학화에 기여하였다.

핵심 OX

01 관방학은 행복촉진주의적 국가관을 근본사상으로 국민대중의 복지향상을 위하여 노력한다. (O, X)

02 관방학은 헌정과 행정의 분리와 관련된다. (O, X)

01 X 관방학은 행복촉진주의적 복지관을 근본사상으로 하나, 국민대중의 복지향상을 위한 학문이 아니라 군주의 통치를 위한 학문이었다.
02 X 헌정과 행정의 분리와 관련되는 것은 슈타인(Stein) 행정학이다.

(3) 각종 행정개혁운동(진보주의 운동)

① **1883년 「펜들턴법」**: 공개경쟁채용, 정치적 중립, 연방중앙인사위원회의 도입 등을 통해서 실적주의의 확립에 기여하였다.

② **1912년 절약과 능률에 관한 대통령위원회(Taft & Cleveland 위원회)**: 행정부 예산제도의 창설을 제안하였고, 1921년 「예산회계법」의 입법화로 결실을 보게 되었다.

③ **1937년 행정관리에 관한 대통령위원회(Brownlow 위원회)**: 여기서 귤릭(Gulick)은 최고관리층의 관리기능으로 POSDCoRB을 제시하였다.

고득점 공략 행정학의 패러다임*

1. 헨리(Henry)의 행정학 패러다임의 변화

구분	시기	주요 내용	강조 개념❶
제1패러다임	1900~1927년	정치행정이원론(정부관료제)	locus 강조
제2패러다임	1927~1937년	행정원리론	focus 강조
제3패러다임	1950~1970년	정치학으로서의 행정학, 행정학의 정체성 위기발생	locus 강조
제4패러다임	1950년대 중반 ~1970년	관리과학으로서의 행정학	focus 강조
제5패러다임	1970년대 이후	행정과학으로서의 행정학	locus와 focus 강조

2. 행정학의 정체성 위기(identity crisis)

① 의의: 행정학의 연구영역과 타학문과의 경계 및 연구방법·목적 등이 불명확하고, 행정의 주된 초점의 결여, 패러다임의 부재, 변화하는 사회적 환경이나 시민요구에 대응하지 못하는 등 많은 위기적 상황에 직면하게 된 것을 의미한다.

② 극복을 위한 노력: 1960년대 말 왈도(Waldo)를 비롯한 신행정학자들이 미노부룩(Minnowbrook) 회의(1969)에서 행정학의 정체성 위기 극복을 위해 여러 가지 견해를 제시하였다.

- 왈도(Waldo): 전문직업성의 확립을 제시하였다.
- 맥커디(McCurdy): 학제 간 연구(협동학문적 연구)를 주장하였다.
- 프레드릭슨(Fredrickson): 행정의 독립변수적 역할을 특히 강조하였다.
- 리그스(Riggs): 정치학과 행정학의 상호보완적 연구를 주장하였다.

용어

패러다임*: 한 시대 사람들의 견해를 지배하는 어떤 사물을 바라보는 관점이나 시각의 틀을 말한다.

❶ 소재(locus)와 초점(focus)

1. 소재(locus): 연구영역의 제도적 장소를 의미하는데, 전형적인 연구대상으로는 공공관료제를 들 수 있다.
2. 초점(focus): 연구영역의 특정한 대상을 의미하는데, 행정의 원리와 같은 것을 예로 들 수 있다.

핵심 OX

01 해밀턴주의는 연방 중심의 강력한 중앙집권을 강조한다. (O, X)

02 미국의 규범적 관료제 모형 가운데 이익집단의 요구에 대한 조정을 위해 견제와 균형을 중시하는 것은 매디슨주의와 관련된다. (O, X)

03 잭슨주의는 행정의 부패와 타락을 방지하여 엽관주의를 극복하고 행정학의 발달에 공헌하였다. (O, X)

04 초기의 정치행정이원론은 소재(locus)가, 행정원리론은 초점(focus)이 각각 강조되었다. (O, X)

05 행정의 패러다임은 역사적 상황과는 무관한 특수성이 있다. (O, X)

01 O
02 O
03 X 엽관주의를 극복하고 행정학의 발달에 공헌한 것은 실적주의이다.
04 O
05 X 행정의 패러다임은 역사적 상황에 따라 변화하는 동태적 특성을 지니고 있음에 유의해야 한다.

학습 점검 문제

01 행정에 대한 개념으로 옳지 않은 것은? 2009년 서울시 9급

① 넓은 의미의 행정은 협동적 인간 노력의 형태로서 정부조직을 포함하는 대규모 조직에서 보편적으로 나타난다.

② 최근 행정의 개념에는 공공문제의 해결을 위해 정부 외의 공·사조직들 간의 연결 네트워크, 즉 거버넌스(governance)를 강조하는 경향이 있다.

③ 좁은 의미의 행정은 행정부 조직이 행하는 공공목적의 달성을 위한 제반 노력을 의미한다.

④ 행정은 정치과정과는 분리된 정부의 활동으로 공공서비스의 생산 및 공급, 분배에 관련된 모든 활동을 의미한다.

⑤ 행정과 경영은 비교적 유사한 활동이라고 할 수 있으나 그 목적하는 바가 다르다.

02 행정과 경영의 공통점 및 차이점에 대한 설명으로 옳지 않은 것은? 2014년 경간부

① 행정은 정치적 성격을 갖는 반면, 경영은 정치로부터 분리되어 있어 정치적인 성격을 갖지 않는 것이 일반적이다.

② 경영은 시장실패 가능성 등의 이유로 엄격한 법적 규제를 받는 반면, 공익을 추구하는 행정은 법적 규제로부터 자유롭다.

③ 행정과 경영은 모두 관료제적 성격을 갖는 대규모 조직이라는 점에서 유사성을 갖는다.

④ 경영은 자유로운 시장진입 가능성으로 경쟁에 노출되는 반면, 행정은 공공서비스를 제공하는 과정에서 경쟁자가 존재하지 않는 것이 일반적이다.

정답 및 해설

01 행정의 개념
행정은 공권력을 배경으로 정치적 성격을 가지고 행해지며 정치적 지지를 얻어야 하므로 정치과정과 분리될 수 없는 활동이다.

02 행정과 경영의 비교
행정은 공익을 추구하므로 법적 규제가 강한 반면, 경영은 시장의 자율성으로 인해서 법적 규제로부터 좀 더 자유롭다.

행정과 경영의 차이점

구분	행정(공행정)	경영(사행정)
주체	정부·국가	민간기업·사기업
목적	국민의 복리증진, 다원적	사익 이윤극대화, 일원적
정치성 강약	정치적 합리성	경제적 합리성
권력성 여부	권력적 성격	비권력적 성격
독점성 정도	강함	약함
법적 규제 정도	강함	완화
평등원칙 적용 정도	강함	약함
능률성 척도	계량화 곤란	계량화 용이
경쟁성 정도	약함	강함

정답 01 ④ 02 ②

03 **행정이론에 대한 설명으로 옳지 않은 것은?** 2008년 강원 9급

① 행정관리설은 공사행정일원론이다.

② 통치기능설은 공사행정이원론이다.

③ 행정행태설은 가치와 사실로 이원화하는 것을 중시하지 않는다.

④ 행정행태설은 논리실증주의를 강조한다.

04 **다음에서 설명하고 있는 행정학의 성격은?** 2009년 지방직 7급

> 제2차 세계대전 후 미국은 저개발국가에 경제 원조와 함께 미국의 행정이론에 바탕을 둔 제도나 기술을 지원했다. 그러나 저개발국가의 정치제도나 사회문화적 환경이 미국과 달라 새로 도입한 각종 행정제도가 소기의 성과를 거두지 못하는 경우가 많았다. 선진국의 행정이론이 모든 국가에 적용가능하다고 전제하는 것은 무리가 있기 때문에 외국의 행정이론을 도입하는 경우 사전에 충분한 검토가 필요하다.

① 행정학의 기술성과 과학성

② 행정학의 보편성과 특수성

③ 행정학의 가치판단성과 가치중립성

④ 행정학의 전문성과 일반성

05 「비영리민간단체 지원법」상 정부의 비영리민간단체 지원에 대한 설명으로 옳지 않은 것은? 2024년 국가직 9급

① 비영리민간단체는 영리가 아닌 공익활동을 수행하는 것을 주된 목적으로 하는 민간단체이어야 한다.

② 등록비영리민간단체는 공익사업의 소요경비를 지원받을 수 있으며 소요경비의 범위는 사업비를 원칙으로 한다.

③ 등록비영리민간단체가 공익사업 추진의 보조금을 교부받고자 할 때에는 사업의 목적과 내용, 소요경비, 기타 필요한 사항을 기재한 사업계획서를 제출해야 한다.

④ 등록비영리민간단체는 보조금을 받아 수행한 공익사업을 완료한 때에는 사업보고서를 대통령에게 제출해야 하며 사업평가, 사업보고서 및 평가결과의 공개 등에 필요한 사항은 대통령령으로 정한다.

정답 및 해설

03 행정행태설

행정행태설은 가치와 사실의 영역을 구분하고 사실영역만을 탐구함으로써 행정의 과학성을 확보하려고 노력하였다. 이는 논리실증주의와 관련된다.

04 행정학의 성격

제시문은 행정학의 보편성과 특수성에 관한 설명이다. 선진국의 행정이론을 모든 국가에 보편적으로 적용할 수 없고, 각국의 사회문화적인 특수성을 고려해야 함을 설명하고 있다.

❶ 행정학의 보편성과 특수성

보편성	행정현상이 각국의 역사적 상황이나 문화적 장벽을 뛰어넘어 보편적으로 적용될 수 있다.
특수성	행정현상이 특정한 역사적 상황이나 문화적 맥락 속에서 이루어지기 때문에 행정학이론은 그 나름의 독특한 성격을 갖는다.

05 「비영리민간단체 지원법」상 정부의 비영리민간단체 지원

등록비영리민간단체는 보조금을 받아 수행한 공익사업을 완료한 때에는 사업보고서를 행정안전부장관이나 시·도지사나 특례시의 장에게 제출해야 하며 사업평가, 사업보고서 및 평가결과의 공개 등에 필요한 사항은 행정안전부령으로 정한다.

❶ 「비영리민간단체 지원법」상 사업보고서

> **제9조【사업보고서 제출 등】** ① 등록비영리민간단체는 제8조의 사업계획서에 따라 사업을 완료한 때에는 다음 회계연도 1월 31일까지 사업보고서를 작성하여 행정안전부장관, 시·도지사나 특례시의 장에게 제출하여야 한다.
> ③ 제2항에 따른 사업 평가, 사업보고서 및 평가결과의 공개 등에 필요한 사항은 행정안전부령으로 정한다.

정답 03 ③ 04 ② 05 ④

CHAPTER 2

현대 행정의 이해

1 국가의 개념과 기능변화

구분	16C~18C 절대왕정국가	19C 입법국가	20C 초반 행정국가	20C 후반 신행정국가
정치	· 관료제 · 상비군	· 삼권분립 · 작은 정부(소극국가, 야경국가)	· 행정우위의 삼권분립 · 큰 정부(적극국가, 복지국가)	· 작지만 강력한 정부 · 기능재정립(규제국가)
경제	· 중상주의 · 외국과의 무역이 부를 축적	· 자유방임주의 (공급 중심) · A. Smith의 보이지 않는 손	· 정부개입주의 (수요 중심) · Keynes의 총수요 확대정책	· 시장주의의 부활 (공급 중심) · M. Friedman & Hayek의 새고전학파
정부 vs 국민	· 지원자 · 왕 vs 신민	· 규칙제정자 · 대리인 vs 투표자	· 가부장주의 · 부모 vs 자식	NPM 공공기업가 vs 고객 뉴거버넌스 조정자 vs 주인

▲ 국가의 개념과 기능변화❶

1 현대 행정국가

1. 의의

(1) 현대 행정국가는 입법국가 시대와 대비되는 1930년대 초부터 1960년대 말까지의 국가이다.

(2) 현대 행정국가에서는 양적 · 질적인 측면에서 행정의 역할이 확대되었다.

2. 특징

(1) 양적 특징 - 사실적 · 구체적 · 가시적

① **행정기능의 확대:** 행정수요가 전문화 · 다양화 · 복잡화되면서 복지 · 교통 · 주택문제 등 다양한 문제의 해결이 필요하여 행정기능도 확대되었다.

② **행정기구의 확대:** 행정기능이 확대되면서 행정기구도 팽창되었다. 정부조직의 확대 · 개편이나 공공부문의 확대가 대표적인 예이다.

③ **공무원 수의 증가:** 파킨슨(Parkinson)의 법칙*이 시사하듯이 공무원의 수는 계속 증가하고 있다.

❶ 정부의 역할유형

일반적으로 정부의 역할을 시장과의 관계에서 규칙제정자(심판자 또는 감독자), 지원자, 규제자로 구분할 때, 네 가지 유형이 존재한다.

구분	규제자	지원자	규칙 제정자
자유방임형	×	×	○
중상주의형	△	○	-
가부장형	○	○	-
입법주의형	○	△	-

1. 자유방임형
  · 정부의 시장에 대한 규제와 지원이 거의 없는 경우
  · 정부는 규칙제정자의 역할을 수행
2. 중상주의형
  · 정부의 규제는 거의 없는 상태에서 강력한 지원이 있는 경우
  · 정부는 지원자의 역할을 수행
3. 가부장형
  · 정부의 규제와 지원을 동시에 강력하게 받는 경우
  · 정부는 규제자와 지원자의 역할을 동시에 수행
4. 입법주의형
  · 정부의 지원은 약한 대신에 강력한 정부의 규제를 받는 경우
  · 정부는 규제자의 역할을 수행

용어

파킨슨(Parkinson)의 법칙*: 부하배증의 법칙과 업무배증의 법칙이 악순환하여 공무원의 수가 증가한다는 이론이다.

④ **재정규모의 팽창**: 다양한 행정업무의 수행을 위해서 재정지출의 규모가 증가되었다.

⑤ **공기업 수의 증가**: 각종 사회 · 경제적 문제해결을 위해서 공기업의 수가 증가되었다.

(2) 질적 특징 – 가치적 · 추상적 · 비가시적

① **행정의 전문화와 기술화**: 다양화된 국민들의 수요와 기술의 발달로 인해 전문화와 기술화가 촉진되었다.

② **행정의 과학화**: 주먹구구식의 행정에서 벗어나 과학적 행정을 지향한다.

③ **발전기획의 중시**: 행정의 효과성을 높이기 위해 체계적인 계획을 중시한다.

④ **위임입법의 활성화**: 국회의 전통적 기능인 입법기능을 부분적으로 행정부가 행사한다. 이는 입법부의 전문성 미약에 따른 양식의 변화로, 행정영역의 확대를 의미한다.

⑤ **광역행정**: 다양한 행정수요에의 대응, 교통통신의 발달에 따른 생활권의 확대, 규모의 경제 추구 등을 위해서 광역행정화 경향이 두드러진다.

⑥ **신중앙집권화**: 지방자치가 발달된 국가 등에서 새로운 행정수요에 의하여 중앙집권이 필요한 경우 신중앙집권화 현상이 나타나는데, 현대 행정에서 '권력의 분산과 지식의 집중'을 강조하는 신중앙집권화 경향이 나타난다.

⑦ **행정책임과 통제의 중요성 강조**: 행정의 재량권 확대에 따른 책임과 통제가 중요한 문제로 대두되었다.

2 신행정국가

1. 의의

(1) 전통적인 행정국가에 신자유주의적 요청이 결합된 1980년대 이후의 국가이다.

(2) 현대 행정국가보다 국가의 역할이 축소되었다.

2. 특징

(1) 국가의 역할 변화 – 적극국가에서 규제국가로 변화

현대 행정국가는 소득재분배정책, 경제안정화정책, 재정정책 등 국가가 적극적으로 개입하는 적극국가이었고, 최근의 신행정국가는 간접적 방식에 의해 국정을 수행하려는 친시장적 규제국가이다.

(2) 국정운영방식의 변화

① **복지혜택 제공자에서 시장형성자로 변화**: 복지국가에서 소홀히 취급하던 정부의 시장형성기능을 강조한다. 따라서 복지국가로서의 역할은 감축되고, 시장형성을 위한 법제도의 정비, 규제개혁 등의 역할이 강조된다.

② **다수결 행위자에서 비다수결 행위자로 변화**: 기존의 대의민주주의의 문제점을 보완하기 위해서 국민의 직접적인 참여가 중요하게 되었다.

핵심 OX

01 고전적 행정학은 대차대조표식의 능률성을 강조한다. (O, X)

02 참여적 관리를 중시하는 것은 신고전적 행정의 특성이다. (O, X)

03 신중앙집권화와 광역행정은 현대행정의 양적 특징을 의미한다. (O, X)

04 행정의 자율성 부여와 책임성 확보는 현대 행정과 밀접한 관련이 있다. (O, X)

05 신행정국가는 사회적 형평성이 강조된 신행정론과 밀접한 관련이 있다. (O, X)

01 O
02 O
03 X 신중앙집권화나 광역행정은 현대행정의 질적 특징과 관련된다.
04 O
05 X 신행정국가는 1980년대 이후에 시장기능과 거버넌스가 강조되는 것과 관련되며, 1960년대 말에 대두한 신행정론과는 직접적인 관련이 없다.

③ 의회정체모형에서 분화정체모형으로 변화

전통적 의회정체모형	새로운 분화정체모형
단방제 국가	정책연결망과 정부 간 관계
내각정부	공동화국가
의회주권	핵심행정부❶
장관책임과 중립적 직업관료제	신국정관리(New Governance)

㉠ **단방제:** 국가주권을 전국수준의 중앙정부에 부여한다.

㉡ **정책연결망과 정부 간 관계**

ⓐ **정책연결망:** 다양한 참여자들 간의 상호작용 및 공식·비공식 관계

ⓑ **정부 간 관계:** IGR모형, 분권화된 정부 간 연결망

㉢ **공동화국가:** 위로는 국제기구, 아래로는 지방정부, 외부로는 민영화·민간위탁 등으로 정부기능이 방출되고 정부는 이관된 기능들을 조정하고 연결하는 역할을 수행한다.

❶ 핵심행정부(core executive)

1. **의의:** 행정수반, 내각, 위원회, 부처 등으로 구성되어 중앙행정부의 정점 및 심장부에서 국가정책을 결정하는 망 또는 조직을 의미한다. 중앙행정부 정책들을 통합·조정하거나 정부기구들 간 갈등을 해결하는 행정부 내 최종조정장치를 말한다(Dunleavy & Rhodes, 1990).
2. **중요성:** 국가의 방향잡기(steering)기능은 계속 강화되고 집행기능은 국가경계권 밖으로 이전함에 따라 핵심행정부의 상대적 권한은 더욱 강화되고 있으며, 급변하는 행정환경에의 적극적 대응과 부처 간 신속한 조정과 통합이 요구되는 오늘날 핵심행정부의 역할과 기능은 매우 중요하다.

2 시장실패와 정부실패

1 시장실패❷

1. 의의

(1) 스미스(Smith)의 '보이지 않는 손(invisible hand)'에 의해서 이루어지던 시장의 자원배분이 효율성이나 형평성을 달성하지 못하는 상태이다.

(2) 시장실패는 ① 시장의 기능장애로 인한 시장실패(경쟁의 실패, 불완전한 고용 등), ② 시장의 내재적 결함에 따른 시장실패(공공재의 존재, 공유지의 비극, 외부성의 존재, 정보의 실패현상 등), ③ 시장의 외재적 결함으로 인한 시장실패(소득분배의 불공평성 등) 현상으로 구분할 수 있다.

2. 원인 및 대응방안

(1) **공공재**❸

① **의의:** 공공재는 사적재와 반대되는 것으로 비배제성과 비경합성의 특성을 지닌 재화이다. 비배제성은 대가를 지불하지 않는 참여자를 배제할 수 없는 특성이고, 비경합성은 나의 소비가 다른 사람의 소비를 감소시키지 않는 특성이다.

㉹ 국방이나 외교서비스, 가로등의 불빛, 등대 등: 가로등 불빛의 경우 내가 대가를 지불하지 않았다고 하여 불빛을 향유할 수 없는 것이 아니며(비배제성), 내가 소비하는 불빛의 양이 다른 사람이 향유하는 불빛의 양을 감소시키지 않음(비경합성)

❷ 완전경쟁의 조건과 시장실패

완전경쟁의 조건은 시장의 성공조건이다. 완전경쟁의 조건이 지켜지지 않았을 때 시장실패로 이어진다(시장의 내재적 결함으로 인한 시장실패). 완전경쟁의 전제조건은 다음과 같다.

1. 다수의 공급자와 수요자
2. 모든 상품의 동질성
3. 자원의 완전한 이동
4. 모든 정보의 공유

❸ 재화의 유형(E. Savas)

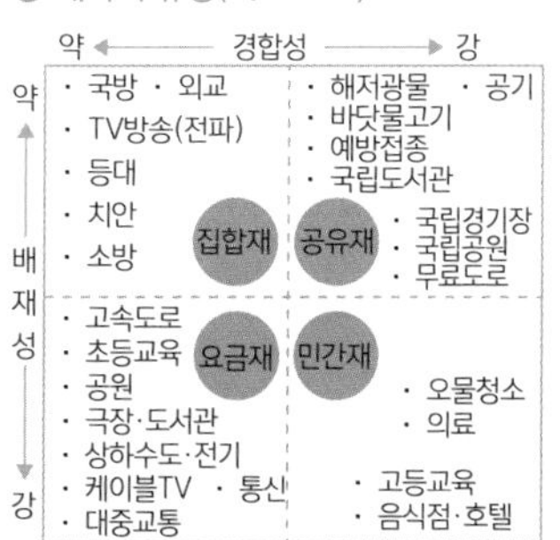

② **문제점:** 비배제성으로 인하여 합리적이고 이기적인 경제인은 자기 이익을 극대화하기 위해 무임승차(free - ride)하려고 한다. 무임승차가 발생하는 경우 궁극적으로는 공동체의 생활유지를 위해 필요한 공공재가 과소공급되거나 공급이 억제되는 문제점이 발생한다.

③ **대응방안:** 시장에서 생산되지 않는 공공재를 정부가 개입하여 제공한다.

핵심정리 재화의 유형

구분		배제성 여부❶	
		비배제성	배제성
경합성 여부	비경합성	공공재 예 국방*1, 치안, 등대, 가로등 등	요금재, 유료재 예 전기, 가스, 유료 고속도로*2 등
	경합성	공유재 예 바닷속 물고기*3, 야생나물 등	사적재, 시장재*4 예 컴퓨터, 냉장고 등

*1. 국방
① **비배제성:** 세금을 내지 않아도 혜택을 받는다.
② **비경합성:** 혜택을 받더라도 타인의 혜택이 줄어들지 않는다.

*2. 유료 고속도로
① **배제성:** 톨게이트에서 요금을 지불하므로 배제성이 있다(요금을 내지 않는 사람을 배제한다).
② **비경합성:** (정체된 도로가 아닌 일반적인 도로에서) 도로를 이용해도 타인이 이용하는 도로가 줄어들지 않는다.

*3. 바닷속 물고기
① **비배제성:** 요금을 내지 않아도 물고기를 잡을 수 있다.
② **경합성:** 물고기를 잡으면 타인이 잡을 물고기가 그만큼 줄어든다.

*4. 시장재
① **배제성 · 경합성:** 시장에서 생산 · 판매되는 제품이므로 배제성과 경합성이 존재한다.
② 사적재의 일종으로 가치재*가 존재한다.

(2) 외부효과

① **의의:** 대가 없이 이득(긍정적 외부효과)을 얻거나 손해(부정적 외부효과)를 끼치는 현상, 즉 한 경제주체의 경제행위가 가격기구를 통하지 않고 다른 경제주체에게 비용이나 편익을 초래하는 현상이다.

예 · 철강업자와 인근 양식업자의 관계(부정적 외부효과): 철강업자가 폐수를 방출할 경우 하류에 있는 양식업자에게 대가를 지불하지 않고 어떠한 손해를 끼치게 됨
· 양봉업자와 화원업자의 관계(긍정적 외부효과): 양봉업자는 인근 화원업자에게 대가를 지불하지 않고 어떠한 편익을 주게 됨

② 대응방안❷

㉠ **부정적 외부효과를 억제하기 위한 방안:** 부정적 외부효과는 과잉생산되기 때문에 이의 억제를 위한 방안으로 조세(피구세*)를 부과하는 방법이 고려될 수 있다.

㉡ **긍정적 외부효과를 확산하기 위한 방안:** 긍정적 외부효과는 과소생산되기 때문에 이의 확산을 위한 방안으로 보조금의 지급, 각종 인센티브의 제공 등이 고려될 수 있다.

❶ (비)배제성과 (비)경합성
1. **(비)배제성:** 대가를 지불하지 않는 사람을 배제할 수 있는지 여부이다. 유료 고속도로의 경우 진입과 관련해서는 톨게이트에서 비용을 지불하므로 배제성이 지배하는 재화라 할 수 있으며, 이러한 특성이 없는 재화는 비배제성이 존재하는 것이다.
2. **(비)경합성:** 한 사람의 소비가 다른 사람의 소비를 감소시키는지 여부이다. 예컨대 다른 사람이 사과의 일부분을 먹으면 나의 소비량이 그만큼 감소되는 것과 같다. 이러한 특성이 없는 재화는 비경합성이 존재하는 것이다.

용어

가치재*: 시장에서의 생산도 가능하지만 국민들이 고루 소비할 수 있도록 만들어 주는 것이 바람직하다는 입장에서 정부가 생산하여 공급해주는 재화나 서비스를 말한다. 예를 들면 의무교육, 주택제공, 대중교통, 문화행사, 급식제공, 흡연규제 등이 있다. 가치재의 개념에는 정부의 온정적 간섭주의(paternalism)의 요소가 포함되어 있으며 개인의 자유나 소비자 주권의 이상과는 어느 정도 상충할 수밖에 없다.

피구세*: 환경오염으로 인해 시장에 외부효과가 생겼을 경우 그 오염물질을 배출한 주체에게 사회적 비용만큼 부과하는 세금을 피구세라 한다. 피구세는 환경문제를 해결하기 위한 정부의 적극적인 조세정책이다.

❷ 외부효과의 내부화(Internalizing an externality)
정부가 생산자에게 세금을 부과하여 부정적 외부효과를 개선하는 것을 말한다. 세금이 부과되면 수요자와 공급자가 자신들의 행동이 제3자에게 초래하는 부정적 외부효과를 의사결정과정에서 감안하여 사회적 최적 생산량 수준으로 생산량을 줄일 수 있기 때문이다.

(3) 불완전경쟁(독점, 과점)

① **의의:** 완전경쟁시장은 완전한 정보상황뿐만 아니라 완전한 경쟁상황을 가정하므로 주어진 시장가격에 따라 재화나 서비스가 제공되어야 한다. 그러나 현실의 경제에서는 독과점이나 각종 담합으로 인한 불완전경쟁이 존재하여 효율적인 자원배분이 이루어지지 못한다.

㉠ 정유회사들의 휘발유값 담합행위, 이동통신회사들의 각종 담합행위 등

② **대응방안:** 진입장벽의 철폐, 「독점규제 및 공정거래에 관한 법률」의 제정 등을 통해서 공정한 경쟁 질서를 확립하여야 한다.

(4) 정보의 비대칭성(불완전한 정보)

① **의의:** 시장체제는 정보가 완전한 경우에 한하여 능률적인 체제이다. 그러나 현실 경제에는 정보의 비대칭 상황이 많이 존재하기 때문에 소비자의 합리적인 선택을 방해한다. 이는 시장의 '보이지 않는 손(invisible hand)'의 전제조건을 부정하는 것이므로 시장실패를 야기한다.

② **문제점**

㉠ **역선택(불리한 선택):** 계약 성립 전에 발생하는 것으로 부적격자를 대리인으로 잘못 선임하는 것이다.

㉠ **자동차보험업자의 경우:** 가입하려는 자가 어떠한 위험 성향의 운전자인지를 알 수 없어 평균 수준의 운전 성향에 맞추어 보험료를 책정함. 이 경우 고위험 성향의 보험가입자는 이에 가입하려 하고 저위험 성향의 보험가입자는 보험을 해지하는 등 가입하려고 하지 않기 때문에, 보험회사의 입장에서는 평균 수준보다 고위험 성향의 보험가입자와 계약을 하게 되는 불리한 선택을 하게 됨

㉡ **도덕적 해이:** 계약 성립 후에 발생하는 것으로 대리인이 자신의 이익을 추구하거나 게으름을 피우는 것이다.

㉠ · **국민과 정치인의 경우:** 선거에서 선출된 정치인이 자신의 공약과 맞지 않는 행위를 할 경우, 국민은 정치인에 대해 이러한 정보가 부족하기 때문에 정보의 비대칭 상황이 존재하게 됨
· **주주(주인)와 경영자(대리인)의 경우:** 경영자가 회사에 대한 정보가 주주보다 더 많으므로 정보의 비대칭 상황에 직면해 있으며, 이러한 경우 경영자는 주주의 이윤극대화를 추구하는 것이 아니라 자신의 이익(외형의 확장 등)을 극대화하는 전략을 취하는 경우가 나타나게 됨

③ **대응방안**

㉠ **신호나 선별장치의 사용:** 불리한 선택의 문제를 해결하기 위해서 신호나 선별을 사용함으로써 숨겨진 특성을 파악할 수 있다.

㉠ 인증제(KS 마크제도), 건강진단서, 무사고경력증 제시 등

㉡ **유인설계:** 도덕적 해이의 문제를 해결하기 위해서 일정한 성과에 대해 보상을 함으로써 대리인의 행동을 주인의 이익과 합치될 수 있도록 하는 것이 가장 바람직한 방법이다.

㉠ 성과급 제도 등 각종 인센티브 제공

핵심 OX

01 공공재의 예로는 국방, 외교, 치안, 등대, 가로등 등이 있다. (O, X)

02 사적재는 시장에 맡겨 두고 정부는 간섭하지 않아야 한다. (O, X)

03 부정적 외부효과의 존재는 정부개입 축소의 근거가 된다. (O, X)

04 부정적 외부효과를 지니는 재화의 경우 과소공급의 문제가 유발된다. (O, X)

05 긍정적 외부효과를 지니는 서비스의 경우 정부가 보조금을 지급하기도 한다. (O, X)

01 O
02 X 교육·의료 등의 가치재는 사적재이지만, 일정수준 정부가 공급한다.
03 X 부정적 외부효과의 존재는 시장의 원리에 맡겨 놓았을 때의 폐해를 의미하므로 정부개입의 근거가 된다.
04 X 부정적 외부효과를 지니는 재화의 경우 과대공급의 문제가 유발된다.
05 O

(5) 공유지의 비극

① **의의:** 하딘(Hardin)이 1968년 제안한 개념으로 개인적 합리성과 사회적 합리성 간의 갈등상황이다. 개인의 이익극대화가 사회 전체의 이익극대화를 가져오지 못하는 현상(구성의 오류)으로, 신제도론적 연구와 밀접한 관련이 있다.

예 · 목초지(공유지)에서 방목: 농민은 자신의 우월전략에 따라 가축을 방목하는 경우 사회적으로 공유지가 황폐화되거나 사라지게 되는 현상이 발생함(Hardin)
· 바닷속의 천연자원의 채취나 물고기 잡기 등

② **대응방안:** 하딘(Hardin)은 공유지의 재산권 설정을 통해서 비극을 해결할 것을 주장했으며, 지속적인 재생산이 가능하도록 하는 메커니즘이나 규칙 설정이 필요하다.

예 목초지의 경우 순번제의 지정, 낚시의 경우 허가제 등

(6) 소득분배의 불공평성

① 의의

㉠ 시장이 자원배분의 효율성 달성을 지나치게 중시하고, 소득분배의 형평성은 간과함으로써 '부익부 빈익빈' 현상이 나타나는 것이다.

㉡ 시장의 논리에 따르면 한 사람이 그 사회의 모든 부를 소유한다고 하여도 파레토(pareto) 효율적이라면 그러한 자원배분은 정당하다고 본다. 따라서 소득분배의 불공평성이 나타난다.

② **대응방안:** 정부의 적극적인 형평화 정책이 필요하다.

예 누진세제도의 도입, 사회적인 약자의 노동환경을 보호하기 위한 최저임금제의 채택, 공정거래규칙의 확립을 위한 「독점규제 및 공정거래에 관한 법률」의 확립 등

(7) 경제의 불안정

① **의의:** 실업과 인플레이션 등 고용과 물가불안 등이 발생할 수 있다.

② **대응방안:** 정부의 개입으로 경제안정화 정책이 이루어져야 한다.

핵심정리 시장실패의 원인별 정부의 대응방안

구분	공적 공급	공적 유도	공적 규제
공공재의 존재	○		
외부효과의 발생		○	○
자연독점[1]	○		○
불완전경쟁			○
정보의 비대칭성		○	○

1. **공적 공급:** 정부가 직접적으로 공공재를 공급하거나 행정서비스를 제공하는 것이다.
2. **공적 유도:** 정부가 조세, 보조금 등을 이용해 일정한 방향으로 민간주체를 유도하는 것이다.
3. **공적 규제:** 민간주체가 어떤 일을 하지 못하도록 규칙을 설정하는 것이다.

[1] 자연독점(natural monopoly)
1. **개념:** 상품의 특성상 여러 기업이 생산하는 비용보다 한 기업이 독점적으로 생산할 때 비용이 적게 들어 자연스럽게 생겨난 독점시장을 말한다. 생산규모가 커질수록 생산단가가 지속적으로 낮아지는 산업의 특수성으로 인해 생산규모가 가장 큰 선발기업이 다른 후발기업의 시장진입을 자연스럽게 봉쇄하게 되는 상황이다.
2. **원인과 사례:** 자연독점의 원인은 규모의 경제와 초기 고정비용의 과다로 인해서 발생하며, 그 사례로 우편·전기·가스 등 사회간접자본(SOC)의 건설이 대표적이다.

핵심 OX

01 자원의 효율적 배분은 완전경쟁에서는 가능하지만 현실적으로는 불완전경쟁을 비롯한 공공재, 외부효과, 정보의 비대칭성이 존재하므로 이는 시장실패의 원인과 관련된다. (O, X)

02 '공유지의 비극'은 개인의 사적 극대화가 공적 극대화를 파괴하여 구성원 모두가 공멸하는 비극을 말하며, 오우치(Ouchi)가 제안하였다. (O, X)

03 시장실패는 반드시 정부개입을 요구한다. (O, X)

04 시장실패를 보완하기 위해서는 민간 이양이 적절하다. (O, X)

05 자연독점에 의해서 발생하는 시장실패는 공적 유도(보조금)의 방식으로 해결하는 것이 적합하다. (O, X)

01 O
02 X '공유지의 비극'은 하딘(Hardin)이 제안한 개념이다.
03 X 시장실패가 있었다고 해서 정부가 반드시 개입해야 하는 것은 아니다.
04 X 시장실패를 보완하기 위해서는 정부의 적절한 개입이 필요하다.
05 X 자연독점에 의해서 발생하는 시장실패는 공적 공급과 공적 규제가 필요하다.

2 정부(비시장)실패

1. 의의

시장실패를 치유하기 위한 정부의 개입이 오히려 문제를 야기하는 현상으로서 울프(Wolf)는 '비시장실패'로 명한 바 있다. 정부실패의 원인을 정부개입의 수요와 공급의 측면으로 나누어 살펴보면 다음과 같다.

2. 일반적 원인

(1) 수요 측면

① **행정수요의 팽창**: 공공행정에 대한 행정수요가 급격히 늘어났으며, 더욱이 시장의 실패는 행정수요를 더욱 확대시켰다.

② **정치인의 높은 시간 할인율**: 정치인은 재선을 가장 중요하게 생각하기 때문에 장기적인 시각이 아닌 단기적인 시각에서 정책을 결정하게 된다.

③ **정치적 보상구조의 왜곡**: 행정인은 문제해결의 당위성만을 강조하고 무책임하게 정부활동을 확대하는 경향이 있다.

(2) 공급 측면

① **산출물의 정의와 측정의 어려움**: 정부의 산출물은 민간에 비해서 공공성이 강하고 정의가 명확하지 않아 측정에 어려움이 있다.

② **독점적 생산**: 민간은 다양한 생산주체가 경쟁을 통해서 재화나 서비스를 공급하지만, 공공부문은 독점적으로 생산한다.

③ **종결 메커니즘의 결여**: 정부의 생산물은 비능률적이라 할지라도 합리적인 경제분석에 의해서 종결되지 못하고 지속되는 특성이 있어 비능률과 적자가 누적된다.

3. 원인의 구체적 분석

(1) 사적 목표의 설정(내부성)

① **의의**: 관료가 국가발전이나 공익이라는 전체의 이익을 위해서가 아닌, 행정조직 내부의 목표에 집착하는 현상이다. 이로 인해 궁극적인 목표달성이 어려워진다.

② **내부성 추구의 유형**

㉠ **예산극대화의 추구**: 니스카넨(Niskanen)은 '예산극대화모형'에서 관료가 자기 이익의 극대화를 추구함에 따라 공공서비스가 적정한 수준보다 2배만큼 과잉생산된다고 하였다.

㉡ **최신기술에의 집착**: 최신기술을 사용하면 열심히 일하는 것처럼 보이기 때문에 관료들이 생산성 향상을 위한 활동은 하지 않고 최신기술이나 장비를 확보하려고 하는 현상이다.

㉢ **정보의 획득과 통제**: 정보화시대에서 정보가 새로운 권력자원으로 부각됨으로써 정보의 획득과 통제에 조직의 에너지를 사용하는 현상이다.

㉣ **법규나 규칙에의 집착**: 행정의 목적달성을 추구하는 것이 아니라 지나치게 세부적이고 유형적인 목표나 법규 · 규칙에 치중하게 되는 현상이다.

(2) X - 비효율성

행정서비스의 경우 대부분 독점적으로 생산되고 경쟁에 노출되지 않기 때문에 이로 인하여 나타나는 조직관리상의 비효율성을 의미한다.[1]

고득점 공략 X - 비효율성

1. 의의
   정부실패의 한 요인으로, 경제적 요인이 아닌 심리적·행태적 요인(사명감이나 직업의식의 부족)에 의해 나타나는 관리상의 비효율성이다. 최신의 기술을 사용하지 않아 산출극대화·비용극소화에 실패하는 것은 기술적 비효율성(technical inefficiency), 즉 X-비효율성에 의한 낭비로서 일반적으로 경제학자들은 중요하지 않은 것으로 간주하였다.
2. 발생요인
   ① 노동계약이 불완전하여 조직 속의 개인이 자기 자신의 목적(예 직무 중에 주식투자 등)을 추구할 수 있을 때 조직운영에 비효율성이 나타나게 된다.
   ② 조직의 생산함수 또는 생산기술이 완전하게 파악되거나 알려져 있지 않을 때 발생한다.
   ③ 조직의 생산활동에 들어가는 모든 투입요소가 시장에서 거래되는 것은 아니고, 비록 그것이 시장에서 거래된다고 할지라도 모든 조직에 동등한 조건으로 거래가 이루어지지 않을 때 나타나게 된다.

(3) 파생적 외부효과

① **의의:** 정부개입에 따른 예상치 못한 부차적 효과이다. 즉, 정부개입으로 인한 졸속행정에 의해서 나타나는 문제로서 장기적으로 나타난다.

② 대가를 지불하지 않고 편익 혹은 손해를 가져오는 시장실패로서의 외부효과와는 달리 정부개입에 의한 외부효과라는 점에서 구별이 필요하다.

예 참여정부의 8·31 부동산정책, 제6공화국의 주택 200만 호 건설정책 등의 추진으로 인한 원자재가격의 폭등과 그로 인한 주택가격 상승, 정부의 개입으로 인한 경제체질의 약화현상 등

(4) 권력 독점과 불균형에 의한 소득분배의 불공평성

① **의의:** '보이는 손에 의한 특혜와 불공정'이다. 즉, 정부가 특정한 기업이나 개인에게 특혜를 제공함으로써 소득분배가 불공평하게 되는 현상이다.

② 이러한 불공평성은 정부개입에 의한 불공평으로 시장에서 자연적으로 발생하는 소득분배의 불공평성과는 구별된다.

예 특정 업체에 대해서만 조세감면의 혜택을 주는 등의 현상

(5) 수입과 지출의 분리

① **의의:** 정부는 조세를 일률적으로 징수하여 사용하기 때문에 조세수입과 조세지출을 연결시키는 명확한 근거가 없다. 즉, 수입과 지출이 분리되어 있다.

② **문제점:** 조세는 시민의 선호를 반영하여야 하지만, 수입과 지출의 분리현상은 조세의 선호표출기능을 약화시킨다.

(6) 비용과 편익의 절연[2]

정책으로 인하여 편익을 누리는 집단과 비용을 부담하는 집단이 다르기 때문에 편익을 누리는 집단은 정책의 확대를, 비용을 부담하는 집단은 정책의 축소를 주장한다. 이에 따라 진정한 정책의 수요대로 정책을 집행하기가 어렵다.

[1] 배분적 비효율성
비용편익분석 등 합리적인 분석의 결여로 사업의 우선순위를 무시한 결과 사업이나 대안 간에 자원배분이 효율적으로 되지 않은 것이다.

[2] 미시적 절연과 거시적 절연
1. 미시적 절연(micro decoupling)
   - 정부사업에서 나오는 편익은 특정 집단에 집중되어 있지만 소요되는 비용은 납세자나 소비자인 일반대중에게 널리 퍼져 있는 경우를 말한다.
   - 미시적 절연은 잘 조직된 소수가 다수를 이용하는 것이라고 할 수 있으며, 결과적으로 비효율적이거나 불공평한 정부사업이나 규제를 발생하게 한다[윌슨(Wilson)의 고객정치의 맥락].
2. 거시적 절연(macro decoupling)
   - 순수한 경제적 문제라기보다는 정치·경제적 문제인바, 정치권력은 투표권을 갖는 다수로부터 나오지만, 정부사업의 재원인 조세기반은 극소수에 달려 있다는 것을 말한다.
   - 재분배사업의 수요는 다수로부터 나오지만 필요한 재원을 부담할 수 있는 사람은 소수이므로, 재분배사업의 확대는 거시적 절연의 대표적 예라고 할 수 있다[윌슨(Wilson)의 기업가적 정치의 맥락].

㉠ · 환경오염규제와 관련된 정책: 편익을 누리는 집단은 넓게 확산되어 있고 비용을 부담하는 집단은 좁게 집중되어 있으므로 정부의 개입이 과소화됨
· 의료수가 인상과 관련된 정책: 편익을 누리는 집단은 좁게 집중되어 있고 비용을 부담하는 집단은 넓게 확산되어 있으므로 정부의 개입은 과대화됨

(7) 종결 메커니즘의 부재와 정치인의 단견(短見, 높은 시간 할인율)

① 공공부문의 생산에 있어서 명확한 손익계산이 어려운 경우가 많고, 손익계산이 가능한 경우에도 정치적인 이유나 제도적인 이유에 의해서 정책이 종결되지 않는 경우가 많다.

② 정치인들은 장기적으로 손해를 가져오는 정책이라고 하더라도 단기적으로 이익이 되면 정책을 추진하는 경우가 많다.

㉠ 새만금사업: 사업이 비효율적임에도 불구하고 공공결정이 계속적으로 유지됨

4. 대응방안

(1) 민영화 및 민간위탁

민영화 및 민간위탁을 통해 정부기능을 민간으로 이전하거나 매각하는 것이 필요하다.

(2) 정부보조금 삭감 또는 폐지

정부보조금은 정부의 간접적 성격의 정책수단으로 이를 삭감하거나 폐지함으로써 정부의 기능을 축소시킨다.

(3) 규제 완화 또는 철폐

시장의 자율성을 저해하는 불필요하거나 과도한 규제를 완화하거나 철폐한다.

(4) 시장성 검증(market testing)[1]을 통한 행정기능의 재정립

합리적인 시장성 검증을 통해서 정부가 할 수 있는 일과 민간이 잘하는 일을 분리한 다음, 그에 따라 행정기능을 재정립하는 것이 필요하다.

(5) 거버넌스(governance)에 입각한 국정운영

정부실패가 발생한 경우 이를 교정하기 위해서 정부의 역할을 다시 시장부문에 이양하는 것은 또 다른 시장실패를 야기할 가능성이 있다. 따라서 정부와 시장과 시민 간의 신뢰를 기반으로 하는 협력적 네트워크를 구성하여 국정을 운영하는 거버넌스가 필요하다.

핵심정리 정부실패의 원인별 대응방안

구분	민영화	정부보조 삭감	규제 완화
사적 목표 설정	○		
X-비효율·비용체증	○	○	○
파생적 외부효과		○	○
권력의 독점	○		○

[1] 시장성 검증(market testing)
영국 메이저(Major) 정부가 1991년 시행한 행정개혁 조치의 하나로 정부기능을 원점에서부터 재검토하여 정부기능을 줄이고 최적사업주체를 선정하려는 것이다.

핵심 OX

01 정부조직의 내부성은 파생적 외부효과를 통제해서 발생한다. (O, X)

02 X-비효율성은 과열된 경쟁에서 나타나는 정부의 과다한 비용발생을 의미한다. (O, X)

03 파생적 외부효과는 정부개입을 요구하는 근거이다. (O, X)

04 선거직의 짧은 임기와 일반직 공무원의 순환보직은 높은 시간의 할인율로 인해서 정책실패의 원인이 된다. (O, X)

05 파생적 외부효과로 인한 정부실패는 정부보조 삭감 또는 규제완화의 방식으로 해결해야 한다. (O, X)

01 X 정부조직의 내부성은 자기조직이나 부서의 이익추구로 인해서 발생한다.
02 X X-비효율성이란 조직관리상의 비효율성으로, 정부업무가 경쟁 상태에 노출되지 않는 독점적 성격에서 나타나는 정부의 과다한 비용발생을 의미한다.
03 X 파생적 외부효과는 정부의 개입이 예상치 못한 부작용을 가져오는 것을 말하므로 정부개입이 아니라 정부축소의 논거가 된다.
04 O
05 O

3 정부규모에 대한 학자들의 주장

사회적으로 공공재의 바람직한 최적규모가 있는가에 대한 문제로서, 공공재의 과다공급설과 과소공급설이 있다.

1. 정부기능의 팽창(공공재의 과다공급설)

(1) 와그너(Wagner)의 경비팽창의 법칙

국민소득이 증가할 때, 공공재 수요의 소득탄력적 특성으로 인해 국민경제에서 차지하는 공공부문의 상대적 크기가 증대되는 현상이다. 즉, 사회가 발전함에 따라 사회적 상호의존관계가 심화되어 전보다 더 많은 정부지출이 필요하다.

(2) 피콕과 와이즈맨(Peacock & Wiseman)의 전위효과와 대체효과

① **전위효과:** 전쟁 등 비상시에 국민의 증액된 조세에 대한 국민의 허용수준이 높아지는 현상이다.

② **대체효과:** 전쟁 등 위기가 끝난 후에도 예산이 감축되지 않고 새로운 사업을 추진하는 데 대체되어 사용되는 현상이다. 즉, 한 번 증액된 예산은 좀처럼 감축되지 않는다고 본다.

(3) 보몰(Baumol)효과

정부서비스 부문은 노동집약적인 성격이 강하기 때문에 생산성은 저하되며 계속적으로 과다한 인건비가 들어감에 따라 예산이 팽창하는 현상이다.

(4) 니스카넨(Niskanen)의 예산극대화모형

정부의 각 부처는 각기 자기 부처의 이익을 극대화하기 위해 과잉예산을 확보하는 경향이 있다.

(5) 뷰캐넌(Buchanan)의 다수결 투표와 리바이어던가설

① **다수결 투표:** 대의민주주의 체제는 다수결 투표에 의한 합의(vote trading)를 통해 예산이 쉽게 팽창·증가될 수 있다.

② **리바이어던*가설:** 국가는 절대적인 것이며 마치 거대한 괴물과도 같은 존재가 된다는 국가의 완전성에 대한 국민의 믿음으로, 공공부문의 총체적 규모가 증가한다는 가설이다. 즉, 정부의 재정지출이 늘어나고 규모가 팽창하는 것을 리바이어던에 비유한 것이다.

(6) 지출한도(expending belt)의 부재와 관료제의 불멸성

공공관료제는 일단 확립되면 강력한 지구력을 발휘한다는 것으로서, 카프만(Kaufman)은 『정부조직불멸론』에서 정부지출에는 팽창을 통제할 수 있는 가시적인 종결장치가 미흡하기 때문에 과다지출이 발생하고 이에 따라 관료제조직이 팽창하기만 하고 불멸한다는 것을 의미한다.

(7) 양출제입의 원리

지출의 수요가 있으면 거기에 맞추어 정부의 세입을 확대하려는 특성으로 인해 강제적으로 세수를 확보함에 따라 낭비적 지출이 이루어지는 현상이다.

용어

리바이어던*: 홉스(Hobbes)의 저서인 『리바이어던(Leviathan)』은 구약성서 욥기 41장에 나오는 바다 괴물의 이름으로, 인간의 힘을 넘는 매우 강한 동물을 뜻한다. 국가라는 거대한 창조물을 이 동물에 비유한 것이다.

(8) 파킨슨(Parkinson)의 법칙

정부의 인력은 본질적인 업무량과는 상관없이 과잉증대된다는 법칙이다. 따라서 과다한 인건비로 인해 정부의 예산이 팽창된다.

(9) 간접세 위주의 재정구조

간접세의 경우 조세저항이 회피되어 세금을 과다징수함으로써 정부의 재정이 팽창하게 된다.

고득점 공략 파킨슨(Parkinson)의 법칙과 피터(Peter)의 원리

1. 파킨슨(Parkinson)의 법칙
   ① **부하배증의 법칙과 업무배증의 법칙**: 공무원은 업무과중 시 동료에게 보충받기보다는 부하들을 보충받기를 원한다는 '부하배증의 법칙'과 부하가 배증되면 파생적 업무가 발생하여 본질적 업무와는 관련 없이 업무량이 증가하게 된다는 '업무배증의 법칙'이 악순환되어 공무원 수가 증가한다.
   ② 공무원 수의 증가와 본질적인 업무량의 증가는 아무런 관련이 없으며, 심리적 요인이 중요하게 작용한다고 보았다.
   ③ 전쟁이나 경제공황과 같은 위기상황 시에 나타나는 공무원 수의 증가를 설명할 수 없다.
2. 피터(Peter)의 원리
   ① 조직의 구성원들은 자신들의 무능력수준까지 승진하는 경향이 있다는 원리로서, 대부분의 사람들은 무능과 유능은 개인의 역량에 달려 있다고 생각하기 쉬우나, 피터(Peter)의 원리에 의하면 우리 사회의 무능은 개인보다는 위계조직의 메커니즘에서 발생한다.
   ② 이에 따라 현재 조직에 존재하는 구성원들은 무능력자로 가득 채워진다.

2. 정부기능의 축소(공공재의 과소공급설)

(1) 머스그레이브(Musgrave)의 조세저항

민간재는 자신이 비용을 부담한 만큼 소비를 하는 데 반해, 공공재는 자신이 부담한 세금에 비해 적게 편익을 누린다고 생각하기 때문에 과다한 세금부담에 대한 조세저항이 일어나며 이에 따라 공공재의 과소공급이 야기된다. 이는 조세저항에 대한 적정한 공공재 공급의 실패로서 '시민실패(citizen failure)'라고도 한다.

(2) 다운스(Downs)의 합리적 무지

합리적인 국민 개개인은 공공서비스에 대해 정보를 정확하게 수집하지 않고, (무지한 상태로) 무조건 공공재의 확대에 대해 반대함으로써 결국 정부의 세금 확보가 부족하게 되어 정부규모가 축소되는 현상이 발생한다.

(3) 갈브레이스(Galbraith)의 선전효과

민간재와는 달리 공공재는 선전이 이루어지지 않아 국민의 욕구를 자극시키지 못하기 때문에 수요가 감소하고 이에 따라 투자 및 생산, 공급이 적어지게 된다.

(4) 듀젠베리(Duesenberry)의 전시효과(유행 · 패션)

민간재에는 주위를 의식한 체면유지를 위하여 더 많은 지출을 하지만, 공공재에는 그렇지 않다.

핵심 OX

01 보몰(Baumol)효과는 정부확대의 근거가 될 수 있다. (O, X)

02 파킨슨(Parkinson)의 법칙은 전쟁이나 국가위기 시의 행정업무 증가를 매우 잘 설명한다. (O, X)

01 O
02 X 파킨슨(Parkinson)의 법칙에는 부하배증의 법칙과 업무배증의 법칙이 있는데, 부하가 증가하여 업무가 증가한다고 보아 위기상황의 업무량 증가를 설명하지 못하는 한계가 있다.

고득점 공략 공공재의 적정 공급규모에 관한 논의

과다 공급설	와그너(Wagner)의 경비팽창의 법칙	사회의 발전에 따라 행정수요의 팽창이 일어난다.
	피콕과 와이즈맨(Peacock & Wiseman)의 전위효과	전쟁 등 위기 시에는 국민의 조세부담증대의 수용성(허용수준)이 높아진다.
	보몰(Baumol)효과	정부부문의 노동집약적인 성격이 생산성 저하를 가져오는 고질병으로 인한 비용상승 효과이다.
	니스카넨(Niskanen)의 예산극대화모형	자기 부서의 이익극대화를 위해 과잉예산을 확보한다.
	뷰캐넌(Buchanan)의 다수결 투표와 리바이어던가설	투표의 거래나 담합(Log-Rolling)에 의한 사업의 팽창과 정부의 완전성에 대한 믿음을 의미한다.
	지출한도(expending belt)의 부재	정부의 지출에 종결장치 및 가시적인 길항력(균형유지력)이 존재하지 않는다.
	양출제입의 원리	지출수요의 증가에 따라 수입을 확대한다.
	파킨슨(Parkinson)의 법칙	본질적인 업무량과 무관하게 부하배증의 법칙과 업무배증의 법칙이 일어난다.
	간접세 위주의 재정구조	조세저항의 회피에 따른 재정팽창(재정착각)이 일어난다.
과소 공급설	머스그레이브(Musgrave)의 조세저항	국민들의 조세저항(재정착각)이 공공재의 과소공급을 유도한다.
	다운스(Downs)의 합리적 무지	합리적 개인들은 공공재에 대해서 적극적 정보를 수집하지 않기 때문에 공공재의 수요저하 현상이 발생한다.
	갈브레이스(Galbraith)의 선전효과	공공재는 선전이 이루어지지 않아 공적 욕구를 자극하지 못한다.
	듀젠베리(Duesenberry)의 전시효과	민간재에는 체면유지 때문에 실제 필요한 지출보다 더 많이 지출하지만 공공재에는 그렇지 않다.

3 정부규제와 규제개혁

1 정부규제

1. 의의

국가 또는 지방자치단체가 특정한 행정목적을 실현하기 위하여 국민의 권리를 제한하거나 의무를 부과하는 것으로서 법령 또는 조례·규칙에 규정되는 사항이다. 이는 '숨겨진 조세(hidden tax)'라고도 한다.

2. 종류

(1) 경제적 규제(광의)

① **의의:** 기업이나 개인에 의해서 시장지배력이 남용되지 않고 공정한 시장질서 확립을 위해 이루어지는 규제이다.

㉄ 진입(퇴거)규제, 가격규제, 독과점 및 불공정거래에 대한 규제 등

② 유형

㉠ **경제적 규제(협의):** 일반적으로 시장경쟁을 제한·왜곡하여 자원배분과 소득분배의 변화·왜곡을 초래하는 규제로서, 규제실패 시 규제기관의 피규제산업에 대한 포획현상이 발생할 수 있다.

㉡ **독과점규제:** 독과점 및 불공정거래에 대한 규제로서, 광의의 경제적 규제에 포함되지만 모든 산업에 적용되는 비차별적 규제이다. 기업의 본원적 활동을 보장하기 위해서는 이를 강화해야 한다.

(2) 사회적 규제

① **의의:** 시장 메커니즘으로 보호하기 곤란한 가치와 집단을 보호하고 사회적으로 바람직하지 않은 결과를 초래할 수 있는 기업의 행동을 통제하여 기업의 사회적 책임을 강제하기 위한 규제이다.

㉄ 환경규제, 소비자보호규제, 산업재해규제, 사회적 차별에 대한 규제 등

② 특징

㉠ 경제적 규제에 비해 역사가 짧다.

㉡ 대상산업이 광범위하기 때문에 경제적 파급효과가 크다.

㉢ 규제완화의 대상에 획일적으로 포함시킬 수가 없다.

㉣ 동일한 규제가 모든 산업대상으로 이루어지기 때문에 규제실패나 포획현상의 발생가능성은 낮고 대립현상이 주로 발생한다.

핵심정리 정부규제의 비교

구분	경제적 규제(광의)		사회적 규제
	경제적 규제(협의)	독과점규제	
규제 대상	· 개별 산업(차별적 규제) · 기업의 본원적인 활동	· 모든 산업(비차별적 규제) · 기업의 본원적인 활동	· 모든 산업(비차별적 규제) · 기업의 사회적 책임
재량성	재량적 규제	비재량적 규제	비재량적 규제
경쟁성	경쟁 제한	경쟁 촉진	직접적 관계 없음
예	진입(퇴거)규제, 가격규제	독과점·불공정규제	환경규제, 소비자보호규제, 산업재해규제

핵심 OX

01 규제는 이른바 '숨겨진 조세'라고도 한다. (O, X)

02 사회적 규제의 대상산업은 광범위하기 때문에 그것의 경제적 파급효과가 크다. (O, X)

01 O
02 O

3. 정부규제의 방식(수단)[1]

(1) 직접적 규제(명령지시적 규제)

국가가 직접규제를 위한 규칙이나 기준을 설정하여 의무화시키고 금지·제한하는 규제이다.

㉠ 인·허가의 설정이나 환경에 대한 규제로서 직접 폐수방출기준을 정하는 것 등

(2) 간접적 규제(시장유인적 규제)

국가가 강제적 수단에 의하지 않고 시장에 맡김으로써 간접적으로 민간의 활동에 영향을 미치는 규제이다.

㉠ 보조금 지급, 부담금 부과, 오염물배출권제도, 공병보조금반환제도 등

4. 윌슨(Wilson)의 규제정치모형

(1) 의의

윌슨(Wilson)은 규제의 비용과 편익이 각각 넓게 분산되어 있느냐, 좁게 집중되어 있느냐에 따라서 규제의 유형을 네 가지 상황으로 나눌 수 있다고 설명하였다.

(2) 규제의 네 가지 정치적 상황 및 특징

구분		감지된 편익	
		넓게 분산	좁게 집중
감지된 비용	넓게 분산	대중적 정치	고객 정치
	좁게 집중	기업가적 정치	이익집단 정치

① **대중적 정치:** 정부규제에 대한 감지된 비용과 편익이 모두 이질적인 불특정 다수에게 미치는 경우이다.

㉠ 낙태·음란물·종교활동에 대한 규제 등

㉠ 규제의 필요성은 사익을 주장하는 이익집단보다는 공익집단에 의해 먼저 제기된다.

㉡ 규제기관의 책임자, 최고국정책임자의 생각에 의해 크게 좌우된다.

② **고객 정치:** 정부규제로 발생하게 될 비용은 상대적으로 작고 이질적인 불특정 다수인에게 부담되나, 그것의 편익은 대단히 크며 동질적인 소수에 귀속되는 경우이다.

㉠ 최저가격규제, 수입규제 등 주로 경제적 규제

㉠ 수혜자는 잘 조직화되어 있어서 규제기관의 결정과 집행에 강력한 영향력을 행사하는 포획현상이 발생한다.

㉡ 다수의 비용부담집단에서는 집단행동의 딜레마(collective action dilemma)가 나타나 영향력이 약화된다.

㉢ 정부규제과정에서 조용한 막후교섭과 로비 등이 나타난다.

③ **기업가적 정치:** 비용은 소수의 동질적인 집단에 집중되어 정치적으로 막강한 영향력을 행사하는 반면, 편익은 대다수에 넓게 확산되어 잘 조직되어 있지 못하며 정치적 활동도 미약하다.

㉠ 환경오염규제, 산업안전규제 등 주로 사회적 규제

---

[1] 명령지시적 규제와 시장유인적 규제 비교

구분	명령지시적 규제	시장유인적 규제
내용	기준설정 - 위반 시 처벌	의무부과 - 수용 시 혜택, 미수용시 제재
방식	직접적, 통제적, 경직적, 처벌 강도 강함	간접적, 유도적, 신축적, 처벌 강도 약함
규제 효과	직접적, 큼	간접적, 작음
경제적 효율성	낮음 (비용 큼)	높음 (비용 작음)
재량성	민간 재량성 없고, 정부 재량성 큼	민간 재량성 있고, 정부 재량성 없음
정치적 수용도	높음	낮음

핵심 OX

01 명령지시적 규제는 시장유인적 규제보다 규제효과가 작지만 경제적 효율성이 높다. (O, X)

01 X 명령지시적 규제는 시장유인적 규제 방법에 비해 효과가 직접적이고 크지만 경제적 효율성이 낮다.

㉠ 사회적 · 정치적 계기의 형성이 중요하다. 이를 위해 공익운동가, 언론기자, 의회의 의원 및 정치가 등 기업가적 정치인의 적극적인 역할이 필요하다.

㉡ 규제기관은 피규제산업과 적대적인 관계에 놓인다(그러나 포획가능성도 있다).

㉢ 규제는 일반국민 또는 정치인의 관심이 높고, 이들의 지원이 계속되는 동안에는 제 기능을 수행할 수 있다.

㉣ 시간이 흐를수록 피규제산업의 규제기관에 대한 장악 시도가 강화된다.

④ **이익집단 정치:** 정부규제로부터 예상되는 비용과 편익이 모두 소수의 동질적 집단에 국한되는 경우이다.

㉮ 노사관계, 의약분쟁 등

㉠ 이익집단이 비슷한 정도의 정치적 영향력을 발휘하여 정부역할은 중립자에 머무른다.

㉡ 갈등이 첨예할 경우 해결하기가 어렵다.

고득점 공략 집단행동의 딜레마(collective action dilemma)

1. 의의

'집단행동의 딜레마'란 수많은 기업 또는 수많은 사람으로 구성되는 집단이 공통의 이해관계가 걸려 있는 문제를 스스로의 노력으로 해결하지 못하는 상황을 일컫는다. 이는 대규모 집단에 항상 따라다니는 무임승차(free - ride) 성향 때문이다. 예컨대 공공재의 경우 비경합성이나 비배제성으로 인하여 구성원이 특별한 노력을 하지 않아도 혜택을 보게 되므로 공공재의 공급에 누구도 노력을 제공하지 않으려는 현상이 나타난다. 집단행동의 딜레마는 N - 1, 1/N로 설명되는데, 일반적으로 공공재에서 발생하지만 시장에서 기업이나 국민, 소비자들에게서도 나타난다.

2. 해결방안

① 정부규제론(government regulation): 정부의 직접적인 개입 및 규제

대규모 잠재집단이 공통의 이익을 확보할 수 없게 될 때 정부가 이들의 문제해결을 돕기 위해 개입하게 된다. 예컨대 소비자집단의 집단행동의 딜레마를 막기 위하여 정부가 소비자문제에 개입하여 공급자인 기업을 규제하는 것이다.

② 사회자본론(social capital): 시민들 간의 자발적인 협력

사회자본은 집단행동의 딜레마이론의 전제와는 달리 사회구성원들이 이득만 취하고 아무런 행동을 하지 않는 것이 아니라, 사회공동의 문제를 해결하는 데 적극적으로 참여하는 사회적 조건이나 특성을 말한다. 즉, 사회구성원들이 무임승차하는 것이 아니라 '힘을 합쳐 공동의 목표나 이익을 추구하기 위하여 적극적으로 신뢰하고 협력하는 협력적 네트워크'라고 정의된다. 주로 선진국에서 논의되고 있으며 최근에 더 유력한 대안으로 대두되고 있다.

2 규제개혁[1]

1. 의의

규칙이나 규정에 의하여 일정한 한도를 정하거나 정한 한도를 넘지 못하게 막는 것을 새롭게 뜯어고치는 것으로서 규제완화와 같은 맥락이다.

2. 필요성[2]

(1) 포획과 지대추구행위의 발생

각종 인 · 허가의 과정에서 관료집단의 포획과 기득권 집단의 지대추구행위가 나타나기 때문에 규제는 개혁되어야 한다.

❶ 규제개혁의 의미

규제개혁은 모든 정부규제를 완화하자는 의미는 아니다. 미국과 같은 선진국들은 인권이나 삶의 질에 관한 사회적 규제가 이미 갖추어져 있기 때문에 경제적 규제와 사회적 규제를 구분하지 않고 규제의 완화를 논의할 수 있지만, 우리나라와 같이 아직까지 사회적 안전망이 확보되지 않은 상황에서는 사회적 규제는 강화되어야 할 대상이지 완화되어야 할 대상은 아니다.

❷ 규제의 역설(paradox of regulation)

1. 의의: 어떤 목적을 달성하기 위해서 규제를 실시했는데 그 반대의 결과가 나오는 경우를 의미한다. 규제가 역효과를 가져오는 사례를 통하여 규제실패의 원인을 분석하고 시장친화적인 규제시스템을 모색해야 한다.
2. 사례
   - 새로운 위험만 규제하면 사회의 전체 위험 수준은 증가한다.
   - 기업에게 상품에 대한 정보공개를 의무화할수록 소비자들의 실질적인 정보량은 줄어든다.
   - 과도한 규제는 과소한 규제가 된다.
     ㉮ 음주운전하면 사형
   - 최고의 기술을 요구하는 규제는 기술개발을 지연시킨다.
   - 소득재분배를 위한 규제가 오히려 사회적 약자에게 해가 된다.
     ㉮ 최저임금제가 근로자들의 일자리를 빼앗은 현상

핵심 OX

01 윌슨(Wilson)의 네 가지 규제정치모형 중에서 규제의 비용은 이질적인 불특정 다수에게 부담되나 그것의 편익은 대단히 크며, 소수에게 귀속되는 상황으로 피규제산업에 의한 규제기관의 포획이 이루어질 가능성이 높은 것은 고객 정치모형이다. (O, X)

02 최저가격규제, 수입규제 등은 윌슨(Wilson)의 규제정치모형 중 기업가적 정치모형에 해당한다. (O, X)

01 O
02 X 고객 정치모형에 해당한다.

고득점 공략 포획이론과 지대추구이론[1]

1. 포획이론(capture theory)
   ① **의의:** 산업이나 기업의 부당행위로부터 사회를 보호하기 위하여 설립된 규제기관이 이들의 포로가 되어 오히려 소비자의 희생으로 산업이나 기업의 이익증진에 기여한다는 이론이다.
   ② **포획행위:** 이익집단을 규제해야 할 행정부가 오히려 이익집단의 특정한 이익을 반영한다는 것이다. 소위 이익집단의 특수이익에 행정이 포획되어 있는 현상을 설명한다. 즉, 산업이나 기업이 자신의 사적 이익을 도모하기 위하여 규제기관에게 영향력을 행사하여 규제기관을 도구화하는 행위를 포획행위라고 한다.
2. 지대추구이론
   ① **의의:** 털록(Tullock, 1967)이 제시한 것으로서, 지대추구는 포획의 일종이며 정부규제가 결국 독점상태를 만들어 사회적 낭비를 가져온다는 이론이다.
   ② **지대추구행위:** 정부규제행위는 잠재적 소득의 원천으로서 어떤 집단에게는 경제적 이익을 주고 다른 집단에게는 경제적 부담을 주게 된다. 따라서 각 이익집단들은 경제적 이익을 얻기 위하여 정부를 상대로 경쟁을 벌이게 되고 이때 경쟁에서 이기는 집단은 초과소득이라고 할 수 있는 경제적 이득, 즉 지대를 얻을 수 있게 된다. 이러한 경제적 이득을 확보하기 위하여 정부를 상대로 집단 간에 벌이는 행위를 지대추구행위라 한다.

(2) 규제의 악순환

끈끈이 인형효과(tar baby effect)*와 규제의 조임쇠(regulatory ratchet)*가 설명하듯이 정부규제는 한 번 생기면 쉽게 사라지지 않고 규제가 규제를 낳게 된다.

(3) 규제피라미드

규제피라미드(regulation pyramid)는 규제가 또 다른 규제를 가져오는 현상을 의미한다. 잘못 설정된 규제는 의도하지 않은 결과를 가져오고, 그 잘못을 치유하기 위해 또 규제를 만들지만 내성만 키울 뿐이다.

(4) 기회의 불평등 야기

새롭게 사업에 들어가고자 하는 사람들은 진입장벽 등으로 인해 기회를 평등하게 얻기가 힘들다.

3. 규제의 유형

(1) 규제대상에 따른 분류

수단규제	정부가 목표달성을 위하여 필요한 기술이나 행위에 대해 사전적으로 규제하는 것으로(투입규제), 피규제자의 자율성이 낮다. ㉮ 작업장 안전 확보를 위한 안전장비 착용 규제
성과규제	정부가 특정 사회문제해결에 대한 목표달성수준을 정하고 피규제자에게 이를 달성할 것을 요구하는 것이다(산출규제). ㉮ 개발 신약에 대한 허용 가능한 부작용 발생 수준 규제
관리규제	수단과 성과가 아닌 전체적인 과정을 규제하는 것이다(과정규제). ㉮ 식품안전성 확보를 위한 식품위해요소 중점관리기준(HACCP) 규제

[1] 포획이론과 지대추구이론의 관계
단적으로 포획은 규제가 특정 집단을 이롭게 하는 것이고, 지대추구는 규제가 사회적 비용을 수반한다는 것이다. 즉, 포획현상은 규제기관인 공무원의 역할에 초점을 둔 개념이고, 지대추구현상은 피규제기업의 역할에 초점을 둔 개념이다.

용어

끈끈이 인형효과*: 해리스(Harris)의 소설 속에서 토끼를 유혹하기 위해 사용된 타르 인형에서 유래된 말로서, 토끼들이 검게 칠한 인형을 친구로 착각하여 주변에 자꾸 모여들게 되듯이 잘못된 정부규제가 또 다른 규제를 가져오는 현상을 말한다.

규제의 조임쇠*: 한 번 만들어진 정부규제가 끊임없이 팽창하려는 성향이다.

(2) 수행주체에 따른 분류

직접규제	정부가 직접적으로 피규제자(규제대상자)를 규제하는 방식이다.
자율규제	피규제자가 스스로 규제주체가 되어 규제하는 방식이다.
공동규제	정부로부터 위임을 받은 민간집단과의 협력에 의해 이루어지는 방식이다.

4. 규제개혁의 방향❶

(1) 규제방식의 전환

① **포지티브(positive)규제 → 네거티브(negative)규제**: 원칙금지 · 예외허용(positive system)에서 원칙허용 · 예외금지(negative system)로 전환되어야 한다.

② **사전규제 → 사후규제**: 생산물을 생산하기 전에 시행하는 사전규제에서 생산한 후에 규제하는 사후규제로 전환되어야 한다.

③ **직접규제 → 간접규제**: 정부의 직접규제에서 시장의 자율성에 맡기는 간접규제로 전환되어야 한다.

(2) 규제의 합리화

① 민간의 자율성과 창의성을 저해하는 각종 진입장벽이나 규제 등을 제거하는 경제적 규제는 완화되어야 한다.

② 국민의 안전과 환경보호 등을 위한 사회적 규제는 사회정의나 형평성 등과 밀접한 관련이 있으므로 일률적으로 완화하지 않고, 강화 내지 합리화하여야 한다.

③ 규제완화의 효과가 큰 분야에 집중하여 규제를 개혁하되, 행정책임의 한계를 명확히 하여야 한다.

❶ 규제개혁의 3단계(OECD)

규제완화	규제총량 감소
규제품질관리	개별규제의 질적 관리(규제영향분석)
규제관리	거시적 접근을 통한 전반적인 규제체계의 관리

5. 우리나라의 규제개혁❷(「행정규제기본법」)

(1) 규제법정주의

규제는 법률에 근거하여야 하며, 행정기관은 법률에 근거하지 아니한 규제로 국민의 권리를 제한하거나 의무를 부과할 수 없다.

(2) 규제의 원칙

① **본질적 내용의 침해금지 원칙**: 국가 또는 지방자치단체는 국민의 자유와 창의를 존중하고 규제를 정하는 경우에도 그 본질적 내용을 침해하지 아니하도록 하여야 한다.

② **실효성의 원칙**: 국민의 생명 · 보건과 환경 등을 보호하기 위한 규제를 실효성 있게 정하여야 한다.

③ **최소한의 원칙**: 국민의 자유와 권리의 본질을 침해하는 규제는 곤란하며 규제는 최소한에 그쳐야 한다.

(3) 우선허용 · 사후규제 원칙

국가나 지방자치단체가 신기술을 활용한 새로운 서비스 또는 제품과 관련된 규제를 법령이나 조례 · 규칙에 규정할 때에는 우선허용과 사후규제의 원칙을 고려하여야 한다.

❷ 규제 샌드박스(sandbox)

1. **개념**: 사업자가 신기술을 활용한 새로운 제품과 서비스를 일정 조건하에서 시장에 우선 출시해 시험 · 검증할 수 있도록 현행 규제의 전부나 일부를 적용하지 않는 것을 말한다. 그 과정에서 수집된 데이터를 토대로 합리적으로 사후에 규제를 개선하는 제도로서, 특정 지역에서 규제를 면제하는 규제 프리존과는 다른 개념이다.
2. **도입배경**: 안전하고 자유롭게 놀 수 있는 모래 놀이터처럼 기업이 규제 없는 경영환경에서 혁신사업을 해보라는 취지로 도입되었다. 제4차 산업혁명의 일환으로 2019년 1월 17일 ICT융합 및 산업융합 규제 샌드박스제도의 근거법인 「정보통신융합법」과 「산업융합촉진법」이 발효됨에 따라 규제 샌드박스제도가 본격 시행에 들어갔다.
3. **유형**: 임시허가와 실증특례 두 가지 유형이 있으며, 대상 기업으로 선정되면 최장 4년간(1회 연장, 2년+2년) 관련 규제를 적용받지 않고 자유롭게 사업할 수 있다.

(4) 규제영향분석

중앙행정기관의 장은 규제를 신설 또는 강화하고자 할 때에는 규제영향분석을 하고 규제영향분석서를 작성하여야 한다.

(5) 규제일몰법(sunset law)

규제의 존속기한은 규제의 목적을 달성하기 위하여 필요한 최소한의 기간 내에서 설정되어야 하며, 그 기간은 원칙적으로 5년을 초과할 수 없다.

(6) 규제의 등록 및 총량통제

① 중앙행정기관의 장은 소관규제의 명칭 · 내용 · 근거 · 처리기관 등을 규제개혁위원회에 등록하여야 한다.

② 총량통제는 「행정규제기본법」에 명시된 제도는 아니지만, 규제개혁위원회에서 내부지침으로 규제에 대한 부처별 총량을 정한 뒤 그 상한선을 유지하도록 통제를 실시한다.

(7) 규제개혁담당기구(규제개혁위원회[1])

정부는 규제개혁을 심의 · 조정하고 규제의 심사 · 정비 등에 관한 사항을 종합적으로 추진하기 위하여 대통령 소속하에 규제개혁위원회를 둔다.

3 행정지도

1. 의의

(1) 행정주체가 의도하는 바를 실현하기 위하여 국가가 국민에게, 혹은 중앙정부가 지방정부에게 국민의 임의적 협력을 기대하여 행하는 이른바 비권력적 사실행위이다.

(2) 간편하고 신속하나, 책임이 불분명하고 법치주의를 침해할 우려가 있다.

2. 유형

유형	내용
규제적 행정지도	공익 또는 행정목적에 위반되는 행위를 규제 또는 예방하려는 행정지도이다.
조정적 행정지도	대립되는 당사자들의 이해관계를 조정하려는 행정지도이다.
조성적 행정지도	시민의 이익이나 복리를 증진시키기 위한 봉사적 성격의 행정지도(조언적 · 촉진적)이다.

3. 개혁방향

(1) 상대방의 입장에서 볼 때 행정지도의 안정성이나 예측가능성을 높여야 하며, 문제 발생 시 보상조치를 마련해 주어야 한다.

(2) 절차상의 공정성을 확보하여야 한다. 행정지도는 권리구제에 어려움이 있기 때문에 공정한 절차를 거치도록 하여야 한다.

(3) 공정성을 확보하기 위해서 행정지도의 일시와 장소 그리고 상대방에 관한 기록을 남기도록 한다.

[1] 규제개혁위원회의 구성
1. 위원회는 위원장 2명을 포함한 20명 이상 25명 이하의 위원으로 구성한다.
2. 위원장은 국무총리와 학식과 경험이 풍부한 사람 중에서 대통령이 위촉하는 사람이 된다.

핵심 OX

01 현행 「행정규제기본법」에는 일몰법의 도입이 필요하다. (O, X)

02 「행정규제기본법」에 따르면 총량통제에 해당하는 규정이 있다. (O, X)

03 행정지도는 행정의 적시성의 확보나 탄력성을 가져올 수 있으나 책임성 문제가 대두될 수 있다. (O, X)

04 행정지도는 법치주의의 침해, 불분명한 책임성 등이 문제로 지적된다. (O, X)

01 X 현행 「행정규제기본법」에는 이미 일몰법이 도입되어 있다.
02 X 「행정규제기본법」에는 총량통제규정은 없고 내부지침에 규정되어 있다.
03 O
04 O

학습 점검 문제

01 정부관의 변천에 대한 설명으로 옳지 않은 것은? 2022년 국가직 9급

① 19세기 근대 자유주의 국가는 '야경국가'를 지향하였다.

② 대공황 이후 케인즈주의, 루스벨트 대통령의 뉴딜정책은 큰 정부관을 강조하였다.

③ 영국의 대처리즘, 미국의 레이거노믹스는 작은 정부를 지향하였다.

④ 하이에크(Hayek)는 『노예의 길』에서 시장실패를 비판하고 큰 정부를 강조하였다.

02 경합성과 배제성을 고려할 때 공공재(public goods)에 가장 가까운 것은? 2014년 국가직 9급

① 국립도서관

② 고속도로

③ 등대

④ 올림픽 주경기장

03 정부개입의 근거가 되는 시장실패의 원인으로 옳지 않은 것은? 2021년 국가직 9급

① 외부효과 발생

② 시장의 독점 상태

③ X - 비효율성 발생

④ 시장이 담당하기 어려운 공공재의 존재

04 **정치행정일원론에 대한 설명으로 옳은 것은?** 2021년 지방직 9급

① 행정국가의 등장과 연관성이 깊다.

② 윌슨(Wilson)의 『행정연구』가 공헌하였다.

③ 정치는 의사결정의 영역이고, 행정은 결정된 내용을 집행한다고 보았다.

④ 행정은 경영과 비슷해야 하며, 행정이 지향하는 가치로 절약과 능률을 강조하였다.

정답 및 해설

01 정부관의 변천

하이에크(Hayek)는 시장중심의 신자유주의자로 1945년 『노예로의 길』에서 정부실패를 비판하고 작은 정부를 강조했다. 하이에크(Hayek)는 케인즈(Keynes)의 주장을 반대하여, 정부의 시장개입은 단기적 경기 부양에는 효과적일 수 있어도 장기적으로는 시장의 효율성을 심각하게 훼손한다고 주장하였으며 이는 신자유주의나 신공공관리론의 이론적 기초가 되었다.

| 선지분석 |

① 19세기 근대 자유주의국가는 국가의 역할을 치안유지에 국한하는 야경국가와 같은 작은 정부를 지향하였다.

② 1929년 경제대공황 이후의 케인즈(Keynes)와 루스벨트(Roosevelt) 대통령은 시장실패를 해결하기 위해서 정부개입을 주장하는 큰 정부를 강조하였다.

③ 영국의 대처리즘, 미국의 레이거노믹스는 정부팽창에 따른 정부실패를 해결하기 위해서 신자유주의에 바탕을 두는 작은 정부를 지향하였다.

02 재화의 유형

공공재(public goods)는 경합성과 배제성을 띠지 않는 재화로서 국방, 외교, 치안 또는 등대나 가로등이 대표적인 공공재에 해당한다.

| 선지분석 |

① 국립도서관은 공유재에 해당한다.

② 고속도로는 유료재에 해당한다.

④ 올림픽 주경기장은 원칙적으로 공유재인데, 인기가수들이 공연할 경우 사적재가 될 수 있다.

재화의 유형

구분		배제성	
		비배제성	배제성
경합성	비경합성	공공재(집합재) 예 국방, 치안, 외교 서비스, 등대, 가로등 등	요금재(유료재) 예 전기, 가스, 유료 고속도로 등
	경합성	공유재(공동재) 예 바닷속 물고기, 야생나물 등	사적재(민간재), 시장재 예 컴퓨터, 냉장고 등

03 시장실패의 원인

X-비효율성은 경쟁의 부재 때문에 발생하는 의욕저하와 같은 조직관리상의 비효율성으로 정부실패의 원인이다. 외부효과, 시장의 독점, 공공재의 존재 등은 시장실패의 원인이다.

04 정치행정일원론

정치행정일원론(공사행정이원론)은 1929년 경제대공황의 발생으로 인한 정부개입을 강조하는 큰 정부의 특징으로, 현대 행정국가의 등장과 연관성이 깊다.

| 선지분석 |

②, ③, ④는 모두 정치행정이원론(공사행정일원론)에 대한 설명이다.

정답 01 ④ 02 ③ 03 ③ 04 ①

05 **작은 정부를 적극적으로 옹호하는 것은?** 2020년 지방직 9급

① 행정권의 우월화를 인정하는 정치 · 행정 일원론

② 경제공황 극복을 위한 뉴딜정책

③ 사회복지 프로그램의 확대

④ 신공공관리론

06 **작은 정부의 등장을 지지하게 된 이론적 배경으로 가장 적절하지 않은 것은?** 2019년 서울시 7급(10월 시행)

① 예산극대화모형

② 지대추구이론

③ X-비효율성

④ 외부효과

07 **시장실패에 대한 설명으로 옳지 않은 것은?** 2024년 국가직 9급

① 민영화를 강조하는 작은 정부론은 시장실패에 대한 대응으로 제기되었다.

② 시장기구를 통해 자원을 효율적으로 배분할 수 없는 상태를 말한다.

③ 정부는 시장개입 및 규제를 통해 시장실패를 교정한다.

④ 공공재의 존재는 시장실패를 야기하는 요인이다.

08 정부의 규모와 역할에 대한 행정이론의 설명으로 옳지 않은 것은?

2017년 국가직 9급(4월 시행)

① X-비효율성은 과열된 경쟁에서 나타나는 정부의 과다한 비용발생을 의미한다.

② 지대추구이론은 규제나 개발계획과 같은 정부의 시장개입이 클수록 지대추구행태가 증가하고 그에 따른 사회적 손실도 증가한다고 주장한다.

③ 거래비용이론에서는 당사자 간의 협상 및 커뮤니케이션 비용과 계약의 준수를 감시하는 비용도 거래비용으로 포함한다.

④ 대리인이론은 주인 - 대리인 사이에 정보비대칭성이 있고 대리인이 기회주의적으로 행동하는 경우 역선택(adverse selection) 문제가 발생할 수 있다고 주장한다.

정답 및 해설

05 작은 정부 지지이론

1970년대 후반 정부실패 이후 작은 정부를 지향하는 것은 신공공관리론(NPM)이다. 나머지는 시장실패 이후의 큰 정부와 관련되어 있다.

06 작은 정부의 등장의 이론적 배경

외부효과는 시장실패의 원인으로 정부개입의 근거가 되므로 큰 정부를 지지하게 되는 이론적 배경이다. 관료들의 예산극대화, 지대추구이론, X-비효율성 등은 정부팽창으로 인한 정부실패의 원인으로 이에 대한 해결책으로 작은 정부가 등장하게 되는 이론적 배경이 된다.

07 시장실패의 원인과 대응방안

민영화(민간화)를 강조하는 작은 정부론은 시장실패가 아니라 정부실패에 대한 대응방안으로 제기되었다.

08 정부의 규모와 역할에 대한 행정이론

정부실패요인 중 X-비효율성이란 정부조직관리상의 비효율성으로, 정부업무가 경쟁상태에 노출되지 않은 독점적 성격에서 나타나는 정부의 과다한 비용발생을 의미한다.

| 선지분석 |

② 지대추구이론은 정부의 시장개입이 클수록 규제에 따른 독점적 이윤(지대)이 증가하고 그에 따른 사회적 손실도 증가한다.

③ 거래비용이론에서는 당사자 간의 협상 및 커뮤니케이션 비용과 계약의 준수를 감시하는 비용 등 사전적·사후적 비용을 모두 거래비용으로 포함한다.

④ 대리인이론은 정보의 비대칭성 때문에 발생하며 역선택(adverse selection)과 도덕적 해이(moral hazard) 문제가 발생할 수 있다고 주장한다.

정답 05 ④ 06 ④ 07 ① 08 ①

09 **정부예산팽창이론에 대한 설명으로 옳지 않은 것은?** 2023년 지방직 9급

① 바그너(Wagner)는 경제 발전에 따라 국민의 욕구 부응을 위한 공공재 증가로 인해 정부 예산이 증가한다고 주장한다.

② 피코크(Peacock)와 와이즈맨(Wiseman)은 전쟁과 같은 사회적 변동이 끝난 후에도 공공지출이 그 이전 수준으로 되돌아가지 않는 데에서 예산팽창의 원인을 찾고 있다.

③ 보몰(Baumol)은 정부 부문과 민간 부문 간의 생산성 격차를 통해 정부 예산의 팽창 원인을 설명하고 있다.

④ 파킨슨(Parkinson)은 관료들이 자신들의 권력 극대화를 위해 필요 이상으로 자기 부서의 예산을 추구함에 따라 정부 예산이 지속적으로 증가한다고 주장한다.

10 **윌슨(Wilson)의 규제정치유형 중 다음 설명에 해당하는 것은?** 2022년 국가직 9급

정부규제로 발생하게 될 비용은 상대적으로 작고 이질적인 불특정 다수에게 부담된다. 그러나 편익은 크고 동질적인 소수에 귀속된다. 이런 상황에서 상당한 이익을 얻을 수 있는 소수집단은 정치조직화하여 편익이 자신들에게 제도적으로 보장될 수 있도록 정치적 압력을 행사한다.

① 대중정치 ② 고객정치

③ 기업가정치 ④ 이익집단정치

11 **윌슨(Wilson)의 규제정치유형과 예시를 연결한 것으로 옳지 않은 것은?** 2018년 지방직 9급

① 고객정치 – 농산물에 대한 최저가격 규제

② 이익집단정치 – 신문 · 방송 · 출판물의 윤리규제

③ 대중정치 – 낙태에 대한 규제

④ 기업가정치 – 식품에 대한 위생규제

12 정부규제를 사회적 규제와 경제적 규제로 나눌 경우 경제적 규제의 성격이 가장 강한 것은? 2017년 지방직 9급(6월 시행)

① 소비자안전규제 ② 산업재해규제

③ 환경규제 ④ 진입규제

정답 및 해설

09 정부예산팽창이론

관료들이 자신들의 권력 극대화를 위해 필요 이상(2n)으로 자기 부서의 예산을 추구함에 따라 정부 예산이 지속적으로 증가한다고 주장하는 것은 니스카넨(Niskanen)의 예산극대화가설이다. 파킨슨(Parkinson)은 정부조직이 본질적인 업무와 관계없이 부하배증과 업무배증으로 인해서 일정비율(5.89%)로 증가한다는 법칙이다.

공공재의 규모(정부팽창론)

와그너(Wagner)의 법칙	정부의 기능과 활동이 증가 → 공공부문 지출도 증가
피콕과 와이즈맨(Peacock & Wiseman)의 전위효과	전쟁 등 위기 시에 국민의 조세부담증대의 수용성(허용수준)이 높아짐
보몰효과(Baumol's Disease)	정부부문이 노동집약적인 성격이 생산성 저하를 가져와서 비용이 증대되는 현상
니스카넨(Niskanen)의 예산극대화 모형	자기부서의 이익 극대화를 위한 과잉예산 확보
뷰캐넌(Buchanan)의 다수결 투표와 리바이어던 가설	투표의 거래나 담합(log-rolling)에 의한 사업의 팽창과 정부의 완전성에 대한 믿음
지출한도(expending belt)의 부재	정부의 종결장치 및 가시적인 길항력(균형유지력)의 부재
양출제입의 원리	지출수요의 증가에 따라 수입 확대
파킨슨(Parkinson)의 법칙	본질적인 업무량과 무관하게 부하배증의 법칙과 업무배증의 법칙으로 조직팽창
간접세 위주의 국가재정구조	조세저항의 회피에 따른 재정팽창(재정착각)

10 윌슨(Wilson)의 규제정치유형

제시문은 윌슨(J. Wilson)이 제시한 규제정책 중 고객정치의 사례에 해당한다. 고객정치는 규제의 비용은 다수(모든 국민)에게 분산되어, 편익은 소수(고객)에게 집중되는 것으로 수입면허 규제, 면세업 규제 등이 있다.

윌슨(Wilson)의 규제정치모형

구분		감지된 편익	
		넓게 분산	좁게 집중
감지된 비용	넓게 분산	대중적 정치(다수의 정치)	고객정치
	좁게 집중	기업가적 정치(운동가의 정치)	이익집단정치

11 윌슨(Wilson)의 규제정치유형

윌슨(Wilson)은 규제에 따른 비용과 편익의 집중과 분산여부에 따라 네 가지 규제정치모형을 제시하였다. 다수가 비용을 부담하고 다수가 편익을 누리는 신문·방송·출판물의 윤리규제는 음란물·낙태에 대한 규제 등과 함께 대중적 정치에 해당한다.

12 규제의 유형

진입규제는 지나친 경쟁을 제한하기 위한 경제적 규제(협의)이다.

| 선지분석 |

① 소비자안전규제, ② 산업재해규제, ③ 환경규제는 국민이나 사회적 약자를 보호하기 위한 사회적 규제에 해당한다.

정답 09 ④ 10 ② 11 ② 12 ④

13 **정부규제에 대한 설명으로 옳은 것만을 모두 고르면?** 2019년 국가직 9급

> ㄱ. 포지티브(positive)규제가 네거티브(negative)규제보다 자율성을 더 보장해준다.
> ㄴ. 환경규제와 산업재해규제는 사회규제의 성격이 강하다.
> ㄷ. 공동규제는 정부로부터 위임을 받은 민간집단에 의해 이뤄지는 규제를 의미한다.
> ㄹ. 수단규제는 정부의 목표를 달성하기 위해 필요한 기술이나 행위에 대해 사전적으로 규제하는 것을 의미한다.

① ㄱ, ㄴ
② ㄷ, ㄹ
③ ㄱ, ㄴ, ㄷ
④ ㄴ, ㄷ, ㄹ

14 **규제의 유형에 대한 설명으로 옳지 않은 것은?** 2018년 지방직 9급

① 리플리와 프랭클린(Ripley & Franklin)은 보호적 규제와 경쟁적 규제로 구분하고 있다.
② 경제규제는 주로 시장의 가격 기능에 개입하고 특정 기업의 시장 진입을 배제하거나 억압하는 방식으로 작동된다.
③ 포지티브규제는 네거티브규제보다 피규제자의 자율성을 더 보장한다.
④ 자율규제는 피규제자가 스스로 합의된 규범을 만들고 이를 구성원들에게 적용하는 형태의 규제방식이다.

15 **규제유형에 대한 설명으로 옳지 않은 것은?** 2024년 국가직 9급

① 오염배출 부과금제도, 이산화탄소배출권 거래제도는 시장유인적 규제유형에 속한다.

② 포지티브규제방식은 네거티브규제방식에 비해 피규제자의 자율성을 더 보장한다.

③ 명령지시적 규제는 시장유인적 규제에 비해 일반 국민이 이해하기 쉽고 직관적 설득력이 높다는 장점이 있다.

④ 사회규제는 주로 사회적 영향을 야기하는 기업행동에 대한 규제를 말하며 작업장 안전 규제, 소비자 보호 규제 등이 있다.

정답 및 해설

13 정부규제

ㄴ. 사회적 규제는 국민이나 사회적 약자를 보호하기 위한 것으로 환경규제와 산업재해규제 등이 있다.

ㄷ. 공동규제는 정부로부터 위임 받은 민간집단에 의해 이루어지는 규제로서, 직접규제와 자율규제의 중간적 성격을 갖는다.

ㄹ. 수단규제는 특정 목표를 달성하기 위해 필요한 기술이나 행위에 대해 사전적으로 규제하는 투입규제로서 피규제자의 자율성이 낮다.

| 선지분석 |

ㄱ. 포지티브(positive)규제는 '원칙 금지, 예외 허용'으로 피규제자의 자율성이 낮아진다. 네거티브(negative)규제는 '원칙 허용, 예외 금지'로서 피규제자의 자율성이 높아진다.

❶ 규제의 유형

(1) 규제대상에 따른 분류

구분	내용
수단규제	· 정부가 목표달성을 위하여 필요한 기술이나 행위에 대해 사전적으로 규제(투입규제) · 피규제자의 자율성이 낮음
성과규제	정부가 특정 사회문제해결에 대한 목표달성 수준을 정하고 피규제자에게 이를 달성할 것을 요구하는 것(산출규제)
관리규제	수단과 성과가 아닌 전체적인 과정을 규제하는 것(과정규제)

(2) 수행주체에 따른 분류

구분	내용
직접규제	정부가 직접적으로 피규제자(규제대상자)를 규제하는 방식
자율규제	피규제자가 스스로 규제주체가 되어 규제하는 방식
공동규제	정부로부터 위임을 받은 민간집단에 의해 이루어지는 방식

14 규제의 유형

포지티브(positive)규제는 '원칙금지 · 예외허용', 네거티브(negative)규제는 '원칙허용 · 예외금지'로 피규제자(규제대상자)의 자율성은 네거티브(negative)규제가 더 보장한다.

15 포지티브규제와 네거티브규제

포지티브규제방식(원칙금지, 예외허용)은 네거티브규제방식(원칙허용, 예외금지)에 비해 피규제자(규제대상집단)의 자율성을 더 약화시킨다.

| 선지분석 |

③ 명령지시적 규제는 정부가 직접 기준을 정해 놓고 이를 위반할 경우 강력하게 처벌하는 정부의 직접규제(폐수방출규제 등)로서, 국민들이 그 내용을 이해하기 쉽고(직관적) 설득력(수용력)이 높다.

정답 13 ④ 14 ③ 15 ②

CHAPTER 3 행정학의 접근방법과 주요이론

1 행정학의 접근방법

1 접근방법의 개념

1. 접근방법이란 학문연구를 위한 다양한 견해나 관점들로서 그 분야의 연구 활동을 안내해 주는 전략이나 지향이다.

2. 행정학의 접근방법은 다양한 측면에서 연구가 가능하며 시대적 환경에 따라서 변화해 왔다.

2 접근방법의 구별

1. 시대별 접근방법

행정학의 접근방법은 역사적 접근❶ → 법률 · 제도적 접근❷ → 과학적 관리론 → 인간관계론 → 행태론적 접근 → 생태론적 접근 → 체제적 접근 → 비교행정적 접근 → 발전행정적 접근 → 후기 행태주의(신행정학) → 현상학적 접근 → 신공공관리론 → 뉴거버넌스론 등의 순서로 전개되어 왔다.❸

❶ 역사적 접근
1. 각종 정치 · 행정제도의 진정한 성격과 그 제도가 형성되어 온 특수한 방법을 인식하는 유일한 수단을 제공해 준다.
2. 어떤 사건 · 기관 · 제도 · 정책 등의 기원과 발전과정을 파악하고 설명하는 데 많이 사용되며, 이런 연구에서는 소위 발생론적 설명방식을 주로 사용한다.

❷ 법률 · 제도적 접근
1. 행정학 연구의 초기 접근방법들 중 하나이며, 오늘날에도 널리 사용되고 있는 것으로서 행정과정의 합법성과 법률에 기반을 둔 제도를 강조한다.
2. 방법론상의 문제에는 별로 관심이 없다. 연구의 결과로서 나타나는 일반론은 흔히 조직구조와 미국 정부의 3부(三府)에 대한 헌법상의 권한과 책임의 위임에 대한 공식적 분석에 기반을 두고 있다.
3. 즉, 입법부 · 행정부 · 사법부 사이의 관계는 물론 각 부처 간의 관계, 중앙정부와 지방정부 사이의 권한과 사무의 배분 등에 대한 헌법과 「정부조직법」 등 관련법규를 중심으로 이루어진다.

2. 방법론적 개체주의와 방법론적 전체주의

방법론적 개체주의	· **개개인의 연구 강조**: 행정학을 연구함에 있어서 개개인은 조직 전체의 특성을 잘 반영하고 있기 때문에 개개인에 대한 연구가 중요하다고 본다. · **환원주의적 입장**: 전체는 부분의 정확한 합이라고 보고, 개인의 특성을 전체의 특성으로 환원할 수 있다고 주장하는 입장이다. ㉹ 행태론, 현상학, 공공선택론 등
방법론적 전체주의	· **전체적 연구 강조**: 방법론적 개체주의의 분해의 오류 및 구성의 오류를 비판한다. 즉, 개인의 특성이 뛰어나다고 해서 전체의 특성이 반드시 뛰어난 것은 아니며, 반대로 전체의 특성이 뛰어나다고 해서 개인의 특성이 반드시 뛰어난 것은 아니라고 주장한다. · **신비주의적 입장**: 전체는 부분의 합이 아니며 부분과 구별되는 전체만의 독특한 특성을 지닌다고 보고, 전체에 대한 조망이 필요하다는 입장이다. ㉹ 생태론, 체제론, 비교행정론 등

3. 미시적 접근방법과 거시적 접근방법

미시적 접근방법	· 미시적 접근은 행정을 연구함에 있어서 개별 행위자의 행태나 행위를 위주로 연구하는 접근방법이다. · 방법론적 개체주의와 밀접한 관련이 있다. ㉮ 인간관계론, 행태론, 현상학, 비판이론, 포스트모더니즘 행정학 등
거시적 접근방법	· 거시적 접근은 국가나 사회의 구조·제도 또는 문화에 대해서 전반적으로 검토하여야 행정을 잘 이해할 수 있다고 보는 견해이다. · 방법론적 전체주의와 밀접한 관련이 있다. ㉮ 체제론, 비교행정 등
중범위이론 (미시와 거시의 연계)	· 미시적 접근의 지나친 세밀성과 거시적 안목의 부족 문제, 거시적 접근의 지나친 추상성과 세밀함의 부족 문제를 극복하기 위한 것으로 조직이나 집단에 대한 연구이다. · 머튼(Merton)이나 헤디(Heady) 등이 중범위수준의 접근을 주장하였다. ㉮ 생태론, 신제도주의 등

4. 결정론과 임의론

결정론	· **인과관계의 인정**: 어떠한 현상도 우연히 일어나는 것은 없으며 반드시 선행원인이 존재한다고 보는 시각이다. 따라서 그 원인과 결과 간의 인과관계 규명에 초점을 둔다. · **종속변수로서의 행정**: 행정이 각종 환경으로부터 일방적인 영향을 받고 결정지어진다는 측면을 강조하는 것이다. ㉮ 행태론, 구조적 상황이론, 조직군생태론 등
임의론	· **인과관계의 부정**: 행정현상은 선행원인 없이도 특정한 결과나 현상이 발생할 수 있다고 보는 시각이다. · **독립변수로서의 행정**: 행정이 각종 환경으로부터 영향을 받기도 하지만, 여기에 영향을 미칠 수 있는 의지를 지닌 존재로 파악한다. ㉮ 현상학, 전략적 선택이론, 자원의존이론 등

5. 연역적 접근방법과 귀납적 접근방법

연역적 접근방법	일반적인 전제로부터 개별적·구체적 사실을 이끌어 내는 접근방법이다. ㉮ 계량적 연구, 자연과학, 경제학 등
귀납적 접근방법	개별적 사실들을 토대로 하여 일반적인 원리를 만들어 내는 접근방법이다. ㉮ 질적 연구, 사회과학 등

③ 행정학의 기타 접근방법

1. 연구목적에 따른 분류(Bailey)
   · 기술적·설명적 이론
   · 규범적·처방적 이론
   · 전제적·가설적 이론
   · 도구적·수단적 이론
2. 관리적·정치적·법적 접근방법 (Rosenbloom)

구분	관리적 접근법	정치적 접근법	법적 접근법
인식 체계	과학적 방법	여론, 이익집단	법적 결정
개인에 대한 관점	일반화된 사례	집단의 일원	구체적 사례
조직의 중점	관료제	대표성과 책임성	적법절차
예산	합리주의 예산	점증주의 예산	권리기초 예산
주요 학자	윌슨(Wilson), 화이트(White), 테일러(Taylor)	세이어(Sayre), 애플비(Appleby)	굿노우(Goodnow)

핵심 OX

01 역사적 접근법은 전통적 접근법 중 하나로 발생론적 설명방식을 사용하며 사례연구를 중심으로 한다. (O, X)

02 방법론적 개체주의의 주요 이론에는 행태론, 현상학, 공공선택론 등이 있다. (O, X)

03 거시적 접근(macro approach)에는 체제론, 비교행정론 등이 있다. (O, X)

01 O
02 O
03 O

2 과학적 관리론과 인간관계론

1 과학적 관리론

1. 의의 및 성립배경

(1) 의의

19세기 말 전개된 기업경영의 과학화 경향에 따라 능률성을 최우선 가치로 삼은 고전적 관리이론이다.

(2) 성립배경

① 19세기 말 산업혁명에 따라 기업 간 경쟁이 격화되고 파업이 전개되자 이 상황을 타개하기 위한 노력으로 시작되었다.

② 고용감축 및 임금인하 없이 노동생산성 향상을 추구하고자 하는 경영합리화 운동이 일어났다.

2. 특징

(1) 기계적 능률과 절약 강조

기계부품을 잘 설계하고 배치하는 것이 능률적이듯이, 조직에서도 사람을 적절히 배치하고 관리하는 것이 능률적인 것이라고 보았다.

(2) 공식적 구조 중시

조직관리에서 업무과정과 구조가 중요하므로 이를 과학적으로 분석하였다.

(3) 합리적 · 경제적 인간관

구성원을 경제적 요인에 의해서 동기가 유발되는 합리적 · 경제적 인간으로 가정하였다.

(4) 폐쇄적 조직이론

조직 내부의 능률성 추구에 치중하므로 행정을 둘러싼 환경에 대한 고려가 없다.

3. 주요 연구

(1) 테일러(Taylor) - 과업관리와 기업관리의 원칙[1]

① 과업관리의 원칙

㉠ **과업의 설정:** 시간 · 동작연구를 통해서 노동자에게 명확하게 일일과업을 설정하였다.

ⓐ **동작연구:** 육체노동자의 작업동작 중 불필요한 부분을 제거하고 필요한 동작을 가장 합리적인 순서에 따라 배열하였다.

ⓑ **시간연구:** 평균적인 노동자의 피로를 최소화시키면서 이들 동작을 순서대로 행할 경우에 필요한 시간을 계산해야 한다고 주장하였다.

㉡ **과업수행을 위한 표준적 조건 설정:** 예컨대 업무수행에 필요한 공구는 근로자의 피로감이나 작업능률에 적지 않은 영향을 주므로 주먹구구식으로 만든 용구들을 성능이 좋은 표준공구로 교체하는 것이 필요하다.

❶ 삽질의 과학(The Science of Shoveling)
테일러(Taylor)는 과학적 원리가 가지는 가치를 보여 주기 위해 몇 가지 사례를 들고 있다. 그중 하나가 '삽질의 과학'이다. 즉, '삽질'에도 과학이 있다는 것이다. 그는 베들레헴 철공소에서 일단의 노동자들이 삽질로 쌀알 크기의 석탄을 부리고 있는 것을 보고 '과학적인 삽질이 없을까'에 대해 관심을 가졌다. 그래서 두 사람의 일급 근로자를 선정하여 삽질에 대한 실험을 하였다. 이들이 하루에 실시한 삽질의 수, 한 삽의 양, 석탄을 옮겨 놓은 원료더미의 높이 등 작업에 관한 30~40가지 항목을 주의 깊게 관찰하였다. 여기서 일급 삽질공의 경우 한 삽에 21.5파운드를 담는 것이 가장 효율적이라는 것을 발견하였다. 한 삽의 양이 이보다 많거나 적어도 운반한 원료더미는 낮아진다는 것이다.

㉢ **차별적 성과급제도:** 일류의 작업자들이 양호한 작업조건하에서 달성할 수 있는 표준작업량을 정해 놓고 표준량에 도달할 때까지는 적은 성과급을, 초과 달성한 경우에는 더욱 많은 성과급을 지급하는 것이다.

㉣ **예외에 의한 관리:** 관리층은 예외적이고 새로운 사안만 담당하고, 일상적인 업무는 부하에게 일임하는 것이 바람직하다.

② **기업관리의 4대 원칙:** ㉠ 진정한 작업과학 및 관리원칙의 발견, ㉡ 직공의 과학적 선발 및 교육, ㉢ 노사의 협동, ㉣ 관리자 · 노동자 간 일과 책임의 균등 배분이다.

(2) 포드(Ford) – 동시관리

① 포드(Ford)는 생산과 부품을 기계화하고 컨베이어벨트 시스템을 통해서 높은 생산성 향상을 기하였다.

② "경영이 이윤추구의 수단이라기보다는 국민대중에 대한 봉사의 수단이 되어야 한다."라고 주장하면서 '고임금 저가격'을 유지하였기 때문에 백색사회주의*라 불리었다.

③ **4대 경영원리:** ㉠ 생산의 표준화, ㉡ 부품의 규격화, ㉢ 공장의 전문화, ㉣ 유동조립방법에 의한 작업의 기계화와 자동화를 내세웠다.

(3) 페이욜(Fayol) – 전체관리❶

① 행정관리론을 가장 먼저 주창한 학자는 프랑스의 페이욜(Fayol)로, 생산과정뿐만 아니라 기술 · 경영 · 재무 · 회계 등 조직의 전반에 걸쳐 관리의 생산성이 유지되어야 한다고 주장하였다.

② **조직관리과정:** 조직에 적용되는 관리의 행동과정으로 전체관리를 주장한 페이욜(Fayol)은 관리자가 수행해야 할 조직관리과정으로 계획화 → 조직화 → 동기화 → 조정화 → 통제화의 5단계와 14가지 일반적 관리원칙을 주장하였다.

계획화	목표 정의, 협력 활동을 위한 계획, 개발, 전략 수립을 포함하는 과정이다.
조직화	어떤 과업을 수행할지, 누가 수행할지, 이를 어떻게 편성할지, 누가 누구에게 보고할지, 의사결정은 어디서 맡아서 할 것인지를 결정하는 것이다.
동기화(지휘)	조직의 목표를 달성하는데 의욕적이고 적극적으로 수행하도록 부하들에게 영향을 미치는 과정이며, 권한위임이 행해지면 명령에 대신하여 동기유발(motivation)이 결정적으로 중요하게 된다.
조정화	조직구성원과 조직, 개인과 개인, 조직과 조직 간에 발생하는 갈등을 해소하고 협력하는 과정이다.
통제화	사전에 계획한 대로 업무가 추진되고 있는지를 모니터링하고 심각한 차이가 표출될 경우 이를 바로잡는 활동이다.

용어

백색사회주의*: 자본주의의 상징인 회사에서 사회주의를 추진하는 경영방침을 뜻한다.

❶ 페이욜(Fayol)의 14가지 관리 원칙

페이욜(Fayol)의 원칙은 분업의 원칙을 제시한 반면 분권화의 원칙은 없고, 집권화의 원칙만 있는 것이 특징이다. 원칙에는 ① 분업의 원칙, ② 권한과 책임의 원칙, ③ 규율의 원칙, ④ 명령일원화의 원칙, ⑤ 지휘일원화의 원칙, ⑥ 개인이익의 전체 종속의 원칙, ⑦ 종업원 보상의 원칙, ⑧ 집권화의 원칙, ⑨ 계층적 연쇄의 원칙, ⑩ 질서의 원칙, ⑪ 공정성의 원칙, ⑫ 고용안정의 원칙, ⑬ 창의력 계발의 원칙, ⑭ 단결의 원칙이 있다.

고득점 공략 사무관리

1. 개념
   사무관리(business management)란 사무작업을 능률화하고 사무비용을 경제화하기 위한 각종 관리활동을 말한다. 이러한 사무작업의 능률화에는 작업능률, 정신능률, 균형능률이 있다.

2. 사무작업의 능률화

작업능률	작업수행시에 발생하는 능률 ㉵ 작업과정의 간소화, 기계화
정신능률	정신적인 요소에 의해서 제기되는 능률 ㉵ 스트레스, 구성원 간의 불화나 비협조
균형능률	목표를 달성하기 위한 수단과의 조화(균형상태) ㉵ 적재적소배치

4. 공헌

(1) 정치행정이원론의 성립

정치적 작용이 아닌 관리적 작용으로서의 행정의 개념이 확대되었다. 이는 기술적 행정학과 관련된다.

(2) 능률의 증진

정치 · 경영 · 행정조직의 능률성 증진에 기여하였다.

(3) 행정의 과학화에 기여

능률성 확보를 위한 과학적 행정관리에 대해 연구하는 계기를 마련하였다.

(4) 합리적 경제인관의 정립

인간을 합리적이고 이기적이며, 경제적 동기를 추구하는 존재로 파악하였다.

(5) 행정개혁의 원동력

경영조직의 능률성 추구 운동은 당시 부패와 무능력, 비능률성이 지배하였던 중앙정부와 지방정부의 혁신을 가져오게 만든 계기가 되었다.

5. 한계

(1) 인간의 기계화 · 부품화

① **인간소외현상:** 인간적인 가치를 무시하고 기계적인 능률성을 강조하였기 때문에 인간소외현상을 초래할 우려가 있다. 즉, 인간을 기계적인 부속품으로 파악하였다.

② **인간의 내면적 · 심리적 · 사회적 요인 경시:** 지나치게 능률성을 강조하여 인간의 내면적이고 심리적인 측면을 간과하였다.

(2) 비공식적 요인의 간과

지나치게 공식적 조직구조의 설계에만 초점이 맞추어져서 있어 비공식적 측면은 무시되었다.

핵심 OX

01 과학적 관리론은 교환모형과 관련이 있다. (O, X)

01 O

(3) 폐쇄체제적 시각

행정조직 내부에서만 인간의 배치를 통한 생산성 향상을 추구했을 뿐, 행정을 둘러싸고 있는 각종 환경에 대한 인식은 부족하였다.

(4) 비정형적 작업에 적용 불가능

과학적 관리론은 주로 반복적이고 비교적 단순한 생산작업에 근거하여 개발된 이론이기 때문에 비반복적이고 복잡하며 사고력을 많이 요하는 작업에는 적용시키기가 곤란하다는 비판을 받는다.

2 인간관계론

1. 의의 및 성립배경

(1) 의의

1930년대 사회적 인간관을 바탕으로 조직 내의 사회적 능률성을 강조한 신고전적 관리기법이다.

(2) 성립배경

① 행정관리론의 한계인 '인간의 기계화'에 대한 저항으로 야기되었으며, 과학적 관리론을 검증하는 과정(호손실험)에서 인간관계론이 성립하였다.

② **호손실험**[1]: 노동자는 기계의 부품과 다른 측면이 있다는 점, 즉 감정을 지니고 심리적 안정 등을 추구함이 밝혀졌다.

2. 특징

(1) 사회적 인간관

사회적인 존재로서의 인간을 파악하고 사회적 욕구와 사회적 유인에 의한 동기부여를 강조하였다. 다시 말해, 과학적 관리론의 독자적인 인간상을 극복하고 인간을 타인과 더불어 생활하는 존재로 파악하여 이들 간의 관계가 중요하다고 본 것이다.

(2) 비공식적 구조의 강조

공식적인 구조뿐만 아니라 사람 사이의 관계가 중요하기 때문에 비공식적 구조(예 작업장에서 인간관계, 인맥, 혈연, 지연 등)도 중시되어야 한다고 보았다.

(3) 민주적 리더십

Y이론적 인간관에 기반하기 때문에 보상이나 강제보다는 민주적 리더십이 중요하다고 보았다. 즉, 원활한 의사전달 및 상향적 참여 등이 강조되었다.

(4) 사회적 능률성(Dimock)

과학적 관리론의 기계적 능률성과 대비되는 것으로, 인간적 가치가 고려되고 조직 구성원들 간의 관계를 강조하는 인간적 · 민주적 능률을 강조하였다.

3. 공헌

(1) 조직연구에 인간적 · 사회적 요인을 부각시켰다.

(2) 비공식집단의 중요성을 인식하는 계기를 마련하였다.

(3) 인간에 대한 관심을 부각시켜 행태과학의 발전에 기여하였다.

[1] 호손실험
1. 메이요(Mayo)는 호손(Hawthorne) 공장에서 1927년부터 5년간 과학적 관리이론의 바탕에서 작업장의 조명, 휴식시간 등 물리적 · 육체적 작업조건과 물질적 보상방법의 변화가 근로자의 동기유발과 노동생산성에 미치는 영향을 연구하였다(조명실험, 계전기조립실험, 면접실험, 뱅크선 작업실험).
2. 연구결과 작업환경이나 경제적 보상보다는 감독자의 배려, 비공식적 집단의 압력 등 사회적 요인이 작업 능률에 더 많은 영향을 미친다는 것을 발견하였다.

(4) 민주적인 인간관리의 중요성을 부각시켰다.

(5) 조직계층의 여러 수준 간에 정보가 교환될 수 있는 효과적인 의사전달 경로를 개발하는 것이 중요하다는 것을 보여주었다.

4. 한계[1]

(1) 경제적 동기의 간과

감정의 차원을 지나치게 중시한 나머지 경제적 동기를 간과하였다. 인간은 비공식적 차원에 의해서만 동기부여가 되는 것이 아니라 어느 정도의 경제적 동기도 중요하게 작용한다.

(2) 공식적 구조의 경시

조직 내의 개인이나 비공식조직을 중시하여 공식조직의 구조와 기능을 경시하는 오류를 범하였다. 이는 조직의 공식적 측면을 간과하여 행정의 목적달성을 어렵게 하는 요소로 작용할 수 있다.

(3) 폐쇄체제적 시각

인간에 대한 관심이 증대되었다는 점은 바람직하지만 여전히 외부환경의 변수들을 고려하지 않는, 즉 조직을 환경과 상호작용하지 않는 폐쇄적인 체제로 연구하였다.

(4) 지나친 이원론적 인식

행정조직에 대한 지나친 이원론적 인식을 가져왔다. 공식조직과 비공식조직, 능률의 논리와 감정의 논리의 대립이 그것이다.

(5) 감정적 측면과 조직성과의 연결 부족

인간적 · 사회심리적 측면이 중요하다고 인식했음에도 불구하고 "만족하면 생산성이 향상된다."라는 명제는 아직까지 많은 비판을 받고 있다.

핵심정리 과학적 관리론과 인간관계론의 비교

1. 공통점
   - ① **폐쇄체제:** 양자 모두 조직 내에서의 능률성을 확보하기 위한 방안을 연구했으므로 폐쇄체제적 성격을 띤다. 즉, 외부환경에 대한 고려가 없고 내부적인 능률성과 인간화를 추구했다는 점에서 조직을 폐쇄체제로 본다.
   - ② **궁극적 목적으로서의 생산성:** 양자 모두 연구의 궁극적 목적은 조직의 생산성 확대에 있다. 과학적 관리론은 물론, 인간관계론도 인간관계의 궁극적인 목적은 조직 내의 인간적 가치를 존중해줌으로써 생산성 향상을 기하려는 것이라고 보았다.
   - ③ **관리계층을 위한 기술(정치행정이원론):** 양자는 모두 작업계층(노동자 계층)만을 연구대상으로 하여 관리자가 작업자를 통제하려는 기술적 · 수단적인 측면이 강하다.
   - ④ **조직목표와 개인목표 간의 양립 · 조정관계 인정:** 조직목표와 개인목표 간의 양립 · 교환관계를 인정하였다.
   - ⑤ **인간행동의 피동성 및 동기부여의 외재성:** 과학적 관리론의 경우 경제적 동기부여에 의해서, 인간관계론의 경우 인간적인 대우 및 민주적 관리에 의해서 동기가 부여된다는 점을 고려하면, 스스로 자아성취적 욕구에 의해서 동기부여가 되지 않는다는 점에서 동기부여의 피동성 및 외재성이 인정된다.

[1] 젖소의 사회학(Bell)
벨(Bell)은 호손(Hawthorne) 연구가들을 '젖소 사회학자들'이라고 비판하였다. 즉, 기업의 직원 배려 정책을 농장주가 소의 젖을 많이 짜내기 위해서 소를 잘 대해주는 것에 빗댄 것이다. 이는 표면적인 배려와 존중 뒤에 결국 이윤을 극대화하기 위한 냉정한 계산이 숨어 있다는 의미이다.

핵심 OX

01 호손실험의 결론에 따르면 비공식집단의 단점 극복을 위하여 권위주의적 리더십을 필요로 한다. (O, X)

02 인간관계론에 따르면 변혁적 리더십이 중요하다. (O, X)

03 비공식조직의 강조는 인간관계론적 조직운영에 있어서 필요하다. (O, X)

04 과학적 관리론은 폐쇄적 환경을, 인간관계론은 개방적 환경을 전제로 한다. (O, X)

01 X 호손실험의 결론에 따르면 비공식집단의 민주적 통제를 필요로 한다.
02 X 인간관계론에 따르면 민주적이고 참여적인 관리가 중요하기 때문에 변혁적 리더십보다는 민주적 리더십이 강조된다.
03 O
04 X 과학적 관리론과 인간관계론 모두 폐쇄적 환경을 전제로 하고 있다. 환경에 대한 고려는 생태론적 행정학 이후에 비로소 인식하기 시작하였다.

2. 차이점

과학적 관리론	인간관계론
직무 중심	인간 중심
경제적 동기	비경제적·인간적 동기
공식적 조직관	비공식적 조직관
인간을 기계의 부품으로 취급	인간을 감정적 존재로 인식
합리적·경제적 인간관(X이론)	사회적 인간관(Y이론)
기계적 능률관	사회적 능률관
시간·동작연구 등	호손(Hawthorne)의 실험
능률성 증진에 기여	민주성 확립에 기여
조직과 개인의 일원성(조직 중심)	조직과 개인의 이원성(개인 중심)
고전적 행정학의 기반	신고전적 행정학의 기반

3 원리주의 행정학

1. 의의

(1) 과학적 원리의 추구를 확신하는 낙관주의는 1930년대에 이르러 더욱 원리추구의 정통과 행정학에 커다란 영향을 미쳤다.

(2) 윌로비(Willoughby)는 『행정의 원리』라는 책에서 행정에는 과학적인 원리가 존재하므로 이를 발견하여 행정에 적용하여야 한다고 주장하였다.

(3) 이러한 원리발견에 대한 노력은 1937년 귤릭(Gulick)의 『행정학 논총』에 의해서 절정에 달하게 되었다. 귤릭(Gulick)은 명령통일의 원리, 통솔범위의 원리, 분업과 조정의 원리 등을 주장하였고, 또한 행정조직의 최상부인 최고관리층이 반드시 수행해야 할 기능으로 POSDCoRB[1]을 제시하였다.

2. 비판

(1) 원리주의 행정학이 과연 귤릭(Gulick)이 주장한 것과 같이 과학적인 방법을 이용한 것인지에 대한 비판이 많다.

(2) 조직 상층부의 중요한 기능이 이들뿐이며, 이들 모두가 중요한가를 과학적으로 증명하기도 어렵다.

[1] POSDCoRB
1. Planning(기획): 정책의 형성 및 집행에 있어서의 준비행위이다.
2. Organizing(조직): 인력과 자원을 세분하고 이들의 상호관계와 권한을 조정한다.
3. Staffing(인사): 채용·승진·전보·훈련 등 인사행정 전반을 뜻한다.
4. Directing(지휘): 명령·훈령을 내리고 책임 있는 지도자로서의 일을 하는 것이다.
5. Coordinating(조정): 공동목표를 수행하기 위한 각 활동단위의 통일화 과정을 뜻한다.
6. Reporting(보고): 업무를 보고하여 여러 가지 정보를 교환하는 일이다.
7. Budgeting(예산): 예산을 편성하고 집행하는 등의 재무행정에 관한 모든 일을 포함한다.

핵심 OX

01 합리적 경제인(과학적 관리론)과 사회인(인간관계론)의 공통된 인간관은 인간의 피동성이다. (O, X)

02 과학적 관리론과 인간관계론의 조직과 개인의 관점에 대한 차이를 살펴보면, 과학적 관리론은 개인주의를 강조하며 인간관계론은 집단주의를 강조한다. (O, X)

03 귤릭(Gulick)의 POSDCoRB는 중간관리층을 위한 원리에 해당한다. (O, X)

01 O
02 X 과학적 관리론은 조직과 개인의 일원주의(집단주의)를, 인간관계론은 조직과 개인의 이원주의(개인주의)를 강조한다.
03 X 귤릭(Gulick)의 POSDCoRB는 중간관리층을 위한 원리가 아니라 최고관리층을 위한 원리에 해당한다.

3 행태론

1 행태론

1. 의의 및 성립배경

(1) 의의

① 행태

㉠ 개인이나 집단의 가치관, 태도, 의견 등을 총칭하는 개념으로 관찰이나 면접, 질문 등 사회심리학적 접근을 통해서 파악할 수 있는 객관적이고 외면적인 요소이다.

㉡ 동일한 행동이 반복되어 어떤 확립된 유형을 형성하고 있는 것이다. 따라서 일시적인 행동보다는 예측가능성과 정형성이 높다.

② **행태론(behaviorism)**: 인간행태의 규칙성과 인과성을 경험적으로 입증하고 설명하려는 과학적이고 체계적인 접근방법이다.

(2) 성립배경

① **원리접근법에 대한 비판**: 사이먼(Simon)은 『행정의 격언』[1]이라는 논문을 통해서 모든 문제해결에 적용할 수 있는 보편적인 원리는 존재하지 않으며, 초기의 행정학자들이 몰입하던 원리는 과학적 증명을 거치지 않은 격언(格言)에 불과하다는 극단적인 비판을 하였다.

② **논리실증주의의 영향**: 사이먼(Simon)은 『행정행태론』를 통하여 보다 신뢰할 수 있는 행정의 법칙을 발견하기 위해서는 좀 더 정확한 과학적 방법의 적용이 필요하다고 보았다. 따라서 ㉠ 행정현상의 연구에서 보다 엄정한 과학적 방법을 사용해야 한다는 것, ㉡ 이론이나 법칙정립은 논리적 실증주의에 입각해야 한다는 것, ㉢ 의사결정을 행정연구의 핵심으로 삼아야 한다는 것 등을 주장하였다.

2. 특징

(1) 연구대상

행태론은 조직에서의 구성원의 행태나 활동을 중심으로 관찰자에 의해 객관화되는 사실만을 연구대상으로 삼는다.

(2) 협동적 행위로서 의사결정의 측면 중시

행정을 인간의 협동적 행위로서 합리적인 의사결정으로 이루어진다고 보았으며 조직의 행태를 연구하는데 있어서 의사결정의 측면을 집중적으로 연구하였다.

(3) 논리실증주의적 접근(순수과학적 연구)[2]

규범적 연구를 거부하고 자연과학적 방법을 이용하여 이론을 정립하기 위해서 가설을 세우고 경험적 자료를 수집하여 이를 검증하는 절차와 논리를 따르므로 엄밀하고 정확한 계량화가 중시된다.

① **가치중립적**: 경험적이고 객관적인 현상을 취급하기 때문에 신이나 영감 등의 경험하기 어렵거나 특수한 사람들만이 경험한 현상은 연구대상에서 제외된다(가치와 사실의 분리).

[1] 격언과 행정연구
격언(proverb)에 대한 일반적인 사실의 하나는, "뛰기 전에 살펴라."라는 격언과 "지체하는 자는 진다."라는 격언에서 볼 수 있듯이 상호모순적인 경우가 많다는 것이다. 사이먼(Simon)은 원리주의자들의 주장이 이와 같이 격언에 불과하다고 보았으며, 논리모순적인 경우가 많다는 것(예 전문화의 원리와 명령통일의 원리)을 지적하였다.

[2] 논리실증주의(logical positivism)
논리실증주의는 슐리크(Schlick)와 카르나프(Carnap)를 중심으로 한 비엔나 학파에 의해 제기되었다. 이는 행태주의의 바탕이 되는 과학철학인데, 구성요소는 다음과 같다.

1. **논리**: 검증하고자 하는 가설은 기존의 이론으로부터 논리적으로 도출되어야 한다는 것이다. 가설을 검증하여 옳다고 판명되면 기존 이론을 더욱 풍부하게 만들어 우리의 지식을 축적하게 되고, 가설이 틀렸다고 판명되면 기존 이론의 어딘가가 잘못이 있기 때문에 이를 수정하여 보다 타당성 있는 이론을 구축하게 된다.
2. **실증주의**: 인간이 감각기관으로 지각할 수 있는 것만을 학문의 대상으로 한다는 것이 단순한 경험주의인데, 실증주의는 이 경험주의에서 더 나아가 과학적인 방법을 통해 경험적 사실로부터 법칙을 세우는 데 초점을 두고 있다.

② **계량적 분석:** 개념의 조작적 정의[1](물상화)를 통해서 계량적인 측정방법을 사용하며, 가설은 기존의 이론에서 연역적으로 도출되며 검증 및 이론 도출은 통계적 확률을 통해서 귀납적으로 이루어진다.

(4) 인간행태의 규칙성과 행정문화의 중시

행정활동이나 인간의 상호작용에서 일정한 규칙성과 법칙성을 발견하고 이를 통해서 행정인의 행동을 규제하고 조건 짓는 집단규범이나 집단의 행태를 연구하였다. 행정인의 의식구조, 사고방식, 신념체계 등을 본질로 하는 행정문화를 분석하는 것에 중점을 두었다.

(5) 연합학문적(협동과학적) 성격

사회과학은 인간의 행태에 공통된 관심을 가지고 통합될 수 있다고 보며, 연구 활동에 있어서 사회학, 심리학 등 여러 사회과학을 광범위하게 활용하는 연합학문적 성격을 띤다.

(6) 제한된 합리성과 종합적 관점

행태론은 인간관과 조직관, 능률성과 합리성 등에 있어서 고전적 행정학(과학적 관리론)과 신고전적 행정학(인간관계론)을 통합한 종합적 관점을 가진다.

① **행정인:** 제한된 합리성을 가진 인간으로 경제적 인간과 사회적 인간을 통합한 행정인으로 파악한다.

② **구조론적 접근:** 기계적인 공식구조와 유기적인 비공식구조를 통합하는 구조론적 접근을 추구한다.

③ **종합적 능률성:** 기계적 능률과 사회적 능률을 통합하여 종합적 능률성으로 파악한다.

④ **제한된 합리성:** 합리성과 비합리성을 통합하여 제한된 합리성을 주장한다.

핵심정리 행태주의의 특징[2]

연구대상	조직구성원들의 행태와 활동처럼 관찰자에 의해 객관화되는 사실만을 연구대상으로 삼음
가치중립적	과학적·경험적 연구에는 주관적인 가치나 의식은 배제되어야 하므로 관찰가능한 객관적인 사실 중심의 외면적 행태만을 연구대상으로 하며 가치문제는 연구대상으로 고려하지 않음
계량적 분석	객관적 사실이나 경험적으로 검증이 가능한 사실을 중요시하며 행정행태에 관한 계량적이고 미시적인 분석에 중점을 둠
논리실증주의	자연과학적 방법을 활용하여 실험·관찰함으로써 가설의 검증·수정·반박이 가능하도록 논리적 실증주의 방식을 강조
인간행태의 규칙성과 행정문화의 중시	· 행정활동이나 인간의 상호작용에서 일정한 규칙성과 법칙성을 발견하고 이를 통해서 행정인의 행동을 규제하고 조건 짓는 집단규범이나 집단의 행태를 연구 · 행정인의 의식구조, 사고방식, 신념체계 등을 본질로 하는 행정문화를 분석하는 것에 중점을 둠
연합학문적 성격	인접과학인 심리학, 사회학 등과 밀접한 관련이 있고, 이들 학문의 개념·이론·접근방법에 대하여 개방적이며, 협동적인 연구를 중시하는 연합학문적 성격

[1] 개념의 조작적 정의
행태주의에서는 계량적 분석을 위해 개념을 조작화한다(조작주의). 개념의 조작화란 구체화되지 않은 추상적 개념을 수치를 통해 계량적으로 나타내는 것이다.
㉮ '교통안전'이라는 추상적 개념을 '교통사고율 10% 하락'이라는 구체적 수치로 나타냄

[2] 행태론의 특징
행태론은 일반적으로 귀납적 이론이지만 사실은 연역과 귀납의 순환이다. 가설은 기존의 이론으로부터 도출되므로 연역적이지만, 검증방법은 경험적 검증을 거쳐 이론을 도출하므로 귀납적이다. 즉, 행태론은 연역적으로 도출된 가설을 귀납적으로 검증하는 것이다.

3. 공헌

(1) 행정이론화 및 과학화

고전적 연구나 행정원리는 속담이나 격언으로 비판하며 가설을 설정하고, 그것을 사실 위주로 검증함으로써 행정의 이론화와 과학화에 기여하였다.

(2) 행정연구의 객관성과 인과성 확보에 기여

관찰가능한 객관적인 사실 중심의 행태를 연구대상으로 하여 행정연구의 객관성과 인과성을 높였다.

(3) 의사결정과정론과 사회심리학적 접근방법 중시

행정과정을 의사결정과정이라고 파악하였으며, 의사결정을 둘러싸고 일어나는 권위, 갈등, 동기부여, 리더십 등 많은 이론들에 사회심리학적인 견지에서 접근하였다.

4. 한계

(1) 연구범위의 제약

가치판단 배제의 비현실성과 연구대상 및 범위의 지나친 제약을 초래하였다. 사회현상에서 가치를 배제하여 연구하는 것은 사회현상에 대한 일면적인 연구가 되기 때문이다.

(2) 경험적 보수주의

객관적으로 존재하는 사실만을 다루게 되므로 경험적 보수주의에 빠지게 된다. 행정을 어떤 문제를 해결하거나 변화를 주도적으로 추진하는 존재로 바라보지 않게 된다는 것이다.

(3) 행정의 공공성 과소평가

사이먼(Simon) 등의 행태론자들은 행정의 과학화를 기하고 과학적 이론의 연구를 진행하면서 대상이 많고 실증적 연구가 비교적으로 쉬운 사기업의 경영에 오히려 더 치중하게 되었는데, 이는 행정의 공적인 특수성을 과소평가한 것으로 볼 수 있다.

(4) 처방성의 부족

행태주의 연구학자들은 너무나 사소한 문제에만 관심을 집중시키고 급박한 사회문제는 소홀히 하였다. 이는 후기 행태주의 또는 신행정론자들이 부각되는 계기가 되었다.

(5) 지나친 객관주의 · 조작주의 · 계량주의

공행정은 계량화가 어려운 경우가 많이 존재하는데 이를 간과하였다.

㉮ 치안서비스의 확립은 목표 자체가 추상적이기 때문에 성과를 명확히 측정하기 어려움

(6) 행정학의 정체성 문제 야기

① 보편적인 이론을 구축하기 위해서 정부행정조직뿐만 아니라 사기업체 조직도 함께 연구했는데, 이는 행정학의 정체성 문제를 야기하였다.

② 조직행태를 심리적인 요인에 초점을 두고 연구하게 되자 심리학, 사회심리학 등이 원용되었고, 생소한 이론들에 대한 기존의 행정학자, 정치학자들의 적대감이 커졌다.

핵심 OX

01 행태론은 논리실증주의에 따라 가치와 사실을 분리하여 가치만을 연구대상으로 보았다. (O, X)

02 사이먼(Simon)의 행태주의 이론은 행정의 가치중립성과 공공성을 강조하였다. (O, X)

03 행태론적 접근방법은 행정의 실체를 제도나 법률로 본다. (O, X)

04 행태론은 행정학의 과학화에 기여했으나 처방성이 부족하다. (O, X)

05 행태론은 개발도상국의 행정현상을 잘 설명한다. (O, X)

01 X 가치와 사실을 분리하여 사실의 영역만을 연구대상으로 보았다.
02 X 행정의 공공성은 가치가 개입된 이념이다.
03 X 행태론은 행정의 실체를 인간의 협동적 의사결정행위로 본다.
04 O
05 X 행태론은 안정적인 선진국의 환경하에서 행정을 잘 설명할 수 있는 보수적인 이론이다.

2 후기 행태주의의 대두

1. 시대적 배경

1960년대 미국사회는 흑인에 대한 백인들의 지나친 인종차별문제 때문에 일어난 미국 대도시에서의 흑인폭동과, 베트남 참전에 대한 반전시위 및 강제징집에 대한 젊은이들의 저항 등으로 커다란 혼란 속에 빠져 있었다.

2. 후기 행태주의의 시작

(1) 인간행태를 중심으로 연구한 행태주의자들은 1960년대 당면한 사회문제에 대해서 아무런 처방을 내놓지 못했는데, 이에 대한 비판이 젊은 학자들에 의해 고조되기 시작하였다.

(2) 1960년대 말에 원로 정치학자인 이스턴(Easton)은 정치학의 새로운 혁명으로서 후기 행태주의가 시작되었음을 선언하게 되었다.

4 생태론과 체제론, 비교행정론

1 생태론(ecological approach)

1. 의의 및 성립배경

(1) 의의

생태론적 접근방법은 행정현상을 자연적 · 사회적 · 문화적 환경과 관련시켜 이해하려고 하였다. 생태론에서는 서구 행정제도가 후진국에서 잘 작동되지 않는 이유를 사회 · 문화적 환경이 다르기 때문이라고 보았다.

(2) 성립배경

① 종래 행정연구의 한계(정태적 제도 · 이념 중심, 폐쇄체제이론)에 대한 반성이 있었다.

② 제2차 세계대전 이후 개발도상국에 대한 미국의 원조 및 제도 이식이 실패한 이유를 밝히기 위해서 문화적 · 역사적 차이를 비교하게 되었다.

2. 특징

(1) 개방체제[1]

행정을 둘러싸고 있는 환경들에 대해서 고려하였다. 즉, 행정과 외부환경과의 관계를 최초로 인식하였다(환경과의 상호작용).

(2) 환경에 대한 종속변수로서의 행정

개방체제로 파악하였으나, 환경이 행정에 일방적으로 영향을 미치고 행정은 환경에 영향을 미치지 못하고 적응할 뿐이라고 보았다.

[1] 개방체제와 폐쇄체제의 비교

개방체제	폐쇄체제
· 환경과의 상호작용을 강조 · 부정적 엔트로피 현상 · 동태적 균형모형	· 환경을 고려하지 않음 · 엔트로피의 증가 현상 · 정태적 균형모형

(3) 중범위 수준의 거시적 분석

분석의 수준이 집단적 행동이나 제도, 사회 · 문화적 환경이다(거시적 분석).

3. 주요 연구

(1) 가우스(Gaus)

① 가우스(Gaus)는 정치학 및 문화인류학에서 발전된 생태론적 접근방법을 행정학에 도입하였다.

② 행정에 영향을 미치는 일곱 가지 생태적 · 환경적 요인으로 국민, 장소, 물리적 기술, 인물, 사회적 기술, 욕구 · 사상 · 이념, 재난을 제시하였다(P4SWC).

(2) 리그스(Riggs)

리그스(Riggs)는 생태론적 접근방법을 행정연구에 도입하였으며, 행정에 영향을 미치는 다섯 가지 요인으로 정치적 · 사회적 · 경제적 · 이념적 요인과 의사소통을 제시하였다.

개념PLUS 생태요인(행정에 영향을 미치는 환경적 요인)

가우스(Gaus)의 생태요인(P4SWC)	리그스(Riggs)의 생태요인
· 국민 · 장소 · 물리적 기술 · 지도자의 특성 · 사회적 기술 · 욕구와 이념 · 재난	· 정치적 요인 · 사회적 요인 · 경제적 요인 · 이념적 요인 · 의사소통(커뮤니케이션)

4. 공헌

(1) 행정체계를 개방체제로 파악

행정연구의 거시적 안목을 제공하였다. 이전 연구의 한계점을 극복하고 행정을 둘러싸고 있는 사회 · 경제 · 문화 · 정치적 환경을 고려함으로써 행정연구의 범위를 확대시켰다.

(2) 비교행정의 필요성과 방향 제시

행정의 환경을 고려함에 따라 각국의 행정에 대한 비교연구의 필요성을 인식하고, 이를 발달시키게 되었다. 즉, 선진국의 각종 원조가 개발도상국에 제대로 이식되지 않는 것을 환경적인 영향으로 파악하였기 때문에 비교행정연구에 영향을 준 것이다.

(3) 중범위이론 구축에 영향

행정의 보편적인 이론보다는 중범위이론을 구축하는 것에 자극을 주어 행정학의 과학화에 기여하였으며, 주로 개발도상국의 행정현상을 설명하는 데 기여하였다.

(4) 종합적인 연구의 촉진

다양한 학문과의 상호교류 및 수용에 따라 행정에 대한 종합적이고 과학적인 연구 활동에 자극을 주었다.

핵심 OX

01 생태론은 환경에 대한 영향을 인정하였고, 행정체제가 환경에 대해서 독자적인 영향력을 행사한다는 점을 주장하였다는 점에서 행정의 과학화에 기여하였다. (O, X)

01 X 생태론은 환경에 대한 인식을 하였으나 환경결정론적 입장에 서 있다는 한계가 있다.

5. 한계

(1) 행정의 독립변수성 경시

행정이 외부환경에 의해서 조건 지어진다고 파악하여 행정에 의한 변동가능성을 무시하고 행정이 수동적 역할에만 머무른다고 파악하였다.

(2) 엘리트의 역할 과소평가

쇄신적 행정엘리트에 대하여 과소평가(발전에 있어 인간적 요인의 경시)하였다. 즉, 결정론적 시각으로 행정을 바라보기 때문에 관료의 역량이나 행정리더십에 대해서 무시하였다.

(3) 행정의 방향제시 미숙

행정현상을 환경과 관련시켜 이해함으로써 잘 진단하고 설명하였지만, 행정이 추구해야 할 목표나 방향에 대해서는 전혀 제시하지 못하고 있다는 비판을 받았다.

(4) 균형적 · 정태적 이론

① 구조기능주의에 입각한 균형이론에 해당하며, 정태적인 안정관계를 전제로 하므로 동태적인 행정변화를 잘 설명할 수 없다.

② 발전행정론에 비해서 개발도상국의 행정현상을 설명하기가 어렵다. 개발도상국의 경우에는 국가발전 · 경제발전을 위해서 끊임없는 목표의 수정과 변화가 필요하기 때문이다.

2 체제론(systematic approach)

1. 의의

체제론은 자연현상이나 사회현상을 전체의 한 부분으로 보았으며, 체제이론가들은 모든 체제가 상호작용하는 여러 구성요소로 이루어져 있다고 보았다.

2. 기본적 관점

(1) 방법론적 전체주의(holism)*적 관점

체제는 하위구성요소들의 상호작용에 의해서 움직이는데, 이때 전체는 부분의 단순한 합계 이상으로 구성되므로 전체에 대한 거시적 분석이 필요하다고 본다.

> **용어**
> 방법론적 전체주의*: 개인적인 현상에 대한 모든 설명이 그들이 소속되어 있는 보다 큰 전체의 관점에서 이루어질 수 있다고 보는 것으로서, 전체는 부분과는 다른 신비한 특징을 가지고 있다는 신비주의(mysticism)적 입장이다.

(2) 목적론적 관점

모든 존재는 목적을 지니며, 체제는 목적지향적인 성격을 지닌다.

예 보건복지부 조직은 국민의 보건복지 증진을 위한다는 목적이 존재

(3) 계서적 관점

하나의 체제는 그 하위체제를 지니며 그 관계는 계서적이다.

예 보건복지부의 위로는 대통령, 아래로는 국 · 과 등의 하위기관들이 존재

(4) 시간 중시의 관점

체제는 시간선상에서 움직이는 동태적 현상이다. 이러한 관점은 개방체제의 항상성, 동적 안정성, 부의 엔트로피, 등종국성의 개념과 관련된다.

(5) 일정한 경계

체제는 일정한 경계가 있다. 이는 다른 체제와의 경계이기도 하고 외부환경과의 경계이기도 하다.

(6) 체제에서 선택의 문제가 발생하는 원인

외부환경으로부터 발생한 요구의 다양성 때문이 아니라 주로 행정체제의 내부능력상의 한계 때문이라고 보았다.

3. 행정체제의 구성요소[이스턴(Easton)의 정치체제론]

환경	행정에 영향을 미치는 정치·경제·사회·문화적 환경을 총칭한다. 예 2008년 국제금융위기, 2019년 코로나19
투입	· 환경으로부터의 자극을 행정에 전달하는 활동이다. · 정책에 대한 요구·지지·반대가 투입에 해당한다.
전환	· 투입을 산출로 바꾸는 의사결정과정이나 문제해결과정이다. · 법률이나 정책을 만드는 과정이다.
산출	· 전환과정 결과로서의 계획·정책과 그것을 환경으로 보내거나 환경에 대하여 영향을 미치는 것이다. · 만들어진 정책이나 법률이 산출에 해당한다.
환류	산출의 영향이 다시금 행정체제에 투입되는 과정으로 평가·통제·시정조치 등과 관련된다. 즉, 국민들의 요구에 반응하지 못하는 정책은 다음 정책결정에 반영되는 것이다. · 소극적 환류(negative feedback): 목표달성과정에서의 오류시정(단일고리학습) · 적극적 환류(positive feedback): 목표 자체의 변화(이중고리학습)

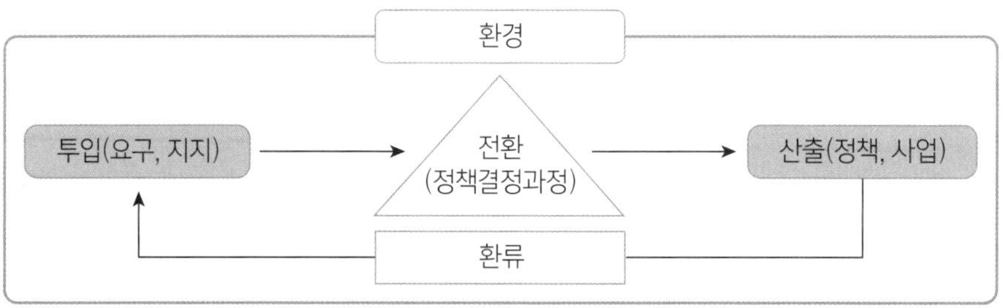

▲ 행정체제의 과정

4. 체제의 특징

(1) 균형과 안정

개방체제는 환경과의 끊임없는 교환을 하면서도 형태의 규칙성과 환경으로부터의 개별성을 유지하여 균형과 안정을 추구한다.

항상성(homeostasis)*: 자기 규제와 지속적인 상태를 유지할 수 있는 능력이다.

(2) 동적 항상성*

개방체제는 환경과의 불균형을 해소하기 위해서 동적인 적응을 통해서 지속적인 상태를 유지할 수 있는 특성을 의미한다.

(3) 분화와 통합

체제는 여러 하위체제로 분화되고, 각 하위체제는 자율적이지만 동시에 복잡한 관계망을 형성하면서 전체 체제로 통합된다.

(4) 부정적(-) 엔트로피

모든 형태의 조직이 해체 · 소멸의 방향으로 나아가는 엔트로피를 부정한다.

(5) 등종국성

개방체제는 시작조건이 서로 달라도 여러 가지 상이한 진로를 통하여 결국에는 동일한 최종성을 지닌다.

(6) 필수 다양성

분화 및 통합과 관련된 것으로, 체제의 내부적인 운영체계는 시스템이 당면하고 있는 환경만큼이나 다양해야 함을 의미한다. 환경의 다양성으로부터 자신을 고립시키는 시스템은 쇠퇴할 수밖에 없기 때문이다.

5. 체제의 기능[파슨스(Parsons)의 AGIL 모형]

적응기능 (Adaptation)	환경에 적응하기 위해 환경으로부터 자원을 얻거나 배분하는 기능을 의미한다. ⓔ 경제조직 - 기업, 회사
목표달성기능 (Goal attainment)	목표를 설정하고 목표 간의 상대적 수준을 정립하는 기능을 의미한다. ⓔ 정치조직 - 정당, 행정부
통합기능 (Integration)	체제 간에 발생하는 갈등이나 대립을 조정하고 통합하는 기능을 의미하며, 질서유지기능과 관련이 있다. ⓔ 통합조직 - 경찰, 사법
형상유지기능 (Latency pattern maintenance)	교육이나 문화전수 등의 계승 및 창조를 가능하게 하는 체제안정화의 기능과 관련이 있다. ⓔ 교육조직 - 학교, 종교단체

개념PLUS 체제론과 혼돈이론의 비교

체제론	혼돈이론
· 등종국성(동일귀착성) · 부(-)의 엔트로피 · 동적 항상성 · 선형적 인과관계 · 체제의 안정 · 혼돈과 무질서 회피	· 결과의 차이를 가져옴 · 부(-)의 엔트로피와 정(+)의 엔트로피 · 항상성 부정(변화와 발전 추구) · 비선형적(순환고리적) 인과관계 · 체제의 진화(공진화) · 혼돈과 무질서를 회피하지 않고 적극 대응

6. 공헌

(1) 생태론의 개별성을 어느 정도 보완하여 비교연구의 일반적 기준을 제시하였다.

(2) 행정연구의 거시적 안목 제공에 기여하였다.

(3) 부처 간 상호의존성 분석에 기여하는 등 행정연구의 과학화에 이바지하였다.

핵심 OX

01 체제론은 기본적으로 방법론적 개체주의를 가정하여 이론을 전개한다. (O, X)

02 체제론에 의하면 외부환경으로부터 발생한 요구의 다양성 때문에 선택의 문제가 등장하게 된다. (O, X)

03 개방체제는 엔트로피 법칙의 성립과 관련된다. (O, X)

01 X 체제론은 방법론적 개체주의가 아니라 거시적 분석에 해당한다.
02 X 체제론에 의하면 조직내부능력의 한계 때문에 선택의 문제가 등장하게 된다.
03 X 개방체제는 부정적 엔트로피 법칙의 성립과 관련된다.

7. 한계

(1) 개발도상국에 적용 곤란

체제론은 기능 중심의 이론으로, 행정을 정태적이고 균형적인 성격으로 보기 때문에 정치 · 사회의 변동을 충분히 설명할 수 없다. 따라서 개발도상국의 행정에는 적용하는 것이 어렵다.

(2) 지나친 관념화

관념적인 이론이기 때문에 실제 연구에서 상세하고 구체적인 길잡이가 되지 못하였다.

(3) 미시적 · 행태적 측면의 간과

거시적 접근방법이므로 체제의 전체적인 국면은 잘 다루고 있으나, 체제의 구체적인 운영이나 행태적인 측면인 권력현상 · 갈등에 대해서는 잘 다루지 못하였다.

(4) 인적 요소의 과소평가

정치 · 행정현상에서 특수한 인물의 성격, 리더십, 개성 등이 큰 비중을 차지하는 경우 이를 과소평가하기 쉽다.

(5) 행정 내부의 전환과정 경시

체제론은 외부환경과의 관계를 중시하므로 행정 내부의 전환과정은 연구의 사각지대(black box)로 전락할 우려가 있다.

(6) 가치판단의 배제

행정가치의 문제를 고려하지 못하였다.

개념PLUS 생태론과 체제론의 장단점

구분	생태론	체제론
장점	· 행정현상을 자연적 · 사회적 · 문화적 환경과 관련시켜 이해 · 주로 개발도상국의 행정현상 설명에 기여 · 행정학의 과학화: 중범위적 입장에서 거시적 이론을 지향	· 자연현상이나 사회현상을 전체의 한 부분으로 이해 · 주로 선진국의 현상 설명에 적합 · 행정체제 간 비교분석을 위한 일반적 기준을 제시 · 행정연구에 거시적 · 일반적 안목을 제공
단점	· 생태론적 결정론: 행정의 적극적 · 주체적 역할을 경시 · 행정이 추구해야 할 가치나 목표, 방향 등을 제시하지 못함	· 후진국 행정현상 설명에 한계: 정태성으로 인하여 정치 · 사회의 변화나 발전을 설명하지 못함 · 행정의 독립변수적 역할을 경시 · 지나치게 거시적이어서 심리적 · 행태적 측면이나 구체적 운영측면의 설명에 소홀 · 특수한 인물의 성격, 개성, 리더십을 과소평가 · 권력, 의사전달, 결정 등 행정의 목표나 가치문제에 대한 고려가 부족

3 비교행정론

1. 의의 및 성립배경

(1) 의의[1]

서로 다른 국가들 간의 행정을 비교·연구하는 것으로, 이를 통해 행정이 나라별로 다르게 작용하는 원인을 밝히고 각국의 행정현상을 체계적으로 설명하고자 하였다.

(2) 성립배경

① 미국 행정학의 적용범위상 한계를 겪었으며 비교정치론의 영향을 받으면서 성립하였다.

② 제2차 세계대전의 결과로 자유세계의 지도국가가 된 미국은 소련의 영향력을 차단시키기 위해 후진국에 대한 경제적·기술적 원조를 시행하였으나 실패와 좌절을 겪었다.

③ 각국의 행정기능에 대한 비교연구를 통하여 행정학의 과학성을 높이고 일반화된 행정을 개발하기 위한 노력으로 진행되었다. 특히 공식적인 법규가 아닌 실제 운영상태를 중심(구조기능주의적 시각)으로 비교연구하였다.

2. 접근방법

리그스(Riggs)의 분류[2]	· **경험적·실증적 접근방법**: 기존의 규범적 접근법에서 전환하였다. · **일반법칙적 접근방법**: 기존의 개별사례적 접근법에서 전환하였다. · **생태적 접근방법**: 기존의 비생태적 접근법에서 전환하였다.
헤디(Heady)의 분류[3]	· **수정전통형**: 각국 행정에 대한 단순한 비교를 고찰하였다. · **발전지향형**: 국가발전이라는 목표달성을 위한 행정의 필요조건을 규명하였다. · **일반체제모형**: 각국의 행정비교를 통한 일반모델을 개발하였다. · **중범위모형**: 관료제로 연구의 범위를 제한하고, 유형론을 발전시켰다.

3. 리그스(Riggs)의 프리즘적 사회

(1) 사회유형 분류

리그스(Riggs)는 사회를 농업사회, 전이사회, 산업사회의 세 가지 차원으로 나누어서 설명하였으며(사회삼원론), 특히 농업사회에서 산업사회로 넘어가는 과도기적 사회를 프리즘적 사회(전이사회)라고 불렀다.

(2) 프리즘적 사회(전이사회)의 특징

① **이질혼합성**: 전통적 요인과 근대적 요인이 상존하는 이질성을 가진다.

② **기능중첩**: 공식적인 합리적 행태와 비공식적·비합리적 행태의 갈등현상이 나타난다.

③ **형식주의 및 연고우선주의**: 가치규범의 이중화로 인하여 형식주의를 초래하고, 합리적 기준인 실력과 능력보다 연고가 우선된다.

④ **다규범주의 및 다분파주의**: 전통적 규범과 근대적 규범이 공존하는 현상으로, 여러 분파 간의 대립과 투쟁이 발생한다.

⑤ **가격의 불확정성**: 상품의 교환수단으로서 가격 메커니즘이 적용되고 있으나 정확한 가격이 없고, 전통사회의 신분·의리 등 시장 외적인 요인이 작용한다.

---

[1] 비교행정연구회의 활동
1950년대에 미국 행정학회 산하의 비교행정연구회는 리그스(Riggs)의 지도하에 주로 포드재단의 지원을 받아 활동하였으며, 비교행정론이 성립하는 데에 중요한 영향을 미쳤다.

[2] 사랑방모형(sala model)
리그스(Riggs)가 개념화한 신생국의 행정체제로서, 사회적 가치가 분화되는 과정에 있는 신생국의 사회를 프리즘적 사회(prismatic society)라 부르고 이러한 신생국의 행정체제를 사랑방모형(sala model)이라 불렀다. 스페인어로 사랑방을 의미하는 'sala'는 미분화된 사회의 관청인 빈청(賓廳, chamber)과 발전된 사회의 관청(office)과의 중간 단계의 관청을 가리킨다. 헤디(Heady)는 사랑방모형이 서비스의 불공평한 배분, 제도화된 부패, 법규적용의 비능률성, 정실주의, 자기방어 동기에 의해 지배되는 관료들의 영토(bureaucratic enclaves), 공식적 기대와 실제 행동 간의 두드러진 차이 등의 특징을 지닌 것으로 주장하였다.

[3] 헤디(Heady)의 연구
1. 의의
· 기존의 비교행정론에서 주된 연구대상이었던 거시적인 국가, 사회체제 등을 대신하여 중범위 수준의 변수인 '관료제' 개념을 이용하여 각국의 행정을 비교하고자 하였다.
· 구체적으로 선진국, 개발도상국, 공산권 국가들의 행정관료제를 비교하였다.
2. 내용(개발도상국의 특징)
· 모든 개발도상국들은 선진국의 행정을 모방하고 있다.
· 행정관료들 중에 계획이나 사업 관리에 대한 지식을 갖춘 자가 거의 없다.
· 관료들의 자율성이 강하며 형식과 실제 간의 괴리가 심하다.
· 관료들의 의식구조가 생산적이지 못하다.

⑥ **양초점성:** 관료의 법제상 권한은 미약하나 실제 권한은 크다.

⑦ **상향적·하향적 누수체제:** 관료는 세출예산을 누수시켜 횡령하므로 세금 중 일부는 국고에 들어가지 않는다.

⑧ **천민자본주의:** 영세한 자본을 관료가 정략적으로 이용하는 현상으로, 우리나라의 정경유착과도 관련된다.

4. 한계[1]

(1) 행정이 소극적이고 정태적인 성격을 띤다.

(2) 이데올로기에 대해서 과소평가하였고, 엘리트 기능에 대한 파악이 충분하지 못하였다.

(3) 비교행정연구가 대부분 행정 내부관리에 초점을 두었기 때문에 후진국의 주요 과제인 인구, 환경, 식량증산 등과 같은 연구는 등한시하였다.

[1] 가치규범 이중화의 예

1. 시골에서 가게를 하는 상인이 외상을 주면 이중적인 어려움에 봉착한다. 현금이 부족한 동네사람에게 외상을 거절하자니 장사와 인심을 잃게 되고, 외상을 주자니 자본을 잃게 되고, 외상값을 재촉하면 인심을 잃게 되는 모순에 빠지게 되는 경우이다.
2. 프리즘적 사회의 이중성 때문에 발생하는 법과 현실의 괴리로 다음과 같은 예를 들 수 있다. 하루에 12시간 근무를 해도 좋으니 취직만 하면 큰 행운이라고 생각하던 시기인 1960년대에 가장 모범적인 근로기준법을 제정하는 경우인데, 최저임금법대로 하면 기업이 도산하고 또 직장을 잃게 될 근로자들도 그 사정을 알고 있으므로 고용노동부의 근로감독관이 나와도 모두가 거짓말을 하게 되고, 이런 상태에서 행정 관료도 묵시적 동의를 하게 된다.

5 발전행정론과 신행정론

1 발전행정론

1. 의의 및 성립배경

(1) 의의

제2차 세계대전 이후 이어진 원조의 목적은 다양하였지만 결국은 후진국의 국가발전을 돕는 것이었다. 행정학에서도 국가발전을 위한 합리적인 행정을 연구하게 되었는데, 이를 발전행정론이라고 한다.

(2) 성립배경

① 후진국의 행정을 비교하는 연구는 자연스럽게 후진국의 낙후된 행정을 근대화시키려는 노력으로 연결되어 발전행정론이 등장하게 되었다.

② 실용주의에 입각하여 목표지향적(효과성 강조)이고 규범적이며 동태적인 행정이론의 필요성에서 등장하게 되었다.

2. 특징

(1) 행정우위 정치행정새일원론

국가발전을 위해 행정의 역할이 확대되었다. 이는 정치의 영역보다 관료와 행정의 역할이 더욱 확대된 경우로, 행정이 주도하는 불균형적 발전전략이었다.

(2) 독립된 변수로서의 발전인 중시 - 선량주의(엘리트주의)적 관점

행정과 환경의 상호작용을 강조하였다. 즉, 기존의 이론과는 달리 행정 내부의 리더십을 강조하였으며 환경결정론적 시각을 극복하고 발전인의 역할을 중요하게 부각하였다.

핵심 OX

01 체제론과 생태론, 비교행정론은 거시적 환경에 주목한다. (O, X)

02 비교행정론은 처방성과 문제해결성을 강조함에 따라 행정의 비과학화를 초래하였다. (O, X)

01 O

02 X 처방성과 문제해결성을 강조한 것은 발전행정론에 해당한다. 비교행정론은 가치중립성과 보편성에 따라 과학성을 추구하였다.

(3) 효과성과 기관형성의 중시[1]

국가발전을 위한 행정의 목표달성기능과 이를 위한 기관형성을 강조하였다.

(4) 미래지향적이고 쇄신적인 리더십

행정의 발전을 위해서 미래지향적이고 쇄신적인 관료의 역할이 강조되었고, 최고정책결정자의 리더십이 중요하게 부각되었다.

3. 한계

(1) 발전개념의 모호성

발전의 개념이 서구화와 동일시되는 우려가 발생할 가능성이 있다. 경제발전이나 근대화가 발전의 전부는 아니며, 전통의 옹호나 삶의 질 향상을 발전으로 볼 수도 있는 것이다.

(2) 민주적 통제의 약화 우려

관료의 재량권 증가와 행정의 비대화로 민주적 통제가 약해질 우려가 있다.

(3) 이론적 과학성의 미흡

처방성과 이를 위한 가치판단을 중시한 반면 이론적 과학성은 미흡하다.

(4) 투입기능의 경시

상대적으로 투입보다는 산출기능이 강조될 가능성이 높다. 즉, 국민들의 행정부에 대한 요구나 지지가 약화되고 행정부가 일방적으로 생산하는 구조로 바뀔 우려가 있다.

2 신행정론(NPA)

1. 의의 및 성립배경

(1) 의의

행태론의 실증주의를 비판하며 등장한 가치주의 행정학으로, 행정이 사회적 적실성과 실천성을 갖추어야 한다고 보았다.

(2) 성립배경

① 1960년대 혼란스러운 시대상황

㉠ **소련의 인공위성**: 1957년에 소련이 인류역사상 최초로 인공위성을 쏘아 올린 것에 대해서 미국민들은 엄청난 충격을 받았다.

㉡ **베트남전쟁**[2]: 1960년대 미국은 베트남전쟁에 개입하여 진퇴양난의 딜레마에 빠지게 되었다.

㉢ **흑인폭동**[3]: 가장 큰 혼란은 흑인폭동이었다. 흑인은 남북전쟁 이후 자유민이 되기는 하였으나 1960년도까지 미국민으로 대우를 받지 못하는 것에 대해서 폭동을 일으켰다. 이 사건은 연방군이 출동하여 많은 사상자를 내고서야 진압되었다.

❶ 기관형성론
1. **개념**: 국가발전을 위한 전략 및 사회의 변동을 유인하고 촉진하기 위하여 새로운 공식적 조직을 형성하거나 기존 조직을 수정하는 것이다(하향적 발전전략).
2. **주요 학자**: 에스만(Esman)
3. **기관형성변수**
   - 내부변수: 내부구조, 지도이념, 사업활동, 자원, 지도력
   - 외부변수: 수권적 변수, 기능적 변수, 규범적 변수, 확산적 변수
4. **평가기준**: 생존능력, 자율성, 영향력, 파급효과

❷ 베트남전쟁
소련의 남하정책을 억제하고 인도차이나반도의 공산화를 막는다는 목적으로 시작한 베트남전쟁은 명분 측면에서 문제가 있었다. 미국이 민족주의자로서 국민들의 신뢰를 받아 온 호치민 정권과 싸웠기 때문이다. 미국이 베트남 국민들의 자주적 판단을 무시하고 자신의 세력확장을 위해서 민족주의자를 억압하는 제국주의 전쟁을 하고 있다고 세계의 지성들이 맹렬히 비난했고 미국 젊은이들은 월남전 반대운동을 일으켰다.

❸ 흑인폭동
흑인폭동사건은 미국을 국제적으로 곤란한 입장에 몰아넣었다. 제2차 세계대전 후 미국은 세계 모든 국가들에게 인간의 자유와 평등을 실현시키는 가장 훌륭한 민주체제를 지니고 있다고 강조하였는데, 흑인들이 동물과 같은 취급을 받고 있다는 사실이 전 세계에 알려지게 되었다. 이때부터 미국 내의 지성들은 인종차별문제를 자세히 살펴보게 되었고, 흑인들을 위한 각종 복지정책을 마련하기 시작하였다.

② 행태론에 대한 비판

㉠ **적실성 부족:** 행태론적 정치학자들은 이익집단이나 의원들의 행태 또는 투표행태 등에 대한 연구를 노력하는 것에만 집중하였을 뿐, 정치적·경제적·사회적 문제의 해결에 대해서는 아무런 해답을 제시하지 못하였다.

㉡ **미노부룩(Minnowbrook) 회의(1968):** 왈도(Waldo)에 의해서 발의되었으며, 공통적으로 전통적 행정학의 가치중립적 연구에 대한 비판을 담고 있었다.

2. 특징

(1) 전통 행정학에 대한 비판

① 능률과 절약의 가치는 계층제, 관리통제, 권위 그리고 집권화를 통해서만 성취되는 것이 아니라 느슨한 통제, 느슨한 관료제 그리고 탈권위주의적 리더십에 의해서도 실현될 수 있다고 보았다.

② 복잡화된 행정수요에 대응하기 위해서 전통적 계층제나 행정이론은 변화되어야 한다고 주장하였다.

(2) 실증주의에 대한 비판 및 현상학적 연구방법의 중시

① **실증주의 비판:** 적실성 있는 처방적 성격의 행정학을 추구하였으므로 행태주의자들의 실증적 연구를 비판하였다.

② **현상학적 연구방법의 중시:** 행태주의자들의 연구를 당면한 사회문제에 대해서 무능한 학문이라고 비판하고, 객관적 지식보다는 인간의 주관적 목적이나 의식에 바탕을 둔 자기성찰적 비판의식을 강조하는 탈실증주의적 연구로서의 현상학적 연구방법을 중시하였다.

(3) 가치(사회적 형평성) 중시 및 정책지향성

행태론에서 강조한 가치중립성보다는 현실적인 불평등문제를 해결하기 위해서 사회적 형평성을 강조하는 가치지향적인 행정이 필요하다고 주장하였다. 또한 대내적인 의사결정보다는 정책문제 해결을, 관리과학(MS)이나 체제분석(SA)보다는 거시적인 정책분석(PA)을 중시하였다.

(4) 고객 중심의 행정

① **대응성:** 일선현장에서 고객 중심으로 움직여 사회적 약자들에게 도움이 되어야 한다고 보았다.

② **분권화:** 고객 중심의 행정을 위해서는 일선행정관료의 재량권이 확대되어야 한다고 보았다. 이는 분권화를 의미한다.

(5) 능동적이고 책임성 있는 행정의 추구

행정은 능동적이어야 하고 시민에 대한 책임성을 향상시켜야 한다고 주장하였다.

(6) 비계서제적·탈관료제적 처방

행정이 변동에 대응하여 국민의 요구를 만족시키기 위해서는 탈관료제적 조직설계가 이루어져야 한다고 주장하였다. 계서제의 철폐, 국민의 참여강조, 상황적응적 조직설계 등이 대표적인 예이다.

핵심 OX

01 신행정학운동은 행정학의 실천적 성격과 적실성을 회복하기 위해 정책지향적인 행정학을 요구했으며, 전문직업주의, 가치지향적인 관리론에 대한 집착을 비판하면서 민주적 가치규범에 입각한 분권화, 고객에 의한 통제, 가치에 대한 합의 등을 강조했다. (O, X)

01 X 가치지향적인 관리론이 아니라 가치중립적인 관리론에 대한 비판이다.

(7) 참여의 강조

행정의 분권화와 일선관료들의 재량권 확대만으로는 흑인과 같은 약자들의 요구나 어려움에 충분히 대응할 수 없었다. 왜냐하면 권력은 강자를 위해서 움직이는 경향이 있기 때문이다. 따라서 정책결정과정에서 시민의 참여를 강조하였다.

(8) 전문적 행정학교육 중시

전문적 행정교육을 중시하는 전문행정대학원의 설치를 통해서 전문관료의 양성을 강조하였다(Waldo).

3. 공헌

(1) 행정의 환경변화에 대한 대응성을 강조하였다.

(2) 탈관료제적 조직을 지향하였고, 행정의 민주성과 사회적 형평성을 부각시켰다.

4. 한계

(1) 개발도상국 행정에 적용 어려움

신행정론은 미국의 사회적 배경하의 행정이론이므로 국가발전이나 경제발전을 우선적으로 달성해야 하는 개발도상국의 행정에는 적용하기가 어렵다.

(2) 급진적 · 비현실적

사회적 형평성이나 국민에 대한 대응성을 증진시키기 위해서 탈계층제 등 너무 급진적인 처방을 제시하였으며, 경험적인 검증이 미흡하여 이상적이고 비현실적이라는 지적이 있었다.

(3) 형평성에 대한 명확한 기준 설정 곤란

형평성을 강조하나 이에 대해 명확한 기준을 설정하거나 구체적인 합의를 하는 것이 어렵고, 형평성만을 우선시할 경우 계급 간의 갈등과 대립이 발생할 수 있다.

(4) 관료제의 순기능 간과

관료제가 국민들의 행정수요에 대응하지 못한다고 주장하면서 역기능을 지나치게 부각하여 기회균등이나 합법적 행정을 보장하는 관료제의 순기능을 간과하였다.

개념PLUS 발전행정론과 신행정론의 비교

구분		발전행정론	신행정론
공통점		· 행정인의 적극적 역할 · 정치행정일원론적 시각 · 과학성의 부족 · 사회변혁기의 행정	
차이점	시대	1960년대	1970년대
	적용	개발도상국	선진국
	강조점	효과성(성장과 발전)	형평성(분배)
	기관형성	기관형성 중시	기관형성 비판

핵심 OX

01 발전행정론은 행정관료의 역할이 중요하다고 보았으나, 신행정론은 관료의 역할이 제한되어야 한다고 주장한다. (O, X)

02 발전행정론은 기관형성을 통하여 행정의 적극적 국가발전을 추구하였기 때문에 중시하였고, 신행정론은 기관형성이 고객 중심적이고 형평성 있는 정책집행에 역행한다고 보았기 때문에 비판하였다. (O, X)

01 X 양자 모두 행정관료의 역할을 중시하였다. 다만, 발전행정론의 경우는 국가발전을 위한 역할이, 신행정론의 경우는 국민의 요구에 대응하기 위해서 적극적인 가치판단을 해야 한다는 측면에서 적극적인 역할이 필요하다고 인식한 점에서는 차이가 있다.

02 O

6 후기 행태주의적 접근방법

1 의의

(1) 사실지향적인 논리실증주의만을 강조하는 행태주의를 비판하며 등장한 새로운 행태주의 접근방법이다.

(2) 1960년대 당시 미국사회는 흑인폭동사건, 월남전 반대 데모 등 극도의 혼란에 빠져 있었음에도 불구하고 그 동안 절대시되었던 행태주의가 아무런 처방을 주지 못하자 이를 비판하고 혁신운동이 일어났던 것이 곧 후기 행태주의인 것이다. 이러한 후기 행태주의적 접근방법은 행정학계에도 즉시 받아들여져 이른바 신행정론(new public administration)이 전개되었다.

2 현상학

1. 의의 및 성립배경

(1) 의의[1]

① **현상론**: 현상, 즉 대상의 근본적 특성을 직관적으로 인식하고자 하는 관념론이다.

② **행정연구의 현상학적 접근방법**: 사회현상은 상호주관적인 경험으로 이루어지므로 외면에 대한 경험적 관찰보다 그 이면의 동기나 의도에 대한 해석을 중요시하는 접근방법이다.

(2) 성립배경

① 탈실증주의 연구경향

㉠ 사회현상의 본질, 인간 인식의 특성, 이론의 성격 등 사회과학연구의 좀 더 본질적인 문제를 둘러싸고 실증주의와 행태주의가 내세우는 과학적인 연구방법에 대해 반기를 들었다.

㉡ 사회현상은 자연현상과 본질적으로 다름을 강조하였다.

② **후설(Husserl)의 일반철학운동으로 창시**: 현상은 인간의 의식에 의해서 경험되기 때문에 의식을 떠난 현상은 있을 수 없다. 편견 없는 의식을 위해서 단편적인 지식과 선입견으로부터 판단을 중지하고 그 상태에서 사물의 본질을 이해하고자 하였다.

③ 하몬(Harmon)의 행위이론*을 통해 행정학에 도입

㉠ 인간의 행위가 합목적적 · 의도적이며, 인간은 그들이 종사하고 있는 활동과 관련하여 스스로 성찰할 수 있는 책임 있는 행위자임을 암시한다.

㉡ 인간을 피동적 · 수동적 존재가 아니라 능동적 · 자율적 존재로 인식하고 개인 간 상호작용을 활발하게 하여 조직의 인간화와 새로운 조직의 개선을 주장한다.

❶ 행태론과 현상학의 비교

구분	행태론	현상학
관점	객관적 · 외면적	주관적 · 내면적
존재	실재론	유명론*
인식	실증주의 (과학적)	반실증주의 (철학적)
인간	결정론 (주지주의)	자발론 (주의주의)
방법	일반법칙적	개별사례적

용어

유명론(唯名論, nominalism)*: 인간의 인식은 그 사람의 성격 · 경험 · 언어 등으로 인해 사람마다 다르기 때문에 사회현상에 대한 인식도 사람들마다 다르다는 것이다. 사람들은 단지 그 현상에 대해서 동일한 언어(명칭)만을 사용할 뿐이지 그 현상에 대한 이해와 인식의 내용은 다르다고 본다. 즉, '사회현상은 단지 이름일 뿐이다.'라고 보는데, 이는 사회현상은 객관적 실체가 없다고 보는 인식이다.

행위이론(action theory)*: 행위이론은 인간행위의 가치를 행위의 결과에서가 아니고 그 행위 자체에서 찾아야 하며, 행정은 조직 안팎의 모든 사람들 사이에서 의도된 행위가 상호작용하는 과정에서 이루어진다는 이론이다. 하몬(Harmon)에 의하면, 인간은 누구나 목적에 부합되게 그리고 의도적으로 행동하며, 자기의 행위에 대하여 책임을 질 줄 아는 존재이므로 행정 현실을 올바르게 파악하려면 단순히 표면에 나타난 행위(behavior)가 아니라 행위자의 목적 · 의사 · 가치관 등이 깃든 의도된 행위(action)에 관심을 두어야 한다는 것이다.

2. 특징

(1) 내면의 의도에 초점을 둔 인간행위의 해석

행태에 대한 연구는 외면적 · 단편적 연구이지만, 행위(주관적 의도)에 대한 연구는 내면적 · 심층적 연구이기에 인간행위에 대한 정확하고 풍부한 해석이 가능하게 된다.

(2) 개별사례적 분석

일반법칙적 연구를 지양하고 개별사례를 중심으로 연구한다. 이는 현상학이 전체적인 특성을 파악하기보다는 개인들의 주관적인 의사 · 특징 · 가치관 등을 중요하게 다루기 때문이다.

(3) 상호주관성 강조

사회현실은 구성되는 것이며, 상호주관적 경험을 통해 이루어진다. 따라서 사회문제의 해결에 있어서도 가치중립적인 객관적 연구가 아니라 이면에 감추어진 의도에 대한 이해가 중요하다. 이를 위해서 의사소통을 강조한다.

(4) 철학적 연구방법

객관화된 경험적 사실만이 과학의 대상은 아니라고 보고, 철학도 생산적인 것이며 철학이나 도덕, 가치 등도 엄격한 경험과학으로 재정립이 가능하다고 주장한다. 객관적인 실재보다는 명분이나 가치를 중시하는 명목론을 견지한다.

3. 평가

(1) 미시적 관점에서 인간에 대한 풍부한 이해를 가능하게 하였다.

(2) 주관적인 철학에 의존하였고, 인간이 가진 무의식의 영향을 고려하지 못했다.

3 비판이론(비판 행정학)

1. 의의

(1) 이성을 통하여 자유를 실현시키고 인간의 성장 · 발전을 저해하는 사회적 구조나 제약으로부터의 해방에 주로 관심을 가지는 이론이다. 이들은 실증주의 연구 경향을 비판하였다.

(2) 호르크하이머(Horkheimer), 하버마스(Habermas), 덴하르트(Denhardt) 등에 의해서 강조되었다.

2. 기본개념

(1) 총체성

사회는 고립적 · 부분적이지 않고 연관되어 있으며 전체적이다.

(2) 의식

인간의 내면에서 형식화되고 경험에 의해서 작용하는 의식을 강조한다. 이는 행태주의자가 중요하게 생각하였던 사실 중심의 연구와는 대조를 이룬다. 이러한 측면에서 비판이론은 주관적 행정학이라고 할 수 있다.

핵심 OX

01 현상학은 사회가 실제로 존재한다고 보는 실재론이다. (O, X)

02 현상학은 반실증주의 세계관을 가지며, 인간의 객관적 행태가 아니라 주관적인 행동의 이면을 파악하려고 하였다. (O, X)

03 현상학은 인간행위의 많은 부분이 무의식이나 집단규범 또는 외적 환경의 산물이라는 것을 간과하고 있다. (O, X)

04 비판 행정학은 도구적 이성을 가장 중요하게 생각한다. (O, X)

01 X 실재론의 입장이 아니라 유명론의 입장이다.
02 O
03 O
04 X 도구적 이성이 아니라 해방(비판)적 이성이 가장 중요하다고 보았다.

(3) 소외의 극복

인간과 객관화된 세계 간의 분리현상을 경험하는 것이다. 비판 행정학은 인간소외를 극복하고자 하며, 이를 위해서 다양한 의사소통수단들을 강구할 것을 강조한다.

(4) 비판적 이성[1]

이성의 획일화 · 절대화를 부정하고 기존의 진리가 불변이라는 고정관념을 배격하며 비판적 이성의 회복을 강조한다. 이를 통해서 기존의 절차와 구조로부터의 해방을 주장한다.

(5) 상호적 담론[2]

① 왜곡 없는 의사소통의 필요성을 강조한다.

② 하버마스(Habermas)는 조직 내에서의 의사소통과, 행정부와 국민 간의 의사소통을 확대하여 공공영역을 확대할 것을 주장하였다. 또한 적절한 사회이론이 되기 위해서는 비판적 이성뿐만 아니라 도구적 이성과 해석적 이성이 포함되어야 한다고 보았다.

3. 특징

(1) 도구주의적 이성의 비판

의사소통적 상호작용을 강조하며, 기존의 기계적이고 공식적인 절차 위주의 행정학을 비판한다.

(2) 공공영역의 시민참여 확대

시민의 민주적 참여 확대를 주장하며, 대의제 민주주의 원리를 비판하고, 국민들의 정책결정에 있어 참여 공간을 확대할 것을 주장한다.

(3) 의사소통의 원활화

당사자 간의 의사소통의 균형과 원활화를 강조한다.

4 포스트모더니즘 행정이론

1. 의의

(1) 모더니즘에 대한 비판으로 등장

기존의 주류 행정이론은 합리주의와 과학주의 및 기술주의를 신봉하는 모더니즘에 뿌리를 두고 있었다. 그러나 모더니즘의 합리주의에 대한 회의, 즉 과학주의와 기술주의의 한계와 부작용을 비판하는 포스트모더니즘(post modernism)이 등장하면서 행정학 분야에도 포스트모더니즘 행정이론이 등장하게 되었다.

(2) 해방으로서의 포스트모더니즘

포스트모더니즘은 인간의 이성과 과학의 무한한 힘을 믿었던 데카르트(Descartes) 이후의 근대적 세계관이 무너지는 과정에서 나타난 현상으로 전체성 해체, 독자적 개체의 인정, 주체와 객체의 구별해소 등 '해체'와 '해방'을 의미한다.

[1] 비판이론의 세 가지 이성

구분	내용
도구적(기술적) 이성	작업을 규제하는 기술적 환경, 인간에 대한 통제(행태론)와 관련됨
실천적(해석적) 이성	행위자 간에 공유하는 의미, 인간에 대한 이해(현상학)와 관련됨
비판적(해방적) 이성	사회적 권력에 대한 비판적 통찰 및 제약으로부터의 해방(비판과학)과 관련되며, 이는 가장 중요한 이성에 해당함

[2] 툴민(S. Toulmin)의 논변적 접근방법

1. 개념: 확실성을 지닌 자연과학적 연구방법에서 벗어난 새로운 접근법, 행정현상은 인간의 행동과 관련되며 인간의 행동은 자율적 의지의 반영이라는 점에서 행정현상에서 확실성을 지닌 법칙의 추구는 한계에 직면한다고 본다.
2. 핵심: 문제의 해결방안에 대한 진실성이 아니라 해결방안에 대한 주장의 정당성이 중요하다고 본다.
3. 방법론: 어느 정도의 불확실성을 인정하면서 정책결정에 대한 주장을 정당화할 수 있도록 논거를 체계적으로 전개할 수 있는 모형을 강조한다. 그러므로 1990년대 이후 행정현상과 같은 가치측면의 규범성을 연구할 때는 결정에 대한 정당성을 갖추는 것이 필요하며 이를 위해서 토론을 통한 합의(담론)를 도출하는 민주적 절차를 중시하는 접근법을 의미한다.

2. 성립배경 - 모더니티 행정이론의 한계

(1) 모더니티 행정이론의 특징

① **특수주의**: 전문화를 강조하는 특수주의는 보편주의와 상충하지만, 미국의 행정학은 보편주의를 주장하면서 매우 특수주의적인 요소들을 내포하고 있다(보편성과 특수성 간의 모순).

② **과학주의**: 실증주의를 따르는 모더니티는 행정과학을 수립하고자 하였다. 여기에서 가치와 사실의 분리에서 오는 문제점이 발생한다.

③ **기술주의**: 행정은 기술이라고 할 수 있는데, 주로 과정에 관련된 낮은 수준의 기술, 즉 기법이라고 본다.

④ **기업과 기업가정신**: 정부사업을 민영화하는 것은 여러 기업들이 경쟁하여 사업의 효율성이 향상되리라고 기대하는 것이다. 그러나 기업의 논리를 정부에 수용하면 사익성과 공익성이라는 양립 불가능한 가치를 통합시키고자 하는 역설적 상황을 초래할 수 있다.

⑤ **해석학**: 행정에 있어서 합리적 의미를 추구하는 것은 유용하다. 그러나 특정한 해석들은 언제나 새롭고 더 나은 해석의 여지가 있을 수 있다. 인간이 사물의 주체인가에 대한 회의가 발생하면, 더이상 해석에 대하여 확신하기는 어렵다.

(2) 모더니티 행정이론의 한계

① **실효성 상실**: 모더니티는 현실적으로 그 실효성을 잃어가고 있다. 즉, 현대 행정에서 전통적 민주주의 이론처럼 대의제를 통하여 국민의 의사가 제대로 반영되고 환류과정이 이루어지는 것은 어렵기 때문에 그 설득력을 상실하고 있다.

② **거시이론의 한계**: 현재는 거시문화의 층이 얇아지고 부분문화가 활발해지고 있기 때문에 거시이론적 틀을 통하여 행정현상을 설명하려는 것이 불가능하다. 따라서 포스트모더니즘에서는 거시이론, 거시정치, 거대설화 등을 부인한다.

3. 포스트모더니즘의 특징[1]

(1) 구성주의

우리가 발견할 수 있는 객관적 사실이 있다고 보는 객관주의를 배척하고, 사회적 현실은 우리들의 마음 속에서 구성된다고 보는 구성주의를 지지한다.

(2) 상대주의적 세계관

포스트모더니즘 행정학은 보편주의와 객관주의를 추구하는 것은 헛된 꿈이라고 비판하고 지식의 상대주의를 주장한다.

(3) 해방주의

개인들은 조직과 사회적 구조의 지시와 제약으로부터 해방되어야 한다고 주장한다. 개인들은 서로 상이성을 인정한 상태에서 자유롭게 접근할 수 있어야 한다는 것이다. 따라서 인위적 계서제와 구조들로부터 자유로울 수 있고 서로 다를 수 있으며, 각자가 자기 특유의 개성을 가질 자유를 누려야 한다고 본다.

[1] 파머(Farmer)의 반관료제이론

1. 파머(Farmer)는 관료제도를 중심으로 한 근대 행정이론을 과학주의, 기술주의, 기업주의 등으로 규정하면서 이를 비판적으로 해석하고 있다.
2. 포스트모더니즘 행정이론을 상상, 해체(탈구성), 탈영역화(영역해체), 타자성 등을 중심으로 제시하고 있다. 특히 타자성의 개념을 통하여 타인을 하나의 대상으로서가 아니라 도덕적 타인으로 인정하고 개방적인 태도를 가져야 한다는 점을 강조하고 있다.

핵심 OX

01 포스트모더니즘 행정학은 대의제 민주주의의 발전을 추구한다. (O, X)

02 포스트모더니즘 행정학은 가치중립적인 행정학이다. (O, X)

01 X 포스트모더니즘 행정학은 대의제 민주주의에 대해서 비판적이고 공공영역의 확대를 통해서 시민의 직접적인 참여를 추구한다.
02 X 포스트모더니즘 행정학은 가치중립적인 행정학이 아니라 가치지향적인 행정학 연구이다.

(4) 상상

소극적으로는 과거의 규칙이나 관행에 얽매이지 않는 행정의 운영이며, 적극적으로는 문제의 특수성을 인정하는 것이다. 모더니즘에 있어서 합리화가 수행하는 역할을 포스트모더니즘에 있어서는 상상이 수행한다.

(5) 타자성(他者性, altérité)

나 아닌 다른 사람을 인식적 객체로서가 아니라 도덕적 타자(주체)로서 인정하는 것이다. 후기 산업사회에서 강조하는 타자성은 타인과의 의사소통과 감정이입을 강조하고, 이는 행정에서 다양성과 시민참여를 인정해야 한다는 논리를 도출하게 된다. 이와 반대개념이 즉자성(卽自性, I-ness)으로 타인의 존재를 인정하지 않는 자족의 상태로 아스미타(asmita)라고도 한다. 즉, 자신만 생각하는 합리적 이기주의가 즉자성이다.

5 담론이론[1]

1. 의의

폭스(Fox)와 밀러(Miller)는 포스트모더니즘하에서 행정은 담론이어야 한다고 주장하였다. 즉, 행정을 전문성을 바탕으로 업무를 수행하는 개념으로 이론화하기보다는 정책결정과정에서 시민들의 의견을 적극적으로 청취하여 시민들이 원하는 의도를 반영하는 담론의 장으로 보아야 한다는 것이다.

2. 정통이론에 대한 대안으로서의 담론이론

(1) 정통이론에 대한 비판 - 대의민주주의의 비판

대의민주주의는 국민을 대표하지 못하고 민주적이지도 못하며 국민들에게 책임을 지지 않는다고 비판하였다.

(2) 정통이론에 대한 대안 - 헌정주의, 공동체주의, 담론이론

① 환류적 대의민주주의의 대안으로 헌정주의와 공동체주의는 한계가 있다고 주장하였다.

② 폭스(Fox)와 밀러(Miller)는 자기들의 대안인 담론이론을 제시하였다.

(3) 담론의 보증(담론과정에서 지켜져야 할 규율, 진정한 담론의 조건은 무엇인가?)

① **담론의 진지함**: 공공포럼에서 제기되는 주장은 진지하고, 정직하며, 솔직하여야 한다. 즉, 참여자들 사이에서 신뢰에 기초하여 의도적 왜곡, 불성실한 주장 등을 배제하여야 한다. 익명성은 담론의 진지함을 저해한다.

② **상황에 적합한 의도**: 담론이 특정한 상황과 관련된 활동에 관한 것이어야 한다. 즉, 일반적인 이야기, 형이상학적 이야기 등을 배제하고 구체적인 상황을 근거로 제반 관련자와 이익상황 등을 고려하여야 한다. 이렇게 된다면 상황적합적 의도를 통해 지나친 개인의 관점에서 한 차원 높은, 여러 사람(집단)을 고려한 논의를 전개할 수 있다.

---

[1] 담론의 형태(담론의 보증 준수기준)

1. 소수 담론(few talk): 엘리트 중심의 독단적 조작
   - 의미: 소수의 엘리트나 사람들에 의해 담론이 지배되는 경우이다. 설문조사, 시민패널, 정책분석이 여기에 해당된다.
   - 특징: 익명성으로 인해 담론의 진지함이 보장되지 못하고 자기의 주장만을 투입하려 하기 때문에 '상황에 적합한 의도'라는 조건을 충족하지 못한다. 결국 소수 담론은 소수 엘리트들의 정당화 액세서리(수단)일 뿐이다.
2. 다수 담론(many talk): 무질서한 표현
   - 의미: 초점이 없이 산만하게 진행되는 경우이다. 인터넷 게시판이 대표적으로 여기에 해당된다.
   - 특징: 대화의 규범, 동일한 주제가 없고 참여자들이 자기의 주장만을 세기 함으로써 담론에 실질적인 기여를 하지 못한다.
3. 적정수 담론(some talk)
   - 의미: 산만한 토론들이 시간이 지나면서 몇 개의 정책과제로 응집되어 구조화된 경우이다.
   - 특징: 지속적인 참여자들의 관계가 존재하면 그들 사이에 신뢰와 공유화된 규칙이 존재하게 된다.

핵심 OX

01 담론과정에서 지켜져야 할 규율로서 진정한 담론의 조건은 담론의 진지함, 상황에 적합한 의도, 자발적 관심, 실질적 기여 등이다. (O, X)

02 담론적 접근방법은 공식적인 정책결정자의 역할이 상대적으로 강조된다. (O, X)

01 O
02 X 담론이론은 공식적인 정책결정자의 역할에 한정하지 않고 다양한 네트워크와의 연합으로 개방적 성격을 갖는다.

③ **자발적 관심:** 참여자들은 대화에 주의를 기울이고 자발적으로 참여하여야 한다. 즉, "듣지만 말고 대화에 참여하여야 한다."라는 의미이며 강제로 담론에 가담하거나 무관심해서는 안 된다는 것이다. 이는 다른 참여자의 의미와 관점에 대한 이해가 필요하다.

④ **실질적 기여:** 담론과정에서는 무임승차자들을 배제함으로써 참여자들이 담론에 실질적으로 기여를 하여야 한다. 즉, 자신의 경험 · 지식 · 정보 등의 제공, 담론의 요약, 새로운 주제의 제시 등을 통해 담론에 기여하여야 한다는 것이다.

3. 평가❶

(1) 유용성

① 지혜, 지식 및 정보를 포괄적 · 상승적으로 활용한다.

② 정책의 정당성을 확보하여 대의민주주의 문제를 극복한다.

③ 시민들의 적극적 참여를 강조한다.

④ 체계구성원의 화합을 촉진시킨다.

⑤ 정책집행 및 평가에 기여한다.

(2) 한계

① 시간이나 비용이 많이 소요된다.

② 정확한 담론의 형태가 부족하여 하나의 은유 수준에 지나지 않는다.

③ 담론의 보증에 대한 측정지표와 판별기준이 부족하다.

④ 구성원들의 지적 수준 차이의 고려가 부족하다.

⑤ 담론문화가 미성숙하다(우리나라).

고득점 공략 심의민주주의

1. 의의

심의민주주의(deliberative democracy)는 간접적이고 선호집합적인 대의민주주의가 가진 결함을 시정하여 고대 아테네의 직접민주주의의 이상을 현대에 재현하려는 것이다. 즉, 시민이 직접 심의에 참여하는 직접적 · 참여적 민주주의이다.

2. 특징

① **선호의 변화 가능성:** 선호를 주어진 것으로 보는 대의민주주의와 달리 의사결정참여자들이 상호작용의 과정 중에 각자의 선호를 기꺼이 변화시킬 수 있다는 점을 전제로 한다. 따라서 투표에 의한 잘못된 집단적 선택을 바로잡을 수 있다.

② **공공성의 추구:** 심의민주주의의 목적은 단순히 대의민주주의가 가진 정치적 균형을 달성하는 것이 아니라 집단적인 문제, 공적인 문제를 해결하고 또한 문제해결방식에 대한 정당성을 획득함으로써 공공성(publicness)을 추구하는 것이다.

③ **시민의식 고양:** 심의과정은 시민문화(civic culture)를 활성화시키고 시민들은 민주적 가치와 규범을 내면화할 수 있는 기회를 가진다. 심의과정에서 상대방을 설득시키기 위해서는 사익이 아닌 상대방의 이익이나 공동선의 관점에서 토론한다.

3. 유용성

① 심의민주주의는 시민과 대표 간의 민주적 대화를 촉진하여 상호 간의 거리를 좁히고, 토론을 통한 시민적 합의를 통해 집단적 의사를 형성함으로써 민주적 결정의 정당성을 높여준다.

② 공적 담론의 성격을 선호의 집합에서 공동의 문제해결 모색으로 전환함으로써 대의민주주의가 직면하고 있는 조정의 딜레마를 극복할 수 있다.

❶ 사이버공간의 등장과 담론이론

정보화시대에는 사이버공간에서 적정수의 사람들이 참여하는 많은 공공정책 담론이 가능할 것이다. 사이버정부와 담론이론이 조화된다면 폭스(Fox)와 밀러(Miller)가 제시한 담론모형이 현실적으로 가능할 수도 있다.

7 공공선택론

1 의의와 가정

1. 의의 및 성립배경

(1) 의의

공공선택론(public choice theory)은 '비시장적(non - market) 의사결정의 경제학적 연구'로서 정치학에 경제학을 응용한 것(Mueller)이다.

(2) 비시장경제학(신정치경제학) - 정치경제학적 입장

공공선택론은 경제학적인 분석도구를 국가이론, 투표규칙, 투표자의 행태, 정당정치, 관료행태, 이익집단 등의 연구에 적용하고 있기 때문에 '비시장경제학' 또는 '신정치경제학'이라고도 한다.

(3) 성립배경[1]

① 1962년 버지니아 학파의 뷰캐넌(Buchanan)이 도입하였다.

② 1973년 오스트롬(Ostrom) 부부가 『미국 행정학의 지적 위기』라는 저서를 통해 전통적인 윌슨 - 베버리안(Wilson - Weberian)식의 패러다임을 비판하고, 시민의 다양한 요구와 변화하는 환경에 부응하는 민주행정 패러다임을 주장하면서 공공선택론적 시각을 확대시켰다.

2. 기본적 가정

(1) 합리적 · 이기적 경제인 전제

개인을 자기 이익의 극대화를 추구하는 합리적 경제인으로 가정한다. 소비자인 시민은 효용의 극대화를, 정치인은 득표의 극대화를, 관료는 예산의 극대화를 추구하여 자신의 선호를 극대화한다.

(2) 방법론적 개인(개체)주의[2]

부분의 합은 전체와 같다고 본다. 따라서 공공선택론은 개인을 분석단위로 하여 전체의 특성을 파악할 수 있다고 본다(환원주의로 총체주의와 구별된다).

(3) 공공재에 관한 연구(신제도론적 접근방법)

① 정부를 공공재의 생산자로, 시민을 공공재의 소비자로 규정한다.

② 시민의 편익이 극대화되는 공공재 생산이란 공공서비스의 시장화를 의미하며, 공공재 공급방식은 상황적응적 방식을 적용한다.

③ 공공재의 효율적인 공급과 생산은 제도적 장치(규칙)의 마련을 통해서 가능하다고 가정한다.

④ 전통적 관료제조직은 공공서비스의 공급과 생산에 바람직한 제도적 장치가 되지 못하며, 정부의 각 수준에 적합한 분권적이고 다양한 규모의 제도적 장치가 마련되어야 한다. 이를 위해 신제도론적 접근방법이 적용된다.

⑤ 공공재의 효율적인 서비스 제공은 정부의 정책결정구조(규칙)에 달려 있다고 본다. 즉, 결정구조(규칙)에 따라 공공재와 서비스의 능률성이 달라진다.

---

❶ 공공선택론의 도입
뷰캐넌(Buchanan)은 1962년에 『국민합의의 분석』이라는 논문을 통해 정치학 분야의 연구에 공공선택론을 도입하였기 때문에 공공선택론의 창시자라고 불린다.

❷ 연역적 접근방법
공공선택론은 제반 가정을 토대로 논리적 추론의 과정을 거쳐 결론을 도출하는 연역적 접근방법에 따른다.

핵심 OX

01 공공선택론은 방법론적 개체주의에 입각하여 개인을 분석수준으로 보았다. (O, X)

02 공공선택론에 따르면 사회는 개인의 합과 동일할 수 없으므로 개인효용의 총합은 사회적 효용과는 다르다. (O, X)

01 O
02 X 공공선택론은 방법론적 개인주의를 가정하므로 개인효용의 총합은 사회적 효용과 같다고 본다.

(4) 교환으로서의 정치(Politics as exchange)

행정작용뿐만 아니라 정치작용도 일종의 교환행위이며, 이러한 정치적 교환과정에서 정치가가 극대화하고자 하는 것은 공익이 아니라 사익에 불과하다고 본다.

2 주요 연구

1. 뷰캐넌과 털록(Buchanan & Tullock)의 비용극소화모형

(1) 의의

① 일반적으로 참여자 수의 증가는 의사결정을 지연시키고 합리적인 의사결정을 도출하는 데 갈등을 유발한다는 점에서 의사결정비용이 많이 든다고 본다.

② 여기에 뷰캐넌(Buchanan)과 털록(Tullock)은 집행비용까지 고려해서 참여자 수가 결정되어야 한다고 보았다. 왜냐하면 집행과정에 참여자 수가 증가하면 의사결정비용은 많이 들지 모르나 자신이 참여했다는 이유로 그에 대해서 집행상의 저항을 적게 하거나 이에 협조하여 집행비용을 줄일 수 있기 때문이다.

③ 이에 따라 정책결정비용과 정책집행비용의 총합이 최소화가 되는 지점이 적정 참여자 수에 해당한다고 보았다.

(2) 집합적 정책결정에서 적정한 참여자의 수

① **정책결정비용:** 정책결정과정에서 참여자 수가 많을수록 상호 간 협상의 관계 수가 늘어나 협상비용이 증가한다.

② **정책집행비용:** 정책결정과정에서 참여자 수가 많을수록, 정책집행 시 정책체제의 외부에 있는 정책관련자들을 설득하는 비용은 감소한다.

③ **적정한 참여자의 수:** 두 비용의 합(C)이 최소인 점(K)에서 참여자의 적정규모가 결정되며 이 점(파레토 최적점)에서 민주적인 집합적 정책결정이 이루어진다.

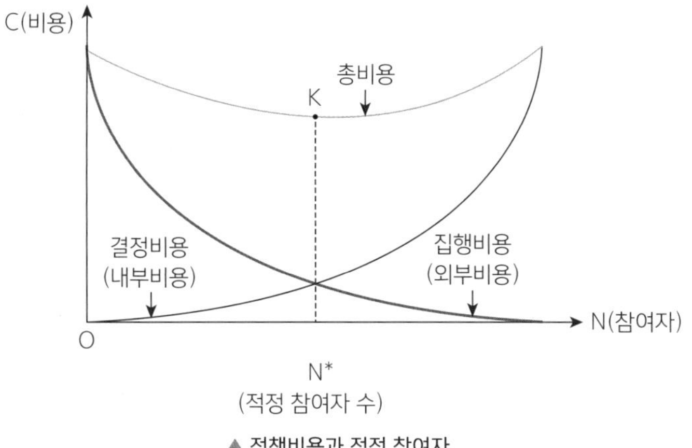

▲ 정책비용과 적정 참여자

2. 행정 패러다임의 전개

(1) 윌슨(Wilson), 사이먼(Simon), 정치경제학자들의 행정관(관리 · 관료주의 패러다임)

① **전통적 행정학:** 윌슨(Wilson)은 행정학을 국가목적 실현을 위한 사람과 물건의 관리로 정의하고 계층구조가 조직의 이상적인 유형이라고 간주하였다.

② **전통적 행정학에 대한 도전:** 사이먼(Simon)은 전통적 행정학의 비체계성을 비판하면서 과학적인 행정연구를 할 것을 주장하였다.

③ **정치경제학자들의 연구:** 정치경제학자들은 비용편익분석 및 기획예산제도와 공공선택론의 발전을 추구하였다.

(2) 오스트롬(Ostrom)의 행정관(민주행정 패러다임)

① 시민의 다양한 요구와 변화하는 환경조건에 부응하기 위해서 중첩되는 관할권과 권한의 분산을 주장하였다.

② 자율적 조직, 행정활동의 시장적 특성 강화(수익자 부담 등)를 주장하였다.

3. 니스카넨(Niskanen)의 예산극대화모형

관료들은 자신의 이익을 극대화하기 위하여 예산을 극대화하는 행태를 보이며 그 결과 정부의 산출물은 과잉생산된다는 것이다.

(1) 합리적 경제인으로서의 관료

고전적 이론에서 관료는 공공부문의 산출과 공급을 담당하는 존재로 유권자들의 수요에 중립적이고 효율적인 방법으로 대처하는 수동적인 대리인으로 간주되었으나, 니스카넨(Niskanen)은 관료를 자신의 이익을 추구하는 전형적인 신고전적 경제인으로 보았다.

(2) 부서 전체예산의 극대화 추구

니스카넨(Niskanen)은 관료의 효용함수에 있는 여러 가지 요인을 그 부서 전체 예산의 정적인 단조증가함수라는 전제로 단순화시킨 후, 관료들은 예산극대화를 통해서 자신들의 효용을 극대화시킨다고 주장하였다.

(3) 정부산출물의 과잉생산

예산극대화를 추구하는 관료의 행동으로 인해 정부산출물은 최적산출량의 두 배만큼 과잉생산된다고 주장하였다.

(4) 비판

미그(Migue)와 블레인저(Belanger)는 재량적 예산이나 산출물을 극대화 대상으로 고려해야 한다는 비판을 제기하였다. 후에 니스카넨(Niskanen)도 '재량적 예산극대화'를 전제로 바뀌어야 한다고 인정하였지만, 자신의 관료제 모형은 여전히 상당한 시사점을 던져 주고 있다고 주장하였다.

4. 다운스(Downs)의 중위투표자이론(Median Voter Theorem)

(1) 의의

① 국민들의 이념수준은 다양하나 중위수준의 이념에 가장 많은 유권자들이 분포되어 있기 때문에 득표극대화를 추구하는 정당들은 자기 정당의 이념적 기반에 입각한 정책보다는 중위수준의 투표자들을 위한 정책을 내놓는 경향이 있다.

② 그리하여 양당제하의 다수결투표제(과반수제)에서는 중간의 선호를 가진 중위의 대안이 선택된다는 이론이다.❶

(2) 발생원인(전제조건)

다음의 투표조건이 구비되면 중위투표자(중간선호를 가진 투표자)가 가장 선호하는 대안이 채택된다는 것이다.

---

❶ 로머와 로젠탈(Romer & Rosenthal)의 회복수준이론(all or nothing)

1. 관료는 의제통제(agenda control)를 통해 요구한 예산수준이 국회에서 수용되지 않으면 복귀(회복)수준이라는 아주 낮은 수준의 행정업무만을 제공할 수밖에 없다는 것을 국회에 강요하게 되고, 결국 국회는 낮은 복귀수준(nothing)을 감수하기보다는 관료가 요구하는 높은 수준(all)의 예산을 받아들이게 된다는 논리이다.
2. 이는 중위투표자의 선호에 따라 행정업무수준이 정해진다는 중위투표자정리를 부정하는 것이다.

핵심 OX

01 다운스(Downs)는 각 정당의 이념이 가운데로 수렴한다고 주장한 대표적인 공공선택론자이다. (O, X)

01 O

① 양당제하에서 과반수제(다수결투표제)일 것
② 유권자의 선호가 단봉일 것
③ 모든 대안들이 투표의 대상이 될 것
④ 투표를 통하여 선택할 대안들이 단일의 연속선상에 나타날 수 있을 것
⑤ 투표자들이 가장 선호하는 대안을 솔직하게 선택할 수 있을 것

5. 애로우(Arrow)의 불가능성 정리(impossibility theorem)

(1) 가정

경제학자 애로우(Arrow)는 개인의 효용을 사회적 효용으로 변화시키기 위한 연구를 하여 사회적으로 최적 상태 달성의 다섯 가지 전제조건을 제시하였다.

① **완비성**: 모든 사회적 상태를 비교 · 평가할 수 있어야 한다.
② **이행성**: A> B이고 B> C이면, A> C가 되어야 한다.
③ **파레토 원칙**: 사회의 모든 구성원이 A대안보다 B대안을 선호한다면, 사회선호 역시 A대안보다 B대안을 선호하여야 한다.
④ **비독재의 원칙**: 사회의 어느 한 구성원의 선호가 사회 전체의 선호를 좌우해서는 안 된다.
⑤ **제3의 대안으로부터의 독립**: 특정 두 가지 대안에 대한 사회적 선호의 결정 시, 이 두 가지 대안과 무관한 다른 대안들에 대한 선호가 결정에 영향을 미쳐서는 안 된다.

(2) 결론

애로우(Arrow)는 불가능성 정리를 통해 이러한 조건들을 만족시키는 사회후생함수는 성립할 수 없고, 만약 가능하다면 그것은 오직 독재자의 선호를 반영하는 사회후생함수일 뿐임을 입증하였다.

고득점 공략 투표의 역설과 애로우(Arrow)의 불가능성 정리

1. 투표의 역설(voting paradox)

구분	X	Y	Z
개인 A	1	2	3
개인 B	2	3	1
개인 C	3	1	2

① 세 개의 사회적 상태(X, Y, Z)에 대한 사회선호를 과반수 득표의 원칙에 입각하여 살펴보면, X와 Y를 비교하는 경우에는 X> Y의 선호상태를 나타내고, Y와 Z를 비교하면 Y> Z의 선호상태를 나타낸다. 그렇다면 Z와 X를 비교할 경우에는 X가 Y보다 선호되고, Y는 Z보다 선호되므로 X는 Z보다 선호되어야 하는데, 위의 표를 보면 Z> X의 선호상태를 나타내게 된다. 이는 이행성과 모순되는 현상이다. 이와 같이 사회적 상태들은 비교하는 순서에 따라서 그 선호서열이 영향을 받을 뿐만 아니라 사회적으로 가장 바람직한 상태를 결정하지 못하고 끊임없이 순환하는 현상이 발생하는데, 이를 '투표의 역설'이라고 한다. 다수결 투표에서 흔히 발견되는 문제점 중 하나가 바로 투표의 역설이다.

❶ 각 투표자의 선호II 분석

1. X의 경우 A와 B를 비교하면 A가 남고, Y의 경우 남은 A와 C를 비교하면 C가 남아서 C가 선택된다.
2. Z의 경우 B와 C를 비교하면 B가 남고, X의 경우 남은 B와 A를 비교하면 A가 남아서 A가 선택된다.
3. Y의 경우 C와 A를 비교하면 C가 남고, Z의 경우 남은 C와 B를 비교하면 B가 남아서 B가 선택된다.

즉, A, B, C에 대한 선호는 1, 2, 3순위가 각각 하나로서, 투표를 해도 어느 하나가 선택되지 않는 다봉의 선호이므로 투표의 역설이 발생한다.

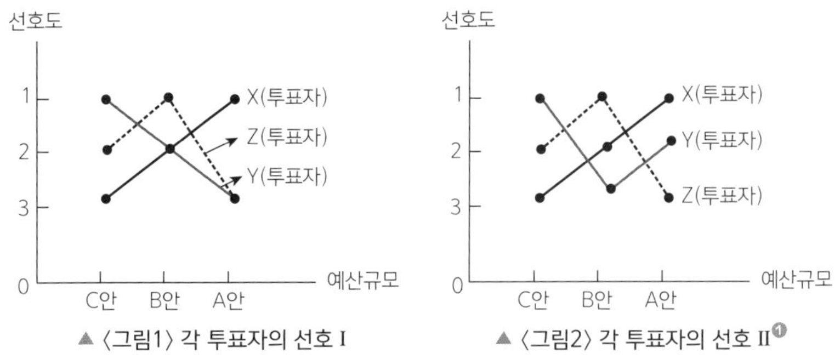

▲ 〈그림1〉 각 투표자의 선호 I　▲ 〈그림2〉 각 투표자의 선호 II❶

A, B, C의 대안이 있을 때 〈그림 1〉의 경우처럼 모든 투표자의 선호가 단봉일 경우에는 대안의 비교순서에 관계없이 반드시 B가 선택되지만, 〈그림 2〉의 경우처럼 다봉의 선호를 가진 투표자가 포함된 경우에는 대안의 비교순서에 따라 표결결과가 달라진다.

② 투표의 역설은 '의사진행순서조작(agenda manipulation)'에 따라 투표결과에 영향을 주는 행위이다. 이러한 투표의 역설은 일부 투표자들의 선호가 불안정한 다봉제(선호의 봉우리가 복수)일 때 발생하며, 모든 투표자의 선호가 안정적인 단봉제(선호의 봉우리가 단수)하에서는 발생하지 않는다. 따라서 양당제하에서는 과반수 투표제를 전제로 하는 중위투표자 정리(median voter theorem)가 성립하게 되며 모든 투표자들의 선호가 단봉을 형성하므로 '투표의 역설'이 발생하지 않게 된다.

2. **불가능성 정리:** 현실적으로 다수결 투표체제하에서는 이질적인 사업을 비교하여 투표로 결정하는 데 있어서 모든 사람들이 단봉의 선호를 가지리란 보장이 없다. 이로 인하여 다수결 투표의 문제점을 해결하고 모든 구성원들에게 만족을 주는 최선의 사회적 선택(집합적 결정)은 불가능하다는 것이 애로우(Arrow)의 '불가능성 정리'이다.

6. 올슨(Olson)의 이익집단연구(집단행동의 딜레마)

(1) 올슨(Olson)은 『집합적 행동의 논리(collective action theory)』에서 공공재의 불가분성과 비배제성의 원칙으로 인하여 특별한 조건이 없다면 개인들은 공익을 위해서 자발적 결사체를 조직할 가능성이 없다고 하였다. 왜냐하면 합리적인 경제인이면 누구나 무임승차자(free - rider)가 되려고 하기 때문이다. 이것이 공공재의 과잉생산이나 억제를 가져오는 요인이라고 주장하였다.

(2) 이러한 문제를 해결하기 위해서는 강제력을 동원하거나 유인체계를 마련해야 한다고 주장하였다.

7. 스크루라이더와 노드하우스(Scluleider & Nordhaus)의 정치적 경기순환론

(1) 스크루라이더(Scluleider)와 노드하우스(Nordhaus)가 주장하는 '정치적 경기순환론(political business cycle)'은 '선거경제주기이론'이라고도 하며 공공선택론의 한 유파인 취리히 학파의 모형이다.

(2) 정치인들은 선거에서 승리하기 위하여 선거 전(前)에는 경기가 호황상태가 되도록 경기부양책을 사용하다가 선거 후(後)에는 반대로 긴축재정을 펴기 때문에 경기순환이 '정치적으로' 이루어진다는 이론이다.

(3) 최근에는 이러한 정치적 경기순환이 어떠한 경로를 통하여 정책결과변수에 영향을 미치는가를 규명하는 방향으로 예산정책, 조세정책, 통화정책 등에 대한 활발한 연구가 이루어지고 있다.

8. 티부가설

(1) 주민들의 자유로운 선호에 의해 도시의 적정공급규모가 결정된다는 이론으로, '발로 하는 투표'라고도 한다. 주민들이 지방정부를 자유롭게 이동할 수 있다는 전제하에 지방정부가 독자적으로 결정을 내리는 분권화된 체제가 지방공공자원의 효율적 배분을 가져온다는 것으로, 지방자치의 당위성을 강조한 모형이다.

(2) 티부가설에 따를 경우, 지방공공자원에 대한 주민들의 선호가 표출되어 경쟁의 원리에 의하여 효율적으로 공급될 수 있다.

3 행정개혁의 방안과 평가

1. 행정개혁의 방안

(1) 공공재 공급방식 – 상황적응적 접근

① 관료제가 항상 효율적인 것은 아니라고 보면서 분권화 · 협동화된 다원조직장치를 선호한다.

② 공공재의 생산에서 정부와 민간의 다양한 참여자들이 참여한 다원적 공급체계를 선호한다. 또한 소비자집단과의 관계에서 협상 · 계약 · 공동생산 등 시장적 방법을 도입하는 준시장적 구조를 선호한다.

③ 조직설계에서 획일주의를 탈피하여 상황적응적인 조직구조를 강조한다. 항상 관료제에 의해 공공재가 공급되는 것이 아니라 시장기구, 준시장기구, 정부와 시장의 병행 등 다양한 조직적 구성으로 공공재가 공급될 수 있다.

(2) 비계서제적 조정

공공재를 생산하는 조직 간에 갈등이 있을 때 관료제의 권력적 · 하향적 · 강제적 조정보다는 협력 · 교환에 의한 조정을 중시한다. 이를 위해서 공급조직에 높은 자율성을 부여하며 중앙집권 · 단일중추에 의한 행정은 부인된다.

(3) 관할중첩의 허용(경쟁성)

관할권을 중첩시켜 경쟁성을 확보함으로써 공공재의 질이 향상된다고 보았다. 공공재의 종류와 수준이 다르면 그에 적합한 조직의 규모나 폭도 달라져야 한다.

(4) 적정한 공급영역의 설정

단일의 선호를 가진 집단 · 지역을 설정하여 서비스를 제공하는 것이다.

㉮ 중앙경찰은 전국적 또는 국제적 무대로 활동하는 범죄를 다루는 데 효율적이고, 지방경찰은 지역거리에서의 범죄에 대해서 능률적이므로 공공재의 공급과 그에 대한 고객의 수요를 부합시킬 수 있도록 선호가 동질적인 집단별로 공급영역을 설정하여야 함

(5) 고객에 대한 의존도 제고

고객은 공공조직에 대한 정당성의 근거이다. 고객의 선호를 반영하지 못하는 조직은 해체 · 재구조화되어야 한다. 이를 위해서는 다양한 조사가 필요하다.

(6) 시민공동체 구성의 촉진

공공재의 공급과 소비에 관하여 자치적으로 활동하는 시민공동체의 구성이 중요하다. 시민의 자발적 참여를 통해서 스스로 공공재 문제를 해결하도록 하는 것이다.

그러므로 공공선택론에 따를 경우 정부영역은 확대되기보다는 축소될 가능성이 더욱 크다.

2. 행정개혁의 평가

(1) 공공선택론의 공헌

① 행정학의 과학성 제고에 기여하였으며 행정학의 연구범위를 확대하였다.

② 정부규제와 지대추구활동 등 정부실패의 해결을 위해서 노력하였다.

③ 관료제의 경직성을 비판하였고 행정에 있어서 민주행정 패러다임을 구축하려 하였다.

(2) 공공선택론의 한계

① **방법론적 개인주의와 인간관에 대한 비판**: 개인의 합이 반드시 전체의 속성으로 환원될 수 없는 경우가 많다. 또한 자기 이익을 추구하는 합리적 경제인의 가정도 언제나 타당한 것은 아니다.

② **정부역할의 간과**: 공공선택론자는 국가의 역할을 최소화하는 것과 개별주체들의 역할을 중요하게 생각하기 때문에 사회적 불평등을 시정하는 기제로서의 정부역할을 간과한다.

③ **합리적 개인에 대한 이상적 전제와 시장경제원리의 지나친 신뢰**: 합리적 개인에 대한 비현실적인 전제와 시장경제의 원리를 공공부문에 도입하려는 시도는 시장실패로 이어질 수 있다.

④ **형평성의 미고려(수직적 형평성의 저해)**: 경제적 원리에 따라 수익자 부담원칙을 중시하기 때문에 저소득 계층의 경우에는 공공서비스의 소비에서 배제되는 문제점이 발생한다.

고득점 공략 **던리비(Dunleavy)의 관청형성모형**❶

1. 성립배경

① **니스카넨(Niskanen)의 예산극대화모형**: 관료들은 자신의 사적 이익만을 추구하는 전형적인 신고전주의적 경제인들이며, 그들은 필연적으로 그 소속기관의 예산을 극대화시켜 궁극적으로 사회적 낭비를 초래한다고 보았다.

② **예산극대화모형에 대한 비판**: 던리비(Dunleavy)는 니스카넨(Niskanen)의 예산극대화모형 중 관료들이 공적인 결정을 내림에 있어서 자신의 사적 이익을 극대화하고자 한다는 가정은 받아들였다. 하지만 니스카넨(Niskanen)의 모형이 각 부서가 최고위직 관료에 의해서 일률적으로 운영되는 것으로 지나치게 단순화시켜서 보고 있으며, 관료의 효용함수에서 편의성이 지니는 중요성을 무시하였고 부서들 간의 차이점을 전혀 고려하지 않고 있을뿐더러 부서들 간의 구조와 관계를 무시함으로써 예산의 어떤 부분이 극대화된다는 것인지를 나타내지 못한다고 지적하였다.

2. 내용

다음과 같이 예산 및 관청을 유형화하여 각 조건에 따른 관청을 형성한다.

① 예산의 유형

· **핵심예산(core budget)**: 기관 자체의 운영비(봉급, 기관의 기본적인 기능에 직접적으로 소요되는 장비나 물자에 대한 비용)를 말한다.

· **관청예산(bureau budget)**: 핵심예산과 해당 기관이 민간부문에 지불하는 지출액(민간기업과의 계약에 따른 지불, 개인이나 기업에 대한 이전지출 등)을 합한 금액을 말한다.

❶ 던리비(Dunleavy)의 관청형성모형

유형	개념	예산 극대화 동기	기관의 유형
핵심 예산	기관 운영비	중하위직	전달기관 예 국방부, 경찰청
관청 예산	핵심예산 + 민간지출	고위직 (핵심 예산 제외)	이전기관, 전달기관 예 보건복지부, 환경부
사업 예산	관청예산 + 타기관 지출	-	-
초사업 예산	사업예산 + 영향력 행사 가능지출	-	-

· **사업예산(program budget)**: 관청예산과 해당 기관이 공공부문의 다른 기관이 사용하도록 이전하는 지출을 합한 금액을 말한다.
· **초사업예산(super – program budget)**: 사업예산과 (다른 기관들이 자체적으로 확보한 예산이지만) 해당 기관이 어떤 정책책임이나 기획상의 영향력을 행사할 수 있는 지출을 합한 금액을 말한다.

② **관청의 유형**
· **전달기관(Delivery agency)**: 전달기관은 베버(Weber)의 관료제이론에서 전형적인 고전적 계선관료제에 해당하는 정부의 정책집행을 국민들에게 직접 수행하는 기관으로서 국방부와 경찰청, 교도소 등이 전형적으로 이에 해당한다.
· **이전기관(Transfer agency)**: 사부문의 개인이나 기업에 대한 보조금 혹은 사회보장형태의 재정지불을 취급하는 자금이동조직으로서 환경부, 농림축산식품부, 보건복지부 등이 이에 해당한다.
· **계약기관(Contracts agency)**: 입찰에 의할 용역의 명세서나 프로젝트를 계획·개발하여 사기업 또는 공기업과 계약하는 조직으로서 국토교통부, 조달청 등이 이에 해당한다.
· **기타 기관**: 규제기관(감사원, 공정거래위원회), 통제기관(과학기술정보통신부), 조세기관(국세청, 관세청), 봉사기관(대통령실) 등이 이에 해당한다.

③ **예산극대화의 조건**
· **예산유형에 따른 변이**
– 중하위직 관료들은 주로 핵심예산의 증대로부터 이득(직업안정성 개선, 경력축적기회 확대, 승진촉진 등)을 얻는 반면, 고위직 관료들은 핵심예산을 제외한 관청예산의 증대로부터 이득(부서의 위신 상승, 고객과의 관계개선, 비상시 사용할 여유재원 창출 등)을 얻는다.
– 관청예산을 제외한 사업예산 부문은 여타 기관으로 넘어가게 되므로 사업예산의 증대는 고위관료에게 있어서도 그리 큰 이득을 가져다주지 않는 반면, 예산증대를 위한 비용에 있어서는 사업예산 부문이 가장 크다.

· **기관유형에 따른 변이**
– **전달기관의 경우**: 합리적인 관료가 자신의 핵심 및 관청예산 부문을 극대화하는 데 주로 관심이 있는 경우에 예산극대화의 동기가 가장 크며, 이는 규제·조세·거래·봉사기관도 이와 같은 패턴을 보인다.
– **이전기관과 계약기관의 경우**: 기관이 반대급부를 제공할 수 있을 만큼 잘 조직화된 대규모 고객(대기업, 주요 이익단체)을 다루는 이전기관의 고위관료들은 관청예산을 극대화할 동기를 갖는다.
– **통제기관의 경우**: 예산이 증가할수록 하위기관의 성과에 의존해야 될 필요성이 더 증가할 뿐 고위관료에게는 별 실질적인 이득이 없기 때문에 예산극대화의 동기를 찾기 힘들다.

· **시간의 전개에 따른 변이**: 현실적으로 예산이 증대되는 데 있어서는 어떤 한계가 존재한다. 즉, 지나치게 팽창된 조직은 그 기능 중의 일부를 여타 부서에 넘겨줘야 되므로 예산극대화를 추구하는 합리적인 고위관료라면 그런 위험한 영역 이상으로 부서의 팽창을 가져올 사업예산의 증대를 시도하지 않을 것이다.

3. 관료의 동기와 관청형성전략

관료들의 합리적 동기는 니스카넨(Niskanen)의 전체예산을 극대화하는(위험하고도 보상이 낮은) 집합적 전략에 의하지 않는다. 일상적이고 통제의 대상이 되는 계선이나 집행기능은 책임운영기관 또는 준정부조직 형태로 분리해 내거나 소관부서를 소규모 참모적 기관으로 재구성함으로써 계선적 책임으로부터 벗어나고 지출감축과 같은 정책환경변화에도 불리한 영향을 덜 받게끔 노력한다는 것이다.

핵심 OX

01 던리비(Dunleavy)의 관청형성모형은 관료마다 추구하는 예산이 다름을 주장한다. (O, X)

02 던리비(Dunleavy)의 관청형성모형에 따르면 관료들의 효용은 소속기관이 통제하는 전체예산액 중 일부분에만 관련된다. (O, X)

01 O
02 O

8 신제도주의

1 의의

1. 의의 및 성립배경

(1) 의의

제도의 개념을 규범, 규칙, 사회현상으로 폭넓게 이해하고 환경과의 상호작용을 중시하는 새로운 제도이론이다.

(2) 성립배경

① **구제도주의에 대한 차별적 접근:** 구제도주의는 19세기 사회에 대한 연구로서 효율적인 통치제도를 형성하기 위한 제도에 초점을 맞추었다(㉠ 민주적인 헌법을 가지고 있는 두 나라들을 연구하면서 그들에 대한 특징들을 연구). 반면 신제도론은 제도와 행위자 간의 상호관계와 제도의 역동성을 강조하였다.

② **행태주의에 대한 비판:** 행태주의는 지나치게 미시적이고 원자적으로 개인의 행태에 관한 연구만을 고집함으로써 거시적이고 제도적인 측면을 간과하였다고 비판받았다.

개념PLUS 구제도주의와 신제도주의의 비교

구분	구제도주의	신제도주의
제도의 개념	법, 통치체제, 행정조직 등 공식적인 측면을 제도로 봄	공식적 측면뿐만 아니라 규범·관습 등 비공식적 측면까지도 제도로 봄
분석방법	개별제도의 정태적 분석	다양한 제도적 요소들에 대한 동태적 분석
연구방법	거시적 접근	거시와 미시의 연계
제도의 특징	제도는 외생적이고, 행위자에 일방적인 영향을 미친다고 봄(제도만의 연구)	제도와 행위자 간의 상호영향력 인정(제도와 행위자의 동시연구)

고득점 공략 신제도주의와 행태주의, 구제도주의와의 차이

신제도주의란 '제도'를 중심으로 국가의 정책이나 행정을 연구하는 접근방법이다. 종전의 행태주의나 구제도주의와는 다음과 같은 점에서 다르다.

1. 신제도주의와 행태주의

행태주의는 상당히 미시적이며 비역사적 방법을 활용하는 반면, 신제도주의는 정책의 거시적 또는 중범위적 차원의 접근, 역사적 배경과 변화과정에 대한 연구, 개인적 선호보다는 이를 제약하거나 영향을 미치는 제도 및 정책들을 연구한다.

2. 신제도주의와 구제도주의

① 신제도주의는 제도를 사회현상을 설명하기 위한 핵심변수로 설정한다는 점에서 단순히 제도의 기술에 그치는 구제도주의와 차이가 있다.

② 신제도주의는 제도의 공식적·구조적 측면에 초점을 맞추지만, 이를 통해서 개인의 행위를 설명하려는 목적을 지닌다는 점에서도 구제도주의와 차이가 있다.

③ 신제도주의는 제도라는 변수를 통해서 국가의 정책을 설명하려는 의도를 지님으로써 단순한 제도의 특성을 기술하는 구제도주의와 차이가 존재한다. 따라서 구제도주의는 정치학적 기술이지만, 신제도주의는 행정학적 기술이 된다.

3. 신제도주의는 정책의 차이와 변화를 설명하기 위한 중범위수준의 변수들을 제시해 줌으로써 미시적 또는 거시적 행정학이 가지고 있는 한계를 보완해 주고 있다. 따라서 신제도주의는 국가의 행정과 정책을 거시적·중범위적 차원에서 그 형성과 변화의 맥락을 설명하고 이해하는 데 유익한 아이디어를 제시해 줄 수 있다.

2. 제도의 개념

'제도'에 대한 구체적 개념정의는 학자에 따라 다양한데 대체로 규칙, 규범, 균형점의 세 가지로 구분할 수 있다.

(1) 규칙

조직에서 규칙의 처방대로 따르지 않을 경우 어떤 제재를 받는다는 공통된 이해로서 다음 세 가지가 있다.

헌법상의 선택규칙	집합적 선택규칙을 만드는 데 영향을 주는 규칙이다.
집합적 선택규칙	세부적인 운영규칙을 결정하는 데 영향을 주는 규칙이다.
세부적 운영규칙	일상적이고 세부적인 운영과 관련된 의사결정에 영향을 주는 규칙이다.

(2) 규범

특정한 상황에서 어떤 행동이 적절하고, 어떤 행동이 부적절한가에 대한 공유된 인식을 의미한다.

(3) 균형점

합리적이고 경제적인 구성원들의 상호작용과정에서 더 이상의 변화가 없는 상태를 의미한다.

2 접근방법

1. 합리적 선택 신제도주의

(1) 의의

① **제도**[1]

㉠ 개인 간의 협력을 촉진하고 합의를 유지하는 사전적 약속이다.

㉡ 제도의 생성을 각 행위주체 간 이익극대화의 결과물로 보고, 제도의 지속을 행위주체에게 이익을 계속 가져다주기 때문으로 보며, 제도의 폐지를 일정한 행위자에게 더 이상 이익극대화가 되지 않기 때문이라고 본다.

② **합리적 개인**: 완전한 합리성을 가진 개인을 가정하지는 않으나, 개인은 합리적이며 자기 이익을 추구한다고 가정한다.

③ **외생적 선호**: 선호는 선험적으로 그리고 제도와는 무관하게 외부에서 주어지는 고정된 것으로 가정한다.

④ **전략적 상호작용**: 정치적 결과들을 결정하는 데 있어서 전략적 상호작용의 역할을 강조한다.

[1] 합리적 선택 신제도주의의 제도
정치를 '일련의 집단행동의 딜레마'로 이해하는 경향이 있다. 합리적 선택 신제도주의자는 행위자들이 집합적으로 더 나은 결과를 낳는 행동 혹은 대안을 선택하지 않는 이유를 적절한 제도적 메커니즘이 없기 때문이라고 보며 제도를 집단행동의 딜레마를 해결하기 위한 장치로 인식한다.

⑤ **연역적 접근:** 어떻게 제도가 생성되고 유지되는지를 설명하는 연역적 접근법을 발전시켰다. 즉, 제도가 주는 가치가 무엇인지를 설명함으로써 그러한 제도가 생성되고 유지되는 이유를 설명한다.

(2) 주요 논의

① 코즈(Coase)의 정리

㉠ 기업은 개인들이 위계적인 집단을 형성하여 협력하는 제도인데, 완전한 합리성과 완전한 정보를 가정하는 경우에도 이러한 기업이 존재하는 이유를 가격기구를 사용하는 데에도 비용이 들기 때문이라고 보았다.

㉡ 가격기구를 이용하여 경제행위를 하기 위해서는 계약 상대자를 찾고, 그와 협상하고, 계약을 성사시키며, 계약 상대자가 계약을 제대로 이행하는지의 여부를 감시 및 감독하는 행위가 수행되어야 한다.

㉢ 이때 이해관계당사자 어느 쪽에 재산권을 인정하든 관계없이 협상을 통해서 항상 동일한 파레토 최적의 자원배분을 실현할 수 있다는 것이 코즈(Coase)의 정리이다. 이는 사적 재산권의 설정을 통해서 정부의 개입 없이도 제도를 통해서 문제를 해결할 수 있다는 입장이다.

② 윌리암슨(Williamson)의 거래비용이론

㉠ **의의:** 경제행위가 순수한 시장거래의 형태로 이루어지는가, 기업의 위계적 질서를 통한 조정의 형태로 이루어지는가는 거래비용의 크기에 의해 좌우된다고 주장하였다.

㉡ 거래비용의 발생원인

ⓐ **환경적 불확실성:** 합의된 계약을 이행하는 데 영향을 미치는 상황조건들은 계약당사자들이 이해하고 예측하기 어려운 경우에 발생한다.

ⓑ **제한적 합리성:** 의사결정자의 인지상의 한계이다.

ⓒ **기회주의적 행동:** 개인이 자기의 이익을 실현하기 위해 남을 속이거나 위협하며 계약된 약속도 위반하는 등의 전략적 행동을 하는 것이다.

ⓓ **자산특정성:** 특정 자산이 특정 생산활동에 관련되어 있는 정도로서, 특정 거래에 사용되는 자산의 이전불가능성이다.

(3) 한계

① 개인의 선호가 어떻게 형성되는가에 관한 이론이 없고, '모든 인간은 효용 극대화를 추구하는 존재로, 선호는 외생적으로 주어졌다'는 가정만 있다.

② 한 사회 내에서 존재하는 권력관계의 불균형이나 문화가 제도의 형성과 선택에 어떤 영향을 미치는지에 대해서는 관심을 두지 않는다.

2. 역사적 신제도주의

(1) 의의

① **독립변수인 동시에 종속변수로서의 제도:** 행위자를 역사의 객체로서뿐만 아니라 역사의 주체로도 정의한다.

② 역사적 산물로서 제도가 행위를 제약하기는 하지만, 동시에 제도 자체가 의도적 혹은 의도적이지 않은 전략 · 갈등 · 선택의 산물이라는 것이다.

핵심 OX

01 합리적 선택 신제도주의는 제도의 유지를 내쉬균형으로 설명한다. (O, X)

02 합리적 선택 신제도주의는 이기적이고 합리적인 경제인을 강조한다. (O, X)

03 합리적 선택 신제도주의는 제도의 발생을 거래비용 개념으로 설명한다. (O, X)

01 O
02 O
03 O

(2) 특징

① **정치적 영역의 상대적 자율성 강조**

㉠ 다원주의에서 정부는 중립자이자 중재자로서 아무런 자율성과 정체성을 가지지 못하는 존재로 인식된다.

㉡ 반면 역사적 신제도주의는 국가의 자율성을 강조한다. 즉, 국가는 하나의 행위자이자 그 자체가 제도로서 단순한 사회적 선호의 반영물 이상이라는 것이다.

② **제도의 지속성 · 경로의존성, 우연성 강조**

㉠ 특정한 시점에서 필요에 의해서 생성된 제도는 그 이후에 폐지의 요구가 존재하더라도 지속되는 경향이 있다. 즉, 특정 정책(경로)이 선택되면 문제해결에 더 효율적인 제도가 존재해도 쉽게 변화하지 않는다.

㉡ 이는 환경변화와 제도변화의 괴리, 역사의 비효율성과 의도하지 않은 결과인 우연성을 강조하는 것이다.

③ **제도연구에서 역사적 맥락성 강조**

㉠ 정책연구에 있어서 역사적 조망과 거시구조적 분석을 결합하는 정책에 대한 통합적인 접근을 강조한다.

㉡ 이는 국가와 사회의 관계, 역사적 유산과 제도적 맥락에 의해서 어떻게 형성되었으며 어떻게 제약되고 있는가에 대한 분석이 중요함을 의미한다.

3. 사회학적 신제도주의

(1) 의의

① **제도에 대한 폭넓은 개념화**: 제도는 공식적인 규칙이나 절차뿐만 아니라, 인간의 행위를 해석하는 의미의 틀을 제공하는 상징체계, 도덕적 전형 등을 포함한다.

② **인지적 차원 강조**: 조직구성원의 제도적 배경에 대한 인지적 요소가 강조된다.

③ **정당성의 논리**: 조직에 새로운 제도적 형태나 관행이 채택되는 이유는 새로운 제도적 형태나 관행이 조직의 목표 · 수단의 효율성을 증대시키기 때문이 아니라 그 조직이나 참여자들의 사회적 정통성(정당성 · 적절성)을 제고하기 때문이라고 주장한다.

(2) 주요 논의

① **배태성과 종속성**: 사회학적 신제도주의자들은 개인의 행위가 고립된 상태에서 선택되는 것이 아니라 사회적 관계 속에서 지속적으로 맥락지어지는 것이라고 보았으며, 이를 배태성으로 표현한다. 즉, 제도의 변화에서 개인의 역할을 인정하지 않고 개인은 자신의 의도에 따라 제도를 만들거나 변화시킬 수 없으며 제도에 종속될 수 있다고 본다.

② **제도 채택과 사회적 정당성**: 제도가 반드시 의식적 설계의 산물이 되는 것은 아니고, 개인들이 사회적 관습에 따라 행동할 때 각 개인들은 사회적으로 의미 있는 행동을 하게 된다는 의미에서 사회적 행위자가 되는 것이며, 이를 통해 관습을 강화시킨다.

③ **제도적 동형화**[1]: 디마지오(Dimaggio)와 파웰(Powell)은 오늘날 조직의 구조변화는 조직을 더 유사해지도록 하는 과정, 즉 동형화의 결과로 나타난다고 주장한다. 그 유형으로는 강압적 · 모방적 · 규범적 동형화가 있다.

[1] 제도적 동형화의 유형

1. **강압적 동형화**(coercive isomorphism): 외부로부터 강제적으로 이식되는 것을 의미한다.
   ㉮ 일제침략에 의한 민족문화 말살, 협력업체가 거래하는 대기업을 닮아가는 것
2. **모방적 동형화**(mimetic isomorphism): 불확실성 속에서 무엇인가를 해야 할 부담과 필요를 느낄 때 좋거나 바람직한 제도를 따라하는 것을 의미한다.
   ㉮ 서양의 합리적 문화를 모방하거나 청소년들이 연예인들의 노래나 춤을 따라하는 것
3. **규범적 동형화**(normative isomorphism): 교육기관 또는 전문가의 의견이나 자문을 통한 정당화를 의미한다.
   ㉮ 주요 이론이나 국내 · 외 성공 사례를 중심으로 한 전문가 집단의 방향 제시를 지방자치단체가 따라하는 것

❶ 신제도주의 각 접근방법의 공통점
1. 제도란 사회의 구조화된 어떤 측면이다.
2. 제도는 개인행위를 제약하며 제도적 맥락하에서 이루어지는 개인행위는 규칙성을 띤다. 따라서 신제도주의는 원자화된 개인이 아닌 제도라는 맥락 속에서 이루어지는 개인행위에 초점을 둔다.
3. 제도가 개인행위를 제약하지만, 개인 상호작용의 결과로서 제도가 변화할 수도 있다. 따라서 제도는 독립변수인 동시에 종속변수로서 속성을 지닌다.
4. 제도는 공식적 규칙, 법률 등 공식적인 측면을 지닐 수도 있고 규범, 관습 등의 비공식적 측면을 지닐 수도 있다.

핵심정리 신제도주의의 유파별 비교❶

구분	합리적 선택 신제도주의	역사적 신제도주의	사회학적 신제도주의
제도의 개념	전략적 행위로 인한 균형점	역사적 맥락과 지속성의 산물	사회·문화적인 관행과 규범들
선호형성	외생적 형성	내생적 형성	내생적 형성
제도의 측면	공식적 측면 강조	공식적 측면 강조	비공식적 측면 강조
제도의 변화	경제적 분석	외부적인 충격(단절적 균형)	동형화의 논리, 적절성의 논리
접근법	연역적, 방법론적 개체주의	귀납적(사례연구), 방법론적 전체주의	귀납적(경험적), 방법론적 전체주의

9 신공공관리론

❷ 신공공관리론의 두 가지 접근방법(Bozeman)
1. **경영학적 접근(Business administration, B형 접근)**: 신공공관리론의 초창기 입장으로 공사행정일원론에 입각하여 과학적 관리론과 유사한 입장으로 절약과 능률을 강조한다(공공관리의 관리적 측면 강조).
   → 행정의 생산성 및 효율성 강조
2. **정책학적 접근(Policy science, P형 접근)**: 미국 하버드 정책대학원의 연구경향으로 공사행정이원론에 입각하여 공공부문의 정치적 측면과 정책 관리에 연구의 초점을 맞추며, 참여주의와 공동체주의를 강조한다(행정학과의 차별성 강조).
   → 행정의 대응성 및 정치성 강조

1 의의❷

신공공관리론이란 공공행정을 기본적으로 정치가 아닌 관리로 규정하고, 행정개혁의 관리주의적 접근을 시도하는 것으로서 1970년대 말 정부실패 경험 이후 정부의 감축과 시장기제의 도입을 기조로 하는 1980년대 행정개혁운동이다.

1. 최협의 - 신관리주의(신테일러리즘)

기존 통제 위주의 행정은 신속하고 창의적인 문제해결을 어렵게 한다는 반성에서 시작한다. 내부규제의 완화와 각종 권한의 분권화를 추구하며, 민간경영기법을 공공부문에 도입하여 행정의 성과와 고객의 만족을 제고시킨다.

2. 협의(일반적 의미) - 신관리주의 + 시장주의

신공공관리의 최협의 개념에 시장주의를 더한 것이다. 여기서 시장주의는 경쟁원리와 고객지향주의를 공공부문에 도입하자는 것이다.

경쟁원리	기업가적 마인드와 창의, 혁신의 유도, X - 비효율성의 제거를 중시한다. 예 민간위탁, 각종 바우처제도 등
고객지향주의	소비자 주권을 최우선으로 생각하여 고객만족을 위한 행정의 서비스를 제공해야 한다는 것이다. 예 고객헌장제도, 고객만족기법, 고객만족도조사 등

3. 최광의 - 신관리주의 + 시장주의 + 참여주의 + 공동체주의

(1) 일반적인 신공공관리 개념에 참여주의 및 공동체주의를 더한 것이다.

(2) 오스본(Osborne)과 개블러(Gaebler)가 정부재창조에서 주장한 '기업가적 정부'가 이에 해당한다.

2 성립배경

1. 현실적 배경

1970년대 초반 두 차례의 석유파동과 1970년대 후반 이후 케인지언 복지국가의 위기, 재정적자로 인해 정부규모 증진에 대한 비판과 정부능력에 대한 불신이 팽배해졌다. 이에 대한 대안으로 감축관리와 행정의 시장화에 대한 필요성이 높아졌다.

2. 이론적 배경

(1) 신보수주의 철학[1]

1980년대 이후 영국 대처(Thatcher) 정부와 미국 레이건(Reagan) 행정부에서 추구하였던 신보수주의 철학을 기반으로 하였다. 이들은 시장의 원리를 존중하며, 규제를 완화하고, 정부역할의 감축을 추구한다.

(2) 신제도주의 경제학

주인대리인이론, 거래비용이론, 공공선택론 등 신제도주의 경제학은 정부실패에 대한 원인을 진단하고 작은 정부와 시장원리에 따른 행정운영을 주장하였다.

개념PLUS 신공공관리론의 촉발 계기

경제위기	유럽 좌파에 의한 복지국가사상은 비효율, 저성장, 고실업, 도덕적 해이 등의 한계가 노출됨
국민의 높아진 욕구수준	높은 거래비용과 낭비 발생으로 인하여 전통 관료제에 대한 실망으로 나타남
정치이데올로기의 변화	신우파에 의한 신자유주의의 등장으로 복지국가가 후퇴함
IT기술 등 관리기술의 고도 발전	정보기술의 발달이 관리기법의 혁신과 성과관리를 가능하게 함

3 주요 이론

1. 오스본과 개블러(Osborne & Gaebler)의 『정부재창조론』

신공공관리론 분야의 대표적 학자인 오스본(Osborne)과 개블러(Gaebler)가 『정부재창조론』에서 제시한 '기업가적 정부 운영의 10대 원리'는 신공공관리론적 특징과 정부개혁의 방향을 가장 잘 나타내 주고 있다.

촉매적 정부	노젓기보다는 방향잡기 기능을 강조한다.
지역사회소유 정부	중앙정부보다는 지역사회에 권한을 부여한다.
경쟁적 정부	서비스 제공에 경쟁을 도입한다.
임무위주 정부	권한부여를 통한 임무에 초점을 둔다.
결과지향적 정부	투입이 아닌 성과와 연계한 예산배분을 한다.

[1] 대처(Thatcher) 정부와 레이건(Reagan) 행정부의 신보수주의
1. **대처(Thatcher) 정부**: 영국은 제2차 세계대전부터 국력이 약화되기 시작하여 1976년에 이르러서는 IMF 구제금융을 신청하는 등 많은 어려움을 겪었다. 이때 경제위기를 발생시킨 가장 큰 원인은 노동조합과 방만한 복지정책이라는 주장이 강력해졌고, 이러한 보수적인 분위기를 타고 1979년 노동당정부를 물리치고 보수당의 대처(Thatcher)가 집권하여 복지비 감축과 파업의 최소화를 통해 기업의 투자의욕 향상을 도모하였다.
2. **레이건(Reagan) 행정부**: 1980년대 석유파동과 심각한 무역적자, 국민들의 조세저항, 정부의 능력에 대한 불신감 등으로 경제적·사회적 위기를 겪고 있던 상황하에서 레이건(Reagan) 행정부의 '작은 정부운동'이 등장하게 된 것이다.

핵심 OX

01 신공공관리론은 1970년대 이후의 작은 정부 추구와 밀접한 관련이 있다. (O, X)

02 신공공관리론은 행정의 이념 중 형평성의 제고와 관련된다. (O, X)

03 신공공관리론은 시장실패를 보완하기 위해 대두되었다. (O, X)

01 O
02 X 행정의 시장화를 통한 능률성을 강조한다.
03 X 신공공관리론은 정부실패를 보완하기 위해 나온 것이다.

고객위주 정부	관료제가 아닌 고객의 요구를 충족시킨다.
기업가적 정부	지출보다는 수익창출로서 탈규제 정부모형과 관련된다.
예견적 정부	사후문제해결이 아닌 사전예방을 중시한다.
분권적 정부	위계조직에서 참여와 팀워크로 권한을 분산시킨다.
시장지향적 정부	시장 중심의 경쟁원리를 도입한다.

핵심정리 전통적 정부와 기업가적 정부의 비교

구분	전통적 정부	기업가적 정부
정부역할	노젓기(rowing)	방향잡기(steering)
정부활동	정책집행(직접 서비스)	정책결정(유도와 지원)
서비스 공급	독점공급	경쟁적 공급
지도적 관리기제	행정기제	시장기제
관리방식	규칙 중심(통제주의)	성과 중심(사명주의)
행정주도 주체	관료 중심	고객 중심

2. 오스본과 프래스트릭(Osborne & Plastrik)의 5C 전략

오스본(Osborne)과 프래스트릭(Plastrik)은 정부조직의 DNA를 변화시켜 기업가적 정부를 구현하기 위해서 다음 표의 5C 전략이 필요하다고 주장하였다.

구분	전략	접근방법
목적	핵심전략(Core)	목표, 역할, 방향의 명확성을 추구
유인체계	결과전략(Consequence)	경쟁관리, 기업관리, 성과관리를 강조
책임성	고객전략(Customer)	고객선택접근법과 경쟁적 선택접근법, 고객품질보증을 강조
권한	통제전략(Control)	실무조직, 실무자, 지역사회에 대한 권한부여를 제시
문화	문화전략(Culture)	습관의 변화, 감정적 의식의 변화, 새로운 정신의 획득을 제시

4 주요 특징(자율과 책임)

1. 기능적 측면

(1) 정부기능의 대폭적인 감축과 민영화의 추구

정치로부터 해방된 민간기업이 공기업이나 행정조직보다 능률적일 것이라는 믿음을 바탕으로 정부기능 폐지, 민영화, 민간위탁, 경쟁심사, 내부효율화를 추구한다.

(2) 정부의 규제완화와 내부시장제도의 도입

미국에서 처음 추진된 규제완화는 기업 간의 경쟁을 활성화하기 위하여 진입규제를 제거하는 것이다. 하지만 시장질서의 확립이 필요하다는 의미에서 재규제*가 필요하다는 목소리도 있다.

용어

재규제(reregulation)*: 규제를 완화한 후 다시 규제하는 일을 말한다. 영국의 토니 블레어(Tony Blair)가 강조한 것으로 대처(Thatcher)가 추진한 민영화(규제완화)의 부작용을 치유하기 위한 정책이다.

(3) 책임운영기관의 도입

① **자율성**: 고객이 원하는 행정서비스를 제공할 수 있도록 관리상의 자율성을 최대한 보장해 주는 기관이다.

② **능률성**: 내부통제를 대폭 완화시켜 관리자가 최대한의 재량을 지니고 기업가적으로 기관을 운영함으로써 능률성을 최대한 살릴 수 있다.

2. 조직적 측면

(1) 다양화된 조직구조

① 신공공관리론은 팀제와 매트릭스구조와 같은 평판화(flat)되고 다양화된 조직구조를 선호한다.

② 수평적 · 수직적 의사소통의 원활화를 중요하게 다룬다.

(2) 현대적 리더십

변화를 관리하고 주도해야 하므로 변혁적 리더십 등의 현대적 리더십이 등장한다.

3. 인사적 측면

(1) 인사권의 분권화

부처나 기관들이 스스로 시험과 채용을 결정하고, 직위분류와 보수규정을 단순화하여 보다 많은 재량권을 가지도록 하고, 기관들이 스스로 성과관리와 보상체계를 설계하도록 한다.

(2) 개방형 임용제도*의 확대

공직사회의 경쟁을 통한 능률성 향상을 위하여 개방형 임용제도가 필요하다.

4. 재무적 측면

(1) 절약예산의 이월 허용

예산을 절약하면 다음 해로 이월시키거나 다른 항목으로 전용할 수 있도록 하는 제도를 통해서 예산의 절감효과를 기할 수 있다.

(2) 총액예산제도의 도입

기관장에게 세부지출내용을 전면적으로 위임하여 중앙예산기관의 통제를 줄이고 부처의 재량권을 늘리는 개혁이다. 대체로 예산의 용도에 대한 제한을 완화함으로써 부처가 주어진 예산을 필요에 따라 사용할 수 있도록 한다.

(3) 복식부기와 발생주의 등 기업회계제도의 도입

예컨대 책임운영기관같이 사업효과는 향후 몇 년에 걸쳐 나타나지만 투입재원은 첫 해에 일괄 지출되는 경우에는 발생주의 회계를 도입해야만 한다. 그렇게 해야 투입재원(비용)을 효과가 나타나는 기간에 걸쳐 배분할 수 있고, 따라서 시행 첫 해의 비용도 그 해의 지출효과에 대응되는 부분만 계상할 수 있다.

용어

개방형 임용제도*: 내 · 외부에서 능력 있는 사람을 일정기간 동안 어느 계급에나 채용하는 제도를 말한다.

핵심 OX

01 사전예방과 예측, 임무 중심 관리 등이 전통적 정부의 행정관리방식이라면, 사후대처, 명령과 통제는 기업가적 정부의 행정관리방식이다. (O, X)

02 기업가적 정부가 추구하고자 하는 바는 투입지향적 정부이다. (O, X)

03 오스본과 프래스트릭(Osborne & Plastrik)의 정부개혁 5C 전략은 문화전략, 통제전략, 고객전략, 상담전략, 핵심전략이다. (O, X)

04 책임운영기관제도와 시민헌장의 제정은 신공공관리론이 추구하는 바이다. (O, X)

05 신공공관리는 성과보다는 과정이나 절차를 중시한다. (O, X)

06 시장질서를 다시 확립하려고 하는 재규제는 폐지되어야 한다. (O, X)

01 X 기업가적 정부는 사후대처가 아니라 사전예방적 정부이다.
02 X 기업가적 정부는 투입지향적 정부가 아니라 성과지향적 정부이다.
03 X 5C 전략은 핵심전략, 결과전략, 고객전략, 통제전략, 문화전략이다.
04 O
05 X 신공공관리는 과정보다는 결과나 성과를 중시한다.
06 X 시장질서의 확립을 위해서 재규제는 어느 정도 필요하다.

개념PLUS 신공공관리론에서 사용되는 각종 정부혁신전략

구분		내용
시장성조사 (market testing)		정부기능을 원점에서부터 재검토하고, 경쟁절차를 거쳐 공공서비스의 적정 공급주체를 결정하려는 프로그램
벤치마킹		선도적인 조직의 우수한 사례를 배워 자기조직에 활용하는 것
아웃소싱		· 외부의 전문기술과 능력을 활용하여 조직 산출물의 부가가치를 높이는 전략 · 조직 본연의 핵심역량 강화를 목적으로 경쟁력 있는 핵심사업에 집중하고, 그 이외의 부문들은 전문적인 외부 용역기관에 맡기는 경영혁신기법
총체적 품질관리 (TQM)		고객만족을 서비스 질의 제1차적 목표로 삼고 조직구성원의 광범위한 참여하에 조직의 과정·절차를 지속적으로 개선하여 장기적인 전략적 질(quality)을 관리하기 위한 관리철학 내지 관리원칙
시민헌장제도		행정기관이 제공하는 행정서비스의 기준, 절차와 방법, 서비스에 대한 시정 및 보상조치 등을 구체적으로 정하여 이를 시민의 권리로 공표하고, 실현을 약속하는 제도
3R	Re-structuring	조직의 혁신을 위해서 구조적인 측면에서 개선을 꾀하는 것으로서, 사회간접자본 재구축과 사업의 재구축 등이 해당
	Re-engineering	비용, 품질, 서비스 질과 같은 핵심적 성과지표들을 극적으로 향상시키기 위해서 기능이 아닌 프로세스(절차나 공정)의 재설계를 하는 것
	Re-orientation	조직의 지향을 바꾸는 것이다. 즉, 행정이 추구하는 방향을 다시 고려해 보는 것

5 한계

1. 공공부문과 민간부문 간의 근본적 차이 간과

(1) 신공공관리론은 기본적으로 능률성을 중시한다. 그러나 공공부문은 사회윤리나 공동체정신, 사회적 형평성이 강조되는 경우가 많다.

(2) 행정서비스 중에는 가격 메커니즘을 적용하기 어려운 부분이 많다(예 교육, 치안, 국방 등). 이러한 분야에서는 정치적 권력의 크기에 따라 정치적 결정이 이루어지게 된다.

2. 우리나라의 행정(조직)문화와의 상충 가능성

우리나라의 경우 계층주의와 위계주의 문화가 지배적이기 때문에 자유주의와 개인주의 사회에 적합한 신공공관리론적 행정개혁과 상충할 가능성이 크다.

3. 성과평가의 어려움

공공부문의 경우에는 객관적인 성과평가가 어려운 경우가 많기 때문에 '과연 성과란 무엇인가?'라는 개념상의 혼란이 생기게 된다.

4. 공무원의 사기저하 우려

공직내부에서의 경쟁도입은 직업공무원제와 상충할 가능성이 크고, 끊임없는 경쟁으로 인하여 재직자의 사기가 저하될 수도 있다.

5. 시장주의와 참여주의 간의 모순

시민참여는 서비스의 종류, 배분과정, 배분결과, 배분지역 등에 대한 다양한 요구와 의사결정과정에의 참여 및 공동결정권의 요구 등이 핵심내용이다. 하지만 이는 분권화와 재량을 강조하는 시장주의적 개혁과 서로 모순되는 관계에 있다.

고득점 공략 블랙스버그 선언(blacksburg manifesto)

1. 의의
   ① 1970~80년대 미국에서 행정(행정가)의 정당성이 과도하게 공격받던 사회 · 정치적 상황을 비판하고 스스로 정당성과 위상을 회복하도록 규범적 · 윤리적 방안을 제안하였다.
   ② **신공공관리론(NPM)에 대한 반론**: NPM은 정부가 기업 · 민간부문보다 열등하다는 근거 없는 가정을 한다고 보고 1990년대에 들어서 작은 정부, 규제완화 등의 개혁조치들을 강조하였다.
   ③ **주요 학자**: 웜슬리(Wamsley), 굿셀(Goodsell), 울프(Wolf), 로어(Rohr), 화이트(White)
2. 주요 내용
   ① **행정의 정당성이 추락한 이유**: 1980년대 관료의 위상 저하 이유는 그들의 조직관리 기술이 부족해서가 아니라 정부역할에 대한 공공의식이 왜곡되었기 때문이라고 주장한다.
   ② **행정의 정당성을 위한 헌법적 근거 - 헌정주의**: 행정이 미국 건국 헌법에 명백하게 규정되어 있지 않기에 로어(Rohr)는 행정부가 행정 본연의 권한에만 국한되는 것이 결코 헌법에서 요구하는 바가 아니라고 하며 행정의 헌법적 정당성을 찾고 있다.
   ③ **행정의 정당성 향상의 방법 - 전문직업주의**: 행정가의 규범적 역할, 특히 전문직업주의를 강조한다. 이를 위해 경험, 훈련, 자격증 등만이 아닌 윤리, 규범이 필요하다고 본다.

고득점 공략 행정재정립운동(Refounding Movement)

1. 의의
   ① 행정재정립운동은 1980년대 이후 행정과 직업공무원제에 대한 불신이 증가하면서 엽관주의적 요소가 확대되자 1990년대 초 스바라(J. Svara)를 중심으로 발생한 운동으로, 기존의 정치행정이원론을 재해석하여 정책과정에서 직업공무원의 적극적인 역할을 옹호한 새로운 행정운동이다.
   ② 직업공무원제를 옹호하는 측면이 있지만 행정은 경영과 속성이 유사하다는 전통적인 정치행정이원론을 재해석하여, 정책과정에서 공무원이 정치적으로 임명되는 공무원의 지시에 따라 단순히 움직이는 소극적인 역할보다 더 적극적인 역할을 해야 한다고 주장한다.
2. 운동의 전개
   ① **스바라(Svara)**: 기존의 정치행정이원론을 재해석(비판)하여 정책과정에서 공무원의 적극적인 역할 강조
   ② **웜슬리(Wamsley)**: 『행정재정립론』을 통해서 행정재정립운동을 뒷받침함
   ③ **굿셀(Goodsell)**: 직업공무원제도를 옹호했으며 정부재창조보다 정부재발견 강조

10 탈신공공관리론과 뉴거버넌스

1 탈신공공관리론(Post-NPM)

❶ 탈신공공관리론의 주요 내용
1. 구조적 통합을 통한 분절화의 축소
2. 재집권화와 재규제의 주창(집권과 분권의 조화)
3. 총체적(합체된) 정부의 주도
4. 역할모호성의 제거 및 명확한 역할 관계의 안출(案出)
5. 민간·공공부문의 파트너십 강조
6. 역량 및 조정의 확대
7. 중앙의 정치·행정적 역량의 강화
8. 환경적·역사적·문화적 요소에의 유의 등

1. 의의❶

(1) 1970년대의 석유파동, 1990년대의 IMF 사태를 거치며 새롭게 등장한 신공공관리론은 현대에 오면서 공공성 훼손 등의 여러 부작용을 보였다. 이에 따라 신공공관리론의 대안으로 탈신공공관리론이 제시되었다.

(2) 크리스텐센과 래그레이드(Chistensen & Laegreid)에 의해 주창된 탈신공공관리(Post-NPM)는 신공공관리에 대한 공공성 훼손을 '정부역량의 강화'를 통해 해결해야 함을 그 골자로 하고 있다. 이러한 탈신공공관리의 이론에는 뉴거버넌스와 신공공서비스론(NPS)이 있다.

2. 신공공관리론과 탈신공공관리론의 비교

구분	신공공관리론	탈신공공관리론
주요 가치와 시장과의 관계	· 능률성 강조 · 규제완화 · 시장지향주의	· 민주성·형평성 강조 · 재규제의 강조 · 정부의 정치·행정적 역량 강화
조직구조의 특징과 개혁방향	· 탈관료제모형 · 분권화 · 행정의 분절화	· 관료제와 탈관료제모형의 조화 · 재집권화(분권과 집권의 조화) · 분절화 축소, 총체적 정부 강조
조직관리기법	· 민간부문의 관리기법 도입 · 결과·산출 중심의 통제 · 경쟁적 인사관리 및 개방형 인사제도	· 공공책임성 중시 · 자율성과 책임성의 증대

2 뉴거버넌스의 의의

1. 의의

(1) 시장, 정부, 민간, 비영리부문 등 다양한 조직의 상호작용으로 인한 동태적 네트워크에 의하여 이루어지는 총체를 의미한다.

(2) 거버넌스는 넓은 의미에서는 신공공관리라고 보기도 하고, 최광의로는 국가통치행위를 의미하기도 한다. 그러나 일반적으로는 공공서비스의 연계망에 초점을 두고 연계망의 활동을 정부가 관리하는 과정이나 행위를 의미한다.

2. 성립배경

(1) 신공공관리론(NPM)적 접근방법의 한계

지나친 시장위주의 행정운영으로 인한 공무원의 사기저하, 행정조직문화와의 괴리 문제 등의 한계가 드러났다.

핵심 OX

01 신공공관리론적 행정개혁은 우리나라의 행정문화와 조화가 필요하다. (O, X)

01 O

(2) 시민사회가 행정의 주체로 등장

1980년대 이후 서구를 중심으로 시민세력이 급속히 성장함에 따라 정부실패를 보완하기 위한 하나의 대안으로서 시민이 국정운영의 주체 중 하나로 부각되었다.

(3) 환경변화로 인한 네트워크의 강조[1]

정부실패와 시장실패에 대한 대안으로서 신뢰를 바탕으로 한 네트워크(연계망)가 강조되었다.

3. 특징

(1) 서비스 연계망(network)

① 계층제가 아닌 정부 및 비정부조직과 개인들의 연계망을 통해 공공서비스를 공급한다.

② 네트워크는 상당히 자율적인 참여자들이 '느슨하게 연결된(loosely coupled)' 상황에서 상호작용을 하기 때문에 다(多)중심적이거나 중심이 없는 성격을 지닌다.

(2) 공공서비스 공급주체의 다양화

① 다양한 정부 및 비정부조직에 의해 공공서비스를 공급한다.

② "누가 통치하느냐?"가 아니라 "어떻게 통치하느냐?"가 중요하다.

(3) 신뢰를 기반으로 한 상호작용

① 연계망을 구성하는 정부와 민간조직들의 신뢰를 기반으로 한 상호작용이 중시된다.

② 구성원들은 교환관계를 통해서 상호의존을 증대시키며, 이는 명령 · 강압이 없더라도 구성원 사이의 자발적인 조정이나 협조가 이루어지도록 한다.

4. 강조점

(1) 정부 · 시장 · 시민과의 파트너십과 이를 통한 유기적 결합관계를 중시한다.

(2) 정부관료제에 대한 민주적 통제 및 시민참여의 확대를 강조한다.

(3) 거버넌스 구성원들 간의 유기적 집합관계를 강조한다.

(4) 탈관료제적 조직 및 네트워크조직을 강조한다.

5. 문제점

(1) 책임성의 문제

① 전통적 관료제의 운영과 달리 정부도 우월한 권한이 없기 때문에 네트워크의 구성원들 간 책임소재를 불분명하게 한다.

② **해결방법**: 네트워크 구성원이 기본적으로 대등한 관계를 유지해야 하고, 정부는 최종적인 책임자 · 조정자로서의 지위를 유지해야 한다.

(2) 거버넌스 구성원들 간의 신뢰확보 문제

① 거버넌스에 입각한 국정운영은 교환관계에 있어서 상호신뢰가 중요하다.

② 신뢰의 확보를 위해서는 다양한 인센티브나 제도의 마련이 중요하다.

[1] 뉴거버넌스에서 정부 · 시장 · 시민의 협력적 네트워크

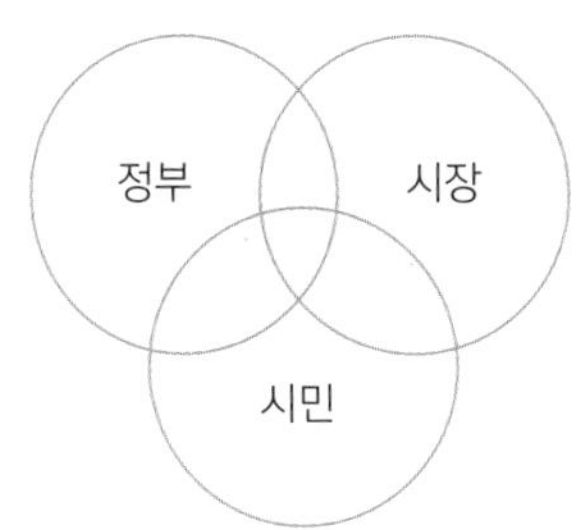

핵심 OX

01 '작은 정부'의 판단기준으로 국민생활에 대한 규제범위나 정부와 국민 사이의 권력관계도 포함된다. (O, X)

02 신공공관리 또는 거버넌스와 같은 행정개혁은 대의정치체제를 공고히 하기 위해서 등장하였다. (O, X)

03 거버넌스는 신뢰에 바탕한 호혜성의 네트워크를 중요하게 생각한다. (O, X)

04 거버넌스에 의한 국정운영은 다양한 비정부기구의 참여와 관련된다. (O, X)

05 신공공관리론은 공동체주의에, 뉴거버넌스는 시장주의에 바탕을 두고 있다. (O, X)

06 전통적 정부운영방식보다 거버넌스적 운영방식이 정부의 책임성을 증대시킬 수 있다. (O, X)

07 거버넌스의 등장은 시민사회의 등장과 NGO의 발전과는 무관하다. (O, X)

01 O
02 X 거버넌스는 대의정치체제를 직접적인 참여주의로 전환시키고자 한다.
03 O
04 O
05 X 신공공관리론은 시장주의에, 뉴거버넌스는 공동체주의에 기반한다.
06 X 전통적 정부의 경우 정부가 국정운영에 대한 무한책임을 졌는데 거버넌스에 따르면 이러한 책임 추궁이 어려워지게 된다.
07 X 시민사회의 성장에 따라 거버넌스 구성자로서 일축을 담당하고 있다.

(3) 행정조직의 특수성 문제

사조직과 다른 공조직에 존재하는 특수성을 간과할 수 있다.

핵심정리 신공공관리론과 뉴거버넌스의 비교

구분		신공공관리론	뉴거버넌스
공통점		· 정부역할: 노젓기(rowing) → 방향잡기(steering, 촉매적 정부) · 정부실패에 대한 대안 · 행정과 경영의 상대적 구별 · 투입보다는 산출 중시	
차이점	인식론적 기초	신자유주의	공동체주의
	관리기구	시장	연계망
	통제의 중점	산출통제에 중점	과정통제에 중점
	관료의 역할	공공기업가	조정자
	국민에 대한 인식	고객으로 봄	주인으로 봄
	작동원리	경쟁(시장 메커니즘)	협력체제
	분석수준	조직내부 문제에 중점	조직 간 문제에 중점
	서비스	민영화, 민간위탁	공동공급
	관리방식	고객지향	임무 중심

3 뉴거버넌스의 주요 모형

1. 피터스(Peters)의 미래국정모형

(1) 의의

피터스(Peters)는 전통적 정부모형과 그에 대한 대안으로 네 가지 국정관리모형을 제시하고 동일한 기준에서 비교하고 있다.

(2) 네 가지 국정관리모형

① **시장적 정부모형:** 시장의 효율성을 믿으며, 관료제의 독점에 대해서 문제를 지적한다.

㉠ **조직구조:** 분권화를 지향하고 관리개혁을 위해서 성과급을 처방한다.

㉡ **정책형성:** 자율적 결정권을 유지하고 저비용을 공익으로 본다.

② **참여적 정부모형:** 참여관리를 중시하고 담론민주주의, 공동체주의와 밀접한 관련이 있다.

㉠ **조직구조:** 평평한 구조를 주장하고 관리개혁을 위해서 참여적 관리를 중시한다.

㉡ **정책형성:** 분권적 의사결정을 권고하고 참여를 제일의 공익으로 본다.

③ **신축적 정부모형**[1]: 영속적인 조직, 정년보장 등에 대해서 문제를 지적한다.

㉠ **조직구조:** 한시적 조직을 지향하고 종신고용을 파괴하려고 한다.

㉡ **정책형성:** 모험적 결정을 중시하고 저비용과 조정을 제일의 공익으로 본다.

[1] 신축적 정부모형과 탈내부규제 정부모형
신축적 정부모형은 유연조직모형이라고 하며, 탈내부규제 정부모형은 저통제정부모형이라고 한다.

④ **탈내부규제 정부모형:** 내부규제를 완화하고 관료들에게 권한위임과 재량권 부여를 강조한다.

㉠ **조직구조:** 특별한 대안은 없으며 관리상의 재량권을 확대하라고 처방한다.

㉡ **정책형성:** 재량 위주의 예산집행을 권고하고 창의성과 책임성을 최고의 공익으로 본다.

핵심정리 피터스(Peters)의 미래국정모형

구분	전통적 정부모형	시장적 정부모형	참여적 정부모형	신축적 정부모형	탈내부규제 정부모형
문제의 진단기준	전근대적 지위	독점	계층제	영속성	내부규제
구조의 개혁방안	계층제	분권화	평면조직	가상조직	없음
관리의 개혁방안	직업공무원제, 절차적 통제	성과급, 민간부문의 기법 도입	TQM, 팀제	가변적 인사관리, 고위공무원단	관리의 재량권 확대
정책결정의 개혁방안	정치·행정의 구분	내부시장, 시장적 유인	협의, 협상	실험	기업가적 정부
공익의 기준	안정성, 평등	저비용	참여, 협의	저비용, 조정	창의성, 활동주의

2. 로즈(Rhodes)의 모형

(1) 최소 국가

① **의의:** 21세기에 대두하고 있는 행정환경의 변화에 대응하기 위하여 공공개입의 범위와 형태를 최소화하고, 공공서비스 공급에 있어서 시장과 준시장을 활용하는 것을 강조하는 관점이다.

② **구체적 내용:** ㉠ 더 적은 수의 이슈를 다루는 작은 정부일 것, ㉡ 국제적인 시각과 융통성을 지닌 정부일 것, ㉢ 책임성 있는 정부일 것, ㉣ 공정한 정부일 것 등을 요구한다.

(2) 신공공관리론(NPM)

① **의의:** 정책결정과 집행을 구분하고 관료제에 기반한 서비스 전달보다는 기업가적 정부모형에 입각한 서비스 전달을 강조한다.

② **구체적 내용:** 자율과 경쟁, 시장, 고객, 결과에 대한 책임 등을 강조한다.

(3) 기업적 거버넌스

① **의의:** 거버넌스는 기업의 전반적인 방향 제시, 최고관리활동의 통제, 기업의 범위를 넘어서는 이해관계자들에 대한 책임성과 규제에 관한 정당한 기대를 만족시키는 일과 관련된다.

② **구체적 내용:** ㉠ 개방성이나 정보의 공개, ㉡ 통합 혹은 직선적인 거래 및 완결성, ㉢ 책임성과 책임의 명확화, ㉣ 사부문의 경영기법의 도입 등이다.

(4) 좋은 거버넌스

① **의의**: 좋은 거버넌스(good governance)는 세계은행이 정의한 것으로 개발도상국의 대출조건이다. 거버넌스는 나라 일을 관리하기 위해서 정치권력을 행사하는 것을 의미하고, 좋은 거버넌스는 신공공관리와 자유민주주의와의 결합을 의미한다. 이는 개발도상국에서 자유민주주의를 옹호하고 정부개혁을 촉구하기 위해서 등장한 개념이다.

② **구체적 내용**

㉠ **좋은 거버넌스의 세 가지 요소**: 거버넌스의 체계적 사용(정치적 · 경제적 권력의 배분 등), 거버넌스의 정치적 사용(민주주의적 위임에 따른 정당성), 행정적 요소(효율적이고 개방적인 관료제적 능력 소유)가 있다.

㉡ 책임성과 통제, 대응성, 투명성, 참여 등을 강조한다.

(5) 사회적 인공지능체계

① 거버넌스는 사회정치체계에서 모든 행위자들의 상호작용을 위한 노력의 공통적인 결과로 출현하는 유형이나 구조를 의미한다. 따라서 정책의 성과는 정부뿐만 아니라 관련 있는 모든 당사자들의 상호작용의 결과로 본다.

② 정부는 공식적 권위에 의하여 뒷받침되는 활동을 의미하는 반면, 거버넌스는 공유된 목표에 의해서 이루어지는 활동으로서 정부조직뿐만 아니라 비공식 및 비정부기구들로 이루어지는 좀 더 포괄적인 의미이다.

용어

자기조직화 연결망*: 자기조직화 연결망은 신뢰와 상호조정, 경쟁에 뿌리를 둔 관리의 강조, 자율성의 강조, 중앙통제에 대한 거부 등을 통한 서비스 전달망을 의미한다.

(6) 자기조직화 연결망*

① 거버넌스를 자기조직화 연결망으로 볼 경우 이 연결망은 공 · 사적 조직 및 자발적 조직들이 복합적으로 섞여 있는 연결망이다.

② 자기조직화 연결망은 시장과 계층제에 대한 대안으로서, 시장과 계층제적 권위에 의한 자원배분이나 통제 · 조정을 위한 거버넌스 구조를 보완한다. 조정 메커니즘의 시각에서 볼 때 시장의 조정 메커니즘이 가격이고, 계층제의 조정 메커니즘이 행정명령이라면, 연결망의 조정 메커니즘은 신뢰와 협력이다.

4 거버넌스의 유형

1. 범위별 구분(다층적 거버넌스)

글로벌(Global) 거버넌스	전 세계적 수준의 국가 간 협력과 문제해결을 지향한다.
지역(Regional) 거버넌스	지정학적으로 인접한 특정한 지리적 공간 안에 위치한 국가들 간 혹은 국가 · 비정부조직들 간의 연계망(신지역주의)이다.
국가(National) 거버넌스	개별국가 단위에서의 민주적이고 효율적인 국가운영을 위한 협조체제이다.
로컬(Local) 거버넌스	지역공동체 수준에서의 공사협력체제로서 시민참여와 지역발전을 모색한다.
가상(Cyber) 거버넌스	물리적 범위와 수준을 하나의 축으로 하고 구체적 정책이슈를 또 하나의 축으로 하는 2차원으로 구성된 거버넌스 체계에, 제3의 축으로서 가상공간을 연결함으로써 형성되고 운영되는 거버넌스이다(김석준, 『뉴거버넌스의 연구』).

핵심 OX

01 좋은 거버넌스는 참여민주주의와 신공공관리의 결합이다. (O, X)

01 X 참여민주주의가 아니라 자유민주주의와 신공공관리론의 결합이다.

고득점 공략 레짐이론(regime theory)

1. 의의

① 레짐은 '비공식적인 실체를 가진 통치연합(governing coalition)'으로서 자발적 결사체인 이익집단이 사안에 따른 이합집산(離合集散)을 통하여 정책결정을 하는 것이 아니라, 도시정부라는 제도적 기제를 매개체로 하여 정책결정을 하는 것을 의미한다. 여기서 도시정부는 비공식적이지만 일정한 세력집단으로서 그 중추적 역할을 담당한다. 도시문제를 해결하는 데 공식 · 비공식집단이 협력체제를 구축한다는 점에서 레짐은 거버넌스의 한 형태이나 거버넌스 자체는 아니다.

② 레짐(Regime)은 원래 국제정치학에서 등장한 개념으로 로건과 몰리치(Logan & Molotch)의 성장연합이론에 배경을 두고 서로 다른 사회영역, 즉 정부와 기업, 국가와 시장, 정치와 경제 등이 어떤 이유로 그리고 어떠한 과정을 통해 도시개발을 위한 정책결정에서 합의와 협력을 이루어내는가에 대한 이론적인 설명을 도출하는 것이다(이종원).

③ 전통적인 레짐이론은 국가에 의한 일방적인 통치체제를 의미하지만, 1980년대 이후에 등장한 신레짐이론은 거버넌스이론과 신제도주의에 기반한 자율적인 관리를 의미하며, 이를 중시한다.

2. 유형

① 스토커와 모스버거(Stoker & Mossberger)의 레짐형성의 동기

구분	내용
도구적 (instrumental) 레짐	· 구체적인 프로젝트와 관련되는 단기적인 목표에 의해 구성되며, 단기적 · 실용적인 동기가 함께 내포되어 있음 · 올림픽 게임과 같은 주요한 국제적 이벤트를 유치하기 위해 구성되는 레짐 등
유기적 (organic) 레짐	· 굳건한 사회적 결속체와 높은 수준의 합의를 특징으로 하는 레짐으로서, 이들 레짐은 현상유지와 정치적 교섭에 초점을 두고 있음 · 유기적 레짐은 흔히 외부적 영향에 대해 오히려 적대적이며, 소규모 도시지역들은 대체로 유기적 레짐을 유지하려 함
상징적 (symbolic) 레짐	· 도시발전의 방향에 있어 변화를 추구하려는 도시에서 나타나는 레짐으로서, 기존의 이데올로기나 이미지를 재조정하려 하며 경쟁적인 동의라는 점에서 특징적 · 영국의 글래스고(Glasgow)나 셰필드(Sheffield)가 대표적 예 · 스토커와 모스버거(Stoker & Mossberger)에 따르면, 상징적 레짐은 흔히 과도기적 역할을 수행하며, 그들은 보다 안정적인 연합으로 나아갈 개연성이 큼

② 스톤(Stone)의 도시 레짐의 유형화

구분	내용
현상유지 레짐	· 친밀성이 높은 소규모 지역사회에서 나타나는 유형으로 근본적인 변화에 대한 노력 없이 일상적인 서비스 전달을 통치과정으로 삼음 · 관련 행위주체 간 갈등이나 마찰이 작으며, 생존능력이 강한 편
개발 레짐	· 지역의 성장을 추구하는 레짐으로 재개발, 공공시설의 확충, 보조금 배분, 세제 혜택 등의 수단을 통해 지역개발을 적극 도모 · 관련 행위주체들 간 갈등이 심하며, 레짐의 생존능력은 비교적 강한 편

핵심 OX

01 레짐이론은 도시정치경제이론에서 강조하는 정부기구활동의 경제적 종속성을 수용하면서 동시에 정치의 독자성을 강조한다. (O, X)

01 O

중산계층진보 레짐	· 중산계층의 주도로 자연 및 생활환경보호, 삶의 질 개선, 성적 · 인종적 평등과 같은 이념을 지향하는 형태로, 정부의 강력한 기업규제가 실시되어 개발부담금 제도와 같은 수단이 도입됨 · 시민의 참여와 감시가 강조되며, 레짐의 생존능력은 보통 수준
하층기회확장 레짐	· 저소득층의 기본적인 경제욕구 충족과 이익 확대를 지향하는 유형으로, 직업교육과 같은 교육훈련을 확대하고, 주택소유의 기회를 배분하며, 소규모 사업을 실시하는 것 등을 수단으로 삼음 · 대중동원이 가장 큰 통치과제로 대두되며, 레짐의 생존능력은 약함

3. 공헌

① 정책네트워크를 통하여 사회 내 복잡성을 조정한다.

② 민주적 참여정치를 통하여 사회나 도시문제를 해결한다.

4. 한계

① '지역' 개념과 관련된 실제 설명이 과도한 단순화로 나타나고 있다.

② 국제 간 비교연구에 있어 레짐이론의 적용가능성이 매우 제한적이다.

2. 주체별 구분(국가 · 시민 · 시장 중심)

거버넌스의 개념과 이론은 다양하지만, 이를 접근시각을 기준으로 구분할 수 있다.

국가 중심 거버넌스	· **배경:** 시장 중심 거버넌스와 유사하지만, 관리주의와 관료주의 관점에서 효율성 · 합리성 · 합법성 등을 강조한다(관리주의와 관료주의). · **정부모형:** 신축적 정부모형, 탈규제적 정부모형, 신공공관리론, 기업가적 정부, 좋은 거버넌스, 경쟁국가론, 조종국가론 등이 있다.
시민 중심 거버넌스	· **배경:** 간접민주주의인 대리인체제의 한계에 대해 시민의 참여 확대와 권한 강화를 통해 공동체 운영방식을 개선하려는 관점이다(참여주의와 공동체주의). · **정부모형:** 참여적 정부모형, 사회적 인공지능체제이론, 자기조직적 네트워크이론, 사회정치 거버넌스이론, 법인 거버넌스이론 등이 있다.
시장 중심 거버넌스	· **배경:** 경쟁원리와 고객주의 기반의 시장주의를 지향하며, 가격을 매개로 한 자원배분, 경쟁원리, 고객주의를 강조한다(시장주의). · **정부모형:** 시장적 정부모형, 최소국가론 등이 있다.

고득점 공략 샤흐터(Schachter)의 시민재창조론

1. 의의

① 오스본(Osborne)과 개블러(Gaebler)의 정부재창조운동처럼 시민을 정부의 고객으로 보아서는 안 되며, 샤흐터(Schachter)는 시민을 정부의 주인(owners)으로 간주해야 한다고 주장하였다.

② 20세기 초 미국 도시개혁에서의 실례가 제시하는 시민과 정부와의 관계를 분석함으로써 시민의 능동적 참여가 정부기관의 효율성과 대응성 제고에 필수적이라고 주장하였다.

2. 정부재창조론과 시민재창조론

구분	정부재창조론	시민재창조론
기본모형	'고객으로서의 시민' 모형	'소유주로서의 시민' 모형
주요 목표	'정부가 어떻게 하여야 하는가?'의 규명	'정부가 무엇을 하여야 하는가?'의 규명
주요 방안	정부구조, 업무절차 및 관료제 문화의 재창조	시민의식의 재창조 (공공부문 의제설정에 시민들의 능동적 참여)

11 신공공서비스론

1 의의 및 성립배경

1. 의의[1]

신공공서비스론은 행정개혁의 목표상태를 처방하는 규범적 모형으로 시민 중심적 · 사회공동체 중심적 · 서비스 중심적 접근방법이다.

2. 성립배경

(1) 관료의 권한과 통제를 중시하였던 전통적 행정이론이나, 관리를 기업과 같이 할 것을 주장하였던 신공공관리론의 대안으로 등장하였다.

(2) 민주주의 이론에 입각한 공동체이론과 담론이론에 기초한다.

2 패러다임

1. 인식론적 기반

실증주의, 해석학, 비판이론 그리고 후기 근대주의를 포괄하는 다양한 지식체계에 기반을 두면서 민주주의 정신을 새롭게 부활시키고자 한다.

2. 담론을 통한 시민정신의 정립

신공공관리론에 의해 훼손된 담론의 중요성을 소생시켰고, 담론에 대한 실천의 장으로 공동체 정신에 기초한 시민정신의 정립을 제안하고 있다.

[1] 신공공서비스론의 특징

1. **방향잡기가 아닌 서비스 제공자로서의 정부**: 조종하기보다 시민에게 봉사한다.
2. **담론을 통한 공익의 중시**: 공익은 부산물이 아니라 목표이다.
3. **전략적 사고와 민주적 행동**: 전략적으로 생각하고 민주적으로 행동한다.
4. **시민에 대한 봉사**: 고객이 아니라 시민 모두에게 봉사한다.
5. **책임의 다원성**: 책임은 단순하지 않다.
6. **인간존중**: 생산성만을 중시하는 것이 아니라 사람을 존중한다.
7. **시티즌십과 공공서비스의 중시**: 기업가 정신보다 시티즌십(시민정신)과 공공서비스를 중시한다.

핵심정리 신공공관리론과 신공공서비스론의 비교

구분	신공공관리론(NPM)	신공공서비스론(NS)
이론적 토대	경제이론에 기초한 분석적 토의	민주적 시민이론, 조직인본주의, 공동체 및 시민사회모델, 포스트모던 행정학
공익에 대한 입장	개인들의 총이익	공유 가치에 대한 담론의 결과
합리성	기술적 · 경제적 합리성	전략적 합리성
정부의 역할	방향잡기(steering)	봉사(service)
관료의 반응대상	고객(customer)	시민(citizen)
책임에 대한 접근	시장지향적	다면적, 복잡성
행정재량	기업적 목적을 달성하기 위하여 넓은 재량 허용	재량이 필요하지만 그에 따른 제약과 책임 수반
기대하는 조직구조	기본적 통제를 수행하는 분권화된 조직	조직 내외적으로 공유된 리더십을 갖는 협동적 조직
관료의 동기유발	기업가 정신, 작은 정부를 추구하려는 신자유주의적 욕구	공공서비스, 시민에 봉사하고 사회에 기여하려는 욕구

고득점 공략 공공가치관리론(public value management)

1. 배경

신공공관리론이 야기한 행정의 정당성 위기, 즉 행정의 공공성 약화를 극복하기 위한 대안적 패러다임으로 1990년대 중반에 등장한 이론이다.

2. 개념 및 주요 특징

① **공공가치의 창출:** 시민과 이해관계자의 관여와 이들과 공무원 간 숙의민주주의 과정을 통한 공공가치의 결정과 창출을 강조한다.

② **행정의 정당성 강화:** 공공가치창출의 결과에 대한 평가와 이를 통한 행정의 정당성 강화 및 정부가 시민의 능동적 신뢰를 창출하는 것이라고 주장한다.

3. 접근방법

① 무어(Moore)의 공공가치창출론

· 개념: 민간분야의 관리자들이 주어진 자산을 활용하여 주주가 요구하는 민간부문의 가치를 창출하는 것처럼 민주적으로 선출되어 정당성을 부여 받은 정부의 관리자들은 공공자산(국가권위나 재정)을 활용하여 시민을 위한 공공가치를 창출해야 한다는 것이다.

· 공공가치창출을 위한 전략적 삼각형 모델

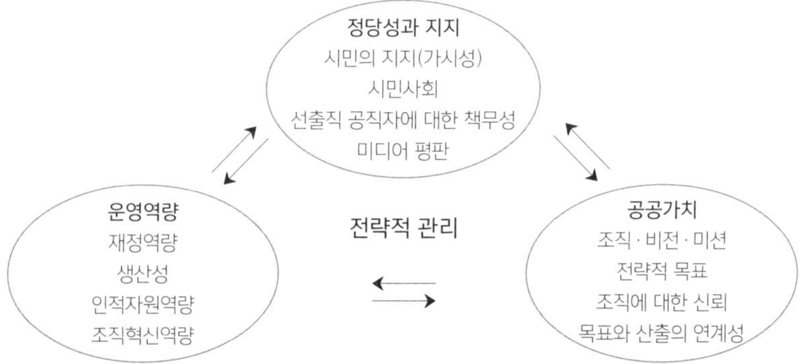

② 보우즈만(Bozeman)의 공공가치실패론

- **개념**: 시장 메커니즘이 효율적으로 작동하고 있음에도 불구하고 본질적 가치를 제공하지 못하는 실패 현상으로, 정부개입의 근거가 된다.
- **공공가치의 핵심 가치**: 인간의 존엄성, 지속가능성, 시민참여, 개방성과 기밀성, 타협, 온전성, 강건성 등이 있다.
- **공공가치 실패기준**

실패기준	개념
가치의 표출과 결집 메커니즘의 왜곡	공공가치의 결집을 위한 의사소통 및 공공가치 처리에 필요한 정치적 과정과 사회적 응집력의 부족
불완전 독점	정부 독점이 공익에 부합해도 재화와 서비스를 민간이 공급하는 것을 허용
혜택 숨기기	공공재와 서비스 제공이 전 국민에게 제공되는 것이 아니고 특정 개인 혹은 집단에 집중됨
제공자의 부족	공공재와 서비스를 공적 방법에 의해 제공하기로 하였음에도 불구하고 제공자를 확보할 수 없어 제공하지 못함
단기적 시계	장기적 시계에 따른 일련의 행위가 공공가치에 반하는 것이 예상될 경우 단기적 시계에 따른 대안이 선택됨
자원의 대체 가능성 대 자원 보존	만족할 만한 수준의 대체 가능성이 없는 경우에는 보전해야 함에도, 정책은 대체 가능성에 초점을 맞추고 서비스를 제공함
최저 생활과 인간 존엄에 대한 위협	최저 생활과 같은 근본적이고 핵심적인 가치의 훼손

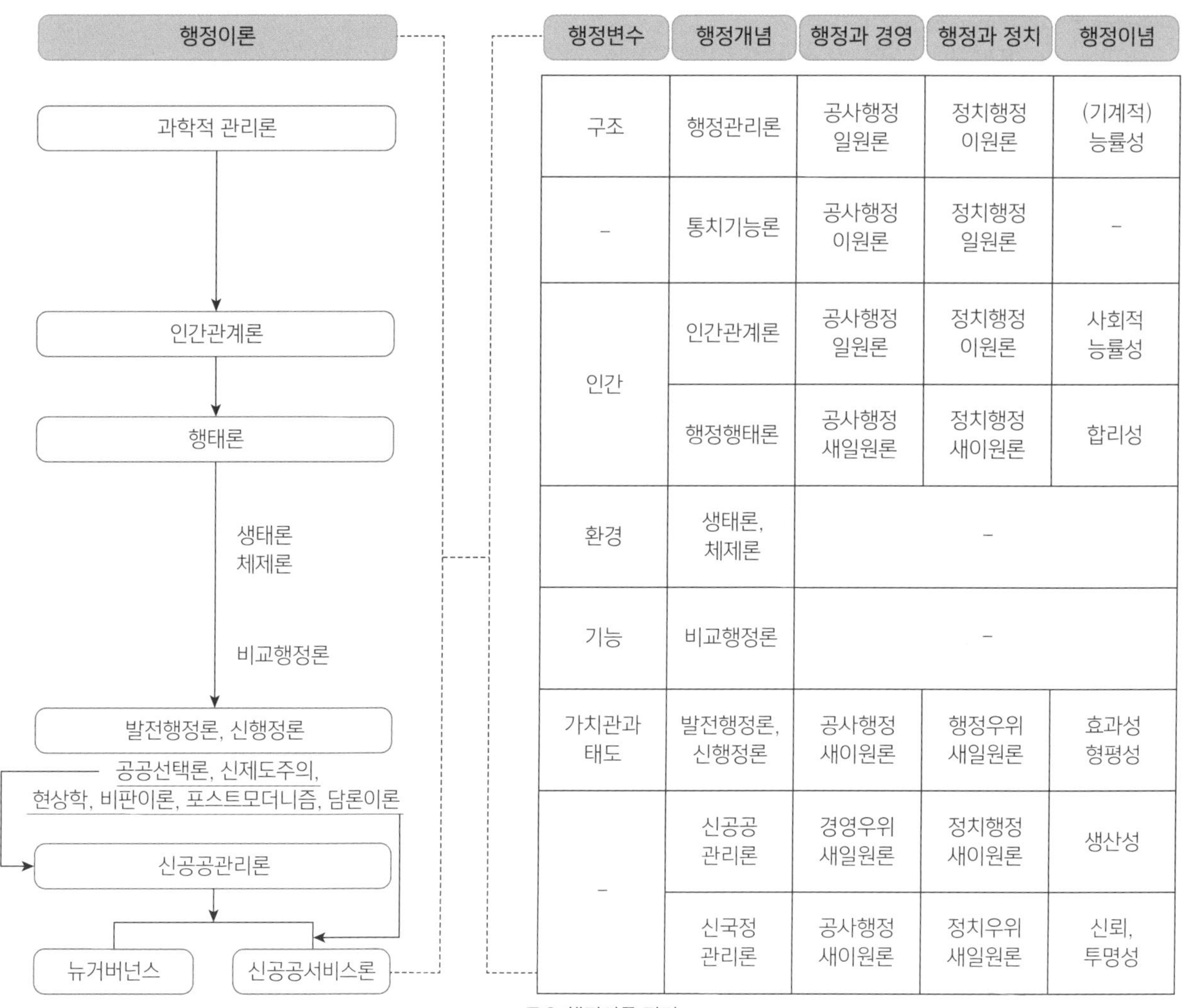

행정변수	행정개념	행정과 경영	행정과 정치	행정이념
구조	행정관리론	공사행정 일원론	정치행정 이원론	(기계적) 능률성
–	통치기능론	공사행정 이원론	정치행정 일원론	–
인간	인간관계론	공사행정 일원론	정치행정 이원론	사회적 능률성
	행정행태론	공사행정 새일원론	정치행정 새이원론	합리성
환경	생태론, 체제론	–		
기능	비교행정론	–		
가치관과 태도	발전행정론, 신행정론	공사행정 새이원론	행정우위 새일원론	효과성 형평성
–	신공공 관리론	경영우위 새일원론	정치행정 새이원론	생산성
	신국정 관리론	공사행정 새이원론	정치우위 새일원론	신뢰, 투명성

▲ 주요 행정이론 정리

12 사회적 자본과 신뢰 및 투명성

1 사회적 자본(social capital)

1. 의의 및 구성요소

(1) 의의

퍼트남(Putnam)은 사회적 자본을 공통의 목적을 위해서 협력할 수 있는 사람들 사이의 사회적 구조로 보았고, 사회적 자본은 신뢰, 호혜성 규범, 사회적 네트워크, 믿음, 규율 등의 다섯 가지 요소들로 구성된다고 하였다.

(2) 구성요소

신뢰[1]	후쿠야마(Fukuyama)는 사회적 자본은 사회적 신뢰에서 생겨난다고 보았다. 사회적 자본은 신뢰로부터 나오고 종교, 전통 또는 역사적 관습 등과 같은 문화적 메커니즘에 의해 생겨나고 전파되기 때문에 다른 형태의 자본과는 다르다고 주장한다.
호혜적 규범	많은 학자들이 사회적 자본을 주로 공유하고 있는 규범에 근거를 두고 있는 것으로 보고 있다. 사회적 자본으로서의 상호호혜는 법적 관계나 사업계약과 같이 즉각적이고 공식적으로 계산된 교환을 의미하는 것이 아니라, 단기적인 이타주의와 장기적인 자기 이익과의 조화를 의미한다.
사회적 네트워크	개인 간 또는 집단 간의 연결을 가능하게 하는 것이다. 현대 및 전통사회, 권위주의와 봉건 및 자본주의 사회 등 모든 사회는 공식 · 비공식의 사람들 사이의 커뮤니케이션 및 상호교환이라는 네트워크를 특징으로 한다. 즉, 사회자본은 사회구조 및 사회적 관계에서 항상 배태되어(embedded) 존재한다.
믿음	사회자본의 연구에서 비교적 관심을 받지 못했지만 믿음은 사회자본 형성에서 중요한 역할을 한다.
규율	공식적 제도와 규율들은 사회적 연계망, 규범, 믿음 등에 대한 영향을 통해서 사회적 자본에 매우 강력하게 직접적이거나 간접적인 영향을 줄 수 있다.

[1] 신뢰성과 윤리문제가 국정운영의 핵심쟁점으로 제기되는 이유(OECD)
1. **정부재정의 압박위기:** 효율성을 지나치게 강조함
2. 전통적 관리방식과 새로운 관리방식 간의 충돌과 갈등
3. **민간부문 관리기법의 도입:** 경제논리에 치중(비용절감과 생산성만 중시)
4. **공직에 대한 위신과 신뢰의 저하:** 정치적 후원과 공직자의 부패가능성 증대
5. **행정의 분절화 현상:** 상위직은 정치논리, 하위직은 경제논리로 분절화 발생

2. 특징[2]

(1) 사회적 관계의 부산물
사람들 사이의 수많은 일상적인 상호작용과정에서 창출된다.

(2) 공공재적 특성
한 사람이 배타적으로 소유하거나 다른 사람에게 분할 · 양도하는 것은 불가능하다.

(3) 사회적 자본의 존재형태
무형의 자본, 사람의 인식, 믿음 속에 존재한다.

(4) 선순환 · 악순환관계
사회적 자본은 도덕적 자원으로 사용하면 할수록 그 공급이 많아지고 사용되지 않으면 고갈되는 속성을 지닌 자원이다.

(5) 부등가교환
사회 자본은 상호 교환에 있어서 동등하지 않은 가치의 교환으로 이루어진다.

(6) 비동시성
사회 자본의 관계는 시간적으로 동시성을 전제하지 않는다.

3. 기능

(1) 정보획득비용의 감소
사회적 자본의 중요한 기능은 사회관계를 이용하여 필요한 정보를 획득한다는 점이다. 사회적 자본은 아주 적은 비용으로 정보의 원천에 접근하게 만들어 정보획득 비용을 감소시킨다.

[2] 주요 학자의 사회자본 연구
1. **퍼트남(Putnam):** 사회자본의 대표적 학자로서 이탈리아에서 사회자본(시민공동체의식)이 지방정부의 제도적 성과 차이를 잘 설명하고 있다고 본다. 즉, 사회자본이 좀 더 발전한 이탈리아 북부지역(로마)이 남부지역(시실리)보다 더욱 성장속도가 빠르게 발전하였다고 주장한다.
2. **콜만(Coleman):** 사회자본은 생산적이어서 사회자본이 확보된다면 달성하기 어려운 목표를 쉽게 달성할 수 있다고 주장한다.
3. **후쿠야마(Fukuyama):** 사회자본은 사회 내에 존재하는 신뢰로부터 나오는 것으로 신뢰가 바로 사회적 자본이라고 간주한다.

핵심 OX

01 퍼트남(Putnam)은 사회적 자본으로 네트워크, 신뢰, 상호호혜의 규범을 들고 있다. (O, X)

02 사회적 자본은 사회적 관계에서 상호이익을 위해 집합행동을 촉진시키는 규범과 네트워크이다. (O, X)

01 O
02 O

(2) 효과적인 제재와 통제

효과적인 규범의 존재는 매우 강력한 사회적 자본을 형성한다.

㈜ 범죄를 예방하여 밤에 사람들이 자유롭게 다닐 수 있게 하는 경우

(3) 결속력의 증대를 통한 혁신적인 조직발전

사회적 자본을 가진 사람들 사이에 가치관 · 규범 · 목적의 공유는 결속력을 강화시키며 이를 통해서 혁신적인 조직발전을 가져올 수 있다.

(4) 지역사회의 발전

풍부한 사회적 자본은 지역사회의 발전을 가져온다.

2 신뢰

1. 의의 및 구성요소[1]

(1) 의의

신뢰는 1980년대 이후 정치 · 경제적 실체로서 국가의 자산이며, 국력의 중요한 요소로서 인식되었다. 이는 사회적 자본과 유사한 맥락이라고 볼 수 있다.

(2) 구성요소

신뢰는 투명성과 접근성으로 이루어지며, 투명성과 접근성의 수준에 따라 행정신뢰는 다음과 같이 분류된다.

구분		투명성	
		저	고
접근성	저	불신행정	투명행정
	고	참여행정	신뢰행정

2. 특징

(1) 후쿠야마(Fukuyama)는 신뢰가 사회적 자본의 핵심으로 전환된다고 본다.

(2) 부패문제가 초래하는 해악은 국가전반에 걸친 신뢰성의 위기라고 볼 수 있으며, 정부에 대한 불신은 NGO 등 제3섹터에 대한 신뢰로 나타나고 있다.

3. 순기능과 역기능

(1) 순기능

① 사회적 신뢰는 거래비용을 감소시켜 시장경제를 더욱 발전시킨다.

② 정부나 정책에 대한 신뢰성은 정책에 대한 순응을 증진시킨다.

③ 네트워크의 생성과 유지를 위해서 참여자 사이의 신뢰가 필요하다.

(2) 역기능

① 신뢰가 커질수록 기회주의의 가능성이 커진다.

② 불법에 대해서는 신뢰를 부여하지 않아야 하지만 현실적으로 어렵다.

---

[1] 행정신뢰의 형성에 영향을 주는 요인

1. 신뢰자(국민)의 차원[신뢰의 주체인 국민(개인)의 심리적 특성]
   - 계산적 차원: 이해타산에 초점을 맞춘 신뢰이다.
   - 인지적 차원: 사회적 관계에서 어떤 대상은 믿고 어떤 대상은 믿지 않는 분별적 선택과정에서 나타난 신뢰이다.
   - 관계적 차원: 상대방에 대한 연대감 또는 공동체 의식과 관련된 신뢰이다.
2. 피신뢰자(행정)의 차원(신뢰의 대상인 행정이 갖추어야 할 요건)
   - 정부의 능력: 신뢰자(국민)가 원하는 요구를 충분히 충족시켜 줄 수 있는 의지와 전문적 지식 및 기술을 가지고 있는지의 여부를 말하는 것이다.
   - 권력의 정당성: 권력의 성립과정이 국민의사를 토대로 해서 합법적으로 이루어져야 한다는 것이다.
   - 정책의 일관성: 정책이나 언행이 수시로 변하지 않고 지속성을 띠는 것이다.
   - 행정의 공개성: 정책결정이나 정보가 모두에게 차별 없이 노정되는 것이다.
   - 행정의 공정성: 불편부당하고 공평하게 고객에 대한 업무를 처리하는 것이다.
   - 집단적 동질성: 피신뢰자로부터 고객들이 집단적 동질성을 느끼는 것이다.

4. 행정불신의 원인과 신뢰성 제고방안

(1) 행정불신의 원인

① **행정구조의 측면:** 규칙내용이 지나치게 이상적이거나 비현실적인 경우, 정책결정의 비공개가 일반적인 경우, 사익을 희생하고 지나치게 공익관에 입각하여 행동할 것을 요구하는 구조의 경우에는 행정불신이 야기된다.

② **행정인의 측면:** 공무원의 부정, 불공평한 법의 적용, 행정의 약속위반, 국민능력에 대한 행정의 불신 등이 원인이 된다.

③ **환경적 측면:** 정치와 경제의 유착관계, 가치체계의 미분화, 정치적 환경의 불안, 행정능력에 대한 국민의 불신 등이 원인이 된다.

(2) 신뢰성 제고방안

① **행정구조의 측면:** 현실성 없는 공약의 지양, 참여의 확대와 절차의 준수에 따른 정책결정, 행정통제의 활성화, 행정재량의 과다 개입의 지양 등이 필요하다.

② **행정인의 측면:** 책임성 있는 공직관, 근무성적평정제도의 개선, 전문직업인으로서의 자세확립, 공정한 법의 집행 등이 필요하다.

③ **환경적 측면:** 정치의 책임성 향상, 행정과 경제관계의 개선, 국가사회의 안정성 제고 등이 필요하다.

3 투명성

1. 의의 및 대두배경

(1) 의의[1]

투명성은 제도와 시스템 그리고 정부활동에 대한 가시성과 예측 가능성의 정도이다. 투명성을 높이기 위해서는 정보에 대한 접근성(국민의 정보이용 가능성)과 정보의 완전성(정보의 양과 질의 확보)이 확보되어야 한다. 이는 정부와 시민 간 정보의 완전한 공유를 의미한다.

(2) 대두배경

① OECD 국가들이 공공부문에서의 핵심적인 가치로서 투명성을 가장 중요하게 제시하고 있다.

② 국제민간기구인 국제투명성위원회에서 부패를 방지하기 위한 가장 중요한 전제조건으로 투명성의 확보를 제시하고 있다.

2. 투명성의 차원

(1) 과정의 투명성

의사결정과정의 투명성으로, 정부의 의사결정과정에 시민이 참여하는 것이다.

㉥ 서울시 OPEN 시스템*

(2) 결과의 투명성

집행과정을 통한 결과의 투명성으로서 결정된 의사결정이 제대로 집행되고 있는가를 확인할 수 있도록 하는 것이다.

㉥ 서울시의 청렴계약제나 시민옴부즈만제도

---

❶ 정치·행정분야에서의 투명성

정치·행정분야에서는 국민의 알권리, 공공부문 책임성 논의와 관련한 정보공개, 접근성, 열린 정부, 공개성 등의 표현이 투명성 개념으로 발전하고 있다. 이것은 단순히 행정정보에 대한 주권자의 접근이나 정보제공이 아니라 적극적 관점으로의 전환을 의미한다. 즉, 행정에 대한 주민의 참여 개념으로 발전하고 있으며, 특히 전자정부의 구축에 힘입어 투명성과 공개성은 더욱 제고되고 있다(이원희).

용어

OPEN 시스템*(The Online Procedures Enhancement for Civil Applications): 오픈시스템은 서울시의 민원처리 온라인 시스템을 말하며, 정보기술을 활용하여 민원처리의 접수부터 최종 처리까지의 전 과정을 실시간으로 인터넷을 통하여 공개하는 제도이다.

핵심 OX

01 사회적 자본은 신뢰를 기반으로 한 사회에서 증가한다. (O, X)

02 우리나라의 경우 충분한 사회적 자본의 축적을 통한 신뢰사회 구축이 중요한 과제이다. (O, X)

03 신뢰는 일종의 도덕적 자원으로 확대재생산이 가능한 자원으로 인식된다. (O, X)

04 국가에 대한 국내외 신뢰뿐만 아니라, 정책, 기업, 대통령, 정당, 시민단체, 제3섹터, 민간 등에 대한 종합적인 신뢰의 확립이 중요한 과제로 등장하고 있다. (O, X)

01 O
02 O
03 O
04 O

(3) 조직의 투명성

조직 자체의 개방성과 공개성을 확보하는 것으로서 관련된 규정, 정책, 고시, 입찰 등을 공개·개방하는 것이다.

㉠ 각급 행정기관의 공시제도(publicity)의 도입

3. 중요성

(1) 투명성은 부당한 결정, 지연, 낭비를 방지할 수 있으며, 부패를 방지하여 행정의 신뢰성을 높일 수 있다.

(2) 사회적 자본의 축적과 공직기강의 확립을 위해서도 투명성이 확보되어야 한다.

(3) 궁극적으로 행정책임을 강화하고 정부활동의 생산성을 제고할 수 있다.

4. 우리나라 행정의 투명성이 낮은 이유

(1) 정보공개제도의 미성숙한 운영 때문이다.

(2) 비일관적인 정책이 실시된다.

(3) DAD(Decide - Announce - Defence)*식 밀실행정이 이루어진다.

(4) 높은 시간할인율, 조급성 등이 원인이 된다.

용어

DAD*: DAD(Decide-Announce-Defence)방식이란 정부가 일방적으로 정책을 결정하고 발표한 후에 반발이 일어나면 방어하는 방식으로 정책을 추진하는 것을 말한다. 이와 대비되는 개념으로 PI방식이 있는데, PI(Public Involvement) 방식이란 정책의 결정 및 집행과정에서 이해관계자인 주민의 참여를 최대한 보장하고 쟁점에 대해 적극적으로 협의하고 합의를 모색하는 것을 말한다.

5. 확보방안

(1) 정보공개 및 관리측면의 투명성 확보

① 행정상의 중요한 정보와 행정상 결정이나 집행에 관해 시민이 알 수 있도록 적극적으로 공개하는 것이 가장 중요하다.

② 우리나라의 경우 「공공기관의 정보공개에 관한 법률」이 있으나, 아직 비공개의 대상이 많아 논란이 되고 있다.

(2) 내부고발자 보호장치(whistle blower protection)

소극적인 방법이기는 하지만 내부고발자 보호장치를 통해 간접적으로 투명성을 확보하는 방안도 있다. 우리나라의 경우 2001년에 「부패방지 및 국민권익위원회의 설치와 운영에 관한 법률」을 제정하여 내부고발자 보호장치를 도입하였으나 아직 활성화되지 못하고 있다.

(3) 주민참여 및 주민감사청구권 보장

「행정절차법」 등을 제정하여 정책결정과정에서 주민의 참여를 보장한다. 시민참여예산제도나 주민감사청구제도가 투명성 확보의 장치가 된다.

(4) 전자정부의 구현

다양한 전자적 과정을 통해서 행정 내부의 투명성을 기할 수 있도록 한다.

(5) 정책실명제의 활용

정책실명제의 도입을 통해서 책임을 명확하게 지는 조직분위기를 유도한다.

핵심 OX

01 행정의 투명성 향상은 사회적 자본과 밀접한 관련이 있다. (O, X)

02 행정의 투명성, 책임성, 통제 및 대응성이 높을수록 좋은 거버넌스라고 할 수 있다. (O, X)

01 O
02 O

학습 점검 문제

01 테일러(Taylor)의 과학적 관리론에 대한 설명으로 옳지 않은 것은? 2021년 국가직 9급

① 관리자는 생산증진을 통해서 노 · 사 모두를 이롭게 해야 한다.

② 조직 내의 인간은 사회적 욕구에 의해 동기가 유발된다고 전제한다.

③ 업무와 인력의 적정한 결합은 노동자가 아닌 관리자에 의해 결정되어야 한다.

④ 업무수행에 관한 유일 최선의 방법을 찾기 위해 동작연구와 시간연구를 사용한다.

02 인간관계론의 주요 내용이 아닌 것은? 2012년 서울시 9급

① 의사소통과 리더십

② 시간과 동작에 관한 연구

③ 비경제적 요인의 우월성

④ 비공식 집단중심의 사기 형성

⑤ 사회적 능력과 사회적 규범에 의한 생산성 결정

03 행태론적 접근방법에 대한 설명으로 가장 옳지 않은 것은? 2017년 서울시 7급

① 행태주의는 사회과학이 행태에 공통된 관심을 갖고 있기 때문에 통합된다고 보고 있다.

② 행정의 실체는 제도나 법률이 아니라고 주장하며, 행정인의 행태에 초점을 맞춘다.

③ 논리실증주의를 강조한 사이먼(Simon) 이후 행정학 분야에서 크게 발전하였다.

④ 사회적 문제의 개선에 기여할 수 있는 연구와 가치평가적 정책연구를 지향한다.

정답 및 해설

01 과학적 관리론

조직 내의 인간은 사회적 욕구에 의해 동기가 유발된다고 전제하는 것은 인간관계론이다. 과학적 관리론은 인간이 경제적인 욕구에 의해 동기가 유발된다고 전제한다.

02 인간관계론

시간과 동작에 관한 연구는 인간관계론이 아니라 과학적 관리론의 주요 연구 중 테일러(Taylor)가 주장한 과업관리의 내용이다.

03 행태론적 접근방법

④는 행태론이 아니라 후기 행태주의 및 신행정론의 특징에 해당한다. 행태론은 이론적 체계를 통한 과학성을 높이기 위하여 가치와 사실을 구분하고 사실 중심의 가치중립적 연구를 추구하였다.

정답 01 ② 02 ② 03 ④

04 **비교행정의 한계에 대한 설명으로 옳지 않은 것은?** 2016년 지방직 7급

① 독자적인 연구대상을 획정하기가 어렵다.

② 환경과 행정의 교류적 관계를 경시한 정태적 접근이다.

③ 처방성과 문제해결성을 강조함에 따라 행정의 비과학화를 초래하였다.

④ 행정을 지나치게 과소평가함으로써 행정의 독자성을 무시하고 행정의 종속성을 강조하고 있다.

05 **미국에서 등장한 행정이론인 신행정학(New Public Administration)에 대한 설명으로 옳지 않은 것은?**

2019년 지방직 9급

① 신행정학은 미국의 사회문제 해결을 촉구한 반면 발전행정은 제3세계의 근대화 지원에 주력하였다.

② 신행정학은 정치행정이원론에 입각하여 독자적인 행정이론의 발전을 이루고자 하였다.

③ 신행정학은 가치에 대한 새로운 인식을 기초로 규범적이며 처방적인 연구를 강조하였다.

④ 신행정학은 왈도(Waldo)가 주도한 1968년 미노브룩(Minnowbrook)회의를 계기로 태동하였다.

06 **블랙스버그 선언(blacksburg manifesto)과 행정재정립운동(refounding movement)에 대한 설명으로 옳지 않은 것은?** 2023년 지방직 9급

① 블랙스버그 선언은 행정의 정당성을 침해하는 정치 · 사회적 상황을 비판했다.

② 행정재정립운동은 직업공무원제를 옹호했다.

③ 행정재정립운동은 정부를 재창조하기보다는 재발견해야 한다고 주장했다.

④ 블랙스버그 선언은 신행정학의 태동을 가져왔다.

07 **공공선택이론에 대한 설명으로 옳지 않은 것은?** 2024년 지방직 9급

① 인간을 이기적이고 합리적인 경제인으로 본다.

② 비시장적 의사결정을 경제학적 관점에서 연구한다.

③ 뷰캐넌(Buchanan), 털럭(Tullock), 오스트롬(Ostrom) 등이 대표적인 학자이다.

④ 경제주체의 집단적 선택행위를 중시하는 방법론적 집단주의 입장이다.

정답 및 해설

04 비교행정의 한계

처방성과 문제해결성을 강조함에 따라 행정의 비과학화를 초래한 것은 비교행정의 한계가 아니라 발전행정론에 대한 설명이다. 비교행정론은 각국의 행정기능에 대한 비교연구를 통하여 행정학의 과학성을 높이고 일반화된 행정을 개발하기 위한 노력으로 진행되었다.

05 신행정학

신행정학은 1968년 왈도(Waldo)가 주도한 미노브룩(Minnowbrook) 회의를 계기로 태동하였다. 그 당시 미국의 정치, 경제, 사회문제를 해결하기 위하여 가치지향성을 추구하며 행정의 적실성과 실천을 강조한 정치행정일원론이다.

06 블랙스버그 선언과 행정재정립운동

신행정학의 태동을 가져온 것은 1968년 12월에 개최된 미노부룩회의이다. 1980년대의 블랙스버그 선언은 미국 사회에서 일어나고 있는 필요 이상의 관료 공격, 대통령의 반관료적 성향, 정당 정치권의 반정부 어조 따위와 같이 행정의 정당성을 침해하는 정치 사회적 문제점을 지적하고 그 원인의 일부가 행정학 연구의 문제점에서 비롯되었음을 주장한 선언이다.

| 선지분석 |

②, ③ 행정재정립운동은 직업공무원제의 적극적인 역할을 옹호하였으며, 정부를 재창조하기보다는 재발견해야 한다고 주장했다.

07 공공선택이론의 접근방법

공공선택이론의 접근방법은 경제주체의 집단적 선택행위를 중시하는 방법론적 집단주의 입장이 아니라, 경제주체 개인의 최적화를 추구하는 방법론적 개체(개인)주의 입장이다.

정답 04 ③ 05 ② 06 ④ 07 ④

08 **행정학의 접근방법에 대한 설명으로 옳지 않은 것은?** 2021년 지방직 7급

① 생태론적 접근방법은 외부 환경이 행정 체제에 영향을 미친다는 시각으로 환경에 대한 행정의 주체적인 역할을 경시했다는 비판을 받는다.

② 후기행태주의는 적실성(relevance)과 실천(action)을 강조하고, 가치중립적인 과학적 연구보다는 가치평가적인 정책연구를 지향하였다.

③ 공공선택이론은 권한이 분산된 여러 작은 조직들에 의해 공공서비스가 공급되는 것보다 단일의 대규모 조직에 의해 독점적으로 공급되는 것을 선호한다.

④ 역사적 제도주의에서 제도는 경로의존성과 관성적인 성향으로 인해 새로운 환경의 변화에 적절히 대응하지 못할 수도 있다.

09 **신제도주의에 대한 설명으로 옳지 않은 것은?** 2021년 지방직 9급

① 제도는 법률, 규범, 관습 등을 포함한다.

② 역사적 제도주의는 제도가 경로의존성을 따른다고 본다.

③ 사회학적 제도주의는 적절성의 논리보다 결과성의 논리를 중시한다.

④ 합리적 선택 제도주의는 제도가 합리적 행위자의 이기적 행태를 제약한다고 본다.

10 **포스트모더니즘에 기초한 행정이론의 특징으로 가장 옳지 않은 것은?** 2018년 서울시 9급

① 맥락의존적인 진리를 거부한다.

② 타자에 대한 대상화를 거부한다.

③ 고유한 이론의 영역을 거부한다.

④ 지배를 야기하는 권력을 거부한다.

11 **신공공관리론에서 지향하는 '기업가적 정부'의 특성에 해당하지 않는 것은?** 2021년 지방직 9급

① 경쟁적 정부

② 노젓기 정부

③ 성과 지향적 정부

④ 미래 대비형 정부

12 행정이론에 대한 설명으로 옳은 것은? 2023년 국가직 9급

① 과학적관리론은 최고관리자의 운영원리로 POSDCoRB를 제시하였다.

② 행정행태론은 가치와 사실을 구분하고 가치에 기반한 행정의 과학화를 시도하였다.

③ 신행정론은 실증주의적 방법론을 비판하고 사회적 형평성과 적실성을 강조하였다.

④ 신공공관리론은 민간과 공공부문의 파트너십을 강조하고 기업가 정신보다 시민권을 중요시하였다.

정답 및 해설

08 행정학의 접근방법

공공선택이론은 단일의 대규모 조직(중앙정부)보다 권한이 분산된 여러 작은 조직들(다중공공관료제)에 의하여 공공서비스를 공급되는 것을 선호한다.

| 선지분석 |

① 생태론은 행정 체제가 환경의 종속변수로서 역할을 한다는 결정론적 시각이 비판을 받는다.

② 후기행태주의는 신행정론의 토대로서 적실성(relevance)과 실천(action)을 강조하였다.

④ 역사적 신제도주의는 제도가 경로의존성과 관성적인 성향을 갖고 있기 때문에 환경변화에 잘 적응하지 못할 수도 있다고 본다.

09 신제도주의

사회학적 제도주의는 결과성의 논리보다 적절성의 논리를 중시한다. 사회학적 제도주의는 제도의 변화요인으로 사회적 정당성을 통한 적절성의 논리와 동형화를 강조한다.

| 선지분석 |

① 신제도주의에서 제도는 공식적인 법률뿐만 아니라 비공식적인 규범, 관습 또는 인지체계 등이 포함된다.

② 역사적 제도주의에서 제도는 역사적 맥락과 지속성의 산물로 역사적 경로에 의존한다고 본다.

④ 합리적 선택 제도주의는 제도는 개인적 행위자들의 전략적 균형점으로 지나치게 이기적 행태(독점, 과점 등)를 제약한다고 본다.

10 포스트모더니즘 행정이론

포스트모더니즘 행정이론은 시간과 공간을 초월하는 보편적 진리보다는 시대와 상황에 따라 다르게 적용되는 맥락의존적인 진리를 인정한다.

| 선지분석 |

② 포스트모더니티는 타인을 조작이나 인식의 대상으로 보지 않고 자신과 소통과 교류가 가능한 도덕적 주체(타자)로 본다. 즉, 타인을 인식적 타자가 아니라 도덕적 타자로 본다.

③ 포스트모더니티는 이론 간 고유한 경계나 영역을 거부하는 탈영역화를 강조한다.

④ 포스트모더니티는 인간을 억압하고 통제하는 지배 권력을 거부하고 인간의 해방주의를 주장한다.

11 기업가적 정부

신공공관리론에서 지향하는 '기업가적 정부'는 촉진적 정부로서 노젓기가 아니라 방향잡기를 강조한다. 노젓기는 전통적 정부에 해당하는 설명이다.

| 선지분석 |

① 경쟁적 정부, ③ 성과 지향적 정부, ④ 미래 대비형 정부(예견적 정부)는 '기업가적 정부'의 특성에 대한 설명이다.

12 주요 행정이론

신행정론은 탈실증주의와 탈행태주의를 추구하며 사회적 형평성과 적실성을 신조로 하였다.

| 선지분석 |

① 최고관리자의 운영원리로 POSDCoRB를 제시한 사람은 귤릭(L. Gulick)이다. 귤릭(Gulick)은 『행정학 논총』(1937)에서 행정의 제1공리로 능률성을 강조하며, 최고관리자의 7가지 기능으로 POSDCoRB를 제시하였다.

② 행정행태론은 사실과 가치를 구분하여 사실에 기반한 행정의 과학화를 시도하였다.

④ 민간과 공공부문의 파트너십을 강조한 것은 뉴거버넌스론에 대한 설명이다.

정답 08 ③ 09 ③ 10 ① 11 ② 12 ③

13 **신공공관리론에 입각한 정부개혁의 내용으로 옳지 않은 것은?** 2024년 국가직 9급

① 효율성 대신 형평성에 초점을 맞춘 고객지향적 정부 강조

② 수익자 부담 원칙의 강화

③ 정부 부문 내의 경쟁원리 도입

④ 결과 혹은 성과 중심주의 강조

14 **다음 대화에서 옳지 않은 말을 한 사람은?** 2023년 국가직 7급

> A: 신공공관리론의 학문적 토대는 신고전학파 경제학인데, 넛지이론은 공공선택론이야.
> B: 신공공관리론은 효율성을 증대하여 고객 대응성을 높이자는 목표를 가지는데, 넛지이론은 행동변화를 통해서 삶의 질을 높이는 것이 목표야.
> C: 신공공관리론에서는 경제적 합리성을 가정하지만, 넛지이론에서는 제한된 합리성을 가정하지.
> D: 신공공관리론에서는 공무원이 정치적 기업가가 되길 원하지만 넛지이론에서는 선택설계자가 되길 바라지.

① A　　② B

③ C　　④ D

15 **신공공관리와 뉴거버넌스에 대한 설명으로 옳은 것은?** 2021년 국가직 9급

① 뉴거버넌스가 상정하는 정부의 역할은 방향잡기(steering)이다.

② 신공공관리의 인식론적 기초는 공동체주의이다.

③ 신공공관리가 중시하는 관리 가치는 신뢰(trust)이다.

④ 뉴거버넌스의 관리기구는 시장(market)이다.

16 **신공공서비스론의 특성에 대한 설명으로 옳지 않은 것은?** 2021년 국가직 9급

① 정부의 역할은 시민에 대한 봉사여야 한다.

② 공익은 개인적 이익의 집합체이기 때문에 시민들과 신뢰와 협력의 관계를 확립해야 한다.

③ 책임성이란 단순하지 않기 때문에 관료들은 헌법, 법률, 정치적 규범, 공동체의 가치 등 다양한 측면에 관심을 기울여야 한다.

④ 생산성보다는 사람에게 가치를 부여하기 때문에 공공조직은 공유된 리더십과 협력의 과정을 통해 작동되어야 한다.

17 무어(Moore)의 공공가치창출론(creating public value)적 시각에 대한 설명으로 옳지 않은 것은? 2023년 지방직 9급

① 행정의 정당성 위기를 극복하기 위한 대안적 접근이다.

② 전략적 삼각형 개념을 제시한다.

③ 신공공관리론을 계승하여 행정의 수단성을 강조한다.

④ 정부의 관리자들은 공공가치 실현에 힘써야 한다고 주장한다.

정답 및 해설

13 신공공관리론의 주요 이념

신공공관리론은 시장원리와 고객지향주의를 기반으로 하는 것으로 형평성이 아니라 효율성에 초점을 맞춘 고객지향적 정부를 강조한다.

14 신공공관리론과 넛지이론

신공공관리론(NPM)의 학문적 토대는 신고전학파 경제학(공공선택론)인데, 넛지이론의 학문적 토대는 행동경제학이다.

❶ 신고전학파 경제학과 행동경제학의 비교

구분	신고전파 경제학	행동경제학
인간관	· 완전한 합리성 · 이기성 · 경제적 인간(homo economicus)	· 제한된 합리성, 생태적 합리성 · 이타성 · 호혜성 · 심리적 인간(homo psychologicus)
연구방법	가정에 기초한 연역적 분석	실험을 통한 귀납적 분석
의사결정 모델	· 효용극대화 행동 · 기대효용이론(효용함수)	· 만족화 행동, 휴리스틱 · 전망이론(가치함수)
정부역할의 근거와 목적	· 시장실패와 제도실패 · 제화의 효율적인 생산과 공급	· 행동적 시장실패 · 바람직한 의사결정 유도
정책수단	법과 규제, 경제적 유인	넛지(선택설계)
이론	공공선택론	넛지이론

15 신공공관리와 뉴거버넌스

신공공관리와 뉴거버넌스가 상정하는 정부의 역할은 방향잡기(steering)이다.

| 선지분석 |

② 신공공관리의 인식론적 기초는 신자유주의이다.

③ 신공공관리가 중시하는 관리 가치는 경쟁(competition)이다.

④ 뉴거버넌스의 관리기구는 연계망(network)이다.

16 신공공서비스론

공익을 개인적 이익의 집합체로 보는 것은 신공공관리론(NPM)의 특성이다. 신공공서비스론은 공익을 구성원이 공유하는 가치에 대한 담론의 결과로 본다.

17 무어(Moore)의 공공가치창출론(creating public value)

무어(Moore)의 공공가치창출론(creating public value)은 1990년대 중반에 신공공관리론을 비판하며 등장한 이론이다. 이는 신공공관리론이 야기한 행정의 정당성 위기, 즉 행정의 공공성 약화를 극복하기 위한 대안적 패러다임으로, 정부의 관리자들이 공공가치 실현에 힘써야 한다고 주장했다.

| 선지분석 |

② 공공가치창출을 위한 전략적 삼각형 모델을 제시하며 전략적 삼각형은 ㉠ 정당성과 지지의 확보, ㉡ 공공가치의 형성, ㉢ 운영역량의 형성이다.

정답 13 ① 14 ① 15 ① 16 ② 17 ③

18 **공공가치론에 대한 설명으로 옳은 것만을 모두 고르면?** 2024년 지방직 9급

> ㄱ. 무어(Moore)는 공공가치 실패를 진단하는 도구로 '공공가치 지도그리기(mapping)'를 제안한다.
> ㄴ. 보즈만(Bozeman)은 공공기관에 의해 생산된 순(純) 공공가치를 추정하는 '공공가치 회계'를 제시했다.
> ㄷ. '전략적 삼각형' 모델은 정당성과 지지, 운영 역량, 공공가치로 구성된다.
> ㄹ. 시장과 공공부문이 공공가치 실현에 필수적으로 요구되는 재화와 서비스를 제공하지 못할 때 '공공가치 실패'가 일어난다.

① ㄱ, ㄴ　　② ㄱ, ㄹ

③ ㄴ, ㄷ　　④ ㄷ, ㄹ

19 **행정이론의 발달을 오래된 순서대로 바르게 나열한 것은?** 2023년 지방직 9급

> (가) 과학적 관리론 - 테일러(Taylor)
> (나) 신공공관리론 - 오스본과 게블러(Osborne & Gaebler)
> (다) 신행정론 - 왈도(Waldo)
> (라) 행정행태론 - 사이먼(Simon)

① (가) - (다) - (라) - (나)　　② (가) - (라) - (다) - (나)

③ (라) - (가) - (나) - (다)　　④ (라) - (다) - (나) - (가)

20 **사회적 자본에 대한 설명으로 옳지 않은 것은?** 2015년 지방직 7급

① 사회적 자본을 축적하기 위해서는 자발적 결사체의 결성과 활동이 촉진될 수 있는 여건이 중요하다.

② 지역이 보유하고 있는 물질적 자원을 중심으로 한 발전전략에 따라 강조되었다.

③ 주요 속성으로는 상호신뢰, 호혜주의, 적극적 참여 등이 있다.

④ 공동체 의식의 강화를 통하여 지식의 공유와 네트워크의 강화를 기대할 수 있다.

21 사회적 자본에 대한 설명으로 옳은 것은? 2021년 국가직 7급

① 사회적 자본이 증가하면 제재력이 약화되는 역기능이 있다.

② 타인에 대한 신뢰는 사회적 자본의 구성요소가 아니다.

③ 호혜주의는 사회적 자본에 영향을 미치지 않는다.

④ 사회적 자본은 거래비용을 감소시키는 순기능이 있다.

정답 및 해설

18 공공가치관리론

공공가치관리론에 대한 설명으로 옳은 것은 ㄷ, ㄹ이다.

ㄷ. 무어(Moore)의 공공가치창출론은 정당성과 지지, 운영 역량, 공공가치로 구성되며 이들 간의 전략적 관리로 공공가치가 창출된다고 본다.

ㄹ. 보즈만(Bozeman)은 공공가치실패론에서 시장 메커니즘이 효율적으로 작동하고 있음에도 불구하고 본질적 가치를 제공하지 못할 때 '공공가치 실패'가 발생하며 이는 정부개입의 근거가 된다고 주장한다.

| 선지분석 |

ㄱ. 보즈만(Bozeman)의 공공가치실패론에서 공공가치 실패를 진단하는 도구로 '공공가치 지도그리기(mapping)'를 제안하였다.

ㄴ. 무어(Moore)는 공공기관에 의해 생산된 순(純) 공공가치를 추정하는 '공공가치 회계'를 제시하였다.

19 행정이론의 발달

(가) 과학적 관리론(1880~1920) - (라) 행정행태론(1940) - (다) 신행정론(1970) - (나) 신공공관리론(1980)의 순서로 행정이론이 발달하였다.

20 사회적 자본

사회적 자본은 사람들 사이의 상호작용과정에서 창출되며 사람의 인식, 믿음 속에 존재하는 무형의 자본으로 물질적 자원과는 거리가 멀다.

21 사회적 자본

사회적 자본은 구성원 간 신뢰와 협력을 바탕으로 하기 때문에 거래비용을 감소시키는 순기능이 있다.

| 선지분석 |

① 사회적 자본이 증가하면 사회적 규범이 형성되기 때문에 구성원들의 일탈에 대한 제재력이 강화되는 순기능을 가진다.

② 구성원 간 신뢰나 믿음은 사회적 자본의 구성요소이다.

③ 사회적 자본의 구성요소로서 규범은 호혜적 성격을 갖는 것으로 개인적 이기주의나 이타적인 무조건적인 봉사가 아닌 호혜주의적인 규범이다.

정답 18 ④ 19 ② 20 ② 21 ④

CHAPTER

4 행정의 가치와 이념

1 행정의 가치와 이념

1 행정의 가치

1. 가치(value)

(1) 의의

가치란 어떤 현상과 사물에 대한 주관적 평가이다. 즉, 가치는 어떤 현상에 대한 좋음과 싫음, 옳음과 그름, '해야 하는 것'과 '하지 말아야 하는 것'과 관련되는 판단이다.

(2) 가치연구의 대두배경

행정학에서 가치에 관한 연구가 본격적으로 관심을 끌기 시작한 것은 신행정론이 등장한 이후부터이다. 신행정론을 주창한 학자들은 당시의 사회문제를 해결하기 위해서 현실적합성(relevance)과 실천성(action)을 가지는 처방적 학문이 필요하다는 점을 강조하였다. 현실적 처방을 위해서는 경험적 · 실증적 지식뿐만 아니라 당위적 · 규범적 지식도 필요하므로 가치의 문제가 주요 연구대상으로 부각되었다.

2. 행정이 추구하는 가치[1]

(1) 학문적 지향

경험적 지향 (sein)	· '있는 그대로'의 현상의 세계, 경험의 세계를 대상으로 하여 그 속의 인과관계를 규명하려고 하는 연구를 지향한다. · 경험과학으로서의 행정학을 지향한다.
규범적 지향 (sollen)	· 어떤 것이 바람직하다고 믿는 기준에 따라 '있어야 할' 이상적인 질서를 추구하는 연구를 지향한다. · 행정을 통해 달성하려는 궁극적 목표와 여러 단계의 행정과정 속에 존재하는 가치의 문제를 다루는 행정철학을 지향한다.

(2) 카플란(Kaplan)의 유형론(가치문제가 논의될 수 있는 상황 맥락)

개인적 맥락 (개인의 입장에서 판단)	개인이 가지고 있는 입장이나 선호 · 욕구 등을 가치로 파악하는 입장이다. 예 특정 정책문제에 대한 해결을 지지 · 찬성하는 경우
표준적 맥락 (특정 집단의 입장에서 판단)	어떤 특정 집단이 어떤 가치를 가지고 있다는 식으로 가치를 파악하는 입장이다. 예 "흑 · 백인 혼용 통학버스제도는 중류층 시민들의 눈에는 나쁜 정책으로 비친다."라는 식으로 표현되는 경우

[1] 행정이 추구하는 가치
1. 앤더슨(Anderson)의 정책결정자의 가치 기준: 정치적 가치, 조직의 가치, 개인의 가치, 정책의 가치, 이념적 가치
2. 굿셀(Goodsell)의 가치 지향: 수단지향적 접근법, 도덕성 가치지향 접근법, 다수인지향 접근법, 시장지향적 접근법, 임무지향적 접근법
3. 보즈맨(Bozeman)의 정책철학: 합리주의(형식적 공익관), 중개주의(합계적 공익관), 이기주의(공익 부재관), 이전주의(규범적 공익관), 보호주의(절차적 공익관), 실용주의(다원적 공익관)

이상적 맥락 (사회 전체의 입장에서 판단)	행정의 기본적 가치를 의미하는데 가치판단 기준으로서 개인적 선호나 특정 집단의 가치관을 초월한 가치이다. 예 "흑·백인 혼용 통학버스제도는 사회적 형평성을 증진시키는 제도이기 때문에 바람직하다."라고 하는 경우에서 사회적 형평성과 같은 가치판단이 되는 기준

(3) 액코프(Ackoff)의 행정가치의 분류(도구성 기준)

본질적 가치 (목표적 의미)	· 행정을 통해 이룩하고자 하는 궁극적 가치이다. · 공익, 정의, 자유, 평등(형평성), 복지가 있다.
수단적 또는 비본질적 가치	· 행정이 추구하는 본질적 행정가치를 달성하기 위한 수단이 되는 가치이다. · 실제적인 행정과정에서 구체적 지침이 되는 규범적 기준이다. · 사회적 자원의 배분기준에 관한 능률성, 효과성, 합법성, 합리성, 민주성 등이 포함된다. · 민주성과 능률성의 관계에서는 민주성을 본질적 가치로, 능률성을 수단적 가치로 보는 견해도 있다.

2 행정의 이념

1. 의의 및 기능

(1) 의의

행정이념은 행정이 지향하는 최고가치 내지는 신념이며 나아가서 공무원의 행동지침이나 국가의 운영방향이다.

(2) 기능

① 행정의 방향을 제시한다.

② 행정의 존재가치를 파악하게 한다.

③ 목표설정 및 결과의 평가기준이 되기도 한다.

2. 행정이념의 강조점 변천

행정이념은 불변의 원리가 아니라 정치·경제·문화·사회적 환경이 변화함에 따라서 강조점이 변화되는 상대적인 개념이다. 따라서 19세기 초부터 1990년대 이후인 현재까지 행정학의 발달과정에 따라 행정이념의 강조점도 함께 변화되어 왔다.

구분	19세기 초	19세기 말	1930년대	1940년대	1960년대	1970년대	1980년대	1990년대
행정이론	구제도주의, 구법률주의	기술적 행정학, 과학적 관리론	기능적 행정학, 인간관계론	행정행태론	발전행정론	신행정론	신공공관리론	뉴거버넌스
행정이념	합법성	기계적 능률성	사회적 능률성 (민주성)	합리성	효과성	사회적 형평성	생산성 (효율성)	민주성, 신뢰, 투명성

핵심 OX

01 카플란(Kaplan)의 유형론 중 가치문제가 논의될 수 있는 상황 맥락에서 "흑·백인 혼용 통학버스제도는 사회적 형평성을 증진시키는 제도이기 때문에 바람직하다."라는 것은 표준적 맥락에서 본 관점이다. (O, X)

02 행정을 통해서 이루고자 하는 궁극적 가치를 본질적 가치라고 할 때, 대표적인 것에는 공익, 정의, 형평성, 합법성 등이 있다. (O, X)

03 행정이념은 행정의 방향을 제시해 주고 평가의 기준이 되기도 한다. (O, X)

01 X 사회적 형평성과 같은 기준을 말하므로 사회 전체의 입장에서 판단하는 이상적 맥락이다.
02 X 합법성은 본질적 가치라기보다는 수단적 가치라고 보아야 한다.
03 O

❶ 행정이념 간 관계

부합관계	상충관계
능률성 - 효과성	능률성 - 민주성
능률성 - 중립성	능률성 - 형평성
민주성 - 형평성	능률성 - 가외성
민주성 - 대응성	민주성 - 효과성
민주성 - 공익성	민주성 - 중립성
민주성 - 책임성	합법성 - 효과성
합법성 - 민주성	합법성 - 대응성

❷ 갈등극복방안

1. 일원론
   - 대립하는 두 개의 판단기준이 있을 때, 그 중 일방의 원리만을 기초해서 가치를 인정하고 타방의 가치를 무시하는 방법이다.
   - 다른 가치를 전면적으로 무시한다는 점에서 문제가 있기 때문에 가장 위험한 방법이다.
2. 서열법: 대립하는 두 개의 가치판단 기준이 있을 때, 각각의 중요성을 인정하면서 그들 사이의 상대적인 질적 우열을 확정함으로써 가치 간의 갈등을 해결하는 방법이다.
3. 가중치법
   - 대립되는 이념들 간에 질적 차이가 아닌 상대적 차이를 인정하고 이념들을 골고루 반영할 수 있는 최적 대안을 찾는 방법이다.
   - 계량화할 수 있는 목적들을 중요도에 따라 우선순위로 구분하여 상대적인 가치를 부여하는 방법을 통해 최적해를 도출해 내는 방법이며, 현실적으로 가장 많이 쓰인다.
   - 가중치법은 일원론을 부정하고 쌍방의 가치판단 기준들을 인정한다는 점에서 서열법과 같지만, 두 기준 사이의 차이를 질적 서열이 아닌 상대적인 차이로 본다는 점에서 서열법과 다르다.
4. 상위이념제시법: 가치갈등이 있는 양 이념을 공통적으로 포함할 수 있는 상위이념을 제시하는 방법이다.

3. 이념 상호 간의 문제❶와 갈등극복방안❷

(1) 조화적인 경우

① **능률성과 효과성**: 목표의 신속하고 경제적인 성취를 강조한다.

② **능률성과 중립성**: 둘 다 도구성을 강조한다는 점에서 동일차원이다.

(2) 상충하는 경우

① **능률성과 민주성**

㉠ 일반적으로 정책과정에 국민참여가 활성화되면 민주성은 높아질 수 있으나 정책결정이 지연되는 등 능률성이 떨어질 수 있기 때문에 양자는 상충관계이다.

㉡ 능률성을 사회적 · 인간적인 능률로 이해하는 것은 양자를 조화시키려는 노력과 관련된다.

② **능률성과 형평성**: 국가발전을 하는 데 있어 기반시설이 잘 발달된 도시를 중심으로 할 것인가, 아니면 형평성 차원에서 산간지역을 중심으로 할 것인가의 문제가 대표적인 예이다.

③ **민주성과 효과성**: 능률성을 좀 더 넓게 보는 효과성도 민주성과 상충할 수 있다.

④ **합법성과 대응성**: 합법적인 행정을 하다 보면 행정은 경직되고, 이는 국민들에 대한 대응성을 떨어뜨리는 요인이 되어 상충하게 된다.

2 행정의 본질적 가치

1 공익(public interest)

1. 의의

(1) 공익이란 '국민에 대한 책임 있는 의사결정행위(Schubert의 공익론)'로서 불특정 다수인의 이익, 사회 전체에 공유된 기본가치, 공동이익을 의미한다.

(2) 공익은 쉽게 정의내릴 수 없으며, 국가나 시대에 따라 달라진다.

2. 기능

(1) 국가목표와 방향의 기준이 된다.

(2) 국가권력의 발동근거에 대한 정당성을 제공한다.

(3) 정책결정자의 주관적 · 부분적 가치를 객관적 · 보편적 가치로 전환한다.

(4) 행정관료에게 규범적 · 윤리적 기준을 제시하여 행정의 책임성 확보에 기여한다.

(5) 개인 · 집단의 특정 행위 금지, 억압 및 강요의 근거가 되어 경쟁적 · 대립적 사회집단 간 공존체제의 확립기반을 마련한다.

(6) 정책의 목표 및 성과에 대한 평가기준의 역할을 한다.

(7) 다양하고 대립되는 이익의 공존체계를 구축하여 시민사회를 형성하는 것의 기초를 세우게 한다.

3. 공익의 본질에 관한 학설[1]

(1) 실체설(적극설)

① **의의:** 사익을 초월하여 도덕적이고 규범적인 공익이 선험적(先驗的)으로 존재한다고 보는 견해이다.

② **특징**

㉠ 개인보다 집단의 이익을 우선시하는 전체주의적 입장에 입각해 있다.

㉡ 실체설에 따르면 공익은 사익과 갈등하지 않고 사익보다 우선한다.

㉢ 집단이나 전체의 이익을 강조하므로 민주주의 측면에서 문제가 될 수 있다.

㉣ 정책결정의 엘리트모형(합리주의)과 유사하고 관료의 역할이 적극적이다.

㉤ 통일된 공익 개념을 도출할 수 없으므로 공익 개념이 추상적이다.

③ **주요 학자:** 롤스(Rawls), 플라톤(Platon), 칸트(Kant), 루소(Rousseau) 등이 있다.

(2) 과정설(소극설)

① **의의:** 과정설은 공익은 경험적(經驗的)인 것으로서 사익을 초월한 공익은 없다고 보는 견해이다.

② **특징**

㉠ 공익을 사익의 총합이거나 다원화된 특수이익의 조정과 타협의 결과라고 보는 입장이다(Schubert).

㉡ 개인주의·현실주의적 입장에 해당하고 의사결정의 점증모형(다원주의)과 관련된다.

㉢ 실체설에 비해서 관료의 역할이 소극적이다.

㉣ 과정론적 공익론은 공익을 민주주의를 실현하는 방법과 과정이라고 보는 이론이다.

㉤ 신생국에의 적용이 곤란하다.

㉥ 집단이기주의의 폐단이 우려된다.

③ **주요 학자:** 린드블룸(Lindblom), 하몬(Harmon), 벤틀리(Bently), 슈버트(Schubert) 등이 있다.

(3) 절충설(실체설과 과정설의 조화)

① 공익은 특수한 개별집단의 이익이나 타협의 소산도 아니지만 사익과 전혀 별개의 것도 아니라고 보는 견해이다(Appleby).

② 국가 이익과 개인 이익의 중간인 소비자의 이익을 절충설로 보는 견해도 있다[뷰캐넌(Buchanan), 털록(Tullock) 등 공공선택론자들].

---

[1] 공익에 대한 다양한 관점

1. **규범설(절대적 가치설):** 공익은 규범적·실체적 기준으로서 공공선(public good)과 같은 절대적 가치이다.
2. **보편적 가치설:** 공익은 특수한 가치가 아닌 보편적인 가치이다.
3. **공동체이익설:** 공익은 사익의 단순한 합이 아닌 공동체(국가나 사회)의 이익이다.
4. **총효용극대화설:** 공익은 국민전체의 총효용을 극대화한 것이다.
4. **과정설(절차설):** 공익은 집단과정의 타협적 결과로서 민주주의의 산물이다.
5. **공리주의설:** 공익은 사회구성원(개인)의 효용극대화(사익의 집합)이다.
6. **중간설(절충설):** 공익은 개별집단의 이익보다 광범위한 다수 또는 소비자의 이익이다.
7. **공공재설:** 공익은 외부효과나 집합소비성이 큰 공공재이다.

핵심 OX

01 가치와 이념 간의 갈등극복방안에서 대립되는 이념들 간에 질적 차이가 아닌 상대적 차이를 인정하고 이념들을 골고루 반영할 수 있는 최적 대안을 찾는 방법은 가중치법이다. (O, X)

02 정치행정이원론은 공익의 개념에 대한 관심이 대두하게 된 요인과 관련이 깊다. (O, X)

03 공익의 선험성을 가정하는 것은 과정설과 관련되고, 경험성을 강조하는 것은 실체설과 관련된다. (O, X)

04 공익의 실체설은 의사결정모형에서 점증모형과 밀접한 관련이 있고, 과정설은 합리모형과 관련된다. (O, X)

01 O
02 X 정치행정일원론이 가치를 포함하므로 공익과의 관련성이 있다.
03 X 공익이 선험적으로 존재한다고 가정하는 것은 공익의 실체설과 관련된다. 과정설은 공익이 실제적으로 존재한다는 것이 아니라 협상을 통해서 도출되는 것에 불과하다고 본다.
04 X 점증모형은 정치적 과정을 통해서 의사결정이 이루어진다고 보므로 공익의 과정설과 밀접한 관련이 있다.

개념PLUS 공익의 본질에 관한 학설

실체설 (적극설)	· 공익은 사익을 초월하여 도덕적 · 규범적인 것으로 존재함(선험적) · 공익과 사익은 별개의 존재(사익보다 공익 우선) · 집단의 이익을 중시하는 집단주의적 입장 · 적극적 정부(관료)역할 · 합리모형, 엘리트주의와 관련 · **주요 학자:** 플라톤(Plato), 아리스토텔레스(Aristotles), 루소(Rousseau), 헤겔(Hegel), 마르크스(Marx), 롤스(Rawls)
과정설 (소극설)	· 사익을 초월한 공익은 없으며, 공익이란 사익의 총합이거나 다원화된 특수이익의 조정과 타협의 결과임(상대적 구별) · 개인주의적 · 현실주의적 입장(복잡성, 다원성) · 소극적 정부(관료)역할 · 점증모형, 다원주의와 관련 · **주요 학자:** 헤링(Herring), 홉스(Hobbs), 린드블룸(Lindblom), 흄(Hume), 벤틀리(Bentley), 트루만(Truman), 슈버트(Schubert)[1], 키(Key), 벤담(Bentham)
절충설 (중간설)	· 실체설과 과정설의 중간적 견해 · 공공선택론자: 국가의 이익과 개인의 이익의 중간인 소비자의 이익을 공익으로 봄 · 공익은 특수한 개별집단의 이익이나 타협의 소산도 아니지만 사익과 전혀 별개의 것도 아님(Appleby). · **주요 학자:** 뷰캐넌(Buchanan), 털록(Tullock), 애플비(Appleby)

2 정의(justice)

1. 의의

① **아리스토텔레스(Aristoteles):** 정의를 '동등한 사람이 똑같은 배당을 받는 것'이라고 하면서 평등의 개념과 관련시켰다.

② **롤스(Rawls):** 공정성으로 풀이하면서 "배분적 정의가 무엇보다 평등의 원칙에 입각해야 한다."라고 주장하며 결과보다는 과정에 기초를 두는 법칙론적 윤리설의 관점을 취하였다.

2. 롤스(Rawls)의 정의론(theory of justice)

(1) 의의 및 전제조건

① **의의:** 사회정의란 분배적 정의를 의미하는 것으로, 공정성으로서 정의를 파악하였다. 즉, 평등원칙에 따라 사회구성원들에게 공정하게 배분되어야 한다고 보았다.

② **전제조건**[2]

㉠ **인지적 조건:** 원초적인 자연 상태로서 '무지의 베일'[3]을 설정하여 그러한 상황하에서 정의를 도출해 내는 것으로 '절차적 정의관'이라고도 한다.

㉡ **동기적 조건:** 자신의 이익은 극대화하지만 타인에 대하여는 원한도, 동정도 없는 최소한의 이해 · 관심만 가진 가장 보편적인 인간(상호 무관심적 합리성)의 상태를 가정함으로써 만장일치를 이끌어 낼 수 있는 조건이다. 이러한 상황에서 최소극대화(maximin) 원리에 입각해서 정의가 도출된다고 보았다.

---

❶ 슈버트(Schubert)의 공익인지 유형론

1. **합리주의자(합리론) – 간접민주주의적 공익론**
   · 주권자인 국민이 정책결정자들에게 결정권을 위임하면서 정치적 책임을 확보하도록 하는 간접민주주의원리에 따라 정책결정이 이루어질 때 공익이 보장된다는 주장이다.
   · 합리주의적 행정인은 실증주의자로서, 행정목표는 공익결정과정에서 이미 주어진 것으로 본다.
2. **이상주의자(이상론) – 자연법과 양심**
   · 자연법만이 완전하고 합리적인 법이기 때문에 정책과정에서 결정자는 자신의 선입견을 버리고 자연법에 의존하여 결정하여야 한다.
   · 이상주의적 행정인은 공익 해석에 있어 결정자에게 광범위한 재량권 행사를 주장하며, 결정자들이 자연법과 양심에 따라 정책을 결정할 때 공익이 확보된다고 본다.
3. **현실주의자(현실론) – 이익집단론, 적법절차론**
   · 이익집단적 공익론의 폐단에 대한 시정노력을 기울여야 한다고 본다. 즉, 소수의 이익집단들을 보호하기 위한 조치, 조용한 다수를 위한 조치를 마련해야 한다고 본다.
   · 정책이 실제로 결정되는 현실을 정확히 이해한 후 실현가능한 공익 확보방안을 강구해야 한다는 논리로서, 현실주의적 행정인은 이해갈등을 공익에 맞는 행동으로 변화시키는 촉매자로 보고 있다.

❷ 사회계약론

1. **가정:** 사회계약론에 의하면 모든 사람은 국가가 성립되기 이전인 자연상태(원초적 상태)에서 구성원들의 이성적 판단에 따른 사회형태는 극히 합리적일 것이라고 가정한다.
2. **계약:** 이러한 가정하에 이미 생명 · 자유 및 재산에 대한 자연법상의 권리를 갖고 있었으며, 이 권리를 확실히 보장하기 위해 그 사회 구성원들의 합의에 의한 계약에 따라 국가라는 조직을 성립시켰다는 이론이다.

(2) 정의의 두 원칙

① **제1원칙(동등한 자유의 원칙):** 다른 사람의 동일한 자유와 상충되지 않는 범위 내에서 최대한으로 동등한 자유를 보장한다.

② **제2원칙(정당한 불평등의 원칙)**

㉠ **기회균등의 원리:** 모든 사람에게 직무와 직위는 공정하게 개방되어야 한다는 원리이다.

㉡ **차등조정의 원리:** 불평등의 시정은 가장 불리한 입장에 있는 사람(사회적 약자, 극빈층)에게 최대한 이익이 되도록 조정되는 경우에만 정당하다는 원리이다(최소극대화원리: maximin). 이러한 차등조정의 원리는 형식적인 기회균등의 원리를 실질화시키는 측면이 있다.

③ **원칙 간의 우선순위:** 제1원칙이 제2원칙보다 우선되어야 하고 제2원칙 중에서는 기회균등의 원리가 차등조정의 원리보다 우선한다고 본다.

(3) 한계

① 좌파에서는 완전한 평등이 아닌 '바람직한 불평등'이라는 개념을 인정하지 않았고, 우파에서는 개인의 자유를 제한한다고 비판하였다.❹

② 신공동체주의자 에치오니(Etzioni)의 경우 롤스(Rawls)의 정의론은 너무 추상적이라고 비판하며 정의의 문제는 공동체가 공유하는 관행과 전통 속에서 찾아야 한다고 보았다.

③ 애로우(Arrow)와 하산니(Harsanyi)는 불확실한 상황에서의 선택은 평균공리에 의할 것이라고 본다.

④ 이 외에도 사회·경제적 권리보다 정치적 권리에 지나치게 우선순위를 두고 있고, 무지의 베일은 너무 인위적 성격을 띠고 있다는 등의 비판이 있다.

3 사회적 형평성(social equity)

1. 의의 및 대두배경

(1) 의의

① 사회적·경제적·정치적으로 불리한 입장에 있는 계층을 위하여 국가의 특별한 배려를 통해 서비스 배분에 있어 공평성과 평등성을 보장하는 것이다.

② '같은 것은 같게, 다른 것은 다르게' 처방하는 것으로, 정당한 불평등의 개념이 내포되어 있다. 따라서 분배적 정의의 핵심적인 문제는 어떠한 불평등이 정의라는 기준에서 용납될 수 있는 불평등인가를 밝혀내는 것이다.

③ 형식적 평등과 실질적 평등

㉠ **형식적 평등(기회의 균등):** 사회적 가치를 취득할 수 있는 기회나 자격, 권리 등을 동등하게 부여하는 평등이다.

예 공무원선발시험에서의 기회균등

㉡ **실질적 평등(결과의 균등):** 상황에 맞게 사회적 약자나 소수자에 대한 보호를 하는 것으로 형식적 평등으로 인해서 나타나는 불평등을 시정하려는 원리이다.

예 대표관료제

---

❸ 무지의 베일(veil of ignorance)

1. 공정한 이익배분을 위해서는 서로에 대한 사회적 지위나 성격도 모르는 원초적 상태에서 분배원칙이 정해져야 한다. 원초적 상태에 있기 위해서는 모든 사람들이 자신과 자신이 소속된 사회의 특수한 사정에 무지하여야 한다. 무지의 베일이란 상대방에 대한 지식을 없애는 일종의 가상도구라 할 수 있다. 무지의 베일을 쓰고 원초적 상태에 있는 사람들 가운데 가장 적은 몫을 배분받을 것 같은 사람에게 되도록 큰 몫이 돌아가도록 분배의 원칙을 정하는 것이 공정한 정의를 실현하는 것이다.
2. 원초적 상태에서 자신이 빈자(貧者)로 판명될 경우에도 그의 피해를 최소화시킬 수 있는 새로운 계약원리를 모색하게 되는데, 이때 롤스(Rawls)가 그러한 계약원리로서 제시하는 것이 바로 차등원칙 또는 정의의 두 원칙이라고 할 것이다.

❹ 자유주의(우파, 보수)의 정의(justice)

1. **개념:** 자유방임주의에 의거한 전통적 자유주의 입장을 취하는 것으로 벤담의 공리주의인 '최대 다수의 최대 행복'을 전제한다.
2. **한계:** 최대 다수의 행복을 위해 소수에게 희생을 강요함으로써 불평등을 심화시킬 수 있다.

핵심 OX

01 롤스(Rawls)는 정의의 제1원칙보다 제2원칙이 우선되어야 한다고 주장한다. (O, X)

01 X 롤스(Rawls)는 제2원칙(정당한 불평등의 원칙)보다 제1원칙(평등한 자유의 원칙)이 우선해야 한다고 보았다.

(2) 대두배경

신행정론자들은 1960년대 이후 미국사회에서 실업, 빈곤, 무지 등의 악순환이 계속되자 그 이유가 기존의 관료제가 비민주적이고 공리주의적인 총체적 효용성에 사로잡혀 정치적 · 경제적으로 소외되어 온 소수집단에 대해 무관심했기 때문이었다고 보았다. 따라서 이를 극복하기 위해 사회적 형평을 실현하여야 한다고 주장하였다(Fredrickson).

2. 이론적 기준

(1) 평등이론

① 모든 인간은 존엄성과 가치가 동일하다는 전제하에 평등하게 대우를 받아야 한다는 것이다. 즉, 사회적 가치가 구성원 모두에게 동일하게 배분되는 것이 정의롭다고 본다.

② 재산 · 능력 · 신분에 관계없이 결과에 따른 평등을 중시한다(사회주의자).

③ 절대적 평등, 기계적 평등, 결과의 평등, 실질적 평등을 추구한다.

(2) 실적이론

① 모두 똑같은 기회를 부여하고 그에 따른 상이한 배분을 받아야 한다는 것으로, 개인의 능력과 실적에 상응하는 몫을 받는 것을 정의롭다고 본다.

② 기회균등의 보장(능력과 실적에 입각한 대우)을 중시하며, 교환적 정의를 기반으로 상대적 평등을 주장한다(자유주의자).

③ 상대적 평등, 기회의 균등, 절차적 균등, 형식적 평등을 추구한다.

(3) 욕구이론(필요이론)❶

① 인간의 최소한도의 기본적인 욕구를 충족시켜 준다는 입장으로 평등이론과 실적이론의 절충이론에 해당한다.

② 절대적 평등과 상대적 평등의 조화를 추구한다. 즉, 완전한 혹은 획일적 평등을 지향하지 않으며 개개인의 차이를 반영한다.

③ 기회의 공정성이 형식적인 의미만을 가지는 경우 공정하다고 보기 어려우며 이러한 입장은 롤스(Rawls)의 정의론과 같은 맥락이다.

❶ 욕구이론(필요이론)의 성격
욕구이론(필요이론)은 절충적 평등에 가깝지만 수직적 평등과도 관련된다.

개념PLUS 형평성의 이론적 기준과 그 예❷

이론	주창자	평등의 대상	평등의 내용	정책 예시
실적이론	자유주의자	기회의 평등	상대적 · 형식적 · 절차적 평등	비례세, 공개채용제도, 수익자 부담주의
평등이론	사회주의자	결과의 평등	절대적 · 실질적 · 적극적 평등	누진세, 대표관료제, 의무교육제도
욕구이론(필요이론)	양자의 조화	최저수준	절충적 평등	최저임금제, 사회보장제도, 롤스(Rawls)의 정의론

❷ 형평성 방안에 대한 이견
최저임금제, 의무교육, 사회보험, 공공부조 등을 두고 다양한 견해가 있다. 최저임금제의 경우 평등이론과 욕구이론 모두에 속한 것으로 보고 있다. 또한 사회보장제도는 평등이론에 속하는 것으로 보고 있으면서 사회보장의 내용인 사회보험, 연금제도, 공공부조를 욕구이론에 넣고 있다. 이는 평등이론과 욕구이론의 중첩에 기인하는 것으로 볼 수 있다.

고득점 공략 수평적 형평성과 수직적 형평성

수평적 형평성 (실적이론)	'같은 것은 같게' 취급해야 한다는 것 예 1인 1표 원칙, 법 앞의 평등, 동일한 입장료로 동일한 대우를 요구하는 것 등
수직적 형평성 (평등이론)	'다른 것은 다르게' 취급해야 한다는 것을 의미하는데, 일반적으로 가난한 사람들에 대해 우대적 조치(affirmative action)를 하는 것 예 의료보조, 소득재분배정책(누진세나 생계비 지원), 지역인재할당제, 대표관료제 등

4 자유(freedom)

1. 의의

(1) 자유는 일반적으로 제약과 간섭이 없는 상태를 일컫는다.

(2) 자유에는 사회성이라는 한계가 있다. 자유는 타인의 권리 및 자유와 상충되지 않는 범위 내에서 행사되며 보장될 수 있는 것이다.

2. 자유의 유형

(1) 소극적 자유와 적극적 자유(Berlin)

소극적 자유	권력과 맞서는 개인의 자유를 강조하는 '정부로부터의 자유(freedom from government)'로서 개인에 대한 정치권력의 부당한 억압과 강제를 배제하기 위한 법적·제도적 장치를 마련하는 데에 주된 관심을 갖는다.
적극적 자유	정부의 간섭주의를 지향하는 '정부에 의한 자유(freedom by government)' 내지는 '정부에로의 자유(freedom to government)'이다.

(2) 정치적(시민적) 자유와 경제적 자유

정치적 (시민적) 자유	신체에의 폭행·살상으로부터의 자유, 노예적 구속이나 고역으로부터의 자유, 신체의 자유, 프라이버시의 자유, 사상의 자유, 신앙의 자유, 집회·결사의 자유, 표현의 자유, 거주이전의 자유, 직업선택의 자유 등이 있다.
경제적 자유	'경제적 개인주의'에 바탕을 두고 개인의 경제적 선호의 자유로운 표출, 사경제활동의 자유, 개인적 재산의 자유로운 보유·처분을 내용으로 하는 재산에 관한 자유를 말한다.

5 복지(welfare)

1. 잔여적 복지(residual welfare)

복지는 보충성의 원리에 따른다. 즉, 경제적 개인주의나 자유시장이라는 가치에 토대를 두고 시장의 효율성을 크게 저해하지 않는 범위 안에서 이루어진다. 가족과 시장체계에서 제 기능을 하지 못하는 사람 또는 탈락한 사람들을 일시적·한정적·보완적으로 보호하고 지원하는 것으로 최소생활보장, 사회적 낙인 및 수치이론, 시장논리의 강조 등과 관련된다. (예 공공근로, 한시적 생활보호사업, 무료급식, 노숙자 보호 등)

핵심 OX

01 행태론을 비판하며 등장한 신행정론자는 행정가치 중에서 사회적 형평성을 강조하였다. (O, X)

02 사회적 형평성의 이론적 기준 중 욕구이론은 수직적 평등을 주장하는 것과 관련된다. (O, X)

03 지역인재할당제, 대표관료제는 수직적 형평성에 어긋나지만 수평적 형평성에 합당하다. (O, X)

04 사회적 약자에게는 정부가 더 많은 혜택을 베풀어야 한다는 것으로서 다른 것은 다르게 대우해야만 형평성을 실현할 수 있다는 행정이념은 수평적 형평성에 해당한다. (O, X)

01 O
02 O
03 X 지역인재할당제, 대표관료제는 수평적 형평성에 어긋나지만 수직적 형평성에 적합하다.
04 X 사회적 약자에게는 정부가 더 많은 혜택을 베풀어야 한다는 것은 수직적 형평성에 해당한다.

2. 제도적 복지(institutional welfare)

현대 사회의 구조적인 문제로 대두된 사회적 위험에 대해 국가가 적극 개입하여 사회복지제도를 마련하는 것이다. 전체 국민들이 최적의 삶을 지속적으로 영위할 수 있는 권리 차원의 보편적인 복지개념으로, 복지를 개인 · 민간단체가 전적으로 책임지는 것이 아니라 국가가 개개인의 욕구를 고려하는 차원에서 적극적으로 실천해야 한다는 입장이다. 이는 평등 · 인도주의 등의 가치를 토대로 한다. (예 연금보장제도, 건강보험제도 등)

3 행정의 수단적 가치

1 합법성(legality)

1. 법치행정의 의의[1]

(1) 입법국가시대에 정립된 원리로서 행정은 국회가 의결한 법규에 따라 이루어져야 한다는 것이다.

(2) 절대군주의 횡포로부터 국민의 재산과 신체를 보호하기 위해 국민의 대표자들이 만든 법에 의해서 행정이 실행되도록 한 것이다.

❶ 합법성의 의미

1. 소극적 의미의 합법성은 상황에 무관하게 법률을 예외 없이 적용하는 형식적 합법성(법적 안정성)을 의미한다.
2. 적극적 의미의 합법성은 입법의 의도나 목적을 달성하기 위하여 상황에 따라 법률을 신축성 있게 적용하는 실질적 합법성(탄력성)을 의미한다.

2. 구분

(1) 유형

형식적 법치주의(입법국가)와 실질적 법치주의(행정국가)로 구분할 수 있다.

(2) 내용

법률의 법규창조력, 법률우위, 법률유보로 구분할 수 있다.

3. 기능[2]

❷ 합법성의 예

결격사유가 없으면 누구나 공무원 임용시험에 법적인 응시가 가능하다.

(1) 법적 안정성의 확보

관료제가 추구하는 바와 같이 합법성의 추구는 '법 앞의 평등'을 실현할 수 있어 형식적 평등성을 확보하는 데 기여한다.

(2) 예측가능성의 부여

행정을 수행하는 데 또는 서비스나 편익을 누리는 데 있어서 법에 따른 행정은 서로 간의 신뢰성을 높여 준다. 즉, 국민들이 어떠한 절차에 의해서 어떠한 정책이 만들어질 것인지를 법규를 통해서 예측할 수 있다. 따라서 행정이 이루어지지 않을 경우 소송을 제기할 수 있다.

4. 한계

(1) 경직성 초래

급변하는 행정환경 속에서 구세대에 의해서 개념이 확립된 법규에 의한 행정을 추구하는 것은 탄력적이지 못하고 시대에 뒤떨어지게 된다.

(2) 형식주의 초래

형식주의, 즉 외형을 중시하는 풍조를 초래한다.

㉮ 우리나라의 「근로기준법」: 근로자를 보호하기 위한 인식이나 경제환경이 마련되지 못한 상황하에서 선진국 수준의 법 제정을 통해 실질적인 집행의 의사가 없으면서도 대외적으로 그러한 법이 있음을 강조하려는 의도를 가지고 있음

(3) 행정국가화의 도래와 위임입법의 증대

합법성은 원래 국민의 대표인 의회가 정한 법률에 따라서 행정이 집행되어야 하는 것이다. 하지만 행정국가화 경향에 따라 다양한 위임입법이 제정되고 있는데, 이는 의회의 입법원칙인 합법성 원칙을 위협한다.

(4) 실질적 평등의 어려움

형식적 평등의 입장을 강조하는 합법성 원칙에 따를 경우에는 사회적으로 약자에 대한 어떠한 처방도 할 수 없기 때문에 실질적인 평등을 기하기 위해서는 합법성을 좀 더 적극적으로 인식하여야 한다.

2 능률성(efficiency)

1. 의의[1]

(1) 일반적 의의

일반적으로 '산출 / 투입'의 극대화를 추구한다. 이는 비용편익분석, 순현재가치법, 내부수익률법 등으로 판단할 수 있다.

(2) 좁은 의미의 능률성과 넓은 의미의 능률성[2]

① **좁은 의미의 능률성(기계적 능률성)**: 투입에 대한 산출의 비율을 의미한다[산출(output) / 투입(input)].

② **넓은 의미의 능률성(사회적 능률성)**: 투입에 대한 효과의 비율을 의미한다[효과(effect) / 투입(input)].

2. 기계적 능률과 사회적 능률

기계적 능률	· 과학적 관리론, 정치행정이원론인 전통적 행정학에서 강조하였던 개념이다. · 사이먼(Simon)은 이 개념이 능률의 수치화를 중시한다고 보아 이를 '대차대조표식 능률'이라고 명명하였다. · 성과를 계량화하여 객관적인 기준에 의해 평가한다.
사회적 능률 (민주성과 능률성의 조화)	· 디목(Dimock), 메이요(Mayo) 등이 강조하였으며 인간관계론과 밀접한 관련이 있다. · 민주적·상대적 능률을 강조한다. 즉, 행정조직 내부에서 구성원의 인간적 가치의 실현 등을 내용으로 하는 능률관이다. · 기계적 능률관에서 포착하지 못하는 혹은 계량화가 곤란한 행정활동결과의 파급효과까지 고려한다.

❶ 적극적·소극적·퇴행적 능률성

1. **적극적 능률성**: 산출 / 투입에서 투입은 고정한 상태에서 산출의 증가에 초점을 두는 것이다.
2. **소극적 능률성**: 산출은 고정한 상태에서 투입을 감소시키려는 것이다. 프레드릭슨(Frederickson)은 이것을 경제성(economy)이라고 하였다.
3. **퇴행적 능률성**: 산출과 투입이 모두 감소하지만 투입 감소분이 더 많아서 산출이 증가하는 것이다(▽투입 > ▽산출 → 산출비율 증가).

❷ 산출의 효과

일반적으로 산출(output)은 행정활동의 직접적인 결과로서 가시적이고 물리적인 것을 가리키는 데 비해, 효과(outcome)는 좀 더 추상적이며 수단·목표의 계층상에서 산출보다 한 차원 높은 수준에 있는 것으로 구별된다.

㉮ 도로를 포장하기 위해 물적·인적 자원이 투입되었을 때 그 포장된 도로의 면적을 산출로 본다면, 효과는 도로포장의 결과로 나타나는 차량의 원활한 통행 등을 의미함

핵심 OX

01 행정환경이 급변하는 경우 주민이 원하는 서비스를 제공한다는 대응성은 합법성과 충돌할 가능성이 크다. (O, X)

02 능률성(efficiency)은 떨어지더라도 효과성(effectiveness)은 높을 수 있다. (O, X)

01 O
02 O

3 효과성(effectiveness)

1. 의의[1]

'실적 / 목표'로서 목표의 달성도를 의미하며, 능률성보다 확장된 개념이다.

2. 효과성에 대한 접근법[2]

(1) 전통적 접근법

조직활동의 특정 측면을 기준으로 효과성을 측정하는 접근법이다.

① **체제자원적 접근법**: 투입 측면에서 효과성을 평가하는 것으로 투입이 활발한 조직이 효과적이다.

② **내부과정적 접근법**: 조직내부의 전환활동에 중점을 두고 조직내부의 건전성과 경제성 측면에서 효과성을 평가한다. 구성원의 만족감(건전성)이나 변환과정의 경제적 효율성을 중시하며 전환과정이 우수한 조직이 효과적이다.

③ **목표달성 접근법**: 목표달성도라는 산출 측면에서 효과성을 평가하는 것으로 산출이 우수한 조직이 효과적이다. 이를 위해서는 목표를 명확하게 정의한다.

(2) 현대적 접근법

복수의 지표를 기준으로 효과성을 측정하는 접근법이다.

① **이해관계 접근법**: 조직과 관련된 이해관계자들의 만족 정도로 조직의 효과성을 판단한다. 즉, 조직의 성과에 이해관계를 가진 조직 내외부의 다양한 이해집단* 에 초점을 둔다.

㉠ **평가지표**: 중요한 이해집단을 확인할 수 있는 능력, 이해집단의 요구를 충족시킬 수 있는 능력 등이다.

㉡ **장점**: 전략적 선택이론에 입각하여 관리자의 적극적인 역할을 중시한다.

㉢ **단점**: 이해집단의 중요성 판단기준이 모호하고 전략적 환경요소의 정확한 기대를 파악하기 곤란하다는 문제점이 있다.

② **경쟁적 가치접근법**: 조직의 효과성을 특정 측면으로 보는 전통적 접근법을 지양하고 통합하여 고찰하는 접근방법이다(Quinn & Rohrbaugh, 1983).

㉠ **모형**: 조직과 인간, 통제와 유연성의 경쟁적 가치기준에 따라 네 가지 평가모형을 제시하고 조직의 성장단계에 따라 각 모형을 적용한다.

ⓐ **효과성 평가모형**

구분	조직(외부)		인간(내부)	
통제	합리목표모형(과업지향문화)		내부과정모형(위계문화)	
	목표	수단	목표	수단
	능률성, 생산성	기획, 평가	안정성, 통제와 감독	의사소통, 정보관리
유연성(신축성)	개방체제모형(혁신지향문화)		인간관계모형(관계지향문화)	
	목표	수단	목표	수단
	성장, 적응, 자원획득	유연성, 신속성	팀워크, 인적자원개발	응집력, 사기유지

[1] 능률성과 효과성
능률성은 투입대비 산출량을 비교하는 기술적 개념이고, 효과성은 산출대비 목표달성도를 비교하는 목적적 개념이다. 즉, 효과성은 능률성보다 궁극적인 이념으로 '목표달성도'를 중요시한다.

[2] 효과성에 대한 모형

모형	내용
목표모형	효과성은 조직의 성공도를 측정할 수 있는 유일한 기준
체제모형	목표달성뿐만 아니라 체제의 유지·발전도를 강조
기능모형	사회적 기능의 효율적 수행을 효과성으로 파악
생태모형	환경에의 적응 정도로 효과성을 파악
주민만족도 모형	주민의 만족도를 효과성 평가의 기준으로 봄

용어

이해집단*: 조직의 생존에 영향을 미치는 전략적 환경요소와 내부의 다양한 요소 등을 말한다.

핵심 OX

01 효과성은 발전행정론에서 특히 강조하는 행정이념이다. (O, X)

02 효과성모형 중 내부과정모형은 조직구조에서 통제를 강조하고, 조직 그 자체보다는 조직 내 인간을 중시하는 모형이다. (O, X)

01 O
02 O

· **합리목표모형**: 조직 내의 인간보다는 조직 그 자체를 강조하고, 통제를 중시하며 합리적 계획과 목표설정 및 평가를 통한 효과성을 중시한다.
· **내부과정모형**: 조직 그 자체보다는 인간을 중시하고, 의사소통과 정보관리를 통한 통제와 안전성을 강조한다.
· **개방체제모형**: 조직 내의 인간보다 조직 그 자체를 강조하고, 환경과 바람직한 관계를 유지하기 위해 조직구조의 유연성을 강조한다.
· **인간관계모형**: 조직 그 자체보다는 인간을 중시하고, 통제보다는 유연성을 강조한다. 구성원의 사기와 응집성을 통하여 팀워크와 인적자원을 발달시킨다.

ⓑ 조직의 성장단계에 따른 조직효과성모형(Quinn & Cameron)

구분	조직효과성모형	주요 가치
창업단계	개방체제모형	혁신과 창의성 및 자원의 결정을 중시
공동체단계	인간관계모형	비공식적 의사전달과 협동심을 강조
공식화단계	내부과정모형, 합리목표모형	규칙과 절차 및 활동의 효율성을 중시
정교화단계	개방체제모형	외부환경에 적응하고 환경을 조정해 가면서 조직 자체의 변화와 성장을 도모

ⓛ **장점**: 조직효과성 평가의 다양한 기준과 경쟁적 관계를 인정하고, 서로 다른 기준의 상황적응적 적용을 시도한다.

ⓒ **단점**: 타당성을 입증하기 미흡하며, 조직 성장단계에 대한 정확한 판단이 곤란하다.

4 생산성(productivity) = 효율성

1. 의의[1]

'산출 / 투입'을 극대화하면서 그 산출이 주어진 목표를 달성할 수 있게 하는 것으로, 최종산출의 양적 측면을 표시하는 능률성과 질적 측면을 표시하는 효과성을 통합시킨 개념이다. 1980년대 감축관리에 따른 신공공관리론에서 강조하였다.

2. 공공부문의 생산성 측정의 어려움

(1) 정부활동의 대부분은 서비스 제공이므로 성과지표의 개발과 성과측정이 어렵다.

(2) 정부활동이 여러 기관과 관련되는 경우 측정이 어렵다.

(3) 공공재의 가격부과가 어렵다.

(4) 외부효과로 인하여 비용과 수익의 연계나 수익자 부담주의의 구현이 곤란하다.

(5) 명백한 생산함수가 존재하지 않는 경우가 많으므로 측정이 어려운 경우가 많다.

❶ 성과지표의 종류(예 도로건설사업)

1. **투입(input)지표**: 사업에 투입된 시간이나 비용, 노력, 장비의 절감 여부
   예 사업비 절감액이나 지출금액
2. **과정(process)지표**: 사업을 단계적으로 나누어, 각 단계의 목표달성 여부
   예 공사진척률, 공사과정에서 나타난 민원해결 건수
3. **산출(output)지표**: 1차적인 성과
   예 건설된 도로, 도로증가 비율
4. **결과(outcome, result)지표**: 최종적인 결과
   예 차량통행속도 증가율, 교통량의 증가율
5. **영향(impact)지표**: 장기적인 영향
   예 지역사회경쟁력 제고, 주민의 삶의 질 향상

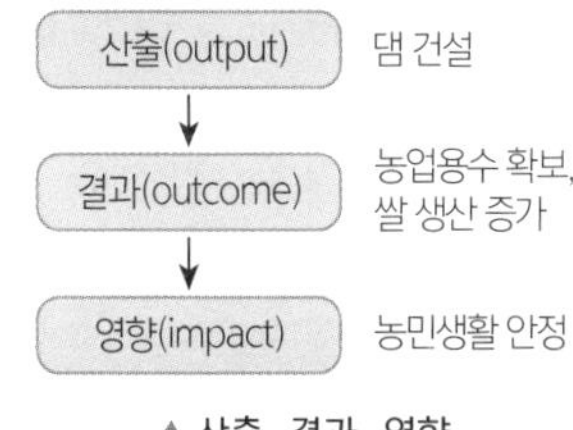

▲ 산출 · 결과 · 영향
(예 댐건설사업)

3. 생산성 측정방법

산출·투입비율 측정법	투입단위에 비해 달성된 작업단위의 비율로 측정하는 방법이다.
작업기준 측정법	직원의 활동을 작업기준과 비교하여 소요시간 수를 체계적으로 검토하는 방법이다.
효과성 측정법	시민이나 수익자가 서비스의 질을 평정하거나 미리 평정척도를 마련하는 등의 방법이다.
전체성과 측정법	투입단위당 산출에 대한 성과자료와 서비스 질에 대한 수익자반응의 자료수집 또는 직원태도조사를 하는 것으로 능률성과 효과성을 통합한 방법이다.

5 민주성(democracy)[1]

❶ 민주성의 성격
본질적 가치인지 수단적 가치인지에 대한 견해 대립이 있다.

1. 의의

(1) 민주성은 행정조직 내외에 있어서 인간적 가치의 구현 정도이다.

(2) 정치·행정과정의 민주화를 통하여 국민의 의견을 행정과정에 적극적으로 반영하고 참여를 제도화하며, 행정 내부에서도 구성원의 자유와 권리의 행사를 인정하는 것이다.

(3) 민주성은 능률성[2]과 충돌하는 경우도 있지만 양자의 조화가 행정학의 궁극적 목표이다.

❷ 민주성과 능률성의 관계

상충관계	양자는 기본적으로 상충된다. 많은 사람의 의사를 수렴(민주성)하면서 능률성을 확보하기는 어려움
보완관계	능률성을 사회적 능률로 이해할 경우 민주성과 보완이 가능

2. 행정의 대내적 민주성과 대외적 민주성

(1) 대내적 민주성

① 행정조직 내부에서의 민주화이다.

② 하급자의 참여욕구를 증진시키고 인간적인 관리전략을 통해서 궁극적으로 생산성 향상에 기여할 수 있도록 한다는 데 의미가 있다.

③ 행정의 대내적 민주화를 위한 방안

㉠ **자유로운 의사소통 및 갈등의 민주적 조정:** 하의상달을 촉진하고 제안제도, 상담, 고충심사제도 등을 도입하여 활용한다.

㉡ **공무원의 민주적 행정행태의 확립:** 최고관리층의 권위적·탄압적 관리방식을 지양한다.

㉢ **행정인의 민주적 인간관리능력:** Y이론적 인간관을 바탕으로 한 인간관리를 한다.

㉣ **공무원의 능력발전:** 교육훈련, 승진, 근무성적평정 등을 실시한다.

㉤ **권한위임의 촉진:** 행정체제를 분권화하여 정책결정과정에의 부하들이 참여하도록 하며 MBO, TQM 등의 관리기법을 사용한다.

(2) 대외적 민주성

① 행정과 시민의 관계에서의 민주화이다.

② 시민의 의사를 행정에 반영하고(대응성), 이를 통해서 시민에게 책임지는 행정(책임행정)을 구현하는 것이다.

핵심 OX

01 MBO와 시민참여는 대외적 민주성 확보방안에 해당한다. (O, X)

01 X MBO는 대내적 민주성 확보방안에 해당하며, 시민참여는 대외적 민주성 확보방안에 해당한다.

③ 행정의 대외적 민주화를 위한 방안

㉠ **행정윤리의 확립**: 공무원의 정치적 중립, 부정부패의 배제, 업무수행의 공정성 등을 추구한다.

㉡ **행정구제제도의 확립**: 행정쟁송, 행정절차법, 옴부즈만제도 등을 활용한다.

㉢ 공개행정의 강화와 활발한 의사소통(행정 PR의 활성화)을 강조한다.

㉣ 관료제의 대표성을 확보하고 기회균등을 확립한다.

㉤ 시민의 참여를 촉진한다.

㉥ 민관협동체제를 구축한다.

6 합리성(rationality)

1. 의의 및 유형

(1) 의의

① 합리성은 어떤 행위가 궁극적 목표달성의 최적수단이 되느냐의 여부를 가리키는 개념으로, 목적과 수단, 원인과 결과 간의 관계에 관한 타당한 근거를 가지고 행동하는 것을 의미한다.

② 합리성은 사회현실을 인식하고 대처하는 과정에서 제기되는 정신작용으로 의식적이고 체계적인 사고작용이다.

(2) 유형

① **내용 중심**: 주로 목표·수단의 적합성 측면에서 보는 것으로, 기술적·도구적·수단적 합리성이라고 한다.

② **과정 중심**: 인간의 고도의 이성적 사유과정을 통한 행동인지를 보는 것으로, 주관적·절차적 합리성이라고 한다.

2. 학자별 유형

(1) 베버(Weber)의 분류

베버(Weber)는 합리적 행위의 유형을 이론적·실천적·형식적·실질적 합리성의 네 가지로 분류하였다. 의도된 목표의 성공적 달성과 관련된 행위를 수단합리적 또는 목적합리적이라고 하여, 행위의 본질적인 가치와 관련된 가치합리적 행위와 구별하였다.

구분	내용
이론적 합리성	· 논리적이고 추상적인 개념에 근거해서 현실을 주도해 나가려는 합리성이다. · 이론적인 귀납이나 연역적 접근을 통한 이론·법칙과 인과관계 정립, 사고과정 등을 중시한다.
실천적 합리성	사회생활에서 개인의 이익을 증진하기 위해 실용적·이기적인 관점에서 정해진 목적을 성취할 때의 합리성이다.
형식적 합리성	· 법과 규정에 입각한 목적·수단의 관계, 산업사회의 관료제적 합리성과 관련된다. · 형식적 합리성은 경제적·법률적·과학적 영역에서 관리기술적 관점에서 볼 때 가장 합리적이며 이상적인 형태이다. · 베버(Weber)는 형식적 합리성을 강조하였다. ㉮ 관료제(bureaucracy), 시장의 법칙 등

실질적 합리성	· 실질적 합리성은 주관성이 내재하며 포괄적 가치로서 과거와 현재 그리고 잠재적인 가치에 따라 행동을 취하게 된다. · 이때의 가치는 단일의 가치가 아니라 일관성 있는 포괄적 가치(종교관, 인생관, 자유주의 등)를 의미한다.

(2) 사이먼(Simon)의 분류

내용적 (substantive) 합리성	· 완전 분석적 합리성으로서 '주어진 목표와 제약조건하에서 목표달성을 위한 최적수단을 선택하는 정도'이다. 이는 선택의 과정보다는 결과에 초점을 맞춘다. · 행위자는 효용극대화 또는 이윤극대화 등의 특정한 목표를 가지고 있으며, 행위자는 합리적인 선택을 할 수 있는 모든 지식과 능력을 소유하고 있다는 가정을 전제한다.
절차적 (procedural) 합리성	· 추론이라고 불리는 특별한 사유과정으로서 '행동대안을 선택하기 위하여 사용된 절차가 인간의 인지능력과 한계에 비추어 보았을 때 얼마만큼 효과적이었는지의 정도'이다. · 결과적으로 선택된 대안이 최선인지 아닌지와는 관계없이 그 대안을 선택하기 위하여 밟은 절차가 적합하면 절차적 합리성은 확보된다. · 비합리적인 행동이란 이성적인 사유과정을 거치지 않고 감성·충동·본능 등에 근거한 행동이다. · 사이먼(Simon)은 절차적 합리성을 중시하였다.

(3) 만하임(Mannheim)의 분류

기능적 (functional) 합리성	· 정해진 목표를 능률적·효과적으로 달성하게 하는 방법이다. · 목표성취에 기여하는 행위와 관련된다. · 베버(Weber)의 형식적 합리성과 유사하다. ㉑ 관료제, 자동화장치, 테크놀로지 등
실질적 (substantial) 합리성	이성적인 사고작용·판단을 중심으로 특정 상황의 여러 사건이나 구성요소 간 상관관계를 고찰한다.

(4) 디징(Diesing)의 분류

정치적 합리성	· 정책결정구조 및 과정의 합리성, 다수결 원리 등과 관련된다. · 디징(Diesing)이 가장 강조한 합리성이다.
경제적 합리성	비용과 편익을 측정·비교하여 대안의 우선순위를 결정하는 것이다.
사회적 합리성	사회구성요소 간 조화 있는 통합·조정, 갈등 해결 장치의 보유 정도를 의미한다.
기술적 합리성	최소의 노력으로 최대의 목표달성이 가능한 수단의 채택 여부이다. 즉, 하나의 목표를 성취하기 위한 적합한 수단들을 찾는 것이다.
법적 합리성	법적 논리에 적합한 의사결정과 행위, 법률적합성과 관련된다.

개념PLUS 합리성의 유형

구분	합목적적 · 수단적 합리성	주관적 · 절차적 합리성
사이먼(Simon)	내용적 합리성	절차적 합리성
만하임(Mannheim)	기능적 합리성	실질적 합리성

3. 한계

(1) 인지방식의 차이는 합리성을 제약한다.

(2) 지식 · 정보의 불완전성은 합리적인 결정을 어렵게 한다.

(3) 주관적 · 감정적 요인의 작용은 합리적 결정을 어렵게 한다.

(4) 문화적 요인 및 사회적 가치체계의 영향이 합리성을 저해할 수 있다.

4. 개인적 합리성과 사회적 합리성의 불일치

'용의자의 딜레마[1]'나 '공유지의 비극'처럼 개인적으로는 합리적인 의사결정이 사회적 합리성과는 상충하는 경우가 발생할 가능성이 있다. 이러한 문제는 흔히 시장실패의 요인으로 작용할 수 있다(구성의 오류).

7 가외성(redundancy)

1. 의의

(1) 개념

① 가외성은 초과분, 잉여분, 덤 등의 개념으로서 얼핏 보기에는 무용하고 불필요한 낭비적인 것으로 보이나, 특정 체제가 장래의 불확실성에 노출되었을 때 발생할지도 모를 적응의 실패를 방지함으로써 환경에 대한 신뢰성과 안전성을 제고시키는 것을 의미한다(Landau, 1969).

② 행정의 여분이나 초과분을 의미하는 개념에서 볼 때 능률성과는 대치되는 개념이다.

(2) 가외성의 예

① 삼권분립, 견제와 균형, 연방주의, 거부권제도, 3심제도, 양원제, 합의제, 위원회제도, 계선과 참모, 순차적 결재(품의제도), 추가경정예산 등은 가외성의 반영으로 볼 수 있다.

② 계층제, 집권화, 만장일치제도 등은 가외성 장치로 볼 수 없다.

(3) 구성요소 – 상호독립적

① **중첩성(overlapping)**: 기능이 여러 기관에 분할되어 있지 않고 협력적으로 수행되는 것이다.

예 재난발생 시 여러 부처가 협력하여 업무를 수행하는 것 등

---

[1] 용의자의 딜레마(prisoner's dilemma)

1. 가정
 - 어떤 중요한 범죄와 관련해서 공범인 두 명의 용의자 1, 2가 심문을 받게 되었다고 가정한다. 각 용의자는 격리되어 범죄사실에 대한 심문을 받는데 각각 두 가지 가능한 전략을 가지고 있다. 하나는 자백(C)하는 것이고 다른 하나는 범죄를 부정(NC)하는 것이다.
 - 두 명의 용의자가 검찰의 심문에 협조해서 순순히 자백하는 경우에는 협조에 대한 대가로 비교적 가벼운 형량을 받도록 보장하고, 만약 다른 용의자는 순순히 범죄를 자백했는데 자신이 끝까지 자백을 하지 않는다면 괘씸죄까지 포함해서 매우 무거운 형량을 선고받게 된다는 사실을 알고 있다고 한다.
2. 전략: 이러한 경우 양자 모두에게 이득이 되는 부인, 부인(NC, NC)의 전략을 선택하지 않고 자백, 자백(C, C)의 조합을 택하게 되는 현상을 '용의자의 딜레마'라고 한다. 즉, 용의자가 상대방을 믿지 못해 자신에게 최선의 전략인 자백, 자백(C, C)을 선택하게 되므로 사회 전체의 최적전략인 부인, 부인(NC, NC)을 선택하지 못하게 되는 시장실패 현상을 설명하는 이론이다.

구분		용의자 2	
		NC	C
용의자 1	NC	(1, 1)	(10, 1)
	C	(1, 10)	(5, 5)

핵심 OX

01 사이먼(Simon)의 절차적 합리성은 이윤극대화와 관련된다. (O, X)

02 용의자의 딜레마이론은 정부실패와 관련된다. (O, X)

03 조직의 능률성 제고라는 측면에서 가외성은 정당화된다. (O, X)

01 X 내용적 합리성과 관련된다. 절차적 합리성은 사유과정상의 이성적 합리성을 의미한다.
02 X 시장실패와 관련된다.
03 X 가외성은 조직의 능률성과는 원칙적으로 상충한다.

② **반복성(duplication)**: 동일한 기능을 여러 기관들이 독립적인 상태에서 경쟁적으로 수행하는 것이다.

㉠ 자동차의 이중브레이크, 다수의 정보기관을 두는 것 등

③ **동등잠재력(equi - potentiality, 등전위현상)**: 주된 조직단위의 기능이 작동하지 않을 때 다른 지엽적 · 보조적 단위기관들이 주된 단위의 기능을 인수해서 수행하는 것이다.

㉠ 주엔진이 고장났을 때 보조엔진이 기능하는 것, 스페어타이어 등

2. 적용상황

(1) 불확실한 정책상황과 조직체계의 불완전성은 가외성을 정당화시킨다.

(2) 분권적 구조, 잉여자원이 존재할 때 적용가능하다.

(3) 타협이나 협상의 상황은 가외성과 관련된다. 협상을 통해서 자기의 이익을 극대화할 수 있지만 타인의 이익도 보장해야 하기 때문에 협상 자체가 중첩성을 띠고 있다.

(4) 조직체계의 불완전성으로 가외적 장치가 정당화된다.

3. 장점

(1) 유동적이고 불확실한 환경 속에서 과업성취를 증진시킬 수 있다.

(2) 정보체제의 위험성과 미비점을 보완하고 오류를 최소화하여 조직의 신뢰성과 안전성 증진에 기여한다.

(3) 가외적인 장치와의 상호작용으로 인한 창조성을 확보할 수 있다.

(4) 반복성을 통해서 정보의 정확성을 확보하는 데 도움이 된다.

4. 단점

(1) 가외성은 여분이나 덤의 개념으로 능률성과 대치되며, 중복장치로 인한 비용의 문제가 발생할 수 있다.❶

(2) 기능 중복으로 인한 갈등과 충돌이 발생할 가능성이 있고, 책임성의 문제가 제기될 수 있다.

❶ 능률성과 가외성

구분	능률성	가외성
환경	안정된 환경	불안정한 환경
불확실성 대처방안	적극적 극복	소극적 대처
의사결정 모형	합리모형	사이버네틱스
이념	효과성, 생산성	안정성, 신뢰

핵심 OX

01 가외성에서의 동등잠재력은 중복성과 연계된 개념이다. (O, X)

02 확실한 상황은 가외성을 필요로 하는 대표적인 경우이다. (O, X)

01 X 가외성의 동등잠재력은 중복성과 연계된 것은 아니다.

02 X 가외성이 필요한 경우는 확실한 경우가 아니라 불확실한 경우이다.

학습 점검 문제

01 행정에 대한 설명으로 옳지 않은 것은? 2015년 지방직 9급

① 행정은 정부의 단독행위가 아니라 사회의 다양한 주체들이 함께 참여하는 협력행위로 변해가고 있다.

② 행정은 사회의 공공가치 실현을 목적으로 한다.

③ 행정은 민주주의의 원칙에 따라 재원의 확보와 사용에 있어서 국회의 통제를 받는다.

④ 행정의 본질적 가치로는 능률성, 책임성 등이 있으며 수단적 가치로는 정의, 형평성을 들 수 있다.

02 행정가치에 대한 설명으로 옳지 않은 것은? 2020년 지방직 9급

① 공익 과정설에 따르면 사익을 초월한 별도의 공익이란 존재할 수 없다.

② 롤스(Rawls)는 사회정의의 제1원리와 제2원리가 충돌할 경우 제1원리가 우선이라고 주장한다.

③ 파레토 최적 상태는 형평성 가치를 뒷받침하는 기준이다.

④ 근대 이후 합리성은 목표를 달성하는 수단과 관련된 개념이다.

정답 및 해설

01 행정의 본질적 가치와 수단적 가치

능률성은 행정의 본질적 가치가 아니라 수단적 가치에 해당하고, 정의와 형평성은 수단적 가치가 아니라 본질적 가치에 해당한다.

행정의 본질적 가치와 수단적 가치

구분	내용
본질적 가치	공익, 정의, 자유, 평등(형평성), 복지 (암기팁: 공정자평복)
수단적 가치	합법성, 능률성, 민주성, 합리성, 효과성, 가외성, 생산성, 신뢰성, 투명성

02 행정의 가치와 이념

파레토 최적은 행정가치 중에서 능률성과 관련된 것으로서 형평성과는 관련이 없다. 즉 시장에서의 자원 배분의 최적화가 이루어진 상태를 의미하는 것이다.

| 선지분석 |

① 공익의 과정설에 대한 설명이다. 공익이 사익과 별도로 실체가 존재하는 것이 아니라 사익의 합이 공익이 된다는 입장이다.

② 롤스(Rawls)는 사회정의에 의하면 정의의 제1원리와 제2원리가 충돌할 때 제1원리가 우선하고, 제2원리 중에서도 기회균등의 원리와 차등조정의 원리가 충돌할 때는 차등조정의 원리가 우선한다고 본다.

④ 합리성은 학자별로 다양한 개념이 있으나 일반적으로 목표에 대한 수단의 적합성을 의미한다.

정답 01 ④ 02 ③

03 **공익(Public interest) 개념의 실체설과 과정설에 대한 설명으로 옳은 것은?** 2017년 국가직 9급(4월 시행)

① 실체설은 집단 간 상호작용의 산물이 공익이라고 본다.

② 과정설의 대표적인 학자에는 플라톤(Plato)과 루소(Rousseau)가 있다.

③ 실체설은 공익이라는 미명하에 개인의 이익이 침해될 수 있는 위험요소를 내포하고 있다.

④ 과정설은 공익과 사익이 명확히 구분된다는 입장이다.

04 **공익에 대한 설명으로 옳은 것은?** 2019년 국가직 9급

① 「국가공무원법」은 제1조에서 공무원은 국민 전체의 봉사자로서 공익을 추구해야 함을 명시하고 있다.

② 「공무원 헌장」은 공무원이 실천해야 하는 가치로 공익을 명시하고 있다.

③ 신공공서비스론에서는 공익을 행정의 목적이 아닌 부산물로 보아야 한다는 점을 강조한다.

④ 공익에 대한 실체설에서는 공익을 사익 간 타협 또는 집단 간 상호작용의 산물로 본다.

05 롤스(Rawls)의 정의론에 대한 설명으로 옳지 않은 것은? 2018년 국가직 9급

① 원초적 자연상태(state of nature)하에서 구성원들의 이성적 판단에 따른 사회형태는 극히 합리적일 것이라고 가정하는 사회계약론적 전통에 따른다.

② 현저한 불평등 위에서는 사회의 총체적 효용 극대화를 추구하는 공리주의가 정당화될 수 없다고 본다.

③ 사회의 모든 가치는 평등하게 배분되어야 하며, 불평등한 배분은 그것이 사회의 최소수혜자에게도 유리한 경우에 정당하다고 본다.

④ 자유와 평등의 조화를 추구하는 중도적 입장보다는 자유방임주의에 의거한 전통적 자유주의 입장을 취하고 있다.

정답 및 해설

03 공익에 대한 학설

실체설은 집단주의나 전체주의적 경향으로 공익(국가의 이익)이라는 전체의 이익을 위해서는 개인의 이익(사익)이 희생될 수 있는 위험요소를 내포하고 있다.

| 선지분석 |

① 집단 간 상호작용의 산물이 공익이라고 보는 것은 과정설의 특징이다.

② 플라톤(Plato)과 루소(Rousseau)는 실체설을 주장한 대표적 학자이다.

④ 공익과 사익이 명확히 구분되는 것은 실체설의 특징이다.

04 「공무원 헌장」상 행정의 가치

2016년 1월 대통령 훈령으로 제정된 「공무원 헌장」에는 공무원이 실천해야 하는 가치로 공익, 창의성과 전문성, 다양성, 민주성, 청렴 등이 규정되어 있다.

| 선지분석 |

① 「국가공무원법」 제1조에는 공익을 추구해야 함은 명시되어 있지 않으며, 공정성, 민주성, 능률성 등을 규정하고 있다.

③ 신공공서비스론(NPS)에서는 공익을 행정의 부산물이 아닌 궁극적인 목적으로 보아야 한다는 점을 강조한다.

④ 공익을 사익 간 타협 또는 집단 간 상호작용의 산물로 보는 것은 실체설이 아니라 과정설에 해당한다.

❶ 법령에 규정된 행정의 가치

(1) 「공무원 헌장」

> 우리는 자랑스러운 대한민국의 공무원이다.
> 우리는 헌법이 지향하는 가치를 실현하며 국가에 헌신하고 국민에게 봉사한다.
> 우리는 국민의 안녕과 행복을 추구하고 조국의 평화 통일과 지속가능한 발전에 기여한다.
> 이에 굳은 각오와 다짐으로 다음을 실천한다.
> 하나. 공익을 우선시하며 투명하고 공정하게 맡은 바 책임을 다한다.
> 하나. 창의성과 전문성을 바탕으로 업무를 적극적으로 수행한다.
> 하나. 우리 사회의 다양성을 존중하고 국민과 함께 하는 민주 행정을 구현한다.

(2) 「국가공무원법」

> **제1조 【목적】** 이 법은 각급 기관에서 근무하는 모든 국가공무원에게 적용할 인사행정의 근본 기준을 확립하여 그 공정을 기함과 아울러 국가공무원에게 국민 전체의 봉사자로서 행정의 민주적이며 능률적인 운영을 기하게 하는 것을 목적으로 한다.

05 롤스(Rawls)의 정의론

롤스(Rawls)의 정의론은 자유주의와 사회주의의 양 극단을 지양하고, 자유와 평등의 조화를 추구하는 중도적 입장이다.

정답 03 ③ 04 ② 05 ④

06 **사회적 형평성(social equity)에 대한 설명으로 옳지 않은 것은?** 2024년 지방직 9급

① 1968년 개최된 미노부룩 회의(Minnowbrook Conference)에서 태동한 신행정론에서 강조하였다.

② 롤스(Rawls)의 『정의론』은 사회적 형평성 논의에 영향을 주었다.

③ 수직적 형평성(vertical equity)은 '동등한 여건에 있지 않은 사람을 동등하게 취급'함을 의미하며, 누진세가 그 예이다.

④ 수평적 형평성(horizontal equity)은 '동등한 여건에 있는 사람을 동등하게 취급'함을 의미하며, 동일노동 동일임금이 그 예이다.

07 **행정의 가치에 대한 설명 중 가장 옳은 것은?** 2017년 사회복지직 9급

① 합목적성을 의미하는 경제성(economy)은 그 자체로 목표가 되는 본질적 가치다.

② 적극적 의미의 합법성(legality)은 상황에 따라 신축성을 부여하는 법의 적합성보다 예외 없이 적용하는 법의 안정성을 강조한다.

③ 가외성(redundancy)은 과정의 공정성(fairness) 확보를 위한 수단적 가치다.

④ 능률성(efficiency)은 떨어지더라도 효과성(effectiveness)은 높을 수 있다.

08 **행정가치에 대한 설명으로 옳지 않은 것은?** 2023년 지방직 9급

① 합리성은 어떤 행위가 궁극적 목표 달성의 최적 수단이 되느냐의 여부를 가리는 개념이다.

② 효율성은 목표의 달성도를 나타내고, 효과성은 투입 대비 산출의 비율을 의미한다.

③ 자율적 책임성은 공무원이 직업윤리와 책임감에 기초해 전문가로서 자발적인 재량을 발휘할 때 확보된다.

④ 행정의 민주성은 국민과의 관계뿐만 아니라 관료조직의 내부 의사결정 과정의 측면에서도 고려된다.

09 **행정이론의 패러다임과 추구하는 가치를 바르게 연결한 것은?** 2018년 지방직 9급

① 행정관리론 – 절약과 능률성

② 신행정론 – 형평성과 탈규제

③ 신공공관리론 – 경쟁과 민주성

④ 뉴거버넌스론 – 대응성과 효율성

정답 및 해설

06 사회적 형평성

수직적 형평성(vertical equity)은 '다른 것은 다르게' 즉 '동등한 여건에 있지 않은 사람을 동등하지 않게 취급'하는 것이며 (소득)누진세가 그 예이다.

07 행정의 수단적 가치

능률성이 '산출/투입'이라면, 효과성은 '목표달성도'를 의미한다. 능률성은 투입중심으로 양적 개념이라면, 효과성은 결과 중심으로 질적 개념이라 볼 수 있다. 따라서 양자는 대체로 부합되는 관계이지만 반드시 일치하지는 않는다. 예컨대 투입량을 늘리게 되면 능률성은 떨어지지만 결과로서의 목표달성이 수월해지는 경우도 있다.

| 선지분석 |

① 경제성은 소극적 능률성을 의미하므로 본질적 가치가 아니라 수단적 가치이다.

② 적극적 의미의 합법성은 입법목적을 달성하기 위하여 상황에 따라 법률을 신축성 있게 적용하는 실질적 합법성을 의미하고, 소극적 의미의 합법성은 상황을 고려하지 않고 법률을 예외 없이 적용하는 형식적 합법성을 의미한다.

③ 가외성은 행정의 중복부분을 의미하는 것으로 기능중복으로 인한 갈등과 대립·충돌이 발생하게 되고 책임한계의 모호성을 초래하므로 과정의 공정성을 확보한다고 보기 어렵다.

08 행정가치와 이념

효율성(능률성, efficiency)은 투입 대비 산출의 비율을 나타내고, 효과성은 목표의 달성도를 의미한다.

09 행정이론의 패러다임과 가치

행정관리론은 공사행정일원론을 근거로 하는 고전적 행정학으로 행정에 있어서 절약과 능률에 의한 관리방식을 강조하였다.

| 선지분석 |

② 신행정론(NPA)은 사회적 형평성과 적실성을 중시하였지만 탈규제하고는 거리가 멀다. 탈규제는 신공공관리론(NPM)에 의한 규제완화와 연결되는 개념이다.

③ 신공공관리론(NPM)은 신자유주의와 시장주의에 바탕을 두고 시장의 경쟁원리와 고객지향주의를 통한 효율성을 중시하였지만 지나친 성과주의에 의한 민주성은 저하될 가능성이 높다.

④ 뉴거버넌스는 정부와 시장 그리고 시민과의 협력적 네트워크로서 민주성과 대응성을 중시하지만 효율성은 강조하지 않았다. 효율성은 신공공관리론(NPM)이 강조한 이념으로 봐야 한다.

정답 06 ③ 07 ④ 08 ② 09 ①

10초만에 파악하는 **5개년 기출 경향**

최근 5개년(2024~2020) 출제율

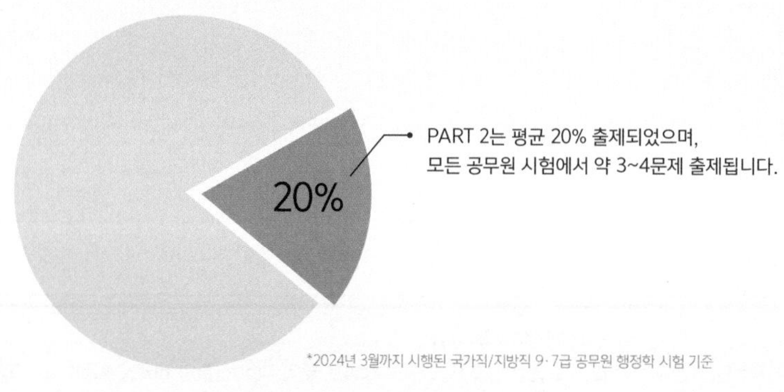

*2024년 3월까지 시행된 국가직/지방직 9·7급 공무원 행정학 시험 기준

CHAPTER별 출제율

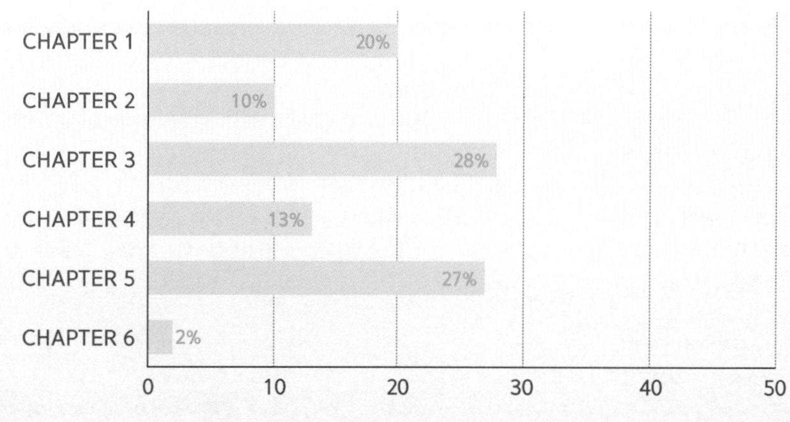

PART 2

정책학

CHAPTER 1 정책학의 개관

1 정책과 정책학의 의의

1 정책

1. 개념[1]

정책(policy)이란 공익 추구나 공적 문제의 해결을 위한 정부의 장래 행동방안으로, 권위 있는 정부기관이 공식적으로 결정한 활동지침이다.

2. 특징[2]

(1) 목표지향적 · 규범적

정책은 가치판단을 전제로 특정한 목표를 설정하고 그를 달성하는 과정이라고 할 수 있다. 즉, 국가의 바람직한 발전방향을 설정하고(규범적), 그것을 달성하는 것(목표지향적)을 중요하게 생각한다.

(2) 실천적

정책은 당위적인 가치를 행동으로 전환시키는 것이다. 따라서 과학적 연구 경향인 행태주의를 비판하고 문제해결지향성과 실천성을 강조한다.

(3) 공식적 · 권위적 또는 강제적

정책은 행동의 주체가 정부 또는 공공기관이므로 공식적이고 권위적이며 강제성을 띠게 된다.

(4) 변동대응성

정책은 사회구조나 문화, 가치관 등의 변화에 즉각적으로 대응할 수 있는 방향으로 설정된다.

2 정책학

1. 개념

(1) 정책학은 각종 사회문제의 해결을 위한 정책결정과 정책집행을 설명하고 정책문제와 관련이 있는 자료를 탐색 · 수집하여 그 해석을 제공하는 학문이다.

(2) 정책학은 기술적(記述的) · 설명적 성격인 과학성(science)과 규범적 · 처방적 성격인 기술성(art)을 함께 지니고 있다.

❶ 학자별 정책의 의의
1. **이스턴(Easton)의 정책**: '사회 전체를 위한 가치의 권위적 배분' 또는 '정치체제가 내린 권위적 결정이나 산출물의 일종'이라고 하였다.
2. **드로어(Dror)의 정책**: '매우 불확실하고 복잡한 동태적 상황 속에서 국가 및 공공단체가 공익의 구현을 위해 만든 미래지향적인 행동지침'이라고 하였다.

❷ 계획 · 정책 · 법률의 비교
1. 계획은 정책보다 상위개념으로 미래지향적 · 이상적 · 창조적 목표를 지니며 포괄성과 일관성이 강하다.
2. 집행력 및 강제력의 측면에서 보면 법률 > 정책 > 계획의 순서이다.
3. 내용적인 측면에서 보면 법률과 정책보다 계획의 구체성이 약하다.

2. 정책학 연구의 목표

궁극적 목표	인간의 존엄성을 증진한다.
중간 목표	정책과정의 합리성을 제고한다.
구체적 목표	바람직한 정책과정을 위한 지식을 제공한다.

3. 특징

(1) 문제지향성

정책학은 1960년대 말의 사회혼란을 해결하기 위해서 태동하였기 때문에 일반법칙과 과학성을 추구하는 행태주의의 문제점을 지적하고 처방성을 강조한다.

(2) 관련지향성

정책학은 행정 및 정치와의 밀접한 관계 속에 존재한다.

(3) 종합학문적 연구

정책학은 사회학·경제학·심리학 등 다양한 학문과의 종합적인 연구가 필요하다.

(4) 규범지향성

정책학은 가치지향적인 학문으로, 특정한 행정문제를 해결하기 위해서 적극적인 가치의 개입이 요구된다.

고득점 공략 현대 정책학의 등장

1. 라스웰(Lasswell)의 정책학 - 정책학의 창시자, 『정책지향』(1951)
   ① **등장**: 정책학의 방향을 '정책과정에 관한 지식'과 '정책과정에 필요한 지식'으로 구분하여 정책연구의 중요성을 역설하였다.
   - **정책과정에 관한 지식**: 정책과정에 대한 과학적 연구 결과로부터 얻은 경험적·실증적 지식(정책의제설정, 정책결정론, 정책집행론)을 의미한다.
   - **정책과정에 필요한 지식**: 정책과정의 개선을 위해 필요한 처방적·규범적 지식(정책분석론, 정책평가론)과 정책의 실질적 내용에 대한 지식(환경오염의 원인과 대책에 관한 전문지식)을 의미한다.

   ② **정책학이 추구해야 할 기본 속성『정책학 소개(A Pre-View of Policy Sciences)』(1971)**
   - 의사결정은 사회과정 속에서 이루어져야 한다는 맥락성(contextuality)
   - 문제지향성(problem orientation)
   - 연구방법의 다양성(diversity)

   ③ **퇴조**: 라스웰(Lasswell)의 제언은 1950년대 미국 정치학계를 휩쓸었던 행태주의 혁명(behavioral revolution)에 의해 밀려나고 말았다.
   ④ **재출발**: 1960년대 행태주의가 퇴조하고 후기 행태주의가 등장하면서 1960년대 말 드로어(Dror)에 의해 정책학은 재출발하게 되었다.
2. 드로어(Dror)의 정책학 - 정책학의 체계적 완성
   ① **목표지향적**: 정책학은 보다 나은 정책결정을 위한 방법을 다루는 학문으로, 설정된 목표를 보다 효과적·능률적으로 달성하는 데 주안점이 있다고 한다.
   ② **정책학의 목적**: 사회지도체제, 즉 정책결정체제에 대한 이해를 증진시키고 이를 개선하는 것이라고 파악한다.
   ③ **거시적 접근**: 거시적 수준의 공공정책을 대상으로 하며 개별적 정책문제에 대한 관심은 적은 편이다.

핵심 OX

01 정책학의 경우 가치중립적이고 객관적인 성격이 강하다. (O, X)

02 라스웰(Lasswell)이 주장하는 정책학이 추구해야 할 패러다임은 맥락성(contextuality), 문제지향성(problem orientation), 연구방법의 다양성(diversity)이다. (O, X)

03 라스웰(Lasswell)은 정책학의 패러다임으로 묵시적 지식과 초합리성을 강조하였다. (O, X)

04 드로어(Dror)가 제시한 정책학의 패러다임은 개별적 정책문제해결에 관심이 높다. (O, X)

01 X 정책학의 경우에는 주관적이고 가치지향적 결정을 하는 경우가 많다.
02 O
03 X 라스웰(Lasswell)이 주장하는 정책학의 패러다임은 맥락성, 문제지향성, 연구방법의 다양성이다. 정책학의 패러다임으로 묵시적 지식과 초합리성을 강조한 것은 드로어(Dror)이다.
04 X 드로어(Dror)의 패러다임은 거시적 수준의 공공정책을 대상으로 하며 개별적 정책문제해결에 대한 관심은 적은 편이다.

④ **통합과학적:** 순수연구와 응용연구 간의 통합을 추구한다.
⑤ **창조성 · 쇄신성:** 정책의 창조성 · 쇄신성을 중시한다.
⑥ **실천적:** 행태과학과 관리과학을 비판하고 처방적 접근을 중시한다.
⑦ **최적모형 제시:** 묵시적 지식(tacit knowledge)과 초합리성(직관 · 통찰력 등)을 중시하며 정책의 비합리적 과정을 인정한다.
⑧ **연구의 목적:** 대안의 개발, 대안의 비교 · 선택을 위한 정책분석, 정책결정의 전략, 기본 정책 결정 등을 제시하며 시간적 관점을 중시한다.

3 정책학의 연구대상과 접근방법

1. 연구대상 - 정책[1]

정책학의 연구대상은 정책이다. 정책은 사회문제의 해결을 목적으로 한다.

2. 접근방법

(1) 경험적 · 실증적 접근

행태주의적 접근을 통한 사실의 기술 · 설명 · 예측적 접근이다.

(2) 규범적 · 처방적 접근

현실문제의 해결을 위한 가치 · 규범적인 처방적 접근이다.

4 정책과정[2]

1. 라스웰(Lasswell)의 정책과정(7단계)

❶ 정책분석
정책분석을 광의로 정의할 경우 정책분석과 정책평가가 정책분석에 포함된다.

❷ 정책형성(政策形成)
사회문제의 정책문제화를 정책형성으로 표현하기도 한다.

2. 드로어(Dror)의 정책과정(3단계)

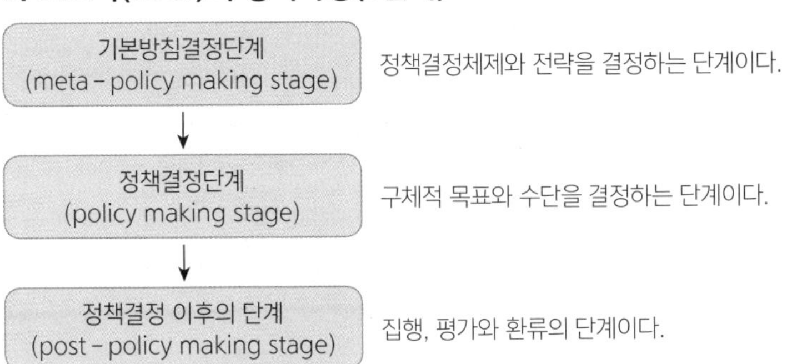

3. 존스(Jones)의 정책과정(크게 4단계, 세부적으로 12단계)

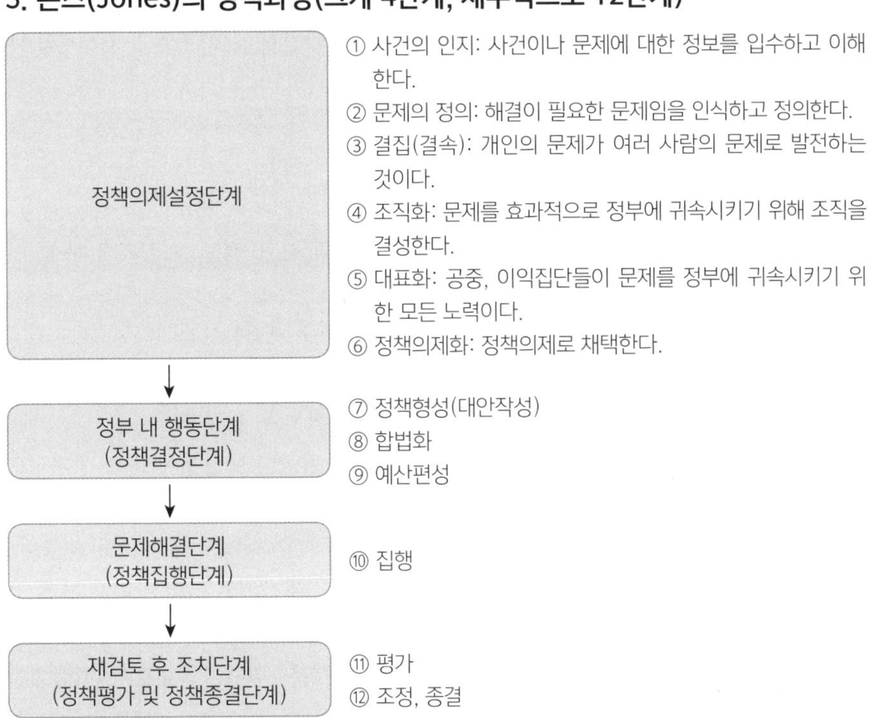

개념PLUS 정책의 일반적 과정

정책의제설정단계	정부가 사회문제를 해결하기 위해 많은 사회문제 중에서 정부가 공식적인 의제(agenda)로 채택하는 단계로서, 일반적으로 사회문제 → 사회적 이슈 → 공중의제 → 정부의제채택의 과정을 거침
정책결정단계	· 정책결정이란 행정기관이 국가목표를 달성하기 위해 정책대안을 탐색하고 그 결과를 예측 · 분석하고 채택하는 동태적인 과정 · 정책목표를 달성하기 위한 정책대안을 탐색하고 분석하여 최적의 대안을 선택하는 단계로서, 정책분석과 의사결정에의 참여를 중시
정책집행단계	· 정책결정과정을 통해 얻어진 계획과 수단들을 실행에 옮기는 것으로, 정책결정과정을 통해 얻어진 정책 속에 포함되어 있는 수많은 정책수단과 계획들은 집행작업을 거쳐 현실로 나타나야만 원하는 목표를 달성할 수 있고 정책문제를 해결할 수 있음 · 정책집행은 오랜 시간, 여러 장소, 복합적인 상황 속에서 발생하는 일련의 행정적 · 정치적 결정과 활동으로 이루어짐

핵심 OX

01 존스(Jones)는 정책과정을 크게 의제설정 - 결정 - 집행 - 환류의 4단계로 나누고, 세부적으로 12단계로 나누고 있다. (O, X)

01 O

정책평가단계	· 정책의 내용과 집행 및 그 영향 등을 추정하거나 평정하는 것을 정책평가라 함 · 정책평가는 정책집행과정에서 등장하는 여러 가지 문제점을 해결하여 보다 나은 집행전략과 방법을 모색하기 위하여 실시되는 형성적 평가와, 정책집행 후 당초 의도했던 효과를 성취했는지 여부를 판단하는 총괄적 평가로 나누어 볼 수 있음

5 정책과정의 참여자

정책과정에는 다양한 참여자가 있는데 대체로 공식적 참여자와 비공식적 참여자로 구분하고 있다. 공식적 참여자에는 행정부, 입법부, 사법부의 모든 기관이 해당되며, 비공식적 참여자에는 정부조직 밖에 있으면서 정책과정에 직접적 · 간접적으로 참여하는 개인과 단체가 해당된다.

1. 공식적 참여자

(1) 중앙에서의 참여자

① **대통령(행정수반)**: 대통령의 권력자원[1]은 제도적 지위, 정보, 지식과 전문성, 에너지, 의회의 지지, 여론의 지지, 명성 등이 있다.

② **대통령비서실(참모진)**: 대통령비서실과 정책비서 등 정책참모진이다.

③ **행정부처**: 행정기관과 관료[2]도 공식적인 참여자로 정책결정과정에 참여하는데, 특히 현대의 행정국가화 경향에 따라 그 영향력이 더욱 커졌다.

④ **입법부(의회)**: 최근 행정국가화 경향에 따라 그 위상이 행정부에 비해 상대적으로 약화되고 있지만, 입법부는 정책과정의 전반에서 영향력을 미치며, 특히 정책결정단계에서 가장 크게 영향력을 행사한다.

⑤ **사법부(법원)**[3]: 사법부는 정책과정의 참여자로서 행정소송 등의 방법을 통해 정책결정에 간접적인 기준을 설정하는 역할을 수행하게 된다. 특히 헌법재판소는 사법부에 속하지는 않지만 사법적 기능을 수행하는 헌법기관으로서, 헌법재판소의 판결을 통해 정책결정기능을 담당하며 국민생활에 영향을 미친다.

㉑ 서울행정법원의 새만금 간척사업에 대한 집행정지결정(2003.7.), 헌법재판소의 수도이전 특별법 위헌판결(2004.10.) 등

(2) 지방에서의 참여자

① **지방자치단체장**: 지방자치단체장은 지역행정의 공식적 참여자로 정책을 결정하는 역할을 하고, 지방자치단체를 대표하며 그 사무를 통괄한다.

② **지방의회**: 지역주민들의 대표기관인 지방의회는 조례의 제정, 예산의 심의 및 의결기능 등 중요한 역할을 하는 정책참여자이다.

③ **지방공무원**: 지방자치단체에서 근무하는 공무원을 말한다. 지방공무원도 일선에서 일하거나 지방자치단체장을 지원하는 역할을 함으로써 정책결정에 참여한다.

④ **일선행정기관**: 중앙의 여러 부처들이 가지고 있는 독립된 일선지방행정기관이다(「정부조직법」 제3조). 특별지방행정기관은 전문적인 행정업무를 효율적으로 처리하는 과정에서 정책과정에 참여하고 영향력을 행사한다.

---

❶ 대통령의 권력자원

1. **제도적 지위**: 국가원수, 행정수반으로서 정책과정에서의 막강한 권한, 위기관리에 따르는 비상대권, 법안거부권, 외교 · 국방관련 대권 등을 보유한다.
2. **정보 · 지식과 전문성**: 중요한 정책결정 시 정보가 매우 중요하다(㉑ 대북 정책). 대통령은 경찰, 국정원 등 정보의 가외성 장치를 활용하며(정보의 과다 · 과소 · 왜곡의 문제를 최소화) 이를 통해 정보의 왜곡 여부를 판단한다.
3. **에너지**: 정력적으로 일할 수 있는 힘을 말한다.
4. **의회의 지지**: 국내정책에서는 국회의 지지가 필요하다(안정적 의석 확보).
5. **여론의 지지**: 여론의 지지가 적어도 곤란하지만, 많다고 해서 좋은 것만은 아니며(여론의 변덕) 여론의 지지가 의회의 지지를 의미하는 것도 아니다.
6. **명성**: 개인적 요소로서 설득력의 핵심적인 요소이다.

❷ 관료의 우월적 위치의 근원 (한국행정학/유민봉)

1. **예산의 통제**: 관료는 실제 예산을 배분하는 중요한 역할을 한다.
2. **정보의 통제**: 보다 정확하고 풍부한 정보를 가진 관료가 정책결정의 중요한 역할을 담당한다.
3. **전문성**: 관료는 장기간 관련 분야의 전문적이고 풍부한 경험을 통한 학습과 정보를 축적한다.
4. **사회적 신뢰**: 우리나라에서 공직은 과거 높은 사회적 평가를 받아왔다.
5. **전략적 지위**: 관료는 국회와 국민의 커뮤니케이션에서 자신들의 역할을 지속할 수 있도록 정보의 흐름을 관리할 수 있는 전략적 지위를 가진다.
6. **기관장의 리더십**: 기관장의 리더십은 정책결정의 중요한 흐름을 바꿀 정도로 강력한 작용을 한다.

❸ 국민의 사법적 참여

국민은 국가정책이 헌법상 보장된 권리를 침해한다고 판단할 때 헌법소원을 제기할 수 있다.

2. 비공식적 참여자❶

(1) 이익집단(압력단체)

① 이익집단은 공동의 이해관계나 관심을 공유한 사람들의 자발적인 모임으로, 선거에 개입하거나 로비활동을 통해서 영향력을 행사한다.

② 이해관계의 표출은 민주주의적 정책결정을 만드는 데 중요한 역할을 한다.

③ 이익집단 간 참여의 불균형이나, 공익보다 사익을 지나치게 강조하는 문제점이 야기될 수 있다.

(2) 정당

① 정당은 의제설정과정에서 이익결집기능을 함으로써 의회의 입법과정을 주도한다.

② 당정협의나 정부정책에 대한 건전한 비판을 통해 정책과정에 참여한다.

(3) 전문가집단

정책공동체를 구성하거나 정부의 각종 정책에 대해서 조언하는 역할을 수행한다. 특히 정책내용을 분석·평가하고 대안을 제시한다.

(4) 시민단체(NGO)

① 여론을 통한 의제를 설정하고, 대안을 제시하며, 집행을 감시하는 등의 행위로 영향력을 행사한다.

② 참여민주주의와 행정의 투명성 요구, 시민사회의 성장에 따라 영향력이 증가하고 있으며 이익집단의 지나친 영향력 확대를 방지한다.

(5) 언론기관(대중매체)

언론은 여론을 형성하여 정책에 영향을 미친다.

2 정책의 구성요소

정책은 정책목표, 정책수단, 정책대상집단으로 구성된다. 이들을 합하여 정책의 3대 구성요소라고 하며, 여기에 정책결정주체를 포함하면 4대 구성요소가 된다.❷

정책목표	정부가 달성하고자 하는 목표이다. ㉠ 대기환경보호
정책수단	목표를 달성하기 위한 구체적인 수단이나 방법이다. ㉠ 공장매연규제, 미세먼지규제
정책대상집단	정책의 대상이 되는 집단을 의미하며 정책으로 인한 혜택을 받는 수혜자 집단과 정책 때문에 희생을 당하는 희생자 집단(비용부담 집단)으로 구성된다. ㉠ 수혜자 집단 - 국민, 희생자 집단 - 매연방출기업
정책결정주체	정책결정자를 의미한다. ㉠ 환경오염을 방지하기 위한 단속행정청

❶ 정책제안(주장)의 형태(Dunn, 남궁근 외)

1. **사실적(designative) 주장**: 객관적인 사실에 근거하여 관찰될 수 있는 특성을 기술하는 주장이다(기인되었다, 영향을 미쳤다 등).
2. **평가적(evaluative) 주장**: 객관적 사실에다가 가치가 결부된 주장으로 정책의 어떤 측면이 '가치가 있다, 없다'라고 확언하는 것이다(좋다, 나쁘다, 옳다, 그르다 등).
3. **창도적(advocative) 주장**
   - 정부가 마땅히 어떤 행동을 취해야 한다고 확언하는 것이다(해야 한다, 마땅하다 등).
   - 창도적 주장의 특징
     - 행위가능성(actionable): 취해지게 될 구체적인 행위에 초점을 맞춘다.
     - 조망적(prospective): 어떤 행위가 취해지기 전에 이루어지는 예측적 제안이다.
     - 가치함축적(value laden): 창도적 주장은 가치뿐 아니라 사실에도 의존하고 있다(가치+사실).
     - 윤리적 복합성(ethically complex): 본질적 가치와 비본질적 가치 등 다양하여 윤리적으로 매우 복잡하다(본질적+비본질적).

❷ 수익자 기준별 유형

페로우(Perrow)는 조직을 체제로 보고 조직의 목표를 사회적 목표, 산출목표, 생산목표, 체제목표, 파생적 목표의 다섯 가지 유형으로 분류하고 있다.

핵심 OX

01 언론, 정당, 시민참여는 공식적 참여자의 대표적인 예이다. (O, X)

02 정책과정의 공식적 참여자로는 행정수반, 의회, 관료, 정당 등을 들 수 있다. (O, X)

01 X 이들은 모두 비공식적 참여자에 해당한다.
02 X 정당은 비공식적 참여자이다.

1 정책목표

1. 의의 및 종류

(1) 의의

① 정책목표란 정책을 통하여 달성하고자 하는 미래의 바람직한 상태이다.

② 방향성 · 주관성 · 규범성 · 가치함축성을 가진다.

③ 정책의 성공을 위해서는 목표의 명확한 설정이 중요하다.

(2) 종류

정책목표는 치유적 · 개선적인 소극적 목표(치유적 목표)와 창조적 · 개혁적인 적극적 목표(창조적 목표)가 있다. 이외에도 공식성 여부, 계층제, 형태, 기능별로 목표를 분류하기도 한다.

① 치유적 목표와 창조적 목표

치유적(소극적) 목표	문제발생 이전의 상태를 정책목표로 설정하는 경우이다. ㉠ 공해방지를 정책목표로 설정하는 경우 공해가 없는 상태로 되돌아가려는 목표
창조적(적극적) 목표	과거에 경험해 보지 않은 새로운 상태를 창조하려는 것이다. ㉠ 2025년도에 1인당 국민소득 4만 불을 달성하자는 목표

② 공식성 여부에 따른 분류(Perrow)[1]

공식적 목표	행정조직이 공식적으로 추구하는 목표이다. ㉠ 조직의 정관, 회칙, 연례보고서, 관리자들의 공식적인 언급
실질적 목표 (비공식적 목표, 운영목표)	행정조직이 현실적으로 추구하는 목표이다. ㉠ 조직이 이윤추구라는 공식적 목표를 가지고 있을 때, 이를 실현하기 위해 양이나 질을 설정하고 구체적인 행동방법을 모색하는 것

③ 계층제를 기준으로 한 분류

상위목표	조직의 기본목표로서 일반성과 추상성을 지니는 목표이다. ㉠ 국민치안의 확보
하위목표	상위목표의 구체화 목표이다. ㉠ 치안유지를 위한 순찰횟수의 증대

④ 무형적 목표와 유형적 목표

무형적 목표	조직의 상위목표에 해당하는 일반적이고 추상적인 목표이다. ㉠ 보건복지부의 정책목표로서 '빈곤층의 생활여건 향상'
유형적 목표	조직의 목표달성을 위해서 구체적으로 정해진 하위의 목표이다. ㉠ 보다 구체적 · 계량적인 목표인 '영세민 1가구당 최저생계비 10% 인상'

[1] 공식적 목표와 실질적 목표의 관계
양자의 목표는 일치하는 경우가 바람직하나 일치하지 않을 수도 있다. 조직활동의 반사회적 성격을 감추기 위하여 의도적으로 공식적 목표를 수단으로 삼는 경우도 있다.

핵심 OX

01 정책제안(주장)에 있어서 독단적 판단은 창도적 주장의 주요한 특징이다. (O, X)

02 정책의 3대 구성요소는 정책목표, 정책수단, 정책효과이다. (O, X)

01 X 창도적 주장의 주요 특징은 행위가능성(actionable), 조망적(prospective), 가치함축적(value laden), 윤리적 복합성(ethically complex) 등이다.

02 X 정책효과가 아니라 정책대상집단이다.

⑤ 기능별 분류(Etzioni)

질서목표	· 조직으로부터의 일탈행위를 방지하고 통제하려는 목표이다. · 교도소, 경찰서 등 강제적 조직에서의 목표이다.
경제목표	· 사회를 위해 재화와 서비스를 생산하려는 목표이다. · 기업, 공기업 등 공리적 조직에서의 목표이다.
문화목표	· 상징적 대상의 창조 · 유지 및 활용에 필요한 여건을 제도화하려는 목표로서, 이는 사회가치 · 규범의 창조와 강화 등이 포함된다. · 학교나 종교단체와 같은 규범적 조직에서의 목표이다.

2. 기능

(1) 행정활동과 정책과정의 방향과 지침을 제공해 준다.

(2) 조직의 성공 및 능률 · 효과성을 평가하는 기준이 된다.

(3) 행정의 정당성에 대한 근거를 제공하며 권위의 정당화 기능을 수행한다.

(4) 행정의 통제와 행정개선의 기능을 수행한다.

(5) MBO의 정립을 위한 필수적인 전제이다.

3. 목표의 변동

(1) 목표의 비중변동❶

① 목표의 비중변동은 여러 개의 목표를 가지고 있을 때 우선순위나 비중이 변하는 것이다.

② 조직 내 집단 간의 세력변화, 최고관리층의 교체, 환경적 압력 등 여러 가지 경우에 야기된다.

(2) 목표의 승계(succession)❷

목표의 승계는 조직 본래의 목표가 완전히 달성되었거나 달성이 불가능한 경우 조직이 다른 목표를 내세워 정통성을 확보하는 것이다.

㊐ · 목표달성한 경우: 가장 널리 인정되는 연구사례는 실즈(Shills)의 『미국 소아마비재단에 관한 연구』로, 이 재단이 원래 목표로 내세웠던 소아마비의 퇴치활동이 예방접종약의 개발로 완전히 달성되었지만, 조직이 사라지지 않고 장애자 등 불구병 퇴치를 새로운 목표로 설정하였음
· 목표달성이 불가능한 경우: 영국에서 방적업에 종사하는 청년들의 정신생활 향상을 목적으로 설립된 YMCA는 후에 회원의 공동이익 추구를 조직의 목표로 내세웠음

(3) 목표의 확장(goal expansion) · 다원화 및 축소

① 목표의 확장은 기존 목표에 같은 종류의 새로운 목표가 추가되거나, 목표의 범위가 넓어지는 것이다.

② 목표의 다원화는 같은 종류의 목표뿐만 아니라 이종(異種)의 목표도 추가되는 것이다.

③ 목표달성이 낙관적일 때 목표가 확장 · 다원화된다.

④ 목표의 축소는 목표의 수나 범위를 줄이는 것으로, 목표달성 과정에서 심한 어려움에 직면하게 되면 이를 극복하기 위해 목표를 축소하게 된다.

㊐ · 목표확장: 1개 단과대학으로 발족하였다가 점차 목표를 추가하여 종합대학교로 발전하는 것
· 목표축소: 최근 중앙정부의 업무 축소와 지방자치단체에의 대폭적 업무 이양

❶ 목표의 비중변동 예시
페로우(Perrow)의 『지역사회 독지가에 의해 운영되는 종합병원에 관한 연구』는 병원의 성장과정에서 재정, 전문기술, 조직의 대규모화에 따른 환경관리의 중요성 등의 순으로 운영상의 중점이 변화함에 따라 '이사회 지배형 → 의료 지배형 → 행정가 지배형'으로 세력변화가 나타남을 보여준다.

❷ 목표의 승계와 목표의 추가
월드컵 16강의 목표가 8강으로 조정된 것은 목표달성이 낙관적이어서 동일한 성격의 목표를 양적으로 확장한 것에 불과하므로 이는 목표의 확장에 해당한다. 만약 16강의 목표 외에 '선진축구기술의 터득'이라는 목표가 추가되었다면 이는 목표의 다원화(추가)에 해당할 것이고, 2002년 월드컵에서 16강이 달성되어 2006년 월드컵에서는 8강을 목표로 설정했다면 이는 목표의 승계에 해당할 것이다. 즉, 목표의 승계는 목표가 이미 달성된 경우 등에 새로운 목표를 설정하는 것이고, 목표의 확장은 기존의 목표가 상향조정되는 것이다.

핵심 OX

01 무형적 목표는 행동이나 해석상의 융통성 확보에 기여하는 장점이 있다. (O, X)

02 기존 목표에 새로운 질적 목표를 추가하는 것은 목표의 확대이다. (O, X)

03 유형적 목표의 지나친 추구가 목표의 전환을 가져온다. (O, X)

01 O
02 X 기존의 목표에 새로운 질적 목표를 추가하는 것은 목표의 다원화이다.
03 O

(4) 목표의 대치(displacement of goals; 도치 · 왜곡 · 전환)[1]

① 의미

㉠ 목표의 대치는 본래의 조직목표가 아니라 수단적 가치를 종국적 목표로 인식하는 것이다.

㉡ 조직이 궁극적으로 달성해야 할 목표를 망각하거나 왜곡하여서 그것을 수단으로 격하시키거나 수단을 오히려 목표의 위치에 격상시키는 것을 말한다.

② 원인

㉠ 규칙이나 절차에 대한 집착(Merton)

ⓐ 동조과잉(over conformity)으로서 본래의 목표가 아닌 규칙이나 절차에 집착하는 현상이다.

ⓑ 관료제조직에서 조직원들에게 필요한 규칙을 엄수하게 하는 태도가 업무를 수행하는 데에 있어 기술적으로 필요한 정도 이상으로 강력해진 경우이다. 따라서 조직원들은 본래의 목표가 아닌 수단에 주안점을 두게 된다. 이것이 곧 규칙의 내면화현상이며, 이로 인해서 목표의 대치현상이 나타난다.

㉡ **하위목표에의 집착(Warner & Haven)**: 행정조직의 상위목표는 무형성이 매우 높고 추상적이고 본질적인 것이어서 구체적이거나 명확하지 못하다. 그러므로 조직의 관리자가 조직의 효과성을 측정하기 위하여 무형적이고 추상적인 상위목표를 추구하는 것이 아니라 유형적이고 구체적인 하위목표를 추구하는 현상이다(유형적 목표의 추구).

㉢ **조직의 내부성**: 원래의 목표를 추구하는 것이 아니라 조직 내부의 특정한 목적을 추구하게 되는 현상이다. 대표적으로 자신이 속한 조직의 목표나 이득에만 치중하게 되는 할거주의가 있다.

㉣ **소수간부의 권력 강화 현상**[2]: 조직의 최고관리자나 소수간부가 일단 권력을 장악한 후에는 조직의 본래 목표를 추구하기보다는 자기의 권력 · 지위를 유지하고 강화시키기 위해 목표를 전환하는 현상이다.

㉤ **목표의 과다측정**[3]: 조직이 대외적인 홍보활동을 증가시키고 대내적인 통제나 감시활동을 하기 위한 정보나 자료를 과다하게 수집하면 목표를 계량화하는 경향이 심각해진다. 이러한 경우 계량화하기 어려운 질적 목표(예 국민의 삶의 질, 행복감, 자아실현 등)는 망각되기 쉽다.

핵심정리 목표변동의 유형

구분	내용
목표의 비중변동	목표 간 우선순위가 바뀌는 것
목표의 승계	목표가 이미 달성 또는 불가능 시 새로운 목표 설정
목표의 확장(다원화)	목표의 범위가 넓어지거나 새로운 목표가 추가되는 것(이종목표 추가)
목표의 대치	목표와 수단이 뒤바뀌는 목표의 전도 · 왜곡 · 전환
목표의 전환	목표가 어느 정도 달성되었을 때 새로운 목표설정

[1] 목표의 전환과 목표의 대치 및 승계
목표전환(goal diversion)을 목표대치(goal displacement)나 목표승계(goal succession)와 구별시키는 입장이 있다(김병섭). 이러한 입장에서 목표전환은 조직의 최초의 목표는 실현되지 못하였으나 대신 다른 목표에 의해서 대체된 경우를 말한다.
예 타운센드 조직은 1933년 타운센드 박사가 60세에 해당하는 사람에게 월 200달러의 연금을 지불하여 퇴직하게 함으로써 미국의 경제적 불황을 극복하도록 하는 것을 목표로 하였으나, 「사회보장법(Social Security Act)」의 통과로 본래의 목표를 많이 상실하게 되었다. 이때 타운센드 조직은 정치적 운동단체로 탈바꿈하게 되었는데, 이는 생산목표뿐만 아니라 일반적인 산출목표도 바뀌게 된 것이다.

[2] 과두제의 철칙(Michels)
제1차 세계대전 전 유럽 여러 나라에 있어서의 사회주의 정당과 노동조합 지도자들의 활동을 연구한 결과, 그들이 지도자로서의 지위를 획득한 후에는 본래의 목표인 사회변혁이나 노동자의 권익을 추구하기보다는 자신들의 지위유지에만 급급한 모습을 나타내었음을 발견하였다. 즉, 소수엘리트에 의한 지배로 목표가 전환되는 것이다.

[3] 목표의 과다측정으로 인한 목표의 왜곡현상
목표의 과다측정이 장기간 지속되면 무형목표와 같은 본질적 목표는 마치 목표가 아닌 것처럼 되어버리고, 그 결과 목표의 왜곡현상이 나타난다.

2 정책수단

1. 의의

정책수단이란 정책목표를 달성하기 위한 수단이나 방법이다.

㉠ 정책목표 - 교통의 원활화, 정책수단 - 도로의 신설

2. 종류[1]

(1) 목표 · 수단의 계층에 따른 구분

실질적(도구적) 정책수단	**규제, 유인, 자원투입:** 목표와 수단의 연쇄관계에서 나타나는데, 상위목표에 대해서는 정책수단으로서, 하위수단에 대해서는 목표로서 역할을 하며 정책대상분야에 따라 달라진다. ㉠ 실업률 감소를 위한 '일자리 마련'
실행적(보조적) 정책수단	**집행기구, 조직구성원, 재원:** 실질적 정책수단을 현실로 실현시키기 위하여 필요한 수단들이다. 정책의 구체적인 내용에 따라 달라지지 않고 상당한 공통성을 가지고 있다. ㉠ 일자리 마련을 위한 집행기구, 조직구성원, 재원, 공권력 등

(2) 강제성과 정부관여의 정도에 따른 구분

강제적 수단	정부의 직접 시행(서비스공급), 공기업, 법과 규제
자발적 수단	민간부문(시민단체, 시장경제 등)의 자율적 활동
혼합적 수단	이전지출, 보조금, 민간위탁, 조세감면, 임대, 지급보증, 보험, 설득

(3) 직접성의 정도에 의한 분류(Salamon)[2]

직접성 정도	정책수단
저	보조금, 지급보증, 바우처, 정부지원기업, 불법행위책임
중	조세감면, 계약, 사회규제, 라벨부착 요구, 교정조세, 부과금
고	직접시행, 공기업, 경제규제, 직접보험, 직접대부, 공공정보

(4) 강제성의 정도에 의한 분류(Salamon)

강제성 정도	정책도구(수단)
저	정보제공, 조세지출, 손해책임법
중	바우처, 보조금, 직접 대출, 계약, 벌금, 공기업, 보험
고	경제적 규제, 사회적 규제

3 정책대상집단

정책대상집단은 정책집행으로 영향을 받는 개인이나 집단을 말하며, 이는 정책을 통해 편익을 향유하는 수혜집단과 비용을 부담하는 희생집단으로 구분할 수 있다.

❶ 정책수단의 유형(학자별)
1. **후드(Hood)의 통치자원에 따른 분류:** 조직, 재정, 정보자원, 법적 파워
2. **맥도웰과 엘모어(McDowell & Elmore)의 목적에 따른 분류:** 위임, 유인, 능력형성, 시스템변동
3. **도언(Doern)의 강압성의 정도에 따른 분류:** 민간행태, 설득, 정부지출, 규제, 공기업(국유화)
4. **살라몬(Salamon)의 자원접근방법에 따른 분류:** 정부의 직접 시행(서비스 공급), 보조금, 지급보증, 조세감면, 규제, 공기업
5. **비덩(Vedung)의 정책도구에 따른 분류:** 규제적 도구(sticks), 유인적 도구(carrots), 정보적 도구(sermons)

❷ 규제의 효과(적절성)
살라몬(Salamon)은 형평성에 대한 고려가 특히 중요한 경우에는 정부가 직접 시행하는 직접적 수단(서비스 공급, 공기업, 법과 규제 등)이 간접적 수단(보조금이나 바우처)보다 적절하다고 주장한다.

고득점 공략 사회구성주의에 의한 정책대상집단(Schneider & Ingram)

정치적 권력 \ 사회적 형상	긍정적	부정적
높음	수혜집단(Advantaged) ㉮ 퇴역군인, 중산층	경쟁집단(Contenders) ㉮ 부유층, 거대노조
낮음	의존집단(Dependents) ㉮ 아동, 부녀자, 장애인	이탈집단(Deviants) ㉮ 대마초, 마약 흡연자

※ **사회적 형상:** 정책결정자 및 국민들이 정책대상집단에 대해 갖는 긍정적·부정적 인식
※ **정치적 권력:** 다른 집단과의 연합형성의 용이성, 동원 가능한 보유자원의 양, 집단구성원들의 전문성 정도

3 정책의 유형

1 정책유형론

1. 정부의 정책은 매우 다양하고 광범위하기 때문에 정책의 성격에 따라 분류하게 되면 정책과정을 이해하고 정책적 처방을 내릴 수 있게 된다.

2. 정책유형론은 정책을 독립변수로 간주하고, 정책유형이 달라짐에 따라 정치과정(정책결정과정)이 달라지거나(Lowi), 정치과정(정책결정과정)뿐만 아니라 정책집행과정도 달라진다고 본다(Ripley & Franklin).

2 정책의 유형

1. 학자별 정책유형

핵심정리 학자별 정책유형

학자	정책유형
알몬드와 파웰(Almond & Powell)	분배정책, 규제정책, 상징정책, 추출정책
로위(Lowi)	분배정책, 규제정책, 재분배정책, 구성정책
셀리스버리(Salisbury)	분배정책, 규제정책, 재분배정책, 자율규제정책
리플리와 프랭클린 (Ripley & Franklin)	분배정책, 경쟁적·보호적 규제정책, 재분배정책, 외교·국방정책
프로혹(Prohock)	분배정책, 규제정책, 재분배정책, 자본화정책, 윤리정책

(1) 알몬드와 파웰(Almond & Powell)의 분류(체제이론)[1]

① **추출정책:** 조세, 징병, 노역 등과 같이 국내외적 환경으로부터 인적 · 물적 자원을 추출 · 동원하는 정책이다(Mitchell의 동원정책). ⇨ 투입기능

㉥ 징병, 조세(누진세 포함), 성금, 토지수용, 노역 등

② **분배정책:** 국가의 자원을 국민에게 제공하는 정책이다. ⇨ 산출기능

㉥ SOC 건설, 택지공급, 사회보장비 지출 등

③ **규제정책:** 특정 집단을 보호하기 위해 특정 집단을 규제하는 정책이다(다원주의적 정치). 정부의 경제적 · 사회적 규제와 관련된다. ⇨ 산출기능

④ **상징정책:** 정책의 대상집단인 국민으로 하여금 국가의 여러 가지 정책에 보다 잘 순응하고 정치체제를 신뢰하도록 홍보하는 정책이다. ⇨ 환류기능

㉥ 광화문 동상, 국경일, 경복궁 복원, 88 올림픽, 지방자치단체의 축제 등

(2) 로위(Lowi)의 분류(강제력의 행사방법과 적용대상)

로위(Lowi)는 강제력의 행사방법과 적용영역을 기준으로 정책을 네 가지로 나누어 유형화하였고, 정책유형별 특징과 사례를 제시하였다.

구분		강제력의 적용대상	
		개인의 행위	행위의 환경
강제력의 행사방법	간접적	분배정책 ㉥ 19세기 토지정책 등	구성정책 ㉥ 선거구 조정 등
	직접적	규제정책 ㉥ 과대광고규제 등	재분배정책 ㉥ 사회보장 등

① **분배정책:** 갈라먹기식 결정(pork barrel* politics)과 통나무 굴리기(log rolling*) 현상이 발생한다.

② **규제정책:** 경제적 · 사회적 질서유지를 위하여 특정 집단에 대한 규제를 실시하는 정책이다.

③ **재분배정책:** 엘리트적 정치, 이데올로기적 논쟁이 발생한다.

④ **구성정책:** 정부조직의 신설이나 변경, 선거구의 조정 등과 관련있는 정책이다.

(3) 셀리스버리(Salisbury)의 분류(요구패턴과 결정패턴[2])

셀리스버리(Salisbury)는 요구(demand)와 결정체제(decision system)의 두 가지 요소를 기준으로 각각의 패턴이 분산적인지 통합적인지에 따라 네 가지 범주의 정책유형을 제시하였다.

구분		요구패턴	
		통합	분산
결정패턴	통합	재분배정책 (정치적 재량)	규제정책 (기획적 재량)
	분산	자율규제정책 (전문적 재량)	분배정책 (기술적 재량)

① **재분배정책:** 정책에 대한 요구가 계급적이고, 결정체제는 일부 부처의 공적 권위에 의해 결정되기 때문에 통합적이다.

[1] 누진세의 학자별 정책유형
알몬드와 파웰(Almond & Powell)의 분류에서 추출정책의 '누진세'와 분배정책의 '사회보장비 지출'의 경우는 로위(Lowi)의 분류에서 재분배정책에 해당한다.

용어

포크배럴(pork barrel)*: 이권법안 또는 이권법안을 둘러싸고 벌어지는 정치게임을 지칭하는 말이다. 원래의 뜻은 '돼지고기 통'으로, 이권 또는 정책 교부금을 얻으려고 모여드는 의원들이 마치 남부의 농장에서 농장주가 돼지고기 통에서 한 조각의 고기를 던져 줄 때 모여드는 노예와 같다는 뜻에서 나온 말이다.

로그롤링(log rolling)*: 이권(利權)이 결부된 몇 개의 법안을 관련 의원들이 서로 협력해서 통과시키는 행태를 가리키는 미국의 의회 용어이다. 개척자가 벌채한 통나무를 운반하면서 서로 협력해 굴리기를 한 데에서 유래하였다.

[2] 요구패턴과 결정패턴
요구패턴이 통합적이란 소수집단의 요구 성격을 띤다는 의미이며, 분산적이란 다수집단의 요구 성격을 띤다는 의미이다. 또한 결정체제의 패턴이 통합적이란 소수의 정부부처가 관련되어 있다는 것을 의미하며, 분산적이란 다수의 정부부처가 관련되어 있다는 것을 의미한다.

② **분배정책**: 다양한 국민의 요구와 다수의 부처가 결정하는 형태로, 정책에 대한 요구와 결정이 분산적이다.

③ **자율규제정책**: 어떤 문제에 대한 고도로 통합된 요구가 분산적인 의사결정형태와 결합된 상황에서 나타날 가능성이 높은 정책이다. 전문가집단이 스스로 자기집단을 규제하도록 하는 변호사협회, 의사협회에서의 면허규제가 대표적이다.

④ **규제정책**: 셀리스버리(Salisbury)의 이론이 발표될 1968년의 미국의 규제정책은 독과점과 불공정거래에 관한 규제가 중심이었으므로, 규제정책은 일반다수 국민들에 의하여 요구되어 분산적이고 결정패턴은 독립규제위원회가 담당하였기 때문에 통합적이다.

(4) 리플리와 프랭클린(Ripley & Franklin)의 분류(정책집행과정의 특징)

① **분배정책**: 반발이 별로 없고 집행이 가장 용이하다.

② **경쟁적 규제정책**: 특정 업체에게만 사업권을 부여하면서(배분정책) 동시에 공익을 위한 규제를 가한다(규제정책). 따라서 배분정책과 규제정책의 양면성을 지니고 있기 때문에 혼합정책(Hybrid policy)이라고도 한다.

㉠ 이동통신사업권 · 항공노선사업권 설정 등

③ **보호적 규제정책**: 각종 민간활동이 허용되는 조건을 설정함으로써 국민(일반대중)을 보호하기 위해서 금지 · 제한을 가한다.

㉠ 식품 · 의약품규제, 환경규제, 과대광고규제, 공정거래규제, 근로기준규제 등

④ **재분배정책**: 비용부담자와 수혜자 간의 갈등으로 집행하는 것이 다른 정책들에 비해 가장 어렵다.

⑤ **외교 · 국방정책**: 리플리와 프랭클린(Ripley & Franklin)은 앞의 네 가지 국내정책의 유형과는 달리 외교 · 국방정책을 별개의 유형으로 보고 구조정책, 전략정책, 위기정책 등으로 나누었다.

개념PLUS 정책유형에 따른 집행과정상의 특징(Ripley & Franklin)❶

구분	분배정책	경쟁적 규제정책	보호적 규제정책	재분배 정책
안정적인 루틴의 확립을 통한 원만한 집행의 가능성	높음	보통	낮음	낮음
주요 관련자들의 동일성과 그들 간 관계의 안정성	높음	낮음	낮음	높음
집행에 대한 대상집단 간 갈등 정도	낮음	보통	높음	높음
관료의 집행결정에 대한 반발 정도	낮음	보통	높음	높음
집행을 둘러싼 논쟁에 있어 이데올로기의 정도	낮음	약간 높음	높음	매우 높음
정부활동의 감소(작은 정부)를 위한 압력의 정도	낮음	약간 높음	높음	높음
성공적인 집행의 어려움	낮음	보통	보통	높음

❶ 정책집행상의 난이도(곤란도)
곤란 ← 재분배정책 > 보호적 규제정책 > 경쟁적 규제정책 > 분배정책 → 용이

핵심 OX

01 로위(Lowi)는 분배정책, 규제정책, 재분배정책, 구성정책으로 나누었다. (O, X)

02 리플리와 프랭클린(Ripley & Franklin)은 정책의 유형을 분배정책, 경쟁적 규제정책, 보호적 규제정책, 재분배정책으로 분류하였다. (O, X)

01 O
02 O

2. 구체적 검토

(1) 분배정책(구유통 정치)

① 의의

㉠ 특정 개인, 기업, 조직, 지역에 공공서비스와 편익을 배분하는 정책이다.

㉪ SOC 건설, 수출특혜금융, 국고보조금 지급, 주택자금대출, 택지분양 등

㉡ 불특정 다수에게 이익이 분산되는 개별화된 정책이다.

② 특징

㉠ **갈라먹기식 결정:** 혜택을 보는 수혜자들은 서로 더 많은 것을 얻기 위해 경쟁한다. 즉, 수혜자들은 결정과정에서 서비스와 편익을 더 많이 배분받으려 다투게 되는데, 이를 '갈라먹기식 결정(pork barrel politics)'이라고 한다.

㉡ 수혜자와 비용부담자 간에 직접적인 갈등이나 다툼이 발생하지 않으며, 이데올로기적 논쟁이 부재하거나 미약하다.

㉢ 서로 간에 밀어주기식 정책결정인 투표의 거래(vote trading), 통나무 굴리기(log rolling)식 의사결정이 나타난다.

㉣ 자원배분절차가 정형화·표준화되어 있어 표준운영절차(SOP)의 확립이 용이하다.

(2) 재분배정책(엘리트 정치)

① **의의:** 재산, 권력, 권리들을 많이 소유하고 있는 집단으로부터 그렇지 못한 집단으로 이전시키는 정책이다.

㉪ 누진세제도, 영세민 취로사업이나 임대주택의 건설, 세액공제나 감면 등

② 특징

㉠ 계급대립적 성격을 지니고 이데올로기적 논쟁이 심하며 정책집행이 매우 곤란하기 때문에 영합게임(zero sum)적 성격을 지닌다. 따라서 재분배정책에 대한 사회적 합의를 이끌어 내는 것이 중요하다.

㉡ 규제정책이나 분배정책에서와는 달리 재산권의 행사에 관련된 것이 아니라 재산 자체를, 그리고 평등한 대우가 아니라 평등한 소유를 문제로 삼고 있다.

개념PLUS 분배정책과 재분배정책의 비교

구분	분배정책	재분배정책
행정이념	능률성, 효과성	형평성
이데올로기적 성격	약함	강함
정책결정양태	구유통 정치, 통나무 굴리기	엘리트 정치
게임양태	논제로섬(non-zero sum)	제로섬(zero sum)
집행의 용이성	용이	곤란
비용부담	불특정 다수	고소득층
수혜자	특정 개인, 기업체, 조직, 지역사회 등	저소득층

핵심 OX

01 엘리트적 정치는 재분배정책에서 흔히 나타난다. (O, X)

02 최저임금제의 실시는 대표적인 재분배정책의 예이다. (O, X)

03 돼지 구유통식 정치가 나타나는 것은 재분배정책이다. (O, X)

04 규제정책은 분배정책보다 정책집행의 성공가능성이 높다. (O, X)

05 배분정책에서는 게임의 법칙이 일어나며, 총체적 기능과 권위적 성격을 특징으로 한다. (O, X)

06 조세나 징집은 국가를 구성하기 위한 것으로 구성정책의 대표적인 예이다. (O, X)

01 O
02 X 최저임금제의 실시는 보호적 규제정책의 대표적인 예이다. 재분배정책의 대표적인 예로는 누진세제도를 들 수 있다.
03 X 돼지 구유통식 정치가 나타나는 것은 분배정책이다.
04 X 분배정책이 규제정책보다 정책집행의 성공가능성이 높다.
05 X 구성정책에 대한 설명이다.
06 X 조세나 징집은 사회로부터 물적·인적자원을 빼내는 추출정책에 해당한다. 구성정책은 정부조직의 개편이나 선거구의 개편과 관련되는 정책이다.

(3) 규제정책(다원주의 정치)

① **의의:** 특정한 개인이나 조직 또는 기업체에 제재나 통제 및 제한을 가하는 것이다.

㉮ 경제적 규제인 가격규제, 진입 · 탈퇴규제, 독과점규제 등과, 사회적 규제인 환경오염규제 등

② **특징:** 규제를 받는 사람과 규제를 가하려고 하는 사람들 사이에 심각한 대립이 있기 때문에 포획현상(주로 경제적 규제)이나 대립현상(주로 사회적 규제)이 발생한다.

(4) 구성정책

① **의의:** 정치체제의 구조와 운영에 관련된 정책이다. 로위(Lowi)는 처음(1964)에는 이를 논의하지 않다가 나중(1972)에 구성정책을 추가하였다.

㉮ 정부기관의 신설이나 변경, 선거구 조정, 공무원의 보수결정 등

② **특징**

㉠ 정치적으로 안정된 상황에서는 헌정질서에 대한 변동이 미약하여 새로운 정책이 거의 없기 때문에 그 중요성이 미약하다.

㉡ 가치배분이란 측면에서는 효과가 적다. 즉, 대외적 가치배분에는 영향을 주지 않아 비교적 일반대중의 관심으로부터 벗어나 있으며, 주로 고위 정치권의 관심대상이다.

㉢ 대내적으로 각 부서 간에 '게임의 법칙'이 발생하며 총체적 기능과 권위적 성격을 특징으로 한다. 또한 종종 담합은 아니더라도 참여자 간의 상호수용에 의해서 결정되어지는 경향이 있다.

㉣ 정당은 선거구의 조정과 같이 중요한 역할을 담당하지만 이익집단의 역할은 상대적으로 미약하다.

(5) 상징정책

국민들의 단결력이나 자부심을 높여줌으로써 정부의 정통성에 대한 인식을 제고하고, 정부정책에 대한 순응을 확보하여 정부의 정책활동을 원활하게 하기 위해 활용된다.

㉮ 경복궁 복원, 군대열병, 88 올림픽경기, 2002 월드컵경기 등

(6) 추출정책

체제의 존립을 위하여 주로 물적 · 인적자원을 민간부문에서 추출하는 정책이다.

㉮ 조세, 병역, 물자수용, 토지수용, 노동력동원 등과 관련된 정책

학습 점검 문제

01 라스웰(Lasswell)의 '정책지향(policy orientation)'의 내용에 대한 설명으로 가장 옳지 않은 것은?

2018년 서울시 7급(3월 시행)

① 정책학은 사회문제의 해결을 지향해야 한다.

② '정책과정에 관한 지식'은 규범적, 처방적 지식을 의미한다.

③ 정책적 의사결정을 사회적 과정의 부분에 해당한다고 본다.

④ 다양한 연구방법의 사용을 장려한다.

02 정책학의 발달에 대한 설명으로 옳지 않은 것은? 2024년 지방직 9급

① 1951년 『정책지향(Policy Orientation)』이라는 논문은 정책학의 정체성 확립에 기여하였다.

② 라스웰(Lasswell)은 1971년 『정책학 소개(A Pre-View of Policy Sciences)』에서 맥락지향성, 이론지향성, 연합학문지향성을 제시하였다.

③ 1980년대 정책학의 연구는 정책형성, 집행, 평가, 변동 등 다양한 분야로 확대되었다.

④ 드로(Dror)는 정책결정단계를 상위정책결정(meta-policymaking), 정책결정(policymaking), 정책결정 이후(post-policymaking)로 나누는 최적모형을 제시하였다.

정답 및 해설

01 라스웰(Lasswell)의 '정책지향(policy orientation)'

라스웰(Lasswell)은 1951년 발표한 '정책지향(policy orientation)'에서 정책과학은 합리적 정책결정을 위하여 '정책과정에 관한 지식'과 '정책과정에 필요한 지식'으로 구분하는데 '정책과정에 관한 지식'은 현실적·실증적 지식이고 '정책과정에 필요한 지식'은 규범적·처방적 지식이다. 라스웰(Lasswell)은 정책과학의 특성으로 문제지향성, 규범지향성, 사회적 맥락성, 연구방법의 다양성 등을 제시하였다.

| 선지분석 |

① 문제지향성에 대한 설명이다.

③ 사회적 맥락성에 대한 설명이다.

④ 연구방법의 다양성에 대한 설명이다.

02 정책학의 발달과정

라스웰(Lasswell)은 1971년 『정책학 소개(A Pre-View of Policy Sciences)』에서 ㉠ 의사결정은 사회과정 속에서 이루어져야 한다는 맥락성(contextuality), ㉡ 문제지향성(problem orientation), ㉢ 연구방법의 다양성(diversity)을 제시하였다.

정답 01 ② 02 ②

03 **정책참여자에 대한 설명으로 옳지 않은 것은?** 2024년 국가직 9급

① 시민단체(NGO)는 비공식적 참여자로서 시민 여론을 동원해 정책의제설정, 정책대안제시, 정부의 집행활동 감시 등 정책과정 전반에 영향을 미친다.

② 정당은 공식적 참여자로서 대중의 여론을 형성하고 일반 국민에게 정책 관련 주요 정보를 전달하는 역할을 통해 정책과정에 영향을 미친다.

③ 사법부는 공식적 참여자로서 정책과 관련된 법적 쟁송이 발생한 경우 그 정책의 타당성에 대한 판결을 통해 정책에 영향을 미친다.

④ 이익집단은 비공식적 참여자로서 특정 이해관계를 공유하는 사람들의 모임이며, 구성원들의 이익을 실현하기 위해 정부에 압력을 가함으로써 정책에 영향을 미친다.

04 **조직목표변동의 한 유형으로 조직이 추구하고자 하는 원래의 목표가 다른 목표로 뒤바뀌어 조직의 목표가 왜곡되는 현상을 일컫는 용어는?** 2012년 서울시 9급

① 목표의 대치
② 목표의 추가
③ 목표의 승계
④ 목표의 비중변동
⑤ 목표의 감소

05 **살라몬(Salamon)이 제시한 정책수단의 유형에서 직접적 수단으로만 묶은 것은?** 2018년 국가직 9급

ㄱ. 조세지출(tax expenditure)	ㄴ. 경제적 규제(economic regulation)
ㄷ. 정부소비(direct government)	ㄹ. 사회적 규제(social regulation)
ㅁ. 공기업(government corporation)	ㅂ. 보조금(grant)

① ㄱ, ㄴ, ㄷ
② ㄱ, ㄹ, ㅂ
③ ㄴ, ㄷ, ㅁ
④ ㄹ, ㅁ, ㅂ

06 살라몬(Salamon)의 정책수단 유형 중 직접 수단에 해당하는 것은?

2021년 국가직 7급

① 사회적 규제　　② 보조금

③ 조세지출　　④ 공기업

정답 및 해설

03 정책참여자

정당은 대표적인 비공식적 참여자로서 사회에서 여론을 형성하고 국민에게 정보를 전달해주는 외부 참여자이다.

04 목표변동의 유형

조직목표 변동의 한 유형으로 조직이 추구하고자 하는 원래의 목표가 다른 목표로 뒤바뀌어 조직의 목표가 왜곡되는 현상은 목표의 대치 또는 전환에 해당한다.

| 선지분석 |

② 목표의 추가는 기존목표에 새로운 목표를 첨가하는 경우(목표의 다원화)를 말한다.

③ 목표의 승계는 본래의 목표가 완전히 달성되었거나 달성이 불가능한 경우 다른 목표를 내세우는 것을 말한다.

④ 목표의 비중변동은 여러 개의 목표를 가지고 있을 때 그 우선순위나 비중이 변하는 경우를 말한다.

⑤ 목표의 감소는 업무 이양 등으로 목표의 수나 범위가 줄어드는 경우를 말한다.

목표변동의 유형

목표의 비중변동	목표 간 우선순위가 바뀌는 것
목표의 승계	목표가 이미 달성 또는 달성 불가능 시 새로운 목표를 설정하는 것
목표의 추가(다원화)	새로운 목표가 추가되는 것
목표의 확대(축소)	목표달성이 낙관적일 때 목표를 높이는 것
목표의 대치	목표와 수단이 뒤바뀌는 목표의 도치·왜곡·전도·전환
목표의 종결	목표달성 시 목표를 폐지하는 것(구조적·기능적 종결)

05 살라몬(Salamon)의 정책수단 분류

ㄴ. 경제적 규제, ㄷ. 정부소비, ㅁ. 공기업은 정부가 직접 시행하는 직접성이 높은 정책수단이다.

| 선지분석 |

ㄱ. 조세지출, ㄹ. 사회적 규제는 직접적 수단과 간접적 수단의 중간 정도의 직접성을 가지고, ㅂ. 보조금은 간접적 수단에 해당한다.

06 살라몬(Salamon)의 정책수단

살라몬은 직접성의 정도에 따라 정책수단을 구분하였다. 공기업은 공공의 목적을 달성하기 위해 정부가 투자해서 소유권을 갖거나 통제권을 행사하는 기업을 말한다. 그러므로 살라몬(Salamon)에 의하면 공기업은 직접적 정책수단에 해당한다.

직접성의 정도에 의한 정책수단의 분류(Salamon)

직접성의 정도	정책수단
저	보조금, 지급보증, 바우처, 정부지원기업, 불법행위책임,
중	조세감면, 계약, 사회규제, 라벨부착 요구, 교정조세, 부과금
고	직접시행(정부소비), 공기업, 경제규제, 직접보험, 직접대부, 공공정보(행정PR)

정답 03 ② 04 ① 05 ③ 06 ④

07 살라몬(Salamon)의 정책도구 분류에서 강제성이 가장 높은 것은? 2022년 지방직 9급

① 경제적 규제
② 바우처
③ 조세지출
④ 직접대출

08 로위(Lowi)는 강제력의 행사방법과 강제력의 적용영역 차이에 따라 정책을 네 가지(A~D)로 유형화하고, 정책유형별 특징과 사례를 제시하였다. 이에 대한 설명으로 옳지 않은 것은? 2016년 지방직 7급

강제력의 적용영역 / 강제력의 행사방법	개별적 행위	행위의 환경
간접적	A	B
직접적	C	D

① A에서는 정책내용이 세부단위로 쉽게 구분되고 각 단위는 다른 단위와 별개로 처리될 수 있다.
② B에는 선거구 조정, 정부조직이나 기구 신설, 공직자 보수 등에 관한 정책이 포함된다.
③ C에서는 피해자와 수혜자가 명백하게 구분되며 정책결정자와 집행자가 서로 결탁하여 갈라먹기식(log-rolling)으로 정책을 결정하는 것이 어렵다.
④ D에서는 지방적 수준에서 분산적인 정책결정이 이루어진다.

09 분배정책에 대한 설명으로 옳지 않은 것은? 2015년 서울시 9급

① 이해당사자 간 제로섬(zero sum) 게임이 벌어지고 갈등이 발생될 가능성이 규제정책에 비해 상대적으로 더 크다.
② 일반적으로 포크배럴(pork barrel) 현상이 발생한다.
③ 도로, 다리의 건설, 국·공립학교를 통한 교육서비스의 제공 등이 분배정책에 해당한다.
④ 정책과정에서 이해당사자들이 서로 협력하는 로그롤링(log rolling) 현상이 발생한다.

10 로위(Lowi)의 정책유형 분류에서 강제력이 행위의 환경에 직접적으로 적용되는 것은? 2019년 지방직 7급

① 재분배정책(redistributive policy)

② 규제정책(regulatory policy)

③ 구성정책(constituent policy)

④ 분배정책(distributive policy)

정답 및 해설

07 살라몬(Salamon)의 정책도구 분류

살라몬(Salamon)의 정책도구 분류에서 일반적인 모형인 직접성의 정도에 따른 분류와 다르다는 점에 유의해야 한다. 강제성이 높은 것은 정부가 강제력(공권력)을 가지고 시행하는 규제로서 인·허가와 관련된 경제적 규제와 환경규제와 관련된 사회적 규제가 있다.

| 선지분석 |

② 바우처는 소비자의 선택권이 있는 강제성이 중간인 정책도구이다.

③ 조세지출은 정부가 개인이나 기업의 조세를 감면해주는 것으로 강제성이 낮은 정책도구이다.

④ 직접대출은 대출을 받는 대상자의 결정에 의한 것으로 강제성이 중간인 정책도구이다.

❶ 강제성의 정도에 의한 정책도구 분류(Salamon)

강제성의 정도	정책도구(수단)
낮음	정보제공, 조세지출, 손해책임법
중간	바우처, 보조금, 직접 대출, 계약, 벌금, 공기업, 보험
높음	경제적 규제, 사회적 규제

08 로위(Lowi)의 정책유형별 특징

각각 A는 분배(배분)정책, B는 구성정책, C는 규제정책, D는 재분배정책에 해당한다. 재분배정책(D)은 엘리트 정치로서 중앙정부가 집권적·독자적으로 결정하며, 이데올로기적 논쟁이 발생하므로 사회적 합의를 이끌어 내는 것이 중요하다.

❶ 로위(Lowi)의 정책유형

로위(Lowi)는 강제력의 행사방법과 적용영역을 기준으로 정책을 네 가지로 나누어 유형화하였다. 정책의 유형을 처음(1964)에는 분배정책·규제정책·재분배정책으로 분류하였다가, 나중(1972)에 구성정책을 추가하였다.

구분		강제력의 적용영역	
		개인의 행위	행위의 환경
강제력의 행사방법	간접적	분배정책 ㉠ 19세기 토지정책	구성정책 ㉠ 선거구 조정
	직접적	규제정책 ㉠ 과대광고규제	재분배정책 ㉠ 사회보장

09 분배정책의 특징

이해당사자 간 제로섬(zero sum) 게임이 벌어지고 갈등이 발생될 가능성이 큰 것은 분배정책이 아니라 재분배정책의 특징에 해당한다. 분배정책은 갈등이 심하지 않아 집행이 가장 용이하다.

10 로위(Lowi)의 정책유형

로위(Lowi)의 정책유형에서 강제력이 포괄적으로 행위의 환경에 직접적으로 적용되는 것은 재분배정책(redistributive policy)이다. 로위는 강제력의 행사방법과 강제력의 적용대상을 기준으로 정책을 4가지 유형으로 나누었다. 재분배정책은 누진세제도처럼 행위의 환경(사회전체)에 걸쳐 직접적(강제적)으로 영향을 주는 정책이다.

| 선지분석 |

② 로위(Lowi)의 정책유형에서 규제정책(regulatory policy)은 직접적으로 개인에게 적용된다.

③ 로위(Lowi)의 정책유형에서 구성정책(constituent policy)은 간접적으로 환경에 적용된다.

④ 로위(Lowi)의 정책유형에서 분배정책(distributive policy)은 간접적으로 개인에게 적용된다.

정답 07 ① 08 ④ 09 ① 10 ①

11 **로위(Lowi)의 정책유형과 그에 대한 설명으로 옳은 것만을 모두 고르면?** 2021년 국가직 9급

> ㄱ. 규제정책은 특정 개인이나 집단에 대한 선택의 자유를 제한하는 유형의 정책으로 강제력이 특징이다.
> ㄴ. 분배정책의 사례에는 FTA협정에 따른 농민피해 지원, 중소기업을 위한 정책자금지원, 사회보장 및 의료보장정책 등이 있다.
> ㄷ. 재분배정책은 고소득층으로부터 저소득층으로 소득이전을 목적으로 하기 때문에 계급대립적 성격을 지닌다.
> ㄹ. 재분배정책의 사례로는 저소득층을 위한 근로장려금 제도, 영세민을 위한 임대주택 건설, 대덕 연구개발특구 지원 등이 있다.
> ㅁ. 구성정책은 정부기관의 신설과 선거구 조정 등과 같이 정부기구의 구성 및 조정과 관련된 정책이다.

① ㄱ, ㄴ, ㄷ　　② ㄱ, ㄷ, ㅁ
③ ㄴ, ㄹ, ㅁ　　④ ㄷ, ㄹ, ㅁ

12 **정책의 유형 중에서 정책목표에 의해 일반 국민에게 인적·물적 자원을 부담시키는 정책은?** 2022년 국가직 9급

① 추출정책　　② 구성정책
③ 분배정책　　④ 상징정책

13 **로위(Lowi)의 정책유형에 대한 설명으로 옳지 않은 것은?** 2024년 국가직 9급

① 정부 혹은 정치체제의 정통성과 정당성을 확보하고, 국민의 단결력이나 자부심을 높여 줌으로써 정부의 정책활동을 원활하게 하기 위한 정책은 구성정책에 해당한다.
② 기초생활보장 대상자에 대한 생활 보조금 지급 등과 같이 소득이전과 관련된 정책은 재분배정책에 해당한다.
③ 도로 건설, 하천·항만 사업과 같이 국민에게 공공서비스나 혜택을 제공하기 위한 정책은 분배정책에 해당한다.
④ 사회구성원이나 집단의 활동을 통제해 다른 사람이나 집단을 보호하려는 목적을 가진 정책은 규제정책에 해당한다.

14 로위(Lowi)의 정책유형과 리플리와 프랭클린(Ripley & Franklin)의 정책유형에는 없지만, 알몬드와 파웰(Almond & Powell)의 정책유형에는 있는 것은?

2023년 지방직 9급

① 상징정책 ② 재분배정책

③ 규제정책 ④ 분배정책

정답 및 해설

11 로위(Lowi)의 정책유형

로위(Lowi)의 정책유형에 대한 설명으로 옳은 것은 ㄱ, ㄷ, ㅁ이다.

ㄱ. 규제정책은 경제적·사회적 질서유지를 위하여 특정 집단에 대한 규제를 실시하는 정책이다.

ㄷ. 재분배정책은 재산, 권력, 권리들을 많이 소유하고 있는 집단으로부터 그렇지 못한 집단으로 이전시키는 정책이다.

ㅁ. 구성정책은 정부조직의 신설이나 변경, 선거구의 조정 등과 관련 있는 정책이다.

| 선지분석 |

ㄴ. FTA협정에 따른 농민피해 지원, 중소기업을 위한 정책자금지원은 분배정책이지만 사회보장 및 의료보장정책은 저소득층에 대한 지원을 목적으로 하는 재분배정책에 해당한다.

ㄹ. 저소득층 근로장려금 제도, 영세민 임대주택 건설 등은 재분배정책이지만, 대덕 연구개발특구 지원은 국가의 자원의 배분하는 분배정책에 해당한다.

12 알몬드와 파웰(Almond & Powell)의 정책유형

국민에게 인적·물적 자원을 부담시키는 정책은 알몬드와 파웰(Almond & Powell)이 분류한 추출정책에 해당한다. 알몬드와 파웰(Almond & Powell)은 정책의 유형을 분배정책, 규제정책, 상징정책, 추출정책으로 구분하였다.

| 선지분석 |

② 구성정책은 정부조직의 신설이나 변경, 선거구의 조정, 공무원의 보수와 관련된 것이다.

③ 분배정책은 정부가 개인, 기업, 대상 집단에게 각종 서비스·지위·이익·기회 등을 나누어 주는 것으로 수출산업에 대한 재정·금융 지원 정책과 도로·항만 건설사업 등을 말한다.

④ 상징정책은 정부 정책에 대한 국민들의 순응을 높이기 위해서 애국가를 제창하고, 국기를 게양하며, 군대 사열식을 거행하는 등 국가적 상징물을 동원하는 정책을 말한다.

13 로위(Lowi)의 정책유형

정부 혹은 정치체제의 정통성과 정당성을 확보하고, 국민의 단결력이나 자부심을 높여줌으로써 정부의 정책활동을 원활하게 하기 위한 정책은 알몬드와 파웰(Almond & Powell)의 상징정책이다. 예를 들면 올림픽, 월드컵 유치, 한글날 기념식 거행, 군대의 열병이나 사열 등이 있다.

14 학자별 정책 유형

알몬드와 파웰(Almond & Powell)의 정책유형은 분배, 규제, 상징, 추출 정책이 있지만 재분배정책은 언급하고 있지 않다. 로위(Lowi), 리플리와 프랭클린(Ripley & Franklin)의 정책유형에는 재분배정책이 존재한다.

정답 11 ② 12 ① 13 ① 14 ①

CHAPTER 2

정책의제설정 및 정책과정에 대한 이론

1 정책의제설정

1 의의

1. 개념[1]

정부가 사회문제를 정책적으로 해결하기 위하여 심각하게 검토하기로 결정하는 행위 또는 과정이다. 즉, '사회문제의 정부귀속화과정'이다.

2. 대두배경과 논의의 전개

(1) 대두배경

정책의제설정에 관한 연구는 미국에서 1960년대 흑인폭동이 일어나자, 왜 이러한 사회문제가 공식적으로 논의되지 못했는가에 대한 반성에서 출발하였다.

(2) 논의의 전개[2]

과거 다원주의적인 시각에서는 정도의 차이는 있지만, 어떤 집단이라도 정책의제설정과정에 영향력을 행사할 수 있다고 보았다. 그러나 신엘리트론에 속하는 무의사결정론은 어떤 집단이 제기하는 의제는 정책의제설정과정에 진입하지 못할 수도 있다는 것을 밝혀내었다. 여기에서 정책결정과정뿐만 아니라 정책의제설정과정도 매우 중요하다는 주장이 제기된 것이다.

3. 일반적 과정(Cobb & Elder)[3]

사회문제(social problem)	사회의 수많은 구성원들이 사회문제라고 느끼는 것이다.
↓	
사회적 이슈 (social issue)	문제의 성격이나 해결방법에 대해 집단들 사이의 의견 일치가 어려운 사회문제로서, 집단들 사이에서도 논쟁의 대상이 되어 있는 사회문제이다.
↓	
체제의제 (systemic agenda) = 공중의제(public agenda)	일반대중의 주목을 받을 가치가 있으며, 정부가 문제해결을 하는 것이 정당한 것으로 인정되는 사회문제이다. 아직까지는 포괄적인 것이 특징이다.
↓	
제도의 (institutional agenda) = 공식의제(official agenda)	정부의 공식적인 의사결정에 따라 그 해결을 위해 심각하게 고려하기로 명백히 밝힌 문제로서 구체적인 것이 특징이다. 이는 그 문제의 해결을 심각하게 고려한다는 점에서 정부가 불만세력을 무마하기 위해 겉으로만 관심을 나타내는 위장의제와는 차이가 있다.

❶ 정책의제설정과정의 성격
1. 정책의제설정과정은 정책과정의 출발점이며 정책쟁점들이 제기되는 단계이다.
2. 정책결정자나 정책결정기구들이 제기된 쟁점들에 대하여 해결책을 마련할 것인가, 그렇지 않을 것인가를 결정하기 위하여 쟁점을 공식적인 고려의 대상으로 채택하는 과정이다.

❷ 의제설정연구
1970년대에 접어들면서 콥과 엘더(Cobb & Elder), 로스와 켄드릭(Ross & Kendrick), 아이스톤(Eyestone), 존스(Jones) 등에 의하여 의제설정연구가 집중적으로 이루어졌다.

❸ 위장의제(pseudo agenda, 가의제)
1. 정부가 해결할 의지 없이 불만세력을 무마하기 위하여 겉으로만 관심을 나타내는 왜곡된 의제를 말한다.
2. 정부의제는 정부가 그 문제의 해결을 심각하게 고려한다는 점에서 위장의제와 다르나, 실제로는 위장의제에 있어서도 정부의 책임자들이 표면적으로는 진실로 해결을 의도하는 듯이 보이려고 노력하기 때문에 정부의제와 위장의제를 구별하는 것이 쉽지 않다.

개념PLUS 의제설정과정의 학자별 비교

구분	내용	콥 & 엘더 (Cobb & Elder)	아이스톤 (Eyestone)	앤더슨 (Anderson)
채택 전	공중의 일반적 관심사	체제의제	공중의제	토의의제
채택 후	정부에 의해 공식적으로 인지·채택된 의제	제도의제	공식의제	행동의제

2 정책의제설정모형

1. 콥과 로스(Cobb & Ross)의 정책의제설정모형(정책주도집단 기준)

(1) 외부주도형(배양형)

① 외부주도형은 외부집단에 의해서 문제가 제기되고 확대되어 공중의제 및 정부의제화되는 형태이다(사회문제 → 이슈화 → 공중의제 → 공식의제).

㉮ 6·29 선언, 금융실명제, 그린벨트 지정완화, 양성채용목표제, 한일어업협정 등

② 다원주의적인 선진국에서 많이 나타나며 언론기관이나 정당의 역할이 중요하다.

③ 외부집단이 주도하여 정책의제의 채택을 정부에 강요하는 경우로서 허쉬만(Hirschman)이 말하는 '강요된 정책문제'에 해당한다.

④ '머들링 스루(muddling through)*' 과정이 두드러지게 나타난다.

(2) 동원형(속결형)

① 동원형은 정부조직 내부에서 주도되어 자동적으로 공식의제화되고 행정 PR을 통하여 공중의제화되는 형태이다(사회문제 → 공식의제 → 공중의제).

㉮ 새마을운동, 가족계획사업, 제2건국운동, 부패방지운동 등

② 집행에 필요한 대중의 지지를 얻고 순응을 확보하기 위해서 정부의제가 된 것이 역진하여 공중의제로 나아가는 경우이다.

③ 허쉬만(Hirschman)의 '채택된 정책문제'에 해당하며 정책결정이 보다 분석적으로 이루어진다고 보았다.

④ 정부의 힘이 강하고 민간부문의 힘이 취약한 후진국에서 많이 나타나는 모형이다. 그러나 부시(Bush) 대통령이 이라크전쟁을 결정한 것과 같이 선진국에서도 나타날 수 있다.

(3) 내부접근형(음모형)

① 내부접근형은 관료집단이나 정책결정자에게 쉽게 접근할 수 있는 외부집단이 최고정책결정자에게 접근하여 문제를 정부의제화하는 경우이다(사회문제 → 공식의제). 일반대중에게 알리지 않으므로 음모형이라고도 한다.

㉮ 선진국의 무기구입계약, 후진국의 경제개발과정, 외국과의 비밀협상 등

② 동원형과의 비교

㉠ 쉽게 정부의제화된다는 점에서는 동일하다.

㉡ 동원형의 주도세력이 최고통치자 또는 고위정책결정자인 데 비하여, 내부접근형의 주도세력은 이들보다 낮은 지위의 고위관료인 경우가 많다.

머들링 스루(muddling through)*: 점증주의는 '대충대충 헤쳐 나가는 학문(The Science of Muddling Through)'이라는 의미로, 다양한 이해관계와 가치가 서로 갈등하는 사회에서는 서로가 양보하고 협상하며 의사결정을 하는 것을 말한다.

핵심 OX

01 정책의제 중 공중의제와 제도의제는 같은 개념이다. (O, X)

02 외부주도형은 사회의 압력에 의해서 의제가 채택되는 과정이다. (O, X)

03 내부접근형은 공중의제화하기 위해 이슈의 확산과정을 거친다. (O, X)

01 X 공중의제와 체제의제가 같은 개념이고, 공식의제와 제도의제가 같은 개념이다.
02 O
03 X 내부접근형은 이슈의 확산과정이 없는 '음모형'이다.

ⓒ 동원형은 정부의제가 되고 난 후에 정부 PR 활동을 통해서 공중의제화하는 데 비하여, 내부접근형은 공중의제화되는 것을 오히려 막으려고 한다.

2. 메이(May)의 정책의제설정모형

논쟁의 주도자가 누구인지와 대중적 지지의 정도에 따라 다음과 같이 구분한다.

구분		대중적 지지	
		높음	낮음
논쟁의 주도자	사회적 행위자	외부주도형	내부주도형(내부접근형)
	국가	공고화형(굳히기형)	동원형

(1) 외부주도형

사회행위자들이 의제설정을 주도하는 모형으로 '사회문제 → 이슈 제기 → 공중의제 → 공식의제' 과정을 거친다.

(2) 동원형

대중적 지지가 낮을 때 국가가 주도하여 행정 PR, 상징 등을 활용하여 대중적 지지를 높이려는 모형으로 '사회문제 → 공식의제 → 공중의제' 과정을 거친다.

(3) 내부주도형(내부접근형)

의사결정자들에게 접근할 수 있는 영향력을 가진 집단들이 정책을 주도하는 모형으로 '사회문제 → 공식의제' 과정을 거친다. 정책의 대중확산이나 정책경쟁의 필요를 아예 느끼지 않는 모형이다.

(4) 공고화형(굳히기형)

사회적으로 대중적 지지가 높을 것으로 기대될 때 국가가 의제설정을 주도하는 모형이다.

㉮ 학교폭력문제, 왕따문제 등

3. 기타 의제설정모형

(1) 포자모형(胞子模型)

곰팡이의 포자가 일정한 환경이 조성되지 않으면 균사체로 발전되지 못하는 것과 같이 영향력이 없는 집단의 이슈가 평상시에는 정부의제로 발전되지 못하다가 이슈촉발[❶]을 통한 유리한 환경이 조성될 때 이슈가 정책의제화된다는 것이다.

(2) 흐름모형

능동적 참여자와 의제 및 대안의 논의과정이 의제형성에서 중요하다고 보고 쓰레기통모형의 조직화된 무질서상태와 같이 상호독립적인 문제의 흐름, 정책의 흐름, 정치적 흐름이 어떤 계기에 의하여 결합되어 의제화된다는 모형이다. '킹던(Kingdon)의 정책의 창[❷]' 모형이 대표적이다.

(3) 이슈관심주기모형(Downs)

이슈는 이슈자체에 생명주기가 있는 것이 아니라 이슈에 대한 관심에 생명주기가 있어, 하나의 이슈에 대하여 일반대중은 오랫동안 관심을 가지지 못한다는 모형이다.

❶ 점화장치(촉발 메커니즘)의 예
정책의제는 다음과 같은 몇 가지의 촉발 메커니즘(triggering mechanisms)과 예기치 못했던 사건들에 의하여 쟁점이 주도자들에게 형태화됨으로써 형성된다.
1. 내적 촉발장치
 · 홍수, 화재, 탄광의 낙반사고, 대기역류 등과 같은 천재지변
 · 자연적인 폭동, 공공관리들의 암살, 공중납치, 사사로운 살인과 같은 예기치 못한 사건
 · 대기·수질오염 등 지금까지 논의되지 않은 문제들을 제기하는 환경 내의 기술적 변동
 · 시민권에 대한 저항과 노조파업 등을 초래하는 자원분배의 실제적인 불균형과 편재
 · 인구폭발과 같은 생태학적 변화 등
2. 외적 촉발장치
 · 교전국으로서 관여하는 전쟁행위나 군사적 폭력행위
 · 군비제한, 유도탄 요격미사일 체계의 배치, 핵 사찰문제 등과 같은 국제적인 갈등
 · 세계적 협조유형의 변화 등

❷ 정책의 창(Kingdon)
1. 정책의 창은 정책주창자들이 그들의 관심대상인 정책문제에 주의를 집중시키고, 선호하는 대안을 관철시키기 위해 열려지는 기회라 할 수 있다.
2. 문제의 흐름, 정치의 흐름(가장 중요), 정책의 흐름이 적절히 결합되었을 때 열리게 된다.

(4) 동형화이론

정부 간 정책전이 현상을 사회학적 신제도주의에서의 동형화(닮아가는 것)과정으로 이해하여 의제화하는 모형이다.

(5) 혁신확산이론

시간의 경과에 따라 새로운 아이디어와 기술이 확산되는 과정과 방식으로 이슈가 설정된다는 모형이다.

(6) 사회적 구성론

정책의제설정은 인과관계가 아니라 구조화 행위의 연관성 속에서 사회적으로 만들어지는 구성론적 관점이다.

3 정책의제설정에 영향을 미치는 요인❶

특정 문제가 정부의제로 설정되느냐의 여부를 좌우하는 요인으로 콥(Cobb)과 엘더(Elder)는 주도집단, 문제의 성격을 들고, 킹던(Kingdon)은 주도집단, 문제의 성격, 정치적 요소를 든다.

1. 주도집단과 참여자

(1) 대통령 등 공식 참여자의 중요성

① 정부 내부주도인가 아니면 외부주도인가에 따라 영향을 받는다. 일반적으로 외부주도형에서 정부지도자는 수동적인 역할을 한다. 킹던(Kingdon)은 다원적인 미국에서도 정부의제설정에서는 의회의 유력한 지도자들과 행정부의 지도자들이 가장 중요한 역할을 한다고 보았다.

② 킹던(Kingdon)은 이들 공식적 참여자들이 외부의 비공식적 참여자들보다 월등하게 큰 영향력을 행사한다고 보았다.

(2) 외부주도집단

① 외부주도집단의 정치적 힘은 그 집단의 규모나 응집력뿐만 아니라 재정력, 구성원의 정치적 · 사회적 · 경제적 지위와 명망 등의 정치적 자원에 의존하게 된다.

② 다른 조건이 모두 같을 경우 피해를 입는 사람의 숫자가 많으면 그 사회문제는 의제화될 가능성이 높다.

③ 문제를 인지하는 집단의 규모가 클수록 의제화될 가능성이 높다.

2. 문제의 성격

(1) 문제의 중요성

영향을 받는 집단이 크거나 이해관계집단이 많고, 문제의 내용이 중요한 것일수록 의제화될 가능성이 높다. 다만, 이해관계가 복잡하게 얽혀 있는 경우에는 의제화될 가능성이 낮다.

① **사회적 유의성:** 문제로 인한 피해자의 숫자가 많거나, 피해의 강도가 크거나, 피해의 사회적 의미가 중대한 것은 의제화될 가능성이 높다.

② **문제의 시간성:** 더욱 근본적이고 장기간 지속될 것으로 예상되는 문제는 일시적으로 나타나는 문제보다 의제화될 가능성이 높다. 단, 해결가능성이 존재해야 한다.

❶ 정책의제설정(채택)이 용이한 경우
1. 정책문제가 중대할수록(사회적 유의성) 용이하다.
2. 문제의 해결책이 있고 장기간 계속될수록 용이하다.
3. 문제가 단순하여 쉽게 이해할 수 있는 것일수록 용이하다.
4. 문제가 추상적이고 불분명하여 다수의 이해관계자가 관련될수록 용이하다(지배적 견해).
5. 비슷한 선례가 있거나 관례가 되어 있는 문제일수록 용이하다.
6. 이해관계집단들에 의하여 쟁점화된 것일수록 용이하다.
7. 문제를 인지(제기)하는 집단의 규모가 클수록 용이하다.
8. 영향을 받는 집단(이해관계집단)이 크고(많고) 문제의 내용이 대중적일수록 용이하다.
9. 수혜집단의 조직화의 정도가 강할수록 용이하다(단, 넓게 분포하지만 조직화의 정도가 낮은 경우에는 의제설정이 곤란하다).

핵심 OX

01 내부접근형 의제설정모형의 경우 정부가 PR 활동에 적극적이다. (O, X)

02 굳히기형은 대중적 지지가 높을 때 사회가 주도하는 모형이다. (O, X)

01 X 정부가 PR 활동에 적극적인 경우는 동원형이다.
02 X 국가가 주도하는 모형이다.

③ **쟁점화의 정도:** 문제가 관련 집단들에 의하여 예민하게 쟁점화된 것일수록 의제화될 가능성이 높다. 왜냐하면 갈등해결의 필요성 차원에서 중요성이 부각되기 때문이다.

(2) 문제의 외형적 특성[1]

① 문제가 단순하여 쉽게 이해될 수 있으면 복잡한 것보다 정부의제가 될 가능성이 높다.

② 문제가 추상적인 것과 구체적인 것일 때 의제설정문제는 견해의 대립이 있는데, 구체성을 지닌 문제보다는 포괄적인 문제일수록 의제화될 가능성이 높다는 의견이 지배적이다.

(3) 문제의 내용적(정책별) 특성

① **배분정책:** 이해관계자가 특정 부문에 한정되어 있으므로 일반대중에게까지 호소할 필요 없이 그 문제를 담당하는 문지기와 바로 관계를 맺어서 정책문제로 채택한다.

② **재분배정책:** 계층 간의 갈등을 유발시키기 때문에 이데올로기 등의 정치적 분위기와 전국적 차원에서의 지지가 있어야 한다.

③ **규제정책:** 비용부담자의 강력한 저항이 발생한다. 크렌슨(Crenson)의 문제특성론에 따르면 전체적 문제(예 대기오염방지 등)는 의제화가 곤란하다(기업가적 정치).

고득점 공략 크렌슨(Crenson)의 문제특성론

1. 의제화가 곤란한 경우
   정책문제를 구분할 때 전체적 이슈, 전체적 편익, 부분적 비용일 경우에는 정책의제화가 곤란하다.
2. 대기오염에 관한 문제가 정책의제로 채택되지 못하는 이유
   ① 비용을 지불하는 소수 기업이 강력한 응집력을 가지고 강하게 반발하기 때문이다.
   ② 이는 윌슨(Wilson)의 규제정치이론 중 '기업가적 정치'와 관련된다.

(4) 선례와 유행성

비슷한 선례가 있는 문제는 일상화된 절차에 따라 쉽게 의제로 채택되고 해결책이 강구된다.

(5) 극적 사건과 위기

문제를 극적으로 부각시키는 사건 또는 재난은 정치적 사건과 더불어 문제를 정부의제화시키는 양대 점화장치(triggering device)이다.

3. 정치적 요소

(1) 정치체제의 구조와 운영양식

① 후진국에서는 정부의 공식 정책결정자가 정책의제설정에서 미치는 영향이 선진국에 비하여 압도적이다.

② 미국과 같은 다원적 사회에서는 이익집단의 영향력이 크다.

---

[1] 문제의 외형적 특성
1. 문제가 구체적이지 않고 포괄적일수록 이해관계자(이해관계집단)가 많아지므로 의제화가능성이 높다. 그러나 문제가 명확하여 정책에 대한 비용부담자가 분명해질 경우에는 저항으로 인하여 정부의제설정이 곤란해진다(박성복).
2. 이슈가 일반적으로 대중들 가운데 더 광범위한 하위집단들에게 호소력을 가질 수 있도록 하기 위하여 애매하고 광범위하게 정의될수록 더 많은 공중들에게 확산될 가능성이 높다.
3. 문제가 추상적이 아니라 구체적일수록 정책의제화가 쉽다는 일부 학자의 주장이 있지만, 정책목표나 수단의 내용이 추상적이고 불분명할수록 지지세력이 많아져서 채택이 쉬워진다. 정책문제의 구체성이 오히려 지지세력을 감소시켜 정책의제화의 가능성을 줄일 수도 있다.

핵심 OX

01 사회문제 가운데 일상화되고 관례화된 문제는 의제채택이 쉬우나, 문제 자체가 복잡하고 분석수준이 높은 경우 의제채택이 어려워진다. (O, X)

02 크렌슨(Crenson)은 문제해결을 통해 전체적 편익을 가져오고 그 비용을 일부집단이 부담하는 경우 의제채택이 쉽다고 보았다. (O, X)

01 O
02 X 크렌슨(Crenson)은 문제해결을 통해 전체적 편익을 가져오고 그 비용을 일부집단이 부담하는 경우 의제채택이 어렵다고 보았다.

(2) 정치적 분위기 및 사건

① 미국과 같이 보수주의적 자본주의 국가에서도 정치적 분위기의 변화는 정책의 제설정에 커다란 영향을 미친다.

㉮ 9·11 테러 이후 국익 우선, 국가안보정책의 결정 등

② 킹던(Kingdon)은 정치적 사건이 하나의 문제가 정책의제화되는 데 점화기 역할을 한다고 보았다.

2 정책과정에 대한 이론

1 의사결정론과 체제론

1. 사이먼(Simon)의 의사결정론(decision making theory)[1]

(1) 사이먼(Simon)은 정책결정자가 자연인으로서 지니는 인식능력의 한계가 있기 때문에 의사결정에 있어서 제한적 합리성을 강조한다.

(2) 의사결정의 단계

'집중(intention) → 설계(design) → 선택(choice)'의 순으로 이루어진다.

(3) 한계

무수한 사회문제 중 일부 의제만이 정책의제로 채택되는 이유를 부분적으로 설명할 수 있지만, 왜 특정 문제가 정책의제로 채택되는지에 대해서는 구체적으로 설명하지 못한다.

2. 이스턴(Easton)의 체제론

(1) 체제론은 체제의 과중한 부담을 줄이기 위하여 또는 정치체계의 안정성, 즉 체제를 보호하기 위하여 체제의 문지기가 선호하는 문제만이 정책의제로 채택된다는 이론이다(Easton).

(2) 정책의제설정과정에서 모든 사회문제가 정책의제로 채택되지 못하는 이유는 체제 외부요구의 다양성 때문이 아니라 체제 내부능력상의 한계 때문이다.

(3) 문지기이론(gatekeeper theory)

① 체제론적 관점에서 문지기(대통령이나 최고결정자)는 체제의 과중한 부담을 줄이기 위해서 환경으로부터의 요구들 중 일부만을 통과시킨다. 즉, 정치체제의 안정성을 확보하기 위해 문지기가 선거나 집단행위에 의한 이슈의 범위를 조절함으로써 체제 전체업무의 부하를 조절한다.

② **한계:** 문지기가 무엇을, 왜 통과시키는지에 대한 설명이 부족하다.

[1] 정책의제설정이론의 구분
1. 엘리트론적 의제설정이론(엘리트가 의제를 선별)
   · 샤트슈나이더(Schattschneider): 편견의 동원(mobilization of bias)
   · 문지기(gate keeper)이론
   · 바흐라흐와 바라츠(Bachrach & Baratz): 무의사결정(non-decisionmaking)
2. 다원주의적 의제설정이론(의제설정은 무작위적)
   · 킹던(Kingdon): 정책의 창(policy window)
   · 풍향계모형

핵심 OX

01 사이먼(Simon)의 의사결정론은 왜 특정의 문제가 정책문제로 채택되고 다른 문제는 제외되는가를 설명하는 데 한계가 있다. (O, X)

02 체제론에서는 체제의 능력을 과시하기 위해 다수의 사회문제를 정책문제로 채택한다고 본다. (O, X)

01 O
02 X 체제론에서는 체제내부능력상의 한계 때문에 다수의 사회문제를 의제화하기보다는 일부의제만이 의제화된다.

2 엘리트주의, 다원주의, 조합주의

정책결정을 보는 관점은 크게 두 가지로 나누어지는데, 하나는 정책결정을 설정된 정책목표를 가장 잘 달성할 수 있는 정책수단을 선택하는 기술적 과정으로 보는 견해이며, 다른 하나는 서로 대립하는 다양한 이해관계와 선호를 가진 사람들에 의해 이루어지는 정치적 결정으로 보는 견해이다. 다음은 후자와 관련된다.

1. 엘리트주의(elitism)

(1) 의의

소수의 엘리트가 사회나 국가를 지배하고 이끌어 나가야 한다고 믿는 입장으로서, 정책과정은 다원적인 세력이 아니라 엘리트에 의해서 주도되고 결정된다고 본다.

(2) 특징

① **합리적 의사결정:** 전체주의나 집단주의 등 개발도상국가의 의사결정과 밀접한 관련이 있다.

② **국가의 역할:** 능동적 · 주체적이라고 본다.

2. 다원주의(pluralism)

(1) 의의

정치적 영향력이나 권력이 개인이나 소수가 아닌 사회 내의 구성원이나 집단에 분산되어 있고 이들 간 영향력의 차이에 따라 정책이 결정된다고 본다.

(2) 특징

① **민주적 의사결정:** 시민사회가 발달한 서구의 정책결정과정과 밀접한 관련이 있으며 점증적 의사결정의 성격을 띠고 있다.

② **국가의 역할:** 이익집단과 정당의 역할을 중시하므로 국가의 역할은 수동적 · 소극적으로 최소한에 국한된다.

3. 조합주의(corporatism) - 슈미터(Schmitter)

(1) 의의 및 배경

① **의의:** 사용자단체(자본), 노동자단체(노동), 정부대표의 삼자연합이 주요경제정책을 결정하며 정부와 이익집단 간 합의를 중시하는 입장이다. 따라서 이익집단의 자율성은 제약된다.

② **배경:** 1920~1930년대 이탈리아 파시스트 조합주의로부터 시작되었다. 제2차 세계대전 후 다시 유럽 각국은 정부주도의 관료적 경제기획체제를 강조하면서 미국과는 다른 자본주의체제를 구축해 왔다.

(2) 유형[1]

① **사회조합주의:** 선진자본주의인 북유럽의 조합주의 형태로 사회경제체제의 변화에 순응하려는 이익집단의 자발적 시도로부터 생성된 것이다.

② **국가조합주의:** 제3세계 및 후진자본주의인 남미나 아시아의 조합주의 형태로, 국가가 위로부터 일방적으로 제도적 장치를 강압적으로 부과하는 데서 생성된 것이다.

---

❶ 신조합주의
1970년대의 강력한 노조와 인플레이션, 불황의 장기화라는 조건하에서 정부와 기업의 선택은 노·사·정의 협의와 전국적으로 집중화된 노사관계의 체계를 확립하고 노동조합을 경제정책추진의 파트너로 참여시킴으로써 책임을 분담시키고자 하였는데, 이에 따라 등장한 것이 신조합주의(neo-corporatism) 모델이다. 국가가 이익집단을 지배하고 억압하는 것이 조합주의라면 신조합주의는 특히 다국적 기업의 영향력을 강조한다. 그러므로 신조합주의는 다국적 기업과 국가 또는 정부가 긴밀한 협력관계를 유지하는 모델이다.

핵심 OX

01 다원주의에 따르면 국가는 적극적 역할을 하고, 엘리트주의와 조합주의에 따르면 국가는 소극적 지위에 머무르게 된다. (O, X)

02 조합주의하에서 정부활동은 다양한 이익집단 간 이익의 소극적 중재자 역할에 한정된다. (O, X)

03 조합주의이론은 다국적 기업과 같은 중요 산업조직이 국가 또는 정부와 긴밀한 동맹관계를 형성하고 이들이 경제 및 산업정책을 함께 만들어간다고 설명한다. (O, X)

01 X 다원주의에 따르면 국가는 사회세력들의 이익을 체제 내로 수용하는 소극적 역할을 하지만, 엘리트주의와 조합주의에 따르면 국가는 자신의 이익을 관철시키거나 다양한 이익들을 조정하는 적극적 역할을 하게 된다.
02 X 조합주의는 정책결정과정에 있어서 국가가 능동적이고 적극적인 주도권을 행사한다는 점이 특징이다.
03 X 신조합주의에 대한 설명이다. 조합주의는 국가가 이익집단을 지배·억압하는 국가주도의 노·사·정 협의체제라면, 신조합주의는 산업조직의 영향력을 강조한다는 점에서 차이가 있다.

(3) 특징

① **단일적 조직화:** 조합주의 체제하에서의 이익집단은 기능적으로 분화된 범주를 가진 단일적 조직으로서 강제적으로 가입하고, 비경쟁적이며 위계적으로 구성되어 있다.

② **정부의 역할:** 조합주의는 이익집단의 결정을 정부가 적극적으로 중재·조정하는 의사결정방식이다. 결국 정부는 자체 이익을 가지면서 이익집단의 활동을 규정·포섭·억압하는 독립적 실체이다.

③ **정부의 사회적 합의 유도:** 정책결정과정에서 정부와 이익집단 간 공식적 합의가 이루어지며 이러한 합의는 정부의 주도로 공식화된 제도 속에서 이루어진다. 이익집단의 결성은 구성원의 이익 못지않게 사회적 합의를 유도하려는 정부의 의도가 크게 작용한다고 본다.

3 엘리트이론과 다원론의 논쟁

1. 엘리트이론

(1) 고전적 엘리트이론

① **의의:** 18세기 이래 낙관론(고전적 자유민주주의 정치철학이 널리 확산되고 이에 따른 삼권분립의 확립과 함께 정치권력이 국민들 간에 보다 평등하게 배분되어 국가의 주요 결정에 영향력을 행사하게 될 것이라는 경향)은 19세기 말부터 소위 고전적 엘리트이론가들(Mosca, Michels, Pareto)에 의해서 비판받기 시작하였다. 이들은 정책과정에서 엘리트의 역할을 강조하였다.

② 특징

㉠ 한 사회는 사회를 지배하는 지배계급과 피지배계급으로 구분된다.

㉡ 엘리트들은 동질적이고 폐쇄적이다. 이들은 비슷한 사회적 배경, 가치관을 지닌다.

㉢ 엘리트들은 자율적이고 다른 계층에 대해 책임을 지지 않는다. 중요한 정치적 문제는 대중의 이익이나 사회 전체의 이익과 상관없이 자신들의 이해관계를 고려하여 해결한다.

③ 주요 이론

㉠ **모스카(Mosca)의 소수지배의 원칙:** 사회는 항상 소수가 다수를 지배한다고 주장하였다.

㉡ **미첼스(Michels)의 과두제의 철칙:** 어느 조직체, 어떤 사회에서도 집단이 구성되면 거기에는 소수의 엘리트에 의한 지배, 즉 과두제가 나타나는 것이 조직의 철칙이라고 주장하였다.

㉢ **파레토(Pareto)의 엘리트순환론:** 엘리트가 되는 것은 그들이 가지고 있는 능력과 자질 때문이라고 보았다. 박력과 성실성을 가진 사자형 엘리트와 지능과 교활성을 가진 여우형 엘리트로 나누고 이들이 교대로 권력을 장악해 나간다고 보았다.

핵심 OX

01 19세기 말의 고전적 엘리트이론가들은 엘리트들이 자율적이며 다른 계층에 대해 책임을 지지 않는다고 인식하였다. (O, X)

02 1950년대 밀즈(Mills)는 지배적인 엘리트들이 공통의 사회적 배경과 이념 및 상호관련된 이해관계를 공유하고 있다고 주장하였다. (O, X)

01 O
02 O

(2) 엘리트이론(1950년대 미국)

19세기 말 유럽의 학자를 중심으로 전개된 엘리트의 사회 지배에 대한 논의는 1950년대 미국사회의 엘리트 지배를 실증적으로 입증하려는 일단의 미국 학자들에 의하여 계승되었다.

① 밀즈(Mills) – 국가차원의 지위연구

㉠ 밀즈(Mills)는 미국 사회 전체를 지배하는 권력엘리트는 정치적으로 중요한 기관이나 조직(정부, 군, 기업체)의 지도자들이라고 주장하였다.

㉡ 특히 군산복합체가 중요한 역할을 담당한다고 보았다.

② 헌터(Hunter) – 지역차원의 명성연구

㉠ 조지아 주의 애틀란타 시를 대상으로 시에서 가장 영향력 있는 것으로 명성이 자자한 40명을 뽑아 이들의 구성을 조사하였는데, 이들 지도자 중 기업가적 엘리트(경제엘리트)들이 시 정책의 기본방향을 결정한다고 주장하였다.

㉡ 지역사회의 경제엘리트를 중심으로 강한 응집성을 가지고 담배연기 자욱한 방(smoke – filled rooms)에서 결정한 정책이 조용한 일반대중에 의하여 받아들여지고 있다는 것이다.

(3) 신엘리트이론(1976) – 무의사결정론[1]

① 의의

㉠ 바흐라흐(Bachrach)와 바라츠(Baratz)는 권력의 두 얼굴(Two faces of power)을 통해서 무의사결정론을 주장하였다. 이들은 달(Dahl)이 권력의 밝은 측면(명시적 · 1차원적 권력)은 고려하였으나 권력의 어두운 측면(묵시적 · 2차원적 권력)은 보지 못하였다고 비판하였다.

㉡ 무의사결정(non-decision making)이란 엘리트의 이익과 가치에 대한 도전을 억누르고 사멸시켜 버리는 결정으로, 엘리트에게 안전한 이슈만을 논의하고 불리한 문제는 거론조차 못하게 봉쇄하는 것이다(도전질식화 전략).

② **정책과정에서의 무의사결정:** 초기에 '어두운 면'은 정책의제설정과정에 나타난다고 하였으나, 나중에 이를 수정하여 정책의제설정과정뿐만 아니라 정책결정과 집행 · 평가 등 정책의 전 과정에서 무의사결정이 나타난다고 보았다(광의의 무의사결정).

정책의제설정단계	엘리트나 사회적 강자들에게 불리한 문제는 아예 거론조차 못하도록 사전에 차단한다.
정책결정단계	엘리트들에게 유리하게 결정되도록 한다.
정책집행단계	집행을 연기하면서 취소하도록 노력하거나, 겉으로 하는 체만 하도록 한다.
정책평가단계	사회에 오히려 부작용만 초래하였다는 식으로 평가한다. 이러한 평가는 정책수정이나 정책변화를 가져오는 중요한 요인으로 작용한다.

③ 발생원인

㉠ 지배계급의 기득권 침해와 지배적 가치관에 대한 도전으로 발생한다.

㉡ 과잉충성현상 및 정치 · 문화적 신념의 부정적 작용으로 발생한다.

㉢ 관료의 이익과 상충하는 경우 발생한다.

[1] 무의사결정 관련 연구

1. **콥과 엘더(Cobb & Elder):** 거대철강회사(US Steel) 때문에 지역사회의 정치체제가 공해문제를 거론조차 못했던 사례와 관련된다(Crenson). 또한 지하탄광의 열악한 작업환경에 대한 탄광노동자들의 항의가 정책문제화되기 전에 탄광주들에 의해 거론조차 되지 못한 사실 등이 그 예가 된다.
2. **샤트슈나이더(Schattschneider)의 편견의 동원:** 무의사결정론은 1960년대 샤트슈나이더(Schattschneider)에 의해서 기본 생각이 제시되는데, 그에 따르면 정치조직은 어떤 유형의 갈등은 허용하고 어떤 종류의 갈등은 억압한다. 이것은 정치조직이 편견의 동원(mobilization of bias)을 하고 있기 때문이라고 지적한다.

④ **수단 및 방법:** 무의사결정의 수단 및 방법으로 바흐라흐(Bachrach)와 바라츠(Baratz)는 다음 다섯 가지를 제시하고 있다.

㉠ **폭력(강제력)의 행사:** 가장 직접적이고 강도 높은 방법으로, 기존 질서의 변화를 주장하는 요구가 정치적 이슈가 되지 못하도록 테러행위(구타 · 암살 · 처벌 등) 등을 하는 방법이다.

㉡ **권력의 행사:** 폭력보다 온건한 방법으로, 권력을 이용하여 기존의 질서에 대한 변화를 요구하는 개인이나 집단에 기존의 혜택을 박탈하겠다고 위협을 가하거나 또는 새로운 이익을 주겠다고 유혹하는 방법, 변화를 요구하는 개인을 조직 내로 영입하는 적응적 흡수(co-optation) 등이 이에 해당한다.

㉢ **편견의 동원:** 정치체제 내의 지배적 규범이나 절차를 강조함으로써 변화를 위한 주장을 꺾는 간접적인 방법이다. 따라서 어떤 이슈는 정치권 내부로 진입하여 정책문제로 설정되는 반면, 다른 이슈는 제외된다.

㉣ **편견의 수정 · 강화:** 가장 간접적이고 우회적인 방법으로, 정치체계의 규범 · 규칙 · 절차 자체를 수정 · 보완하여 정책의 요구를 봉쇄한다.

㉤ **문제의 은폐나 지연:** 정책의제화되기 이전에 문제 자체를 은폐하거나, 비공식적인 것처럼 하는 지연전략을 이용한다.

핵심정리 엘리트이론의 전개

구분	주요 주장자	내용
고전적 엘리트이론	모스카(Mosca), 파레토(Pareto), 미첼스(Michels)	· 사회구조를 이원화함(엘리트 - 대중) · 엘리트들은 동질성 · 결집성 · 폐쇄성을 지님 · 정책결정의 초점은 엘리트의 이익에 있다고 봄
엘리트이론 (1950년대)	밀즈(Mills), 헌터(Hunter)	· 실증분석을 시도. - 국가차원의 분석: 군산복합체(Mills) - 지역차원의 분석: 기업가적 엘리트(Hunter) · 실제적 정책결정에서 엘리트의 역할을 강조
신엘리트이론 (1960년대 이후)	바흐라흐(Bachrach), 바라츠(Baratz)	· 권력의 두 가지 얼굴을 제시 - 밝은 면: 정책결정단계에서의 역할 - 어두운 면: 정책결정 이전단계에서의 역할 · 무의사결정론을 전개

2. 다원론

권력이 소수의 지배집단에 집중되어 있는 것이 아니고 널리 분산되어 있으며, 관심을 가진 이해관계세력은 영향력을 행사하는 데 동일한 정도의 접근가능성을 가진다고 보는 입장이다. 그리고 정부는 매우 소극적이고 수동적인 역할을 수행한다고 본다.

(1) 전통적 이익집단론 - 벤틀리(Bentley), 트루만(Truman)[1]

① 잠재집단이론

㉠ **잠재집단:** 실질적으로 조직화되어 있지는 않지만 공유된 이해관계를 가지고 있기 때문에 만약 특수이익을 가진 지배적인 집단이 자신들의 이익을 침해할 가능성이 발생하는 경우라면 조직화될 수 있는 상태의 집단이다.

❶ 이익집단론

1. **벤틀리(Bentley)의 이론:** "사회란 사람들로 구성된 집단의 경향 또는 요구에 불과하다."라고 하면서 정책결정과정에서 이익집단의 압력을 결정요인으로 보는 한편 "이익이 있는 곳에 이익집단이 있다."라고 하여 이익집단의 자연발생설을 주장하였다.
2. **트루만(Truman)의 파도이론(wave theory)과 확산이론:** 파열이론(disturbance theory)이라고도 하며 집단의 발전이론으로 집단이 확산되는 이유를 설명해 주고 있다. 파도이론에 따르면 하나의 집단이 형성되어 활동을 시작하게 되면 다른 집단과 균형을 유지하기 위해서 파열(disturbance)이나 분열(cleavages)현상이 나타나게 된다. 이러한 파열이나 분열을 바로잡기 위해서 그에 대응하는 다른 집단이 나타나게 된다(홍득표, 정치과정론).

핵심 OX

01 무의사결정론은 사회문제에 대한 정책과정이 진행되지 못하도록 막는 행동 등을 설명한 이론으로 엘리트이론의 관점을 반영하는 것이다. (O, X)

02 무의사결정론에 따르면 무의사결정은 주제가 엘리트의 이익과 일치할 경우에 발생한다고 주장한다. (O, X)

01 O
02 X 무의사결정은 엘리트의 이익과 부합할 때가 아니라 상충할 때 거론조차 못하도록 하는 것과 관련된다.

㉡ 정책결정자들은 잠재집단을 염두에 두기 때문에 소수의 특수이익이 정책을 지나치게 좌우하지는 못한다고 본다.

② **중복회원이론**: 이익집단의 구성원은 다양한 집단에 소속되어 있기 때문에 특정의 이익추구가 어렵다고 보는 견해이다.

③ **공공이익집단론**: 특수이익보다는 공익에 가까운 주장을 하는 이익집단의 이익이 정책에 반영될 것이라는 이론이다.

④ **이익집단자유주의론(Lowi)**: 보수주의적 입장으로 이익집단의 자유로운 활동에 맡겨두면 영향력 있는 집단(활동적 소수[1], active minority)의 이익이 정책에 반영된다는 이론이다.

(2) 달(Dahl)의 연구

① 『누가 통치하는가?』라는 논문에서 뉴헤븐 시를 1780년대부터 1950년대까지 약 170년 간에 걸쳐 연구를 함으로써 분야별로 영향력을 행사하는 엘리트가 서로 다르다고 주장하였다.

② 정치적 자원이 분산되어 있고, 엘리트는 대중의 요구에 민감하게 반응한다. 물론 달(Dahl)이 소수의 지도자들이 정책과정을 지배하고 있음을 부정한 것은 아니다. 그러나 엘리트들이 대중의 이익에 반하여 행동하지는 못한다고 보았다.

③ 각 집단은 정책과정에 동등한 접근기회를 가지나 그 영향력에는 차이가 있으며, 각 집단은 경쟁과 압력에 의해 균형을 형성하고 있다고 보았다. 특히 정당 간의 경쟁이 치열한 선거의 중요성을 강조하고 있다.

④ **정부의 역할**: 중립적 중재자 또는 수동적 심판자의 역할을 수행한다.[2]

(3) 신다원주의(수정된 다원주의) - 달(Dahl), 린드블룸(Lindblom)

① 다원주의에 대한 비판

㉠ **이익집단의 중요성을 지나치게 강조**: 이익집단의 영향력이나 활동과는 상관없이 자유롭게 정책을 결정하는 정부의 역할을 충분하게 인식하지 못하였다.

㉡ **이데올로기 간과**: 이데올로기가 눈으로 관찰될 수 없는 속성을 가지고 있다는 이유로 정책과정에서의 역할을 고려하지 못하고 있다.

㉢ **환경적 요인 간과**: 정부에 가해지는 외적인 환경이나 구조적인 제약, 예컨대 세계적인 경제환경의 변화가 정책에 영향을 미치는 요인 등을 고려하지 못하고 있다.

㉣ 잠재적 집단이나 정부 내 부처 간의 견제 균형으로 특수이익이 지배하지 못할 것으로 보는 견해도 있다.

② 특징

㉠ **기업집단의 특혜 인정**: 이익집단들의 영향력이 동일한 것은 아니며, 자본주의 국가에서는 기업집단에 특권을 부여하는 상황이 인정된다. 왜냐하면 불황과 인플레이션은 정부의 존립기반을 위태롭게 하므로 재집권을 위해서는 사적 영역의 수익성을 보장하여야 하기 때문이다.

㉡ **자율적 정부**: 정부는 중립적인 조정자가 아닐 수 있음을 인정한다. 즉, 정부는 스스로 자율적 결정을 하는 존재로서 기업의 이익에 더욱 반응하고 불평등구조를 심화시켜 왔다고 본다.

[1] 활동적 소수이론
조직화된 집단(활동적 소수; active minority)의 이익만 반영되고 조직화되지 못한 다수의 침묵적 집단의 이익은 반영되지 않는다는 견해도 있다.

[2] 풍향계모형
1950년대의 미국 다원론자들은 자유민주주의 국가를 하찮은 존재로 간주하여 투입자료가 처리되는 수동적 매체의 부호기계(coding machine)로 여겼다. 즉, 국가란 바람에 따라 움직이는 풍향계와 유사하다는 것이다. 국가는 시민사회의 압력집단의 힘의 균형에 따라 반응하는 단순한 거울에 불과하므로 국가조직은 이익집단의 압력을 관성적으로 받아들일 뿐이다. 정책결정은 법률결정이며 법률결정은 압력집단 경쟁에서 쟁취한 승리의 합법화이다. 국가는 여러 압력집단의 지배력을 단순히 계산하는 금전등록기에 불과하다는 것이다. 이 모형에서 국가조직은 가장 강력한 압력집단 쪽으로 편향되어 반응하고 마침내 지배력이 최강인 압력집단에 의해 독점된다고 본다.

핵심 OX

01 잠재집단이론과 중복회원이론은 엘리트의 역할을 부각시키는 것과 관련된다. (O, X)

02 다원주의론에서는 정부가 적극적인 역할을 수행한다고 본다. (O, X)

01 X 잠재집단이론과 중복회원이론은 다원주의와 밀접한 관련이 있다.
02 X 다원주의에서는 이익집단이 중심이 되어 정책이 결정되어진다고 보며, 정부는 중립적인 심판관(풍향계정부관)의 역할을 수행하는 데 그치므로 정부의 역할이 소극적·수동적이다.

핵심정리 다원론의 전개(이익집단의 역할 중시)

구분	내용
고전적 다원주의론 (초기 다원론, 맹아적 다원론)	벤틀리(Bentley)와 트루만(Truman)은 다음과 같은 논리에 의거하여 정책이 다양한 이익집단의 요구에 민주적으로 부응할 수 있다는 낙관적인 이익집단론을 주장하였으나, 이익집단자유주의는 '활동적 소수의 폐단'이라는 문제점을 제기함 · **잠재집단론**: 결정자는 말 없는 이익집단의 이익을 염두에 두므로 활동적 소수(active minority)에 의한 특수이익만을 추구하기 곤란하다는 이론 · **중복회원이론**: 이익집단의 구성원은 여러 집단에 중복소속되어 있어 특수이익의 극대화가 곤란하다는 이론 · **공공이익집단론**: 특수이익보다는 공익에 가까운 주장을 하는 이익집단의 이익이 정책에 반영될 것이라는 이론 · **이익집단자유주의론**: 이익집단론에 대한 반발로, 이익집단의 자유로운 활동에 맡겨두면 조직화된 집단(활동적 소수)의 이익만 반영되고 조직화되지 못한 다수의 침묵적 집단에 대한 이익은 반영이 곤란하다는 이론
달(Dahl)의 다원론 (1950년대)	· 뉴헤븐 시를 대상으로 연구한 결과 미국 엘리트이론과는 달리 엘리트는 대중의 선호나 요구에 민감하게 움직인다는 점에서 미국 도시가 다원적 정치체제를 가지고 있다고 주장 · 이익집단 간에는 영향력의 차이는 있으나 게임의 규칙을 준수하므로 전체적으로는 균형을 이루고 있고, 정부는 수동적인 심판관 역할만 수행
신다원론 (수정다원주의)	· 다원주의를 비판하면서 무의사결정론(의도적 무결정론)을 부분적으로 수용 · 기업집단의 특권을 인정하고 정부의 수동적이고 중립적인 조정자로서의 역할의 한계를 인식하며 정부가 더 전문적·능동적으로 기능한다고 봄

4 정책네트워크모형

1. 의의

(1) 개념

① 정책네트워크모형은 다원주의, 엘리트이론, 조합주의에 대한 대안으로 등장하였다. 정책을 다양한 공식·비공식 참여자들 간의 상호작용의 산물로 보고 사회연계망이나 네트워크의 분석을 통해서 정책과정을 포괄적이고 동태적으로 설명하기 위한 모형이다.

② 미국에서는 다원주의, 철의 삼각, 이슈네트워크 등으로, 유럽에서는 조합주의 등으로, 영국에서는 정책공동체 등으로 사용되고 있다.

(2) 등장배경 및 전개과정

① **환경과 정책의 복잡성**: 정책과 이를 둘러싼 환경의 복잡화·다양화로 인하여 공공정책은 더 이상 이익집단이나 국가기관 등 특정한 세력에 의해서 일방적으로 이루어질 수 없으며, 다양한 이익·목표·전략을 가진 행위자들의 상호작용으로 인식되기 시작하였다.

핵심 OX

01 정책네트워크이론은 정책결정의 부분화와 전문화로 인하여 등장하였다. (O, X)

02 정책네트워크이론은 정책과정에 대한 국가중심 접근방법과 사회중심 접근방법이라는 이분법적 논리를 극복하지 못하고 있다. (O, X)

01 O
02 X 정책네트워크이론은 기존의 사회중심이론(다원주의)이나 국가중심이론(조합주의)은 한계가 있다는 인식이 대두되고, 국가와 사회의 이분법적 논리에서 나타나는 이론적 한계와 현실 설명력의 한계가 등장하면서 두 이론의 장단점을 보완·연계시키는 접근법으로서 등장하였다.

② **이분법적 논리 극복**: 기존의 사회중심이론(다원주의)이나 국가중심이론(조합주의)은 한계가 있다는 인식하에 이분법적 논리를 극복하고 두 이론의 장단점을 연계시키는 접근법이다. 즉, 다원주의에 국가의 능동적 역할과 전문성을 보완하여 조합주의의 국가우월적인 관계를 극복하고자 한다.

③ **이론의 전개(하위정부 → 이슈네트워크 → 정책공동체로 발전)**: 1960년대 하위정부모형이 가장 먼저 대두되었고, 이에 대한 반발로 1980년대 이슈네트워크와 정책공동체모형이 본격적으로 논의되었으며, 이 둘은 현재 미국과 영국에서 정책형성과정연구의 지배적인 패러다임으로 작용하고 있다.

2. 하위정부모형(sub - gov't model) - 철의 삼각(삼자연맹; iron triangle)

(1) 의의

① **개념**: 공식참여자인 정부관료와 의회의 상임위원회, 비공식 참여자인 이익집단이 이해관계를 공유하며 정책영역별로 정책과정에 영향을 미치는 모형으로, 1960년대 논의된 철의 삼각이 정책과정을 지배한다고 본다.

② **사례**: 미국의 경우 항공교통정책결정에서 항공사, 항공기 제조회사, 조종사협회 등의 이익집단들이 상원의 항공소위원회, 하원의 교통통신소위원회 소속의 핵심적인 의원 그리고 연방정부의 관료들과 연계를 유지하면서 항공교통정책에 관여하고 있다고 연구되었다.

③ **성격**: 주로 미국에서 논의된 개념으로 다원주의와 엘리트이론의 절충적인 요소를 가지고 있으나, 다원주의의 구체적 표현으로 보는 견해가 많다. 철의 삼각의 경우 다원주의에 대한 비판을 강조하는 입장이므로 엘리트적 성격이 강하다고 볼 수도 있다.

(2) 특징

① **정책분야별로 형성**: 미국적 다원주의에서는 정책분야별로 실질적으로 영향력을 행사하는 집합체가 각 분야별로 안정적인 관계를 형성하여 정책과정을 지배한다.

② **삼자연맹을 통한 포획**: 정부관료, 의회위원회, 이익집단 등 삼자의 이해관계가 일치하여 안정적이고 호혜적인 동맹관계를 형성하면, 그들만의 이익을 강조하는 폐쇄적인 정책결정체제로서 포획과 지대추구행위가 발생하게 된다. 이러한 경우 공익과 거리가 먼 결정이 나오게 된다.

③ **분배정책에의 적용**: 일반적으로 정책분야별로 다양한 하위정부모형이 형성되며 결정권이 하위정부에 분산되어 있다고 보므로 다원론적 성격이 강하다. 따라서 주로 대통령의 관심이 덜하고 공적 재원으로 집행되는 분배정책에 큰 영향을 미치게 된다.

3. 이슈네트워크(issue network)

(1) 의의

① **개념**: 이슈네트워크는 정책문제망이라고도 하며 공통의 기술적 전문성과 다양한 견해를 가진 대규모의 참여자들을 함께 묶는 지식공유집단(shared knowledge group)으로 특정한 경계가 존재하지 않는 광범위한 정책연계망이다(Heclo).

② **등장배경**: 미국에서 이익집단의 수적 증가와 다원화로 인해서 하위정부식 정책결정이 어려워지자 '철의 삼각(하위정부모형)'을 비판·대체하며 등장하였다.

(2) 정책행위자

① 이슈네트워크에는 조직화된 이익집단뿐만 아니라 조직화되지 않은 개인, 전문가, 언론 등도 개입될 수 있다.

② 이슈의 성격에 따라서 수시로 주요 행위자가 변할 수 있기 때문에 행위자는 정책공동체와 달리 매우 유동적이고 불안정하다.

(3) 정책행위자 간의 관계구조

① 행위자들 간의 폐쇄적·안정적 관계가 아닌 경쟁적 관계를 가정한다.

② 행위자들 간에 권력배분의 편차가 심하며, 네거티브 섬(negative sum) 게임의 속성이 강하다.

(4) 정책산출

① 행위자가 유동적이며, 행위자들 간의 이해 공유의 정도도 매우 낮다.

② 정책결정과정에서 정책내용이 변동하는 경우가 많으며, 이 과정에서 누구의 이해가 반영될 것인지를 예측하기가 어렵다.

4. 정책공동체(policy community)

(1) 의의

① **개념**: 정책공동체는 공식적인 학회·자문회의, 비공식적인 의견교환 등 특정 분야의 정책에 관심을 가진 사람들이 접촉하는 하나의 가상적 공동체(싱크탱크*)이다.

② **등장배경**: 정책공동체는 정당과 의회를 중심으로 논의한 미국식 논의의 한계를 극복하고자 로즈(Rhodes)와 마쉬(Marsh) 등 영국 학자들을 중심으로 1980~1990년대 본격적으로 논의된 모형이며, 뉴거버넌스와 관련된 개념이다.

(2) 정책행위자

① 정책공동체에서는 정책결정에 필요한 전문지식을 갖춘 학자, 전문가, 행정관료들이 공식적·비공식적으로 접촉하며 의견을 교환한다.

② 이들은 정책에 대한 기본적인 이해를 공유하며, 비교적 안정적이고 지속적인 관계를 유지한다.

③ 이슈네트워크에 비해서 국가가 좀 더 주도적인 행위자가 된다.

(3) 정책행위자 간의 관계구조

① 행위자들 간의 자원의존관계가 상당히 안정적으로 지속된다.

② 행위자들 간에는 상호협력적 관계를 가정하고, 참여자들 간에 비교적 균등한 권력을 보유하며 관계의 속성도 포지티브 섬(positive sum) 게임의 속성이 강하다.

(4) 정책산출

정책공동체의 경우 정책산출이 처음 의도한 정책내용과 크게 다르지 않으며, 따라서 정책산출을 예측하기에도 용이하다. 이는 기본적으로 정책공동체 자체가 서로 유사한 이해를 공유하고 게임의 규칙을 준수하기 때문이다.

용어

싱크탱크(think tank)*: 모든 학문 분야의 전문가를 조직적으로 모아 조사·분석 및 연구 개발을 실행하고 그 성과를 제공하는 것을 목적으로 하는 집단을 뜻하며, 주로 정부의 정책이나 기업의 경영전략을 연구한다.

핵심 OX

01 정책공동체는 특정한 경계가 정해져 있지 않고 모든 의사결정자가 참여하는 포괄적인 공동체를 의미한다. (O, X)

02 로즈(Rhodes)와 마쉬(Marsh)에 따르면, 이슈네트워크는 비교적 폐쇄적이고 안정적인 반면 정책공동체는 개방적이고 유동적이다. (O, X)

01 X 이슈공동체와 관련된 설명이다.
02 X 전문가집단으로 한정되는 정책공동체가 다양한 참여자로 구성되는 이슈네트워크에 비하여 제한적이고 폐쇄적이다.

5. 인지공동체(epistemic community)

(1) 정책공동체의 한 유형으로서 특정 분야의 정책문제에 대한 전문성과 권위 있는 지적 능력을 지닌 것으로 인정되는 전문직업가들의 연계망(Haas)을 의미한다.

(2) 인지공동체를 구성하고 있는 직업전문가들 중에서 행정관료들로만 구성된 연계망을 행정접속망이라 부른다(Fredrickson).

핵심정리 이슈네트워크와 정책공동체의 비교

구분	이슈네트워크	정책공동체
정책행위자	개방적(다양한 행위자들의 참여)	제한적 · 폐쇄적
	조직화된 이익집단뿐만 아니라 조직화되지 않은 개인, 전문가, 언론	정부부처, 의회의 상임위원회, 특정 이익집단, 전문가집단
	교환할 자원을 가진 참여자는 한정적이고, 상황에 따라 중요시되는 자원의 종류가 달라지며, 그에 따라 주도적 행위자도 변화	모든 참여자가 상호교환할 수 있는 자원을 보유하고 있으며, 정책에 대한 기본적인 이해를 공유
행위자 간의 관계구조	유동적 · 불안정적 관계	비교적 지속적 · 안정적 관계
	불균등한 권력과 자원 보유	균등한 권력과 자원 보유
	경쟁적 관계(수평적)	상호협력적 관계(수평적)
	제로 섬(zero sum) 게임 또는 네거티브 섬(negative sum) 게임	포지티브 섬(positive sum) 게임
정책산출	결정과정에서 정책내용의 변동	처음 의도한 내용
	예측 곤란	예측 용이
	정책산출과 집행의 결과 상이	정책산출과 집행의 결과 유사
이익	모든 이익	경제적 · 전문직업적 이익
합의	제한적 합의	가치관 공유, 성과의 정통성 수용
국가의 역할	· 국가는 자신의 이해를 가지고 있고, 이를 관철시키고자 하는 하나의 행위자 · 국가기관의 범주에는 행정부, 의회, 사법부 모두가 포함되는데, 이들은 국가라는 하나의 실체가 아니라 개별 행위자로 간주됨	

학습 점검 문제

01 정책의제설정모형에 대한 설명으로 가장 옳은 것은? 2015년 서울시 7급

① 올림픽이나 월드컵 유치 등 국민들이 적극적인 관심을 보인 사례는 외부집단이 주도한 외부주도형이다.

② 내부접근형은 대중의 지지를 획득하기 위한 공중의제화 과정이 없다는 점에서 공중의제화 과정을 거치는 동원형과 다르다.

③ 사회문제가 바로 정책의제로 채택되는 과정을 거치는 모형은 외부주도형이다.

④ 동원형은 공중의제화 과정을 거치기 때문에 행정부의 영향력이 작고 민간부문이 발전된 선진국에서 많이 나타나는 모형이다.

02 다음은 콥과 로스(Cobb & Ross)가 제시한 의제설정과정이다. (가)~(다)에 들어갈 유형을 바르게 연결한 것은? 2021년 지방직 7급

(가): 사회문제 → 정부의제
(나): 사회문제 → 공중의제 → 정부의제
(다): 사회문제 → 정부의제 → 공중의제

	(가)	(나)	(다)
①	동원형	외부주도형	내부접근형
②	내부접근형	동원형	외부주도형
③	외부주도형	내부접근형	동원형
④	내부접근형	외부주도형	동원형

정답 및 해설

01 정책의제설정모형
내부접근형과 음모형은 행정 PR없이 음모적으로 이루어지지만 동원형은 국민에게 알리고 동원하기 위해서 행정 PR이 있다는 것이 차이점이다.

| 선지분석 |
① 올림픽이나 월드컵 등은 국민들이 적극 관심을 보이지 않는 상태에서 국가가 민간의 지지를 동원하여 정책의제를 설정한 동원형의 대표적인 사례이다.
③ 외부주도형이 아니라 내부접근형에 해당한다.
④ 동원형은 행정 PR 등을 통한 공중의제화 과정을 거치지만 정부의 힘이 강하고 민간부문이 미약한 후진국에서 흔히 나타나는 유형이다.

02 콥과 로스(Cobb & Ross)의 정책의제설정과정
제시문에서 (가)는 내부접근형, (나)는 외부주도형, (다)는 동원형에 해당하므로 옳은 것은 ④번이다. (가)는 공중의제화과정이 없으므로 내부접근형에 해당하고, (나)는 공중의제화과정이 먼저 일어나므로 외부주도형, (다)는 공중의제화과정이 마지막에 나타나므로 동원형에 해당한다.

정답 01 ② 02 ④

03 메이(May)는 정책의제설정의 주도자와 대중의 관여 정도에 따라 정책의제설정과정을 네 가지 유형(A~D)으로 구분하였는데, 이에 대한 설명으로 옳지 않은 것은? 2016년 지방직 7급

대중의 관여 정도 / 정책의제설정의 주도자	높음	낮음
민간	A	B
정부	C	D

① A는 외부집단이 주도하여 정책의제채택을 정부에게 강요하는 경우로 허쉬만(Hirschman)이 말하는 '강요된 정책문제'에 해당된다.

② B의 경우 정책결정에 영향력을 가진 집단은 대중들에게 정책을 공개하여 지지를 획득하려고 한다.

③ C에서는 이미 민간집단의 광범위한 지지가 형성된 이슈에 대하여 정책결정자가 지지의 공고화(consolidation)를 추진한다.

④ D는 정부의 힘이 강하고 이익집단의 역할이 취약한 후진국에서 일반적으로 많이 나타난다.

04 ㄱ, ㄴ에 해당하는 권력모형을 옳게 짝지은 것은? 2019년 지방직 7급

- (ㄱ)은 전국적 차원이 아니라 지역사회의 지배구조에 초점을 맞추면서, 소수 엘리트가 강한 응집성을 가지고 정책을 결정하고 정치에 무관심한 일반대중들은 비판없이 이를 수용한다고 설명한다.
- (ㄴ)은 정치권력에 두 얼굴(two faces of power)이 있음을 주장하는 입장으로부터 권력의 어두운 측면이 갖는 영향력에 대해 관심을 가지지 않았다는 점을 비판받았다.

	ㄱ	ㄴ
①	밀즈의 지위접근법	달의 다원주의론
②	밀즈의 지위접근법	바흐라흐와 바라츠의 무의사결정론
③	헌터의 명성접근법	달의 다원주의론
④	헌터의 명성접근법	바흐라흐와 바라츠의 무의사결정론

05 어떠한 정책문제가 정책의제로 채택될 가능성이 가장 낮은 경우는? 2015년 국가직 9급

① 정책문제의 해결가능성이 높은 경우

② 이해관계자의 분포가 넓고 조직화 정도가 낮은 경우

③ 선례가 있어 관례화(routinized)된 경우

④ 정책의제화를 요구하는 집단의 규모가 큰 경우

06 조합주의(corporatism)에 대한 설명으로 옳지 않은 것은? 2016년 국가직 7급

① 정부활동은 다양한 이익집단 간 이익의 소극적 중재자 역할에 한정된다.

② 이익집단은 단일적 · 위계적인 이익대표체계를 형성한다.

③ 정부는 사회적 공동선을 달성하기 위하여 중요 이익집단과 우호적 협력관계를 유지한다.

④ 이익집단은 상호경쟁보다는 국가에 협조함으로써 특정 영역에서 자신의 요구를 정책과정에 투입한다.

정답 및 해설

03 메이(May)의 정책의제설정

메이(May)는 논쟁의 주도자가 누구인지와 대중적 지지의 정도에 따라 정책의제설정과정을 네 가지 유형으로 구분하였고 각각 A는 외부주도형, B는 내부주도형(내부접근형), C는 굳히기형, D는 동원형에 해당한다. 내부주도형(B)의 경우, 의사결정자에게 접근할 수 있는 영향력을 가진 집단들이 정책을 주도하므로 정책의 대중확산이나 정책경쟁의 필요를 아예 느끼지 않는다.

| 선지분석 |

① 외부주도형에 대한 설명이다.

③ 굳히기형(공고화형)에 대한 설명이다. 이는 민간의 지지가 높으므로 별도의 노력 없이 바로 정부가 주도하여 정책으로 굳히면 된다. 예를 들면 학교폭력문제 등이 있다.

④ 동원형에 대한 설명이다. 민간의 지지를 확보하기 위하여 정부에 의한 행정 PR(공공관계캠페인)이 전개된다.

메이(May)의 의제설정모형

대중지지 / 주도자	높음	낮음
사회적 행위자	외부주도형	내부주도형 (내부접근형)
국가	공고화형 (굳히기형)	동원형

04 정책과정에 대한 권력모형

ㄱ은 헌터(Hunter)의 명성접근법, ㄴ은 달(R. Dahl)의 다원주의론에 대한 설명이다. 헌터(Hunter)의 명성접근법은 지역(아틀란타市)차원의 권력구조를 실증적으로 연구한 결과 사회적 명성이 있는 소수자들이 결정한 정책을 일반대중은 조용히 수용한다는 엘리트이론이다. 달(R. Dahl)의 다원주의론은 뉴헤이븐 시를 연구한 결과 엘리트는 대중의 요구에 민감하게 반응한다는 다원주의론으로 신엘리트론자인 바흐라흐와 바라츠(Bachrach & Baratz)의 무의사결정론에 의하여 권력의 두 얼굴 중 눈에 보이는 밝은 측면만 보았을 뿐 어두운 측면을 간과하고 있다고 비판받았다.

05 정책의제화에 영향을 미치는 요인

이해관계자의 분포가 넓고 조직화 정도가 낮은 경우에는 대규모 집단의 무임승차 성향으로 인한 집단행동의 딜레마가 발생하기 때문에 정책의제로 채택될 가능성이 낮다. 문제를 인지하는 집단의 규모가 크거나 영향을 받는 집단(이해관계집단)이 많을 때는 의제화될 가능성이 높기 때문에 이와는 구별하여야 한다.

06 조합주의

조합주의는 자본가, 노동자, 정부의 삼자연합이 주요 경제정책을 결정하며 정부와 이익집단 간 합의를 중시하는 입장이다. 또한 이익집단의 결정을 정부가 적극적으 로 중재 · 조정하므로 이익집단의 자율성은 제약되고, 국가를 적극적이고 능동적인 주도권을 행사하는 독립적 실체로 본다.

정답 03 ② 04 ③ 05 ② 06 ①

07 정책의제설정과 관련된 이론과 설명이 바르게 연결된 것은? 2014년 국가직 9급

> A. 사이먼(Simon)의 의사결정론
> B. 체제이론
> C. 다원주의론
> D. 무의사결정론

> ㄱ. 조직의 주의 집중력은 한계가 있어 일부의 사회문제만이 정책의제로 선택된다.
> ㄴ. 문지기(gate-keeper)가 선호하는 문제가 정책의제로 채택된다.
> ㄷ. 이익집단들이나 일반대중이 정책의제설정에 상당한 영향력을 행사한다.
> ㄹ. 대중에 대한 억압과 통제를 통해 엘리트들에게 유리한 이슈만 정책의제로 설정된다.

	A	B	C	D
①	ㄱ	ㄴ	ㄷ	ㄹ
②	ㄱ	ㄷ	ㄴ	ㄹ
③	ㄹ	ㄴ	ㄷ	ㄱ
④	ㄹ	ㄷ	ㄴ	ㄱ

08 무의사결정(non-decision making)에 대한 설명으로 옳은 것은? 2017년 국가직 9급(4월 시행)

① 지배적인 엘리트집단은 자신들의 이해관계와 부합하지 않는 이슈라도 정책의제설정단계에서 논의하려고 한다.
② 무의사결정은 중립적 행동으로 다원주의이론의 관점을 반영한다.
③ 집행과정에서는 무의사결정이 일어나지 않는다.
④ 정책문제채택과정에서 기존 세력에 도전하는 요구는 정책문제화하지 않고 억압한다.

09 엘리트이론과 다원주의이론에 대한 설명으로 옳지 않은 것은? 2023년 지방직 9급

① 고전적 엘리트이론에서 엘리트들은 다른 계층에 대해 책임을 지지 않는다.
② 밀즈(Mills)는 명성접근법을 사용하여 엘리트들을 분석한다.
③ 달(Dahl)은 권력이 분산되어 있음을 전제로 다원주의론을 전개한다.
④ 바흐라흐와 바라츠(Bachrach & Baratz)는 무의사결정이 의제설정과정뿐만 아니라 정책결정과정에서도 발생할 수 있다고 주장한다.

10 **바흐라흐(Bachrach)와 바라츠(Baratz)의 무의사결정론에 대한 설명으로 옳지 않은 것은?** 2023년 국가직 9급

① 무의사결정의 행태는 정책과정 중 정책문제 채택단계 이외에서도 일어난다.

② 기존 정치체제 내의 규범이나 절차를 동원하여 변화 요구를 봉쇄한다.

③ 정책문제화를 막기 위해 폭력과 같은 강제력을 사용하기도 한다.

④ 엘리트의 두 얼굴 중 권력행사의 어두운 측면을 고려하지 못한다고 비판했기 때문에 신다원주의로 불린다.

정답 및 해설

07 정책의제설정이론

- A(ㄱ): 인간의 인지능력의 한계로 모든 문제를 다 인식하지 못하는 것은 제한적 합리성 때문이다. 이는 사이먼(Simon)의 의사결정론에 해당한다.
- B(ㄴ): 체제이론은 체제내부의 문제해결능력의 한계로 인하여 문지기가 선호하는 일부 문제만 정책의제로 채택이 된다고 설명한다.
- C(ㄷ): 이익집단들이나 일반대중이 정책의제설정에 상당한 영향력을 행사하는 것은 다원주의론에 대한 설명이다.
- D(ㄹ): 대중에 대한 억압과 통제를 통해 엘리트들에게 유리한 이슈만 정책의제로 설정하는 것은 무의사결정론에 대한 설명이다.

08 신엘리트이론의 무의사결정론

무의사결정이란 정책의제설정과정에서 지배계층(기존 세력)의 이익에 도전하는 요구 또는 의제는 정책문제화하지 않고 이를 억압하는 것으로, 지배계층(기존 세력)에게 안전한 이슈만을 논의하고 불리한 문제는 거론조차 못하게 봉쇄하는 것이다.

| 선지분석 |

① 지배적인 엘리트집단은 자신들의 이해관계와 부합하지 않는 이슈는 정책의제화하지 않는다.

② 무의사결정은 중립적 행동이 아니며, 다원주의이론의 관점을 반영한 것이 아니라 신엘리트이론의 관점을 반영한 것이다.

③ 집행과정에서도 무의사결정이 일어날 수 있다. 무의사결정은 정책의 제설정과정뿐만 아니라 정책결정과 집행·평가 등 정책의 전 과정에서 나타난다고 보았다.

09 엘리트이론과 다원주의이론

밀스(Mills)는 국가차원의 지위접근법을 연구하였으며, 명성접근법을 사용하여 엘리트들을 분석한 학자는 헌터(Hunter)이다.

| 선지분석 |

④ 광의의 무의사결정에 대한 설명으로 옳은 지문이다.

10 바흐라흐(Bachrach)와 바라츠(Baratz)의 무의사결정론

엘리트의 두 얼굴 중 권력행사의 어두운 측면을 고려하지 못한다고 비판한 것은 신엘리트주의이다.

| 선지분석 |

① 광의의 무의사결정은 정책문제 채택단계 이외에서도 일어난다.

② 무의사결정의 수단으로 '편견의 동원'에 대한 설명이다.

③ 가장 직접적인 '폭력의 행사'에 대한 설명이다.

무의사결정의 수단(P. Bachrach & M.S. Baratz)

구분	내용
폭력의 행사	가장 직접적인(강도가 높은) 수단으로서 기존질서의 변화를 주장하는 요구가 정치적 이슈가 되지 못하도록 테러(구타, 암살, 처벌 등)행위를 자행하는 방법
권력의 행사	권력을 행사하는 방법, 직접적이기는 하나 폭력보다 온건한 방법으로서, 권력을 이용하여 기존질서의 변화를 요구하는 개인·집단에게 기존의 혜택을 박탈하겠다고 위협하거나 또는 새로운 이익을 주겠다고 유혹하는 방법 또는 적응적 흡수(co-optation) 등
편견의 동원	간접적인 방법으로서 현존하는 정치체제내의 지배적 규범(규칙, 미신)이나 제도적 과정(절차)을 강조하여 변화를 위한 주장을 꺾는 방법
편견의 수정이나 강화	가장 간접적·우회적인(강도가 약한) 방법으로서 현존하는 정치체계의 규범·규칙·절차 자체를 수정·보완하여 정책의 요구를 봉쇄하는 방법

정답 07 ① 08 ④ 09 ② 10 ④

11 **오늘날 정책결정과정에서 정책네트워크(policy network)의 역할이 증대되고 있다. 다음 중 정책네트워크의 유형으로 가장 거리가 먼 것은?** 2017년 사회복지직 9급

① 하위정부(subgovernment)
② 정책공동체(policy community)
③ 이음매 없는 조직(seamless organization)
④ 정책문제망(issue network)

12 **정책과정에서 철의 삼각(iron triangle)에 해당하지 않는 것은?** 2024년 국가직 9급

① 의회 상임위원회
② 행정부 관료
③ 이익집단
④ 법원

13 **정책네트워크의 개념과 유형에 대한 설명으로 옳지 않은 것은?** 2023년 국가직 7급

① 수많은 공식 · 비공식적 참여자가 존재하는 정책네트워크는 정책과정의 참여자들 간 상호작용을 구조적인 차원으로 설명하는 틀이다.
② 정책네트워크의 경계는 구조적인 틀에 따라 달라지는 상호인지의 과정에 의하기보다는 공식기관들에 의해 결정된다.
③ 하위정부 모형은 이익집단, 의회의 상임위원회, 주요 행정부처로 구성되는 네트워크를 말하며, 안정성이 높은 것이 특징이다.
④ 정책공동체모형은 하위정부 모형에 대한 대안으로 대두되었으나 전문화된 정책영역에서 정책결정이 이루어진다는 측면에서 서로 유사한 점이 있다.

14 정책네트워크에 대한 설명으로 옳지 않은 것은?

2019년 국가직 9급

① 정책네트워크의 참여자는 정부뿐만 아니라 민간부문까지 포함한다.

② 정책공동체(policy community)에 비해서 이슈네트워크(issue network)는 제한된 행위자들이 정책과정에 참여하며 경계의 개방성이 낮은 특성이 있다.

③ 헤클로(Heclo)는 하위정부모형을 비판적으로 검토하면서 정책이슈를 중심으로 유동적이며 개방적인 참여자들 간의 상호작용현상을 묘사하기 위한 대안적 모형을 제안하였다.

④ 하위정부(sub-government)는 선출직 의원, 정부관료, 그리고 이익집단의 역할에 초점을 맞춘다.

정답 및 해설

11 정책네트워크의 유형

이음매 없는 조직은 린덴(Linden)이 정의한 것으로 지나친 전문화에 의해서 분리된 업무를 결합하려는 유기적 구조로서 정책네트워크와는 거리가 멀다.

| 선지분석 |

① 하위정부모형은 1950년대 가장 처음으로 만들어진 정책네트워크모형으로 공적 부문인 관료와 의회의 상임위원회, 사적 부문인 이익집단이 연결된 것으로 지나치게 그들만의 이익을 추구하면 철의 삼각(iron triangle)으로 변질될 수도 있다.

② 하위정부모형의 적실성에 대한 비판으로 유럽에서 연구되어진 정책공동체는 주로 전문가들로 이루어진 인지공동체의 결합체이다.

④ 하위정부모형을 비판·대체하려는 개념으로 미국에서 논의된 모형을 이슈네트워크라고도 하며, 이는 다양한 이해관계자들이 참여하는 것으로 특정한 경계가 존재하지 않는 광범위한 정책네트워크이다.

12 철의 삼각(iron triangle)의 구성

철의 삼각은 하위정부모형의 다른 모습으로 국회상임위원회 - 정부관료 - 이익집단의 연합이다. 법원은 철의 삼각에 해당하지 않는다.

13 정책네트워크의 개념과 유형

정책네트워크의 경계는 공식기관들에 의해 결정되기보다는 행위자와 행위자 간의 연계에 의한 구조적인 틀에 따라 달라지는 상호인지의 과정에 의하여 결정된다.

14 정책네트워크

경계의 개방성이 낮고 제한된 행위자들이 정책과정에 참여하는 것은 정책공동체의 특징이다. 이슈네트워크(issue network)는 모든 이해관련자들의 참여하는 경계의 개방성이 높은 특성이 있다.

이슈네트워크와 정책공동체의 비교

구분	이슈네트워크	정책공동체
기본가치(공유도)	약함	강함
참여자의 범위	광범위, 개방적	제한적, 폐쇄적
참여자들의 연계	불안정(유동적·일시적), 예측 불가능	안정적(지속적·장기적), 예측 가능
참여자의 자원·권한 보유	일부만 자원·권한 보유(권력 불균형)	모든 참여자가 자원·권한을 가지고 교환(권력 균형)
게임의 성격	경쟁적·갈등적·영합게임(negative-sum game)	의존적·협력적·정합게임(positive-sum game)
정책산출	예측 곤란	예측 용이
이익	관련된 모든 이익	경제적·전문직업적 이익
합의	제한적 합의	가치관 공유, 성과의 정통성 수용

정답 11 ③ 12 ④ 13 ② 14 ②

CHAPTER 3

정책결정론

1 정책결정의 의의

1 정책결정

1. 의의[❶]

(1) 정책결정(policy making)이란 정부기관이 장래의 주요 행동지침인 정책을 복잡하고 동태적인 과정을 거쳐 결정하는 것을 의미한다. 즉, 정치 · 행정과정을 통하여 공익실현을 위한 최선의 정책대안이나 행동방안을 선택하는 것이다.

(2) 정책결정과정에서 정책의 실현가능성(feasibility)과 소망성(desirability)의 확보가 필요하다.

(3) 정책결정의 과정은 ① 정책문제의 정의 → ② 정책목표의 설정 → ③ 정책대안의 탐색 · 개발 → ④ 정책대안의 결과 예측 → ⑤ 정책대안의 비교 · 평가 → ⑥ 최적대안의 선택의 순서로 진행된다.

2. 특징[❷]

(1) 가치와 규범을 추구하며, 불확실한 미래를 예측하고 행동대안을 탐색한다.

(2) 공식적 · 비공식적 성격을 가진 하위체제가 관련되는 다원적 과정이다.

(3) 정책결정은 공공성과 규범성을 가지고서 공익을 추구하는 복잡한 동태적 과정이다.

(4) 의사결정의 한 형태로서 가능한 최선의 수단을 선택하는 과정이다.

(5) 인간의 가치를 주된 관심사로 삼는 인본주의적 성격을 띠고 있다.

2 정책결정요인론

1. 의의

(1) 정책내용을 결정하는 요인이 무엇(what)인가에 관한 이론이다. 즉, 정책을 종속변수로 보고, 그 내용을 좌우하는 요인을 독립변수로 본다.

(2) 정책을 결정 또는 좌우하는 환경적 요인이 정치적 요인인지, 사회 · 경제적 요인인지에 관한 연구로, 이와 관련한 미국 내 정치학자들과 경제학자들의 논쟁이 전개되었다.

❶ 정책결정과 의사결정의 차이

구분	정책결정	의사결정
주체	정부	정부 · 기업 · 개인
근본 이념	공익성	공익 또는 사익성
성격	공적 성격	공 · 사적 성격
결정 사항	정부활동 지침	모든 합리적 대안 선정
계량화	곤란 (질적 요인 및 불확실성 때문)	용이

❷ 정책결정의 합리성 저해요인

1. 인간적 측면의 저해요인
   - 정책결정자들 사이의 가치관 · 태도의 차이
   - 정책결정자의 권위주의적 성격
   - 정책결정자의 전문지식 결여
   - 미래예측 불가능성
   - 관료제의 병리현상
   - 제한적 합리성
   - 과거의 경력, 선입관 등
2. 구조적 측면의 저해요인
   - 정보 · 자료의 부족과 부정확성
   - 집권적 결정구조
   - 정책참모기능 약화 및 결정인의 시간적 제약성
   - 정책전담기구의 결여
   - 정책결정과정의 폐쇄성
   - 행정선례와 표준운영절차(SOP) 존중
   - 부처할거주의
   - 관료제의 역기능
3. 환경적 측면의 저해요인
   - 사회문제와 목표의 다양성 · 무형성
   - 취약한 요구와 지지, 비판
   - 매몰비용
   - 피동적인 사회 · 문화적 관습
   - 외부준거집단의 영향
   - 행정문화의 비합리성
   - 이익집단의 압력 불균형

2. 내용

(1) 초기의 견해

① **정치적 요인 중시(Key & Lockard)**: 키(Key)와 로카드(Lockard)의 참여경쟁모형[1]은 "정당 간의 경쟁이 치열할수록 정당이 유권자들의 지지를 획득하기 위해서 사회복지비에 대한 지출을 늘린다."라는 명제를 검증한 초기의 이론으로서, 주로 정치적 요인만이 직접적으로 정책에 영향을 미친다고 보았다.

② **경제학자들의 환경연구(Fabricant, Brazer)**: 초기의 정치학자들의 주장과는 별개로 경제학자들은 사회 · 경제적 환경이 정책에 미치는 영향을 연구하였다.

㉠ **파브리켄트(Fabricant)의 연구**: 미국 주정부의 예산을 분석하여 1인당 소득, 인구밀도, 도시화 등의 세 변수가 주정부의 예산지출의 결정요인임을 주장하면서, 특히 1인당 소득이 정책의 중요한 결정변수임을 밝혔다.

㉡ **브레이저(Brazer)의 연구**: 2만 5천 명 이상의 인구를 가진 462개 도시를 대상으로 연구한 결과 사회 · 경제적 요인 중에서 인구밀도, 가구의 소득, 다른 정부기관으로부터의 보조 등이 시정부의 지출에 가장 큰 영향을 미친다고 주장하였다.

[1] 참여경쟁모형

정치적 변수 → 정책

(2) 후기의 견해(정치학자들의 환경연구)

① **도슨과 로빈슨(Dawson & Robinson)의 경제적 자원모형(1963)**[2]

㉠ 정치적 변수와 정책은 허위관계라고 보았다.

㉡ 정당 간 경쟁이 치열할수록 사회복지비는 증가하였지만, 이것은 도시화, 산업화, 소득이라는 사회 · 경제적 변수가 작용하였기 때문에 나타난 것이라고 보았다.

㉢ 이들은 체제이론이 가정하였던 사회 · 경제적 변수, 정치체제, 정책 간의 순차적 관계를 부정하고, 사회 · 경제적 변수가 정치체제와 정책 모두에 대하여 영향을 미치며 이것이 정치체제와 정책의 상관관계를 초래하였다고 보았다. 결론적으로 정치적 변수와 정책은 허위관계라는 것을 주장하였다.

[2] 경제적 자원모형

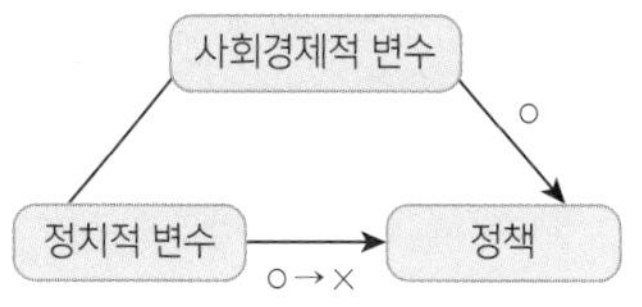

② **크누드와 맥크론(Cnudde & McCrone)의 혼합모형(1968)**[3]

㉠ 정치적 변수와 정책은 혼란관계라고 보았다.

㉡ 사회 · 경제적 변수뿐만 아니라 정치적 변수도 정책지출에 독립적인 영향을 미친다는 것을 증명하고자 하였다.

㉢ 혼합모형(hybrid model)은 정치체제와 정책 간의 관계를 추가로 고려함으로써 사회 · 경제적 변수가 정치체제를 통하여 정책에 영향을 미치는 간접적 효과까지도 파악한다. 이를 통해 정치적 변수가 사회 · 경제적 변수에 의한 허위상관을 제외하고도 독립적인 영향을 미친다는 혼란관계를 주장하였다.

[3] 혼합모형

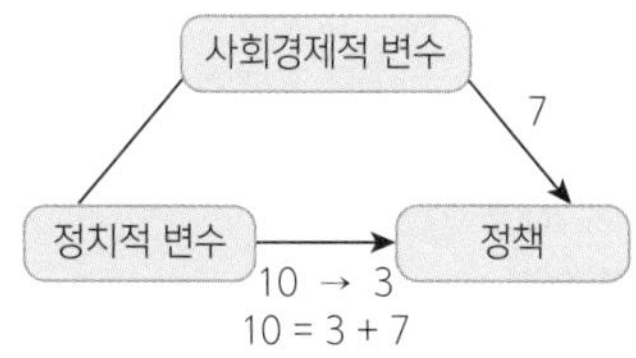

③ **루이스-벡(Lewis-Beck)모형**: 사회경제적 변수뿐만 아니라 정치적 변수도 정책결정에 독립적인 영향을 미치는 것을 통계적으로 증명하였다.

핵심 OX

01 정책에 영향을 미치는 요인을 검토함에 있어 파브리켄트(Fabricant)는 정치적 요인보다는 경제적 요인을 중시하였다. (O, X)

01 O

3. 평가❶

(1) 변수선정상의 문제점

사회 · 경제적 요인을 과대평가하고 정치적 요인을 과소평가하였다.

(2) 단일방향적인 영향만 고려

사회 · 경제적 변수와 같은 환경요인들이 일방적으로 정책에 영향을 주는 것으로 보았다. 그러나 환경적인 요인들이 간접적으로 정책에 영향을 미치는 경우가 더 많으며, 정책이 환경에 영향을 미치기도 한다.

(3) 개인의 중요성 간과

결정은 사회 · 경제적 변수가 아니라 개인에 의하여 행해지며, 특히 권력엘리트의 역할이 중요하다는 점을 간과하였다.

(4) 구체적 내용의 고려 미흡

정책결정에 따른 비용을 고려할 때 예산의 총규모가 아니라 구체적인 내용별로 접근하였다면 정치적 요인의 영향력은 달라졌을 것이라는 비판이 제기된다.

(5) 정책수준의 문제와 인과관계의 미약

① 정책결정요인론에서는 소득이 정책의 내용을 크게 좌우하는 것으로 조사되어 있는데, 이는 정책의 수준을 지나치게 상위수준으로 잡았기 때문이라고 볼 수 있다.

② 정책원인과 정책결과와의 인과관계가 부족한 것도 문제점으로 볼 수 있다.

개념PLUS 품의제(우리나라의 내부정책결정제도)

1. 개념

품의*제(稟議制)는 실무책임자가 공식적인 문서를 기안(起案)하여 단계별로 상위자의 결재를 거쳐서 집행하게 되는 공식적이면서 하의상달적(상향적)인 정책결정을 의미한다.

2. 효용

① 참여의식과 일체감을 고취시키고 사기를 앙양할 수 있다.

② 하위직원에게 현장훈련의 역할을 한다.

③ 하의상달의 촉진과 제안의 유도 및 인간관계의 원만화에 기여한다.

3. 한계

① 많은 사람이 결재과정에 참여하므로 책임이 분산되며 행정의 비능률을 초래한다.

② 상급자의 하급자에 대한 의존과 하급자의 상관에 대한 충성에 기반하므로 전문화를 저해할 수 있다.

③ 품의제는 공식적 문서를 통하여 이루어지므로 문서의 수정 · 보완이 빈번해지며 문서의 과다현상(red tape)을 초래한다.

④ 품의제는 기본적으로 상하 간 종적 의사결정방식으로서 횡적 업무협조를 강화시키는 제도가 아니므로 부서 간 횡적 협조의 곤란과 할거주의를 초래한다.

⑤ **기획의 그레샴(Gresham) 법칙**: 품의제는 위임 · 전결규정에도 불구하고 상급자와의 책임분담을 위하여 최고결정권자까지 결재를 받으려고 한다. 따라서 권력의 상위집중현상이 발생하고 최고결정권자는 일상적인 결재업무에 시달리게 됨으로써 중요한 전략적 업무를 소홀히 하게 된다.

⑥ **주사행정**: 실무담당자가 기안을 하는 제도이므로 담당자의 지식 · 능력 · 사고방식에 따른 하급자의 결정에 의존하는 주사행정의 폐단을 낳게 된다.

---

❶ 위기 시 의사결정의 특징

1. **집권화**: 위기상황에서의 의사결정은 일반적으로 집권화의 경향을 띠게 된다.
2. **비공식적 결정**: 공식적인 규칙이나 절차는 비공식적인 과정과 즉시적인 결정으로 대치된다.
3. **관료정치**: 위기상황에서는 관료 중심의 정책결정과 집행이 성행하게 된다.
4. **의사소통의 양과 속도 증가**: 상향적 및 하향적 커뮤니케이션의 양이 증가하고 그 속도도 빨라지게 된다.
5. **정보의 원천에 의존**: 의사결정자는 정보의 내용보다 정보의 원천에 더 높은 우선순위를 두게 되며, 자연히 믿을만하고 평소에 좋아하던 원천에 더욱 의존하는 경향을 띠게 된다.
6. **정보의 통제문제**: 의사결정자는 유입되는 데이터와 요구되는 정보의 과잉과 과소의 양자를 모두 극복할 필요가 있으며, 따라서 정보처리에 있어서 정보의 흐름을 통제하여야 하는 중대한 문제에 직면하게 된다.
7. **집단사고의 발생**: 빠른 의사결정을 내려야 하는 위기상황에서의 의사결정자들은 집단사고(group think)에 빠질 우려가 높다.

용어

품의(稟議)*: 상관의 재가를 받기 위하여 의논을 드린다는 뜻이다.

핵심 OX

01 우리나라의 문서제도인 품의제는 상향적 의사결정과 관련된다. (O, X)

02 부처 간 할거주의를 극복하기 위해서 품의제를 확대해야 한다. (O, X)

03 의사결정자의 실책에는 의사결정방식에 있어서 다수결의 원칙을 의미하는 집단사고가 있다. (O, X)

01 O
02 X 지나치게 품의제를 추구할 경우에는 부처 간 할거주의를 확대할 우려가 있다.
03 X 집단사고(groupthink)는 다수결이 아니라 만장일치적 환상에 빠지는 것이다.

고득점 공략 의사결정자의 실책

1. 지나친 단순화
주먹구구식 단순화규칙에 따라 복잡한 의사결정문제를 지나치게 또는 잘못 단순화하는 것이다. 흔히 선택적 지각, 유형화 등에 의한 단순화는 판단의 오류를 낳을 수 있으며, 지나친 단순화에 기초하여 현실을 무리하게 계량화하고 질적 요인을 무시하거나 소홀히 다루는 실책도 흔하게 이루어진다.

2. 구성의 효과
문제의 제시방법에 따라 의사결정이 달라지는 경향을 지칭하는 것으로 '틀짓기 효과', '액자 효과', '조삼모사(朝三暮四) 효과' 등 다양하게 불린다. 같은 의미라도 의사전달방식이나 제시되는 정보의 배열에 따라 사람들이 다르게 받아들이는 현상이다.
㉠ 대안의 이익을 강조하면 그 대안을 선택하지 않다가도, 그 대안을 채택하지 않았을 때의 손실을 강조하면 선택하는 현상

3. 실패한 결정에 대한 집착
기존의 잘못된 결정이나 행동방안을 지속시키기 위해 더 많은 시간과 노력, 돈 등을 투입하는 '집착의 확대'를 말하는 것으로 집착의 확대는 의사결정의 잘못에 대한 비난과 체면손상을 막기 위하여 인지강화*를 하기 때문에 일어난다.

4. 사전적 선택
의사결정의 대안들을 검토해 보기도 전에 의사결정자가 선호하는 대안을 미리 선택하거나 암묵적으로 내정해 버리는 것이다.

5. 방어적 회피
결정자들에게 불리하거나 위험을 내포하는 결정은 미루고 회피하는 것이다. 이는 자신의 습성이나 고정관념에 어긋나는 정보를 회피하거나 왜곡시키는 방어적 지각과도 같은 것이다.

6. 적시성 상실
방어적 회피나 무사안일 등으로 인한 의사결정의 지연은 정책실패와 부패의 온상이 된다.

7. 집단사고(groupthink)[1]
집단 내의 사회적 압력 때문에 빚어지는 판단능력(비판적 평가능력)의 저하현상을 지칭한다. 응집성이 강한 조직의 경우 흔히 만장일치에 대한 환상 때문에 구성원들이 획일적이고 기계적인 사고를 하게 되는 것이다.

8. 과잉동조의 폐단
규칙이나 수단에 지나치게 영합하는 경우 의사결정의 상황적합성과 창의성이 저해된다.

9. 기준배합의 왜곡
의사결정의 기준배합이 왜곡되는 경우, 즉 사익이나 정치적 고려가 과도하게 작용하는 경우 잘못된 의사결정을 하게 된다.

10. 무지로 인한 실책
의사결정에 필요한 개념 · 이론 · 기술 등에 대한 지식이나 능력이 없으면 결정상의 과오를 범하게 된다.

용어

인지강화*: 과거의 결정을 정당화할 수 있는 정보만을 수집하고 그 가치를 과장하는 것이다.

❶ 제니스(Janis)의 집단사고(groupthink)

1. **사례:** 미국의 재니스(Janis)란 학자가 집단의 행동을 연구하는 중에 발견한 것으로, 구체적 사례로 '베트남 폭격'과 케네디(Kennedy) 대통령의 '쿠바 피그스만(Bay of Pigs) 침공사건(1961)'을 들고 그 실패원인을 집단사고(groupthink)라고 보았다. 집단사고의 불행한 결과는 히틀러(Hitler)의 유태인 학살, 일본의 동북아 침략은 물론 부시(Bush) 미대통령 집단의 이라크 침공 결정에서도 발견된다.
2. 징후
   - 집단의 결정은 올바르다는 생각
   - 경고를 무시하기 위한 집단적 합리화의 노력
   - 집단에 내재하는 윤리성의 전폭적 신뢰
   - 상대세력을 무시하는 안이한 태도
   - 집단 내 반대분자의 충성을 요구하는 직접적인 압력
   - 집단적 합의로부터의 이탈을 기피하려는 태도
   - 다수의견에 따른 판단에 관하여 의견일치를 보고 있다는 환상의 공유
   - 집단적 안정감을 깨뜨릴 불리한 정보로부터 집단을 보호하려는 생각 등
3. 예방전략
   - 토론을 바탕으로 한 집단지성의 활용
   - 집단적 의사결정에서 의사결정단위를 2개 이상으로 분류
   - 조직의 결정이나 정책에 대한 외부인사들의 재평가체계를 구축
   - 최종 대안 도출 후 각 참여자들에게 반대의견 제시기회를 부여
   - 대안탐색단계마다 참여자에게 악역을 맡겨 다수의견에 반대의견을 강제로 개진시킴

2 정책결정의 과정

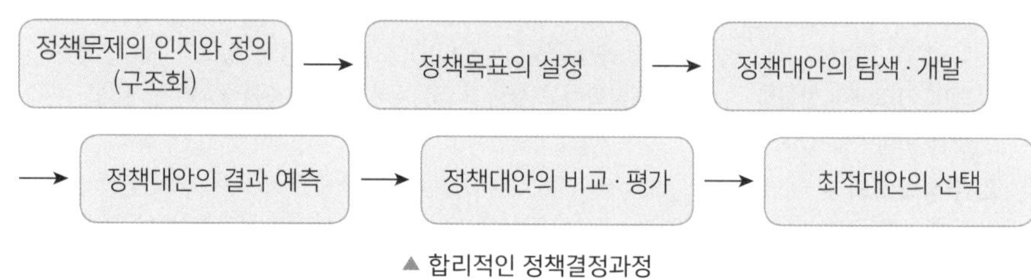

▲ 합리적인 정책결정과정

❶ 정책문제의 정의 시 고려사항
1. 관련요소 파악
2. 가치판단
3. 역사적 맥락
4. 인과관계

1 정책문제의 인지와 정의❶

1. 의의

(1) 정책문제란 수많은 사회문제 중에서 많은 사람들과 관련되어 있는 공공문제로서 정부에 의해 정책적으로 해결하여야 한다고 여겨지는 문제이다.

(2) 정책문제가 무엇인지를 명확하게 밝히는 것이 정책문제의 인지와 정의이다. 정책문제의 인지와 정의에 따라 정책목표의 구체적인 내용이 달라지고 정책수단도 달라진다.

2. 특징

(1) 정책문제는 ① 공공성을 띠고, ② 주관적 · 인공적인 성격을 지니며, ③ 복잡하고 다양하며 상호의존적이고, ④ 역사적 산물이며, ⑤ 동태적인 성격을 갖는다.

(2) 가장 창조적 단계로서 정책결정자의 가치관과 태도가 큰 영향을 미치므로 갈등발생의 가능성이 높다.

3. 정책의 오류

(1) 제1종 오류(α 오류)

귀무가설은 옳은데 이를 기각, 올바르지 않은 대안(대립가설)을 채택하는 오류이다. 즉, 올바른 귀무가설(H_0)을 기각하고 올바르지 않은 다른 대안(H_1)을 채택하는 오류이다.

예 · H_0(영가설, 귀무가설): 명예퇴직제는 공무원의 사기에 긍정적 영향을 미치지 않음
· H_1(대립가설): 명예퇴직제는 공무원의 사기에 긍정적 영향을 미침

(2) 제2종 오류(β 오류)

귀무가설이 거짓인데 이를 채택, 올바른 대안(대립가설)을 기각하는 오류이다. 즉, 올바르지 않은 귀무가설(H_0)을 채택하여 올바른 대안(H_1)을 기각하는 오류이다.

예 · H_0(영가설, 귀무가설): 성과급제도는 공무원의 사기에 긍정적 영향을 미치지 않음
· H_1(대립가설): 성과급제도는 공무원의 사기에 긍정적 영향을 미침

(3) 제3종 오류[메타(meta) 오류, 근본적 오류]

① 정책문제를 잘못 정의하여 발생하는 근본적(meta)인 오류이다.

예 정부정책에 있어서 '개발 위주의 정부정책'을 정책문제로 정의할 경우 최근의 '환경보전'이라는 가치와 조화되지 않아 제3종 오류 발생

② 제3종 오류의 방지를 위해서는 정책문제의 구조화가 필요하다.

핵심정리 정책의 오류(error)

제1종 오류(α error)	제2종 오류(β error)	제3종 오류(meta error)
· 올바른 귀무가설을 기각하는 오류 · 틀린 대립가설을 채택하는 오류(잘못된 대안을 선택하는 오류) · 효과가 없는데 있다고 잘못 평가	· 틀린 귀무가설을 채택하는 오류 · 올바른 대립가설을 기각하는 오류(올바른 대안을 기각하는 오류) · 효과가 있는데 없다고 잘못 평가	· 정책문제 자체를 잘못 인지하는 오류 · 근본적인 오류(정책문제의 미해결상태)

신뢰수준 (1-α)	· 통계치를 믿을 수 있는 신뢰구간. α는 유의수준으로 제1종 오류를 범할 확률을 의미하는데 유의수준이 0.05면 신뢰수준은 0.95 · 따라서 1-α는 신뢰수준으로 옳은 귀무가설을 인용하여 올바른 결정을 할 수 있는 확률(제1종 오류를 범하지 않을 확률)
검정력 (1-β)	· 가설의 참·거짓과 관계없이 귀무가설(영가설; null hypothesis)을 기각시킬 확률로서 여기서 β는 제2종 오류를 발생시킬 확률 · 따라서 1-β란 틀린 귀무가설을 기각하여 올바른 결정을 할 수 있는 확률(제2종 오류를 범하지 않을 확률)

4. 정책문제의 구조화(Dunn) - 제3종 오류 방지[1]

(1) 의의

① 정책문제를 정의하기 위하여 문제상황의 대안적 개념화를 생성하고 검증하는 과정이다. 즉, 정책문제의 본질·범위·심각성을 구체적으로 밝혀주는 것이다.

② 정책분석가가 정책문제나 목표설정 자체를 잘못 정의하여 발생하는 오류(제3종 오류)를 방지하기 위하여 정책문제의 구조화가 필요하다.

(2) 단계

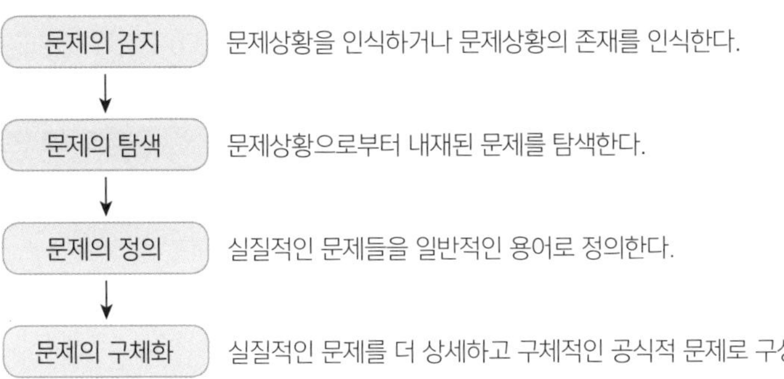

[1] 정책문제 구조화의 단계 및 정도(Dunn)

1. **단계**: 정책문제의 구조화에서 핵심은 그 문제를 결정짓는 중요한 요소들을 파악하는 것인데, 문제의 감지(sensing) → 문제의 탐색(searching) → 문제의 정의(definition) → 문제의 구체화(specification) 등 4가지 독립된 단계를 거친다. 이 과정에서 가장 중요한 것은 다양한 문제표현(problem representation)을 탐색·발견함으로써 문제상황(problem situation)의 대안적 개념화를 도출하고 검증하는 것이다.
2. **정도**: 던(Dunn)은 정책문제를 구조화가 잘된 문제(well-structured problem), 어느 정도 구조화된 문제(moderately structured problem), 구조화가 잘 안된 문제(ill- structured problem)로 분류한다. 구조화가 잘된 문제의 해결을 위해서 분석가는 전통적인(conventional) 회귀분석이나 선형계획법(LP) 등을 주로 사용한다.

핵심 OX

01 합리적인 정책결정은 결정자의 선호기준을 파악하여 이를 대안평가에 적용하는 일과 관련된다. (O, X)

02 제3종 오류는 정책문제를 잘못 인지하여 문제가 해결되지 않은 상태로 남게 되는 오류를 말한다. (O, X)

01 X 합리적인 정책결정은 모든 대안 중에서 최선의 대안을 선택하는 것이다.
02 O

(3) 기법

① **경계분석**: 문제의 위치 · 범위를 파악한다(경계선상에서의 메타문제해결).

㉠ 개인이나 집단의 문제형성체계, 즉 메타문제의 경계가 완전한 것인가를 추정하는 방법이다.

㉡ **포화표본추출**: 정책문제의 존속기간 및 형성과정을 파악하기 위한 기법으로 포화표본추출을 통해 관련 이해당사자를 선정한다.

② **계층분석**: 문제의 여러 원인을 식별한다.

㉠ 문제상황의 발생에 영향을 줄 수 있는 가깝고 먼 다양한 원인들을 창의적으로 찾아내기 위한 방법이다.

㉡ 개별분석가의 직관이나 판단에 의하여 원인이 식별된다.

가능한 원인	멀기는 하지만 주어진 문제상황의 발생에 기여하는 사건이나 행위이다. 문제의 발생원인을 제거 · 통제 · 조작할 수 없는 경우, 원인은 손대지 않고 문제의 심각성을 완화하는 방향으로 정책수단(대안)을 개발한다. ㉵ 가난의 원인으로서의 근무 거부, 실업, 엘리트 간의 권력과 부의 배분 등
개연적 원인	과학적 연구나 직접적인 경험에 입각하여 문제상황의 발생에 중요한 영향을 끼쳤다고 믿어지는 원인이다. ㉵ 가난의 원인으로서의 실업, 엘리트 간의 권력과 부의 배분 등
행동가능한 원인	정책결정자에 의하여 통제 · 제거 · 조작될 수 있는 원인이다. ㉵ 가난의 원인으로서의 실업 등

③ **유추분석**: 유추를 통해서 문제를 해결한다. 즉, 과거에 등장하였거나 다루어 본 적이 있는 유사한 문제에 대한 분석을 통해 문제를 정의하는 방법이다.

개인적 유추	· 분석가가 다른 정책이해관계자, 예를 들어 정책결정자 또는 고객집단과 같이 마치 그 자신이 문제를 경험하고 있는 것처럼 상상하여 문제를 유추하는 것이다. · 문제상황의 정치적 차원을 파헤치는 데 중요하다.
직접적 유추	분석가는 두 개 이상의 실제 문제상황을 두고 그 사이의 유사한 관계를 탐색한다. ㉵ 약물중독의 문제를 구조화하는 데 있어서 전염병의 통제 경험으로부터 직접적 유추를 구성하는 것
상징적 유추	분석가는 주어진 문제상황과 어떤 상징적 대용물이나 과정 사이의 유사한 관계를 발견하려고 한다. ㉵ 여러 종류의 자동제어장치(자동온도조절기, 자동항법장치 등)와 정책과정 사이에서 유사한 관계를 발견하고 분석하는 것
환상적(가상적) 유추	분석가는 문제상황과 어떤 상상적인 상태 사이에 유사성을 자유롭게 상상하고 탐험한다. ㉵ 국방정책분석가가 안보정책에 있어 핵공격에 대한 방어의 문제를 구조화하기 위하여 가상적인 핵공격상태를 전제로 문제를 유추하는 것

④ **가정분석**[1]: 여러 대립적 가설을 창조적으로 통합한다.

㉠ 문제상황의 인식을 둘러싼 대립적 가정들을 창조적으로 통합하는 것으로, 다른 기법과 결합하여 사용되는 절차를 포함한다.

㉡ 개인, 집단 또는 양자에 모두 초점을 맞추기 때문에 여러 가지 기법을 활용하는 가장 포괄적인 분석이다.

[1] 가정분석의 5단계
1. 정책관련집단의 확인
2. 가정의 표출
3. 가정들의 비교 · 평가
4. 가정들 간의 타협과 종합
5. 가정의 통합

⑤ **분류분석**[1]: 문제의 구성요소를 식별한다.

㉠ 문제상황을 정의·분류하기 위해서 사용되는 개념들을 명확히 하는 기법이다. 추상적인 개념들을 구성요소별로 나누어 구체적 대상이나 상황으로 나타내는 귀납적 추론과정을 통해 경험을 분류한다.

㉡ 두 가지 주요 절차, 즉 논리적 분할과 논리적 분류에 토대를 두고 있다. 논리적 분할은 어떤 하나의 부류를 선택하여 그것을 구성요소로 나누는 것이며, 논리적 분류는 이와 반대로 여러 상황이나 대상을 더 큰 집단 또는 부류로 결합시키는 것이다.

⑥ **주관적·직관적 방법**

㉠ **델파이기법**: 익명성이 확보된 여러 전문가들의 의견을 수렴하는 방법이다.

㉡ **브레인스토밍(집단토론)**: 선입견이나 전문지식에 구애받지 않기 위해 관련 분야의 전문가와 식견 있는 사람들이 모여 자유분방한 토론을 통해 의견을 교환함으로써 다양한 아이디어를 도출하는 것이 목적이다.

⑦ **조사연구기법의 활용**

㉠ 사전조사, 예비조사, 현지조사, 실태조사 등 조사방법론에서 다루어지고 있는 여러 연구방법을 문제분석에 이용하는 것이다.

㉡ 질문지법, 면접법, 관찰법 등을 통하여 문제의 배경과 원인, 해결방안들을 알아볼 수 있다.

2 정책목표의 설정

1. 의의

(1) 정책목표란 정책을 통해서 달성하고자 하는 바람직한 상태이다.

(2) 정책목표는 ① 다양한 정책수단 중에서 최선의 것을 선택하는 기준으로 이용되고, ② 정책집행과정에서 무수히 나타나는 일련의 결정들의 지침으로서의 역할을 하며, ③ 집행 후에 그 정책의 성과를 평가하는 정책평가의 기준이 된다.

2. 바람직한 목표설정의 기준

(1) 적합성(appropriateness) - 가치반영(목표 측면)

정책추진 시 달성할 가치가 있는 여러 목표들 중에서 가장 바람직한 것을 목표로 채택하였는가의 여부이다. 즉, 여러 가지 요소 중에서 가장 중요한 문제요소를 선택하였는지의 여부이다.

㉮ 실업문제의 해결이 보다 시급한데 인플레이션의 해결을 우선순위의 목표로 결정하게 되면 이 경제정책의 목표는 적합성이 없다고 볼 수 있음

(2) 적절성(adequacy) - 수단의 충분성(수단 측면)

정책목표의 달성수준과 관련된 것으로 목표의 수준이 지나치게 높거나 낮지 않고 적당한 수준인지의 여부이다.

㉮ 실업문제의 해결을 목표로 설정했을 때, 실업률을 구체적으로 몇 퍼센트로 정해야 되는가와 관련되는 문제

[1] 분류분석 시 규칙
1. 실질적 적실성
2. 포괄성(총망라성)
3. 분절성(상호배타성)
4. 계층적 독특성

핵심 OX

01 제3종 오류를 방지하기 위한 방법 중에서 정책결정상황을 자동조절장치를 가지고 설명하는 방법은 환상적 유추이다. (O, X)

02 가정분석은 여러 대립적 가설의 창조적 통합을 위한 기법으로 표화표본추출을 사용한다. (O, X)

03 적합성이 목표 측면이라면, 적정성은 수단 측면이다. (O, X)

01 X 환상적 유추가 아니라 상징적 유추이다.
02 X 표화표본추출은 경계분석의 기법이다.
03 O

3 정책대안의 탐색 · 개발

1. 의의

정책목표설정 후에 이를 잘 달성할 것으로 예상되는 정책대안들을 식별하고 탐색하는 작업이다.

2. 정책대안의 원천

(1) 과거의 정책사례나 타 정부의 정책은 현실적으로 가장 중요한 정책대안의 원천이 된다.

(2) 우리가 이미 알고 있는 지식 · 이론 · 기술 등과 전문가의 자문도 원천이 된다.

(3) **주관적 · 직관적 방법의 활용**
과거에 시행해 본 경험도 없고 외국에서도 시행되지 않고 있으며, 그 분야에 대한 이론이나 지식도 체계화된 것이 없는 경우에는 브레인스토밍과 정책델파이와 같은 주관적 · 직관적인 방법을 사용하여 결과를 예측한다.

4 정책대안의 결과 예측

1. 의의

정책대안이 집행 또는 실현되었을 경우 나타날 결과들을 정책대안의 실현 이전에 미리 예상하는 것이다. 이는 사후에 발생할지도 모를 결과를 미리 검토함으로써 합리성을 증진시키려는 노력이다.

2. 목적

(1) 정책문제의 심각성을 이해할 수 있으며, 정부의제로 진입시킬 수 있는 설득력과 지지를 높일 수 있다.

(2) 정책이 결정되는 경우 집행의 가능성을 높일 수 있으며, 규범적 미래를 설정함으로써 개연적 미래와 규범적 미래 간의 차이(gap)를 추정할 수 있고, 정부개입의 정당성과 정책수요의 크기를 추정할 수 있다.

(3) 과거정책과 그 결과를 이해함으로써 미래정책에 대하여 보다 원활한 통제가 가능하며, 정책추진의 결과로 나타날 미래변화에 관한 정보를 제공한다.

3. 방법[1]

정책대안결과의 예측방법에는 추세연장기법을 활용하는 방법과 이론적 모형을 활용하는 방법 그리고 주관적 판단(통찰력)에 의한 예측이 있다.

(1) **연장적 예측 – 시계열 자료에 의한 예측방법(귀납적 · 양적 분석기법)**

① **의의:** 시간의 흐름에 따른 일정한 경향을 파악함으로써 미래를 예측하는 통계적인 방법이다.

② **특징:** 기존 자료를 통해 파악하기 때문에 자료의 충분성이 필요하고, 그 자료가 어떤 경향성을 띠고 있어야 한다.

[1] 예측의 방법

구분	기초	적합한 기법
연장적 예측 (투사; projection), 외삽법	추세 연장	시계열분석, 선형경향분석, 지수가중법, 자료변환법, 격변방법론
이론적 예측 (예견; prediction)	인과 관계 (이론)	선형계획법, 경로분석, 투입산출분석, 회귀분석, 상관분석, 구간(점)추정, 이론지도작성
주관적 예측 (추측; conjectures)	식견 있는 판단	델파이기법, 정책델파이, 교차영향분석, 실현가능성분석

③ **기법**: 시계열분석, 선형경향추정, 격변방법론, 자료변환법, 지수가중법 등이 있다.

(2) 이론적 예측 – 인과관계를 통한 예측방법(연역적 · 양적 분석기법)

① **의의**: 여러 가지 이론의 인과관계에 관한 가정에 기초하여 미래를 예측하는 연역적 방법이다.

② **특징**: 예측대상 분야와 관련이 있는 변수들을 이해하고 변수들 사이의 관계를 통하여 미래를 예측한다.

③ **기법**: 선형계획법, 회귀분석, 상관분석, 경로분석(PERT, CPM), 투입산출분석, 구간(간격)추정, 이론지도 등이 있다.

(3) 주관적 예측 – 직관적 판단에 의한 예측방법(질적 분석기법)

① **의의**: 예측가가 직관이나 통찰력을 가지고 예측대상 분야를 개인적 · 집단적으로 예측하는 방법이다.

② **기법**: 델파이기법, 정책델파이, 브레인스토밍, 교차(상호)영향분석, 실현가능성 분석 등이 있다.❶

4. 주관적 예측의 주요 기법

(1) 델파이기법(전통적 델파이) – 전문가의 의견 중시

① 의의 및 등장배경

㉠ **의의**: 1948년 랜드(RAND) 연구소에서 개발된 의견취합방법이다.

㉡ **등장배경**: 전문가들이 집단토의를 하게 되면 외향적이고 공격적인 성격을 지닌 몇몇 사람이 발언을 독점하거나, 공개적으로 다른 사람의 의견에 반대하기가 어렵다거나, 한 번 공개적으로 제시한 의견을 바꾸기 싫어한다거나 하는 등의 문제점으로 인하여 진실로 합리적인 아이디어를 얻기 힘들다. 이를 극복하기 위해 델파이기법이 개발되었다.

② 특징

㉠ **철저한 익명성**: 누가 어떤 의견을 제시하였는지 모르도록 서면으로 토의하고 철저한 익명성을 보장한다.

㉡ **반복성과 통제된 환류**: 제시된 의견들을 모든 사람에게 제공하고, 다른 사람들의 의견을 검토하며, 각자는 다시 자신의 의견을 제시하는 과정을 반복한다.

㉢ **일반적 통계처리**: 응답을 요약하여 평균값이나 분산도 등 일반적인 자료를 통계처리한다.

㉣ **전문가의 합의**: 몇 차례의 회람 후에 결국은 전문가들이 합의하는 아이디어를 만들어 내도록 유도한다.

(2) 정책델파이(policy delphi)❷

① 의의

㉠ 전문가들의 의견을 종합하여 보다 합리적인 아이디어를 얻기 위한 미래예측기법의 일종이다.

㉡ **델파이기법과의 차이점**: 델파이기법은 합일된 의견도출이 강조되었으나, 정책델파이는 정반대의 입장에 있는 관련자로서 서로 대립되는 의견을 표출시키는 것이다.

❶ 지식관리기법
1. 현장관찰
2. 브레인스토밍(두뇌풍선기법)
3. 델파이기법과 정책델파이
4. 명목집단기법
5. 개념지도작성
6. 프로토콜분석
7. 그룹웨어
8. 인트라넷과 인터넷
9. 순환보직
10. 대담
11. 역사학습과 경험담 듣기
12. 실천(경험)공동체

❷ 정책델파이의 수행과정(7단계)

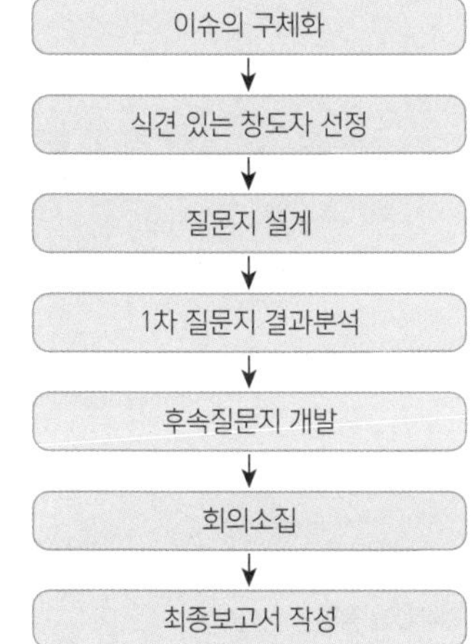

핵심 OX

01 외국이나 다른 지방자치단체의 경험이나 사례도 중요한 정책대안의 원천이다. (O, X)

02 시계열분석, 회귀분석, 상관분석 등은 이론적 미래예측기법에 해당한다. (O, X)

03 델파이기법은 철저한 익명성, 반복성과 통제된 환류, 극단적 통계처리, 전문가의 합의 등의 특징을 가진다. (O, X)

01 O
02 X 시계열분석은 연장적 예측기법에 해당한다.
03 X 델파이기법은 극단적 통계처리가 아니라 일반적 통계처리이다.

② 특징

㉠ **선택적 익명성:** 정책대안이나 정책대안의 결과를 제시하는 첫 번째 단계에서는 누가 어떤 의견을 냈는지 모르게 하나, 대강 의견들이 종합되어 몇 가지 대립되는 대안이나 결과가 표면화된 이후에는 공개적인 토론을 하도록 한다.

㉡ **식견 있는 다수의 의견 중시:** 전문성 이외에도 흥미와 식견 등에 기준을 두고, 전문가 이외에 정책관계자들을 모아서 의견을 얻고 이들에게 정책문제의 성격이나 원인, 결과 등에 대해서 필요한 여러 가지 정보를 제공한다.

㉢ **갈등의 인위적 유도:** 서로 다른 의견들을 공개적으로 도출하도록 하고 대립된 견해를 최대한 활용하여 여러 가지 정책대안을 창출하고 정책대안의 결과도 예측하도록 한다.

㉣ **양극화된(극단적인) 통계처리:** 정책델파이는 의견을 취합하는 질적 분석방법으로서, 불일치와 갈등을 의도적으로 드러내기 위해서 차이를 부각시키는 양극화된 통계처리를 사용한다.

㉤ **컴퓨터를 통한 회의방식:** 가능한 한 컴퓨터를 활용해서 참여자들 사이의 상호작용을 계속적으로 조성해 나가는 것으로 정책델파이의 진행을 부드럽게 한다.

핵심정리 델파이기법과 정책델파이의 비교

구분	델파이기법	정책델파이
개념	일반문제에 대한 예측	정책문제에 대한 예측
응답자	동일 영역의 일반전문가를 응답자로 선정	정책전문가와 이해관계자 등 다양한 대상자 선정
익명성	철저한 익명성과 격리성 보장	선택적 익명성 보장 (중간에 상호교차토론 허용)
통계처리	일반적인 통계처리, 의견의 대푯값 · 평균치(중위값) 중시	극단적인 통계처리, 의견 차이나 갈등을 부각시키는 통계처리

(3) 브레인스토밍[1] - 다양한 의견수렴을 통한 토론 중시

① 오스본(Osborne)에 의해서 제안된 두뇌선풍기법으로서 자유토론 또는 집단토의라고도 불린다.

② 터무니없는 의견까지 받아들일 정도로 의사표현의 자율성을 보장함으로써 다양한 의견을 수렴하는 미래예측기법 또는 정책분석방법이다. 보통 10명 내외의 인원으로 구성하되, 선입견이나 전문지식에 구애받지 않기 위하여 관련 분야의 전문가와 식견 있는 사람들이 모두 참여한다.

③ 주관적 · 질적 기법으로서 다양한 아이디어의 도출을 목적으로 한다.

(4) 교차영향분석

① 어떤 사건이 일어날 확률에 기초하여 미래의 어떤 사건이 일어날 확률에 대해서 식견 있는 판단을 이끌어 내는 기법이다(전통적 델파이기법의 보완).

예 안개와 교통사고와의 관계분석 등

[1] 브레인스토밍

1. **과정별 특징**
   - 브레인스토밍의 집단은 조사되고 있는 문제상황의 본질에 따라 구성되어야 한다.
   - 브레인스토밍의 과정은 아이디어의 개발과 평가 두 단계로 이루어진다.
   - 첫 단계인 아이디어 개발활동의 분위기는 개방적이고 자유롭게 유지되어야 하며 비판이 금지된다.
   - 아이디어 평가는 첫 단계에서 모든 아이디어가 총망라된 다음에 시작되어야 한다.
   - 아이디어 평가의 마지막 단계에서 아이디어에 우선순위를 부여한다.
2. **브레인스토밍의 기본적 속성**
   - 비판의 자제
   - 편승 가능(무임승차 가능)
   - 아이디어의 양 중시
   - 대면적 토론 등

② 교차영향분석의 목적은 다른 관련된 사건의 발생을 촉진하거나 억제하는 사건을 식별하는 데 있다.
③ 사건 간의 상호관련성분석 시 조건확률이나 교차영향행렬을 사용한다.

(5) 실현가능성분석

① 정책분석가가 여러 정책대안들의 채택 · 집행을 지지 · 반대함에 있어서 정책관련자들이 예상되는 영향을 예측하는 것을 도와준다.
② 실현가능성분석기법은 정치적 갈등이 존재하고 권력이나 기타 자원들의 배분이 동등하지 않은 조건에서 정책대안을 합법화하려고 할 때 예상되는 결과를 가늠하는 문제에 적합하다.
③ 가능한 한 대표성이 있고 강력한 이해 관련 집단을 식별하는 것이 중요하며 특히 정치적 실현가능성을 중시한다.

(6) 시나리오 작성

정책대안이 채택되면 결과가 어떻게 나올 것인지, 집행과정상의 문제는 없는지 등 미래에 대한 스토리를 각본으로 작성하여 미래를 예측하는 기법이다.

5. 불확실성과 결과 예측

(1) 의의

불확실성이란 '올바른 의사결정을 위하여 알아야 할 것과 실제로 알고 있는 것과의 차이' 또는 '정책의 성공에 영향을 미치는 요소들에 대한 예측불가능성'이다.

(2) 발생원인

① 문제상황이 매우 복잡하고 동태적인 경우 발생한다.
② 정책담당자의 능력 · 시간 · 경비가 부족한 경우 발생한다.
③ 모형의 불확실성이나 정보 · 자료의 부족 등으로 발생한다.

(3) 대처방안

① 일반적 대처방안
㉠ **문제의식적 탐색**: 휴리스틱적 접근으로서 시행착오를 겪으면서 해결책을 찾으려는 자기 발견적 접근이다.
㉡ **표준화 및 공식화 추구**: 회사모형과 같이 표준화 · 공식화를 통해 인간행동의 변이성을 극복하려는 방안으로, 고도의 불확실성 극복에는 한계가 있다.
㉢ **환경에 대한 조직적 대응**: 분권화나 권한위임을 추구한다.

② 소극적 대처방안
㉠ **의의**: 불확실한 것을 주어진 것으로 보고 이를 감안하여 대안을 모색한다.
㉡ **종류**
ⓐ **보수적 접근**: 최악의 경우를 전제하고 대안을 모색한다.
ⓑ **가외성의 확보**: 중복적 대비를 위한 복수대안을 마련한다.
ⓒ **제한적 합리성의 확보**: 인지능력의 한계 등으로 제한적 합리성을 추구한다.
ⓓ **민감도분석**: 모형의 파라미터가 불확실할 때 여러 가지 가능한 값에 따라 대안의 결과가 어떻게 달라지는지를 분석한다.

핵심 OX

01 정책델파이는 정책문제에 대한 예측, 철저한 익명성, 극단적 통계처리, 전문가의 합의 등이 특징이다. (O, X)
02 브레인스토밍의 기본적 속성으로는 비판의 자제, 무임승차 가능, 아이디어의 질보다 양 중시, 대면적 토론 등이 있다. (O, X)
03 불확실성에 대한 대처방안으로는 가외성 장치의 활용, 총체적 합리성을 확보하는 방안이 있다. (O, X)

01 X 철저한 익명성이 아니라 선택적 익명성이 특징이고, 전문가의 합의라기보다는 전문가와 다양한 이해관계자의 참여를 포함한다.
02 O
03 X 불확실성이 높은 상황하에서는 총체적 합리성보다 제한된 합리성을 추구할 수밖에 없다.

ⓔ **악조건 가중분석:** 최선의 대안은 최악의 상황을, 다른 대안은 최선의 상황을 가정하여 분석한다.

ⓕ **분기점분석:** 악조건 가중분석 결과 대안의 우선순위가 달라질 경우 대안이 동등한 결과를 가져오기 위한 확률을 계산한다.

ⓖ **상황의존도 분석(contingency analysis):** 상황 변화에 따라 정책결과가 어떻게 영향을 받는지 분석한다.

ⓗ **휴리스틱스(heuristics)기법[1]:** 제한된 정보만으로 즉흥적 · 직관적으로 판단하고 선택하는 의사결정이다.

③ 적극적 대처방안

㉠ **의의:** 불확실한 것을 적극적으로 파악 · 통제하여 확실하게 하려는 방안이다.

㉡ 종류

ⓐ **이론이나 모형의 개발:** 정책대안과 결과의 관계를 명확하게 한다.

ⓑ **불확실성을 유발하는 환경의 통제:** 타 기관과의 흥정이나 협상, 기업 간 계약을 통해 환경을 통제한다.

ⓒ **정보의 충분한 획득:** 관련변수에 대한 정보나 시간확보를 통한 다량의 정보를 획득한다.

ⓓ 정책실험, 브레인스토밍, 정책델파이 등을 사용한다.

(4) 불확실한 상황에서의 의사결정기준

① **낙관적 기준:** Maximax 기준(조건부 값이 편익), Minimin 기준(조건부 값이 비용)으로 낙관적 기준은 가장 좋은 상황만이 발생한다는 가정하에서 각 대안에 대한 최선의 조건부 값을 서로 비교하여 최적대안을 선택하게 된다.

Maximax 기준 (최대극대화 기준)	**편익(이익)의 최대치가 가장 최대인 대안을 선택:** 각 대안의 조건부 값이 편익 또는 이익을 나타내는 의사결정문제에서는, 대안별로 최대 조건부 값을 찾은 후 이 중에서 가장 큰 값을 가지는 대안을 선택하게 된다.
Minimin 기준 (최소극소화 기준)	**비용(손실)의 최소치가 가장 최소인 대안을 선택:** 각 대안의 조건부 값이 비용 혹은 손실을 나타내는 의사결정문제에서는, 대안별로 최소 조건부 값을 찾은 후 이 중에서 가장 최소의 값을 가지는 대안을 선택하게 된다.

② **비관적 기준(Wald 기준)[2]:** Maximin 기준(조건부 값이 편익), Minimax 기준(조건부 값이 비용)으로 비관적 기준은 비관적 상황만 발생할 것이라는 가정하에서 각 대안에 대한 최악의 조건부 값을 비교하여 최적대안을 선택하게 된다.

Maximin 기준 (최소극대화 기준)	**편익(이익)의 최소치가 가장 최대인 대안을 선택:** 각 대안의 조건부 값이 편익 또는 이익을 나타내는 의사결정문제에서는, 먼저 대안별로 최소 조건부 값을 찾은 후 이 중에서 최대값을 가지는 대안을 선택하게 된다.
Minimax 기준 (최대극소화 기준)	**비용(손실)의 최대치가 가장 최소인 대안을 선택:** 각 대안의 조건부 값이 비용 혹은 손실을 나타내는 의사결정문제에서는, 대안별로 최대 조건부 값을 찾은 후 이 중에서 최소값을 가지는 대안을 선택하게 된다.

❶ 휴리스틱스(heuristics)기법

1. **개념:** 제한된 정보만으로 즉흥적 · 직관적으로 판단하고 선택하는 의사결정을 말한다. 최선의 답(best answer)보다는 그럴 듯한 답(nice and good answer)에 이르게 하는 주먹구구식 탐색 규칙(rule of thumb)과 관련된다.
2. **특징**
   - 알고리즘(algorism) 기법에 비해 현실적이다.
   - 알고리즘에 비해 문제해결수단의 탐색에 유연하다.
   - 알고리즘에 비해 휴리스틱은 인간이 수행할 수 있는 계산 범위에서 채택 가능한 해답을 찾고자 하는 문제풀이 방법의 발견에 몰두하기 때문에 현실적으로 효율적인 방법이 된다.

❷ 왈드(Wald) 기준

비관적 기준은 아브라함 왈드(Abraham Wald)에 의하여 처음 소개되었기 때문에 왈드(Wald) 기준이라고도 한다.

고득점 공략 의사결정기준에 따른 최적대안 비교

대안별 비용과 편익의 범위가 주어졌을 때 의사결정기준에 따라 최적대안이 달라지게 된다.

대안	비용(C)		편익(B)	
S1	9	16	32	42
S2	12	14	35	45
S3	15	18	43	48
S4	11	20	40	51

위 표에서 의사결정기준에 따른 최적의 대안은 다음과 같다.

1. Minimin 기준(최소최소치 기준, 최소극소화 기준)에 의하면 최적대안은 S1이다.
2. Minimax 기준(최소최대치 기준, 최대극소화 기준)에 의하면 최적대안은 S2이다.
3. Maximin 기준(최대최소치 기준, 최소극대화 기준)에 의하면 최적대안은 S3이다.
4. Maximax 기준(최대최대치 기준, 최대극대화 기준)에 의하면 최적대안은 S4이다.

③ **라플라스(Laplace) 기준(평균기대값 기준)**: 불확실한 상황에서 각 상황이 발생할 확률은 동일하다고 가정하고 발생가능한 조건부 상황(모든 성과)들의 평균값을 도출하여 구한 평균기대값을 비교하여 최선의 대안을 선택하는 것으로서 불충분이유의 기준이다.

④ **새비지(Savage) 기준**: 미니맥스 후회기준(Minimax regret criterion)이라고도 하는데 의사결정자가 미래의 상황을 잘못 판단함으로써 가져오는 손실 혹은 비용을 최소화하려는 데 그 목적을 두고 최대기회비용(최대후회값)이 최소인 대안을 선택하는 것이다.

⑤ **후르비츠(Hurwicz) 기준**

㉠ **의의**: 의사결정은 항상 낙관적 혹은 비관적 측면에서만 이루어지는 것은 아니라는 가정하에서 두 가지 측면을 동시에 고려하는 것이다.

㉡ **낙관계수**: 의사결정의 낙관도를 나타내는 낙관계수의 개념을 도입하여 의사결정기준을 정립하였다. 낙관계수는 대안선택 시 낙관적 상황이 발생할 확률이다.

㉢ **방법**: 낙관적 기준과 비관적 기준의 중간에서 최대성과와 최소성과라는 극단적인 값만을 낙관계수를 통해 도출하여 비교한다.

㉣ **한계**: 후르비츠(Hurwicz) 기준에 의한 의사결정에서는 의사결정자가 미래에 예상되는 상황을 낙관계수값에 따라 다르게 예측하여 의사결정을 할 수 있으므로 이론상으로는 매우 합리적인 의사결정기준처럼 보인다. 그러나 세 가지 이상의 상황이 존재하는 의사결정문제에서는 최대 및 최소 조건부 값에 속하지 않는 다른 조건부 값들을 전혀 고려하지 않는다는 것이 단점이다.

5 정책대안의 비교 · 평가

1. 의의

탐색된 대안들이 어떠한 결과를 가져올 것인지를 예측한 다음에는 이 결과들을 일정한 기준에 따라 비교 · 평가하여 선택에 필요한 정보를 제공하는 작업을 하여야 한다.

2. 정책대안의 평가기준

(1) 실현가능성

① **의의:** 정책대안이 정책으로 채택되고 그 내용이 충실히 집행될 가능성을 의미하며, 정책으로서의 채택가능성과 채택된 후의 집행가능성이 그 내용이 된다.

② **구체적 기준**

㉠ **정치적 실현가능성:** 정책대안이 정치체제에 의해 정책결정과정에서 정책으로 채택되고 이것이 집행될 가능성을 의미한다. 따라서 현존하는 정치세력의 지지가 높은 대안일수록 정치적 실현가능성이 높다.

㉡ **경제적 실현가능성:** 정책대안이 실현되는 데 소요되는 비용을 현재의 경제적 수준 또는 이용가능한 자원으로 부담할 수 있는 정도를 의미한다.

㉢ **사회적 실현가능성:** 정책대안이 사회적으로 합의가 가능하고 인정될 수 있는가를 의미한다.

㉣ **법적 실현가능성:** 정책대안이 다른 법률의 내용과 모순되지 않을 가능성을 의미한다.

㉤ **기술적 실현가능성:** 정책대안이 현재 이용가능한 기술로서 실현이 가능한 정도를 의미한다. 아무리 훌륭한 대안이라고 하더라도 현재의 기술수준으로서는 현실적으로 실현이 불가능하다면 채택될 수 없다.

㉥ **윤리적 실현가능성:** 정책의 실현이 도덕적이고 윤리적 제약을 받지 않을 가능성을 의미한다.

㉦ **행정적 실현가능성:** 정책대안의 집행을 위해 필요한 행정조직, 인력 등의 이용가능성을 의미한다.

㉧ **시간적 실현가능성:** 정책집행에 소요되는 시간이 적정한가를 의미한다.

(2) 소망성

① **의의:** '정책대안(정책수단 또는 정책 자체)이 과연 얼마나 바람직한가'를 나타내는 것으로, 소망성의 기준 중 어느 것을 적용하느냐는 가치판단의 문제이다.

② **구체적 기준**[❶]

㉠ **능률성 - 최소의 투입으로 최대의 산출**

ⓐ **의미:** 능률성은 투입과 산출의 비율이다. 이때 능률성을 이론적으로 뒷받침하는 기준으로 '파레토(Pareto) 기준'과 '칼도 - 힉스(Kaldo - Hicks) 기준'이 논의된다.[❷]

ⓑ **장점:** 능률성을 기준으로 정책대안을 선택하면 자원의 최적배분을 도모할 수 있다.

ⓒ **단점:** 효과성과 마찬가지로 평등성 또는 공평성 문제를 고려할 수 없다는 문제가 있다.

㉡ **효과성 - 목표달성도**

ⓐ **의미:** 효과성은 일반적으로 목표달성의 정도이다.

ⓑ **장점:** 정책의 비교평가기준으로 효과성을 사용하는 경우 정책목표달성의 극대화를 가져다주는 대안을 채택할 수 있다.

ⓒ **단점:** 정책목표달성을 위해 지불하여야 할 비용을 고려하지 않는다.

---

❶ 소망성 기준

나카무라와 스몰우드 (Nakamura & Smallwood)	던(Dunn)
· 노력 · 능률성 · 효과성 · 대응성 · 형평성	· 능률성 · 효과성 · 대응성 · 형평성 · 적합성 · 적절성

노력의 경우 정책효과를 평가하는 기준에는 포함시키지 않았으나, 정책대안을 평가하는 소망성 기준에는 포함시키고 있다는 점에 주의하여야 한다.

❷ 파레토 기준과 칼도 - 힉스 기준

1. 파레토(Pareto) 기준
   - 다른 사람의 후생을 감소시키지 않고는 어느 누구의 후생도 증가시킬 수 없는 상태를 의미한다.
   - 예컨대 임금인상과 관련하여 인상을 시킬 경우에 노동자의 후생(효용)은 증가하고 자본가의 후생은 감소한다면, 파레토 기준에 의해서 임금인상은 파레토 개선이라고 할 수 없다(개인주의적 접근).
2. 칼도 - 힉스(Kaldo - Hicks) 기준
   - 특정 집단은 손해를 보고 특정 집단은 이익을 보더라도 총합이 이익이 되면 개선이라고 본다.
   - 앞의 예에서 노동자의 증가된 후생이 자본가의 감소된 후생보다 더 크다면 칼도 - 힉스 기준에 의할 때에는 개선이라고 할 수 있다. 노동자의 증가된 이익 중 일부를 자본가에게 보상을 해주고도 남기 때문에 사회 전체적으로 후생이 증가하였다고 할 것이기 때문이다(전체주의적 접근).

㉢ **형평성 - 다양한 집단 간에 비용과 편익의 배분**

ⓐ **의미:** 형평성은 여러 가지로 정의되는데 공정성 또는 '정의(justice)'라는 뜻으로 쓰인다.

ⓑ **장점:** 정책의 비교평가기준으로 공평성을 사용하는 경우에는 정책의 효과가 보다 많은 사람에게 향유되고, 특히 가난하고 약한 자에게 보다 적은 비용으로 보다 많은 혜택을 줄 수 있다.

ⓒ **단점:** 능률성이나 효과성 개념과 상충할 가능성이 매우 크다.

㉣ **대응성 - 정책대상집단의 욕구충족정도**

ⓐ **의미:** 정책대상집단의 정책만족도와 관련시켜 평가하는 기준이다.

ⓑ 정책의 대상인 주민이 만족해야지 정책실행자가 만족한다고 해서 좋은 정책이 될 수는 없다.

㉤ 이외에도 합리성, 적합성, 적정성 등이 있다.

3. 비용편익분석

(1) 의의

① 의의

㉠ 자원의 합리적 배분을 위한 기법으로, 일정편익을 최소비용으로 얻거나 일정비용으로 최대편익을 얻고자하는 계량적 분석기법이다.

㉡ 의사결정에서 대안의 비교분석은 OR, 체제분석, 정책분석 등이 활용되는데 이들의 기본이 되는 것이 비용편익분석이다.

② **발전:** 비용편익분석은 1930년대 미국의 수자원개발과 관련하여 발전되기 시작하여, 1960년대 '세계은행(World Bank)'에서 개발한 다양한 기법 등을 통해 여러 분야에 확대 적용되기 시작하였다.

③ **장점:** 비용과 편익이 모두 화폐가치로 환산되기 때문에 이 둘은 직접 비교할 수 있으며, 동종사업뿐만 아니라 이종(異種)사업 간에도 비교할 수 있다.

④ **한계:** 비용편익분석은 객관적인 화폐가치로서 주관적 가치가 아니므로 개인 간의 효용비교는 곤란하다.

⑤ **비용편익분석의 구성요소:** 경제적 관점의 분석으로 비용과 편익을 모두 금전적 현재가치로 할인하여 측정해서 효과를 비교한다.

· 비용현재가 $= C_0 + \frac{C_1}{(1+r)} + \frac{C_2}{(1+r)^2} + \cdots + \frac{C_n}{(1+r)^n}$

· 편익현재가 $= B_0 + \frac{B_1}{(1+r)} + \frac{B_2}{(1+r)^2} + \cdots + \frac{B_n}{(1+r)^n}$

※ C_0: 현재연도의 비용　C_n: n년도의 비용　r: 할인율
B_0: 현재연도의 편익　B_n: n년도의 편익

㉠ **비용(cost):** 기회비용*의 개념을 사용하며 매몰비용(회수불능비용)은 무시한다. 기회비용의 산정 시에는 잠재가격❶을 사용하는 경우가 많다.

용어

기회비용(opportunity cost)*: 특정대안의 선택으로 선택기회가 포기된 사업의 생산비용을 말한다.

❶ 잠재가격(그림자가격; shadow price)

1. **의의:** 완전경쟁적인 가격으로 조정된 시장가격을 말하며, 시장의 불균형으로 인하여 시장가격을 믿을 수 없거나 사용할 수 없을 때 비용과 편익의 화폐가치에 대해 주관적인 판단을 하는 절차이다.
2. **잠재가격 결정방법**
   - 비교가격(comparable prices): 시장에 있는 비교가능한 또는 유사한 품목의 가격을 사용한다.
   - 소비자선택(consumer choice): 주어진 무형물과 화폐 중에서 어느 하나를 선택하는 행태를 관찰하여 판단한다.
   - 유추수요(derived demand): 방문객들이 지불하는 간접비용을 근거로 추정한다.
   - 보상비용(cost of composition): 대안 불채택 시 나타난 바람직하지 않은 결과의 시정 비용이다.
   - 서베이분석(survey analysis): 시민들이 기꺼이 지불할 의사가 있는 비용의 수준을 질문지나 면접을 통하여 파악한다.
3. **한계:** 비용과 편익의 화폐가치에 대해 주관적인 판단을 하므로 측정과정에서 실제가치를 왜곡할 수 있다는 비판을 받는다.

핵심 OX

01 정책대안의 중요한 두 가지 평가 기준은 실현가능성과 소망성이다. (O, X)

02 능률성 판단의 기준으로 파레토 기준은 특정 집단은 손해를 보고 특정집단은 이익을 보더라도 총합이 이익이 되면 개선이라고 본다. (O, X)

01 O
02 X 총합이 이익이 되면 개선이라고 보는 것은 칼도-힉스 기준에 따른 경우이다.

용어

소비자잉여(consumer's surplus)*: 어떤 상품에 대해 소비자가 최대한 지불해도 좋다고 생각하는 가격(수요가격)에서 실제로 지불하는 가격(시장가격)을 뺀 차액이다.

ⓛ **편익(benefit)**: 편익은 소비자잉여*의 개념을 사용하며 이에는 주된 효과와 부수적 효과, 외부적인 것과 내부적인 것, 긍정적인 효과와 부정적인 효과(負의 편익) 등이 있다.

ⓒ 단순한 금전적 편익이나 비용이 아닌 실질적 비용과 편익을 측정하여야 한다. 정책대안이 가져오는 모든 비용과 편익을 측정하려고 하며, 화폐적 비용이나 편익으로 쉽게 측정할 수 없는 무형적인 편익이나 비용을 반영해야 한다.

㊀ 고속전철사업의 경우 편익은 통행료수입이 아니라 물류비절감, 부가가치창출, 수출 증대효과 등 긍정적 효과와 소음피해 등 부정적 효과를 모두 포함하는 사회 총체적인 실질적 편익을 측정하여야 함

(2) 비용편익분석의 절차

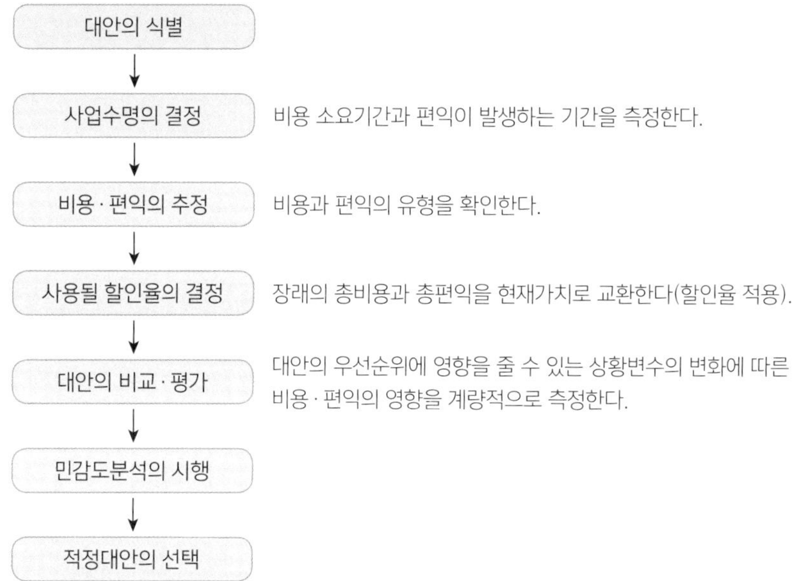

(3) 비용과 편익의 추계

① 특정 기관이나 단체의 입장이 아니라 사회 전체의 관점에서 비용과 편익을 추계하여야 하며, 비용은 기회비용으로 측정하고 편익은 소비자잉여의 개념으로 측정하되 모두 화폐가치로 표현한다.

② **비용과 편익의 추계내용**

ⓐ **비용과 편익에 포함되는 것**: 실질적 비용, 실질적 편익, 보조금 등이 있다.

ⓛ **비용과 편익에서 제외되는 것**❶: 매몰비용, 세금, 금전적 편익 등이 있다.

❶ 비용과 편익에서 제외되는 것

1. 매몰비용은 고려하지 말고 미래에 지불해야 할 미래비용만 고려하여야 한다.
2. 조세는 그 사업에 직접 투자되는 금액이 아니며 단지 기업에서 정부로의 금전적 이동에 불과하므로 비용에 포함하지 않는다. 그러나 보조금은 사업에 직접 투자되어 실제적 편익을 창출하는 데 사용되므로 비용에 포함된다.
3. 금전적 편익은 단순히 경제주체 간의 금전이동이거나 화폐가격의 변화에 따라 달라지므로 비용과 편익의 실질적 가치를 정확하게 반영할 수 없기 때문에 금전적 편익보다는 실질적 편익을 고려하여야 한다.

(4) 할인율

① **의의**: 장래 투입될 비용이나 장래 발생할 편익을 현재가치로 표시하기 위한 교환 비율이다.

② **적용**

ⓐ **할인율 인상 시**: 미래에 발생하는 비용과 편익의 현재가치는 낮아지기 때문에 단기투자에 유리하다.

ⓛ **할인율 인하 시**: 미래에 발생하는 비용과 편익의 현재가치는 높아지기 때문에 장기투자에 유리하다.

③ 종류[1]

㉠ **민간할인율:** 시장에서의 이자율(시중금리)을 근거로 정하는 것으로서 시장의 불확실성으로 인해 대체로 높다. 사회적 할인율이나 공적 할인율은 외부효과 등의 존재로 인해 높은 할인율을 적용할 수 없기 때문이다.

㉡ **사회적 할인율(공공할인율):** 사회 전체의 입장에서 본 할인율로서 일반적으로 민간할인율보다 낮다. 공공할인율은 정부가 채권을 발행할 때의 비용을 근거로 한 할인율(국공채 발행 이자율)로 사회적 할인율에 가깝다.

㉢ **자본의 기회비용:** 자원이 공공사업에 사용되지 않고 민간사업에 사용된 경우의 수익률이다. 일반적으로 민간의 전체산업 평균수익률을 적용한다.

(5) 비용편익분석의 비교기준

할인율이 결정되었을 경우에는 순현재가치법이나 편익비용비를 이용하고, 할인율이 결정되지 않았을 경우에는 내부수익률이나 자본의 회수기간을 이용한다.

① **순현재가치[2](NPV; Net Present Value, 편익의 현재가치 - 비용의 현재가치)**

② **의의:** 경제적 타당도를 평가하는 최선의 척도로서 가장 널리 이용되는 일차적 기준이다.

㉡ **기준:** 'NPV > 0'이라면 일단 경제성 있는 사업이라 볼 수 있고, 복수의 사업인 경우 NPV가 가장 큰 사업을 선택하면 된다.

㉢ **특징:** 자원의 제약이 없는 경우(예산 충분 시), 순현재가치가 비용편익비보다 우수한 기준인 경우가 많다.

㉣ **평가:** 순현재가치법은 규모가 클수록 NPV가 크게 나타나는 단점이 있다. 따라서 이종규모의 경우 분석 시 상대적으로 대규모사업이 소규모사업보다 유리한 결과가 나오는 한계가 있다.

② **편익비용비(B / C ratio, 편익의 현재가치 / 비용의 현재가치)**

㉠ **기준:** 'B / C > 1'이라면 일단 추진할 가치가 있는 사업이라 평가된다.

㉡ **특징:** 순현재가치법은 대규모 사업이 유리해지는 한계가 있으므로 이를 보완하기 위해 사업의 규모가 상이할 경우, 편익비용비를 보조적으로 이용하게 된다.

㉢ **평가:** 편익비용비는 화폐효용의 객관적 가치를 기준으로 사회 전체적인 비용과 편익을 고려하지만, 개인 간의 주관적인 효용을 비교하기는 어렵다.

③ **내부수익률(IRR)**

㉠ **의의**

ⓐ 미래에 발생하는 편익(B)의 현재가치와 비용(C)의 현재가치를 같도록 해주는 할인율, 즉 NPV를 0으로, B / C를 1로 만드는 할인율이다.

ⓑ 할인율을 알지 못하는 경우 사용하는 일종의 예상수익률로서 가장 안정적이고 우수한 기준으로 국제기구에서는 가장 많이 활용된다.

㉡ **기준:** IRR이 사회적 할인율보다 높으면 일단 경제성이 있다고 평가되며 IRR의 값은 효과가 클수록 커진다.

㉢ **평가**

ⓐ 사업이 종료된 후 또다시 투자비가 소요되는 변이된 사업유형에서는 복수의 해를 가지기 때문에 정확도는 다소 떨어진다.

[1] 사회적 할인율이 민간할인율보다 낮은 이유
낮은 사회적 할인율을 적용하여야 편익의 현재가치가 높아지기 때문이다. 할인율을 낮게 적용하면 높은 사회적 할인율을 적용할 때 기각될 대안들이 채택되어 공공투자 사업이 활발하게 진행됨으로써 경제 발전에 기여할 수 있기 때문이다.

[2] 현재가치의 계산

$$PV = FV[1/(1+i)^n]$$

PV: 현재가치
FV: 미래가치
i: 할인율
n: 기간

핵심 OX

01 비용편익분석에서 비용은 기회비용의 개념을, 편익은 소비자잉여의 개념을 사용한다. (O, X)

02 비용과 편익을 현재가치로 할인할 때 비용과 편익이 발생하는 시점이 멀면 멀수록 그 현재가치는 낮아지고, 시점이 가까울수록 높아진다. (O, X)

03 비용편익분석은 투자대상의 입장에서 투자대안을 평가하므로 편익은 당해 투자대상의 편익이고 비용도 당해 투자대상의 비용이다. (O, X)

04 능률성 측정방법 중 순현재가치(NPV)가 큰 값을 가질수록 보다 나은 대안이다. (O, X)

01 O
02 O 시간에 따른 비용과 편익의 현재가치가 할인율과 반비례하므로 맞는 지문이다.
03 X 비용과 편익은 특정 기관이나 단체의 입장이 아니라, 사회 전체의 관점에서 사회적 총비용과 편익을 추계하여야 한다.
04 O

ⓑ 사업기간이 상이한 대안 선택의 경우에는 비교기준으로 이용하기 어렵기 때문에 순현재가치법이 더 정확한 기준이라는 평가가 일반적이다.

④ **자본의 회수기간**

㉠ **기준:** 자본의 회수기간은 투자비용을 회수하는 데 걸리는 시간으로, 일반적으로 짧을수록 우수한 사업이라 볼 수 있다.

㉡ **적용:** 일반적으로 단기간에 투자비용 회수가 가능한 사업을 채택하는 데 사용한다.

㉢ **평가:** 할인율을 몰라도 단기간에 적용이 가능하다는 장점이 있으나, 지나치게 단기적 시계를 갖는다는 단점이 있다.

개념PLUS 비용편익분석의 비교기준(능률성 측정기준)

비교기준	개념	특징
순현재가치(NPV)	편익의 현재가치 - 비용의 현재가치	B-C > 0면 경제적(일차적 기준)
비용편익비(B/C Ratio)	편익의 현재가치 / 비용의 현재가치	B/C > 1 경제적(이차적·보완적 기준)
내부수익률(IRR)	B = C일 때의 할인율 (NPV = 0, B/C = 1일 때의 할인율)	할인율을 모를 때, 사업기간이 상이할 경우 복수의 해를 가지므로 부정확함 → 비교기준으로 부적합
자본의 회수기간	투자비용을 회수하는 데 걸리는 시간	짧을수록 좋음 (할인율이 높을 때는 단기, 낮을 때는 장기투자가 유리)

4. 비용효과분석

(1) 의의

비용효과분석은 비용편익분석과 동일한 논리로 이루어진 분석기법이나 비용은 금전적 가치로, 효과는 금전 외의 산출물로 분석하는 방법이다.

(2) 적용

편익의 효과를 화폐가치로 환산하기 어려운 경우, 즉 국방·경찰·보건 등 효과가 무형적인 사업의 분석에 적합하다.

(3) 한계

① 비용과 효과의 단위가 다르기 때문에 그 둘을 직접적으로 비교할 수 없다.

② 두 개 이상의 사업을 비교할 경우 동종사업 간에는 비교할 수 있지만, 단위가 다른 이종(異種)사업 간에는 비교하기 곤란하다는 단점이 있다.

(4) 비용편익분석과의 비교

① 비용편익분석은 경제적 합리성을 강조하는 능률성 분석이지만, 비용효과분석은 목표와 수단 간의 도구적(기술적) 합리성을 내포하는 효과성 분석이다.

② 비용효과분석은 비용편익분석보다 더욱 질적인 분석이다.

핵심 OX

01 내부수익률은 그 값이 복수가 될 수도 있고 기회비용을 고려하지 못하므로 내부수익률보다는 순현재가치가 오류가 적은 최선의 척도로 알려져 있다. (O, X)

01 O

개념PLUS 비용편익분석(B/C)과 비용효과분석(E/C)

구분	비용편익분석	비용효과분석
적용	1930년대 미국의 수자원개발 (유형적 사업)	국방, 경찰, 보건 (무형적 사업)
정의	편익(소비자잉여)/비용(기회비용)	결과/비용(고려 ×)
특징	· 객관적 가치(화폐) · 동종산업 O, 이종산업 O · 개인 간의 효용비교 ×	· 주관적 가치 · 동종산업 O, 이종산업 × · 개인 간의 효용비교 O
비용의 고정유무	가변비용/편익분석 (장기적 안목에서 분석)	고정비용/효과분석

5. 정책분석❶

(1) 의의❷

① 정책분석은 여러 대안들 사이에서 최선의 대안을 선택하기 위해 이성적인 사고와 실제적 증거를 활용하는 것이다.

② 합리적인 정책결정자가 목표를 수립하고 이러한 목표를 달성하기 위한 최선의 방법을 탐색해가는 논리적 과정이다.

③ 정책분석은 정책결정에 필요한 지식과 정보를 창출·제공하는 합리적·체계적 방법과 기술이다. 즉, 정책분석은 주어진 최종의 목표를 달성하기 위한 수단적인 합리성(도구적 합리성)을 연구대상으로 하여 최선의 대안을 설계하고 선택하는 데 도움을 주는 접근방법이다.

(2) 분석의 세 가지 차원❸

정책대안을 비교·평가하는 분석기준에는 정책분석(PA), 체제분석(SA), 관리과학(OR)의 세 가지 차원(PA > SA > OR)의 분석이 있다. 대체로 PA 쪽으로 갈수록 정치적 고려가 많아지는 상위차원의 분석으로 행정(공공부문)에 적합하고, OR 쪽으로 갈수록 기술적으로 정밀한 계량적 분석으로 경영(민간부문)에 적합하다.

관리과학(OR)	**경제적 합리성 차원의 분석:** 경제적인 달성방법(how)의 선택으로서 계량적 분석(PERT, 선형계획, 모의실험 등)을 통한 수단의 최적화를 추구한다.
체제분석(SA)	**OR+직관이나 통찰력에 의한 판단:** 능률적인 정책대안(where)을 결정하는 방법으로 관리과학을 보완하는 능률성 또는 실현가능성 차원의 분석이다. 비용편익(효과)분석이 핵심기법이고 부분적인 최적화를 추구한다.
정책분석(PA)	**SA+비용효과의 사회적 배분이나 정치적 효과 고려:** 정책의 기본방향(where)을 결정하는 당위성 차원의 분석으로서 정책목표의 최적화를 추구(정치적 요인 고려)한다.

❶ 양적 분석기법과 질적 분석기법

양적 분석 기법	시계열분석, 회귀분석, 상관분석, 비용편익분석, 비용효과분석, 민감도분석 등
질적 분석 기법	· 문제구조화의 모든 방법: 경계분석, 분류분석, 계층분석, 시네틱스, 복수관점분석, 가정분석, 브레인스토밍 등 · 직관적 예측: 델파이기법, 정책델파이기법, 교차영향분석 등

❷ 정책분석과 정책평가

정책분석은 넓게 보면 정책과정 전반에 관한 연구를 의미하기도 하나, 그 주된 관심은 정책과정 전반에 있기 때문에 정책의 사후적 평가인 정책평가와는 구별된다.

❸ 관리과학, 체제분석, 정책분석의 범위

미시적·부분적 / 계량적·양적 / 기술적 정밀성 ↔ 거시적·포괄적 / 비계량적·질적 / 정치적 고려

핵심정리 관리과학 · 체제분석 · 정책분석의 비교

관리과학(OR)	체제분석(SA)	정책분석(PA)
수단 · 방법의 최적화	부분적 최적화	정책의 선호화
· 능률성 차원 · 계량적 기법(LP · PERT · 회귀분석 · 시계열분석 · 게임이론 · QT 등), EDPS, 의사결정분석, 민감도분석	· 실현성 차원 · B/C 분석 및 E/C 분석 중시(경제적 요인분석의 중시)	· 당위성 차원(소망성) · 정치적 · 질적 요인에 대한 분석 중시(SA의 보완)
· 수단지향적(목표 자체는 분석대상이 아님, 목표의 명확성 전제) · 전술적, 양적 · 확정적 요인(계량화), 분석범위의 한정성	· 문제지향적(목표 그 자체가 검토대상) · 전략적, 질적 · 불확정적 요인(계량적 측정과 이론적 사고 병용), 분석범위의 포괄성	· 가치지향적(가치문제 고려, 목표분석) · 계량분석, 비용편익분석 외에 질적 분석 중시

6. 정책분석가의 유형과 역할

(1) 정책분석가의 의의

정책분석가의 역할 인식에 따라서 그들의 역할 범위는 달라지고 아울러 분석결과의 제시 또한 다양한 형태로 나타날 수 있다.

(2) 정책분석가의 유형과 역할 인식[1]

객관적 기술자모형	· 정책분석가를 합리적인 존재로 상정하며, 가치중립적인 입장을 띠고 있는 기술자로 본다. · **주요 관심:** 경제성과 능률성이며, 정책문제에 대한 분석보다는 문제해결방법, 즉 경제성에 입각한 가장 능률적인 대안 제시에 초점을 둔다.
고객 옹호자모형	· 정책분석가를 자기 고객(분석 의뢰자)에 대한 봉사자로 본다. · **주요 관심:** 능동적인 정책분석가는 분석 의뢰자의 이익이라는 관점에서 정책문제 · 정책대안에 대한 평가뿐만 아니라 정책결정에 뒤따르는 대응전략, 정책집행 상황 및 결과에 대한 평가를 수행한다.
쟁점 옹호자모형	· 정책분석가를 바람직한 가치를 추구하는 규범적 존재로 본다. · **주요 관심:** 정책분석가는 문제의 해결을 위한 바람직한 대안을 모색할 뿐만 아니라 문제에 대한 진단을 통해 정책목표의 선택에도 관심을 가진다고 상정한다.
정책토론 옹호자모형	· 정책분석가를 정책토론자의 지원자나 개발자로 본다. · **주요 관심:** 이성과 증거를 토대로 하여 이루어지는 합리적인 정책토론의 과정을 거쳐 정책을 결정하는 것이 더욱 바람직하다고 생각한다. 따라서 합리적인 토론의 과정에서 제시된 분석 결과는 정책토론에서 필요한 정보로 활용된다.

[1] 정책분석가의 유형과 역할 인식

정책 분석가의 유형	역할 인식	관심의 초점
객관적 기술자모형	객관적 정보 제공자	경제성, 능률적인 대안 제시
고객 옹호자모형	의뢰자의 봉사자	의뢰자의 이익
쟁점 옹호자모형	정책창도자	바람직한 가치 추구
정책토론 옹호자모형	정책토론의 촉진자	정책토론 자료의 지원 · 개발

7. 관리과학의 기법

(1) PERT[1], CPM

① 의의

㉠ 비반복적 · 비정형적인 대규모사업의 추진일정이나 경로를 단축시켜 이를 성공적으로 수행하기 위한 경로망 관리기법이다.

예 KTX, 우주개발사업

㉡ PERT의 '주활동'에 해당하는 개념을 CPM에서는 '주공정(critical path)'이라고 한다.

㉢ PERT: 주로 신상품 개발과 같이 선례가 없고 활동의 소요시간 예측이 어려운 경우에 사용하는 확률적 모형이다.

㉣ CPM: 선례가 있고 소요시간이 정해진 경우에 활동시간과 비용을 통제하려는 확정적 모형이다.

② PERT의 기본원칙

㉠ **공정원칙**: 모든 계획공정은 반드시 완성되어야 한다.

㉡ **단계원칙**: 착수단계와 완료단계를 제외한 모든 단계는 선행활동과 후속활동을 갖는다.

㉢ **활동원칙**: 모든 활동은 그 선행단계가 성립하지 않으면 착수되지 못한다. 즉, 모든 선행활동의 완료를 전제조건으로 활동이 시작된다.

㉣ **연결원칙**: 활동의 방향은 단계와 단계를 연결해 주는 완성방향으로의 일방통행원칙이 적용된다.

(2) 대기행렬이론(QT)

① 수요가 임의로 변동하는 상황에서, 즉 고객이 도래하는 수가 시간마다 일정하지 않을 때, 고객의 대기시간을 최소로 하면서도 창구비용을 최소로 하기 위해 확률론을 적용하여 분석 · 결정하려는 이론이다.

② 대기행렬의 길이에 따른 사회적 비용과 창구 증가에 따른 비용(유휴비용 포함)을 구하고 양자의 합이 최소가 될 때 적정규모가 된다고 본다.

(3) 선형계획법(linear programing)

① 일정한 제약요건하에서 한정된 자원을 최적으로 결합하여 이윤극대화 또는 비용극소화 전략을 강구하는 관리기법이다.

② 사실의 인과관계를 함수관계로 나타내고 그래프를 이용(독립변수가 2개일 때)하거나 심플렉스기법(독립변수가 3개 이상일 때)을 이용하여 해를 구한다.

(4) 목표계획법(goal programing)

① 다수의 상충되는 여러 개의 목표들을 만족시키는 해를 구하는 기법이다.

② 목표 가운데 가중치를 부여하여 목표 간의 우선순위를 식별하는 방법으로, 제한적 합리성에 기초한 만족모형과 같은 맥락이다.

---

[1] PERT의 효용
1. 업무수행에 따른 문제점을 사전에 예측할 수 있으므로 이에 대한 조치를 사전에 취할 수 있다.
2. 네트워크 체제를 도입함으로써 요소작업 상호 간의 유기적인 연관성이 명확해진다. 따라서 작업배분 및 진도관리를 보다 정확히 할 수 있어 책임이 분명하고 비반복적인 대규모 국가사업의 추진에 유리하다.
3. 계획수행의 상태가 명확하게 되어 그 효과 및 기간을 정확히 예측할 수 있고 시간을 단축시키거나 비용을 절감할 수 있다.
4. 최적계획안의 선택이 가능하며 자원배분에 있어 그 효과를 미리 예측할 수 있으므로 한정된 자원을 효율적으로 사용할 수 있다.

핵심 OX

01 정책분석가의 유형은 객관적 기술자모형, 고객옹호자모형, 쟁점옹호자모형, 정책토론옹호자모형이 있는데, 정책창도자로서 바람직한 가치를 추구하는 유형은 고객옹호자모형이다. (O, X)

02 PERT는 선례가 있고 소요시간이 정해진 확정적 모형이다. (O, X)

03 PERT의 기본원칙은 공정원칙, 단계원칙, 활동원칙, 연결원칙이 있는데, 선행단계가 성립하지 않으면 착수되지 못한다는 것은 단계원칙이다. (O, X)

01 X 정책창도자로서 바람직한 가치를 추구하는 유형은 고객옹호자 모형이 아니라 쟁점옹호자 모형이다.
02 X CPM에 대한 설명이다.
03 X 선행단계가 성립하지 않으면 착수되지 못한다는 것은 활동원칙이다.

개념PLUS 선형계획법과 목표계획법의 비교

구분	선형계획법	목표계획법
사용 목적	최적화	만족화
목표의 수	단일목표	다수의 목표
목적 함수	의사결정변수로 표현	편차변수로 표현
목표의 중요도	동일한 중요도	상이한 중요도
해법	그래프 또는 심플렉스기법	수정된 심플렉스기법

(5) 인공두뇌학(cybernetics)

정보의 지속적인 제어 및 환류를 통해서 불확실성을 극복하는 기법이다.

(6) 민감도분석(SA)

① 선형계획법으로 도출해 낸 최적해가 변수에 따라 어떻게 달라지는가를 분석하여 불확실성을 감소시키는 기법이다.

② 선형계획의 분석결과에 대한 신뢰성은 가용자원 등 여러 파라미터 값들의 불확정성의 정도에 따라 크게 영향을 받게 된다. 즉, 파라미터 값들의 변화에 따라 최적해가 어떻게 영향을 받는지를 계량적으로 분석하는 것이다.

(7) 회귀분석(regression)

① 통계적 관계를 이용하여 하나 혹은 둘 이상의 독립변수들과 한 개의 종속변수 간의 인과관계를 파악하기 위한 기법이다.

② 한 변수에 대한 정보를 알고 있을 때 알려지지 않은 다른 변수의 값을 예측하기 위해 사용된다.

(8) 모의실험(simulation)

① 미래에 발생할 수 있는 사건이나 문제들을 현실에 적합하게 가상적으로 모형을 설정하는 기법이다.

② 미래에 대한 위험과 불확실성을 줄이려는 기법으로 시간이나 비용을 줄일 수 있는 장점이 있으나, 실제적으로 투입이나 산출의 결과를 명백히 예측할 수는 없다는 단점이 있다.

(9) 게임(game)이론

① 상대방의 전략을 모르는 상황에서 자신의 효용을 극대화하는 전략을 선택하는 것이다. 일반적으로 불확실한 상황하의 비협조적 게임이 가장 많이 언급되고 사회과학 전반에 적용되고 있다.

② 게임이론은 경기자(player), 전략(strategy), 보수(payoffs)를 구성요소로 하는데, 대표적인 것으로 치킨게임(chicken game), 용의자의 딜레마(prisoner's dilemma)게임 등이 있다.

핵심정리 집단적 문제해결기법[1]

델파이기법	· 격리된 상태(익명)에서 독자적으로 형성된 전문가들의 판단을 종합·정리하는 설문조사기법 · 대면적 토론 없음
정책델파이	· 정책문제에 적용 · 일차회람 후에 토론을 통한 전문가의 다양한 의견수렴
브레인스토밍	· 자유분방하게 의견을 교환하는 집단자유토론기법(두뇌선풍기법) · 비판 금지, 편승 허용, 아이디어의 질보다 양 중시
명목집단기법	· 대안을 제시하여 제한된 집단토론을 거친 후에 표결로 의사결정을 하는 방법 · 컴퓨터 표결 시 전자적 회의기법이 됨 · 집단 간 의사소통이 원활하지 않음
변증법적 토론	찬·반 두 팀으로 나누어 토론을 진행하여 대안의 장단점을 도출하는 방법(지명반론자기법, 악마의 주장법)

6 최적대안의 선택[2]

(1) 의의

① 최적대안의 선택이란 탐색한 정책대안들이 어떠한 결과를 가져올 것인지를 예측한 다음에 최선의 대안을 선택하거나 우선순위를 정하는 것이다.

② 최적의 대안선택은 먼저 정책대안의 실현가능성을 검토한 후 가장 소망스러운 대안을 선택하는 것이다. 다만, 소망성의 기준들 중에서 어느 것을 적용하느냐는 가치판단의 문제로서, 이 경우 누구의 가치를 우선할 것인가가 문제된다.

(2) 최적대안 선택 시 고려사항

① 실행가능성

② 미래지향성

③ 가치함축성

3 정책결정모형

1 합리모형(제1모형, 규범적·총체적·연역적 접근)

1. 의의

(1) 합리모형은 정책결정자가 고도의 이성과 합리성에 근거하여 결정하고 행동한다고 보며, 목표나 가치가 명확하게 고정되어 있다고 가정한다.

(2) 목표달성의 극대화를 위해 합리적 대안(수단)을 탐색·선택한다고 보는 이상적·규범적 접근방법이다.

[1] 창의성 향상 훈련방법
1. 반전기법(reversal technique): 기존의 시각과 반대되는 시각에서 문제를 검토
2. 비유기법(analogy technique): 물체·인간·상황 사이의 유사성을 찾아 검토
3. 교호충실화기법(cross-fertilization technique): 서로 다른 영역의 전문가들이 문제를 검토
4. 형태학적 분석기법(morphological analysis technique): 기본적 요소들의 선택과 배합을 체계적으로 바꿔보는 기법(예 전자제품의 재질·형태 등의 조합을 바꿔가면서 검토)
5. 악역활용방법(devil's advocate method): 악역을 맡은 개인 또는 집단이 제안된 행동 대안을 체계적으로 비판
6. 생각하는 탐험여행(thinking expendition): 여행을 통해 기존방식과 다르게 생각하고 창의적인 아이디어를 도출

[2] 의사결정환경에 따른 대안선택의 전략(Thompson)
선호란 가치나 목표를 말하고, 인과관계에 대한 합의란 대안의 장단점에 대한 명확한 증거를 말한다. 선호(가치나 목표)와 인과관계(수단이나 대안)에 대한 합의 유무에 따른 대안선택의 전략은 다음과 같다.

구분		선호 합의	
		유	무
인과관계 합의	유	계산전략	타협(협상) 전략
	무	판단전략	영감전략

핵심 OX

01 모의실험은 실제적인 산출의 결과를 명확히 예측할 수 있다. (O, X)

01 X 정확히 예측할 수 없다는 점이 모의실험의 한계이다.

2. 특징

(1) 완전한 합리성(절대적 합리성)

목표나 가치를 가장 완전하고 합리적으로 달성할 수 있는 대안을 추구한다.

(2) 목표 · 수단분석(goal-means analysis)[1]

목표와 수단의 연쇄관계(goal-means chain)를 인정하지 않으며 가치 · 목표와 사실 · 수단을 엄격히 구분하여 분석하는 목표 · 수단분석을 실시한다.

(3) 전체적 최적화

부분적 최적화가 아닌 전체적 최적화를 통해 모든 대안을 총체적으로 검토하고 최선의 대안을 선택하는 것이 가능하다고 본다.

(4) 연역적 · 미시적 분석

비용편익분석과 연역적 · 미시적인 방법론적 개체주의에 의하여 개인의 후생함수로부터 사회후생함수를 도출한다.

(5) 의사결정의 분석적 · 단발적 문제해결

의사결정이 계획적이고 단발적이다. 물론 이 과정에서 합리적이고 가장 바람직한 결정만을 추구한다.

3. 효용

(1) 대안에 대한 합리적 · 체계적인 분석을 통해 보다 나은 정책결정에 기여한다.

(2) 합리성에 대한 저해요인을 밝혀 줌으로써 정책분석에 매우 유용하다.

(3) 변혁적이고 쇄신적인 결정을 통하여 행정의 합리화에 기여한다.

4. 한계

(1) 목표의 합의 곤란

합리모형은 기본적으로 목표와 수단 간의 인과관계에 입각하여 목표수단분석을 실시한다. 이를 위해서는 목표의 명확한 인식이 필요한데, 행정에서는 명확한 목표의 설정이 곤란한 경우가 많다.

(2) 모든 대안의 탐색 불가능

모든 대안을 경제적으로 철저하게 분석한다는 것은 시간적 제약이나 지식적 제약으로 불가능하다.

(3) 미래의 정확한 예측이 곤란한 경우가 많다. 인간의 합리성은 제약되는 경우가 많기 때문이다.

(4) 정책목표의 유동성을 고려하지 못한다.

(5) 계량화할 수 없는 질적 요인을 분석하기 곤란한 측면이 있다.

(6) 매몰비용이 고려되는 경우도 있으며, 기득권 세력의 조직적인 반발이 발생할 수도 있다.

---

[1] 목표 · 수단분석
합리모형은 목표 · 수단의 인과관계 또는 계층관계를 말하지만 목표 · 수단의 연쇄관계(goal-means chain)를 인정하지 않고 목표는 주어진 것으로 보며, 목표와 수단을 구분하여 분석하는 '목표 · 수단분석'을 실시한다(박성복). 그러나 합리모형의 '목표 · 수단분석'을 목표 · 수단의 연쇄관계로 이해하는 입장도 있다.

핵심 OX

01 합리모형의 경우 접근방법이 귀납적이다. (O, X)

02 합리모형은 절대적 합리성을 전제로 부분적 최적화를 추구한다. (O, X)

01 X 합리모형의 경우 이론을 전제로 사례를 접근하는 연역적 방법에 해당한다.
02 X 전체적 최적화를 추구한다.

2 만족모형(satisfying model)

1. 의의

(1) 합리모형에 대한 비판에서 출발

포괄적 합리모형은 모든 대안을 탐색하고 결과를 예측하기에 어려움이 있으므로 버나드(Barnard)의 '불안전한 합리성'의 영향을 받아서 최적대안보다는 만족대안, 완전한 합리성보다는 제한된 합리성을 통한 현실적이고 귀납적인 접근법을 추구한다.

(2) 현실적 · 실증적 의사결정

1958년 사이먼(Simon)과 마치(March)에 의해 사회심리적으로 접근된 이론으로서, 제한된 합리성을 고려하여 개인의 심리적 제약요인을 고려하고 있다는 점에서 개인적 · 행태론적 차원의 현실적 · 실증적인 의사결정모형이다.

(3) 이후에 이들의 조직모형과 사이어트(Cyert)와 마치(March)의 연합모형에 의하여 개인적 차원에서 조직차원으로 발전하였다.

2. 특징

(1) 제한적 합리성(bounded rationality)의 추구

복잡한 상황을 단순화시키고 가장 적절하고 중요하다고 생각하는 요소들만을 고려하여 대안의 결과를 예측한다.

(2) 의사결정자로서의 행정인

합리모형에서는 의사결정자를 완전한 합리성을 가진 '경제인'으로 설정하는 반면, 만족모형에서는 제한적 합리성을 가진 '행정인'으로 설정한다.

(3) 습득가능한 대안의 순차적 탐색

만족모형에서는 습득가능한 몇 개의 중요한 대안과 탐색가능한 몇 개의 중요한 결과에만 순차적으로 관심을 가지고 단계적으로 검토한다. 즉, 어떤 대안이 머리에 떠오르면 이 대안이 가져올 결과를 예측한 다음에 다른 대안을 생각하고 그 대안의 결과를 예측하는 식이다.

(4) 만족할 만한 대안의 선택

사이먼(Simon)은 심리적인 면, 특히 의사결정의 인지과정을 연구대상으로 하여 의사결정자가 최적의 대안이 아니라 몇 개의 대안 중에서 만족할 만한 대안을 선택한다고 주장한다.

3. 효용

(1) 이상적인 합리모형을 완화하여 현실적인 의사결정으로서 의사결정론에 대한 실증적 연구를 창도한 공헌이 크다. 특히 의사결정에 있어서 비용(대안의 탐색비용 등)의 중요성을 지적하였다.

(2) 이후에 점증주의모형과 사이버네틱스모형에 영향을 주었다.

4. 한계

(1) 현상유지적 · 보수적

① 쇄신적 · 창조적 대안이나 최선의 대안을 발굴하는 데 장애가 된다. 즉, 최선의 대안이 아니라 만족할 만한 대안을 찾은 후에 대안 탐색을 중단하게 되면 검토하지 않은 대안 중에 더 좋은 대안이 있어도 이것이 탐색될 수 없다는 것이다.

② 책임회피와 보수적인 사고방식에 젖기 쉬운 공무원의 경우에는 더욱 심각하다.

(2) 만족화의 기준 문제

만족할 만한 수준에서 대안을 선택한다는 것은 이러한 선택의 기준이 지나치게 주관적이라는 것을 나타낸다.

(3) 조직적 차원에서의 설명 부족

만족모형은 개인적 차원에 치중하므로 조직적 차원의 설명이 부족하다. 이를 보완하기 위하여 조직모형과 연합모형이 등장하였다.

핵심정리 합리모형과 만족모형의 비교

구분	합리모형	만족모형
인간관	경제인	행정인
목표설정	최적화	만족화
대안탐색	모든 대안	몇 개의 대안
결과예측	복잡한 상황 고려	상황의 단순화
대안선택	최적대안	만족할 만한 대안

3 점증모형(제2모형, 현실적 · 실증적 · 귀납적 접근)

1. 의의

(1) 점증모형은 1959년 린드블룸(Lindblom), 윌다브스키(Wildavsky) 등이 주장한 정책결정의 현실적 · 실증적 모형이다. 정책결정과정에 있어서의 대안선택은 종래의 정책이나 결정의 점진적 · 순차적 수정 내지 약간의 향상으로 이루어지며, 정책수립과정이 '그럭저럭 헤쳐나가는(muddling through)' 과정으로 고찰된다.

(2) 인간의 지적 능력의 한계와 정책결정수단의 기술적 제약을 인정하여 계속적 · 제한적 비교접근법 또는 지분법(branch approach)이라고도 하며 선진국 등 다원주의 사회에 적합한 모형이다.

(3) 만족모형과의 비교

합리모형의 비판에서 출발한다는 점에서 보면 사이먼(Simon)의 만족모형과 유사하나, 사이먼(Simon)이 인간의 인지과정 제약에 관심을 쏟아 개인적 의사결정의 기초를 쌓은 데 비해서 점증주의는 이 기초 위에 정치적 결정에 내재된 가치판단, 사실판단, 정책결정의 의미와 그로 인한 제약에 초점을 두었다.

핵심 OX

01 만족모형이 가정하는 인간은 만족화를 추구하지만 합리적이고 이기적인 경제인에 해당한다. (O, X)

02 만족모형은 현상유지적이고 보수적이라는 비판이 있다. (O, X)

01 X 만족모형이 가정하는 인간은 대안의 만족화를 추구하는 행정인이다.
02 O

2. 유형과 발전(Lindblom)

(1) 단순점증주의

정책대안을 마련할 때 '총체적 지적 능력'을 기할 수 있는 능력이 없기 때문에 소폭적 변화를 추구하며, 현재보다 약간 다른 대안을 찾는 초기의 점증주의이다.

(2) 분절적 점증주의

독립적인 의사결정자들이 좀 더 복잡한 정책문제를 해결하기 위하여 관련요인들을 단순화시키고 집중적인 조정과정보다는 부분적인 상호조정의 과정을 통해 문제를 해결하는 것이 바람직하다고 본다.

(3) 전략적 점증주의(점증주의 → 합리주의)❶

① 매우 복잡한 정책문제를 해결하기 위해 신중한 전략을 세우는 해결활동으로, 이는 과거의 점증주의에서 합리주의로의 이동을 의미한다. 즉, 전략수립이 요구되는 경우에 모든 대안을 한꺼번에 분석하는 것이 아니라 복잡한 문제를 단순화시키기 위해 신중히 선택된 대안만을 분석한다는 것이다.

② 린드블룸(Lindblom)은 전략적 점증주의가 가장 이상적인 방법이지만, 결국 단순 점증주의와 분절적 점증주의를 토대로 한 전략적 점증주의를 구현할 수 있어야 비현실적인 이상에서 벗어나 현실적인 분석이 가능하다고 보았다. 합리모형에 대한 대안으로 점증모형에 합리모형을 결합시킨 히긴스(Higgins)의 '전략적 의사결정(strategic decision making)'과 같은 맥락이다.

3. 특징

(1) 정치적 합리성(당파적 상호조절)

정책결정은 다양한 이익집단의 존재와 이들 간의 정치적인 힘에 의해 결정된다고 보았다. 경제적인 분석을 통한 합리성을 추구하는 것이 아니라, 한계적 변화를 추구하면서 그러한 과정에서 발생하는 갈등과 대립을 타협이나 협상을 통해서 극복하려고 하는 합의를 중시한다. 이를 '정치적 합리성(political rationality)'이라고 한다.

(2) 목표와 수단의 상호조정(연쇄관계)❷

점증모형에서는 명확히 설정된 목표를 전제로 최선의 수단을 선택하는 결정이 현실적으로 어려움을 인정한다. 따라서 목표와 수단을 상호조정하는 방식으로 정책결정을 시도한다.

(3) 기존의 정책 ± α식 수정

현재 시행 중에 있거나 아니면 얼마 전까지 시행한 적이 있는 과거의 정책에다가 약간의 가감을 하여 정책을 결정하는 것이다. 다른 분야나 외국의 정책을 끌어다 약간의 변화나 각색을 하는 경우 등이 그 예이다.

(4) 소폭적 · 점진적 변화

① 결정을 어느 한 시점에서 완벽하게 끝내버리기보다는 상황변화를 고려해서 여러 차례 소폭적 · 점진적으로 수행해 나가서 좀 더 합리적인 상태로 접근해 가려는 것이다.

❶ 전략적 의사결정(strategic decision making)

1. **의의:** 히긴스(Higgins)는 합리적인 의사결정이 가능한 일상적이고 정형적인 의사결정과 복잡하고 비정형적인 의사결정을 구분할 것을 제안하고, 후자의 경우 합리모형과 점증주의를 적절히 절충해야 한다는 점을 강조한다.
2. **특징**
   - 전략적 의사결정은 복잡하긴 하나 점증모형과는 달리 무작위적인 것은 아니며 체계적이다.
   - 조직의 문제점이나 기회가 전략적 결정의 시발점이다.
   - 문제인식은 과거의 조직성과와 그 밖의 주요 기준을 준거로 한다.
   - 대안탐색은 알려진 대안은 쉽게 이루어지나 대개의 경우 관련 대안 간에 체계적인 구성과 절차에 의존한다.
   - 평가 및 선택은 최고결정자가 하는 경우가 많으나 조직 내 하위체계 간 권력관계나 연합체에 의하여 이루어지는 경우도 있다.
3. **평가:** 전략적 의사결정은 최고결정단계에 이르기까지 반복적이고 점증적인 단계를 거친다는 것을 시사하고 있으며, 전통적인 합리적 의사결정보다 훨씬 비합리적인 과정을 거친다는 것을 전제로 점증주의에 합리주의적인 전략을 결합한 것이다.

❷ 선형적 관계와 고리형 관계

합리주의적 의사결정은 목표와 수단 간의 선형적 관계를 중시하는 반면에 점증주의적 의사결정은 목표와 수단 간의 상호조정(연쇄관계)을 통한 합의를 중시하는 고리형의 관계이다.

② 이러한 의미에서 린드블룸(Lindblom)은 자신의 점증주의를 '분절적 점증주의'라 고 명명하였다.

(5) 부분적 최적화(sub optimization)

관련된 모든 대안을 분석하는 것이 아니라 정책목표를 하위수준으로 나누어 최적화시키면 상위목표가 최적화된다.

4. 한계

(1) 기존 정책이 잘못된 것이면 악순환을 초래한다.

(2) 계획성이 결여되고 정책결정의 평가기준이 모호하다.

(3) 정치적으로 실현가능한 임기응변적 정책을 모색하는 데 집중한다.

(4) 단기정책에만 관심을 가지게 되고 장기정책은 등한시한다.

(5) 권력 · 영향력이 강한 집단이나 강자에게 유리하고 약자에게 불리하다.

(6) 보수적 성격을 지니기 때문에 행정혁신을 저해할 우려가 있다.

(7) 사회가 불안정하여 정책결정자와 정책관련집단, 사회적 가치, 사용가능수단들이 심하게 변화하는 경우에는 점증주의식 결정이 어려워진다. 왜냐하면 합의된 결정절차가 마련되기 어렵고 선례도 별로 없기 때문이다.

핵심정리 합리모형과 점증모형의 비교

구분	합리모형	점증모형
합리성	절대적 합리성	정치적 합리성
인간관	합리적 경제인	정치적 인간
최적화	전체적 최적화	부분적 최적화
접근방법	연역적	귀납적
대안의 범위	· 대안의 수는 무한정 · 현실과의 괴리 큼	· 대안의 수는 한정 · 현실과의 괴리 적음
목표와 수단의 관계	목표수단분석(목표는 명확하게 정하고 수단은 목표에 합치되도록 선택)	목표와 수단의 상호조정, 연쇄관계(목표는 수단에 합치되도록 수정)
분석	단발적 · 동시적 · 총체적	계속적 · 점진적 · 부분적
정책의 평가기준	목표의 달성도(경제적 합리성)	이해관계의 조정(정치적 합리성)
분석 · 평가의 주체	· 의사결정자 · 분석적 · 통일적 · 포괄적	· 다양한 이해관계집단 · 비분석적 · 비통일적
변화 · 쇄신추구 여부	변화 · 쇄신추구 가능(급진적 변화)	변화 · 쇄신추구 곤란(점진적 변화)

핵심 OX

01 점증모형이 다원주의와 연결되는 것은 부분적 · 분산적 결정이 아니라 계속적 결정과 관련된다. (O, X)

02 점증주의모형은 목표와 수단의 엄격한 구분이 필요하다고 본다. (O, X)

03 점증모형은 의제설정과정에서 동원형과 밀접한 관계가 있다. (O, X)

01 X 점증모형이 다원주의와 연결된다는 것은 부분적이고 분산적 결정, 즉 다양한 참여자가 존재한다는 것이다.
02 X 목표와 수단의 엄격한 구분은 합리모형과 관련된다.
03 X 점증모형은 의제설정과정에서 외부주도형과 밀접한 관련이 있다. 즉, '국가 < 사회'인 경우이다.

4 혼합모형(제3모형)

1. 의의

(1) 혼합모형은 1967년 에치오니(Etzioni)가 주장한 것으로, 정책결정의 규범적 · 이상적 접근방법인 합리모형과 현실적 · 실증적 접근방법인 점증모형을 절충하여 개발한 모형이다.

(2) 합리모형은 통제지향적 집권주의 사회에 적합하고, 점증모형은 다원주의적인 민주 사회에 적합하며, 혼합모형은 개발도상국, 즉 '활동적 사회(active society)'체제에 적합하다고 제시하였다.

2. 특징

(1) 근본적 결정(맥락적 결정)

① 중요한 대안을 종합적으로 고려하는 포괄적 합리모형에 따른다.

② 에치오니(Etzioni)는 다음의 경우에는 근본적 결정이 반드시 있어야 한다고 주장한다.

㉠ 근본적 결정은 정기적으로 몇 번씩 하는 것이 좋은데, 예를 들면 대통령의 연두 국정연설을 준비하는 때 혹은 예산편성을 하는 때이다.

㉡ 환경이 변화하여 과거에 결정한 근본적 결정의 상황이 바뀌는 때이다.

㉢ 전체적인 문제상황이 변화된다고 생각될 때이다.

(2) 세부적 결정(부분적 결정)

근본적 결정의 테두리 내에서 소수의 대안만 고려(점증주의)한다.

3. 평가

(1) 합리모형과 점증모형을 융합하여 융통성 부여에 기여하였다.

(2) 양자의 단순한 결합에 불과하고 이론적 독창성이 부족하다.

(3) 합리모형과 점증모형의 결함을 사실상 극복하지 못하였다.

(4) 현실적으로 근본적 결정과 세부적 결정을 구별하기 어렵다는 비판이 있다.

핵심정리 합리모형 · 점증모형 · 혼합모형의 비교

구분		대안탐색	결과예측
합리모형		포괄적 (모든 대안)	포괄적 (모든 결과)
점증모형		제한적 (현재보다 소폭 가감된 대안)	제한적 (결과의 일부)
혼합 모형	근본적 결정	포괄적(모든 대안) → 합리모형	한정적(중요한 결과만) → 합리모형의 엄밀성 극복
	세부적 결정	제한적(소수의 대안만) → 점증모형	포괄적(모든 결과를 세밀히) → 합리모형

핵심 OX

01 혼합모형은 근본적 결정과 세부적 결정에 따라 정책결정방법이 달라진다고 본다. (O, X)

01 O

5 최적모형(optimal model)

1. 의의

(1) 합리적 요인(경제적 합리성)과 초합리적 요인(직관 · 통찰력 · 창의력)을 고려하는 정책결정모형이다.

(2) 1970년 드로어(Dror)가 제창한 모형으로서 기존의 합리적 결정방식이 지나치게 수리적 완벽성을 추구해 현실성을 잃는 것을 경계하고, 그 반대로 다른 접근방식들이 너무 현실지향적이 되는 것을 막는다는 의도에서 제시하였다. 이는 규범적 · 처방적 모형 중에서는 가장 포괄적인 것으로, 하나의 모형이라기보다는 자신의 정책학에 대한 내용이다.

(3) 위기 시 카리스마적 결정이 요구되는 상황, 즉 국가발전을 주도해야 하는 개발도상국에 적용가능성이 높다.

2. 특징

(1) 정책결정에 필요한 지적 측면

① **경제적 합리모형**: 합리적 결정의 효과가 합리적 결정의 비용보다 크거나 같을 경우에는 합리모형을 적용해야 한다고 주장하였다.

② **초합리성의 강조**

㉠ 경제적 합리성뿐만 아니라 초합리성도 중요함을 강조하였다.

㉡ 초합리성은 직관 · 판단 등과 같은 인간의식에 존재하는 요소들이다.

㉢ 드로어(Dror)는 정책결정의 모든 국면에서 초합리성이 필요함을 지적하고 있다.

㉣ 초합리성이 합리성보다 중요함을 강조하지 않고, 단지 초합리성이 많은 사람들에 의해서 무시되었다는 것을 강조하고 있다.

(2) 정책결정의 단계와 국면

① **상위정책결정단계(meta-policymaking stage)**❶: 초정책결정단계로서 정책을 어떻게 결정할 것인가에 관한 정책결정이다. 즉, 결정참여자, 시기, 결정을 위한 조직, 비용, 결정방식들을 미리 결정하는 것으로 주로 초합리성을 통해 최적화된 혁신전략을 추구한다. 이는 다른 학자들이 주의하지 않았던 부분이며 7단계로 이루어진다.

② **정책결정단계(policymaking stage)**❷: 당면한 문제에 관한 본래적 의미의 정책결정을 의미한다. 주로 합리성이 작용하며 7단계로 이루어진다.

③ **후정책결정단계(post-policymaking stage)**❸: 결정이 이루어진 이후에 집행준비와 집행과정에서 나타나는 정보에 따른 결정의 수정작업이 포함되며 4단계로 이루어진다.

3. 평가

(1) 정책결정구조의 계속적인 검토 · 개선을 강조한다.

(2) 결정능력의 향상을 위해 정책집행의 평가와 환류작용에 중점을 둔다.

❶ 상위정책결정의 7단계
① 가치의 처리 → ② 현실의 처리 → ③ 문제의 처리 → ④ 자원의 조사 · 처리 및 개발 → ⑤ 정책결정시스템의 설계 · 평가 및 재설계 → ⑥ 문제 · 가치 및 자원의 할당 → ⑦ 정책결정전략의 결정

❷ 정책결정의 7단계
① 자원의 세부적 할당 → ② 조작적 목적의 설정과 우선순위 결정 → ③ 주요 가치들의 설정과 우선순위 결정 →④ 좋은 대안을 포함한 주요 정책대안의 마련 → ⑤ 다양한 대안의 중요한 편익과 비용에 대한 신뢰할 만한 예측을 준비 → ⑥ 다양한 대안에 대한 예측된 편익과 비용을 비교하고 최선의 대안을 인지 → ⑦ 최선의 대안에 대한 편익과 비용을 평가하고 이 대안이 좋은가 또는 나쁜가에 대한 결정

❸ 후정책결정의 4단계
① 정책의 집행에 대한 동기부여 → ② 정책의 집행 → ③ 정책이 집행되고 난 후 정책의 평가 → ④ 커뮤니케이션과 환류

핵심 OX

01 최적모형은 질적 분석을 중시하므로 경제적 합리성을 도외시한다. (O, X)

02 최적모형에서 정책결정자의 직관적 판단은 정책결정의 중요한 요인으로 인정되지 않는다. (O, X)

01 X 최적모형은 질적 분석을 강조하지만 기본적으로는 경제적 합리성을 전제한다.
02 X 정책결정자의 직관적인 판단이나 통찰력 등의 초합리성을 중요한 요인으로 파악한다.

(3) 합리성과 초합리성을 동시에 강조하므로 양적인 모형인 동시에 질적인 모형이라고 평가받는다.

6 연합모형(회사모형, 조직모형, Allison II 모형)

1. 의의

(1) 연합모형은 사이어트(Cyert)와 마치(March)가 제시한 모형으로서 조직은 상이한 목표를 가진 하위단위들의 상호작용에 의해 움직이는 것으로 파악하고, 목표가 서로 대립하여 갈등적 관계에 놓여 있는 하위단위 간의 갈등 해결이 의사결정이라고 보는 의사결정모형이다.

(2) 만족모형을 더 발전시켜 조직의 의사결정에 적용시킨 모형이다.

(3) 많은 조직은 각 사업부서별로 준독립적인 운영이 이루어지는 경우가 많은데, 이런 조직에서는 다른 부서상황을 고려하면서 조직전체의 목적을 극대화하는 결정을 하여야 한다.

2. 특징

(1) 독립된 제약조건으로서의 목표

하위부서들은 다른 목표를 제약조건으로 전제한 후 자기들의 목표를 추구한다. 이때 밀접한 관련이 있는 이웃집단의 가치와 목표는 고려해야 할 제약조건으로 다루어진다.

(2) 갈등의 준해결(갈등의 의장적 해결)

① 조직을 서로 다른 목표들을 지닌 구성원들의 연합체로 가정한다.

② 목표들 간에는 갈등이 일어날 수가 있는데, 이들 갈등과 모순되는 목표들을 하나의 차원이나 기준으로 통합하는 방법이 없기 때문에 갈등의 완전한 해결은 불가능하며 '준해결(Quasi-Resolution of Conflict)'에 머물고 만다.

(3) 받아들일 만한 수준의 의사결정

의사결정은 관련 집단들의 요구가 모두 다 성취되기보다는 서로 나쁘지 않을 정도의 수준에서 타결점을 찾는 경향이 있다. 이에 따라 국지적 결정들이 어느 정도 모순되어도 큰 문제가 발생하지 않으며, 만약 국지적 결정의 불일치가 심각할 경우에는 조직의 여유자원(slack)을 활용한다.

(4) 불확실성의 회피 · 통제

합리모형은 불확실성하에서 의사결정을 하기 위해 대안의 결과를 예측하고 평가하여 비교하는 방법에 의존하지만 실제 회사의 결정자들은 가능한 한 불확실성을 회피하거나 통제하는 경향을 보인다. 즉, 장기전략보다는 단기 전략에 치중하고, 환경에 제약을 가하거나 관련자들과 타협함으로써 불확실성을 통제하고 예측가능한 결정절차를 선호한다.

㉰ 기업들끼리의 카르텔 형성 등

(5) 목표에 관한 순차적 관심

조직의 목표들을 동시에 고려하지 않고 순차적인 고려를 함으로써 모순되는 목표들이 있어도 크게 갈등하지 않고 행동하게 된다.

㉄ 연초재배농가를 지원할 때에는 '농업보호'라는 목표만을 고려하고, 순차적으로 담배의 유해성에 대한 광고비용을 지출할 때에는 '국민건강'이라는 목표만을 고려함

(6) 문제 중심적 탐색

① 회사에서의 탐색활동은 결정자들의 시간과 능력의 제약이 존재하기 때문에 모든 상황을 다 고려하는 것보다는 특별한 문제에 대해서만 고려하게 된다.

② 이후 문제가 해결되면 다음 문제가 등장할 때까지 기다린다.

(7) 조직의 학습과 표준운영절차(SOP)

① 의사결정이 반복되는 과정에서 결정자들은 점차 많은 경험을 쌓게 되며 시간이 흐르고 경험이 많아짐에 따라 결정은 좀 더 세련되고 목표달성도는 높아지게 된다.

② 이에 따라 가장 효율적이라고 생각되는 표준운영절차(SOP)를 마련해 두고, 이를 활용하여 결정하게 된다.

3. 한계

(1) 공공부문에의 적용 곤란

민간부문조직을 대상으로 하므로 공공부문의 의사결정에 적용하는 데에는 문제가 있다.

(2) 개발도상국에의 적용 곤란

표준운영절차(SOP)에 의한 의사결정은 안정적 상황을 전제로 하므로 급격한 변동상황(개발도상국)에서는 부적합하다.

(3) 권위주의적 조직에의 적용 곤란

권한이 광범하게 위임되어 있고 자율성이 강한 조직을 전제로 하므로 권위주의적 조직의 의사결정에는 그 적용에 한계가 있다.

(4) 권력적 측면 간과

조직의 인지적 한계에 초점을 두고 수평적 하위조직 내의 관계를 주로 다루었기 때문에 조직 내의 상하관계, 즉 권력적 측면이 의사결정에 미치는 영향을 소홀히 취급하였다.

핵심 OX

01 회사모형은 동일한 목표를 가지고 일사분란하게 움직이는 하위조직을 전제로 한다. (O, X)

02 연합모형은 합리모형과 점증모형이 결합되었다는 의미에서 연합모형이다. (O, X)

01 X 회사모형의 하위조직들은 각각의 독립된 목표를 가지고 있으므로 그들 간의 갈등은 불가피하다고 본다.

02 X 합리모형과 점증모형의 결합을 시도한 모형은 혼합모형이다.

7 앨리슨모형(Allison model)

1. 의의[1]

(1) 미국 케네디(Kennedy) 정부의 집단적 의사결정을 성질별로 분류하여 국가적 정책결정에 적용한 모형이다.

(2) 앨리슨(Allison)은 '쿠바의 미사일 위기사건'의 정책결정과정을 분석하여 기존의 합리모형(Ⅰ)과 조직과정모형(Ⅱ)에 관료들의 정치적 결정을 강조하는 관료정치모형(Ⅲ)을 제시하였다. 이 중에서도 관료정치모형이 다른 모형과는 달리 독창적이므로 이에 대한 중요성을 언급하였다.

2. 주요 내용

(1) 합리적 행위자모형(Allison I)

① **정책결정의 주체**: 개인적 차원에서 합리적·분석적 결정을 하는 합리모형의 논리를 집단적인 국가정책결정에 적용한 것이다. 정부는 하나의 유기체적 형태를 띠며 합리적이고 단일적인 결정자이다.

② **합리적 결정**: 참여자들은 합리적인 정책결정을 위해서 최선의 노력을 기울이며 조직의 상하계층별로 큰 차이 없이 적용이 가능하다.

③ **적용**: 국가의 운명이 걸린 중대한 문제에 대해서는 합리모형에 입각하여 결정하는데, 외교·국방정책에 적합하다.

(2) 조직과정모형(Allison II)

① **정책결정의 주체**: 국가 또는 정부라는 단일의 결정주체가 아니라 느슨하게 연결된 반독립적인 하위조직들의 집합체이다.

② **합리성의 제약**: 반독립적인 하위조직들로 정부가 구성되기 때문에 하위조직들은 각각 상이한 목표를 지니고 정책결정을 하며 이에 따라 타협적 결정, 갈등의 준해결이 나타난다. 주로 기능별 권위가 높은 중하위계층에 적용된다.

③ **표준운영절차**: 조직은 학습을 통하여 SOP와 프로그램 목록을 만들고 이들에 의존하여 의사결정을 한다.

(3) 관료정치모형(Allison III)

① **정책결정의 주체**: 단일주체로서의 정부(합리모형)나 하위조직으로서의 부처들의 연합체(조직모형)가 아니라 참여자들 개개인이라고 본다. 타협·갈등·흥정 등의 정치적 결과에 의해서 정책이 결정된다.

② **정치적 결정**: 구성원들의 목표에 대한 공유도가 극히 약하므로 개개인은 자신이 지닌 정치적 자원을 이용하여 정치적 게임규칙에 따라 목표달성을 위해서 노력하게 된다. 정치적 게임에서 권력의 주도권을 가지는 상위계층에 주로 적용된다.

[1] 쿠바의 미사일 위기사건과 반대에 의한 결정모형

1. **쿠바의 미사일 위기사건(1962)**: 구 소련이 쿠바에 미사일기지를 설치하고 미국을 겨냥한 핵탄도미사일을 배치하려고 하자 케네디(Kennedy)를 비롯한 미국의 최고정책결정자들이 모여서 여러 가지 대안을 논의한 끝에 미사일을 실은 배가 소련에서 쿠바로 오지 못하도록 해안 봉쇄를 결정함으로써 13일 동안 미·소 간 일촉즉발의 핵전쟁위기를 맞게 된 사건이다.
2. **반대에 의한 결정모형(Anderson)**
   - **의의**: 앤더슨(Anderson)이 역시 쿠바 해상 봉쇄정책을 사례로 연구한 정책결정모형으로 국가의 중요한 정책결정에서는 동시에 경쟁적인 목표나 대안을 제시하여 탐색을 하는 것이 아니라 논의과정에서 반대의 제기를 통하여 목표를 발견해 나가게 되며 결정자는 문제해결을 기대하지 않는 대안을 선택하게 되는 경우가 많다고 지적한다.
   - **대안의 선택기준**: 아무리 최적이거나 만족할 만한 대안이더라도 성공할 확률이 적으면 선택하지 않으며, 따라서 문제 해결의 가장 중요한 판단기준은 '문제를 해결해줄 수 있는 대안인가'가 아니라 비경쟁적인 대안 간의 찬반결정을 순차적으로 전개함으로써 '문제를 악화시킬 확률이 적은 대안'을 선택한다는 것이다.

❶ 앨리슨(Allison)모형의 평가와 적용가능성

1. 각 모형의 적용계층
   - 합리적 행위자모형: 조직계층에 따라 큰 차이가 없다.
   - 조직과정모형: 기능적 권위와 SOP를 특징으로 하며 조직의 중·하위계층에 적용가능성이 높다.
   - 관료정치모형: 게임에서 우위를 지배하는 조직의 상위계층에 적용가능성이 높으며, 독창적인 모형으로 앨리슨(Allison)이 가장 강조하였다.
2. 앨리슨(Allison)모형은 실제의 정책결정과정에서는 하나씩 적용되기도 하고, 세 가지 모두가 동시에 적용될 수도 있다.

핵심정리 앨리슨(Allison)모형 간 비교❶

구분	합리적 행위자모형 (Ⅰ)	조직과정모형 (Ⅱ)	관료정치모형 (Ⅲ)
조직관	조정과 통제가 잘되는 유기체	느슨하게 연결된 하위조직들의 연합체	독립적인 개인적 행위자들의 집합체
권력의 소재	조직의 두뇌와 같은 최고지도자가 보유	반독립적인 하위조직들이 분산 소유	개인적 행위자들의 정치적 자원에 의존
행위자의 목표	조직전체의 목표	조직전체의 목표 + 하위조직의 목표	조직전체의 목표 + 하위조직의 목표 + 개별적 행위자들의 목표
목표의 공유도 (집단의 응집력)	매우 강함	약함	매우 약함
정책결정의 양태	최고지도자가 조직의 두뇌와 같이 명령	SOP에 대한 프로그램 목록에서 대안추출	정치적 게임의 규칙에 따라 타협·흥정·지배
정책결정의 일관성	매우 강함	약함	매우 약함
적용 계층	조직 전반	중·하위계층	상위계층

8 쓰레기통모형(GCM)

1. 의의

(1) 쓰레기통모형은 조직화된 무질서 상태(무정부상태)에서 응집성이 매우 약한 조직이 어떤 의사결정행태를 나타내는가에 분석초점을 두고 코헨(Cohen), 마치(March), 올센(Olsen) 등이 제시한 모형이다.

(2) 정책결정의 불합리성을 강조하기 위하여 마치 쓰레기통에 마구잡이로 던져 넣은 쓰레기들이 뒤죽박죽으로 엉켜있는 것과 같다고 붙여진 이름으로서, 계층제적 권위가 없고 상하관계가 분명하지 않은 조직의 의사결정에 주로 적용되는 모형이다.
㉠ 대학조직, 친목단체, 연구소 등

2. 의사결정의 구성요소

(1) 네 가지 흐름

문제의 흐름	정책문제에 해당하며 의사결정의 기회를 만나지 못하고 혼자서 흘러 다닌다.
해결책의 흐름	문제를 해결하기 위한 정책대안을 의미한다.
선택(의사결정) 기회의 흐름	정책결정권자 개인이 결정하는 경우에는 그 결정의 순간을 의미하고, 집단적 의사결정의 경우에는 회의 등을 의미한다.
참여자의 흐름	의사결정을 할 수 있는 지위에 있거나 회의 등에 참여하기로 되어 있는 사람들이다.

(2) 상호관계

이들 요소는 조직화된 무정부 상태에서 흘러 다니다가 우연히 한 곳에 모이게 되면 정책이 결정된다. 즉, 의사결정의 각 요소는 서로 무관하다.

핵심 OX

01 앨리슨(Allison)모형 중 관료정치모형은 목표의 공유도가 매우 강하다. (O, X)

01 X 관료정치모형은 목표의 공유도가 매우 약하다.

3. 세 가지 전제조건(조직화된 무질서 상태)

(1) 문제성 있는 선호

① 의사결정참여자들 사이에 어떤 선택이 바람직한가에 대한 합의가 없다.

② 참여자 자신의 선호를 모른 채로 의사결정에 참여하는 경우가 있다.

(2) 불명확한 기술(인과관계)

① 의사결정에서 달성하려는 목표와 이를 달성하기 위한 수단 사이에 존재하는 인과관계를 여기서는 기술이라고 한다.

② 어떤 목표를 달성하기 위해서 무엇을 수단으로 선택하여야 하는지 잘 모르는 경우를 목표와 수단 간의 관계가 불명확하다고 한다.

(3) 일시적(수시적) 참여

① 집단에 속한 개인이라도 문제의 성질에 따라서 의사결정과정에 참여하기도(예 자신에게 중요한 문제를 논의하는 경우 등), 참여하지 않기도 하는 현상을 의미한다.

② 특정인이 어떤 동일한 문제해결을 위하여 의사결정을 할 경우, 어느 때에는 참여하고 어느 때에는 불참할 수 있음을 지적한다.

4. 의사결정방식

(1) 진빼기 결정(choice by flight; 탈피, 미뤄두기)

해결하여야 할 주된 문제와 함께 이와 관련된 다른 문제들이 있어서 결정이 이루어지지 않을 때, 관련된 문제들이 스스로 다른 의사결정기회를 찾아 떠날 때까지 기다려서 결정하는 것이다.

(2) 날치기 통과(choice by oversight; 간과, 끼워넣기)

관련된 문제들이 제기되기 전에 재빨리 먼저 의사결정을 하는 것이다.

9 정책의 창(흐름 – 창) 모형

1. 의의

(1) 킹던(Kingdon)의 흐름 – 창 또는 정책의 창(policy window) 모형(1984)[1]에서 '정책의 창'은 정책주창자들이 그들의 관심대상인 정책문제에 주의를 집중하도록 만들고, 그들이 선호하는 대안을 관철시키기 위해서 열려지는 기회로 정의된다.

(2) 정책주창자들은 그들이 선호하는 정책대안을 준비해 놓고 그들의 주 관심대상인 정책문제가 부상하기를, 또 그들에게 유리한 정치적 분위기가 조성되기를 기다린다.

(3) 정책의 창은 예측이 가능하도록 정해진 일정에 의해 열리기도 하지만(예산심의나 국정감사와 같은 예정된 의정활동 등), 반면에 예측할 수 없는 정치적 · 사회적 사건에 의해서 열리기도 한다.

(4) 정책의 창이 열려져 있다는 것은 정책의제설정에서부터 최고의사결정까지의 과정에 필요한 여러 가지 여건들이 성숙되어 있다는 것을 의미한다. 즉, 한 의제가 광범위한 의제(공중의제)에서 구체적인 의사결정의제[2](정부의제)로 그 지위가 변경되었음을 뜻한다.

[1] 정책의 창 모형
정책의 창 모형은 주로 정책의제설정모형으로 적용되는데, 정책결정모형으로 보기도 한다.

[2] 의사결정의제
의사결정의제에는 입법대상이 되었거나 장관급 고위관료의 최종결정을 기다리고 있는 의제 등을 포함한다.

핵심 OX

01 의사결정에 참여하는 사람들 간에 무엇을 선호하는지 불분명하며, 목표와 수단 사이에 존재하는 인과관계를 의미하는 기술도 불명확한 것은 쓰레기통모형의 전제조건이다. (O, X)

02 쓰레기통모형은 불안정하고 문제성 있는 의사결정과 관련된다. (O, X)

03 쓰레기통모형은 정책결정요소 간의 상호의존성을 중시한다. (O, X)

01 O
02 O
03 X 쓰레기통모형은 정책결정요소 간에 아무런 관련이 없다.

2. 정책의 창이 열리는 과정에 필요한 요소

인지	대부분의 경우에 정책의 창의 개폐는 정책과정 참여자들의 인식에 의해 결정된다.
합성	정책의 흐름이 문제의 흐름, 정치의 흐름과 함께 적절히 합류되었을 때에만 정책의 창은 열린다.
정책기업가	문제의 흐름, 정치의 흐름, 정책의 흐름을 합류시키고 합성시키는 역할을 담당해 주는 사람이다.
분출효과	정책의 창이 열려지면, 그와 비슷한 성질·형태의 정책의제를 위해서 정책의 창이 열려질 확률이 높아진다(Hass).

3. 세 가지 흐름과 정책의 창

(1) 세 가지 흐름

문제의 흐름	특정한 사회문제에 관심을 집중시켜 문제를 규정한다.
정치의 흐름	주요 참여자들 사이에 협상이 이루어져 합의에 도달한다.
정책의 흐름	결정의제가 선정된 후 예비적 타진이 있게 되고 실행가능성이나 장래의 정치·예산 등을 고려하여 문제해결을 위한 제안을 하며, 정치의 흐름과는 달리 협상이 아니라 설득과 합리적 논의로 정책대안에 대한 합의가 이루어진다.

(2) 세 가지 흐름의 합류와 정책의 창

① **세 가지 흐름의 합류**: 기본적으로 정책의 창은 정책과정의 세 가지 흐름(문제·정치·정책의 흐름) 중에서 정치의 흐름 변화에 의해 열리는 경우가 가장 많다. 정책의제가 재구성되는 데에는 반드시 세 흐름이 모두 연결되어야 하는데, 이러한 세 가지 흐름이 합류되면 정책이 성립될 수 있고 정책의 창이 열리게 된다.

② **정책의 창**: 정책의 창은 국회의 예산주기, 정기회기 개회 등의 규칙적인 경우뿐 아니라, 때로는 정권 교체, 시급한 공공문제(㉠ 미세먼지문제 등)의 대두 등 우연한 사건에 의해 열리기도 한다. 문제의 충분한 논의 부족, 정부행동의 유도 불능, 사건의 퇴조, 고위직의 인사이동, 대안의 부재 등에 의해서 닫히게 된다. 이 중에서도 정권 교체는 가장 눈에 띄며 광범위한 영향력을 가지는 정치흐름의 변화이다.

③ 정책의 창은 한번 열리면 문제에 대한 대안이 도출될 때까지 계속 열려있는 것이 아니라 아주 짧은 기간 동안만 열렸다가 닫히게 된다. 또한 문제에 대한 대안이 존재하지 않을 경우에도 정책의 창이 닫힐 수 있다. 정책의 창이 한번 닫히고 나면 다음에 다시 열릴 때까지 아주 많은 시간이 걸리는 편이다.

10 사이버네틱스모형(cybernetics model)

1. 의의

합리모형과 가장 대립되는 모형으로, 분석적 합리성이 완전히 존재하지 않는 상태에서의 습관적·적응적 의사결정을 다룬 모형이다. 와이너(Wiener)에 의하여 창시되고 애쉬비(Ashby)가 계승하였다. 스타인부르너(Steinbruner)는 이를 시스템 공학에 응용하여 관료제에서 이루어지는 정책결정을 단순하게 묘사하려 했다.

핵심 OX

01 킹던(Kingdon)의 정책의 창 모형은 문제의 흐름, 해결책의 흐름, 참여자의 흐름, 의사결정 기회의 흐름을 요소로 한다. (O, X)

02 킹던(Kingdon)의 정책의 창 모형은 정책과정의 세 가지 흐름(문제·정치·정책의 흐름) 중에서 정책의 흐름 변화에 의해 열리는 경우가 가장 많다. (O, X)

01 X 킹던(Kingdon)의 정책의 창은 문제의 흐름, 정책의 흐름, 정치의 흐름을 요소로 제시하고 있다.
02 X 주요한 정책의 흐름변화가 아니라 정치의 흐름변화에 의해 열리는 경우가 가장 많다.

2. 특징[1]

(1) 적응적 의사결정(습관적 의사결정)

① 고차원의 목표가 반드시 사전에 존재하는 것으로 전제하지 않는다. 그러므로 사이버네틱스모형에서는 일정한 주요 변수의 유지를 위한 끊임없는 적응에 초점을 둔다.

② 애쉬비(Ashby)에 의하면, 의사결정자는 대안의 결과에 대한 고려를 아예 하지 않는다. 의사결정자가 관심을 가지는 것은 어떤 주요 변수를 바람직한 상태로 계속 유지하고자 하는 것이지, 어떤 목표 내지 가치를 성취하려는 것이 아니기 때문이다.

예 자동온도조절장치의 온도조절 등

(2) SOP에 따른 의사결정

결과가 어떤 허용할 만한 수준의 범위 내에 있는 한 프로그램화된 활동을 일상적으로 수행하지만, 그 범위를 벗어났을 때에는 새로운 대안을 찾게 된다.

(3) 불확실성의 통제

① 어떤 대안이 어떤 결과를 가져올 것인가 하는 것은 전혀 고려하지 않고 단지 의사결정자에게 부닥친 상태가 사전에 설정된 범위에서 이탈하였는가 하는 점만을 고려하여 그에 대응한 조치를 프로그램화된 대로 취한다.

② 대안의 결과가 어떠한 것인가를 사전에 알지 못함으로 인해 발생하는 불확실성 때문에 의사결정에 영향을 받는 일은 없다.

(4) 집단적 의사결정

개인적 의사결정의 원리를 집단적 의사결정에 원용한 것으로 조직 내의 복잡한 정책문제는 부분적인 하위문제로 분할되어 하위조직에 할당되고 하위조직은 표준운영절차에 따라서 문제를 해결한다.

(5) 도구적 학습

① **합리모형의 인과적 학습**: 합리모형에서는 대안의 결과에 새로운 정보가 나타나면 대안의 결과예측도 수정하고, 이러한 과정을 통해 모형 내 변수 간의 인과관계에 대한 지식을 습득하는 인과적 학습을 한다.

② **사이버네틱스모형의 도구적 학습**

㉠ 사이버네틱스모형은 의사결정자가 어떤 문제에 대응하여 취하는 대안 중에서 어느 한 가지를 채택하여 좋은 효과를 보면 계속 채택하고, 나쁜 효과를 보면 다른 대안을 채택하는 식으로 일종의 도구적 학습을 한다.

㉡ 프로그램 목록이 바뀌는 데에 따른 학습이 일어나는데, 이 과정은 매우 느리게 일어나고 프로그램 목록이나 SOP는 좀처럼 쉽게 바뀌지 않는다.

[1] 분석적 모형과 사이버네틱스모형

구분	분석적 모형	사이버네틱스 모형
합리성	완전한 합리성	제한된 합리성
문제 해결	알고리즘 (연역적 방식)	휴리스틱 (귀납적 방식)
학습	인과적 학습	도구적 학습 (시행착오적 학습)
대안	최선의 대안	그럴듯한 대안
인간관	전지전능인	인지능력의 한계 인정
대안 분석	총체적 분석	순차적 분석 (적응적 과정)

핵심 OX

01 사이버네틱스모형은 뚜렷한 목적을 가진 채 정책결정에 임한다고 본다. (O, X)

02 사이버네틱스모형은 복잡한 상황하의 정책결정에 대한 일련의 점진적인 적응과정이다. (O, X)

03 사이버네틱스모형은 인과적 학습을 강조한다. (O, X)

01 X 뚜렷한 목적의식 없이 의사결정에 참여한다고 본다.
02 O
03 X 인과적 학습이 아니라 도구적 학습을 강조한다.

11 정책딜레마모형

1. 의의

정책딜레마모형은 양립 불가능한 두 대안 간의 선택 상황에서 한 대안의 선택으로 인해 다른 대안이 가져올 기회손실이 크기 때문에 제약된 시간 내에 어느 하나를 선택하기 곤란한 상황임에도 불구하고 선택을 피할 수 없는 딜레마 현상을 의미한다.

2. 발생조건

(1) 정책대안들이 구체적이고 명료하지만 상호갈등적이다(상충성).

(2) 대안들이 서로 단절적이어서 절충이 불가능하다(분절성).

(3) 대안들의 가치가 유사하며 기회의 손실도 유사하다(균등성).

(4) 대안의 선택이 곤란한 상황이지만 그중 하나를 선택해야 하는 압박을 받고 있는 정책상황을 말한다(선택불가피성).

3. 딜레마의 유형

(1) 일치된 딜레마

① **의의:** 주어진 딜레마를 주관적으로 딜레마로 파악하는 것이다.

② **대응방안:** 선택으로 인한 기회비용이 크기 때문에 부담이 커지므로, 비결정이나 선택의 지연 또는 문제의 재규정 등의 방법으로 대응한다.

(2) 무시된 딜레마

① **의의:** 주어진 딜레마를 주관적으로 딜레마로 파악하지 않는 것이다.

② **대응방안:** 결정상황에 포함된 가치 중의 일부를 의도적 또는 비의도적으로 무시해 대안에 포함시키지 않는 방법으로 대응한다.

(3) 의사(pseudo) 딜레마

딜레마 상황이 아님에도 불구하고 판단 착오 또는 의도적으로 정책결정자가 딜레마로 인식하는 것이다.

4. 딜레마에 대한 대응방안❶

(1) 소극적 대응방안

대안을 선택하지 않는 반응양식, 선택상황 자체의 무시, 상황의 변화를 기대하면서 비결정(non-decision; 지연과 결정 책임의 포기)을 의미한다.

(2) 적극적 대응방안

딜레마 상황의 변화를 유도하거나, 현재 당면한 딜레마 상황을 벗어나기 위해 새로운 딜레마 상황을 조성하며, 일단 결정을 내린 후 이를 번복·수정·왜곡 집행하는 순환적 결정을 의미한다.

❶ 정책결정상황의 분류(Hayes)

구분	목표의 갈등	목표의 합의
수단적 지식의 갈등	정상적 점증주의 영역(I)	순수한 지식기반의 문제(II): 판단 전략
수단적 지식의 합의	순수한 가치갈등의 문제(III): 타협 전략	합리적 의사결정의 영역(IV)

12 증거기반 정책결정(evidence-based policy, EBP)

1. 의의

정책결정과정에서 엄격하게 검증된 객관적인 증거에 기반하여 정책대안을 선택하거나 정책결정을 하려는 시도를 의미한다. 증거기반 정책수립은 공공정책이 실증적 자료나 증거보다는 직관, 경험, 가치 등에 바탕을 두고 이루어져왔다는 점에 대한 비판으로 등장하였다.

2. 증거기반 정책결정의 실제

증거기반 정책결정은 정책이 이념, 가치관, 의견 등에 기반하거나 과학적 사실이 부족한 담론(discourse) 등에 의한 정책결정을 지양한다는 의미를 담고 있다. 헤드(Head, 2010)는 증거기반 정책결정이 성공적으로 도입될 수 있는 조건을 크게 네 가지로 제시하고 있다.

정보기반 구축	관련 정책 영역에서 상당한 수준의 정보를 활용할 수 있는 정보기반(information base)이 갖추어져야 한다.
관련 전문가 확보	관련 데이터를 분석하고 가공하여 정책 대안 및 기존 정책성과 등을 평가할 수 있는 전문가가 확보되어야 한다.
조직 차원의 인센티브 구조	조직 차원의 인센티브 구조
정책관련자 간의 상호 이해과정 필요	정책분석을 수행하는 연구자, 일선 담당자, 그리고 정책결정자 사이의 확고한 상호 이해과정이 필요하다고 본다.

3. 증거기반 정책결정의 적용 분야

증거기반 정책결정이 모든 분야의 정책에 곧바로 적용될 수 있는 것은 아니며, 적용이 상대적으로 용이한 분야는 소위 휴먼 서비스 정책관련 분야로 보건정책, 사회복지정책, 교육정책, 형사정책 등을 들 수 있다.

학습 점검 문제

01 재니스(Janis)의 집단사고(groupthink)의 특성에 해당하지 않는 것은? 2023년 국가직 9급

① 토론을 바탕으로 한 집단지성의 활용

② 침묵을 합의로 간주하는 만장일치의 환상

③ 집단적 합의에 대한 이의 제기에 대한 자기 검열

④ 집단에 대한 과대평가로 집단이 실패할 리 없다는 환상

02 정책문제에 대한 설명으로 옳은 것으로만 연결된 것은? 2010년 국가직 7급

ㄱ. 정책문제는 사익성을 띤다.
ㄴ. 정책문제는 객관적이고 자연적이다.
ㄷ. 정책문제는 복잡 · 다양하며 상호의존적이다.
ㄹ. 정책문제는 정태적 성격을 갖는다.
ㅁ. 정책문제는 역사적 산물인 경우가 많다.

① ㄱ, ㄴ

② ㄱ, ㄷ

③ ㄷ, ㄹ

④ ㄷ, ㅁ

03 통계적 결론의 타당성 확보에 있어서 발생할 수 있는 오류와 그에 대한 설명으로 바르게 연결된 것은? 2015년 국가직 9급

ㄱ. 정책이나 프로그램의 효과가 실제로 발생하였음에도 불구하고 통계적으로 효과가 나타나지 않은 것으로 결론을 내리는 경우
ㄴ. 정책의 대상이 되는 문제 자체에 대한 정의를 잘못 내리는 경우
ㄷ. 정책이나 프로그램의 효과가 실제로 발생하지 않았음에도 불구하고 통계적으로 효과가 나타난 것으로 결론을 내리는 경우

	제1종 오류	제2종 오류	제3종 오류
①	ㄱ	ㄴ	ㄷ
②	ㄱ	ㄷ	ㄴ
③	ㄴ	ㄱ	ㄷ
④	ㄷ	ㄱ	ㄴ

04 통계적 가설검정의 오류에 대한 설명으로 옳지 않은 것은? 2021년 국가직 7급

① 제1종 오류는 실제로는 모집단의 특성이 영가설과 같은 것인데 영가설을 기각하는 경우에 발생한다.

② 제2종 오류는 모집단의 특성이 영가설과 같지 않은데 영가설을 기각하지 않는 경우에 발생한다.

③ 제1종 오류는 α로 표시하고, 제2종 오류는 β로 표시한다.

④ 확률 1-α는 검정력을 나타내며, 확률 1-β는 신뢰수준을 나타낸다.

정답 및 해설

01 재니스(Janis)의 집단사고(groupthink)

집단사고(groupthink)는 집단 내의 사회적 압력 때문에 빚어지는 판단능력(비판적 평가능력)의 저하현상을 지칭한다. 응집성이 강한 조직의 경우 흔히 만장일치에 대한 환상 때문에 구성원들이 획일적이고 기계적인 사고를 하게 되는 것이다. 이러한 집단사고의 부작용에 대한 예방전략으로 토론을 바탕으로 한 집단지성의 활용이 가능하다.

| 선지분석 |

②, ③, ④ 집단사고의 대표적인 특성(징후)이다.

02 정책문제의 특징

ㄷ, ㅁ 정책문제는 복잡·다양하고 상호의존적이며, 역사적 산물인 경우가 많다.

| 선지분석 |

ㄱ. 정책문제는 공익성·공공성을 띤다.

ㄴ. 정책문제는 주관적이고 인공적이다.

ㄹ. 정책문제는 동태적 성격을 갖는다.

03 정책의 오류

ㄱ. 정책이나 프로그램의 효과가 실제로 발생하였음에도 불구하고 통계적으로 효과가 나타나지 않은 것으로 결론을 내리는 경우는 제2종 오류이다.

ㄴ. 정책의 대상이 되는 문제 자체에 대한 정의를 잘못 내리는 경우는 제3종 오류이다.

ㄷ. 정책이나 프로그램의 효과가 실제로 발생하지 않았음에도 불구하고 통계적으로 효과가 나타난 것으로 결론을 내리는 경우는 제1종 오류이다.

정책문제의 오류

구분	내용
제1종 오류	올바른 귀무가설을 기각하고 올바르지 않은 다른 대안을 채택하는 오류
제2종 오류	올바르지 않은 귀무가설을 채택하여 올바른 대안을 기각하는 오류
제3종 오류	정책문제를 잘못 정의하여 발생하는 근본적(meta)인 오류

04 통계적 가설검정의 오류

④는 반대로 설명되었다. 확률 1-α가 신뢰수준이고, 확률 1-β가 검정력에 의미한다. 1-α는 신뢰수준으로 통계치를 믿을 수 있는 신뢰구간을 말하며 여기서 α는 유의수준으로 1-α는 신뢰수준이 되는 것이다. 즉 유의수준이 0.05이면 신뢰수준은 0.95가 된다. 1-β는 검정력으로 가설의 참·거짓과 관계없이 귀무가설(영가설; null hypothesis)을 기각시킬 확률을 의미한다.

| 선지분석 |

① 제1종 오류는 옳은 귀무가설(영가설)을 기각(배제)하는 오류이다.

② 제2종 오류는 틀린 귀무가설(영가설)을 인용(채택)하는 오류이다.

③ 제1종 오류는 알파에러(α Error), 제2종 오류는 베타에러(β Error)라고 한다. 제3종 오류는 문제의 인지나 정의를 잘못 한 것으로 가장 근본적인 메타에러(Meta Error)이다.

신뢰수준과 검정력

구분	내용
신뢰수준 (1-α)	통계치를 믿을 수 있는 신뢰구간. α는 유의수준으로 제1종 오류를 범할 확률을 의미하는데 유의수준이 0.05이면 신뢰수준은 0.95가 된다. 따라서, 1-α는 신뢰수준으로 옳은 귀무가설을 인용하여 올바른 결정을 할 수 있는 확률(제1종 오류를 범하지 않을 확률)을 말한다.
검정력 (1-β)	가설의 참·거짓과 관계없이 귀무가설(영가설; null hypothesis)을 기각시킬 확률로서 여기서 β는 제2종 오류를 발생시킬 확률을 말한다. 따라서 1-β란 틀린 귀무가설을 기각하여 올바른 결정을 할 수 있는 확률(제2종 오류를 범하지 않을 확률)을 말한다.

정답 01 ① 02 ④ 03 ④ 04 ④

05 **정책문제의 구조화기법과 설명이 바르게 연결된 것은?** 2014년 국가직 9급

A. 경계분석	B. 가정분석
C. 계층분석	D. 분류분석

ㄱ. 정책문제와 관련된 여러 구조화되지 않은 가설들을 창의적으로 통합하기 위해 사용하는 기법으로 이전에 건의된 정책부터 분석한다.
ㄴ. 간접적이고 불확실한 원인으로부터 차츰 확실한 원인을 차례로 확인해 나가는 기법으로 인과관계 파악을 주된 목적으로 한다.
ㄷ. 정책문제의 존속기간 및 형성과정을 파악하기 위해 사용하는 기법으로 포화표본추출(saturation sampling)을 통해 관련 이해당사자를 선정한다.
ㄹ. 문제상황을 정의하기 위해 당면문제를 그 구성요소들로 분해하는 기법으로 논리적 추론을 통해 추상적인 정책문제를 구체적인 요소들로 구분한다.

	A	B	C	D
①	ㄱ	ㄷ	ㄴ	ㄹ
②	ㄱ	ㄷ	ㄹ	ㄴ
③	ㄷ	ㄱ	ㄴ	ㄹ
④	ㄷ	ㄱ	ㄹ	ㄴ

06 **정책문제의 구조화기법에 대한 설명으로 옳은 것만을 모두 고르면?** 2024년 지방직 9급

ㄱ. 가정분석: 문제상황의 가능성 있는 원인, 개연성(plausible) 있는 원인, 행동가능한 원인을 식별하기 위한 기법
ㄴ. 계층분석: 정책문제에 관해 서로 대립되는 가정의 창조적 종합을 목표로 하는 기법
ㄷ. 시네틱스(유추분석): 문제들 사이에 유사한 관계를 인지하는 것이 분석가의 문제해결 능력을 크게 증가시킬 것이라는 가정에 기초한 기법
ㄹ. 분류분석: 문제상황을 정의하고 분류하기 위해 사용되는 개념을 명확하게 하기 위한 기법

① ㄱ, ㄴ
② ㄱ, ㄹ
③ ㄴ, ㄷ
④ ㄷ, ㄹ

07 **비용편익분석에 대한 설명으로 옳지 않은 것은?** 2020년 지방직 9급

① 분야가 다른 정책이나 프로그램은 비교할 수 없다.
② 정책대안의 비용과 편익을 모두 가시적인 화폐 가치로 바꾸어 측정한다.
③ 미래의 비용과 편익의 가치를 현재가치로 환산하는데 할인율(discount rate)을 적용한다.
④ 편익의 현재가치가 비용의 현재가치를 초과하면 순현재가치(NPV)는 0보다 크다.

08 **공공사업의 경제성분석에 대한 설명으로 옳은 것만을 모두 고르면?** 2021년 국가직 9급

> ㄱ. 할인율이 높을 때는 편익이 장기간에 실현되는 장기투자사업보다 단기간에 실현되는 단기투자사업이 유리하다.
> ㄴ. 직접적이고 유형적인 비용과 편익은 반영하고, 간접적이고 무형적인 비용과 편익은 포함하지 않는다.
> ㄷ. 순현재가치(NPV)는 비용의 총현재가치에서 편익의 총현재가치를 뺀 것이며 0보다 클 경우 사업의 타당성을 인정할 수 있다.
> ㄹ. 내부수익률은 할인율을 알지 못해도 사업평가가 가능하도록 하는 분석기법이다.

① ㄱ, ㄴ ② ㄱ, ㄹ
③ ㄴ, ㄷ ④ ㄱ, ㄷ, ㄹ

정답 및 해설

05 정책문제의 구조화
각각 ㄱ은 가정분석(B), ㄴ은 계층분석(C), ㄷ은 경계분석(A), ㄹ은 분류분석(D)에 해당한다.

❶ 정책문제의 구조화기법

경계분석	문제의 위치 및 범위 파악(경계선상에서의 메타문제해결)
계층분석	문제의 다양한 원인을 식별
분류분석	문제의 구성요소 식별
유추분석	유추를 통한 문제해결
가정분석	여러 대립적 가정의 창조적 통합

06 정책문제의 구조화기법
정책문제의 구조화기법(W. Dunn)은 정책문제의 본질, 범위, 심각성 등을 구체적으로 보여 주는 것으로, 옳은 설명은 ㄷ. 시네틱스(유추분석)와 ㄹ. 분류분석이다.

| 선지분석 |
ㄱ. 문제의 다양한 원인을 찾는 기법은 계층분석이다.
ㄴ. 서로 대립되는 가설의 창조적 통합(종합)은 가정분석이다.

07 비용편익분석
비용편익분석은 여러 정책대안 가운데 목표 달성에 가장 효과적인 대안을 찾기 위해 각 대안이 초래할 비용과 편익을 비교·분석하는 기법을 말한다. 비용과 편익을 모두 금전적 가치로 환산하여 비교·평가하므로 분야가 다른 정책이나 프로그램도 비교할 수 있다는 것이 특징이다.

| 선지분석 |
② 정책대안의 비용과 편익을 모두 가시적인 금전적 가치로 표시하여 비교한다.
③ 미래가치의 비용과 편익의 가치를 할인율을 적용하여 현재가치로 환산하여 비교·평가한다.
④ 순현재가치(NPV)는 총편익에서 총비용을 뺀 것으로 옳은 설명이다.

08 공공사업의 경제성분석
공공사업의 경제성분석에 대한 설명으로 옳은 설명은 ㄱ, ㄹ이다.

| 선지분석 |
ㄴ. 경제성분석에서 비용과 편익을 산정할 때 간접적이고 무형적인 비용과 편익도 모두 포함되어야 한다.
ㄷ. 순현재가치(NPV)는 편익의 총현재가치(TPB)에서 비용의 총현재가치(TPC)를 뺀 것이며, 0보다 클 경우 타당성이 인정되어 능률적이라 본다.

정답 05 ③ 06 ④ 07 ① 08 ②

09 의사결정모형에 대한 설명으로 가장 옳지 않은 것은? 2019년 서울시 7급(10월 시행)

① 합리모형은 대안을 포괄적으로 탐색하고 대안의 결과도 포괄적으로 고려한다.

② 합리모형은 국가권력이 사회 각 계층에 분산된 사회에서 주로 활용된다.

③ 점증모형은 다원화된 민주사회에 적합하다.

④ 혼합주사모형은 범사회적 지도체제(societal guidance system)로서의 틀을 갖춘 능동적 사회에 적용하는 것이 바람직하다.

10 정책결정모형에 대한 설명으로 옳은 것만을 모두 고르면? 2020년 지방직 9급

ㄱ. 만족모형에서는 정책결정을 근본적 결정과 세부적 결정으로 구분한다.
ㄴ. 점증주의모형은 현상유지를 옹호하므로 보수적이라는 비판을 받고 있다.
ㄷ. 쓰레기통모형에서 의사결정의 4가지 요소는 문제, 해결책, 선택기회, 참여자이다.
ㄹ. 갈등의 준해결과 표준운영절차(SOP)의 활용은 최적모형의 특징이다.

① ㄱ, ㄴ ② ㄱ, ㄹ

③ ㄴ, ㄷ ④ ㄷ, ㄹ

11 만족모형에 대한 비판으로 옳은 것만을 모두 고르면? 2023년 국가직 7급

ㄱ. 책임회피의식과 보수적 사고가 지배적인 상황에서 혁신을 이끄는 데 한계가 있다.
ㄴ. 만족에 대한 기대수준을 지나치게 명확히 규정하여 획일적인 의사결정 구조가 나타난다.
ㄷ. 조직 내 상하관계 등에서 나타나는 권력적 측면이 의사결정에 미치는 영향을 간과한다.
ㄹ. 일반적이고 가벼운 의사결정과 달리 중대한 의사결정에 적용하기 어려울 수 있다.

① ㄱ, ㄴ ② ㄱ, ㄹ

③ ㄴ, ㄷ ④ ㄷ, ㄹ

12 쓰레기통모형에 대한 설명으로 옳은 것은? 2021년 국가직 7급

① 조직구성원의 응집성이 아주 강한 혼란상태에 있는 조직에서 의사결정이 어떻게 이루어지는가를 기술하고 설명한다.

② 불명확한 기술(unclear technology)은 조직에서 의사결정 참여자의 범위와 그들이 투입하는 에너지가 유동적임을 의미한다.

③ 쓰레기통모형의 의사결정 방식에는 끼워넣기(by oversight)와 미뤄두기(by flight)가 포함된다.

④ 문제성 있는 선호(problematic preferences)는 목표와 수단 사이의 인과관계가 명확하지 않음을 의미한다.

정답 및 해설

09 의사결정모형

국가권력이 사회 각 계층에 분산된 다원주의 사회에서는 점증주의 모형이 적합하다. 합리모형은 권위적이고 위계적인 전체주의 사회에 더욱 적합한 모형이다.

| 선지분석 |

① 합리모형은 모든 대안을 포괄적으로 탐색하고 대안의 결과도 포괄적으로 고려한다.

③ 합리모형은 권위적인 전체주의 사회에 적합하고, 점증모형은 다원화된 민주사회에 적합하다.

④ 에치오니(A. Etzioni)는 혼합주사모형은 범사회적 지도체제(societal guidance system)로서의 틀을 갖춘 능동적 사회(개발도상국)에 적용하는 것이 바람직하다고 하였다.

10 정책결정모형

ㄴ, ㄷ은 점증모형과 쓰레기통모형에 대한 설명으로 옳은 설명이다.

| 선지분석 |

ㄱ. 정책결정을 근본적 결정과 세부적 결정으로 구분하는 것은 혼합주사모형이다.

ㄹ. 갈등의 준해결과 표준운영절차(SOP)의 활용은 연합모형의 특징이다.

11 만족모형에 대한 비판

만족모형은 제한된 합리성을 기반으로 하므로 ㄱ. 책임회피의식과 보수적 사고가 지배적인 상황에서 혁신을 이끄는 데 어려우며, ㄹ. 일반적이고 가벼운 의사결정과 달리 중대한 의사결정에 적용하기 어려울 수 있다는 한계가 있다.

| 선지분석 |

ㄴ. 만족모형은 주관적인 만족을 기준으로 하므로 만족에 대한 기대수준을 명확히 규정하기 어려우며, 획일적인 의사결정 구조가 나타나지 않는다.

ㄷ. 조직 내 상하관계 등에서 나타나는 권력적 측면이 의사결정에 미치는 영향을 간과하는 것은 각 부서 간의 타협적 결정(갈등의 준해결)에 의해서 의사결정이 이루어지는 연합(회사)모형의 한계이다.

12 쓰레기통모형

쓰레기통모형의 의사결정방식은 끼워넣기(by oversight)나 미뤄두기(by flight) 등이 활용된다. 끼워넣기(날치기 통과)는 다른 관련 문제가 제기되기 전에 재빨리 의사결정을 하는 것이고, 미뤄두기(진빼기 결정)는 걸림돌이 되는 문제가 사라질 때까지 기다렸다가 결정을 하는 것이다.

| 선지분석 |

① 쓰레기통모형은 응집성이 약한 혼란상태(조직화된 무질서)에서의 의사결정을 기술하고 설명한다.

② 불명확한 기술이 아니라 유동적 참여자에 해당하는 내용이다.

④ 문제성 있는 선호가 아니라 불명확한 기술(인과관계)에 해당하는 내용이다.

정답 09 ② 10 ③ 11 ② 12 ③

13 **의사결정모형 중 쓰레기통모형의 내용이 아닌 것은?** 2016년 지방직 7급

① 진빼기 결정
② 의사결정을 구성하는 네 가지의 흐름
③ 조직화된 무정부 상태
④ 갈등의 준해결

14 **의사결정모형에 대한 설명으로 옳지 않은 것은?** 2022년 국가직 9급

① '최적모형'은 정책결정자의 합리성뿐 아니라 직관 · 판단 · 통찰 등과 같은 초합리성을 아울러 고려한다.
② '쓰레기통모형'은 대학조직과 같이 조직구성원 사이의 응집력이 아주 약한 상태, 즉 조직화된 무정부상태(organized anarchy)에서 의사결정이 이루어지는 과정을 설명하려고 시도한다.
③ '점증모형'은 실제 정책의 결정이 점증적인 방식으로 이루어질뿐 아니라 정책을 점증적으로 결정하는 것이 바람직하다는 입장을 견지한다.
④ '회사모형'은 조직의 불확실한 환경을 회피하고 조직 내 갈등을 극복하기 위하여 장기적인 전략과 기획의 중요성을 강조한다.

15 **조직의 의사결정과정에서 나타나는 특성에 대한 개념을 바르게 연결한 것은?** 2016년 국가직 7급

A. 시간과 능력의 제약 때문에 정책결정자들은 모든 상황을 고려하기보다 특별히 관심을 끄는 부분에 대해서만 고려한다.
B. 정책결정에서는 관련 집단들의 요구가 모두 성취되기보다는 서로 나쁘지 않을 정도의 수준에서 타협점을 찾는 경향이 있다.
C. 반복적인 의사결정의 경험이 전수되며 시간의 흐름에 따라 결정수준이 개선되고 목표달성도가 높아지게 된다.
D. 정책결정자들의 경험이 축적됨에 따라 가장 효율적이라고 판단되는 정책결정절차와 방식을 마련하게 되고 이를 활용한 정책결정이 증가한다.

ㄱ. 조직의 학습
ㄴ. 표준운영절차 수립
ㄷ. 갈등의 준해결
ㄹ. 문제 중심의 탐색

	A	B	C	D
①	ㄱ	ㄴ	ㄷ	ㄹ
②	ㄱ	ㄷ	ㄹ	ㄴ
③	ㄹ	ㄴ	ㄷ	ㄱ
④	ㄹ	ㄷ	ㄱ	ㄴ

16 앨리슨(Allison)모형 중 다음 내용에 초점을 두고 정책결정을 설명하는 것은? 2021년 지방직 9급

> 1960년대 쿠바 미사일 사태에서 미국은 해안봉쇄로 위기를 극복하였다. 정부의 각 부처를 대표하는 사람들은 위기 상황에서 각자가 선호하는 대안을 제시하였다. 대표자들은 여러 대안에 대하여 갈등과 타협의 과정을 거쳤고, 결국 해안봉쇄 결정이 내려졌다. 이는 대통령이 사태 초기에 선호했던 국지적 공습과는 다른 결정이었다. 물론 해안봉쇄가 위기를 해소하는 최선의 대안이라는 보장은 없었고, 부처에 따라서는 불만을 가진 대표자도 있었다.

① 합리적 행위자모형 ② 쓰레기통모형
③ 조직과정모형 ④ 관료정치모형

정답 및 해설

13 쓰레기통모형

갈등의 준해결은 연합모형(회사모형, 조직모형)의 특징에 해당한다. 서로 다른 목표를 지닌 구성원들의 연합체에서 일어나는 갈등과 모순되는 목표들을 하나로 통합하는 방법이 없기 때문에 갈등의 완전한 해결은 불가능하며 준해결(Quasi-Resolution of Conflict)에 머물고 만다고 보는 입장으로 쓰레기통모형과는 거리가 멀다.

쓰레기통모형의 전제조건

(1) 문제성 있는 선호
(2) 불확실한 기술(인과관계)
(3) 일시적 참여자

14 의사결정모형의 특징

회사모형(연합모형)은 합리모형과 달리 불확실한 환경을 회피하고 조직 내의 갈등을 극복하기 위하여 장기적인 전략과 기획보다는 단기적이고 일시적인 전략과 기획을 중요시한다.

| 선지분석 |

① 최적모형에 대한 설명이다.
② 쓰레기통모형에 대한 설명이다.
③ 점증모형은 기존정책이나 결정에 약간의 변화를 추구하는 것으로 정책을 점증적으로 결정하는 것이 바람직하고 이상적이라고 본다.

15 연합(회사)모형

A~D는 연합모형(회사모형, 조직모형)의 특성에 대한 내용으로, 각각 A는 문제 중심의 탐색(ㄹ), B는 갈등의 준해결(ㄷ), C는 조직의 학습(ㄱ), D는 표준운영절차 수립(ㄴ)에 해당한다.

- A - 문제 중심의 탐색: 정책결정능력에는 시간과 능력 등의 제약이 있으므로 모든 문제를 고려할 수 없고, 관심이 가거나 중요한 문제 중심으로 대안을 탐색한다.
- B - 갈등의 준해결: 관련 집단들의 요구는 모두 달라 완전히 수용될 수 없으므로 적절한 수준에서 타협하여 대안을 탐색한다.
- C - 조직의 학습: 의사결정이 반복되는 과정에서 쌓인 경험을 통해 결정이 개선되고 목표달성도가 높아지게 된다.
- D - 표준운영절차 수립: 장기적인 의사결정 과정에서 가장 효율적이라고 생각되는 행동규칙을 마련하여 활용하는 것으로, 이를 발견하고 수립하는 것이 연합모형의 최종 목표이다.

16 앨리슨(Allison)모형

제시문은 앨리슨(Allison)모형 중 관료정치모형의 특징에 해당한다. 1960년대 쿠바 미사일 사태에서 미국의 해안봉쇄 결정은, 대통령의 단일적 결정(합리적 행위자모형)이 아닌 여러 대표자들(개인적 행위자)의 정책대안에 대한 갈등과 타협을 통하여 내려진 것이 핵심적인 특징이다.

정답 13 ④ 14 ④ 15 ④ 16 ④

17 **앨리스(Allison)의 관료정치모형(모형 III)에 대한 설명으로 옳은 것은?** 2023년 국가직 9급

① 정책결정은 준해결(quasi-resolution)적 상태에 머무르는 경우가 많다.

② 정책결정자들은 국가 전체의 이익이나 전략적 목표를 극대화하기 위한 결정을 한다.

③ 정책결정에 참여하는 구성원들 간의 목표 공유 정도와 정책결정의 일관성이 모두 매우 낮다.

④ 정부는 단일한 결정주체가 아니며 반독립적(semi-autonomous) 하위조직들이 느슨하게 연결된 집합체이다.

18 **킹던(Kingdon)의 '정책의 창(policy windows) 이론'에 대한 설명으로 옳지 않은 것은?** 2018년 국가직 9급

① 마치(March)와 올슨(Olsen)이 제시한 쓰레기통모형을 발전시킨 것이다.

② 문제흐름(problem stream), 이슈흐름(issue stream), 정치흐름(political stream)이 만날 때 '정책의 창'이 열린다고 본다.

③ '정책의 창'은 국회의 예산주기, 정기회기 개회 등의 규칙적인 경우뿐 아니라, 때로는 우연한 사건에 의해 열리기도 한다.

④ 문제에 대한 대안이 존재하지 않을 경우 '정책의 창'이 닫힐 수 있다.

19 **킹던(Kingdon)이 제시한 정책흐름모형에 대한 설명으로 옳은 것만을 모두 고르면?** 2023년 지방직 9급

ㄱ. 경쟁하는 연합의 자원과 신념체계(belief system)를 강조한다.
ㄴ. 쓰레기통모형을 발전시킨 것이다.
ㄷ. 정책 과정의 세 흐름은 문제흐름, 정책흐름, 정치흐름이 있다.

① ㄱ
② ㄷ
③ ㄱ, ㄴ
④ ㄴ, ㄷ

20 **사이버네틱스(cybernetics) 의사결정모형에 대한 설명으로 옳지 않은 것은?** 2018년 국가직 9급

① 주요 변수가 시스템에 의하여 일정한 상태로 유지되는 적응적 의사결정을 강조한다.

② 문제를 해결하고 목표를 달성하기 위해 정보와 대안의 광범위한 탐색을 강조한다.

③ 자동온도조절장치와 같이 사전에 프로그램된 메커니즘에 따라 의사결정이 이루어진다.

④ 한정된 범위의 변수에만 관심을 집중함으로써 불확실성을 통제하려는 모형이다.

21 **정책결정모형에 대한 설명으로 옳은 것은?** 2023년 지방직 9급

① 혼합주사모형(mixed scanning approach)은 1960년대 미국의 쿠바 미사일 위기사건을 설명하기 위해 연구된 모형이다.

② 사이버네틱스모형을 설명하는 예시로 자동온도조절장치를 들 수 있다.

③ 쓰레기통모형은 갈등의 준해결, 문제 중심의 탐색, 불확실성 회피, 표준운영절차의 활용을 설명하는 모형이다.

④ 합리모형은 만족할 만한 수준에서 의사결정이 이루어진다고 설명하는 모형이다.

정답 및 해설

17 앨리슨(Allison)모형

앨리슨(Allison)의 관료정치모형(모형 III)은 독립적인 개인적 행위자들의 집합체로서 정책결정에 참여하는 구성원들 간의 목표 공유 정도와 정책결정의 일관성이 모두 매우 낮다.

| 선지분석 |

① 조직과정모형(모형 II)의 특징이다.

② 합리적 행위자모형(모형 I)의 특징이다.

④ 조직과정모형(모형 II)의 특징이다.

18 킹던(Kingdon)의 정책의 창 이론

정책의 창(policy windows) 모형의 세 가지 흐름에는 이슈흐름(issue stream)이 아니라 정책의 흐름(policy stream)이 포함된다.

19 킹던(Kingdon)의 정책흐름모형

킹던(Kingdon)의 정책흐름모형은 쓰레기통모형을 발전시킨 것으로, 정책과정의 세 흐름인 문제, 정책, 정치흐름을 강조하는 흐름모형이므로 ㄴ과 ㄷ은 옳은 지문이다.

| 선지분석 |

ㄱ. 경쟁하는 연합의 자원과 신념체계(belief system)를 강조하는 모형은 사바티어(Sabatier)의 통합모형(ACF)이다.

20 사이버네틱스 의사결정모형

문제해결과 목표달성을 위한 정보와 대안의 광범위한 탐색을 강조하는 것은 합리모형의 특징이다. 사이버네틱스(cybernetics)모형은 완전한 분석적 합리성이 존재하지 않는 적응적 의사결정을 특징으로 한다.

21 정책결정모형

사이버네틱스모형은 자동온도조절장치와 같이 일정한 상태의 유지를 위한 끊임없는 적응에 초점을 두며 새로 추가된 정보에 따라 대안의 결과예측을 수정해 나감으로써 불확실성을 감소시켜 나간다.

| 선지분석 |

① 1960년대 미국의 쿠바 미사일 위기사건을 설명하기 위해 연구된 모형은 앨리슨 모형이다.

③ 갈등의 준해결, 문제 중심의 탐색, 불확실성 회피, 표준운영절차의 활용을 설명하는 모형은 연합(회사) 모형이다.

④ 만족할 만한 수준에서 의사결정이 이루어진다고 설명하는 모형은 만족모형이다.

정답 17 ③ 18 ② 19 ④ 20 ② 21 ②

CHAPTER 4 정책집행론

1 정책집행의 본질

1 정책집행

1. 의의[1]

(1) 정책집행은 결정과정을 통해 얻어진 계획과 수단들을 실행에 옮기는 것으로 일련의 정치 · 행정적 활동으로 이루어진다. 정책의 내용은 정책목표와 정책수단으로 이루어지는데, 이 중 정책집행은 주로 정책수단을 실현시키는 것이다.

(2) 정책수단이 실현되었다고 해서 반드시 정책목표가 달성되는 것은 아니며, 정책목표가 달성되지 않더라도 정책집행은 이루어진 것으로 본다.

(3) 모든 정책이 반드시 집행을 의도하거나 집행이 되어야만 효과가 발생하는 것은 아니다. 상징정책의 경우, 특정한 정책을 보유하고 있다는 사실 자체에 목적을 두며 반드시 집행을 의도하고 있는 것은 아니다.

[1] 정책의 부집행과 정책의 실패
1. **정책의 부집행**: 정책수단이 실현되지 못한 것이다.
   예 정책목표가 불량청소년 선도이고 정책수단이 상담활동일 때 상담이 이루어지지 못한 경우
2. **정책의 실패**: 정책집행의 산출은 있었으나, 집행의 성과가 나타나지 않은 것이다.
   예 불량청소년의 상담은 이루어졌으나, 청소년이 전혀 선도되지 않은 경우

2. 특징

(1) 계속적이고 구체적인 결정

결정된 정책은 추상적인 경우가 많은데, 이에 따라 집행과정에서 그 실현을 위한 구체적 방안들에 대하여 계속적 결정이 이루어진다.

(2) 정책문제의 해결 및 목표달성

인적자원과 물적자원을 동원함으로써 정책문제해결과 목표를 달성하는 과정이다.

(3) 정책대상집단에 대한 영향력 행사

정책집행과정에서 시민들과 직접적으로 접촉하며 정책대상집단에 대해 실질적 영향력을 행사한다.

(4) 정책형성과 상호작용

정책집행은 정책을 수정하고 정책형성과 상호작용하기도 한다.

3. 과정

(1) 정책지침 작성

① 정책지침이란 정책이나 법률의 의도를 해석하여 정책의 집행에 필요한 사항 등을 규정해 놓은 것이다. 정책이 법률로 나타난 경우 법규(대통령령, 총리령, 부령), 명령, 내부규정, 지시 등으로 표현된다.

② 현실적으로 집행이 가능하도록 정책내용을 구체화시켜 무엇을 어떻게 하는가를 집행자에게 밝혀 주어야 한다.

③ 정책지침 작성단계에서는 SOP(표준운영절차)가 사용되며, 이를 개발·작성하는 것이 핵심이다. 표준운영절차(SOP) 또는 상례(routine)는 행정실무적으로는 'OO 업무처리규정(지침)'으로 작성되며 이를 정책설계(policy design)라 한다.

고득점 공략 표준운영절차(SOP; Standard Operating Procedure)❶

1. 의의
   ① **개념**: 업무수행의 기준이 되는 표준적인 규칙 또는 절차를 의미한다.
   ② **중요성**
   - **의사결정국면**: 조직구성원의 통제수단 또는 단기적 의사결정을 좌우한다.
   - **정책집행국면**: 불확실성을 통제하여 반복적 업무수행에 있어 성공적인 정책집행을 가능하게 한다.

2. 유형

구분	일반적 SOP	구체적 SOP
의의	장기적 행동규칙으로서 장기적 환류에 의해 서서히 변함	단기적 행동규칙으로서 일반적 SOP를 집행하기 위해 보다 구체화시킨 SOP로, 단기적 환류에 의해 변함
기능	불확실성의 회피, 장기적 합리성 도모, 반복적인 업무추진 용이	기록·보고, 업무수행규칙, 정보처리규칙, 계획과 기획에 관한 규칙 등

3. 장단점

장점	· 조직의 안정성 유지와 불확실성 극복 · 조직운영의 합리화: 반복적이고 일상적인 업무에 소요되는 시간과 노력을 절약할 수 있음 · 공평성의 확보: 정책결정자의 재량 축소, 전국적으로 동일한 기준 적용
단점	· 형식주의와 시간의 지연(red tape): 지나친 규정화는 형식주의를 야기할 수 있음 · 획일성으로 인한 개별적 특수성의 무시 · 지나치게 세밀하여 상황적응적 집행의 결여 · 동일시의 위험과 조직의 관성(inertia) 조장: 정책집행자가 환경변화 시에도 기존의 SOP를 적용하여 정책실패를 야기할 가능성 있음

(2) 자원확보

집행담당기관이나 집행대상자에 대한 기구·인력·예산·시설·정보 등 집행에 필요한 인적·물적자원을 확보하고 배분한다.

(3) 조직화

정책집행기구를 설치하고 집행절차를 마련하는 등 조직화한다.

(4) 실현활동

확보된 자원을 이용하여 정책지침에 따라 정책대상자에게 서비스나 혜택을 제공하거나 규제대상집단에게 규제를 가한다.

(5) 감독·통제와 환류

실현활동이 지침에 따라 충실하게 수행되었는가의 여부를 점검·평가하고 필요시 이를 시정한다.

❶ SOP의 실무사례 – 위기관리 기본지침
국가안전보장회의(NSC)는 2004년 9월부터 정부기관의 위기관리업무에 기준이 될 '국가위기관리 기본지침'과 '유형별 위기관리 표준 매뉴얼'을 제정하여 시행하였다. 대통령훈령으로 국가적 위기상황에 따라 '관심 → 주의 → 경계 → 심각' 등 4단계의 조기경보제 도입을 골자로 하는 기본지침이 제정되었다.

핵심 OX

01 정책집행은 정치성과 문제해결지향성을 띤다. (O, X)

01 O

2 정책집행연구의 대두[1]

1. 고전적 집행이론

(1) 정책연구의 사각지대(black box)

1970년 이전까지 정책집행에 관한 연구가 이루어지지 않았는데 이는 고전파 행정학이 정책집행을 단순한 작업으로 가정하였기 때문이다. 즉, 결정이 있으면 집행은 기계적인 작업이라고 보고 집행을 별도로 연구하지 않았다(Hargrove 'Missing Link[2]').

(2) 행정은 정치에 의해 결정된 정책의 내용을 충실히 집행하는 것이며(정치행정이원론), 연구의 초점은 조직 · 인사 · 재무관리 등이다.

2. 현대적 집행이론 등장(Pressman & Wildavsky)

(1) 미국에서 존슨(Johnson) 대통령이 시행한 '위대한 사회' 프로그램의 일환인 오클랜드 프로젝트에 대한 평가 이후에 정책집행연구에 대한 관심이 대두되었다. 즉, 프레스만(Pressman)과 윌다브스키(Wildavsky)가 오클랜드 프로젝트가 자원의 충분한 확보에도 불구하고 실패하게 된 요인을 분석하면서 정책집행에 대한 연구가 중요하게 부각되기 시작한 것이다.

(2) 1970년대 프레스만(Pressman)과 윌다브스키(Wildavsky)의 『집행론(Implementation)』 이후에 정책집행연구가 활성화되었다.

고득점 공략 오클랜드 프로젝트(흑인취업 프로그램)

1. 내용
   ① 1960년대 초 미국 전역에서 발생한 흑인 폭동에 자극받은 존슨(Johnson) 행정부가 흑·백인이 조화롭게 살아가는 '위대한 사회'를 건설한다는 슬로건 아래 각종 지원정책을 시행하였다.
   ② 이의 일환으로 1966년 4월에 흑인 실업자를 취업시키기 위한 실험적 사업으로 오클랜드(Oakland)라는 인구 36만 5천 명 정도의 작은 도시에 2천 3백만 달러의 거액을 투입하여 공공시설(비행장의 격납고, 항구의 하역시설 등)을 건설하고 여기에 2,200여 개의 새로운 일자리를 마련한다고 발표하였다.
   ③ 그러나 이로부터 3년 정도가 지난 1969년에 약 3백만 달러가 겨우 지출되었고 마련된 일자리 숫자는 20여 개 정도로 너무나 충격적인 것이었다.
   ④ 이 정책이 실패하게 된 원인을 프레스만(Pressman)과 윌다브스키(Wildavsky)가 『집행론(Implementation)』을 통해서 자세히 분석하였다.
2. 실패원인
   ① 참여기관 및 참여자가 너무 많아서 거부점(veto point)으로 작용하였다.[3]
   ② 보직 변경 등으로 인한 중요 인물의 잦은 교체도 집행에 대한 기존의 지지와 협조를 허물고 리더십의 중단을 가져왔다.
   ③ 정책결정과 정책집행이 분리되어 정책집행을 위한 여러 가지 다양한 요인이 고려되지 못하였다.
   ④ 경기회복담당기관(EDA; 경제개발처)이 사회복지사업의 집행을 담당하는 등 적절하지 않은 기관이 정책집행을 담당하였다.

---

[1] 정책집행의 세대별 변천단계
1. 제1세대 집행연구(고전적 정책집행; Pressman & Wildavsky) - 정책집행의 실패사례분석: 하향적 시각을 지니고 전방향적 도식화와 거시적 분석을 통하여 집행을 제약하는 요인을 연구하였다.
2. 제2세대 집행연구(현대적 정책집행; Sabatier & Mazmanian, Elmore) - 정책집행의 성공사례분석: 1980년대로서 정책집행의 성공사례분석을 통하여 좀 더 긍정적인 차원에서 정책집행의 성공요인을 분석하는 미시적 방법론에 입각하여 분석하였다. 주로 정책의 유형에 따라 집행이 달라져야 한다는 상황적응론에 입각하여 이루어졌다.
3. 제3세대 집행연구(현대적 정책집행; Goggin, O' Toole) - 주로 정부 간 정책집행분석: 1980년대 말부터 1990년대 초에 강조된 것으로 정책의 다양한 집행양태를 강조하였다(O' Toole). 집행에 영향을 미치는 변수들 간의 인과적 복잡성을 중시하고 과학적인 접근을 시도하였으며, 시간의 경과에 따라 집행과정과 결과는 변한다는 '집행의 동태성'과 '집행의 다양성'을 강조하였다.

[2] Missing Link
하그로브(Hargrove)는 정책과정에서 정책집행에 대한 연구가 소외된 것을 '잃어버린 연계(missing link)'라고 표현하였다.

[3] 프레스만과 윌다브스키(Pressman & Wildavsky)의 역설
정책단계에서의 집행가능성이 매우 높더라도 의사결정점의 수 또는 거부점의 수가 많을수록 정책집행의 성공가능성이 낮아진다는 것을 말한다.

고득점 공략 정책설계와 넛지이론

1. 정책설계(policy design)

① **개념:** 정책설계란 주어진 문제해결을 위한 올바른 수단을 선택하는 과정이다(Elmore). 정책설계는 설정된 정책목표를 달성하기 위하여 여러 가지 정책수단을 유기적으로 결합시키는 목적지향적인 프로그램 설계활동이다. 즉, 사회가 당면한 문제를 해결하기 위하여 조작 가능한 요소들을 목적과 수단들 간의 인과관계에 따라 재배열하는 것으로서 하향식 접근방법에서 강조하는 개념이다.

② **방향:** 정책설계의 관점에서는 집행연구를 행정 내부의 활동으로만 보지 않고 정책형성활동과 밀접하게 관련된 것으로 본다. 최근에는 하향식 접근과 상향식 접근을 종합하는 입장에서, 구체적 상황에 적합한 집행수단의 모색을 강조하는 정책설계의 관점이 등장하게 되었다.

2. 넛지이론(nudge theory)

① **개념:** 넛지(nudge)는 원래 '팔꿈치로 슬쩍 찌르다'라는 뜻으로 탈러(Thaler)와 선스타인(Sunstein)은 이를 선택을 유도하는 부드러운 개입이라는 의미로 행동경제학을 주장하였다. 넛지이론은 강압하지 않고 부드러운 개입으로 사람들이 더 좋은 선택을 할 수 있도록 유도하는 방법을 뜻한다. 즉, 넛지를 통하여 실제의 인간 행동에 관한 행동경제학의 통찰을 정부의 정책설계 및 집행에 적용하기 위한 이론이다.

② **디폴트 옵션:** 디폴트 옵션의 설정은 환경 조건을 디자인하는 '선택 설계자'와 재지정하지 않으면 자동적으로 설정되는 기본값인 '디폴트 옵션'이 있는데 이러한 디폴트 옵션의 설정을 통하여 사람들의 인지적 편향을 전략적으로 활용하는 것이다. 예를 들면 장기 기증의 디폴트 옵션을 동의로 지정한다면, 이에 대한 거절의 의사표시 전까지는 장기 이식에 동의하는 것으로 간주하게 되므로 디폴트 옵션을 부동의로 지정했을 경우보다 상대적으로 장기 기증률이 높아지게 되는 것이다.

개념PLUS 신고전학파 경제학과 행동경제학의 비교

구분	신고전파 경제학	행동경제학
인간관	· 완전한 합리성(이기성) · 경제적 인간 (homo economicus)	· 제한된 합리성, 생태적 합리성 · 이타성 · 호혜성 · 심리적 인간 (homo psychologicus)
연구방법	가정에 기초한 연역적 분석	실험을 통한 귀납적 분석
의사결정모델	· 효용극대화 행동 · 기대효용이론(효용함수)	· 만족화 행동, 휴리스틱 · 전망이론(가치함수)
정부역할의 근거와 목적	· 시장실패와 제도실패 · 제화의 효율적인 생산과 공급	· 행동적 시장실패 · 바람직한 의사결정 유도
정책수단	법과 규제, 경제적 유인	넛지(선택설계)

2 정책집행의 유형

1 정책집행의 접근방법[1]

1. 하향적 접근방법(top – down approach)

(1) 의의

정책이란 상위부서의 정책결정자들에 의해 만들어져서 집행담당자에게 내려지는 지침으로, '초기 조건과 예측하는 내용을 포함하는 하나의 가정'이라고 정의하며 정책결정자의 관점을 중시한다.

(2) 특징

① 정책집행을 단순히 정책결정의 내용을 충실하게 이행하는 과정으로 보고 정책은 하위 행정부에 의해서 기계적으로 처리된다.

② 정책결정자가 집행과정에 대하여 절대적 영향력을 행사하며, 최고결정자의 리더십을 성공적인 정책집행의 핵심으로 본다.

③ 정책과 집행의 완전한 인과관계를 성공적 집행의 조건으로 본다.

④ 집행과정에서 법적 구조화나 중요한 요소의 체계화를 강조한다.

(3) 장단점

① 장점

㉠ 집행과정의 법적 구조화의 중요성을 인식시켜 주었다.

㉡ 정책집행 성공의 중요한 요소를 분명하고 체계적으로 밝히고 있기 때문에 집행과정에서의 문제점을 예견할 수 있는 체크리스트의 기능을 한다.

㉢ 소수의 집행변수에 초점을 두고 전체적 집행과정에 관심을 집중시킬 수 있다.

㉣ 법적으로 명시된 정책목표를 중시하므로 객관적인 정책평가가 가능해진다.

② 단점

㉠ 다원적 민주주의체제에서는 현실적으로 명확하고 일관된 정책목표의 설정이 어렵다.

㉡ 하나의 정책에만 초점을 맞추므로 여러 정책이 동시에 집행되는 경우를 설명하기 곤란하다.

㉢ 집행과정의 문제점을 미리 예견하여 그 해결방안을 법령에 제시하기란 현실적으로 힘들다.

㉣ 정책집행을 원하는 자들의 입장에서 집행과정을 연구하므로 정책반대자의 입장이나 행동을 쉽게 파악할 수 없다.

㉤ 주로 상위부서의 정책결정에 중심을 두므로 집행현장의 중요성을 간과하게 된다.

---

❶ 정책집행의 접근방법의 구분
하향적 접근방법은 버만(Berman)의 정형적 접근, 엘모어(Elmore)의 전향적 접근방법(forward mapping)과 같은 맥락이며, 상향적 접근방법은 버만(Berman)의 적응적 접근, 엘모어(Elmore)의 후향적 접근방법(backward mapping)과 같은 맥락이다.

핵심 OX

01 문제상황에 대한 대응성이나 관료의 재량을 중시하는 것은 고전적 정책집행을 강조하는 것이다. (O, X)

02 현대 정책집행이론은 정치와 행정을 분리하고 정책집행을 순수한 행정과정으로 이해한다. (O, X)

01 X 재량을 중시하는 것은 현대적 정책집행과 밀접한 관련이 있다.
02 X 현대 정책집행은 정치와 행정은 불가분의 관계에 있으므로 상호작용하는 관계로 파악한다.

2. 상향적 접근방법(bottom-up approach)[1]

(1) 의의

정책집행을 다수의 참여자들 사이에서 발생하는 상호작용으로 인식하여, 정책집행자들의 재량이나 갈등 등 상호작용을 중요하게 다룬다.

(2) 특징

① 조직 내 개인의 활동을 출발점으로 보고 문제상황에 대한 대응성을 강조한다.
② 상호작용 · 분권화 · 협상과 집행자의 전문적 경험을 중요시한다.
③ 집행을 참여자 상호 간의 갈등과 협상으로 이해한다.
④ 실제의 정책결정은 일선집행권자의 집행과정에서 구체화되므로 정책결정과 정책집행 간의 엄밀한 구분에 의문을 제기한다.
⑤ 정책결정자의 의도보다 일선기관이나 일선관료의 행태에 중점을 둔다.
⑥ 목표가 상대적으로 일반성과 모호성을 띤다. 즉, 논의의 초점을 정책목표 대신 집행문제의 해결에 둔다.

(3) 장단점

① 장점

㉠ 실제적인 집행과정을 상세히 기술하여 집행과정의 인과관계를 잘 설명할 수 있다.
㉡ 집행현장을 있는 그대로 파악하기 때문에 집행현장에서 발생하는 의도하지 않았던 부수적 효과나 부작용을 쉽게 파악할 수 있다.
㉢ 정책반대세력의 움직임이나 전략을 장기적으로 파악 · 연구하는 것이 용이하다.
㉣ 문제해결능력 측면에서 민간이나 시장의 역할과 정부정책의 상대적 중요도를 평가할 수 있다.
㉤ 여러 정책들이 동시에 추진되는 경우, 정책프로그램이 교차하는 집행영역을 보다 잘 다룰 수 있다.
㉥ 시간의 경과에 따른 전략적 상호작용이 어떻게 형성되고 변화되는지를 파악하기 용이하다.

② 단점[2]

㉠ 정책결정권자가 통제할 수 있는 정책집행의 거시적인 틀을 간과하기 쉽다.
㉡ 집행과정에 영향을 미치는 정치 · 경제 · 사회적인 여러 요인들을 무시할 가능성이 있다.
㉢ 공식적 정책목표가 간과되므로 집행결과에 대한 객관적 평가가 어려워진다.
㉣ 집행현장을 중심으로 하는 귀납적 접근이므로 일관된 연역적 분석의 틀을 제시하기가 어렵다.
㉤ 정책결정과 집행의 구분이 불필요하다는 관점은 선출직 공무원에 의한 정책결정과 책임이라는 민주주의의 기본가치에 위배된다.

---

❶ 정책학습(policy learning)

1. **개념**: 정책과정에서 이루어지는 학습활동이다. 정책목표의 성취 여하에 따른 원인을 규명하고, 성취했을 경우에는 성취요건들을 계속 강화해 나가며, 실패했을 경우에는 오류의 원인을 규명하고 해결책을 강구하는 한편 환경변화에 맞추어 정책목표들을 수정 · 보완해 가는 과정에서 이루어지는 학습활동을 말한다.
2. **정책학습의 유형(May)**

수단적 학습	· 집행수단이나 기법을 통한 학습 · 정책개입이나 집행설계의 실행가능성 제고
사회적 학습	· 정책목표나 정부활동의 본질 및 적합성 학습 · 정책문제 그 자체의 핵심에 맞춤
정치적 학습	· 정치적 변화를 찬성 또는 반대하기 위한 학습 · 주어진 정책적 사고나 문제를 주장하고 그러한 주장을 더 정교하게 하기 위한 전략

❷ 공공정책갈등의 프레임

1. **정체성 프레임(identity frames)**: 갈등당사자가 스스로를 어떻게 정의하는가와 관련된 프레임으로 자신에게 정책의 피해자라는 특징을 부여하며 범주화한다.
2. **사회적 통제 프레임(social control frames)**: 권력의 정당성에 대한 갈등해결 당사자들의 인식으로 사회적 이슈에 대한 결정이 어떻게 이루어져야 하는가에 대한 인식이다.
3. **손익 프레임(gain vs loss frames)**: 갈등이슈가 자신들에게 손해 또는 이익을 가져오는가에 대한 시각이나 평가로서 위험수준에 대한 당사자들의 인식을 말한다.
4. **특징 부여 프레임(characterization frames)**: 상대방을 어떻게 정의하는가와 관련되며 흔히 원인을 타인이나 상황적 요인으로 전가하는 근본적 귀속의 오류가 나타난다.

핵심정리 고전적 · 하향적 접근방법과 현대적 · 상향적 접근방법의 비교

구분	고전적 · 하향적 접근방법 (top-down)	현대적 · 상향적 접근방법 (bottom-up)
정책상황	안정적 · 구조화	유동적 · 동태화
정책목표 수정	수정 필요성 없음(목표 명확)	수정 필요성 높음
결정과 집행	정책결정과 집행의 분리(이원론)	정책결정과 집행의 통합(일원론)
관리자의 참여	참여 제한, 충실한 집행이 중요시됨	참여 필요
집행자의 재량	집행자의 재량 불인정	집행자의 재량 인정
정책평가의 기준	집행의 충실성 및 성과	환경에의 적응성 중시, 정책성과는 2차적 기준
집행의 성공요건	정책결정자의 리더십	정책집행자의 재량권
핵심적 법률	있음	없음
연구목적	성공과 실패의 원인 유형화	상황적응적 집행

3. 통합모형(integration model)

(1) 의의

1980년대 중반 이후 하향적 접근과 상향적 접근이 지닌 각각의 장단점을 보완하고자 하는 학문적 노력이 발생하게 되었고, 여러 유형의 통합모형이 등장하였다.

(2) 유형

① 사바티어(Sabatier)의 정책지지연합(ACF; Advocacy Coalition Framework)모형[1]

㉠ **개념**: 상향적 · 하향적 접근방법의 특성들을 통합하여 하나의 분석틀을 구성하려는 시도이다. 상향적 접근방법의 분석단위를 채택하고, 여기에 영향을 미치는 요인으로 하향적 접근방법의 여러 가지 변수인 사회 · 경제적 상황과 법적, 제도적 수단들을 결합하는 것이다(통합모형).

㉡ **신념체계**: 정책집행을 단순히 정책과정을 거쳐 완료되는 것으로 보는 것이 아니라 신념체계를 지닌 하위연합들 간의 상호작용(경쟁과 갈등, 타협과 협상 등)을 통한 정책변화를 추구하는 정책지향 학습을 강조한다.

개념PLUS 정책지지연합의 신념체계(belief system)

1. 정책지지연합의 신념체계
   ① 기저핵심 신념(deep core beliefs)
   ② 정책핵심 신념(policy core beliefs)
   ③ 부차적 신념(secondary beliefs)
2. 기저핵심 신념(deep core beliefs)
   가장 상위수준의 신념으로 인간의 본성에 관한 가정, 자유 및 평등과 같은 본질적인 가치의 중요성, 시장과 정부의 적절한 역할(우파와 좌파의 구별) 등에 관한 신념을 포함한다. 이러한 기저핵심 신념은 유아기의 사회화과정의 산물로서 쉽게 변화되지 않으며 각 행위자들은 이러한 신념을 실현하기 위하여 경쟁하고 갈등하며 발전해나가는 과정에서 정책학습과 정책변동이 일어난다고 본다.

[1] 사바티어(Sabatier)의 비교우위적 접근방법
하향적 접근방법 또는 상향적 접근방법 중에서 하나의 접근방법이 다른 접근방법에 비해 상대적으로 적용될 가능성이 높은 조건을 발견한 후, 그러한 조건에 따라 둘 중 하나의 접근방법을 개별집행연구의 이론적 틀로 사용하는 것이다.

ⓒ **정책중재자**: 정책변동과정에서는 정책중재자(policy mediator)가 중요한 역할을 한다. 정책지지연합은 자신들의 신념체계를 관철시키기 위하여 여론, 정보, 인적자원 등을 동원한다. 이러한 정책지지연합 간에 정치적 갈등발생 시 정책중재자(예 시민단체, 정부 등)가 이를 조정하는 중요한 역할을 한다.

② **윈터(Winter)의 정책결정·집행 통합모형**: 정책집행에 영향을 주는 요인으로서 ㉠ 정책형성과정의 특징, ㉡ 조직 내 혹은 조직 상호 간의 집행 형태, ㉢ 일선집행 관료의 행태, ㉣ 정책대상집단의 행태를 들고 있으며 합리모형, 갈등 - 타협모형, 쓰레기통모형별로 정책결정과정에서의 특징들이 정책집행에 어떻게 영향을 주는가에 대하여 연구하였다.

③ **엘모어(Elmore)의 통합모형**: 정책결정자들이 정책프로그램 설계 시 하향적 접근방법에 의하여 정책목표를 결정하되, 상향적 접근방법에서 제시하는 방법을 수용하여 가장 집행가능성이 높은 정책수단을 선택하는 방안을 제시함으로써 양 접근방법의 통합을 이루고자 한 것이다.

④ **매틀랜드(Matland)의 통합모형**

㉠ **의의**: 매틀랜드(Matland, 1995)는 정책집행에 영향을 미치는 수많은 변수를 찾는 데 중점을 둔 것이 아니라, 양 접근방법이 어떠한 조건하에서 더 잘 적용되는지, 이때 중요해지는 집행변수가 무엇인지를 탐색하였다.

구분		정책갈등	
		낮음	높음
정책 목표의 모호성	낮음	관리적 집행	정치적 집행
	높음	실험적 집행	상징적 집행

ⓐ **관리적 집행**: 하향적 접근이 가능한 모형으로 SOP가 나타난다.

ⓑ **정치적 집행**: 정치적인 매수, 담합, 날치기 통과 등이 주로 나타난다.

ⓒ **실험적 집행**: 정책을 학습으로 보며 정책결과는 맥락적인 조건에 의해 결정된다고 본다.

ⓓ **상징적 집행**: 상향적 접근이 유용한 모형으로 집행과정은 목표와 수단을 해석하는 과정으로 본다. 여기에는 참여자에 대한 직업적인 훈련과정이 중요한 영향을 미친다고 본다.

㉡ **한계**: 어떤 논리적 근거로 정책갈등이나 정책목표의 모호성이라는 변수가 선정되었는지 분명하지 않다.

2 정책집행연구의 유형

1. 나카무라와 스몰우드(Nakamura & Smallwood)의 유형(1980)

나카무라(Nakamura)와 스몰우드(Smallwood)는 정책결정자와 정책집행자와의 관계를 다섯 가지 유형으로 구분한 후, 정책결정자와 정책집행자의 역할 및 정책집행자의 권한과 요구되는 역량 등에 대한 기본가정과 각 유형에서 발생할 가능성이 높은 정책집행의 실패원인에 대해서 설명하고 있다. 고전적 기술자형에서 관료적 기업가형으로 나아갈수록 정책결정자의 권한과 통제는 약해지고 정책집행자의 재량은 커진다고 보았다.

(1) 고전적 기술자형

① 정책결정자가 정책목표를 명확하게 설정하고 정책집행자는 이러한 목표를 지지한다.

② 정책결정자는 계층제적인 통제구조를 구축하여 기술적인 권위를 특정 정책집행자에게 위임함으로써 설정된 정책목표를 수행하도록 한다.

③ 정책집행자는 정책목표를 달성할 수 있는 기술적인 역량을 보유하고 있다고 보며, 이 조건이 만족되지 않기 때문에 대부분의 집행실패가 발생한다고 가정한다.

④ **사례:** 성공사례로서 1960년대 달 착륙계획이 있고, 실패사례로서 1954년 「원자력에너지법」이 있다.

(2) 지시적 위임가형

① 정책결정자가 명확한 정책목표를 설정하고 정책집행자들은 설정된 목표의 소망성에 동의한다.

② 정책결정자는 정책집행자에게 정책목표를 달성할 것을 지시하고 행정적(관리적) 권한을 위임한다.

③ 정책집행자는 목표달성에 필요한 행정적 · 기술적 역량과 협상력을 가지고 있다.

④ **사례:** 실패사례로서 레이들로(Laidlaw)의 미국 이민정책, 1966년 미국 경제개발청의 오클랜드(Oakland) 사업계획이 있다.

(3) 협상가형

① 공식적 정책결정자가 정책목표를 설정한다.

② 정책결정자와 정책집행자 간에 정책의 소망성에 대한 합의를 반드시 이루어야 하는 것은 아니다.

③ 정책집행자들은 정책목표와 정책수단에 대해 정책결정자와 협상을 한다.

④ **정책실패의 원인**

㉠ 정책집행자의 기술이 부족한 경우 발생한다.

㉡ 협상의 실패로 인한 정책집행자의 불만이 심화될 경우 발생한다.

⑤ **사례**

㉠ **정책결정자의 권력독점:** 케네디(Kennedy) 대통령의 철강가격 동결이 있다.

㉡ **정책집행자의 권력독점:** 시카고 시장이 존슨(Johnson) 대통령의 연방교육보조금 지불유예를 취소시킨 사건이 있다.

㉢ **양자 간에 상호적응한 경우:** 「수자원기획법」에 의한 연방보조사업이 있다.

(4) 재량적 실험가형

① 공식적인 정책결정자는 추상적 · 일반적 정책목표를 설정한다. 하지만 지식의 부족 또는 불확실성 때문에 정책목표를 구체적으로 설정할 수 없다.

② 정책목표를 구체화하고 그것을 달성할 수 있는 정책수단을 개발할 수 있도록 정책결정자는 정책집행자에게 광범위한 재량을 위임한다.

③ 정책집행자는 기꺼이 임무를 수행하고, 이에 필요한 능력도 보유하고 있다.

④ 재량적 실험가형은 불확실성이 높은 상황에서는 가장 혁신적인 집행방법이 될 수도 있다.

핵심 OX

01 나카무라와 스몰우드(Nakamura & Smallwood)의 분류에 따르면 정책결정자와 집행자와의 관계에 있어 집행자의 역할이 최소화되는 것은 고전적 기술자형이다. (O, X)

02 협상가형은 정책결정자가 정책상황의 불확실성 등으로 인하여 일반적이고 추상적인 목표의식은 가지고 있지만 구체적인 정책을 형성할 능력이 없어 정책목표를 명확하게 표명하지 못할 때, 정책집행자에게 광범위한 재량권을 주어 그들로 하여금 목표를 명확하게 하고 성취수단을 재량적으로 개발하고 활용하게 하는 것이다. (O, X)

03 정책집행자가 정책결정자의 권력을 장악하거나 정책과정을 지배하는 형태는 관료적 기업가형이다. (O, X)

04 정책결정자가 정책집행자를 엄격히 통제하여 집행자가 결정된 정책내용을 충실히 집행하는 유형은 관료적 기업가형이다. (O, X)

01 O
02 X 재량적 실험가형에 대한 설명이다.
03 O
04 X 고전적 기술자형에 대한 설명이다. 관료적 기업가형은 정책집행자가 정책결정자의 권력을 장악하거나 정책과정을 지배하려는 유형이다.

⑤ **정책실패의 원인**

㉠ 정책집행자의 전문성과 지식이 부족할 경우 정책실패가 일어난다.

㉡ 애매모호한 정책결정으로 인한 집행상의 혼란이 발생할 경우 정책실패가 일어난다.

⑥ **사례:** 정부가 암이나 심장질환과 같은 특정 질병의 해결을 위한 연구를 국립보건기구나 의과대학에 의뢰하는 경우 등으로, 대공황 이후 행정권의 강화로 인해 현대 행정에서 일반적으로 나타나고 있다.

(5) 관료적 기업가형

① 정책집행자가 정책목표를 결정하고 공식적 정책결정자를 설득 또는 강제하여 이 정책목표를 받아들이도록 한다.

② 정책집행자는 자신이 설정한 정책목표를 채택하도록 확신시키고 또 이에 필요한 능력을 보유하고 있다.

③ 정책집행자는 정책목표달성에 필요한 정책수단을 확보하기 위해서 정책결정자와 협상한다.

④ **사례**

㉠ **정보의 독점을 통한 경우:** 닉슨(Nixon) 행정부의 가족보조 사업계획이 있다.

㉡ **관료의 저항을 통한 경우:** 1978년 브라운(Brown) 국방장관이 정책담당차관으로 레소를 임명하자 관료들이 저항한 경우가 있다.

㉢ **기업가정신을 통한 경우:** 연방조사국(FBI)의 후버(Hoover) 국장이 여론을 적절히 활용하여 기구축소나 폐지압력에서 벗어난 경우가 있다.

핵심정리 나카무라와 스몰우드(Nakamura & Smallwood)의 정책집행유형

구분	정책결정자의 역할	정책집행자의 역할	정책평가기준
고전적 기술자형	· 추상적 · 구체적 목표설정 · 정책집행자에게 기술적 권한위임	정책결정자의 목표를 지지하고 기술적 권한을 강구	능률성과 효과성
지시적 위임자형	· 추상적 · 구체적 목표설정 · 행정적 권한위임	정책집행자 상호 간 행정적 권한에 관하여 교섭	능률성과 효과성
협상가형	· 추상적 · 구체적 목표설정 · 정책집행자가 목표와 달성수단에 관해 협상	정책목표와 수단에 관하여 정책결정자와 협상	주민만족도 (정치적 참여)
재량적 실험가형	· 추상적 목표를 설정 · 정책집행자에게 광범위한 재량권 위임	정책집행자는 구체적 목표와 수단을 확보	수익자 대응성 (반응성)
관료적 기업가형	정책집행자가 설정한 목표와 목표달성수단을 지지	정책목표달성을 위해 필요한 수단을 형성시키고 정책결정자로 하여금 그 목표를 받아들이도록 설득	체제유지도

2. 버만(Berman)의 정책집행모형(1978)

(1) 거시적 집행구조과 미시적 집행구조

① **거시적 집행구조**[❶]: 중앙정부와 지방자치단체의 관계, 중앙정부의 부처 간의 관계로서 느슨한 연합체의 성격을 지니며 정형적 집행을 추구한다.

② **미시적 집행구조**[❷]: 직접 서비스를 전달하는 일선집행기관이나 지방정부의 하위조직으로서, 정책결정자가 결정한 정책을 그대로 따라서 집행하는 것이 아니라 개별적인 집행환경에 부합하는 적응적 집행이 바람직하다는 것이다.

(2) 정형적 집행과 적응적 집행

① **정형적 집행(하향적 집행)**: 명확한 정책목표에 의거하여 사전에 수립된 집행계획에 따라 일사분란하게 이루어지는 집행이다.

② **적응적 집행(상향적 집행)**: 불명확한 정책목표에 의거하기 때문에 정책목표를 둘러싼 갈등이 심하게 나타날 수 있으며 다수의 참여자들이 당사자 간의 협상이나 타협 등을 통해 정책을 수정하고 구체화하면서 집행해 가게 된다.

개념PLUS 정형적 집행과 적응적 집행의 비교

구분	정형적 집행	적응적 집행
정책상황	안정적·구조화된 상황	유동적·동태적 상황
정책목표 수정	목표 명확, 수정 필요성 적음	수정 필요성 많음
관리자의 참여	참여 제한, 충실한 집행 강조	참여 필요
집행자의 재량	불인정	인정
정책평가의 기준	집행의 충실성 및 성과	환경에의 적응성 중시

3. 립스키(Lipsky)의 일선관료제(1976)

(1) 의의

① 일선관료란 시민들과 직접 접촉하는 공무원으로 경찰, 교사, 지방법원판사, 사회복지요원 등이 대표적인 일선관료이다.

② 립스키(Lipsky)는 일선관료들이 일반적으로 처하게 되는 업무환경을 살피고 업무환경의 어려움에 대처하기 위해 어떠한 적응 메커니즘을 개발하는지 그리고 그러한 적응 메커니즘이 일선관료의 집행활동에 어떠한 영향을 미치는지를 분석하였다.[❸]

(2) 일선관료의 중요성

① 행정에서의 중요한 행위자

㉠ **행정에서 큰 비중 차지**: 일선관료의 인원수나 그들의 인건비가 공공예산에서 점유하는 비중을 생각하면 그들의 중요성을 짐작할 수 있다.

㉡ **일상생활에 중대한 영향**: 일선관료는 일반시민과 면대면(面對面)으로 접촉하며, 일반시민들의 일상생활에 중대한 영향을 미치기 때문에 중요하다. 특히 공공서비스에 대한 의존도가 높은 서민층일수록 그들의 역할은 증대된다.

---

❶ 버만(Berman)의 거시적 집행구조(정형적 집행)의 단계

1. **행정**: 정책결정을 구체적인 정부 프로그램으로 전환하는 것이다.
2. **채택**: 구체화된 정부프로그램이 집행을 담당하는 지방정부 사업으로 받아들여지는 것이다.
3. **미시적 집행**: 지방정부가 채택한 사업을 실행사업으로 변화시키는 것이다.
4. **기술적 타당성**: 정책목표와 수단과의 인과관계를 통한 정책성과의 산출단계이다.

❷ 버만(Berman)의 미시적 집행구조(적응적 집행)의 단계

1. **동원**: 집행조직에서 사업을 채택하고 실행계획을 세우는 것이다.
2. **전달자의 집행**: 집행과정에 적응(adaptation)하는 것이다.
3. **제도화**: 채택된 사업의 집행이 원활하게 이루어지지 않으면 지속적인 정책산출이 어렵기 때문에 정형화·표준화의 과정을 거쳐야 한다.

❸ 홀(Hall)의 정책패러다임변동모형

홀(Hall)의 정책패러다임변동모형은 정책형성을 '정책목표', '정책수단' 그리고 '정책환경' 등 세 변수를 포함하는 과정으로 간주하고, 정책목표와 정책수단에 있어서 급격한 변화를 가져오는 정책변동을 '패러다임변동(paradigm shift)'으로 개념화한 모형이다.

② **재량권 행사에 따른 실질적 정책수행**: 일선관료가 가지고 있는 재량권을 어떻게 행사하느냐에 따라서 실질적으로 그들이 공공정책을 만든다. 일선관료의 개인적인 의사결정이 모여서 그들이 속한 행정관서의 정책이 된다는 것이다. 일선관료가 재량권을 가질 수밖에 없는 이유는 다음과 같다.

㉠ 일선관료들이 처한 업무상황을 일률적으로 정형화시키기에는 너무 다양하고 복잡하다.

㉡ 일선관료들의 업무는 기계적이기보다는 인간적 차원에서 대처하여야 할 상황이 많다.

㉢ 재량권은 일선관료들이 고객들의 복지에 아주 중요한 역할을 하고 있다고 믿게 하고 싶은 그들의 욕망을 충족시켜 줌으로써 그들의 자부심을 높여 준다.

③ **일선관료의 재량권 제한의 한계**: 상위관리자들이 조직의 목표를 극대화하기 위해 그들의 재량권을 제한하는 경우에도 뚜렷한 한계가 존재한다. 일선관료들은 노동조합을 이용할 수 있고 조직구조상 중요한 정보와 업무에 대한 전문지식을 독점하고 있으므로 없어서는 안 되는 필수적인 존재로 인식되기 때문이다.

(3) 일선관료의 업무환경[1]

① **만성적인 자원부족**: 일선관료들이 수행해야 하는 업무량에 비해 그들에게 제공되는 자원들은 만성적으로 부족하다.

② **서비스 초과수요현상**: 일선관료들이 제공하는 서비스에 대한 수요는 공급능력에 비해서 항상 앞서 증가한다. 서비스가 질적으로 훌륭하고 고객의 요구와 필요에 민감할수록 수요는 폭발적으로 증가한다. 이러한 서비스 초과수요현상으로 인해 일선관료들은 인위적으로 수요를 제한하거나 고객들에게 보이지 않는 대가를 지불하게 만들어야 할 필요를 느끼게 된다.

③ **목표의 모호성과 객관적 평가기준 부재**: 일선관료들이 일하는 부서 자체의 목표들이 모호하거나 이율배반적인 경우가 많다. 또한 업무수행을 목표와 연계시켜서 평가할 만한 객관적인 기준을 정하기가 어렵다.

(4) 일선관료의 업무관행(적응방식) - 단순화 · 정형화 · 관례화

① 일선관료들은 과다한 업무량과 직무의 복잡성에 대처하기 위해 업무의 단순화 · 정형화 · 관례화를 꾀한다.

② 서비스에 대한 수요를 제한하기 위한 할당배급방식을 고려한다. 이론적으로 공공재화의 수요를 제한한다는 것은 불가능하기 때문에 일선관료는 공공재화 · 서비스를 할당배급하는 방법들을 개발한다.

㉸ 간접적인 금전부담의무를 지우거나, 대기시간을 길게 하는 방법, 정보제공에 있어서의 제한 등

4. 엘모어(Elmore)의 정책집행(조직론적)모형(1985)

(1) 체제관리모형

① 고전적 · 하향적 모형으로, 서열화된 목표지향적 활동을 추구한다.

② 집행의 실패이유는 미숙한 관리에 있다고 보고 성공조건으로 효율적인 관리체제를 강조한다.

[1] 일선관료의 업무환경
1. 불충분한 자원
2. 권위에 대한 위협과 도전
3. 모호하고 대립되는 기대

핵심 OX

01 립스키(Lipsky)의 일선관료제이론에 따르면 일선관료들의 재량권이 부족하여 업무가 지연된다. (O, X)

02 립스키(Lipsky)에 따르면 일선관료들은 인위적으로 수요를 제한하거나 고객들에게 보이지 않는 대가를 지불하게 만든다. (O, X)

03 립스키(Lipsky)의 일선관료제이론에 따르면 일선관료들이 일하는 부서 자체의 목표들은 명확하기 때문에 이들은 업무수행을 목표와 연계시켜서 평가할 만한 객관적인 기준을 정하기가 용이하다. (O, X)

01 X 상황의 복잡성과 다양성으로 인하여 정책은 실질적으로 일선관료들에 의해 결정되며 상당한 재량을 보유하게 된다. 그러나 이율배반적인 목표, 과중한 업무량 등으로 인하여 업무의 지연이 나타난다.
02 O
03 X 일선관료들이 일하는 부서 자체의 목표들이 모호하거나 이율배반적인 경우가 많기 때문에 업무수행을 목표와 연계시켜서 평가할 만한 객관적인 기준을 정하기가 어렵다.

(2) 조직발전모형

① 조직의 계층적 통제를 극소화하고 결정권을 조직의 모든 계층에 균등하게 배분하는 조직구조를 강조한다.

② 집행의 성공조건으로 정책결정자와 정책집행자 간의 정책합의가 중요하다고 보았다.

(3) 관료적 과정모형

① 조직 내 모든 행태를 재량과 루틴으로 설명하며, 집행이란 재량을 억제하고 루틴을 활성화시키는 과정으로 본다.

② 관료제가 루틴을 바꾸지 않을 경우 정책이 실패하므로, 집행이 성공을 거두기 위해서는 조직의 루틴을 새로운 정책과 통합시키는 문제가 중요하다고 본다.

(4) 갈등협상모형

① 조직은 갈등의 장이므로 조직 내 의사결정은 개인 간 협상과 조직단위 간의 협상에 의해 이루어진다고 본다.

② 집행의 성공이나 실패는 상대적 개념이라고 보며 집행의 성공여부와 관련된 유일한 기준은 '협상과정의 존속여부'로 본다.

3 정책집행에 영향을 미치는 요인[1]

1. 성공적인 정책집행의 의의

(1) 성공적인 정책집행을 무엇으로 볼 것인가에 대해서는 다양한 의견이 있으나, 일반적으로 정책목표의 달성정도를 의미한다.

(2) 정책목표를 극대화한다 하더라도 그에 따른 비용이 많이 들어가는 경우에는 성공적인 정책집행으로 볼 수 없을 것이다. 따라서 여러 가지 기준에 입각해서 살펴보는 것이 일반적이다.

2. 성공적인 정책집행의 판단기준

학자들은 성공적인 정책집행에 다양한 기준을 제시하고 있다. 성공적이라는 용어 자체가 가치판단적인 요소를 내포하고 있기 때문이다.

(1) 나카무라와 스몰우드(Nakamura & Smallwood)의 기준

① 효과성

㉠ **의미:** 정책이 의도한 본래 목표를 어느 정도 달성하였는지 여부를 의미하는데, 결과에 초점을 두고 목표의 명확성이 요구되는 기준이며, 측정단위는 정책이 산출한 서비스의 양을 의미한다.

㉡ 한계

ⓐ 정책목표가 불분명할 경우에는 적용이 어렵다.

ⓑ 목표를 달성하였더라도 지나치게 비용이 많이 드는 경우나, 정책집행이 충실하게 이루어졌다 하더라도 정책내용이 잘못되어 목표달성이 이루어지지 못한 경우에는 효과성만 가지고 정책성공을 판단하는 것은 한계가 있다.

[1] 바르다흐(Bardach)의 집행게임(1977)
바르다흐(Bardach)는 정책집행을 기계를 조립해서 작동되도록 하는 조립과정으로 보고 집행자가 정책과정에서 수행하는 계획을 강조하였다. 그의 정책집행관은 '게임으로서의 집행'이라고 주장하며 집행을 어렵게 만드는 요인을 다음과 같이 제시하였다.
1. 자원의 유용(diversion of resources): 집행관료들의 공적 자원 유용이나 수뢰행위가 정책집행에 나쁜 영향을 미치게 한다.
2. 목표의 굴절(deflection of goals): 정책결정단계에서의 목표의 불명확성이 정책집행의 어려움을 가져온다.
3. 행정의 딜레마(dilemmas of administration): 집행과정에서 각 기관의 수많은 사업요소들의 결합에 관한 지시들이 정책집행의 어려움을 가져오며 이에 따라 명목주의, 저항, 사회적 무질서 등이 발생한다.

② 능률성

㉠ **의미:** 적은 투입·비용으로 산출의 극대화를 달성하였는지 여부를 의미한다. 즉, 능률성은 비용을 고려하여 집행의 성공 여부를 판단한다.

㉡ **한계:** 산출물을 정의하거나 측정하기가 어려울 경우에는 적용상의 한계가 있다.

③ **주민만족도:** 주민의 지지기반 확보 정도, 정치적 의지 반영의 정도를 의미한다. 즉, 주민들의 만족도가 높을수록 성공적인 정책집행이 이루어졌다고 할 수 있다.

④ **수익자 대응성:** 수익자에 대한 정책혜택이 수익자의 욕구나 주민의 편의성을 어느 정도 충족시켰는지 여부이다. 현대 민주주의에서 중요시되는 부분이다.

⑤ **체제유지도:** 정당화를 추구하면서 체제를 유지하려는 속성이 어느 정도인지의 여부(제도적 활성)를 의미하는데, 가장 포괄적인 기준에 해당한다.

(2) 실질적·내용적 판단기준(Dunn 등)

① **효과성:** 정책이 본래 의도한 목표를 어느 정도 달성하였는지 여부이다.

② **능률성:** 적은 투입으로 산출의 극대화를 달성하였는지 여부이다.

③ **형평성:** 사회적 가치의 공정한 배분정도이다.

④ **적합성:** 정책목표가 바람직한 것인지의 여부이다.

⑤ **적절성:** 정책목표가 문제해결에 충분한 것인지의 여부이다.

⑥ **대응성:** 국민의 정부서비스 만족정도이다.

개념PLUS 성공적인 정책집행의 학자별 판단기준

구분	판단기준	
나카무라와 스몰우드(Nakamura & Smallwood)의 판단기준	· 효과성 · 주민만족도 · 체제유지도	· 능률성 · 수익자 대응성
던(Dunn)의 실질적·내용적 판단기준	· 효과성 · 형평성 · 적절성	· 능률성 · 적합성 · 대응성
라인과 라비노비츠(Rein & Rabinovitz)의 주체적·절차적 판단기준	· 결정자의 정책의도의 실현 · 집행자의 관료적 합리성 · 집행관련집단의 요구 충족	
리플리와 프랭클린(Ripley & Frankin)의 판단기준	· 집행관료의 순응 · 집행과정의 완만성 · 바람직한 결과의 달성	

3. 성공적인 정책집행을 위한 요인

(1) 프레스만과 윌다브스키(Pressman & Wildavsky)의 견해

① 정책집행과 정책결정을 분리하여 생각해서는 안 된다.

② 정책결정자는 목적을 달성하기 위한 직접적인 수단까지도 강구하여야 한다.

③ 정책활동이 기초하고 있는 이론에 대한 신중한 검토가 있어야 한다.

④ 지속적인 리더십이 중요하다.

⑤ 정책은 단순한 것일수록 바람직하다.

핵심 OX

01 엘모어(Elmore)의 정책집행모형에서 체제관리모형과 조직발전모형은 규범적 모형이고, 관료적 과정모형과 갈등협상모형은 기술적 모형이다. (O, X)

02 바르다흐(Bardach)의 집행게임(1977)에서 집행을 어렵게 만드는 요인은 자원의 유용, 목표의 굴절(deflection of goals), 행정의 딜레마이다. (O, X)

03 던(Dunn)의 성공적 정책평가기준은 효과성, 능률성, 대응성(반응성), 형평성, 적합성, 적절성 등이다. (O, X)

01 O
02 O
03 O

(2) 사바티어와 마즈매니언(Sabatier & Mazmanian)의 견해

① 명확하고 일관된 정책목표가 있어야 한다.

② 타당성 있는 인과이론이 존재하여야 한다.

③ 정책집행자 및 정책대상집단의 순응을 확보할 수 있는 제재와 유인수단이 필요하다.

④ 의욕적이고 능력 있는 정책집행자가 있어야 한다.

⑤ 정책관련집단의 지지가 필요하다.

⑥ 정책의 인과이론이나 정책관련집단의 지지의 변동을 초래하지 않기 위해 환경의 변화가 최소화되어야 한다.

(3) 정책의 특성과 자원

① **정책내용의 명확성과 일관성:** 정책집행자에게 명확하게 전달되고 이해될 때 성공가능성이 높다. 그리고 정책목표나 수단들 간에 상호모순이나 대립이 없어야 한다.

② **정책내용의 소망성과 실현가능성:** 목표의 바람직한 정도가 높아야 한다. 즉 수단의 효과성 · 능률성 · 공평성 · 실현가능성이 높을 때 성공가능성이 높다.

③ **정책집행수단 및 자원의 확보:** 인적자원과 물적자원의 확보 및 설득, 유도, 강압과 같은 순응확보수단이 확보될 때 성공가능성이 높다.

④ **문제상황의 특성:** 복잡성 · 동태성 · 불확실성 등이 낮을 때 성공가능성이 높다.

(4) 정책결정자와 정책관련집단

① 정책결정자의 지지 및 태도가 높을 때 성공가능성이 높다.

② 대중 및 매스컴의 지지가 높을 때 성공가능성이 높다.

③ 정책대상집단의 태도와 정치력의 수준이 뛰어날 때 성공가능성이 높다.

(5) 집행조직과 담당자

① 집행주체의 능력(지적 · 관리적 · 정치적 능력)이 클 때 성공가능성이 높다.

② 집행자의 의욕과 태도가 강할 때 성공가능성이 높다.

③ **집행조직의 구조:** 환류구조, 의사전달체계, 분업과 조정체계가 확보될 때 성공가능성이 높다.

④ 조직의 분위기와 관료규범이 안정되어 있을 때 성공가능성이 높다.

⑤ **집행절차:** 표준운영절차(SOP)가 잘 구비되어 있을 때 성공가능성이 높다. 그러나 반대 견해도 있다. 중간매개집단이 많을 경우에는 성공가능성이 낮아지고, 이해관계자의 참여를 통한 협조 확보가 가능한 경우에는 성공가능성이 높아진다.

개념PLUS 정책집행의 성공에 영향을 미치는 요인

내적 요인(내용적 변수)	외적 요인(맥락적 변수)
· 정책목표의 명확성 · 의사소통의 효율성 · 집행책임자의 리더십과 능력문제 · 집행자의 성향 · 자원 · 정책집행절차, 표준운영절차(SOP)	· 환경적 여건의 변화 · 정책대상집단의 태도와 정치력 · 대중매체의 관심과 여론의 지지 · 정책결정기관의 지원

핵심 OX

01 사바티어(Sabatier)는 정책목표의 집행에 있어 우선순위를 탄력적으로 조정해야 한다고 주장한다. (O, X)

01 X 사바티어(Sabatier)는 명확하고 일관된 정책목표를 성공적인 집행요건으로 보았다.

4 정책집행상의 순응과 불응

1. 의의[1]

순응(compliance)이란 정책이나 법규에서 요구하는 행동에 따르는 행위를 의미한다. 반대로 여기에 따르지 않는 행위를 불응(non-compliance)이라고 한다. 순응의 주체는 일반적으로 정책대상집단, 중간매개집단 및 일선관료이다.

2. 원인과 구체적 행태

(1) 원인

① 순응의 원인

㉠ 정책결정자의 권위를 존중하는 경우

㉡ 합리적 · 의식적 수용이 있을 경우

㉢ 정부의 정통성에 대한 인정이 있을 경우

㉣ 처벌 · 제재의 가능성이 있을 경우

㉤ 정책집행기간이 장기화될 경우

② 불응의 원인(Coombs)

㉠ **기존 가치체계와의 갈등**: 기존의 가치체계와 갈등이 일어날 만한 사업을 추진하는 경우 불응을 하게 된다. 즉, 기득권 세력의 이익을 박탈하는 정책의 경우에 기득권 세력들은 조직적으로 반발하게 된다.

㉡ **정통성과 권위의 결여**: 정책결정 및 집행자에 대한 정통성과 권위가 없는 경우에는 집행이 수월하지 못하고 여러 가지 저항에 부딪히게 된다.

㉢ **자원 등 적절한 집행수단의 부족**: 예산의 부족 등 적절한 집행수단이 부족할 경우 불응을 하게 된다.

㉮ 환경오염규제사업을 추진하려는 경우 취지는 바람직하나 지나치게 많은 예산이 소요된다면 공무원들이 저항하게 됨

㉣ **커뮤니케이션의 왜곡**: 의사전달이 분명하지 못한 경우 불응을 하게 된다. 이는 정책집행에 있어서 갈등을 야기할 수 있다는 점에서도 문제로 지적된다.

㉤ **정책의 모호성**: 정책이 명확하지 못한 경우 불응을 하게 된다.

(2) 불응의 구체적 행태

의사전달에 대한 왜곡	유리한 정보만 전달한다.
정책집행의 지연	재임기간이 짧은 경우에 나타난다.
정책의 임의변경	재량권을 이용해 정책을 변경한다.
정책의 부집행	정책집행자가 정책결정자는 집행을 원하지 않을 것이라고 생각하는 경우이다.
형식적 순응	순응과 불응의 요소가 혼재된 상태에서 발생한다.
정책에 대한 취소의 권유	기술적인 이유 등을 제시하며 정책취소를 권유한다.

[1] 던컨(Duncan)의 순응과 수용
순응은 외면적 행동이 일정한 행동규정에 일치하는 것인 데 비해서, 수용(acceptance)은 외면적 행동의 변화만이 아니라 내면적 가치체계와 태도의 구체적인 변화를 의미하는 것으로 본다.

핵심 OX

01 불응에서 형식적 순응은 불응의 구체적 행태로 보지만, 부집행의 경우에는 불응의 구체적 형태로 보지 않는다. (O, X)

01 X 정책집행자가 정책결정자는 집행을 원하지 않을 것이라고 생각하는 경우를 부집행이라 하며, 이도 불응의 구체적 행태로 본다.

3. 순응확보를 위한 요건

(1) 일반적인 순응확보를 위한 요건

① 정책목표의 명확성

② 정책내용의 수정 · 보완

③ 정책결정자의 리더십

④ 의사전달의 활성화(정책결정자와 정책집행자 간, 집행관련기관 간)

⑤ 보상과 편익의 제공

⑥ 의식적 설득과 유인

⑦ 제재수단의 제공

⑧ 집행기간의 장기화

⑨ 정책의 정통성과 권위에 대한 믿음

(2) 순응의 확보방안[1]

순응의 확보를 위해서는 불응의 원인을 제거하여야 한다. 즉, 정책문제별로 불응의 원인들을 체계적으로 분석함으로써 강구될 수 있다.

① 강제적 처벌

㉠ 정책집행에 순응하지 않을 경우 벌과금 등의 불이익을 부과하는 방법이다.

㉡ 개인의 인권이나 재산권 침해의 우려가 있으므로 정책의 정통성에 대한 사회적 공감대 형성이 전제가 된다.

㉢ 처벌을 위한 불응의 행태를 정확하게 파악(폐수방출량 측정 등)하기 곤란하며 장기적으로 더욱 큰 불응이 수반될 수 있다.

② 유인과 보상

㉠ 정책집행에 순응 시에는 보상과 편익을 제공함으로써 자발적인 순응을 확보하는 방법이다.

㉡ 도덕적인 자각이나 이타주의적 고려에 의하여 자발적으로 순응하는 사람들의 명예나 체면을 고려하지 않고 인간을 타락시킬 가능성이 있다.

㉢ 저항을 줄이는 효과적인 방법이나, 미봉책에 불과하며 많은 비용이 소요되는 문제가 있다.

③ 도덕적 설득(가장 바람직한 순응확보전략)

㉠ 정책의 도덕적 당위성을 의식적으로 교육이나 설득을 통하여 호소하는 방법이다.

㉡ 도덕적 설득이 효과가 있기 위해서는 정책목표와 수단이 객관적인 타당성과 일관성이 있고 분명해야 하며, 결정주체의 정통성이 있어야 한다. 선전에 의한 호소도 하나의 방법이 될 수 있다.

㉢ 일선집행관료는 본래 정책집행을 해야 할 행정책임이 있기 때문에 큰 저항이 없으며, 정책에 의해 피해를 입는 희생자집단은 의도적으로 불응의 핑계를 찾으려 하며 이런 경우에 도덕적 설득이 필요한 것이다.

[1] 규제전략의 피라미드
1992년 에이어스와 브레이스웨이트(Ayres & Braithwaite)가 제시한 '규제전략의 피라미드'에 따르면 도덕적 설득 → 경제적 유인 → 강압과 처벌의 전략 순으로 단계적으로 활용되어야 한다.

핵심 OX

01 정책불응에 대한 순응방안으로 강압은 불필요하다. (O, X)

02 정책집행의 순응을 확보하기 위한 방안으로는 강제적 · 공리적 방안보다는 참여와 설득이 좋다. (O, X)

01 X 정책불응을 극복하기 위해서 다양한 형태의 순응확보방안이 마련될 수 있으며 강압도 고려의 대상이 된다.
02 O

학습 점검 문제

01 프레스만(Pressman)과 윌다브스키(Wildavsky)의 성공적인 정책집행에 관한 오클랜드 사례분석의 내용으로 옳지 않은 것은? 2021년 지방직 7급

① 정책집행에 개입하는 참여자의 수가 적어야 한다.

② 정책집행은 정책결정과 분리되어 독립적으로 수행해야 한다.

③ 정책집행을 위한 프로그램 설계가 단순해야 한다.

④ 최초 정책집행 추진자 또는 의사결정자가 지속해서 집행을 이끌어야 한다.

02 정책집행의 하향식 접근(top-down approach)에 대한 설명으로 옳은 것만을 모두 고르면? 2020년 지방직 9급

ㄱ. 집행이 일어나는 현장에 초점을 맞춘다.
ㄴ. 일선공무원의 전문지식과 문제해결능력을 중시한다.
ㄷ. 하위직보다는 고위직이 주도한다.
ㄹ. 정책결정자는 정책집행에 영향을 미치는 정치적 · 조직적 · 기술적 과정을 충분히 통제할 수 있다.

① ㄱ, ㄴ　　② ㄱ, ㄷ

③ ㄴ, ㄹ　　④ ㄷ, ㄹ

정답 및 해설

01 프레스만(Pressman)과 윌다브스키(Wildavsky)의 오클랜드 사례분석

프레스만(Pressman)과 윌다브스키(Wildavsky)는 정책집행연구의 초기 학자들로서 오클랜드 프로젝트의 실패원인이 정책결정과 정책집행을 분리되었기 때문으로 보고 정책집행을 정책결정과 분리하지 않고 연속적인 과정으로 정의하여 현대적 집행연구의 계기를 마련하였다.

오클랜드 프로젝트의 실패요인(Pressman & Wildavsky)

- 참여기관 및 참여자가 너무 많아서 거부점(veto point)으로 작용하였다.
- 보직 변경 등으로 인한 중요 인물의 잦은 교체도 집행에 대한 기존의 지지와 협조를 허물고 리더십의 중단을 가져왔다.
- 정책결정과 정책집행이 분리되어 정책집행을 위한 여러 가지 다양한 요인이 고려되지 못하였다.
- 경기회복담당기관(EDA; 경제개발처)이 사회복지사업의 집행을 담당하는 등 적절하지 않은 기관이 정책집행을 담당하였다.

02 정책집행의 하향식 접근

정책집행의 하향식 접근은 ㄷ, ㄹ이다. 하향식 접근은 정책이란 상위부서의 정책결정자들에 의해 만들어져서 집행담당자에게 내려지는 지침으로 정책결정자의 관점을 중시한다.

ㄷ. 하위직보다는 고위직이 주도하는 것은 하향식 접근의 특징이다.
ㄹ. 정책결정자가 정책과정을 충분히 통제할 수 있다고 가정하는 것은 하향식 접근의 특징이다.

| 선지분석 |

ㄱ. 집행현장에 초점을 맞추는 것은 상향식 접근에 해당한다.
ㄴ. 일선공무원의 전문지식과 문제해결능력을 중시하는 것은 상향식 접근에 해당한다.

정답 01 ② 02 ④

03 **정책변동모형 중에서 정책과정 참여자의 신념체계(belief system)를 가장 강조하는 모형은?** 2016년 국가직 9급

① 단절균형(punctuated equilibrium)모형

② 정책패러다임변동(paradigm shift)모형

③ 정책지지연합(advocacy coalition)모형

④ 제도의 협착(lock-in)모형

04 **정책옹호연합모형(advocacy coalition framework)에 대한 설명으로 옳지 않은 것은?** 2021년 지방직 9급

① 외적인 환경변수를 정책 과정과 연계함으로써 정책변동을 설명한다.

② 정책학습을 통해 행위자들의 기저핵심 신념(deep core beliefs)을 쉽게 변화시킬 수 있다.

③ 옹호연합 사이에서 정치적 갈등 발생 시 정책중개자가 이를 조정할 수 있다.

④ 옹호연합은 그들의 신념 체계가 정부 정책에 관철되도록 여론, 정보, 인적자원 등을 동원한다.

05 **나카무라(Nakamura)와 스몰우드(Smallwood)의 정책결정자와 정책집행자의 관계 유형 중 다음 설명에 해당하는 것은?** 2019년 국가직 9급

- 정책집행자는 공식적 정책결정자로 하여금 자신이 결정한 정책목표를 받아들이도록 설득 또는 강제할 수 있다.
- 정책집행자는 목표를 달성하기 위한 수단을 획득하기 위해 정책결정자와 협상한다.
- 미국 FBI의 국장직을 수행했던 후버(Hoover) 국장이 대표적인 예이다.

① 지시적 위임형　② 협상형

③ 재량적 실험가형　④ 관료적 기업가형

06 나카무라(Nakamura)와 스몰우드(Smallwood)의 정책결정자와 정책집행자의 관계에 따른 정책집행의 유형에 대한 설명으로 옳지 않은 것은? 2022년 국가직 9급

① '고전적 기술자형'은 정책결정자가 구체적인 목표를 설정하면, 정책집행자는 그 목표를 지지하고 목표달성을 위한 기술적인 수단을 강구하는 역할을 담당한다고 본다.

② '재량적 실험형'은 정책결정자가 추상적인 목표를 설정하면, 정책집행자는 정책결정자를 위해 목표와 수단을 명확하게 하는 역할을 담당한다고 본다.

③ '관료적 기업가형'은 정책집행자가 목표와 수단을 강구한 다음 정책결정자를 설득하고, 정책결정자는 정책집행자가 수립한 목표와 수단을 기술하는 역할을 담당한다고 본다.

④ '지시적 위임형'은 정책결정자가 구체적인 목표와 수단을 설정하면, 정책집행자는 정책결정자의 지시와 위임을 받아 정책대상집단과 협상하는 역할을 담당한다고 본다.

정답 및 해설

03 정책지지연합모형

정책변동모형 중에서 정책과정 참여자의 신념체계를 가장 강조하는 모형은 사바티어와 마즈매니언(Sabatier & Mazmanian)이 제시한 정책지지연합모형(정책옹호연합모형)이다. 정책지지연합모형이란 정책하위시스템 내 신념체계별로 구성된 정책지지연합 간에 자신들의 신념을 정책으로 관철하기 위하여 경쟁하고 타협하는 과정이 정책의 기본과정이라는 점을 강조하는 모형이다

04 정책옹호연합모형(advocacy coalition framework)

정책옹호연합모형은 정책옹호연합별 행위자들의 기저핵심 신념(deep core beliefs)은 유아시절 사회화과정의 산물로서 쉽게 변화되지 않으며 각 행위자들은 이러한 신념을 실현하기 위하여 경쟁하고 갈등하며 발전해나가는 과정에서 정책학습과 정책변동이 일어난다고 본다.

| 선지분석 |

① 정책과 관련된 외적인 환경변수(법, 제도 등)를 집행과정과 연계하여 정책변동을 설명한다.

③ 정책옹호연합 간에 정치적 갈등 발생 시 정책중재자가 이를 조정하는 중요한 역할을 한다.

④ 정책옹호연합은 자신들의 신념체계를 관철시키기 위하여 여론, 정보, 인적자원 등을 동원한다.

❶ 정책옹호연합의 신념체계

정책옹호연합의 신념체계는 기저핵심 신념(deep core beliefs), 정책핵심 신념(policy core beliefs), 부차적 신념(secondary beliefs) 등으로 구성된다고 본다. 기저핵심 신념(deep core beliefs)은 가장 상위수준의 신념으로 인간의 본성에 관한 근본적인 존재론적 가정, 자유 및 평등과 같은 본질적인 가치의 중요성, 시장과 정부의 적절한 역할(좌파와 우파의 구별) 등에 관한 신념체계를 포함한다.

05 나카무라와 스몰우드(Nakamura & Smallwood)의 정책집행모형

제시문은 나카무라(Nakamura)와 스몰우드(Smallwood)의 정책집행모형 중에서 관료적 기업가형에 해당한다. 관료적 기업가형에서 정책집행자는 자신이 설정한 목표를 달성하기 위한 수단을 획득하기 위해 정책결정자와 협상한다. 미국 연방조사국(FBI)의 후버(Hoover) 국장이 여론을 적절히 활용하여 연방조사국의 기구 축소 또는 폐지 압력에서 벗어난 경우가 대표적인 사례이다.

| 선지분석 |

② 협상형에서의 협상은 정책결정자와 집행자 간의 정책목표와 정책수단에 대한 동시적 협상으로 관료적 기업가형에서의 목표를 달성하기 위한 수단에 대한 협상과는 다르다.

06 나카무라와 스몰우드(Nakamura & Smallwood)의 정책집행모형

지시적 위임형은 정책결정자가 구체적인 목표를 설정하면 정책집행자가 정책수단을 강구하는 모형으로 옳지 않은 설명이다.

| 선지분석 |

① 고전적 기술자형에 대한 설명이다.

② 재량적 실험가형에 대한 설명이다.

③ 관료적 기업가형에 대한 설명이다.

정답 03 ③ 04 ② 05 ④ 06 ④

07 립스키(Lipsky)의 '일선관료제'에서 일선관료들이 처하는 업무환경의 특징으로 옳지 않은 것은? 2022년 국가직 9급

① 자원의 부족
② 일선관료 권위에 대한 도전
③ 모호하고 대립되는 기대
④ 단순하고 정형화된 정책대상집단

08 립스키(Lipsky)의 일선관료제(street-level bureaucracy)이론에 대한 설명으로 옳은 것은? 2018년 국가직 9급

① 일선관료는 고객에 대한 고정관념(stereotype)을 타파함으로써 복잡한 문제와 불확실한 상황에 대처한다.
② 일선관료가 업무를 수행하는 기관에 대한 고객들의 목표기대는 서로 일치하고 명확하다.
③ 일선관료는 집행에 필요한 자원이 부족할 경우 대체로 부분적이고 간헐적으로 정책을 집행한다.
④ 일선관료는 계층제의 하위에 위치하기 때문에, 직무의 자율성이 거의 없고 의사결정에 있어서 재량권의 범위가 좁다.

09 립스키(Lipsky)의 일선관료제(street level bureaucracy)에 대한 설명으로 옳지 않은 것은? 2023년 국가직 7급

① 일선관료에 대한 재량권 강화는 집행현장의 특수성 및 예상치 못한 사태에 대비하게 할 수 있다.
② 일선관료는 만성적으로 부족한 자원, 모호한 역할 기대, 그들의 권위에 대한 위협과 도전이라는 업무환경에 처해 있다.
③ 일선관료는 일반시민을 분류하지 않고, 모든 계층을 공평하게 대우한다.
④ 일선관료는 정부를 대신하여 시민에게 정책을 직접 전달하는 존재로, 특히 사회경제적 취약계층의 삶에 큰 영향력을 미친다.

10 정책집행의 성공가능성에 대한 설명으로 옳지 않은 것은? 2017년 지방직 9급(6월 시행)

① 정책집행연구의 하향론자들은 복잡한 조직구조가 정책의 성공적 집행을 도와준다고 주장한다.

② 정책목표와 정책수단이 구체적일수록 정책집행의 성공가능성이 커진다는 주장이 있다.

③ 불특정 다수인이 혜택을 보는 경우보다 특정한 집단이 배타적으로 혜택을 보는 경우에 강력한 지지를 얻을 수도 있다.

④ 배분정책은 규제정책이나 재분배정책에 비하여 표준운영절차(SOP)에 따라 원만한 집행이 이루어질 가능성이 더 크다.

정답 및 해설

07 립스키(Lipsky)의 일선관료제

일선관료는 정책 과정의 최종 단계에서 대상집단과 직접적으로 상호작용하며 업무수행 중 상당한 재량을 보유하는 공무원이나 집행요원을 말한다. 립스키(Lipsky)의 일선관료제이론에서 일선관료가 처하는 문제성 있는 업무환경으로 ① 자원의 부족, ② 일선관료 권위에 대한 도전, ③ 모호하고 대립되는 기대로 보며 ④의 단순하고 정형화된 정책대상 집단은 옳지 않은 설명이다. 일선관료가 상대하는 정책대상집단(국민)은 상황변화적인 업무가 많기 때문에 다양하고 비정형적이다.

08 립스키(Lipsky)의 일선관료제이론

립스키(Lipsky)에 따르면 일선관료는 집행에 필요한 자원이 부족할 경우 대체로 부분적이고 간헐적으로 정책을 집행한다.

| 선지분석 |

① 일선관료들은 불충분한 자원, 권위에 대한 위협과 도전, 모호하거나 대립되는 기대 등의 불리한 직무환경에서 업무를 정형화, 단순화, 관례화시키는 고정관념에 빠진다.

② 일선관료가 업무를 수행하는 기관에 대한 고객들의 목표기대는 서로 일치하고 명확한 것이 아니라 상충되거나 모호하다.

④ 일선관료는 하위계층에서 고객과 직접 접촉하는 업무를 담당하기 때문에 의사결정과정에서 상당한 재량권을 보유하고 있다.

09 일선관료제(street level bureaucracy)이론

일선관료는 모든 계층을 공평하게 대우하지 않고, 자신의 주관적 기준에 따라 고정관념을 형성하여 구분하고 서비스를 정형화·단순화·관례화한다.

10 정책집행의 성공가능성

정책집행연구의 하향론자들은 복잡한 조직구조보다 전통적인 계층제적 조직구조가 정책의 성공적 집행을 도와준다고 주장한다.

| 선지분석 |

② 정책목표와 수단이 구체적일수록 수혜자 집단의 조직화가 강하면 성공가능성이 커진다고 본다.

③ 불특정 다수인이 혜택을 보는 경우에는 집단행동의 딜레마가 발생하여 강력한 지지를 얻기 힘들지만, 특정 집단이 배타적으로 혜택을 얻으면 조직화가 강해져서 정책집행이 용이해진다.

④ 배분정책은 국가의 자원을 나눠먹기 하는 정치로서 커다란 저항과 반발이 없어 루틴화가 가능하며 원만한 집행이 이루어진다.

정답 07 ④ 08 ③ 09 ③ 10 ①

CHAPTER 5

정책평가론

1 정책평가의 의의와 유형

1 의의

1. 개념[1]

정책평가는 정책이나 사업계획의 집행결과가 의도된 정책목표를 실현하였는가, 당초 생각되었던 정책문제의 해결에 기여하였는가, 어떤 파급효과 내지 부차적 효과가 있는가를 체계적으로 탐색 · 조사 · 분석하려는 활동이다.

2. 등장배경

(1) '위대한 사회' 건설의 실패

1960년대 후반 존슨(Johnson) 행정부의 '위대한 사회(Great Society)' 건설을 위해 대대적으로 추진한 여러 사회정책사업들이 실패하였다는 지적들이 나타나면서 정부사업 전반에 대한 평가가 본격적으로 시작되었다.

(2) 계획예산제도(PPBS)의 도입 실패

기존 정책의 집행과 효과에 대한 경험적인 기초정보의 필요성을 절감하면서 여러 가지 평가방법들이 개발되기 시작하였다.

(3) 무모한 정책집행으로 인한 비능률

1970년대에 정책평가가 폭발적으로 증가한 것은 무엇보다도 미국정부가 사회정책사업을 무모하게 추진함으로써 발생한 비능률성과 미국사회 전반에 걸쳐 나타나게 된 보수주의적 경향 때문이다.

3. 목적[2][3]

합리적 목적	· 정책결정과 집행에 필요한 정보를 제공해 준다. · 정책과정상의 책임성 확보를 위한 것으로서 선거를 통해 국민들에게 책임을 진다. · 효과성 제고를 위한 제 기법의 실험 및 대안적 기법들의 평가기초를 제공한다. · 프로그램의 성공을 위한 원칙을 발견할 수 있다.
비합리적 목적	자신들에게 유리한 개인적 · 정치적 목적으로 정책을 평가하는 경우(의사평가)이다. 예 기만, 호도, 매장, 가장, 지연 등

❶ 정책분석과 정책평가
정책분석(policy analysis)이 넓은 의미로 사용될 때에는 정책평가가 포함된다. 일반적으로 정책분석은 사전적 분석활동, 정책평가는 사후적 분석활동을 말하며 정책분석이란 합리적인 정책결정을 위하여 사전적으로 정책대안을 비교 · 평가하는 것이고, 정책평가란 정책이 결정된 후에 집행과정이나 집행결과를 사후적으로 검토하는 것이다.

❷ 정책평가의 기준(Nakamura & Smallwood)
1. 효과성
2. 능률성
3. 주민만족도
4. 수익자 대응성
5. 체제유지도

❸ 정책평가의 목적(Bigman)
1. 목표가 얼마나 잘 충족되었는지 파악할 수 있다.
2. 정책 성공과 실패의 원인을 구체적으로 제시할 수 있다.
3. 정책 성공을 위한 원칙 발견과 향상된 연구를 위한 토대를 마련할 수 있다.
4. 목표달성을 위해 사용된 수단과 하위 목표들을 재확인할 수 있다.

4. 과정[1]

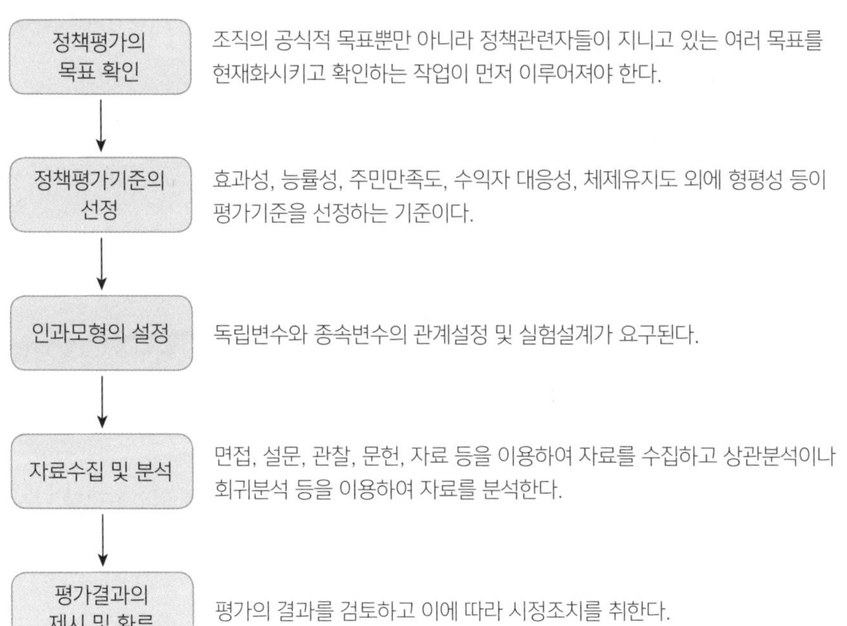

2 유형

1. 평가의 시기에 따른 분류 – 형성적 평가와 총괄적 평가

(1) 형성적 평가

① 정책집행이 이루어지는 도중에 수행하는 평가(도중평가, 과정평가)로 정책집행 과정에서 나타나는 문제들을 해결하여 사업계획을 더 나은 방향으로 개선하기 위한 것이다.

② 내부 평가자와 외부 평가자의 자문에 의한 공동평가를 시행한다.

(2) 총괄적 평가

① 정책집행이 이루어진 후에 수행되는 평가(사후평가)로, 정책이 당초 의도하였던 목적을 달성하였는지의 여부를 판단하는 것이다.

② 객관적이고 종합적인 평가를 위해서 주로 외부평가자가 평가한다.

2. 평가의 목적에 따른 분류 – 과정평가와 총괄평가

(1) 과정평가

① **협의의 과정평가**: 정책수단과 정책효과 간의 인과관계의 경로를 검증하는 평가이다.
㉠ 농가보조금지급 → 농민소득증대 → 농민생활안정의 인과경로를 검증하는 것

② **형성평가(집행분석 또는 집행과정평가)**: 정책집행이 의도하였던 대로 집행되었는지를 확인하고 문제점을 발견 · 시정하는 평가이다. 형성평가의 핵심은 집행분석이며 주요 수단은 사업감시(프로그램 모니터링*)이다.

---

[1] 정책평가의 질적 기법

기법	내용
심층 면담법	정보제공자로 하여금 연구문제와 관련된 경험이나 태도에 대해 대화하며 평가하는 방식
단체 면담법	소수의 사람들이 연구 안건에 토론하게 함으로써 연구과제에 대한 질적인 자료를 얻는 방법
참여 관찰법	관찰자가 사람들의 정책활동에 참여하여 연구과제에 관련된 정보를 수집 · 분석하는 방법
투사법	응답자들이 그들의 동기나 감정 등을 제대로 묘사할 수 없거나 답변을 거부할 경우, 자연스러운 방법으로 표현을 유도하여 정보를 수집하는 방법

용어

프로그램 모니터링(program monitoring)*: 정책프로그램에 대한 투입 또는 프로그램 활동들을 측정하고 이들을 기준값과 비교하며, 프로그램이 정책대상집단 또는 대상지역에 도달되고 있는지 그리고 프로그램이 설계대로 수행되고 있는지 등을 확인하는 정책평가기법을 말한다. 일반적으로 집행모니터링과 성과모니터링으로 구분한다.

핵심 OX

01 정책과정상의 정치적 책임은 정치체제의 담당자가 국민들에게 지는 책임으로서, 구체적으로는 선거를 통해서 지게 된다. (O, X)

02 정책평가에서 정치적 요인 등이 작용하여 본래의 평가목적을 벗어나는 평가로서 여론을 적절히 유도하는 방법 등을 사용하는 평가는 의사평가(pseudo evaluation)이다. (O, X)

03 일반적으로 정책평가는 과정평가를 의미한다. (O, X)

01 O
02 O
03 X 일반적인 정책평가는 총괄평가를 의미한다.

(2) 총괄평가❶

① 정책수단과 정책효과 간의 인과관계의 결과를 추정하는 것이다. 일반적으로 정책평가라 할 때에는 총괄평가를 말한다.

㉮ 농가보조금 지급 → 농민생활안정의 달성 여부(목표달성도)를 판단하는 것

② 정책이 의도한 방향으로 변화나 영향을 가져왔는지를 판단하는 것으로 기준에 따라 능률성 평가, 효과성 평가, 영향평가 등으로 나누어진다.

3. 기타 정책평가

(1) 평가성 사정(evaluability assessment = 평가성 검토)❷❸

본격적인 평가가 실시되기 이전에 평가의 목적을 달성하기 위한 평가의 가능성과 소망성을 검토하는 일종의 예비평가이다.

(2) 메타평가(상위평가, 평가결산)

'평가에 대한 평가'로서 기존 평가의 방법 · 절차 · 결과 등이 제대로 되었는지를 다시 평가하는 것이다. 상급자나 제3의 독립적인 외부전문가들에 의해서 이루어진다.

(3) 착수직전분석(사전분석)

새로운 프로그램의 평가를 기획하기 위해 본 평가를 착수하기 직전에 수행하는 평가기획작업으로 사전분석이라고도 한다.

핵심정리 프로그램 논리모형과 목표모형

구분	논리모형(logic model)	목표모형(target model)
유형	프로그램의 인과관계를 투입(input) - 활동(activity) - 산출(output) - 결과(outcome)로 도식화	프로그램의 목표와 중 · 장기 목표 달성에 대한 측정
시기	과정평가(도중평가, 집행 도중)	총괄평가(사후평가, 집행 후)
목적	인과관계의 경로설정 (논리적 관계 설정)	인과관계의 결과판단 (중 · 장기목표 달성의 측정 및 평가)

개념PLUS 여론조사와 공론조사

1. 여론조사(Public Opinion Poll)
   ① 개념
   - 어떤 사회 집단의 정치적, 사회적 문제나 정책에 대한 의견을 알아보는 조사를 말한다.
   - 전체 구성원 모두의 의견을 알아볼 수는 없으므로 표본을 뽑아 조사하게 되는데, 표본 내에서도 나이, 성별, 지역, 종교, 직업, 학력, 소득 등의 요소에 따라 성향이 달라질 수 있기 때문에 조사 목적에 맞게 표본의 구성을 조정하는 절차를 거친다.

   ② 방법
   - 사람이 직접 대상을 만나서 인터뷰를 진행하여 결론을 도출하는 대면 조사 방식과 통신망 등을 활용한 비대면 조사 방식으로 나뉜다.
   - 비대면 조사에는 전화면접 조사, ARS 조사, 모바일 패널 조사, 우편물 조사 방법 등이 있다.

   ③ 한계
   - 대면조사는 상대적으로 시간과 비용이 많이 들며, 조사원들에게 조사 방법론에 관한 일정 수준 이상의 훈련이 필요하다.

---

❶ 총괄평가의 유형
1. **능률성 평가**: 비용편익분석의 사후적 평가이다.
2. **효과성 평가**: 정책목표의 달성도를 평가한다.
3. **영향평가**: 정책이 의도한 방향으로 사회적 변화(영향)를 가져왔는지를 평가한다.

❷ 평가성 사정의 효과
1. 제한된 예산 · 인력으로 효율적인 평가를 수행할 수 있다.
2. 사업의 평가가능성이 향상된다.
3. 사업의 목표 · 활동 등에 대한 수정 및 변경이 가능하다.
4. 향후 본격적인 평가의 길잡이 역할을 한다.

❸ 의사평가(사이비평가)
1. 의의
   - 의사(擬似)평가(pseudo evaluation)란 이해관계자, 정책결정자, 전문가, 집행가, 평가자 등이 정당하지 못한, 즉 자신들에게 유리한 개인적 · 정치적 목적으로 정책을 평가하는 것이다.
   - 정치적 요인 등이 작용하여 본래의 평가목적을 벗어나는 평가를 의미한다. 여론을 적절히 유도하거나 정책목표의 정당성을 얻기 위한 수단 등이다.
   - '사이비평가'라고도 하는데 기만, 호도, 가장, 매장, 지연, 회피 등으로 나타난다.
2. **해결방안**: 던(Dunn)은 이와 같은 정당하지 못한 평가를 '의사평가'라고 하면서 이를 막기 위해서는 평가성 검토(사정)가 필요하다고 주장하였다.

핵심 OX

01 정책에 대한 전면적 평가를 시작하기 전에 평가목적을 달성하기 위한 기술적 가능성, 유용성 등을 조사하는 일종의 예비평가를 메타평가라고 한다. (O, X)

01 X 평가성 사정에 대한 설명이다.

- 비대면조사는 모바일이나 인터넷을 통한 표본 모집을 하는 경우도 있는데, 표본 자체의 무작위성이나 신뢰성 문제가 나타나게 된다.

2. 공론조사(Deliberative polling)
   ① 개념
   - 1988년 미국 스탠퍼드대 교수인 제임스 피시킨(James Fishkin)이 제안한 방법으로 주로 찬반이 확실한 사안에 대하여 정보를 충분히 제공받은 시민들이나 전문가들의 다양한 의견을 토론 등의 과정을 거쳐 수렴하여 공론을 형성하는 숙의형 여론조사기법이다.
   - 공론조사는 사회적 갈등의 해결책을 찾는 과정에서 이해관계자·전문가·일반시민 등의 다양한 의견을 민주적으로 수렴해 공론을 형성하는 것으로, 대의민주주의를 보완하는 숙의민주주의 방법의 하나이다.

   ② **장점**: 여론조사가 단편적 정보와 인식에 기초한 데 비해 공론조사는 다양한 정보와 사안에 대한 이해가 이뤄져야 하기 때문에 보다 합리적인 여론 수렴이 가능하다.
   ③ **단점**: 조사대상자의 범위가 일반여론조사보다 좁고, 단계별로 중간에 탈락하는 경우가 있기 때문에 대표성 측면에서 일반여론조사보다 낮다는 한계가 있다.
   ④ **도입사례**: 탈원전정책에서 공론화위원회를 통한 여론수렴, 통일문제에 대한 공론화과정, 제주 제2공항건설 공론화위원회, 국민연금개혁에 관한 공론화과정 등이 있다.

3 우리나라의 정책평가(「정부업무평가 기본법」의 주요 내용)

1. 「정부업무평가 기본법」의 제정[❶]

정부업무에 관한 효율적인 평가체제를 구축하고 업무추진의 효율성과 책임성을 확보하기 위하여 2001년 「정부업무 등의 평가에 관한 기본법」을 제정·시행하다가 2006년 4월부터 「정부업무평가 기본법」이 새롭게 제정·시행되고 있다.

2. 주관기관과 평가대상기관[❷]

주관기관	국무총리는 정부업무의 성과관리 및 정부업무평가에 관한 정책목표와 방향을 설정한 정부업무평가 기본계획을 수립하고, 최소한 3년마다 계획을 수정·보완하여야 한다.
평가대상기관	중앙행정기관, 지방자치단체, 중앙행정기관 또는 지방자치단체의 소속기관, 공공기관(지방공사, 지방공단, 연구기관) 등을 평가대상기관으로 한다.

3. 평가의 종류

(1) 중앙행정기관평가

자체평가	중앙행정기관의 장은 그 소속기관의 정책 등을 포함하여 자체평가를 실시하여야 한다. 연 2회 실시하며 상반기에는 과정 중심의 평가, 하반기에는 성과 중심의 평가를 실시한다.
재평가	국무총리는 중앙행정기관의 자체평가결과를 확인·검토 후 평가의 객관성·신뢰성에 문제가 있어 다시 평가할 필요가 있다고 판단되는 때에는 위원회의 심의·의결을 거쳐 재평가를 실시할 수 있다.

❶ 「정부업무평가 기본법」의 목적
개별적이고 중복되는 각종 평가를 통합·체계화하고, 소관 정책을 스스로 평가하는 자체평가를 정부업무평가의 근간으로 하여 자율적인 평가역량을 강화하며, 공공기관을 포함한 정부업무 전반에 걸쳐 통합적인 성과관리체제를 구축하려는 것을 목적으로 한다.

❷ 정부업무평가위원회
1. 정부업무평가의 실시와 평가기반의 구축을 체계적·효율적으로 추진하기 위하여 국무총리 소속하에 정부업무평가위원회를 둔다.
2. **위원회의 구성 및 운영(「정부업무평가 기본법」 제10조)**
   - 구성: 위원장 2인 포함 15인 이내의 위원
   - 위원장: 국무총리와 위원 ② 중에서 대통령이 지명하는 자
   - 위원
     ① 기획재정부장관, 행정안전부장관, 국무조정실장
     ② 다음의 어느 하나에 해당하며, 대통령이 위촉하는 자
       - 평가관련 분야를 전공한 자로서 대학이나 공인된 연구기관에서 부교수 이상 또는 이에 상당하는 직에 있거나 있었던 자
       - 1급 이상 또는 이에 상당하는 공무원의 직에 있었던 자
       - 그 밖에 평가 또는 행정에 관하여 위와 동등한 정도로 학식과 경험이 풍부하다고 인정되는 자

(2) 지방자치단체평가

자체평가	지방자치단체의 장은 그 소속기관의 정책 등을 포함하여 자체평가를 실시하여야 한다.
평가지원	행정안전부장관은 평가지표, 평가방법, 평가기반의 구축 등에 관하여 자치단체를 지원할 수 있다.
국가위임사무 등에 대한 평가(합동평가)	지방자치단체의 국고보조사업 등 국가위임사무 등에 대해 필요한 경우 행정안전부장관은 관계중앙행정기관의 장과 합동으로 평가를 실시할 수 있다.

(3) 특정평가

① 국무총리가 중앙행정기관을 대상으로 국정을 통합적으로 관리하기 위하여 필요한 정책 등을 평가하는 것이다.

② 국무총리는 둘 이상의 중앙행정기관 관련 시책, 주요 현안시책, 혁신관리 및 대통령령이 정하는 대상부문에 대하여 특정평가를 실시하고 그 결과를 공개하여야 한다.

(4) 공공기관평가

공공기관평가는 기관의 특수성·전문성을 고려하고 평가의 객관성과 공정성을 확보하기 위하여 외부기관이 실시한다.

4. 평가내용 및 지표(중앙행정기관 평가 중심)[1]

단계	평가기준	착안사항
정책 형성	정책목표의 적합성	· 목표가 상위 국정지표에 부합하며, 환경변화에 대응하고 있는가 · 목표가 명확히 제시되었는가
	계획내용의 충실성	· 하위 정책목표 및 수단(세부사업 등)이 충실하게 구비되었는가 · 계획수립을 위한 여론수렴 및 관련 절차는 충분히 이행되었는가 · 관련 기관의 정책과 연계협조 및 중복여부를 충분히 고려하였는가
정책 집행	시행과정의 효율성	· 일정계획에 맞추어 사업이 추진되고 있는가 · 투입된 자원을 목표달성을 위해 효율적으로 집행하고 있는가
	시행과정의 적절성	· 행정여건·상황이 변화를 적절히 포착하여 대응하고 있는가 · 국민 및 이해당사자에게 제대로 알리고 있는가 · 관련 기관·정책과 연계 및 협조체제를 구축하고 있는가
정책 성과	목표달성도	당초 설정한 정책목표는 달성되었는가
	정책효과성	해당 정책의 효과가 국민에게 실질적으로 나타나고 있는가

5. 평가결과의 공개와 활용

(1) 평가결과의 공개 및 보고

① 평가를 담당하는 기관의 장은 평가결과를 전자통합평가체계 및 인터넷 홈페이지 등을 통하여 공개하여야 한다.

② 국무총리는 매년 각종 평가결과보고서를 종합하여 국무회의에 보고 또는 평가보고회를 개최하여야 한다.

[1] 정부업무평가 관련 주요 사항

1. 정부업무평가의 평가대상분야와 평가기관(「정부업무평가 기본법 시행령」 제8조)
   - 주요 정책부문: 국무조정실
   - 재정사업부문: 기획재정부
   - 조직·정보화부문: 행정안전부
   - 인사부문: 인사혁신처
2. 인사혁신처의 균형인사제도 구성요소
   - 장애인인력 균형인사
     - ① 장애인 의무고용률 3% 조기달성 및 2단계 달성 추진
     - ② 승진, 보직, 교육훈련 등 장애인 친화적 근무여건 조성
   - 여성인력 균형인사
     - ① 양성평등채용목표제
     - ② 여성관리자 임용확대계획
     - ③ 출산휴가 및 육아휴직 대체인력 확보
   - 지방인력 균형인사
     - ① 지역인재 추천채용제(인턴채용제)
     - ② 지방인재 채용목표제
     - ③ 중·하위직 지역구분모집 확대
   - 과학기술인력 균형인사(이공계 출신 우대임용제)
     - ① 과학기술직 공무원 임용확대
     - ② 기술직의 정책결정 직위 보임확대
   - 고령화인력 균형인사: 고령인력 활용 방안 강구

③ 중앙행정기관의 장은 전년도 자체평가결과를 지체 없이 국회 소관 상임위원회에 보고하여야 한다.

(2) **평가결과의 활용**[1]

① 중앙행정기관의 장은 평가결과를 조직 · 예산 · 인사 및 보수체계에 연계 · 반영하여야 한다.

② 중앙행정기관의 장은 평가의 결과에 따라 정책 등에 문제점이 발견된 때에는 지체 없이 정책의 집행중단 · 축소 등 자체 시정조치를 하여야 한다.

③ 중앙행정기관의 장은 평가의 결과에 따라 우수부서 · 기관 또는 공무원에게 포상, 성과급 지급, 인사상 우대 등의 조치를 하여야 하고 그 결과를 위원회에 제출하여야 한다.

6. 우리나라 정책평가의 문제점

(1) 자체평가보다는 중앙통제 위주의 평가로서 성과측정과 평가제도가 지나치게 타율적으로 운영되고 있다.

(2) 평가기구의 구성이 정책평가 전문가로 구성되어 있지 않아서 상대적으로 평가분야의 전문성이 결여되어 있다.

(3) 문제의 원인분석 및 시정 등 정책환류보다는 책임성 확보에 초점을 둔다.

(4) 관련 자료의 협조 기피 등 실무부처가 소극적 행태를 보이므로 정책평가를 극대화할 수 있는 평가제도가 운영되지 못하고 있다.

(5) 공공가치의 창조에 기여하는 성과측정과 정책평가가 제대로 이루어지지 못하고 있다.

2 정책평가의 요소와 방법

1 인과관계와 변수의 종류

1. 인과관계[2]

(1) **의의**

인과관계란 원인과 결과, 즉 독립변수와 종속변수와의 관계이다. 정책은 정책결정자가 의도한 목적을 달성하고 정책대상집단의 행태를 변화시키기 위한 수단이 된다. 이때 정책 또는 프로그램은 원인(독립변수)이 되며, 정책의 산출물은 결과(종속변수)가 된다.

(2) **성립조건**

정책실행과 목표달성이 일어났다고 하여도 양자 간에 인과관계를 입증하기 위해서 다음 세 가지 조건이 충족되어야 한다.

---

[1] 정책품질관리제도
1. **의의**: 정부가 정책추진과정에서 정책의 원활한 추진을 도모하고 정책품질 및 정책성과를 높여 정부정책에 대한 국민 신뢰도와 만족도를 제고함은 물론 정책실패 및 부실정책을 방지하기 위하여 정책의 품질을 체계적으로 관리 · 개선하려고 행하는 총체적인 노력과 활동으로서 국무총리실 심사평가담당관실에서 주관한다.
2. **근거**: 정책품질관리규정
3. **적용기관 및 업무**: 중앙행정기관이 추진하는 정책에 적용한다.
4. **내용**: 정책모니터링, 정책평가, 홍보 등이 있다.

[2] 시차(time lag)이론
1. **의의**: 시차이론은 '인과관계에는 시간적 간격이 개입하므로 어떤 원인변수가 결과변수를 가져오는 데에는 일정한 시간(time)이 흘러야 한다는 것'이다. 따라서 행정현상을 파악할 때 시간요소와 관련된 문제인식이 요구되며 정책평가나 행정개혁 등을 추진할 때에도 이러한 시간적 고려 없이는 올바른 정책평가나 개혁정책을 추진할 수가 없다고 본다.
2. **내용**
   - 제도적 요소들의 도입 선후관계가 달라짐에 따라 그 결과가 엄청난 차이를 보인다. 즉, 제도의 요소들을 원인변수로 하고, 우리가 의도하는 효과달성을 결과변수로 할 때, 원인변수들의 작동순서가 인과관계 자체를 완전히 좌우한다는 것이다.
   - 정부의 동일한 개입전략도 제도와 정책의 성장 시기에 따라 전혀 다른 결과를 초래한다.
3. **함의**
   - 정책평가나 개혁정책 추진 시 제도의 구성요소들 간의 내적 정합성 확보가 필요하다. 정합성이란 구성요소들 간에 상호모순이 없는 관계를 말한다.
   - 제도개혁이나 정책평가 시 원인변수와 결과변수의 성숙도와 변화과정에 대한 시간적 고려가 반드시 필요하다는 주장이다.

시간적 선행성	정책(독립변수)은 목표달성(종속변수)보다 시간적으로 선행하여야 한다.
공동 변화	독립변수와 종속변수는 모두 일정한 방향으로 변화하여야 한다.
경쟁가설의 배제	그 정책 이외의 다른 요인이 목표달성에 영향을 미치지 않았음을 입증하여야 한다(비허위적 관계).

2. 변수의 종류[선행변수 → 독립변수(X) → 매개변수 → 종속변수(Y)]

(1) 독립변수(X)

다른 변수(종속변수)에 영향을 주는 변수이다.

(2) 종속변수(Y)

독립변수(X)로부터 영향을 받는 변수이다.

(3) 제3의 변수(Z)

① **허위변수**: 독립변수와 종속변수 간에 아무런 관계가 없음에도 상관관계가 있는 것처럼 두 변수에 영향을 주는 제3의 변수이다.

㉥ 화재규모(Z)가 소방차 출동대수와 화재피해액 모두를 증가시켰을 때, 소방차의 출동대수가 증가하면 화재피해액도 함께 증가한다고 착각할 경우 화재규모(Z)는 허위변수로 봄

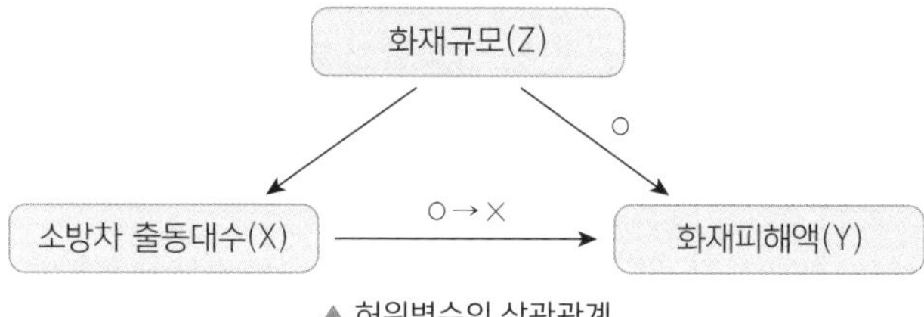

▲ 허위변수의 상관관계

② **혼란변수**: 과대평가 또는 과소평가의 원인이 되는 변수이다. 연구자가 독립변수가 종속변수에 미치는 영향을 과대 내지 과소평가하게 하여 정확한 인과관계 추론을 위협하는 제3의 변수를 의미한다.

㉥ 영어특별교육 때문에 영어실력이 2점만큼 향상되고(X → Y의 인과관계) 영어를 공부하려는 의욕이 커서(Z) 평소에 공부를 많이 했기 때문에 8점만큼 향상되어(Z → Y의 인과관계), 합계 10점만큼 영어특별반 학생들이 다른 학생들보다 성적이 더 좋았다고 한다면, 이때 10점 모두가 영어특별교육 때문인 것으로(X → Y의 인과관계만 있는 것으로) 착각하게 되는데, 이 Z변수를 혼란변수라고 함

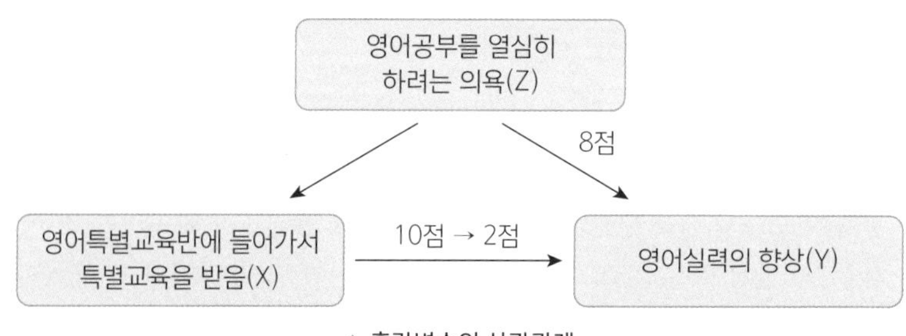

▲ 혼란변수의 상관관계

③ **억제변수**: 두 변수가 서로 상관관계가 있는데도 없는 것으로 나타나게 하는 변수이다.

㉥ 수업을 들으면 성적이 오르지만 수업시간에 계속 졸아서 성적이 오르지 않은 경우, 계속 조는 것이 억제변수임

핵심 OX

01 A라는 정책이 집행된 이후에 그 정책의 목표 B가 달성된 것을 발견한 경우, 정책평가자는 A와 B 사이에 인과관계가 존재한다고 결론을 내릴 수 있다. (O, X)

02 정책모형에 나타난 원인변수와 결과변수를 조작하여 정책대안을 만든다. (O, X)

03 평가대상 프로그램과 성과 간에 실질적인 상관관계가 없음에도 관계가 있는 것으로 나타나는 경우 허위변수를 유의하여야 한다. (O, X)

04 연구자는 독립변수가 종속변수에 전혀 영향을 미치지 않음에도 영향을 미친다고 잘못 결론을 도출할 때의 변수를 혼란변수라고 한다. (O, X)

01 X 정책 A가 집행되었고, 목표 B가 달성되었다고 해서 양자 간에 반드시 인과관계가 존재한다고 단정할 수는 없다. 인과관계의 성립조건이 충족되어야 한다.
02 X 결과변수는 절대 조작해서는 안된다.
03 O
04 X 혼란변수가 아니라 허위변수에 대한 설명이다.

④ **왜곡변수**: 두 변수 간의 상관관계를 정반대로 나타나게 하는 변수이다.

⑤ **조절변수**: 종속변수에 대한 독립변수의 효과를 중간에서 조절하는 변수이다.

㉠ 학습시간량으로서 학업성취도를 예측하고자 할 때, 학습방법에 따라서 예측력이 달라진다면 학습방법이 조절변수임

(4) 선행변수 · 매개변수 · 구성변수

① **선행변수**[1]: 독립변수에 앞서면서 독립변수에 영향력을 행사하는 변수이다.

② **매개변수**: 독립변수와 종속변수의 사이에서 독립변수의 결과인 동시에 종속변수의 원인이 되는 변수이며, 집행변수와 교량변수가 있다.

③ **구성변수**: 포괄적 개념의 하위변수이다.

㉠ 사회계층은 포괄적 개념이며 수입, 직업, 교육수준 등은 이를 구성하는 구성변수임

❶ 선행변수의 의미조건
1. 선행 · 독립 · 종속변수 간의 상호관련성이 존재하여야 한다.
2. 선행변수 통제 시 독립변수와 종속변수 간의 인과관계가 존재하여야 한다.
3. 독립변수 통제 시 선행변수와 종속변수 간의 인과관계가 존재하지 않아야 한다.

2 정책평가의 요소

1. 타당도(validity) – 목적의 일치

(1) 의의

① '측정의 과정이나 절차가 정확하게 이루어진 정도'이다.

② 정책의 효과가 있을 때 효과가 있다고 평가하고, 정책의 효과가 없을 때 효과가 없다고 평가할 수 있다면 그 정책의 타당도가 높다고 할 수 있다.

(2) 종류

구성적 타당도	**이론적 구성요소**: 처리, 결과, 모집단 및 상황들에 대한 이론적 구성요소들이 성공적으로 조작화된 정도이다.
통계적 결론의 타당도	**연구설계**: 만일 정책의 결과가 존재하고 이것이 제대로 조작되었다고 할 때 이에 대한 효과를 찾아낼 만큼 충분히 정밀하고 강력하게 연구 설계가 이루어진 정도이다.
내적 타당도	**인과관계**: 조작화된 결과에 의하여 발생한 효과가 다른 경쟁적인 원인(외생변수)들에 의해서라기보다는 조작화된 처리에 기인된 것이라고 볼 수 있는 정도이다.
외적 타당도	**일반화**: 조작화된 구성요소들 가운데서 우리가 관찰한 효과들이 당초의 연구가설에 구체화된 그것들 이외에 다른 이론적 구성요소들까지도 일반화될 수 있는 정도이다.

2. 내적 타당도

(1) 의의

주어진 상황에서의 인과관계평가로, 특정 정책 · 처치와 결과변수 사이의 인과적 결론의 적합성 정도이다.

(2) 저해요인

① **외재적 요인(선발요소**[2]**)**: 정책의 대상이 되는 실험집단과 그렇지 않은 통제집단(비교집단)이 동등하게 선발되지 못하고 처음부터 다른 특성을 가져 정책결과에 영향을 미치는 현상으로, 이를 선발상 차이로 인한 선발요소 또는 선택효과(selection)라고 한다.

❷ 선발요소의 예
영어특별교육의 효과를 평가함에 있어서 이를 희망하는 학생들만을 선발하여 학습을 받게 하면 영어실력의 향상이 높아져 영어특별교육이 과다하게 평가되는 경우가 있다.

핵심 OX

01 정책평가의 내적 타당도란 관찰된 결과가 다른 경쟁적 요인들보다는 해당 정책에 기인하는 것이라고 판단할 수 있는 정도를 의미한다. (O, X)

01 O

② 내재적 요인

㉠ **의의**: 내적 타당도를 위협하는 내재적 요소는 외재적 요소와는 반대로 처치를 하는 동안에 일어나는 변화이다.

㉡ **구체적 저해요인**

ⓐ **역사적 요인**: 연구기간 동안에 일어나는 사건이 실험집단에 영향을 미쳐 대상변수에 중요한 영향을 끼치는 경우이다.

㉸ 오염방지시설의 의무화라는 정책효과를 평가할 때 실험 도중 불경기로 인해 폐수의 방출이 줄어드는 경우

ⓑ **성숙효과**: 평가에 동원된 실험집단이 정책효과와는 관계없이 스스로 성장함으로써 나타날 수 있는 효과이다. 관찰기간이 길수록 성숙효과가 나타날 가능성이 높다.

㉸ 우유급식의 효과를 평가하는 데 있어서 우유급식으로 인한 체중 증가와 함께 아이가 자연히 크는 효과가 함께 나타날 때 후자의 효과를 의미함

ⓒ **회귀인공요소**: 실험 직전의 측정결과를 토대로 실험집단을 구성할 때, 평소와는 달리 유별나게 좋거나 나쁜 결과를 얻은 사람들이 선발된 후, 본래의 모습이나 성격으로 회귀하는 현상이다.

㉸ 극단적 점수를 받은 사람을 대상으로 다시 측정할 때 평균점수가 덜 극단적인 방향으로 이동하는 경우

ⓓ **측정요소**: 실험 전에 측정한 사실 그 자체가 연구되는 현상에 영향을 미치는 경우이다.

㉸ 인지적 기술을 향상시키는 훈련프로그램에서 실제로는 그 프로그램의 효과가 없는데도 동일한 테스트 문제들이 프로그램 전과 후에 사용되어, 개인들이 이 문제들을 기억하거나 혹은 프로그램 집행 후의 테스트에 앞서 이 문제들을 토의함으로써 테스트 점수가 높아진 경우

ⓔ **측정(검사)도구의 변화**: 정책실시 전과 정책실시 후에 사용하는 효과측정방법이 달라지거나 측정도구가 변화하는 것이다.

㉸ 철강제품의 생산량 측정 시 처음에는 무게로 측정하다가 나중에는 생산개수로 측정하는 경우

ⓕ **상실요소**: 실험 중에 실험집단의 몇몇 구성원이 탈락하는 경우이다. 실험집단과 통제집단에서 서로 다른 성격과 비율로 탈락한다면 이들 두 집단의 구성이 처음과 달라지게 되어 나타나는 오류이다.

㉸ 실업자 취업교육을 실시하는 중 주식폭등이나 로또당첨 등으로 실험집단에서 제외되는 경우

ⓖ **모방효과(오염효과)**: 통제집단의 구성원이 실험집단 구성원의 행동을 모방하는 오류이다.

㉸ 신약처치 실험 시 통제집단 구성원이 실험집단 구성원들처럼 신약을 먹는 경우

ⓗ **선발과 성숙의 상호작용**: 실험집단과 통제집단의 동질화가 이루어지지 않았을 뿐만 아니라, 그들 두 집단의 성장 또는 성숙의 비율이 다를 수 있기 때문에 정책효과를 왜곡하는 경우이다.

㉸ 교육프로그램의 효과 측정 시 부촌에만 실시하고 빈촌에는 실시하지 않는 경우

핵심 OX

01 연구기간 동안에 일어난 사건의 영향으로 측정이 부정확해지는 것은 역사적 요인이다. (O, X)

02 실험효과는 측정자와 측정방법이 달라짐으로써 측정결과에 영향을 미치는 것을 의미한다. (O, X)

01 O
02 X 측정자와 측정방법이 달라짐으로써 측정결과에 영향을 미치는 것은 신뢰성의 결여로서 이는 측정도구의 변화(instrumentation)이다.

ⓘ **처치와 상실의 상호작용**: 실험집단과 통제집단에 무작위배정이 이루어지는 경우라 할지라도 이들 집단들의 서로 다른 처치로 인하여 두 집단으로부터 처치기간 동안에 서로 다른 성질의 구성원들이 상실되는 경우, 남아 있는 개인들을 대상으로 처치효과를 추정하게 되면 그 결과가 왜곡될 가능성이 있다.

(3) 내적 타당도 제고를 위한 변수의 통제방법

① **무작위배정에 의한 통제**: 홀짝추첨방식의 무작위추출(배정)에 의하여 실험집단과 통제집단을 동질적으로 구성하여 허위변수와 혼란변수의 영향이 두 집단에 동질적으로 나타나도록 하는 실험이다. 실험집단의 최종산출에서 통제집단의 산출을 공제하면 허위변수나 혼란변수의 영향이 완전히 제거된다.

② **축조에 의한 통제**: 특정 정책이 실시되는 지역과 실시되지 않은 지역이 구분되어 있어 무작위배정을 하기 어려운 경우(동질성 확보가 곤란한 경우) 연구대상을 비슷한 대상끼리 둘씩 짝을 지은 다음 하나는 실험집단에, 다른 하나는 통제집단에 배정하는 방법을 사용하여 두 집단 간 동질성을 확보하는 방법이다. 짝짓기 또는 매칭(matching)에 의한 배정이라고도 한다.

③ **재귀적 통제**

㉠ 정책이 전국적으로 실시되기 때문에 실험집단과 통제집단을 구분하기가 곤란하여 무작위배정이 어려운 경우(동질성 확보가 곤란한 경우)에 사용된다.

㉡ 동일한 집단에 대하여 정책을 집행한 후에 일정기간 동안 나타나는 산출의 변화를 정책을 실시하기 이전의 일정한 기간 동안에 나타났던 산출의 변화와 비교하여 정책효과를 추정하는 방법(별도의 통제집단 없이 실험집단을 통제집단으로 활용함으로써 동질성을 확보함)이다.

④ **통계적 통제**: 정책에 참여한 대상과 그렇지 않은 대상과의 차이를 통계적 기법을 통하여 추정해 내어 그 차이를 제거하는 방법이다.

⑤ **포괄적 통제**[❶]: 유사한 집단에 정책을 집행하면 어떤 변화가 일어날 것으로 기대되는 규범들이나 목표들을 비교하여 정책효과를 판단하는 방법이다.

⑥ **잠재적 통제**: 정책대상집단에 일어난 변화에 대해 전문가, 프로그램진행자 또는 프로그램참여자들에게 질문한 다음, 이들의 의견을 토대로 정책의 효과 여부를 판단하는 방법이다.

3. 외적 타당도

(1) 의의[❷]

① 주어진 상황 외에서의 일반화 정도, 즉 특정 상황에서 내적 타당도를 확보한 정책평가가 일반적인 상황에도 적용될 수 있는 정도이다.

② 어떤 특정한 상황에서 정책이 집행되고 그 결과로서 나타난 정책효과를 정확하게 판단하여 평가의 내적 타당성이 있는 경우에, 이 판단이 다른 상황에서 그 정책을 집행하여 나타날 효과에 대해서도 그대로 적용되면 그 평가는 외적 타당도가 있다고 할 수 있다.

❶ 포괄적 통제의 예
그 사회의 전형적인 사망률, 남녀 간의 성별 비율, 교육분야에 있어서 표준학력검정 규범 등이 있다.

❷ 외적 타당도의 예
2008년도에 한국이 지닌 특정 경제적 상황에서 금리인하정책을 실시하여 경기부양효과를 실제로 얻었다고 할 때(내적 타당성이 있는 경우), 이 결과가 2009년, 2010년에도 타당하다고 한다면 정책의 외적 타당도가 있다고 한다.

(2) 저해요인[1]

① **표본의 비대표성**: 두 집단 간 동질성이 있다 하더라도 각 집단의 구성원이 사회적 대표성이 없으면 그 결과를 일반화하기가 곤란하다.

② **호손효과[2]**: 자신이 관찰되고 있다는 인식으로 평상시와 다른 행동을 하는 경우로서 주로 진실험에서 발생한다.

③ **다수적 처리에 의한 간섭**: 동일집단에 여러 번의 실험적 처리를 하는 경우 실험조작에 익숙해짐으로써 영향을 받으므로 그 결과를 일반화하기가 곤란하다.

④ **실험조작과 측정의 상호작용**

㉠ 사전측정을 받아본 적이 있는 실험집단에게 나온 결과를 사전측정을 받아본 적이 없는 모집단에 일반화하여 적용하기가 곤란하다.

㉡ 실험 전 측정(측정요인)과 실험대상이 됨으로써 발생하는(실험조작) 효과의 상호작용이 나타나는 경우이다.

⑤ **크리밍(creaming) 효과[3]**: 표본선정 시 실험의 효과가 크게 나타날 사람들만을 실험집단에 포함시켜 실시할 경우 그 효과를 일반화시키기가 어렵다. 이는 준실험에서의 외적 타당도 저해요인이다.

핵심정리 정책평가의 타당도 저해요인

구분	요인	내용
내적 타당도 저해 요인	선발요소 (외재적 요인)	실험집단과 통제집단의 표본선정과정상의 오류(동질성 부족)
	역사적 요소 (사건효과)	실험기간 동안에 일어난 역사적 사건이 실험에 영향을 미치게 되는 것
	성숙효과 (성장효과)	실험기간 중 집단구성원의 자연적 성장이나 발전에 의한 효과로서 실험기간이 길어질수록 사건효과나 성장효과는 커짐
	회귀 - 인공요소	실험이 진행되는 동안 구성원들이 원래 자신의 성향으로 돌아갈 경우에 나타나는 오차
	측정요소	실험 전에 측정한 사실 그 자체가 연구되는 현상에 영향을 주는 것
	측정도구의 변화	프로그램의 집행 전과 집행 후에 사용하는 측정절차 · 측정도구의 변화로 인한 오류
	상실요소	연구기간 중 구성원의 이탈 등 두 집단 간 구성상 변화에 의한 효과
	모방효과	통제집단 구성원이 실험집단 구성원의 행동을 모방하는 것(오염 또는 확산효과)
	선발과 성숙의 상호작용	두 집단의 선발에서부터 차이가 있었을 뿐 아니라 두 집단의 성숙속도가 다름으로 인한 내적 타당도 저해현상
	처치와 상실의 상호작용	집단들의 서로 다른 처치로 인하여 두 집단으로부터 처치기간 동안에 서로 다른 성질의 구성원들이 상실되는 경우 남아 있는 개인들을 대상으로 처치효과를 추정하게 되면 그 결과가 왜곡될 가능성이 존재

[1] 외적 타당도 저해요인
① 실험조작과 측정의 상호작용, ② 상이한 실험집단과 통제집단의 선택과 실험조작의 상호작용, ③ 실험조작의 반응효과, ④ 다수적 처리에 의한 간섭 등을 나열하고 있다.

[2] 호손효과의 예
불량청소년 정신교육정책을 수행하는 경우 실험수행 동안에는 국가, 언론매체, 학부모, 교사들의 뜨거운 관심으로 정책효과가 큰 듯하나, 얼마 지나지 않아 이러한 관심이 없어지면 이 사업의 효과가 거의 없어지는 경우(실험조작의 반응효과)가 있다.

[3] 선발요소와 크리밍 효과
내적 타당도를 저해하는 선발(선정)요소가 다른 한편으로 평가의 결과를 일반화시키기 어려운, 즉 외적 타당도를 저해하는 요인으로 작용하는 것을 크리밍 효과라고도 한다.

핵심 OX

01 외적 타당도(external validity)는 어떤 특정한 상황에서 내적 타당성을 확보한 정책평가가 다른 상황에서도 적용될 가능성을 의미한다. (O, X)

02 호손효과는 외적 타당도를 저해하는 대표적인 요인이다. (O, X)

01 O
02 O

외적 타당도 저해 요인	표본의 비대표성	두 집단 간 동질성이 있더라도 사회적 대표성이 없으면 일반화하기 곤란
	호손효과	실험집단 구성원이 실험의 대상이라는 사실로 인하여 평소와는 다른 특별한 심리적 행동을 보이는 현상으로 일반화하기 곤란
	다수적 처리에 의한 간섭	동일집단에 여러 번의 실험적 처리를 실시하는 경우 실험조작에 익숙해짐으로 인한 영향이 발생하면 일반화하기 곤란
	실험조작과 측정의 상호작용	실험 전 측정과 피조사자의 실험조작의 상호작용으로 실험의 결과가 나타난 경우 이를 일반화하기 곤란
	크리밍(creaming) 효과	표본선정 시에 실험의 효과가 크게 나타날 사람들만을 실험집단에 포함시켜 실시할 경우 그 효과를 일반화하기 곤란

4. 신뢰도(consistency)

(1) 의의

유사한 실험을 반복 실시할 경우 계속해서 동일한 결과가 나타나는지에 대한 확률, 결과의 일관성이다.

(2) 신뢰도와 타당도와의 관계

신뢰도는 타당도의 필요조건이다. 따라서 신뢰도가 낮으면 타당도도 낮아지나, 신뢰도가 높다고 하여 반드시 타당도가 높아지는 것은 아니다.

(3) 신뢰도 검증방법

재검사법	동일한 측정도구를 동일한 대상자에게 상이한 시점에서 두 번 측정하여 비교하는 방법이다.
복수양식법	유사한 두 가지 측정도구를 사용하여 각각의 결과를 비교하는 방법이다.
반분법	측정도구를 임의로 반으로 나누어 각각을 독립된 척도로 보고 이들의 측정결과를 비교하는 방법으로 동일한 개념에 대해 여러 개의 문항으로 측정을 하는 경우 무작위로 측정도구를 두 집단으로 나누고 이들 측정치 간의 상관관계를 분석한다.
내적 일관성 분석	개별문항을 하나하나의 검사점수로 하여 상관관계를 구하고 이들의 평균상호상관관계를 신뢰도의 추정치로 삼는 방법으로 평균상호상관은 모든 가능한 반분법을 사용하여 구한 신뢰도계수의 평균을 의미한다. 신뢰계수 추정법 중 크론바흐(Cronbach)의 알파(α)계수는 그 값은 적어도 0.60은 넘어야 신뢰도가 만족할 수준이라고 볼 수 있다.[1]

[1] 크론바흐 알파(Cronbach α)계수
크론바흐 알파(Cronbach α)값은 통계학에서 신뢰성을 검증하는 데 있어 내적 일관성을 측정하는 도구로 활용되고 있다. 이 α값을 행정학에서는 내적 일관성을 측정하는 데 활용하여 두 변수 간의 신뢰도를 알아보는 것이다. 즉, 원인변수와 결과변수와의 관계(변수 간의 인과관계)가 어떠한지를 알아보는 측정지표로 사용되는 것이다. 여기에서 α값의 의미는 몇 개의 변수들의 합을 새로운 변수로 활용하기 위하여 표본으로부터 추출된 변수들의 합이 모집단의 참값의 추정치로 어느 정도 신뢰할 수 있는가를 알려주는 척도이다. 일반적으로는 α값이 0.7 이상인 경우, 설문문항의 신뢰성이 보장된다고 본다. 또한 새로이 개발된 설문의 경우에는 0.6을 최저 허용치로 활용하기도 한다.

3 정책평가의 방법(사회실험)[1]

1. 사회실험(social experiment, 정책실험)의 의의[2]

(1) 정책의 효과를 파악하기 위해 정책의 전면적인 추진에 앞서 일정한 정책대상집단에게 시행하는 시험적 정책집행을 말한다. 정책실험이라고도 하며, 일반적으로 준실험적 방법으로 시행된다.

(2) 실험집단과 비교되는 통제집단(비교집단)을 실험실시 전에 미리 나누고 처음부터 실험집단에게는 일정한 조작 또는 처리를 가하고 통제집단에게는 처리를 가하지 않는다.

(3) 일정한 시간이 지난 후에 두 집단이 나타내는 결과변수상에서의 차이를 처리의 효과라고 판단하는 것이 실험의 기본논리이다.

2. 진실험(true experiment)

(1) 의의

① 실험대상을 무작위로 추출한 실험집단(EG)과 통제집단(비교집단, CG) 간의 동질성(同質性)을 확보한 상태에서 행하는 실험이다. 정책평가를 할 때에 인과적 평가의 한 방법으로 주로 사용한다.

② **솔로몬 4집단 설계:** 진실험은 외부변수의 개입을 방지하기 때문에 내적 타당도가 높은 방법이다. 이를 더 높이기 위하여 실험집단과 비교집단을 두 쌍으로 구성하고 한 쌍에 대해서는 사전·사후측정을 하고 다른 한 쌍은 사후측정만 하는 솔로몬 4집단 설계를 실시하기도 한다.

(2) 실험집단과 통제집단의 동질성의 의미

① **동일한 구성:** 두 집단은 유사한 대상이나 단위들이 혼합되어야 한다.

② **동일한 성향:** 두 집단은 프로그램에 대해 동일한 성향이어야 한다.

③ **동일한 경험:** 두 집단은 관찰기간 동안에 시간적으로 동일한 과정(성숙, 사건 등)을 경험하여야 한다.

(3) 장단점

① **장점:** 실험집단과 통제집단의 동질성을 전제로 하므로 성숙효과와 선발효과의 영향이 줄어든다. 따라서 일반적으로 내적 타당도가 매우 높다고 본다.

② 단점

㉠ **내적 타당도의 약점:** 정책수단의 내용이 잘못되어 실험집단만이 아니라 통제집단에게도 누출되는 경우가 있다.

㉡ **외적 타당도의 약점:** 실험이라는 특수한 상황에서 평가된 정책효과가 일상적인 상황하에서 타당성을 잃을 가능성(호손효과)이 있다.

㉢ **실행가능성의 문제:** 실험대상자 또는 정책대상자들을 무작위로 두 집단으로 나누어서 하나의 집단에만 정책을 집행한다는 것이 정치적·도의적으로 불가능한 경우가 많다.

---

[1] 자연실험(nature experiment)

1. **개념:** 실험에는 인위적 실험인 사회실험(정책실험)과 비인위적인 자연실험이 있다. 자연실험은 관찰연구의 일종으로 피실험자 혹은 실험체에게 연구 과제에 관한 처리가 자연스럽게 우연적으로 행해지는 실험을 말한다. 이는 피실험자 혹은 실험체에 연구 과제에서 의도하는 목적의 처리가 실험자에 의해서 혹은 무작위 추출 방식에 의해서 이루어지지 않는다는 것이다.
2. **특성**
   - 자연실험은 자연스러운 상태에서 실시되는 실험으로 변수를 인위적으로 통제하는 진실험보다는 준실험이나 비실험에 더욱 가깝다고 볼 수 있다.
   - 자연적으로 발생하는 정치적·경제적·사회적·자연적 충격(홍수, 인플레이션) 또는 급격한 정책이나 제도변화에 의해서 자연실험의 여건을 형성하며, 비용이 적게 들고, 동질성 확보를 위한 인위적 격리 등이 없기 때문에 윤리적 문제가 발생하지 않는다.
   - 독립변수와 종속변수가 상관관계에 있을 때 이를 통제하기 위하여 자연실험을 이용하면 효과적이다.

[2] 사회실험의 논리

사회실험은 실험실이 아닌 사회라는 상황 속에서 행하여지는 실험이지만, 여기서 사용하는 개념이나 기본논리는 실험실에서의 실험과 같다고 본다.

3. 준실험(quasi-experiment)[1]

(1) 의의

① 무작위 배정에 의한 방법을 사용하지 않고 비동질적인 두 집단을 실험집단과 통제집단으로 나누어 행하는 실험이다.

② 두 집단이 비동질적일지라도 모든 잠재적인 혼란변수나 허위변수를 통제하여 가능한 한 유사한 실험집단과 통제집단을 구성하려고 노력한다.

(2) 장단점

① 장점

㉠ 비실험적 방법보다는 내적 타당도를 더 확보할 수 있다.

㉡ 진실험보다는 외적 타당도와 실현가능성이 높다.

② 단점

㉠ 비교집단을 이용하여 성숙효과와 선정효과를 분리시킬 수 있으나 실험집단과 비교집단의 성숙효과가 다르면 실험의 타당도가 떨어진다.

㉡ 비동질적 통제집단을 이용하는 준실험은 집단특유의 사건이 일어날 때 이를 해결할 수 없다는 문제점이 있다. 이는 내적 타당도를 저해하며, 일반화시킬 경우 외적 타당도도 문제될 수 있다.

4. 비실험설계

(1) 의의

비실험설계는 정책효과의 존재 여부를 판단하기 위해서 정책대상집단과 다른 집단을 정책집행 후에 사후적으로 찾아내어 일정한 시점을 기준으로 정책실시 전후를 비교하는 설계이다.

(2) 한계

통계분석적 관점에서 보면 비실험설계는 본질적으로 허위변수와 혼란변수라는 제3의 변수를 조사설계에서 처리하지 못하기 때문에 정책효과를 정확하게 측정하지 못한다.

개념PLUS 사회실험의 종류

구분	실험적 설계		비실험적 설계
	진실험	준실험	비실험
특징	· 통제집단과 실험집단을 구분 · 실험집단과 통제집단 간 동질성을 확보하는 실험	· 통제집단과 실험집단을 구분 · 실험집단과 통제집단 간 동질성을 확보하지 못하는 실험	· 통제집단과 실험집단의 구분 없이 실험집단에 정책처리를 하는 실험 · 정책실시 전후 비교방법, 사후 비교집단 선정
장단점	· 내적 타당도: 높음(성숙효과, 선발효과 방지가능) · 외적 타당도: 낮음 · 실행 가능성: 낮음	· 내적 타당도: 약간 높음 · 외적 타당도: 약간 낮음 · 실행 가능성: 약간 낮음	· 내적 타당도: 낮음 · 외적 타당도: 높음 · 실행 가능성: 높음

[1] 진실험과 준실험
진실험은 연구자가 사전에 계획하여 실험집단과 통제집단을 무작위적으로 배정할 수 있기 때문에 미래지향적인 경향이 강한 반면, 준실험은 연구자가 과거에 발생한 실험처리의 효과를 추정하기 위한 연구가 많기 때문에 과거지향적인 연구가 많다.

핵심 OX

01 실험설계는 내적 타당도보다는 외적 타당도를 중시한다. (O, X)

02 진실험에서는 실험집단에서의 허위변수나 혼란변수의 개입을 통제한다. (O, X)

03 비실험은 실행가능성과 외적 타당도는 낮으나 내적 타당도가 높다는 장점이 있다. (O, X)

01 X 실험설계를 하는 가장 중요한 이유는 내적 타당도를 높이기 위한 것이다.
02 O
03 X 비실험은 진실험에 비해서 실행가능성과 외적 타당도는 높으나 내적 타당도가 낮다는 단점이 있다.

❶ CIPP모형

1. **의의**: CIPP모형은 스터플빔(Stufflebeam)이 제안한 의사결정지원 평가모형을 말한다. 교육프로그램 개선을 위한 의사결정에 관련되는 정보를 제공하기 위해서 교육체제를 상황(맥락)평가(context evaluation), 투입평가(input evaluation), 과정평가(process evaluation) 그리고 산출평가(product evaluation)의 4가지 측면으로 나누는데 정책의 사전 형성평가와 사후 총괄평가 모두에 적용할 수 있다는 것이 특징이다.
2. **4가지 측면**
   - **상황평가(맥락평가)**: 교육프로그램의 목표를 설정하고 조정하는 데 필요한 합리적 기초나 이유를 제공하는 데 유용하다.
   - **투입평가**: 설정된 목표를 성취하기 위해 교육활동에서 사용되어야 할 필요한 수단과 절차에 대한 정보를 제공해 주는 평가이다.
   - **과정평가**: 계획된 교육프로그램이 실제로 교육현장에 투입되었을 때 원래의 설계대로 전개되고 있는지를 파악하여 정보를 제공하는 것이다.
   - **산출평가**: 프로그램의 목표는 제대로 성취되었는지, 학생의 요구는 얼마나 충족되었는지 등을 알아보는 것이다.
3. **장단점**
   - **장점**: 교육의 산출에만 초점을 두는 평가에 비해 교육체제의 전체적인 측면에 대한 평가를 시도함으로써 의사결정자에게 교육프로그램 개선과 관련된 의사결정에 도움이 되는 정보를 제공할 수 있다.
   - **단점**: 평가자가 가치문제와 판단을 회피하여 중요한 교육적 가치판단을 의사결정자에게 위임한다는 점에서 평가의 기능과 범위를 정보를 수집하고 그 정보를 의사결정자에게 제공하는 데 제한하고 있다.

❷ 경제지표와 사회지표

경제지표는 성장 위주의 객관적이고 물질 중심적인 지표인데 반해, 사회지표는 분배 위주의 주관적이고 인본주의적인 질적 지표이다. 경제지표는 발전행정론과 관련되고 사회지표는 신행정론과 관련된다.

고득점 공략 실험설계방법의 종류❶

구분		내용
진실험설계		· 동질적 통제집단설계(무작위배정) · 통제집단사후측정설계 · 통제집단사전 · 사후측정설계 · 솔로몬식 4집단실험설계
준실험설계	축조된 통제	· 비동질적 통제집단설계(사전측정비교집단설계): 짝짓기로 구성 · 비동질적 집단사후측정설계: 정태적 집단비교방법 · 회귀불연속 설계: 자격기준에 의한 설계
	재귀적 통제	· 단절적 시계열분석에 의한 평가 · 단절적 시계열 비교집단설계에 의한 평가
비실험설계		· 대표적 비실험: 정책실시 전후 비교방법, 사후적 비교집단 선정방법 · 통계적 통제: 통계적 방법으로 외생변수(허위 · 혼란변수) 추정 · 제거 · 포괄적 통제: 포괄적 규범 · 목표를 통제(사회적 규범과 비교) · 잠재적 통제: 잠재적 집단(전문가 · 패널)의 판단과 비교 · 통제

고득점 공략 사회지표(정책지표)❷

1. 의의
   ① **개념**: 인간의 복지수준이나 삶의 질을 측정하기 위한 정보를 의미하는 지표로서 경제지표의 양적 한계 때문에 등장하였다. 생활의 질을 강조하며, 개인적 수준을 고려하는 성과 지향적 지표이다.
   ② **연혁**: 사회지표라는 용어는 1929년 후버(Hoover) 대통령이 사회경향을 조사하기 위해 설치한 위원회에서 비롯되어 바우어(Bauer)의 사회지표론(1966)에서 처음으로 사용되었다.
2. 유형
   ① 직접지표와 간접지표

구분	내용
직접지표	대상 자체를 직접 측정하는 척도로서 속성이 가시적이고 유형적인 경우에 많이 사용되며 계량화가 가능
간접지표	대상이 무형적이거나 속성이 질적 · 주관적인 경우 대표치를 이용하여 간접적으로 측정하는 방법

   ② 객관적(양적) 지표와 주관적(질적) 지표

구분	내용
객관적 지표	현재의 사회 상태를 객관적이고 계량적으로 측정하는 지표
주관적 지표	· 사회의 여러 측면에 대한 개인의 주관적 평가나 만족도에 중점을 두는 지표 · 사회의 일반적 수준과 개인의 주관적 만족도 사이에 항상 균형이 이루어지는 것은 아니므로 객관적 지표와 구별되는데, 주로 선진국에서 중시됨

3. 요건
   ① **상호연관성을 지닐 것**: 각 자료들은 서로 연관성을 지녀야 한다.
   ② **시계열별로 측정이 가능할 것**: 시간의 순서대로 측정이 가능할 것을 요구한다.
   ③ 적절한 기준에 의해서 분석될 수 있어야 한다.
   ④ 지역 간 및 계층 간 비교분석이 가능할 것 등이 필요하다.

4. 우리나라의 사회지표

우리나라의 통계청이 작성한 '한국의 사회지표'에 의하면 사회지표 체계는 ① 인구, ② 가족, ③ 소득·소비, ④ 노동, ⑤ 교육, ⑥ 보건, ⑦ 주거·교통, ⑧ 정보·통신, ⑨ 환경, ⑩ 복지, ⑪ 문화·여가, ⑫ 안전, ⑬ 사회참여의 13개 부분으로 구성되어 있다.

5. 소득분배의 불평등 측정지표

① **5분위 배율**: '상위 20%의 소득/하위 20%의 소득'으로 값이 높을수록 소득분배가 불평등하게 이루어졌다는 의미이다. 이는 1~∞의 값을 가진다.

② **10분위 분배율**: 5분위 배율 개념을 뒤집어서 더 세분한 것으로서, '하위 40%의 소득/상위 20%의 소득'으로 값이 높을수록 소득분배가 평등한 사회라는 의미이다. 이는 0~2 사이의 값을 가진다.

③ **로렌츠곡선(Lorenz curve)**: 소득의 분포가 완전히 균등하면 곡선은 대각선(45° 직선 = 완전평등선 = 균등분포선)과 일치한다. 곡선과 대각선 사이의 면적의 크기가 불평등도의 지표가 된다.

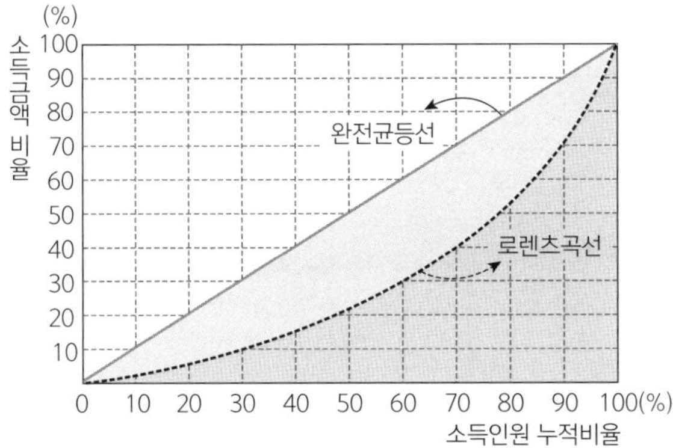

④ **지니계수(Gini's coefficient)**: 로렌츠곡선의 상태를 계수화(기수화)하여 로렌츠곡선의 한계를 어느 정도 극복한 것으로서 대각선(완전균등선) 아래의 면적(삼각형)에 대하여 대각선과 로렌츠곡선 사이의 면적이 차지하는 비율이다.

핵심 OX

01 일반적으로 경제지표는 삶의 질이, 사회지표는 능률성이 중요한 역할을 한다. (O, X)

02 로렌츠곡선을 계수화한 지니계수는 0~1 사이의 값을 갖는데 값이 커질수록 평등하다. (O, X)

01 X 경제지표는 주로 능률성이, 사회지표는 삶의 질이 주로 강조된다.
02 X 지니계수는 값이 적을수록 평등하다. 값이 커질수록 평등한 것은 10분위 분배율이다.

학습 점검 문제

01 정책평가의 일반적인 절차를 순서대로 바르게 나열한 것은? 2021년 국가직 7급

ㄱ. 정책평가 대상 확정	ㄴ. 평가결과 제시
ㄷ. 인과모형 설정	ㄹ. 자료 수집 및 분석
ㅁ. 정책목표 확인	

① ㄱ → ㅁ → ㄷ → ㄹ → ㄴ
② ㅁ → ㄱ → ㄷ → ㄴ → ㄹ
③ ㅁ → ㄱ → ㄷ → ㄹ → ㄴ
④ ㅁ → ㄷ → ㄱ → ㄹ → ㄴ

02 정책평가에 대한 설명으로 가장 옳지 않은 것은? 2018년 서울시 9급

① 총괄평가(summative evaluation)는 정책이 종료된 후에 그 정책이 당초 의도했던 효과를 가져왔는지의 여부를 판단하는 활동이다.
② 메타평가(meta evaluation)는 평가자체를 대상으로 하며, 평가활동과 평가체제를 평가해 정책평가의 질을 높이고 결과활용을 증진하기 위한 목적으로 활용한다.
③ 평가성 사정(evaluability assessment)은 영향평가 또는 총괄평가를 실시한 후에 평가의 유용성, 평가의 성과증진효과 등을 평가하는 활동이다.
④ 형성평가(formative evaluation)란 프로그램이 집행과정에 있으며 여전히 유동적일 때 프로그램의 개선을 위해서 실시하는 평가이다.

03 정책평가의 종류에 대한 설명으로 옳지 않은 것은? 2017년 국가직 7급(10월 추가)

① 형성평가는 집행 도중에 이루어지는 평가로서, 집행 관리와 전략의 수정 및 보완을 위한 것이다.
② 정책비용의 측면을 고려하는 능률성 평가는 총괄평가에서 검토될 수 없다.
③ 평가주체에 따른 분류에서 시민단체에 의한 평가는 외부적 평가이다.
④ 평가성 사정은 본격적인 평가가능 여부와 평가결과의 프로그램 개선가능성 등을 진단하는 일종의 예비적 평가이다.

04 **정책평가의 유형에 대한 설명으로 옳지 않은 것은?** 2023년 국가직 7급

① 평가성 사정(evaluability assessment)은 평가의 실행가능성을 검토하는 일종의 예비평가이다.

② 정책영향평가는 사후평가이며 동시에 효과성 평가로 볼 수 있다.

③ 모니터링은 과정평가에 속하지만 집행의 능률성과 효과성을 확보하기 위한 평가이다.

④ 형성평가는 집행이 종료된 후 정책이 의도했던 목적을 달성했는지에 초점을 맞춘다.

정답 및 해설

01 정책평가의 일반적인 절차

정책평가의 일반적인 과정(절차)은 ㅁ. 정책목표의 확인 → ㄱ. 정책평가 대상 확정 → ㄷ. 인과모형 설정 → ㄹ. 자료수집 및 분석 → ㄴ. 평가결과의 제시 및 환류 순으로 ③이 옳은 순서이다.

02 정책평가의 유형

평가성 사정(evaluability assessment)은 본격적인 영향평가 또는 총괄평가의 실시 이전에 이루어지는 예비평가이다. 주로 평가의 유용성, 가능성, 성과증진에 대한 효과 등을 미리 평가한다.

정책평가의 유형

평가의 시기	형성적 평가	정책집행이 이루어지는 도중에 수행하는 평가이며, 도중평가, 과정평가라고도 함
	총괄적 평가	정책집행이 이루어진 후에 실시되는 평가이며, 사후평가라고도 함
평가의 목적	과정평가	· 협의의 과정평가: 정책수단과 정책효과 간의 인과관계의 경로를 검증하는 평가 · 형성평가(집행분석, 집행과정평가): 정책집행이 의도한 대로 집행되었는지 확인하는 평가
	총괄평가	정책수단과 정책효과 간의 인과관계의 결과를 추정하는 평가로, 그 유형에는 능률성 평가, 효과성 평가, 영향평가 등이 있음
기타 정책 평가	평가성 사정	평가성 검토라고도 하며, 본격적인 평가가 실시되기 이전에 평가 목적을 달성하기 위한 가능성·소망성 등을 검토하는 일종의 예비평가
	메타평가	상위평가, 평가결산이라고도 하며, 평가에 대한 평가로서 기존 평가가 적절한지 다시 평가하는 것이다. 주로 상급자나 독립적인 외부전문가들에 의해 이루어짐
	착수직전분석(사전분석)	새로운 프로그램의 평가를 기획하기 위해 본평가를 착수하기 직전에 수행하는 평가기획 작업

03 정책평가의 종류

총괄평가는 정책이 집행되고 난 후에 의도한 목적이 달성했는지의 여부를 판단하는 것으로, 평가기준에 따라 능률성 평가, 효과성 평가, 영향평가 등으로 나누어진다. 그중 능률성 평가는 비용편익분석의 사후적 평가로 활용된다.

04 정책평가의 유형

집행이 종료된 후 정책이 의도했던 목적을 달성했는지에 초점을 맞추는 평가는 형성평가가 아니라 총괄평가이다.

정답 01 ③ 02 ③ 03 ② 04 ④

05 **정책평가의 논리모형에 대한 설명으로 옳지 않은 것은?** 2024년 국가직 9급

① 정책프로그램의 요소들과 해결하려는 문제들 사이의 논리적 인과관계를 투입(input) – 활동(activity) – 산출(output) – 결과(outcome)로 도식화한다.

② 산출은 정책집행이 종료된 직후의 직접적인 결과물을 의미하며, 결과는 산출로 인해 나타나는 변화를 의미한다.

③ 과정평가이기 때문에 정책프로그램의 목표달성 여부를 보여 주지는 못한다는 한계가 있다.

④ 정책프로그램과 관련된 다양한 이해관계자의 이해도를 높일 수 있다.

06 **「정부업무평가 기본법」에 따른 정부업무평가의 종류가 아닌 것은?** 2017년 사회복지직 9급

① 중앙행정기관의 자체평가

② 지방자치단체의 자체평가

③ 중앙행정기관에 대한 합동평가

④ 공공기관에 대한 평가

07 「정부업무평가 기본법」상 정책평가에 대한 설명으로 옳지 않은 것은? 2019년 국가직 9급

① 지방자치단체의 장은 정부업무평가시행계획에 기초하여 자체평가계획을 매년 수립하여야 한다.

② 국무총리는 2이상의 중앙행정기관 관련 시책, 주요 현안시책, 혁신관리 및 대통령령이 정하는 대상부문에 대하여 특정평가를 실시하고, 그 결과를 공개하여야 한다.

③ 중앙행정기관 또는 지방자치단체의 소속기관이 행하는 정책은 정부업무평가의 대상에 포함된다.

④ 정부업무평가위원회는 위원장 1인과 14인 이내의 위원으로 구성한다.

정답 및 해설

05 정책평가의 논리모형

논리모형은 과정평가적 성격을 갖고 있지만 1차적인 산출(output)과 2차적인 결과(outcome) 등 목표달성여부를 평가할 수 있으며, 중·장기적인 목표달성여부(영향)를 확인하는 것은 어렵다는 한계가 있다.

| 선지분석 |

④ 정책평가의 과정평가이기 때문에 인과관계의 경로를 검토하고 시정조치하는 과정에서 정책프로그램과 관련된 다양한 이해관계자의 이해도를 높일 수 있다.

❶ 프로그램 논리모형과 목표모형

구분	논리모형(logic model)	목표모형(target model)
의의	프로그램의 인과관계를 투입(input) - 활동(activity) - 산출(output) - 결과(outcome)로 도식화	프로그램의 목표와 중·장기 목표달성에 대한 측정
시기	과정평가 (도중평가, 집행 도중)	총괄평가 (사후평가, 집행 후)
목적	인과관계의 경로설정 (논리적 관계 설정)	인과관계의 결과판단 (중·장기목표 달성의 측정 및 평가)

06 정부업무평가의 종류

합동평가는 지방자치단체에 대하여 하는 것이지 중앙행정기관에 대하여 하는 합동평가는 없다. 「정부업무평가 기본법」에 따르면 행정안전부장관은 지방자치단체의 국고보조사업 등 국가위임사무 등에 대해 관계중앙행정기관의 장과 합동으로 평가를 실시할 수 있다고 규정하고 있다.

❶ 정부업무평가의 종류

중앙행정기관평가	자체평가, 필요시 재평가(국무총리)
지방자치단체평가	자체평가, 필요시 평가 지원(행정안전부장관)
특정평가	국정의 통합적 수행여부평가(국무총리)
공공기관평가	외부기관의 평가(자체평가 ×)

07 「정부업무평가 기본법」상 정부업무평가위원회의 구성

정부업무평가위원회의 구성은 위원장 2인을 포함한 15인 이내의 위원으로 구성한다.

❶ 「정부업무평가 기본법」상 정부업무평가위원회의 구성

제10조【위원회의 구성 및 운영】 ① 위원회는 위원장 2인을 포함한 15인 이내의 위원으로 구성한다.
② 위원장은 국무총리와 제3항 제2호의 자 중에서 대통령이 지명하는 자가 된다.
③ 위원은 다음 각 호의 자가 된다.
1. 기획재정부장관, 행정안전부장관, 국무조정실장
2. 다음 각 목의 어느 하나에 해당하는 자로서 대통령이 위촉하는 자
가. 평가관련 분야를 전공한 자로서 대학이나 공인된 연구기관에서 부교수 이상 또는 이에 상당하는 직에 있거나 있었던 자
나. 1급 이상 또는 이에 상당하는 공무원의 직에 있었던 자
다. 그 밖에 평가 또는 행정에 관하여 가목 또는 나목의 자와 동등한 정도로 학식과 경험이 풍부하다고 인정되는 자

정답 05 ③ 06 ③ 07 ④

08 「정부업무평가 기본법」상 우리나라 정부업무평가제도에 대한 설명으로 옳지 않은 것은? 2022년 국가직 9급

① 특정평가는 국무총리가 중앙행정기관과 공공기관을 대상으로 국정을 통합적으로 관리하기 위한 목적을 갖는다.

② 국무총리 소속하에 심의 · 의결기구로서 정부업무평가위원회를 둔다.

③ 지방자치단체의 자체평가에 있어서 행정안전부장관은 평가 관련 사항에 대하여 지방자치단체를 지원할 수 있다.

④ 자체평가는 중앙행정기관 또는 지방자치단체가 소관 정책 등을 스스로 평가하는 것을 말한다.

09 정책분석 및 평가연구에 적용되는 기준 중 내적 타당성에 대한 설명으로 옳은 것은? 2023년 국가직 9급

① 분석 및 평가 결과를 다른 상황에서도 적용할 수 있는 정도를 의미한다.

② 이론적 구성요소들의 추상적 개념을 성공적으로 조작화한 정도를 의미한다.

③ 집행된 정책내용과 발생한 정책효과 간의 관계에 대한 인과적 추론의 정확성 정도를 의미한다.

④ 반복해서 측정했을 때 일관성 있는 결과를 얻는 정도를 의미한다.

10 다음 내용에서 정책평가의 내적 타당성을 위협하는 요인은? 2016년 국가직 9급

> 정부는 혼잡통행료 제도의 효과를 측정하기 위해 혼잡통행료 실시 이전과 실시 후의 도심의 교통 흐름도를 측정·비교하였다. 그런데 두 측정시점 사이에 유류가격이 급등하는 상황이 발생하였다.

① 상실요인(mortality) ② 회귀요인(regression)
③ 역사요인(history) ④ 검사요인(testing)

정답 및 해설

08 우리나라 정부업무평가제도

특정평가는 국무총리가 중앙행정기관을 대상으로 국정을 통합적으로 관리하기 위하여 필요한 정책 등을 평가하는 것으로 중앙행정기관이 정책대상이며 공공기관평가는 외부평가를 원칙으로 하며 특정평가의 대상에는 포함되지 않는다(「정부업무평가 기본법」 제2조 제4호).

| 선지분석 |

② 정부업무평가위원회는 정부업무를 평가하여 심의·의결하는 국무총리 소속의 합의제기관이다(「정부업무평가 기본법」 제9조 제1항).

③ 지방자치단체에 대한 자체평가에 대해서 행정안전부장관은 자치단체를 지원할 수 있으며 국가위임사무에 대해서는 합동평가를 실시할 수 있다(「정부업무평가 기본법」 제18조 제4항, 제21조 제1항).

④ 중앙행정기관과 지방자치단체의 자체평가에 대한 설명이다(「정부업무평가 기본법」 제2조 제3호).

「정부업무평가 기본법」상 정부업무평가제도

> **제2조【정의】** 이 법에서 사용하는 용어의 정의는 다음과 같다.
> 3. "자체평가"라 함은 중앙행정기관 또는 지방자치단체가 소관 정책 등을 스스로 평가하는 것을 말한다.
> 4. "특정평가"라 함은 국무총리가 중앙행정기관을 대상으로 국정을 통합적으로 관리하기 위하여 필요한 정책 등을 평가하는 것을 말한다.
>
> **제9조【정부업무평가위원회의 설치 및 임무】** ① 정부업무평가의 실시와 평가기반의 구축을 체계적·효율적으로 추진하기 위하여 국무총리 소속하에 정부업무평가위원회를 둔다.
>
> **제18조【지방자치단체의 자체평가】** ① 지방자치단체의 장은 그 소속기관의 정책 등을 포함하여 자체평가를 실시하여야 한다.
> ④ 행정안전부장관은 평가의 객관성 및 공정성을 높이기 위하여 평가지표, 평가방법, 평가 기반의 구축 등에 관하여 지방자치단체를 지원할 수 있다.
>
> **제21조【국가위임사무 등에 대한 평가】** ① 지방자치단체 또는 그 장이 위임받아 처리하는 국가사무, 국고보조사업 그 밖에 대통령령이 정하는 국가의 주요시책 등에 대하여 국정의 효율적인 수행을 위하여 평가가 필요한 경우에는 행정안전부장관이 관계중앙행정기관의 장과 합동으로 평가를 실시할 수 있다.

09 정책평가의 타당성과 신뢰도

내적 타당성은 집행된 정책내용(원인)과 발생한 정책효과(결과) 간의 관계에 대한 인과적 추론의 정확성 정도를 의미한다.

| 선지분석 |

① 타당성의 유형 중 일반화와 관련된 외적 타당성에 대한 설명이다.

② 타당성의 유형 중 개념적 정의와 관련된 구성적 타당성에 대한 설명이다.

④ 결과의 일관성으로 신뢰도에 대한 설명이다.

10 내적 타당도 저해요인

제시문은 혼잡통행료 정책과 그 정책의 실시 이전과 실시 이후 효과 간의 인과관계를 측정하려는 것이다. 이는 투입과 효과의 발생 사이에 유류가격 급등이라는 비의도적 사건이 측정에 영향을 미치는 것으로 역사요인 또는 사건효과에 해당한다.

내적 타당도 저해요인

선발요소 (외재적 요인)	실험집단과 통제집단의 표본선정 과정상의 오류(동질성의 부족)
역사적 요소 (사건효과)	실험기간 동안에 일어난 역사적 사건이 실험에 영향을 미치는 것
성숙효과 (성장효과)	실험기간 중 집단구성원의 자연적 성장이나 발전에 의한 효과로서 실험기간이 길어질수록 사건효과나 성장효과는 커짐
상실요소	연구기간 중 집단으로부터 이탈 등 두 집단 간 구성상 변화에 의한 효과
회귀 - 인공요소	실험이 진행되는 동안 구성원들이 원래 자신의 성향으로 돌아갈 경우에 나타나는 오차
모방효과	통제집단 구성원이 실험집단 구성원의 행동을 모방하는 것(오염 또는 확산효과)

정답 08 ① 09 ③ 10 ③

11 **내적 타당성의 위협요인에 대한 설명을 바르게 연결한 것은?** 2016년 국가직 7급

ㄱ. 실험(testing)효과	ㄴ. 회귀(regression)효과
ㄷ. 성숙(maturation)효과	ㄹ. 역사(history)효과

A. 순전히 시간의 경과 때문에 발생하는 조사대상 집단의 특성변화가 나타나는 경우
B. 정책 및 프로그램의 실시 전후 유사한 검사를 반복하는 경우에 시험에 친숙도가 높아져 측정값에 영향을 미치는 경우
C. 특정 프로그램처리가 집행될 즈음에 발생한 다른 어떤 외부적 사건 때문에 나타난 효과
D. 극단적인 점수를 얻은 실험대상들이 시간이 흐름에 따라 보다 덜 극단적인 상태로 표류하게 되는 경향

	ㄱ	ㄴ	ㄷ	ㄹ
①	B	A	D	C
②	B	D	A	C
③	D	C	B	A
④	D	C	A	B

12 **정책평가의 논리에서 수단과 목표 간의 인과관계에 대한 설명으로 옳은 것만을 모두 고르면?** 2020년 지방직 9급

ㄱ. 정책목표의 달성이 정책수단의 실현에 선행해서 존재해야 한다.
ㄴ. 특정 정책수단 실현과 정책목표 달성 간 관계를 설명하는 다른 요인이 배제되어야 한다.
ㄷ. 정책수단의 변화 정도에 따라 정책목표의 달성 정도도 변해야 한다.

① ㄱ ② ㄷ
③ ㄱ, ㄴ ④ ㄴ, ㄷ

13 **정책평가와 관련하여 실험결과의 외적 타당성을 저해하는 요인으로 옳지 않은 것은?** 2021년 국가직 9급

① 연구자의 측정기준이나 측정도구가 변화되는 경우
② 표본으로 선택된 집단의 대표성이 약할 경우
③ 실험집단 구성원 자신이 실험대상임을 인지하고 평소와 다른 특별한 반응을 보일 경우
④ 실험의 효과가 크게 나타날 것으로 예상되는 집단만을 의도적으로 실험집단에 배정하는 경우

14 정책평가를 위한 사회실험에 대한 설명으로 옳지 않은 것은? 2023년 국가직 9급

① 통제집단 사전 · 사후 설계는 검사효과를 통제할 수 있다.

② 준실험은 진실험에 비해 실행 가능성이 높다는 장점이 있다.

③ 회귀불연속 설계는 구분점(구간)에서 회귀직선의 불연속적인 단절을 이용한다.

④ 솔로몬 4집단 설계는 통제집단 사전 · 사후 설계와 통제집단 사후 설계의 장점을 갖는다.

정답 및 해설

11 내적 타당성의 저해요인

각각 A는 성숙(maturation)효과(ㄷ), B는 실험(testing)효과(ㄱ), C는 역사(history)효과(ㄹ), D는 회귀(regression)효과(ㄴ)에 해당한다.

- A: 성숙(maturation)효과로서 시간이 지남에 따라 자연적 성장이나 발전에 의한 효과이다.
- B: 실험(testing)효과로서 실험 전에 측정(테스트)한 사실 자체가 영향을 주는 현상이다.
- C: 역사(history)효과로서 실험기간 동안에 일어난 역사적 사건이 실험에 영향을 미치는 것(사건효과)이다.
- D: 회귀(regression)효과로서 실험이 진행되는 동안 구성원들이 원래 자신의 성향으로 돌아갈 경우에 나타나는 오차(회귀인공요소)이다.

12 정책평가의 인과관계

ㄴ. 비허위적 관계(경쟁 가설의 배제)에 대한 설명이다.

ㄷ. 공동변화(상호연관성)에 대한 설명이다.

| 선지분석 |

ㄱ. 정책목표의 달성보다 정책수단의 실현이 선행해서 존재해야 한다. 정책평가의 논리모형에서 목표와 수단 간의 인과관계가 성립하기 위한 요건은 시간적 선행성, 공동변화, 비허위적 관계(경쟁가설의 배제)이다.

13 외적 타당성의 저해요인

연구자의 측정기준이나 측정도구가 변화되는 경우는 측정도구의 변화로서 내적 타당성(인과관계)의 저해요인이다.

| 선지분석 |

② 표본으로 선택된 집단의 대표성이 약할 경우는 표본의 비대표성으로 외적 타당성(일반화)의 저해요인이다.

③ 실험집단 구성원 자신이 실험대상임을 인지하고 평소와 다른 특별한 반응을 보일 경우는 호손효과로서 외적 타당성(일반화)의 저해요인이다.

④ 실험의 효과가 크게 나타날 것으로 예상되는 집단만을 의도적으로 실험집단에 배정하는 경우는 크리밍 효과로서 외적 타당성(일반화)의 저해요인이다.

➊ 외적 타당도 저해요인

표본의 비대표성	사회적 대표성이 없으면 일반화 곤란
호손효과 (실험조작의 반응효과)	실험집단 구성원이 평소와는 다른 특별한 심리적 행동을 보일 경우 일반화 곤란
다수적 처리에 의한 간섭	여러 번의 실험적 처리를 실시하는 경우 실험조작에 익숙해짐으로 인한 영향이 발생할 경우 일반화 곤란
실험조작과 측정의 상호작용	실험 전 측정과 피조사자의 실험조작의 상호작용으로 실험의 결과가 나타난 경우 일반화 곤란
크리밍 효과 (creaming effect)	표본선정 시에 실험의 효과가 크게 나타날 사람들만을 실험집단에 포함시켜 실시할 경우 일반화 곤란

14 정책평가를 위한 사회실험

동질성을 확보한 진실험적 방법인 통제집단 사전·사후 설계는 사전측정을 함으로써 검사요인의 효과를 통제할 수 없다는 것이 단점이다. 즉, 실험집단과 통제집단에 속한 대상들이 사전측정에 의하여 비정상적인 반응을 보일 수도 있기 때문에 검사효과를 통제할 수 없어서 내적 타당성(인과관계)의 저해요인으로 작용한다.

| 선지분석 |

② 준실험은 실험집단과 통제집단의 동질성을 확보하지 못한 상태의 실험으로 현실적으로 가장 많이 진행되는 방식으로 진실험보다 실행가능성이 높다.

③ 회귀불연속 설계는 준실험적 방법으로 구분점(구간)에서 회귀직선의 불연속적인 단절이 발생하기 때문에 이를 통제하기 위하여 실험집단과 통제집단을 구분할 때 분명하게 알려진 자격기준(eligibility criterion)을 활용하는 방법이다.

④ 솔로몬에 의해 제안된 4집단 설계는 진실험적 방법으로 통제집단 사전·사후 설계와 통제집단 사후 설계의 장점을 결합한 것이다. 솔로몬의 4집단 설계는 제1실험집단과 제1통제집단, 제2실험집단과 제2통제집단으로 나누어 제2실험집단과 제2통제집단의 경우 사전측정(검사요인)의 효과를 배제하기 위하여 사전측정을 하지 않기 때문에 내적 타당성(인과관계)을 확보하기에 매우 효과적인 방식이다.

정답 11 ② 12 ④ 13 ① 14 ①

CHAPTER 6

정책변동론과 기획론

1 정책변동론

1 정책변동의 의의

정책과정의 전(全)단계에 걸쳐 얻게 되는 정보·지식을 서로 다른 단계로 환류시켜 정책목표·정책수단·정책대상집단 등과 관련되는 정책내용과 정책집행 담당조직·정책집행절차와 관련되는 정책집행방법에 변화를 가져오는 것이다.

2 정책변동의 원인과 유형

1. 원인

(1) 문제가 소멸되는 경우 정책변동이 일어난다.

(2) 환경적 기반이 약화되는 경우 정책변동이 일어난다.

(3) 정책내용에 오류가 있는 경우 정책변동이 일어난다.

(4) 정책에 관한 기술 및 지식의 변화가 생긴 경우 정책변동이 일어난다.

(5) 정부관료제의 변화가 생긴 경우 정책변동이 일어난다.

(6) 위기와 재난이 발생한 경우 정책변동이 일어난다.

(7) 정책관련자들의 필요에 변화가 생긴 경우 정책변동이 일어난다.

(8) 참여집단의 관계에 변화가 생긴 경우 정책변동이 일어난다.

2. 유형 - 호그우드와 피터스(Hogwood & Peters)의 『정책역학론(1983)』❶❷

(1) 정책혁신 - 새로운 문제의 등장(의도적)

기존의 조직과 예산을 활용하지 않고 정부가 관여하지 않고 있던 분야에 개입하기 위해서, 새로운 조직과 예산을 활용하여 정책을 추진하는 것이다.

예) 정보화가 진전되고 인터넷 사용이 활성화되면서 각종 사이버 범죄가 빈발하자 이 새로운 문제를 해결하기 위한 사이버 수사대가 만들어지는 경우

(2) 정책종결(구조적 종결 + 기능적 종결) - 문제의 소멸(의도적)

현존하는 정책을 완전히 소멸시키는 것이다. 정책수단이 되는 사업들을 지원하는 예산이 완전히 소멸되고, 이들을 대체할 다른 어떠한 정책도 결정하지 않은 경우이다.

(3) 정책승계 - 문제의 변질(의도적)

① 정책수단의 기본적 성격을 바꾸는 것으로서 근본적인 수정을 하는 경우이다.

② 정책수단을 없애고 새로이 완전히 대체하는 경우도 있다. 어느 경우에나 기본정책목표는 변하지 않기 때문에 '정책승계'라고 부른다.

❶ 정책변동의 유형

정책혁신	새로운 문제의 등장(의도적)
정책종결	문제의 소멸(의도적)
정책승계	문제의 변질(의도적), 정책목표는 변동되지 않음
정책유지	문제의 지속(적응적)

❷ 정책변동의 변동범위

구분	변동여부		
	정책 목표	정책 수단의 기본적 성격	정책산출 (대상 집단, 수혜 범위)
정책혁신	○	○	○
정책종결	○	○	○
정책승계	×	○	○
정책유지	×	×	○

③ 정책승계의 유형[1]

선형적 승계 (정책대체)	기존의 정책수단이나 사업을 완전히 종결하고 종전과 동일한 목표를 달성하기 위해 새로운 사업계획을 수립하는 것으로, 가장 전형적인 형태이다.
우발적 승계	기존 정책이 타 분야의 정책변동에 연계되어 우발적인 변화가 나타나는 형태이다.
정책통합	두 개 이상의 정책이나 사업계획이 완전히 또는 부분적으로 종결되고, 이와 유사한 정책목표를 추구하기 위하여 새로운 단일의 정책이 제도화되는 형태이다.
정책분할	기존의 정책이 두 개 또는 그 이상의 정책으로 분할되는 형태이다.
부분적 종결	기존의 정책 중 일부는 계속적으로 유지하면서 일부는 완전히 종결시키는 형태이다.
복합적 정책승계	정책유지·대체·종결 또는 추가 등 정책승계의 여러 유형들이 복합적으로 나타나는 형태이다.

(4) 정책유지 - 문제의 지속(적응적)

정책수단의 기본적 성격을 그대로 유지하면서 정책산출의 대상집단이나 수혜범위를 변경하는 것이다.

㉠ 아동수당 지급대상을 최상위 10%의 계층을 제외하는 것에서 전 계층을 지급대상으로 변경하는 경우

고득점 공략 정책종결의 원인(Levin)

레빈(Levin)은 정책종결의 원인을 다음과 같이 네 가지로 나누고 있다.

구분	내적 요인	외적 요인
정치적 요인	정치적 취약성	문제의 고갈
경제적·기술적 요인	조직의 위축	환경적 엔트로피

1. 조직 내적 요인
   ① **정치적 취약성**: 정부조직이 예산절감이나 감축요구에 대해 저항할 수 있는 내적 능력이 매우 취약한 경우에 발생한다.
   ② **조직의 위축**: 조직이 환경으로부터 정보처리 및 문제해결능력을 갖추지 못하여 변화에 대한 적응력이 감소할 경우 조직이 위축되고, 기구 및 인원과 예산감축 등 기능적 종결이 일어난다.
2. 조직 외적 요인
   ① **문제의 고갈(정통성 상실)**: 문제가 해결되거나 더 이상 그 중요성을 잃게 됨으로써 공적 개입을 필요로 하지 않게 되는 경우 기존 정책이 종결된다.
   ㉠ 농촌지역 초등학교의 인원 감소로 인한 폐교조치나 통합 등
   ② **환경적 엔트로피(entropy)**: 환경이 조직의 기존 활동을 현 수준에서 유지할 수 있도록 지원할 능력이 없을 때 발생한다.
   ㉠ 지역경제의 퇴조와 재정난으로 인한 조직규모의 축소 등

[1] 이익집단 위상변동모형(무치아로니; Mucciaroni, G.)
1. **의의**: 행정의 제도적 맥락과 이슈 맥락에 따라 정책변동은 물론, 이익 집단의 변화를 가져온다는 모형이다.
2. **제도적 맥락과 이슈 맥락**
   - 제도적 맥락은 입법부나 행정부의 지도자들을 포함한 구성원들의 특정한 정책이나 산업에 대하여 가지고 있는 선호나 행태를 말한다.
   - 이슈 맥락은 정책의 유지 또는 변동에 영향을 미치는 환경적 요인과 같은 정책요인을 의미한다.
3. **양자의 관계**: 변동의 원인은 크게 제도적 맥락과 이슈 맥락으로 나누어지는데, 제도적 맥락과 이슈 맥락이 서로 다른 방향으로 작용할 때 제도적 맥락에 더욱 큰 영향을 받는다. 즉, 이슈 맥락이 특정한 이익집단에 유리하더라도 제도적 맥락이 불리할 때는 정책이 불리하게 돌아가며, 이슈 맥락이 불리하더라도 제도적 맥락이 유리하면 정책이 불리해지지 않는다.

핵심 OX

01 정책담당자의 보수적 성격은 정책변동을 저해하는 요인으로 작동할 수 있다. (O, X)

02 정책종결은 현존하는 정책의 기본적 성격을 바꾸는 것으로서, 정책의 근본적인 수정을 필요로 하는 경우 정책을 없애고 새로이 완전히 대체하는 경우 등을 포함한다. (O, X)

01 O
02 X 정책종결이 아니라 정책승계를 나타낸다.

2 기획론

1 기획[1]

1. 의의

(1) 기획이란 행정목표를 달성하기 위하여 장래활동에 관한 일련의 결정을 준비하는 계속적 · 동태적 과정이다.

(2) 얀취(Jantsch)는 기획이론이 정책학의 발전에 기여한다고 하였다.

2. 특징과 기능

(1) 특징

① **미래지향성**: 기획은 불확실한 미래상황을 예상하고 행정이 어떤 방향으로 나아가야 하는가에 대한 것이므로 미래지향적인 활동이다.

② **목표지향성**: 기획은 조직의 목표를 구체화하고 명료화시키는 활동이다.

③ **행동지향성**: 기획의 목적은 실천과 행동을 통한 문제의 해결이나 현실의 개선에 있다. 즉, 단순히 이론을 정립하는 것이 아니라 행정이나 국가의 변화를 위한 것이므로 행동지향성을 띤다.

④ **계속적 준비과정**: 기획은 하나의 계획을 작성하는 데에 그치지 않고 그 집행의 결과를 평가하여 차기 계획에 반영하여 준비하는 계속적이고 순환적인 활동이다.

⑤ **정치적 성격**: 기획은 정치적 성격을 띠는 경우가 많다. 사기업과 달리 행정에서의 기획은 공무원이 단독적으로 행하는 것이 아니라 정치적인 지지와 협력이 필요하므로 정치성을 띠고 있다.

⑥ 합리적 과정이지만 가치관 내지 무형적 요인과도 관련된다.

(2) 기능

① 합리적인 사회문제의 해결 수단이다.

② 행정목표를 명확하게 하고 장래에 대비할 수 있다.

③ 가용자원을 최적으로 활용하고, 낭비를 최소화한다.

④ 행정행위에 대한 사전 조정과 통제의 수단이 된다.

⑤ 관리자에게 지휘의 수단을 제공한다.

3. 기획관의 변천

오늘날 기획관은 과학적이고 분석적인 방법을 통하여 주어진 목표를 달성하며, 객관적이고 합리적인 수단을 강구하는 데 중점을 두는 종래의 수단적 기획관(instrumental view of planning)으로부터 가치판단과 윤리적 측면을 고려하고 사회갈등의 조정에 중점을 두는 규범적 내지 인본적 기획으로 전환되고 있다[얀취(Jantsch)의 벨라지오(Bellagio) 선언*].

[1] 기획과 계획의 구별
기획(planning)과 계획(plan)은 그 구별의 실익이 크지 않으나, 일반적으로 기획은 포괄적·계속적인 관념으로 계획을 세워 가는 활동이나 과정을 가리키는 데 비해, 계획은 보다 구체적·개별적인 안(案)으로 이해될 수 있다.

용어
벨라지오(Bellagio) 선언*: 과학적·분석적 방법을 통하여 주어진 목표를 달성하며 객관적·합리적 수단을 강구하는 데 중점을 두는 종래의 수단적 기획관으로부터 벗어나 가치판단과 윤리적 측면을 고려하고 사회갈등의 조정에 중점을 두는 규범적 기획 내지 인본적 기획에로의 전환을 주장한 선언이다.

(1) 전통적 기획관

① 수단적 기획관

㉠ **사실지향적:** 기획가가 사실적인 자료를 수집 · 분석하는 가치중립적인 기획으로서, 목표설정이나 가치지향적 기능과는 거리가 멀다.

㉡ **합리성 기반:** 실증주의가 투영된 것으로 목표 - 수단 연쇄관계에 의한 합리성 개념에 기초를 두는 기획관이다.

㉢ **기획의 기능:** 외부에서 수립된 목표들을 달성하기 위한 객관적 수단을 강구하는 데 국한시킨다.

② **부분체계의 기획:** 특정 정책의 단순한 부분이며, 집행수단으로서의 기획이다.

(2) 현대적 기획관

① 규범적 기획관

㉠ **수단적 기획관 비판:** 1970년대 이후 특히 공공부문의 기획은 정치적 · 윤리적 문제의 개입이 불가피하다는 비판이 대두되었다.

㉡ **목표지향적:** 기획에서 중요한 것은 목표설정기능이라고 보았다.

㉢ 윤리적 · 정치적 측면을 고려한 이해갈등의 조절이 과학적 방법론보다 우선적인 과제라는 입장이다.

② 종합적 기획

㉠ 특정 정책의 단순한 집행수단으로서의 기획에서 포괄적인 국가기획제도로의 변화이다.

㉡ 현대적 기획은 가치지향적 · 개방적 · 질적 기획이다.

2 기획의 일반적 과정

1. 목표설정

(1) 궁극적인 목적이 무엇인지를 규정하여 문제점을 해소하거나 현실을 개선한다. 발전기획의 경우에는 상황과 여건 등 환경의 변화에 대응하는 것이 가장 큰 목표이다. 정치적 상호작용과 판단이 목표설정에 있어서 중요한 역할을 하는 것이다.

(2) 목표의 요건

① 표방된 목표와 실제 목표 사이에 괴리가 있어서는 안 된다.

② 문제나 미래상태에 비추어 타당성이 있어야 한다.

③ 계획목표들 사이에는 내적 일관성을 견지하여야 한다.

④ 계획목표는 구체적이고 실제적이어야 한다.

⑤ 여러 가지 제약조건에 비추어 실현가능한 것이어야 한다.

핵심 OX

01 기획은 미래지향적이며 창의성과 지속성을 강조한다. (O, X)

02 현재 우리나라의 중앙기획기관은 기획재정부이다. (O, X)

01 O
02 O

2. 상황분석 – 현황파악

(1) 목표가 설정되면 현재 및 장래의 상황을 파악하여 목표를 달성하는 데 예상되는 장애요인과 문제점을 규명하여야 한다.

(2) 상황에 관한 정확한 진단(capacity planning)을 하고 현재 우리가 가지고 있는 것과 우리가 원하는 것과의 격차를 측정하며 현재뿐 아니라 미래에 예상되는 상태에 관한 예측도 병행한다.

3. 기획전제의 설정 – 미래 예측

(1) 계획을 수립하는 과정에서 토대로 삼아야 할 기본적인 예측 또는 가정이다.

(2) 상황분석이 주로 현실적인 여건을 대상으로 삼는 데 비해서, 기획전제는 미래에 관한 추측 또는 전망을 대상으로 삼는다는 점이 서로 다르다. 기획전제는 일반적으로 외생변수들의 장래변화에 관한 가정이다.

4. 대안의 탐색과 평가

(1) 대안의 탐색

복수의 대안이 존재한다. 주요 원천은 자신의 과거 경험이나 다른 사람 또는 조직이 취한 선례를 통해 판단한다.

(2) 대안의 비교·평가

각 대안의 장단점 또는 비용과 효과를 비교·분석하여 의사결정자가 최선의 선택을 할 수 있는 기초를 제공한다. 각 대안들이 가지는 현 시점에서의 장단점보다는 그 대안을 채택하였을 경우에 나타날 영향을 예측하여 비교·평가하는 데 초점을 둔다.

5 최종안 선택[1]

(1) 가치판단에 있어서 선택의 주체가 인간인 이상 준거의 설정 및 상대적인 판단에 있어서 개인적인 주관이나 선호같은 가치판단이 개재된다. 즉, 최고정책결정자 또는 기획가들의 개인적·주관적 가치판단이 개입된다.

(2) 불확실성에 대한 조절과 선택의 검증이 필요하다.

(3) 기획전제의 타당성 여부 및 선택된 대안의 실현가능성도 검토하여야 한다.

(4) 공청회, 협의회, 여론조사를 통해 동의를 확보한다.

(5) 시범지역을 설정하여 시행한다[시험적 시행(pilot run)].

[1] 최종안의 선택단계에서 고려할 사항
1. **가치판단**: 각 대안의 장점에 대한 가치판단을 거친다.
2. **불확실한 요소의 조절**
   - 신뢰할 수 없는 자료의 파악하고 제외한다.
   - 불완전한 자료를 보충한다.
   - 행위가능성, 미래지향성, 가치함축성, 윤리적 복잡성 등 다양한 변수를 검토한다.
   - 통계적 확률을 활용한다.
3. **계획의 검증**
   - 내부적 일관성을 통해 검증한다.
   - 법적·정치적·경제적·행정적·기술적·사회문화적으로 실행가능한 것인지, 특히 동의의 확보가능성 여부를 고려한다.

3 기획의 유형

1. 구속성 유무별 분류

구속계획 (강제기획)	구속성·강제성이 있는 계획이다. 예 공산국가의 기획 등
지시계획 (유도기획)	구속성·강제성이 없는 계획이다. 예 프랑스의 모네기획 등

2. 계층별 분류(Jantsch)

정책계획 (입법계획)	규범적 계획, 정부의 광범위하고 기본적인 최고목표 또는 방침을 형성하는 포괄적·종합적 기획으로 국회의결을 요한다.
전략계획	정책계획과 운영계획의 중간적 성격의 기획이다.
운영계획 (행정계획)	전술적 기획으로 구체적·세부적 기획이다. 따라서 기획의 수립에 있어 국회의결은 불필요하다.

3. 이용 빈도별 분류

단용계획	1회에 한하여 사용하며(비정형적 계획) 임시계획이다.
상용계획	반복적으로 사용(정형적 계획)하는 계획이다. 집행노력을 절약하고, 행정활동 조정에 도움이 되며, 인건비의 대폭적 절약이 가능하고, 통제가 용이하다는 장점이 있다.

4. 기간의 고정성 유무에 의한 분류

(1) 고정계획

기간이 고정된 비현실적 계획이다.

㉮ 우리나라의 경제개발 5개년 계획으로서 제1차(1962~1966년), 제2차(1967~1971년), 제3차(1972~1976년) 등이 있음

(2) 연동계획(rolling plan)

① 의의

㉠ 연동계획은 장기적인 비전과 미래설계 속에서 구조적인 변화를 가한다는 장기계획의 장점과, 계획의 실현가능성과 타당성이 높다는 단기계획의 장점을 결합하려는 시도이다.

㉡ 장기계획 혹은 중장기계획의 집행과정에서 매년 계획내용을 수정·보완하되 계획기간을 계속해서 1년씩 늦추어 가면서 동일한 연한의 계획을 유지해 나가는 제도로서, 계획예산제도(PPBS)와 밀접한 관련이 있다.

㉮ 우리나라의 경우 제4차 5개년계획(1977~1981년)부터는 연동계획제도를 도입함

② 장단점

㉠ 장점

ⓐ **현실적합성의 제고:** 장기적 전망에 입각하여 당면한 계획을 계속적으로 수정·보완함으로써 계획의 이상과 현실을 조화시키려는 제도이다.

ⓑ 기획과 예산의 유기적 통합이 가능하다.

ⓒ 상황에 따른 변화가 가능하므로 적응성을 확보할 수 있다.

ⓓ 점진적 계획으로 급진적인 경우보다 실현가능성을 증대시킨다.

㉡ 단점

ⓐ 정치인은 단기적인 선거에만 관심을 두기 때문에 그 관심도가 낮고, 대국민 호소력 또한 약하다(특히 개발도상국에서 고정계획보다 호소력이 미흡).

ⓑ 해마다 계획목표가 달라지기 때문에 투자자나 일반국민들이 계획의 방향과 목표를 잘 알지 못하거나 무관심하기 쉽다.

ⓒ 연동기획체제를 유지하기 위해서는 방대한 인적·물적자원이 필요하다.

핵심 OX

01 프랑스의 모네기획은 대표적인 중앙집권적 강제계획이다. (O, X)

02 유도기획은 기업이 국가계획과 조화를 이루어 경영하는 것으로 관민의 협조를 통해 영향력을 행사한다. (O, X)

03 정책결정의 회사모형은 단용계획의 수립과 관련된다. (O, X)

01 X 프랑스의 모네기획은 유도기획으로 강제성이 없는 것이 특징이다.
02 O
03 X 정책결정의 회사모형은 표준운영절차의 확립을 중시하므로 상용계획에 해당한다.

5. 지역수준별 분류

지방계획	도시 또는 농촌의 지역사회 단위, 즉 시 · 군 단위의 계획이다.
지역계획	지역 간의 균형적 발전을 위해 국토를 일정한 기준에 의해 수개의 권역으로 나누어 개발권 또는 계획권을 설정한 계획이다.
국가계획	국가 전체를 지역적 대상으로 하는 계획으로서 가장 일반적이다.
국제계획	여러 개의 국가가 관련된 국제수준의 계획으로서 세계화의 추세에 따라 점차 많이 활용되고 있다.

6. 허드슨(Hudson)의 기획 분류(SITAR)

총괄적 기획	합리적 · 종합적 접근을 하며, 주로 개발도상국에 적용된다.
점진적 기획	조정과 적응을 계속하는 기획으로 전략적 · 단편적 점진주의 기획이라고도 한다. 주로 선진국에 적용된다.
교류적 기획	서로 대면 · 접촉하여 계획을 세우며, 이때 대면 상대자는 어떤 결정에 의해 직접적으로 영향을 받는 사람들이어야 한다. 따라서 인간의 존엄성과 효능감을 중요시한다(분권적 기획).
창도적 기획	강자에 대한 약자의 이익을 보호하기 위해 제시한 기획이다. 따라서 약자를 보호하기 위한 법적 피해 구제절차를 중요시한다.
급진적 기획	자발적 실행주의의 사조에 기반을 둔 기획으로 단기간 내에 구체적 성과를 낼 수 있도록 집단행동을 통해 실현시키려는 기획이다.

7. 기획의 정향 – 액코프(Ackoff)의 기획에 대한 태도[1]

(1) 무위주의(현재주의)

① 현재의 상태에 만족하는 태도를 지닌다.

② 과거로 돌아가기를 원하지 않고 변화를 예방하려고 한다.

③ 현재의 상태가 가장 좋은 것은 아니라고 믿으나 만족할 만하게 좋다고 보아 현재의 상태를 계속적으로 유지하는 일 이외에는 아무것도 하려 들지 않는다는 것이다.

(2) 반동주의(복고주의)

① 현실에 만족하지도 않고 미래에 희망을 두지도 않는다.

② 전통을 중시하고, 현재를 과거로 돌리기 위해 현재에 필요한 개입행동을 한다.

③ 기술문명이 변화의 가장 주요한 원인이라고 믿기 때문에 기술을 적대시하고, 구습적인 전통을 지키려는 극단적 보수주의이다.

(3) 선도주의(미래주의)

① 예전으로 돌아가는 것이나 현재의 상태에 만족하지 않는다.

② 미래가 과거나 현재보다 훨씬 낫다고 믿기 때문에 변화를 더욱 가속화하고 주어진 기회를 최대한 이용하려 한다.

③ 변화를 추구하므로 기술에 대하여 호감을 지닌다.

[1] 기획의 정향

구분	기획의 종류	관심영역
무위주의	조작적 기획	수단의 선택
반동주의	전술적 기획	수단과 단기목표의 선택
선도주의	전략적 기획	수단과 장 · 단기 목표의 선택
능동주의	규범적 기획	수단, 장 · 단기 목표 및 이상의 선택

(4) 능동주의(상호작용주의)

① 과거나 현재에 집착하지 않고, 미래에 대해서도 설렘을 보이지 않는다. 미래를 창조의 대상으로 파악하여 미래는 우리의 통제 밖에 있다고 본다.

② 무위주의자들은 단순히 만족하고, 선도주의자들은 최적화를 추구하지만, 능동주의자들은 이상화를 추구한다.

③ 능동주의의 목적은 자신들의 학습과 적응능력의 계속적 향상을 추구하는 데 있다.

4 국가기획과 민주주의에 대한 논쟁(Hayek vs. Finer)

1. 국가기획의 특성

국가기획은 정치적 성격이 강하다. 자유주의 사회에서의 국가기획은 국민의 자유와 창의성을 제한하는 문제를 유발하는데, 국가기획과 민주주의에 대한 찬반 논쟁이 있다.

2. 국가기획과 민주주의와의 논쟁

(1) 부정론(Hayek, Popper)

① 하이예크(Hayek)의 『노예에의 길』(1944): 국가기획의 도입에 따라 시민의 자유와 권리침해 등 민주주의 원리가 훼손된다고 주장하여 국가기획을 반대하였다. 중앙통제를 통한 기획경제는 자유시장제도를 붕괴시키고, 개인의 자유를 억압한다는 것이다.

② 포퍼(Popper)의 『열린 사회와 그 적들』: 반전체주의적 입장으로서 열린사회(자유주의)를 주장하였다.

(2) 긍정론(Finer, Mannheim, Holcomb)

① 파이너(Finer)는 『반동의 길(1945)』를 통해, 홀콤(Holcomb)은 『계획적 민주정부론』을 통해 국가기획의 도입을 찬성하였다. 또한 시민의 자유와 권리 등 민주주의 원리와 양립 가능함을 주장하였다. 기획에 의하여 자유민주주의의 이념인 자유와 평등을 확고히 할 수 있다고 보았다.

② 만하임(Mannheim)도 『자유 · 권력 및 민주적 기획론』을 통해 자본주의 경제에 민주적인 기획의 필요성을 역설하였다.

(3) 에치오니(Etzioni)는 활동적 사회(active society)에서 '창조적이고 민주적인 기획'이 필요하다고 강조하였다.

3. 자유민주주의 체제와 국가기획의 방향

(1) 국가기획의 필요성과 중요성은 일반적으로 인정되고 있으나 자유민주주의 국가에서 전면적이고 포괄적인 국가기획은 허용될 수 없다.

(2) 자유민주주의 체제에서는 ① 자유민주주의의 기본질서를 저해하지 않는 범위 내에서, ② 복수정당제도의 기본적 전제하에서, ③ 국민의 창의력을 저해하지 않는 범위 내에서 국가기획이 인정되어야 한다.

핵심 OX

01 액코프(Ackoff)의 기획의 정향 중에서 과거나 현재에 집착하지 않고, 미래에 대해서도 설렘을 보이지 않으며, 자신들의 학습과 적응능력의 계속적 향상을 추구하는 유형은 선도주의에 해당한다. (O, X)

02 액코프(Ackoff)의 무위주의 기획은 권위적 정향을 지닌다. (O, X)

03 파이너(Finer)는 국가기획이 민주주의와 양립 가능함을 주장하였다. (O, X)

01 X 이는 선도주의에 대한 설명이 아니라 능동주의에 대한 설명이다.
02 X 권위적인 정향은 반동주의(복고주의)의 특징이다.
03 O

5 전략적 기획

1. 의의

(1) 개념

① 전략적 기획(strategic planning)이란 조직이 무엇이며, 무엇을 해야 하고, 왜 그것을 해야 하는가 등 조직의 생존과 성장에 관련된 근본적인 결정과 행동을 만들어내는 활동을 돕는 체계화된 노력이다(Bryson).

② 전략적 기획은 내부자원이나 전략 및 외부환경에 대한 세밀한 분석이 필요하므로, 상대적으로 정치 및 경제 등 외부환경이 안정적인 환경 속에서 유용성이 높다.

(2) 전통적 기획과 전략적 기획의 차이점

① 전통적 기획은 조직의 목표를 명확히 설정하고 그것을 반영하는 것에 중점을 두는 반면, 전략적 기획은 중요한 이슈를 확인하고 해결하는 것에 중점을 둔다.

② 전통적 기획은 현 상황이 지속된다는 가정하에 계획을 수립하지만, 전략적 기획은 가변적 상황을 가정하고 상황적응적인 계획을 수립하며 이를 실천하기 위한 조직의 능력을 지속적으로 평가한다.

③ 전략적 기획가가 전통적 기획가에 비하여 미래의 비전에 관심이 많다.

④ 전략적 기획은 전통적 기획에 비하여 행동지향적이다.

2. 과정

(1) 전략적 기획과정에 대한 합의

의사결정자들로부터의 지지와 협조의 약속이 중요하다.

(2) 조직이 반드시 해야 할 일에 대한 합의를 도출한다.

(3) 조직의 목표와 추구하는 가치의 확인

① 공공부문의 사회적 수요의 확인은 종종 이해관계자 분석에 기초하는 경우가 많다.

② **이해관계자 분석**: 조직이 고려해야 할 주요 이해관계자들을 확인하고 각 이해관계자가 조직을 어떤 기준을 가지고 평가하는가를 알아보는 것을 주요 내용으로 한다.

(4) 조직의 환경분석(SWOT 분석)

'하버드 정책모형'이라고도 하는 것으로 조직과 그 조직이 처한 환경 사이에서 가장 적합한 상태를 형성하는 것이다.

① **조직 내부환경**: 강점(Strong)과 약점(Weakness)이 있다.

② **조직 외부환경**: 기회(Opportunity)와 위협(Threat)이 있다.

(5) 조직이 직면한 중요한 이슈를 확인한다.

(6) 확인된 이슈를 다루기 위한 전략을 형성한다.

(7) 전략적 계획을 검토하고 채택여부를 결정한다.

3. 효용 및 한계

(1) 효용

① 조직 전체의 적극적 참여를 필요로 하기 때문에 조직 내의 참여가 증대되고 의사소통이 원활화된다.

② 다수의 참여로 정보수집이 증대되어 조직의 우선순위결정에 도움을 준다.

③ 중요한 문제와 도전에 관심을 두게 되어 조직의 성과 및 부응성(responsiveness)이 향상되며 이는 조직의 경쟁력 증대와 직결된다.

(2) **한계**

① 전략적 기획의 비용이 그 편익보다 클 경우에는 사용하지 않는다.

② 조직의 지도자가 뛰어난 직관을 가지고 있을 경우 조직 전체가 참여하는 전략적 기획이 비효율적일 수 있다.

③ 조직의 의사결정과정이 지나치게 복잡한 경우 전략적 기획이 어렵다.

④ 위기에 처한 조직의 경우 전략적 기획을 위한 후원이 부족하며 전략적 기획이 바람직한 선택이 아닐 수 있다.

6 기획의 저해요인

1. 기획수립상 저해요인

(1) 목표 간의 갈등, 불명확성이 존재하는 경우가 많다.

(2) 정확한 미래예측이 곤란한 경우 문제된다.

(3) 정보 · 자료의 부족 및 부정확성이 문제된다.

(4) 현실적으로 시간 · 비용상 제약이 존재한다.

(5) **기획의 그레샴 법칙**[1]

① **의미:** "악화가 양화를 구축한다."라는 화폐법칙이 기획에 적용된 것으로, 일상적이고 정형적인 상황을 선호하여 합리적인 기획이 저해된다는 것이다.

② **원인**

㉠ 정책결정자의 책임회피 및 무사안일적 성향으로 기획수립이 저해된다.

㉡ 미래예측능력 등 기획능력의 부족과 기획기법의 낙후성을 들 수 있다.

㉢ 인적 · 물적 · 시간적 자원이 부족할 때 발생한다.

㉣ **목표의 무형성:** 상위목표가 무형적 · 추상적일수록 전통이나 선례를 답습하게 된다.

㉤ 조직이 보수주의적인 성향을 띨수록 기획수립이 저해된다.

2. 집행상 저해요인

(1) 변화에 대한 저항과 반발이 나타난다.

(2) 기획의 경직성 때문에 수정이 곤란한 경우가 많다.

(3) 반복적 사용의 제한, 기획의 상황적응성이 부족한 경우가 많다.

(4) 국가개입에 의해서 자원배분의 비효율성이 나타날 수도 있다.

3. 행정상 저해요인

(1) 기획담당자의 능력 · 기술경험, 기획에 대한 인식 등이 부족한 경우가 있다.

(2) 정치불안과 자원부족(기획의 안정성 저해)이 문제된다.

(3) 기타 인사관리의 비효율성, 절차의 복잡성, 기획에 대한 조정결여, 회계제도의 비합리성 등이 문제된다.

[1] 기획의 그레샴 법칙
"악화가 양화를 구축한다."는 그레샴 법칙이 여러 정책결정이나 기획에 적용 · 반영되는 현상을 말한다. 즉, 불확실한 상황에서 혁신적이고 발전지향적인 기획업무가 중시되어야 하는 상황임에도 불구하고 전례답습적인 단순집행업무가 중시되고 우선적으로 행해지는 현상이다.

핵심 OX

01 기획을 함에 있어 예측능력의 한계는 집행상의 제약요인이다. (O, X)

01 X 예측능력의 한계는 기획수립상의 제약요인이다.

학습 점검 문제

01 호그우드(Hogwood)와 피터스(Peters)의 정책변동유형 중 정책목적은 유지하되 세부적 정책수단을 변화시키는 유형은?

2013년 서울시 7급

① 정책창안
② 정책종결
③ 정책유지
④ 정책승계
⑤ 정책전환

02 다음과 같은 내용을 모두 포괄하는 정책변동의 유형은? 2017년 국가직 7급(10월 추가)

- 정책수단의 기본 골격이 달라지지 않으며, 주로 정책산출부분이 변한다.
- 정책대상집단의 범위가 변동된다거나 정책의 수혜수준이 달라지는 경우와 관련이 있다.
- 저소득층 자녀에 대한 교육비 보조를 그 바로 위 계층의 자녀에게 확대하는 사례에 해당한다.

① 정책통합(policy consolidation)
② 정책분할(policy splitting)
③ 선형적 승계(linear succession)
④ 정책유지(policy maintenance)

03 기획의 과정이 바르게 나열된 것은? 2011년 군무원 9급

① 목표설정 - 상황분석 - 기획전제의 설정 - 대안 탐색 및 평가 - 최적안 선택
② 상황분석 - 기획전제의 설정 - 목표설정 - 대안 탐색 및 평가 - 최적안 선택
③ 상황분석 - 목표설정 - 기획전제의 설정 - 대안 탐색 및 평가 - 최적안 선택
④ 목표설정 - 기획전제의 설정 - 상황분석 - 대안 탐색 및 평가 - 최적안 선택

04 행정에서 기획은 인간의 자유와 인권을 신장시킬 수 있는 도구라는 긍정설의 입장과 오히려 의회의 자유로운 토의를 제한함으로써 행정이 기획에 노예화된다는 부정설의 입장을 대표하는 두 학자의 집합으로 옳은 것은? 2013년 해경간부

① F. A. Hayek - R. Merton ② H. Finer - H. Simon

③ R. Dahl - F. A. Hayek ④ H. Finer - F. A. Hayek

정답 및 해설

01 정책변동의 유형

정책의 기본적 목적(정책목표)는 유지하되 세부적 정책수단을 변화시키는 것은 정책변동의 유형 중에 정책승계에 해당한다.

02 정책변동의 유형

제시문의 정책수단의 기본골격(기본적 목표와 성격)은 변하지 않으면서 정책산출, 정책대상집단의 범위 등 구체적 정책수단이 변화하는 것은 정책유지에 해당한다.

| 선지분석 |

① 정책통합(policy consolidation)은 둘 이상의 정책이 하나로 통합되는 것이다.

② 정책분할(policy splitting)은 하나의 정책이 둘 이상의 정책으로 나누어지는 것이다.

③ 정책승계란 정책목표는 변동이 되지 않으면서 정책의 근본적 성격이 바뀌거나 새로운 정책으로 대체되는 것이다. 정책승계에는 선형적 승계와 비선형적 승계가 있는데 선형적 승계(linear succession)는 정책목표를 변경시키지 않는 범위 내에서 정책내용을 완전히 새로운 내용으로 바꾸는 것이고 비선형적 정책승계는 선형적 승계, 정책종결, 정책추가, 정책유지 등이 복합적으로 나타나는 정책승계를 말한다.

03 기획의 과정

기획은 일반적으로 '목표설정 → 상황분석 → 기획전제의 설정 → 대안의 탐색 및 평가 → 최적안 선택'의 순서로 진행된다. 목표설정과 상황분석은 현실여건에 대한 정보 수집·분석이고, 기획전제의 설정은 상황분석을 토대로 미래를 가정하고 전망하는 것이다. 대안의 탐색과 평가란 현실 상황분석과 미래에 대한 기획전제를 바탕으로 이루어진다.

기획의 과정

기획도 의사결정과정이므로 정책결정의 기본적 과정을 그대로 거친다.

(1) **기획의제 설정**: 사회문제가 기획문제로 수용되는 과정

(2) **기획결정(수립)**
- 문제인지: 기획문제의 정의
- 목표설정: 목표의 제시
- 정보의 수집분석(상황분석): 정보를 수집·분석하여 기획대상(현실여건)에 대한 상황분석
- 기획전제(planning premise)의 설정: 통제가 불가능한 외생변수의 변화 등 미래에 대한 전망과 가정
- 대안(기획안)의 탐색과 작성
- 대안의 결과 예측: 미래예측
- 대안의 비교평가
- 최종 대안의 선택

(3) **기획집행**: 기획을 행동에 옮기는 행동화과정

(4) **기획평가**: 기획의 집행상황 및 결과를 평가하는 것으로 일종의 심사분석(집행관리 및 성과분석)

04 기획과 민주주의의 관계 논쟁

기획과 민주주의의 관계 논쟁에 있어 찬성론자로는 파이너(Finer), 만하임(Mannheim), 홀콤(Holcomb) 등이 있고, 반대론자로는 하이예크(Hayek)가 있다.

정답 01 ④ 02 ④ 03 ① 04 ④

10초만에 파악하는 5개년 기출 경향

최근 5개년(2024~2020) 출제율

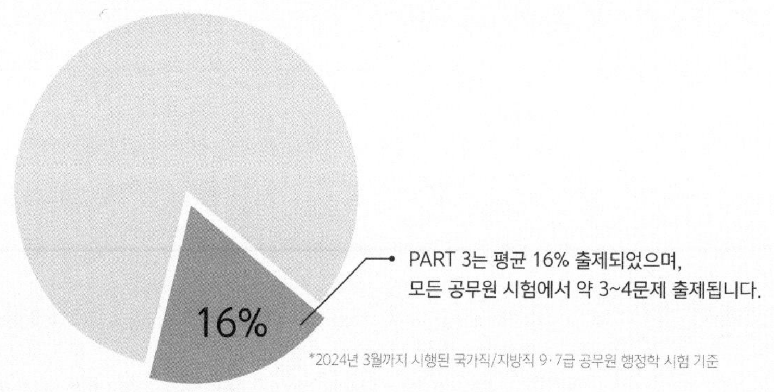

*2024년 3월까지 시행된 국가직/지방직 9·7급 공무원 행정학 시험 기준

CHAPTER별 출제율

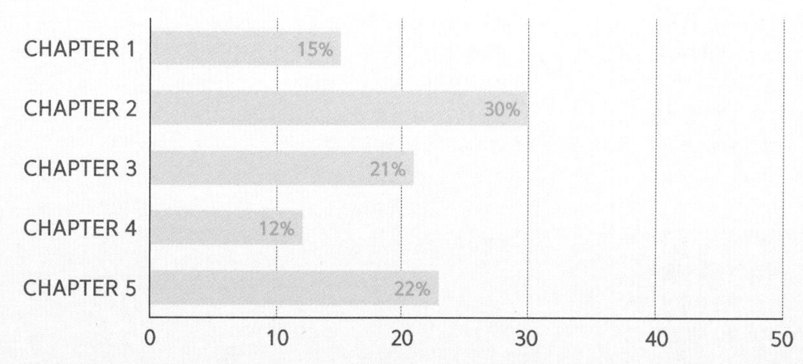

PART 3

행정조직론

CHAPTER 1

조직의 기초이론

1 조직의 의의와 유형

1 조직의 의의

1. 의의

(1) 조직이란 일정한 목표달성을 위한 인적·물적 결합체이다.

(2) 버나드(Barnard)는 "조직이란 목적달성을 위해 두 사람 이상의 힘과 활동을 조정하는 협동체제이다."라고 하였다.

2. 기본적 특징

(1) 개인(조직의 기초단위)으로 구성되는 집합체로서의 사회적 실체

조직은 공식화된 분화와 통합의 구조 및 과정, 규범을 내포하고 있다.

(2) 조직의 목표지향성과 계속성

조직은 일정한 목표를 추구하며 상당히 지속적이다.

(3) 구조화된 활동체제와 투과할 수 있는 경계

조직은 구조화된 활동체제와 경계를 가지고 있다.

(4) 환경과의 상호작용

조직은 경계 밖의 환경과 상호작용을 통해 적응해 나간다.

3. 조직목표의 기능

(1) 조직의 활동에 대한 방향과 지침을 제공해 준다.

(2) 조직의 성공여부 및 능률성, 효과성을 평가하는 기준이 된다.

(3) 조직의 권위에 대한 근거를 제공하며 정당화 기능을 수행한다.

(4) 조직의 통제와 행정개선의 기능을 수행한다.

2 조직의 유형❶❷

1. 블라우(Blau)와 스콧(Scott)의 분류 – 수혜자 기준

(1) 호혜적 조직

주된 수혜자는 구성원이며, 구성원의 참여와 구성원에 의한 통제를 보장하는 민주적 절차를 유지하는 것이 중요하다.

㉮ 정당, 클럽, 노동조합 등

❶ 조직분류의 일반적 기준
일반적으로 환경과의 관계에 따라 폐쇄체제론, 개방체제론으로 나누거나 분석단위에 따라 미시조직이론, 거시조직이론으로 나눈다. 또한 조직을 종속변수로 인식할 경우 결정론으로, 독립변수로 인식할 경우 임의론으로 분류하기도 한다.

❷ 리커트(Likert)의 분류 – 조직구성원의 참여도 기준
1. 체제 Ⅰ: 수탈적 권위(착취적 조직)
2. 체제 Ⅱ: 온정적 권위(자비적 조직)
3. 체제 Ⅲ: 협의적 민주(자문적 조직)
4. 체제 Ⅳ: 참여적 민주(참여적 조직)

(2) 사업조직

주된 수혜자는 소유자이며, 경쟁적인 상황에서 운영의 능률성을 강조한다.

예 사기업, 은행 등

(3) 서비스조직

주된 수혜자는 고객집단이며, 고객에 대한 전문적 봉사와 행정적 절차 사이의 갈등이 조직의 주된 특징이다.

예 학교, 병원, 사회사업기관 등

(4) 공익조직

주된 수혜자는 일반대중이며, 국민에 의한 외재적 통제가 가능하도록 민주적 메커니즘을 발전시키는 것이 중요하다.

예 행정기관, 군대, 경찰, 소방서 등

개념PLUS 블라우(Blau)와 스콧(Scott)의 조직유형

구분	주된 수혜자	주요 과제	조직의 예
호혜적 조직	조직구성원	구성원의 만족(민주주의 절차 등)	정당, 클럽, 노동조합
사업조직	소유주	이윤추구를 위한 능률 극대화	사기업, 은행
서비스(봉사) 조직	고객	고객에 대한 전문적 서비스 제공	학교, 병원, 사회사업기관
공공(공익) 조직	국민일반	국민에 대한 외재적 통제 확보	행정기관, 군대, 경찰

2. 파슨스(Parsons)의 분류 - 사회적 기능의 기준[1]

(1) 경제조직(A)

사회의 전반 및 일부를 위해 부를 창출하고 재화를 생산하며 서비스를 제공하는 조직이다(적응기능).

예 기업 등

(2) 정치조직(G)

사회의 자원이나 가치를 배분하는 조직이다(목표달성기능).

예 정당, 정부 등

(3) 통합조직(I)

사회 내에서 사람과 자원 및 하위체제의 조정 및 통제 등에 관한 기능을 수행하는 조직이다(통합기능).

예 경찰, 법원 등

(4) 교육조직(L)

사회구성원들을 사회화시키며, 이를 통해 사회의 규범적 통합을 달성하고 유지하는 조직이다(형상유지기능).

예 학교, 종교단체 등

[1] 파슨스(Parsons), 카츠(Katz)와 칸(Kahn)의 조직유형

구분	파슨스	카츠와 칸
적응기능 (A)	경제조직 예 기업	적응조직 예 연구소
목표달성 기능 (G)	정치조직 예 정당, 정부	경제·생산 조직 예 회사, 공기업
통합기능 (I)	통합조직 예 경찰, 법원	정치·관리 조직 예 정부, 정당
형상유지 기능 (L)	교육조직 예 학교, 종교단체	형상유지조직 예 학교, 교회

❶ 에치오니(Etzioni)의 조직의 유형

구분		권력		
		강제적	공리적	규범적
관여	소외적	강제적 조직 (질서 목표)	-	-
	타산적	-	공리적 조직 (경제적 목표)	-
	도덕적	-	-	규범적 조직 (문화적 목표)

❷ 권력의 분포구조에 따른 분류(Etzioni)

T(Top) 구조	구조조직의 상층부에 권력 분포 ㊞ 회사 등의 공리적 조직
L(Line) 구조	구조조직의 상하에 걸쳐 권력 분포 ㊞ 관료제조직
R(Rank) 구조	구조조직의 횡적으로 권력 분포 ㊞ 대학이나 연구소

❸ 조직의 구성부분 간의 관계(Mintzberg)

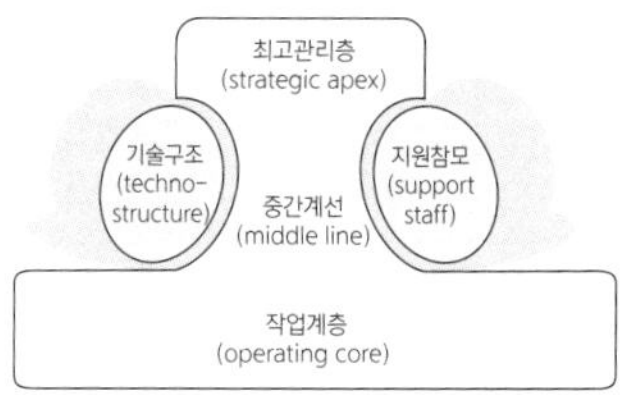

핵심 OX

01 에치오니(Etzioni)는 조직의 지배·복종관계를 기준으로 조직을 강제적·공리적·규범적 조직으로 유형화하였다. (O, X)

02 에치오니(Etzioni)의 분류에 의할 때 정당이나 종교단체는 공리적 조직의 대표적인 예이다. (O, X)

01 O
02 X 규범적 조직의 대표적인 예이다.

3. 에치오니(Etzioni)의 분류 – 권력과 관여의 기준❶❷

(1) 강제적 조직

개인에 대해서 강압적 수단으로 권력을 행사하는 조직이다.

㊞ 교도소, 경찰서 등

(2) 공리적 조직

공리적 권한과 상대방의 타산적 복종에 근거하는 조직이다.

㊞ 사기업, 이익단체 등

(3) 규범적 조직

규범적인 수단에 기초한 규범적 권한과 도덕적 복종에 근거하는 조직이다.

㊞ 정당, 종교단체 등

(4) 이원적 조직

① 강제적 + 공리적 조직 ㊞ 전근대적 기업체 등

② 강제적 + 규범적 조직 ㊞ 전투부대 등

③ 공리적 + 규범적 조직 ㊞ 노동조합 등

4. 민츠버그(Mintzberg)의 유형론 – 복수의 기준

(1) 분류기준

민츠버그(Mintzberg)는 다섯 가지 범주로 조직양태를 분류하면서 각 양태들의 효율성은 상황적응적으로 결정된다고 보았다. 조직양태를 결정하는 데 영향을 미치는 요인으로는 ① 조직의 구성부분, ② 조직이 채택하는 조정기제, ③ 상황적 요인을 지적하였다.

① 조직의 구성부분❸

최고관리층	조직을 집권화의 방향으로 이끌어간다.
기술구조	작업설계·계획·훈련을 담당하는 전문가들로 구성되며 조직을 표준화 쪽으로 이끈다.
작업계층	재화·서비스를 직접 생산하는 계층으로, 조직을 전문화의 방향으로 이끌어가는 성향을 보인다.
중간계선	최고관리층과 작업계층을 연결하는 계층으로, 할거적 지배를 강화하려는 성향을 보인다.
지원참모	타 구성부분의 지원업무를 담당하는 계층으로, 조직의 협동성을 강화하려는 성향을 보인다.

② 조직이 채택하는 조정기제

직접 감독	상하·수직적 관계를 통해 하급자의 행동을 감시·조정한다.
작업과정 표준화	작업방법과 순서 등을 표준화한다.
기술 표준화	직무교육을 통해 일관성을 확보한다.
산출 표준화	구성단위의 산출량·종류를 표준화한다.
상호조절	지속적·비공식적 의사전달에 의해 작업자들을 조절한다.

③ **상황적 요인:** 조직의 양태 · 구조에 영향을 미치는 요소로 조직의 나이 · 규모 · 기술 · 환경 · 권력체제 등이 포함된다.

(2) 조직유형❶❷

① 단순구조

㉠ 정점(최고관리층)과 실무계층의 두 개의 계층으로 구성되어 있다. 주요 구성부분은 최고관리층이며 직접적인 감독에 의해서 조정된다.

㉡ 낮은 분화, 높은 집권화, 낮은 공식화, 높은 융통성이 특징이다.

㊐ 신생조직, 독재조직, 위기에 처한 조직 등

② 기계적 관료제

㉠ 주요 구성부분은 기술구조이지만 최고관리층도 강한 권력을 행사하며, 작업과정의 표준화에 의해서 조정된다.

㉡ 높은 분화, 높은 집권화, 높은 공식화 등이 특징이다.

㊐ 은행, 우체국, 대량생산 제조업체, 항공회사 등

③ 전문적 관료제

㉠ 주요 구성부분은 작업계층이며 주로 기술의 표준화를 통해서 조정된다.

㉡ 조직의 규모는 다양하며, 높은 수평적 분화로 핵심적 조직구성원인 전문가에게 재량을 주어 전문성을 극대화한다.

㊐ 대학, 종합병원, 사회복지기관, 컨설팅회사 등

④ 사업부제구조

㉠ 주요 구성부분은 중간계선이며 주로 산출의 표준화에 의해서 조정된다.

㉡ 독자적 구조를 가진 분립된 조직이며 중간관리층이 핵심역할을 한다.

㊐ 대기업, 대학분교, 지역병원을 가진 병원조직 등

⑤ 임시조직

㉠ 고정된 계층구조를 가지지 않고 공식화된 규칙이나 표준적 운영절차가 없는 조직이다. 주로 상호조절에 의해서 조정된다.

㉡ 조직구조가 매우 유동적이고 환경도 동태적이다.

㊐ 첨단과학연구소, 광고회사 등

개념PLUS 민츠버그(Mintzberg)의 다섯 가지 조직유형설계와 상황조건

구분	환경	규모	권한(조정기제)	구성부문
단순구조	단순 · 동태적	소규모 신설	최고관리자에 집중 (직접 통제)	최고관리층
기계적 관료제	단순 · 안정적	대규모	조직적 분화(작업 표준화)	기술구조
전문적 관료제	복잡 · 안정적	중 · 소규모	수평적 분화(기술 표준화)	작업계층
사업부제구조	단순 · 안정적	대규모	하부단위 준자율적 (산출 표준화)	중간관리층
임시조직	복잡 · 동태적	소규모	수평적 분화(상호조절)	지원참모

❶ 민츠버그(Mintzberg)의 조직유형

단순구조

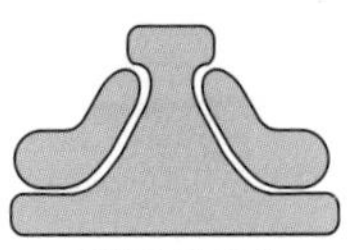
기계적 관료제

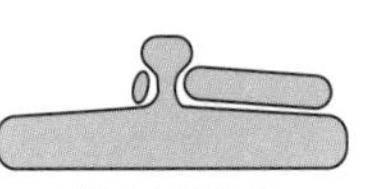
전문적 관료제

사업부제구조

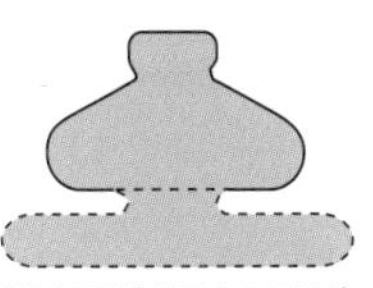
임시조직(애드호크라시)

❷ 콕스(Cox. Jr.)의 조직유형

콕스(Cox. Jr)는 문화론적 시각에서 ① 문화적 다양성에 대한 조직의 방침 ② 문화변용의 과정, ③ 구조적 통합의 수준, ④ 비공식적 통합의 수준, ⑤ 인적자원관리상의 제도적 · 문화적 편견, ⑥ 집단 간 갈등 등을 기준으로 조직을 다음과 같이 분류하였다.

획일적 조직	문화적 이질성이 배척되고 단일의 강력한 문화가 지배하는 조직
다원적 조직	구성원들의 문화적 이질성이 높은 조직으로 집단 간 갈등수준은 상당히 높음
다문화적 조직	문화상대주의에 따라서 문화적 다양성을 존중하는 조직으로 집단 간 갈등은 최소화 됨

5. 대프트(Daft)의 조직유형 - 조직의 구조적 · 기능적 특징

기계적 구조 | 기능구조 ---- 사업구조 ---- 매트릭스구조 ---- 수평구조 ---- 네트워크구조 | 유기적 구조

← 수직성/안정성/능률성(높음) … 수평성/학습성(높음) →

(1) 기능구조[1]

① **개념:** 조직의 전체 업무를 공동기능별로 부서화한 조직으로, 수평적 조정의 필요성이 낮을 때 효과적이다.

② **특징:** 특정 기능에 관련된 구성원들의 지식과 기술이 통합적으로 활용되어 전문성 제고와 규모의 경제 구현이라는 장점이 있지만, 이질적 기능 간 조정이 곤란하다.

(2) 사업구조

① **개념:** 각 사업부서들은 산출물별로 자율적으로 운영되며 각 부서는 자기 완결적 기능단위로서 그 안에서 기능 간 조정이 용이하다.

② **특징:** 불확실한 환경이나 비정형적 기술, 기능 간 상호의존성, 외부지향적인 조직목표를 가진 경우에 유리하나, 규모의 불경제와 부서 간 독립성으로 인해 조직 전체의 공통관리비가 증가한다는 것이 단점이다.

(3) 매트릭스구조

① **개념:** 기능구조와 사업구조를 화학적(이중적)으로 결합한 이중적 권한구조로서 기능부서의 전문성과 사업부서(프로젝트구조)의 신속한 대응성을 결합한 조직이다. 즉, 수직적으로는 기능부서의 권한이 흐르고, 수평적으로는 사업구조의 권한구조가 지배하는 입체적 조직이다.

② **특징:** 조정 곤란이라는 기능구조의 단점과 비용 중복이라는 사업구조의 단점을 해소할 수 있다.

(4) 수평구조

① **개념:** 조직구성원이 핵심업무과정을 중심으로 조직화된 구조로서 팀 조직이 대표적이다. 팀 조직은 수직적 계층과 부서 간 경계를 실질적으로 제거하여 개인을 팀 단위로 모은 조직이다.

② **특징:** 의사소통과 학습 및 조정을 용이하게 하고 고객에게 가치와 서비스를 신속히 제공하는 유기적 구조이다.

(5) 네트워크구조

① **개념:** 조직의 자체기능은 핵심역량 위주로 합리화하고 여타 부수적인 기능은 외부기관들과 계약관계를 통해 연계 · 수행하는 유기적인 조직이다.

② **특징:** IT기술의 확산으로 인하여 가능하게 된 조직으로서, 연계된 조직 간에는 수직적 계층구조가 존재하지 않으며 자율적으로 운영된다.

[1] 기능구조의 예
기능구조의 대표적인 예는 계층제적 관료제이다.

핵심 OX

01 민츠버그(Mintzberg)는 조직의 구성부분, 조정기제, 상황적 요인에 따라 조직유형을 다섯 가지로 분류하였다. (O, X)

02 임시조직(애드호크라시)의 경우 동태적 환경하에서 대응성을 높이는 데 기여할 수 있다. (O, X)

03 대프트(Daft)의 조직유형에서 수평구조가 매트릭스구조보다 학습성이 더욱 높다. (O, X)

01 O
02 O
03 O

개념PLUS 기계적 구조와 유기적 구조

구분	기계적 구조	유기적 구조
장점	예측가능성	적응성
특징	좁은 직무범위	넓은 직무범위
	표준운영절차	적은 규칙 · 절차
	분명한 책임관계	모호한 책임관계
	계층제	분화된 채널
	공식적 · 몰인간적 대면관계	비공식적 · 인간적 대면관계
	집권화된 고층구조	분권화된 저층구조
상황조건	명확한 조직목표와 과제	모호한 조직목표와 과제
	분업적 과제	분업이 어려운 과제
	단순한 과제	복합적 과제
	성과측정 용이	성과측정 곤란
	금전적 동기부여	복합적 동기부여
	권위의 정당성 확보	도전받는 권위

2 조직이론의 변천

1 왈도(Waldo)의 분류

1. 고전적 조직이론

(1) 의의

고전적 조직이론은 목표를 달성하기 위해 조직을 기계적 관점에서 바라본다. 1930년대를 전후하여 관료제이론, 과학적 관리론 등과 밀접한 관련이 있다.

(2) 특징

① **공식적 구조 중시:** 오로지 공식적 조직과 그에 의한 공식적 계획에 의해 운영되는 것이 합리적이며 능률적이라고 전제하였다.

② **능률성과 합리성 지향:** 능률을 조직이 추구해야 할 제일의 원리라고 생각하였고, 조직의 능률 향상을 위해 투입을 산출로 전환하는 과정의 에너지 손실을 줄이는 공식적 구조와 장치를 개발하는 데 주력하였다.

③ **조정 및 통제**: 효과적인 운영을 위해서 전문화와 분업, 조정과 통제가 필요하다고 보았다.

④ **폐쇄체제적 시각**: 조직목표는 고정적이고, 조직업무는 잘 알려진 업무로 반복적이며, 환경은 불변한다고 가정하였다. 따라서 조직 내외의 불확실성이나 비합리적 요인 및 환경적 영향의 존재는 간과되었다.

2. 신고전적 조직이론

(1) 의의

신고전적 조직이론은 기계적 능률성을 추구하는 고전적 이론에 대한 반발로, 인간적 가치를 중시한다. 사회적인 능률을 강조하고 인간관계론을 중심으로 발전하였다.

(2) 특징

① **조직의 비공식적 측면의 연구**: 조직의 공식적 구조변수에서 더 나아가 인간과의 관계에 대해서 본격적으로 연구가 진전되었다.

② **생산성 향상을 위한 인간의 도구화**: 인간을 중시하였으나, 인간의 자율성과 창의성보다는 개인의 생산성이나 조직의 성과에 초점을 맞추었다.

③ **민주적 관리**: 인간적인 가치와 비공식적 측면이 강조되었으므로 민주적 관리, 즉 참여와 대화의 관리가 중요하다고 보았다.

④ **환경유관론적 입장**: 조직 내에 자생하는 비공식적 요인과, 조직 밖 환경과의 교호작용과 관련된 요인에 관심을 가짐으로써 개방체제적 접근방법의 발전에 필요한 터전을 닦았다. 그러나 이 이론은 환경관계의 복잡한 변수를 경험적 연구를 통해 포괄적으로 다룰 수 있는 개념적 틀을 적절히 제시하지 못하였다는 점에서 환경유관론적 연구에 불과하다.

3. 현대적 조직이론

(1) 의의

현대적 조직이론은 조직을 복잡하고 불확실한 환경 속에서 정해진 목표를 달성하기 위하여 인간의 행동을 종합하는 과정으로 이해하고, 다원적인 인간을 설정한다.

(2) 특징

① **유기적 구조**: 다양한 환경과 환경과 조직들 간의 유기적 관계에 대해서 연구한다. 이는 후기 관료제이론, 상황적응이론과 밀접한 관련이 있다.

② **다양한 변수**: 구조보다는 인간행태 또는 쇄신적인 가치관을 중시하며, 전문화나 분업의 원리보다는 조직의 통합성을 강조한다.

③ **고전적 이론과 신고전적 이론의 통합 시도**: 공식적 · 비공식적 요인의 상호 관련성을 분석하고 이론적 통합을 시도한다.

핵심 OX

01 고전적 조직이론이 구조를 중시한다면, 신고전적 조직이론은 환경을 중시한다. (O, X)

02 신고전적 조직이론은 인간의 조직 내 사회적 관계와 더불어 조직과 환경 간의 관계를 중점적으로 다루었다. (O, X)

01 X 고전적 조직이론은 구조를, 신고전적 조직이론은 인간(행태)을 중시한다.

02 X 신고전적 조직이론은 일반적으로 환경과의 관계를 고려하지 못한 폐쇄체제적 조직이론이다.

핵심정리 왈도(Waldo)의 조직이론

구분	고전적 이론	신고전적 이론	현대적 이론
인간관	합리적 · 경제적 인간	사회적 인간	· 자기실현적 인간 (후기 인간관계론) · 복잡한 인간 (상황적응이론)
가치	기계적 능률성	사회적 능률성	다원적 목표 · 가치 · 이념
주요 연구대상	공식적 구조(계층제)	비공식적 구조	체제적 · 유기적 구조
주요 변수	구조	인간(행태)	환경
환경과의 관계	폐쇄적	대체로 폐쇄적 (환경유관론적 입장)	개방적
관련 이론	· 과학적 관리론 · 관료제이론 · 행정관리론	· 인간관계론 · 행정행태론	· 후기 관료제이론 · 신행정론 · 상황적응이론
연구방법	원리접근법 (형식적 과학성)	경험적 접근 (경험적 과학성)	복합적 접근(경험과학 등 관련 과학 활용)

2 스콧(Scott)의 분류

1. 스콧(Scott)은 환경적 요인(폐쇄와 개방)과 조직의 행태(합리와 자연)의 두 가지 변수를 기준으로 조직을 분류하였다.

2. 조직은 ① 폐쇄 · 합리모형 → ② 폐쇄 · 자연모형 → ③ 개방 · 합리모형 → ④ 개방 · 자연모형 순으로 발달하였다고 본다.

구분	내용
폐쇄 · 합리모형 (1900~1930년)	· 원리접근법에 따른 정치행정이원론적 입장으로 조직은 폐쇄체제이고 구성원은 합리적이라고 가정한다. · 효율성과 공식적 측면을 강조하며 인간은 도구화 · 부품화된다. · 과학적 관리론, 관료제이론, 행정관리론 등이 해당한다.
폐쇄 · 자연모형 (1930~1960년)	· 사회적 능률을 강조하고 인간적 요인을 고려하는 것과 관련된다. · 조직과 인간을 사회적 · 심리적 존재로 파악하여 민주적 참여와 의사소통을 강조한다. · 인간관계론 등이 해당한다.
개방 · 합리모형 (1960~1970년)	· 조직을 개방체제로 인식한다. · 변동과 갈등을 중시하고 조직의 동태화를 강조한다. · 체제이론, 상황적응론 등이 해당한다.
개방 · 자연모형 (1970년 이후)	· 비공식적 · 비합리적 측면을 중시한다. · 현대적 행정을 가장 잘 설명하는 모형으로서 조직의 목표달성보다는 생존을, 수동성보다는 능동성을 강조한다. · 쓰레기통모형, 혼돈이론, 와익(Weick)의 조직이론[1], 거시조직이론 등이 해당한다.

[1] 와익(Weick)의 조직이론
1. 조직을 단순한 전환과정을 통한 유기체라기보다는 환경탐색과 해석 그리고 학습의 과정으로 파악하는 상위체제로 본다.
2. 조직 환경은 단순히 주어지는 것이 아니라 조직구성원들 사이의 상호작용에 의해서 구성 · 재구성, 창조되는 것으로 본다.

㉠ 담배회사인 필립모리스사가 1985년 제너럴푸드사를 인수한 것은 담배에 대한 나쁜 기업환경에 대한 해석을 하고 그에 맞는 다각화 전략을 위한 것

3 조직의 일반적 원리와 부처편성의 원리

1 조직의 일반적 원리

1. 등장배경 및 구분

(1) 등장배경

귤릭(Gulick)과 어윅(Urwick)은 1937년 공저로 낸 『행정과학논집』에서 전문화(분업), 계층제, 명령통일, 통솔범위, 조정 등 조직의 원리를 제시하였다.

(2) 구분

조직구조의 원리는 크게 분업의 원리와 조정의 원리로 이루어진다.

① **분업의 원리(분화의 원리)**: 조직의 기능적인 분화를 설명하는 핵심적인 원리로서 전문화의 원리, 부성화의 원리, 참모조직의 원리, 동질성의 원리, 기능 명시의 원리 등이 있다.

② **조정의 원리(통합의 원리)**: 조직구조를 통합하기 위한 조정의 원리, 계층제의 원리, 명령통일의 원리, 명령계통의 원리, 통솔범위의 원리 등이 있다.

핵심정리 조직의 일반적 원리

전문화의 원리 (분업의 원리)	직무를 성질별로 나누어 한 사람에게 한 가지의 업무를 분담하는 것
계층제의 원리	권한과 의무와 책임의 정도에 따라 상하의 계층을 설정하는 것
명령통일의 원리	구성원은 오직 한 사람의 상관으로부터 명령을 받고 보고하는 것
통솔범위의 원리	한 사람의 상관이 효과적으로 통솔할 수 있는 적절한 부하의 수
조정의 원리	공동목적 달성을 위한 집단노력을 질서정연하게 배열하는 것
부처편성의 원리 (부성화의 원리)	부처별 목적·과정·대상·장소에 의한 분류

2. 전문화의 원리(분업의 원리)[1]

(1) 의의

① 직무를 성질별로 나누어 한 사람에게 한 가지의 업무를 분담하는 것이다.

② **기능주의**: 기능·업무의 동질성을 기준으로 하는 기능주의(functionalism)는 수평적 전문화와 분업화를 의미한다.

(2) 전문화(분업)의 유형

전문화는 수평적 전문화와 수직적 전문화, 업무의 전문화와 사람의 전문화 등으로 나눌 수 있다.

① **수평적 전문화와 수직적 전문화**

㉠ **수평적 전문화**: 직무의 범위(scope)가 분화되어 있는 정도이다.

㉡ **수직적 전문화**: 직무의 깊이(depth)가 분화되어 있는 정도이다.

---

[1] 부서화의 유형(Daft)
1. 기능부서화
2. 사업부서화
3. 지역부서화
4. 혼합부서화

핵심 OX

01 조직이론에서 고전적 이론은 경제적 인간을, 신고전적 이론은 사회적 인간을, 현대적 이론은 복잡한 인간을 인간관으로 한다. (O, X)

02 조직의 원리 중에서 분화의 원리는 조직의 기능적인 분화를 설명하는 핵심적인 원리로서 전문화의 원리, 부성화의 원리, 참모조직의 원리, 동질성의 원리, 기능 명시의 원리 등이 있다. (O, X)

01 O
02 O

㉢ 수평적 · 수직적 전문화에 따른 과제의 성격

구분		수평적 전문화	
		높음	낮음
수직적 전문화	높음	비숙련 직무 (생산부서의 일)	일선관리직무
	낮음	전문가적 직무	고위관리직무 (조직전략 · 정책 결정)

② 업무의 전문화와 사람의 전문화

㉠ **업무의 전문화:** 업무를 세분화하여 반복적 · 기계적으로 단순하게 처리하는 것으로, 직위분류제에서 강조한다.

㉡ **사람의 전문화:** 조직구성원이 집중적 교육을 통하여 전문가가 되는 것으로, 계급제에서 강조한다.

(3) 장단점

① 장점

㉠ 조직목표의 능률적 달성에 기여할 수 있다.

㉡ 각자의 분야에 대한 전문가 양성에 기여한다.

㉢ 업무를 세분화할수록 업무를 습득하는 시간을 단축시킬 수 있다.

② 단점

㉠ **할거주의*:** 전문화가 심화되면 조직 간 장벽을 형성하는 할거주의의 문제를 야기하게 되므로 조직 간의 조정이 필요하게 된다.

㉡ **전문가적 무능:** 전문화가 강조될수록 자기 분야는 잘 알지만 시야가 좁아질 우려가 있다.

㉢ **인간소외:** 지나친 전문화는 인간으로 하여금 특정 업무를 기계적이고 반복적으로 수행하게 하기 때문에 인간소외를 심화시키고 창조성을 결여시킬 우려가 있다.

3. 계층제의 원리

(1) 의의

① 권한, 의무, 책임의 정도에 따라 상하의 계층을 설정하는 것이다. 즉, 권한의 위임이 계층에 따라 이루어져야 한다.

② 계층제의 원리는 참모조직보다는 계선조직을 중심으로 이루어진다.

(2) 계층제의 원리와 통솔범위

① **통솔범위의 한계:** 계층제가 만들어지는 가장 기본적인 이유이다. 최고관리자가 모든 구성원을 직접 통솔할 수 없기 때문에 권한위임의 수단으로서 중간관리자를 두게 되는데 이로 인해 계층제가 만들어진다.

② **통솔범위와 반비례:** 통솔범위가 넓어지면 계층의 수는 적어지고, 통솔범위가 좁아지면 계층의 수는 많아지는 특성이 있다.

용어

할거주의(sectionalism)*: 구조적 특성 때문에 조직구성원들이 자신이 소속된 기관과 부서만을 생각하고 다른 부서에 대해 배려하지 않는 편협한 태도를 취하는 현상이다.

(3) 장단점

① 장점

㉠ 계층제적 권위를 통해 갈등조정이 용이하며 질서와 통일성을 확보한다.

㉡ 책임의 한계를 명확히 할 수 있다.

㉢ 계층제는 명령 및 권한위임의 통로가 된다.

② 단점

㉠ 기관장의 독선화를 조장하여 조직 내에서 민주주의를 저해할 수 있다.

㉡ 보수적인 성격으로 조직의 경직화가 우려되며 창의성과 혁신을 저해할 수 있다.

㉢ 구성원의 의사결정 참여를 제한하여 귀속감이나 참여감을 저해한다.

㉣ 이외에도 할거주의, 피터(Peter)의 원리, 집단사고의 폐해 등이 있다.

4. 명령통일의 원리

(1) 의의[1]

① 오직 한 사람의 상관으로부터 명령을 받고 보고하는 것이다.

② 의사전달의 능률화를 위해서 조직에는 오직 한 명의 장에 의한 명령계통이 확립되어야 하며 두 사람 이상의 상관을 섬겨서는 안 되는 것을 의미한다.

(2) 장단점

① 장점

㉠ 계층의 질서 확립에 기여하게 된다.

㉡ 업무처리를 신속하게 할 수 있다.

㉢ 한 사람의 명령에 의하므로 책임의 소재를 명확히 할 수 있다.

㉣ 구성원에게 심리적 안정감을 준다.

② 단점

㉠ 분권과 권한위임을 저해할 우려가 있다.

㉡ 하위자의 참여수준이 낮아질 우려가 있고 창의성이 저하될 수 있다.

5. 통솔범위의 원리

(1) 의의

① 한 사람이 직접 효과적으로 통솔할 수 있는 부하의 수에 관한 원리이다.

② **통솔범위:** 한 사람의 상관이 자기에게 직접 보고하는 부하의 수로 규정되며, 한 사람이 거느릴 수 있는 부하의 수가 한정될 수밖에 없기 때문에 조직은 피라미드형 구조를 가지게 된다.

(2) 특징

① **계층의 수와 반비례:** 통솔범위가 확대되면 계층의 수는 감소하여 저층조직이 된다.

② 업무가 복잡하거나 이질적이면 통솔범위는 좁아진다.

③ 신설조직보다는 기성조직과 안정된 조직의 경우에 통솔범위가 넓다.

④ 장소적 분산[2]은 통솔범위를 좁게 하나, 교통통신의 발달은 통솔범위를 넓게 한다.

⑤ 통솔범위가 확대되면 통제강도는 약해진다.

---

❶ 명령통일의 원리의 위반 사례
명령통일의 원리에 반하는 조직으로서 위원회제도, 매트릭스조직, 기능참모, 테일러(Taylor)의 기능식 직공장제도 등이 있다.
⇨ 테일러(Taylor)의 기능식 직공장제도: 기능별 전문화의 원리에 따라 전문적 지식을 가진 관리자(직공장)를 두는 제도를 말한다. 그러므로 계선(라인)과 같이 일사분란하게 명령통일의 원리가 잘 지켜지지 않는다.

❷ 장소적 분산
특정 조직의 하위단위나 자원이 지역적·지리적·장소적으로 분산되어 있는 것이다.

(3) 통솔범위의 결정요인(확대요인)

① 업무의 공식화 또는 표준화가 높을 때 확대된다.

② 기능이 복잡하지 않고 유사할 때(일상적 기술일 때) 확대된다.

③ 상관과 부하의 능력이 뛰어날 때 확대된다.

④ 상관과 부하가 같은 직무에 오랜 기간 동안 함께 종사하였을 때 확대된다.

⑤ 상관과 부하가 지리적(공간적)으로 가까이 있거나 교통통신이 발달할 때 확대된다.

⑥ 부하의 창의성이나 사기를 앙양시키고자 할 때 확대된다.

(4) 비판

사이먼(Simon)은 통솔범위의 원리에 대해 근거가 부족하다며 '마술적인 숫자'라고 지적하였다.

6. 조정의 원리

(1) 의의

① 조정은 공동목표를 달성하기 위한 집단적 노력을 질서정연하게 배열해 가는 과정이다.

② 조정은 행정의 구심적인 힘으로서 분화된 여러 활동을 동시화(synchronization)하여 통합시키는 것이다.

③ 조정은 전문화·분업화와 상반되는 관계에 있다. 행정의 경우 고도의 전문성을 추구할 경우, 각 조직 간에 장벽이 발생하여 할거주의가 발생할 우려가 큰데 이러한 경우에 조정이 필요하게 된다.

④ 조직목표나 이해관계의 차이를 극복하기 위해서는 조정이 필요하다. 무니(Mooney)는 조정의 원리를 '조직의 제1의 원리'라고 일컬으며 이를 중시하였다.[1]

(2) 저해요인

① 조직의 목표와 이해관계의 대립으로 저해된다.

② 행정의 고도의 전문화·기술화로 인한 할거주의 현상으로 저해된다.

③ 행정에 대한 다양한 정치적·사회적 압력의 작용으로 저해된다.

④ 행정조직의 확산·비대화로 인한 계층의 증대와 기능의 다원화로 저해된다.

(3) 촉진방안

① **목표(역할)의 명확화:** 조직 내의 다양한 목표와 역할을 명확히 하는 것이 필요하다.

② **인사교류·교육훈련 등의 확대:** 조직구성원들의 장벽을 허물기 위해서는 인사이동이나 교육훈련기회의 확대가 필요하다.

③ **수평적 의사소통의 확대:** 수평적 의사소통의 확대가 할거주의를 완화할 수 있다.

④ **계층제:** 조직의사통로인 계층 및 명령통로는 조정의 기초가 된다.

⑤ **조정기구에 의한 조정:** 인사, 예산기구 외에 별도의 조정기구를 통해 조정이 이루어지도록 한다.

(4) 비판

조직을 기계적·획일적으로 바라보고 실질적인 검증이 이루어지지 않았다는 비판이 있다.

[1] 무니(Mooney)와 레일리(Reiley)의 원리
미국 GM사의 경영자들인 무니(Mooney)와 레일리(Reiley)는 1930년대에 발간한 『전진하는 산업』이라는 책에서 관리의 일반적인 원칙으로 조정의 원리, 계층제의 원리, 기능적 원리, 계선과 참모의 관계 등 네 가지 원리를 제시하였다. 그들은 이 중 '조정의 원리'가 가장 중요하며 나머지 원리들은 이 원리로부터 도출된다고 하였다.

핵심 OX

01 행정업무수행 시 문서에 집착하는 것은 할거주의를 가져온다. (O, X)

02 통솔범위가 넓을수록 계층의 수는 늘어가고, 통솔범위가 좁을수록 계층의 수는 줄어든다. (O, X)

03 조정의 원리는 전문화에 의한 할거주의, 비협조 등을 해소하는 순기능을 가지고 있다. (O, X)

04 무니(Mooney)는 계층제의 원리를 '조직의 제1의 원리'라고 주장하였다. (O, X)

01 X 문서에 집착하는 것은 동조과잉현상을 가져오며, 전문화는 할거주의를 야기한다.
02 X 통솔범위와 계층의 수는 반비례한다.
03 O
04 X 무니(Mooney)는 계층제의 원리가 아니라 조정의 원리가 가장 중요하다고 보았다.

❶ 조정
조직의 전체목표를 달성하기 위한 조직 내에 부서 간, 계층 간 협력과 통합(연결)의 질을 의미한다.

핵심정리 조직의 조정기제(Daft)❶

1. 수직적 조정기제

조직의 상하 간의 활동을 조정하는 연결장치이다.

계층제	수직 연결장치의 기초는 계층제, 명령체계
규칙과 계획	· 반복적인 문제와 의사결정에 대해서는 규칙과 절차를 마련하여 상위 계층과 직접적인 의사소통 없이도 부하들이 대응할 수 있게 해줌 · 규칙은 조직구성원들이 업무조정에 도움이 되는 표준정보자료를 제공해줌 · 계획은 조직구성원들에게 좀 더 장기적인 표준정보를 제공해줌
계층직위의 추가	처리할 문제와 의사결정이 많아지면 관리자에게 업무부담을 주므로 수직적 계층에 참모 등 직위를 추가함으로써 통솔범위를 줄이고 의사소통과 통제를 가능하게 함
수직정보시스템	상관에 대한 정기보고서, 문서화된 정보 등을 통한 정보의 효율적 이동으로 상하 간 수직적 의사소통을 강화함

2. 수평적 조정기제

조직부서 간 수평적인 조정과 의사소통을 연결하는 장치로서 환경이 급변하고 기술이 유동적이며 조직목표가 혁신과 유동성을 강조할 때 특히 중시된다.

정보시스템	부서 간 정보를 공유할 수 있는 통합정보시스템
직접 접촉	한 단계 높은 수평연결장치로서 연락책 등을 활용한 부서 간 의사소통 및 조정을 추구
태스크포스 (task force)	· 임시작업단, 임시위원회라고도 불리며, 여러 부서 간의 연결은 이와 같은 복잡한 장치가 필요함 · 각 부서대표로 구성된 임시위원회는 일시적 문제에 대한 부서 간 직접조정에 효과적
사업관리자 (project manager)	· 강력한 수평연결장치로서 수평적 조정을 담당할 정규직위를 두는 방식 · 산출물관리자, 브랜드관리자라고도 불리며, 이 조정자는 특별한 인간관계기술과 조정을 위한 전문지식 및 설득력이 요구됨
사업팀 (project team)	· 가장 강력한 수평연결장치 · 사업팀은 영구적인 사업단으로 관련부서 간의 장기적이고 강력한 협력을 요할 때 적합한 장치

개념PLUS 조정 및 통합의 방법(기타)

연락역할 담당자(liaison)	부문 간의 일이나 정보의 흐름을 촉진시키는데 비공식적 권한이나 전문지식을 가진 담당자(liaison)가 조정기능을 수행(Mintzberg)
위원회조직 (committee)	부서 간 이견 등을 조정하기 위해 정기적으로 소집되는 조직(자문위원회나 차관회의 등)
연결핀모형 (link-pin)	모든 관리자는 자신이 관리하는 집단의 구성원인 동시에 상사에게 보고하는 집단의 구성원이 되는 것(Likert)

고득점 공략 조직의 직무(재)설계

1. 직무설계(job design)

조직에서 분업의 효율성을 추구하여 궁극적으로 생산성의 향상을 추구하는 것이다.

① 전문화

- **수평적 전문화:** 직무의 범위(scope)를 결정한다.
- **수직적 전문화:** 직무의 깊이(depth)를 결정한다.
- 지나친 전문화는 업무의 단조로움을 유발하므로, 인간관계론자는 직무확충을 제안한다.

② 부서화

- 개별직무와 직위를 부서로 묶어 분류하고, 상호의존성이 높은 직무는 부서를 통합한다.
- **유형:** 기능부서화, 사업부서화, 지역부서화, 혼합부서화(Daft) 등이 있다.

2. 조직의 직무재설계(job redesign)

일 자체에 대한 만족감을 더 높여줌으로써 일에 대한 동기를 부여하는 방식으로 직무확장과 직무충실이 있다.

직무확장 (job enlargement)	· 기존직무에다 관련 유사직무를 추가시켜 직무의 수평적 범위를 넓히는 것으로, 주로 분업과 관련하여 좁은 범위의 직무를 반복하는 데 따른 직무의 단조로움과 지루함을 줄이려는 것 · 직무의 본질적인 내용을 변화시키는 것이 아니기 때문에 생산성 향상에는 큰 역할을 가져오기가 어렵다는 점이 한계
직무충실 (job enrichment; 직무풍요화)	· 직무의 수직적 확장, 즉 재량권한이나 책임감을 높여 줌으로써 보다 적극적으로 생산성 향상을 시도하는 것으로, 종전의 상관의 직무내용이었던 감독권한의 일부를 부여받는 것 · 직무의 양적인 폭의 확대가 아닌 질적인 깊이의 내실 있는 변화를 통해 직무수행자의 만족감과 생산성을 높이려는 것

2 부처편성의 원리(Gulick)

부처편성의 원리란 조직을 편성하는 원리로 수평적 전문화, 관리단위의 분화기준 및 방법을 말하는데, 귤릭(Gulick)은 네 가지를 부처편성의 기준으로 제시하였다. 즉, 목적 · 과정 · 수혜자 · 장소에 따라 직원들을 조직화할 때 행정효율이 증가한다는 것을 주장하였다.

1. 목적 · 기능별 편성

정부가 수행하는 동일한 종류의 기능은 동일한 부처에 편성하는 방법으로 가장 포괄적이고 일반적인 기준이다.

예 교육부, 법무부, 외교부, 국방부 등

장점	단점
· 목적 · 기능파악 용이(국민의 이해촉진) · 권한 · 책임의 명확성 · 업무수행의 신속성	· 기술 · 과정적 요인 경시(전문화 곤란) · 집권화 우려, 국민의 대정부 접촉 곤란 · 부처할거주의 조장 · 기능 중복 불가피

핵심 OX

01 조직의 조정기제 중 수직적 연결 장치에는 규칙과 계획, 계층제의 직위 추가, 임시작업단(TF), 수직정보시스템 등이 있다. (O, X)

02 각 분야의 전문성을 높이면 조정의 원리를 확보하기 수월해 진다. (O, X)

03 직무확장은 직무의 단조로움과 지루함을 줄이는 것으로 직무의 범위가 좁아진다. (O, X)

01 X 임시작업단(TF)은 여러 부서간의 연결을 추진하는 장치로서 수평적 연결 장치이다.
02 X 각 분야의 전문성이 높아진다는 것은 그만큼 조정이 어려워진다는 것을 뜻한다. 따라서 전문화·분업의 원리와 조정의 원리는 반비례 관계에 있다.
03 X 직무확장을 통해서 직무의 범위가 넓어진다.

2. 과정 · 절차별 편성

행정을 수행하는 데 있어서 동일한 기구 · 절차를 사용하거나 동일한 직무에 종사하는 자를 동일부처로 하는 것으로서, 전문기술이 필요한 조직에서 이용되는 방법이다.

㉥ 기상청, 통계청, 특허청, 조달청, 감사원 등

장점	단점
· 행정의 전문화 가능 · 최신기술 활용 · 기술업무의 효과적 조정 · 경비의 절약, 능률화	· 전문가적 무능현상, 번문욕례 · 통제 · 조정 곤란 · 모든 사무의 분류기준으로는 부적합

3. 대상 · 고객별 편성

동일한 수익자나 대상물을 가진 행정을 동일한 조직에 편성하는 방법이다.

㉥ · 수혜자 중심(국민편의성): 중소벤처기업부, 국가보훈처, 고용노동부 등
· 취급대상물 중심(행정업무의 능률화): 산림청, 문화재청 등

장점	단점
· 국민편의와 행정업무의 능률화 · 업무평가 용이 · 서비스 증진(행정기술 향상)	· 압력단체의 부당한 압력 우려 · 전문화 · 분업화의 이점을 살리지 못함 · 기준 적용의 한계성 · 기관 간 기능 중복 우려

4. 지역 · 장소별 편성

행정활동이 수행되는 지역 또는 장소를 기준으로 조직을 편성하는 방법이다.

㉥ 부산 세무서, 김포 세관, 외교부의 북미국 등

장점	단점
· 지역실정 반영 가능 · 지역사무의 조정 · 통제 촉진 · 사무의 간소화 · 효율화	· 전국적인 통일행정 저해 · 적정구역 획정의 곤란성

핵심 OX

01 행정의 전문화와 최신기술의 사용과 관련되는 조직별 분류는 과정 · 절차별 편성에 해당한다. (O, X)

01 O

학습 점검 문제

01 조직목표의 기능에 대한 설명으로 옳지 않은 것은? 2021년 국가직 9급

① 조직구성원들이 목표로 인해 일체감을 느끼기 때문에 구성원들의 동기를 유발해준다.

② 조직의 구조와 과정을 설계하는 준거를 제공하고 성과를 평가하는 기준이 되기도 한다.

③ 미래의 바람직한 상태를 밝혀 조직활동의 방향을 제시한다.

④ 조직이 존재하는 정당성의 근거가 될 수는 없다.

02 다음 조직구조의 유형들을 수직적 계층을 강조하는 구조에서 수평적 조정을 강조하는 구조로 옳게 배열한 것은? 2017년 사회복지직 9급

ㄱ. 네트워크구조	ㄴ. 매트릭스구조
ㄷ. 사업부제구조	ㄹ. 수평구조
ㅁ. 관료제	

① ㄷ - ㅁ - ㄴ - ㄹ - ㄱ　　② ㄷ - ㅁ - ㄹ - ㄱ - ㄴ

③ ㅁ - ㄷ - ㄴ - ㄹ - ㄱ　　④ ㅁ - ㄷ - ㄹ - ㄴ - ㄱ

정답 및 해설

01 조직목표의 기능

조직목표는 조직이 나아가야 할 방향으로 조직이 존재하는 정당성의 근거가 될 수 있다.

❶ 조직목표의 기능

(1) 조직활동에 대한 방향과 지침 제공
(2) 조직의 성공여부 및 능률성, 효과성을 평가하는 기준
(3) 조직권위에 대한 근거를 제공 및 기능 수행
(4) 조직통제와 행정개선의 기능을 수행

02 조직구조의 유형

대프트(Daft)는 기계적 구조와 유기적 구조를 양 끝에 위치시키고 그 안에 기계적 구조에 가까운 기능구조부터 유기적 구조에 가까운 네트워크 구조까지 '기능구조 - 사업구조 - 매트릭스구조 - 수평구조 - 네트워크구조' 순으로 이루어지는 모형을 제시하였다. 여기서 기능구조의 대표적인 예는 관료제이므로, 옳게 배열한 것은 ㅁ - ㄷ - ㄴ - ㄹ - ㄱ이다.

❶ 대프트(Daft)의 조직유형

정답 01 ④ 02 ③

03 민츠버그(Mintzberg)가 제시한 조직유형이 아닌 것은? 2023년 지방직 9급

① 기계적 관료제
② 애드호크라시(adhocracy)
③ 사업부제구조
④ 홀라크라시(holacracy)

04 조직이론에 대한 설명 중 옳지 않은 것은? 2014년 국가직 9급

① 고전적 조직이론에서는 조직 내부의 효율성과 합리성이 중요한 논의 대상이었다.
② 신고전적 조직이론은 인간에 대한 관심을 불러 일으켰고 조직행태론 연구의 출발점이 되었다.
③ 신고전적 조직이론은 인간의 조직 내 사회적 관계와 더불어 조직과 환경의 관계를 중점적으로 다루었다.
④ 현대적 조직이론은 동태적이고 유기체적인 조직을 상정하며 조직발전(OD)을 중시해 왔다.

05 조직이론에 대한 설명으로 옳은 것은? 2021년 지방직 9급

① 인간관계론은 동기 유발 기제로 사회심리적 측면을 강조한다.
② 귤릭(Gulick)은 시간 - 동작 연구를 통해 과학적 관리론을 주장하였다.
③ 고전적 조직이론은 조직 내 사회적 능률을 강조하고, 조직 속의 인간을 자아실현인으로 간주한다.
④ 상황이론(contingency theory)은 모든 상황에서 적용되는 유일 · 최선의 조직구조를 찾는다.

06 신고전적 조직이론인 인간관계론이 강조한 내용으로 옳은 것은? 2024년 국가직 9급

① 기계적 능률성
② 공식적 조직구조
③ 합리적 · 경제적 인간관
④ 인간의 사회 · 심리적 요인

07 조직 내에서 직무의 범위와 깊이는 과제의 성격에 따라 달라져야 한다. 아래는 직무전문화와 과제 성격과의 관계를 나타낸 표이다. (가), (나), (다), (라)에 들어갈 내용이 옳게 연결된 것은? 2011년 국회직 8급

구분		수평적 전문화	
		높음	낮음
수직적 전문화	높음	(가)	(나)
	낮음	(다)	(라)

	(가)	(나)	(다)	(라)
①	일선관리직무	비숙련직무	전문가적 직무	고위관리직무
②	일선관리직무	비숙련직무	고위관리직무	전문가적 직무
③	고위관리직무	전문가적 직무	일선관리직무	비숙련직무
④	비숙련직무	일선관리직무	고위관리직무	전문가적 직무
⑤	비숙련직무	일선관리직무	전문가적 직무	고위관리직무

정답 및 해설

03 민츠버그(Mintzberg)의 조직유형

민츠버그(Mintzberg)는 조직의 구성부분, 조정기제, 상황요인을 변수로 단순구조, 기계적 관료제, 전문관료제, 사업부제구조, 임시구조(adhocracy) 등으로 구분하였다. 홀라크라시(holacracy)는 권한과 의사결정이 상위 계층에 속하지 않고 조직 전체에 걸쳐 분배되어 있는 조직구조를 말한다. 홀라크라시에서는 조직의 위계질서가 존재하지 않으며 모든 구성원들이 관리자 없이 동등한 위치에서 동일한 책임을 지고 업무를 수행한다.

04 신고전적 조직이론

신고전적 조직이론은 인간의 조직 내 사회적 관계에 대해서는 관심이 높았으나, 조직과 환경의 관계를 중점적으로 다루지 못하는 폐쇄적 조직이론에 속한다.

05 조직이론

인간관계론은 호손실험을 통하여 동기 유발 기제로 인간관계의 증진을 통한 사회심리적 측면을 강조한다.

| 선지분석 |

② 시간-동작 연구를 통해 과학적 관리론을 주장한 학자는 귤릭(Gulick)이 아니라 테일러(Taylor)이다.

③ 고전적 조직이론은 기계적 능률을 중시하고 인간을 합리적인 경제인으로 간주한다.

④ 상황이론은 모든 상황에 적용되는 유일·최선의 조직구조를 부정하고 조직이 처해진 상황에 맞는 구조나 전략을 중시한다.

06 인간관계론

인간관계론은 신고전적 조직이론으로 인간의 사회·심리적 요인을 동기요인으로 한다.

| 선지분석 |

①, ②, ③ 고전적 조직이론인 과학적 관리론에 대한 설명이다.

07 직무전문화와 과제의 성격

(가)는 비숙련직무, (나)는 일선관리직무, (다)는 전문가적 직무, (라)는 고위관리직무에 해당한다.

❶ 수평적·수직적 전문화에 따른 과제의 성격

구분		수평적 전문화	
		높음	낮음
수직적 전문화	높음	비숙련직무 (생산부서)	일선관리직무
	낮음	전문가적 직무	고위관리직무 (정책결정, 기획)

정답 03 ④ 04 ③ 05 ① 06 ④ 07 ⑤

08 **조직구성의 원리에 대한 설명으로 옳지 않은 것은?** 2020년 지방직 9급

① 분업의 원리 – 일은 가능한 한 세분해야 한다.

② 통솔범위의 원리 – 한 명의 상관이 감독하는 부하의 수는 상관의 통제능력 범위 내로 한정해야 한다.

③ 명령통일의 원리 – 여러 상관이 지시한 명령이 서로 다를 경우 내용이 통일될 때까지 명령을 따르지 않아야 한다.

④ 조정의 원리 – 권한 배분의 구조를 통해 분화된 활동들을 통합해야 한다.

09 **조직의 원리에 대한 설명으로 옳지 않은 것은?** 2017년 지방직 9급(6월 시행)

① 계층제의 원리는 조직 내의 권한과 책임 및 의무의 정도가 상하의 계층에 따라 달라지도록 조직을 설계하는 것이다.

② 통솔범위란 한 사람의 상관 또는 감독자가 효과적으로 통솔할 수 있는 부하 또는 조직단위의 수를 말하며 감독자의 능력, 업무의 난이도, 돌발 상황의 발생 가능성 등 다양한 요소를 고려하여 정해진다.

③ 분업의 원리에 따라 조직 전체의 업무를 종류와 성질별로 나누어 조직구성원이 가급적 한 가지의 주된 업무만을 전담하게 하면, 부서 간 의사소통과 조정의 필요성이 없어진다.

④ 부성화의 원리는 한 조직 내에서 유사한 업무를 묶어 여러 개의 하위기구를 만들 때 활용되는 것으로 기능부서화, 사업부서화, 지역부서화, 혼합부서화 등의 방식이 있다.

10 **일반적인 조직구조 설계원리에 대한 설명으로 옳은 것만을 모두 고르면?** 2021년 국가직 7급

ㄱ. 계선은 부하에게 업무를 지시하고, 참모는 정보제공, 자료분석, 기획 등의 전문지식을 제공한다.
ㄴ. 부문화의 원리는 일정한 기준에 따라 서로 기능이 같거나 유사한 업무를 조직단위로 묶는 것을 의미한다.
ㄷ. 통솔범위가 넓을수록 고도의 수직적 분화가 일어나 고층구조가 형성되고, 좁을수록 평면구조가 이뤄진다.
ㄹ. 명령통일의 원리는 부하가 한 사람의 상관으로부터 명령을 받게 해야 함을 의미한다.

① ㄱ, ㄴ, ㄷ

② ㄱ, ㄴ, ㄹ

③ ㄱ, ㄷ, ㄹ

④ ㄴ, ㄷ, ㄹ

11 조직구조의 설계에 있어서 '조정의 원리'에 대한 설명으로 옳지 않은 것은? 2018년 국가직 9급

① 수직적 연결은 상위계층의 관리자가 하위계층의 관리자를 통제하고 하위계층 간 활동을 조정하는 것을 목적으로 한다.

② 수직적 연결방법으로는 임시적으로 조직 내의 인적 · 물적 자원을 결합하는 프로젝트 팀(project team)의 설치 등이 있다.

③ 수평적 연결은 동일한 계층의 부서 간 조정과 의사소통을 목적으로 한다.

④ 수평적 연결방법으로는 다수 부서 간의 긴밀한 연결과 조정을 위한 태스크포스(task force)의 설치 등이 있다.

정답 및 해설

08 조직구성의 원리
명령통일의 원리는 조직의 각 구성원은 누구나 한 사람의 직속상관에게만 보고하고 또 그로부터 명령을 받아야 한다는 원칙이다.

09 조직의 원리
분업의 원리란 조직 전체의 업무를 그 종류와 성질별로 나누어 조직구성원에게 한 가지의 주된 업무를 분담시킴으로써 조직의 능률을 향상시키려는 전문화의 원리를 말한다. 그러나 분업이 지나치면 부서 간 의사소통이나 조정이 어려워 할거주의나 전문가적 무능이 발생하며 이에 따라 부서 간 의사소통이나 조정의 필요성이 높아지게 된다.

10 일반적인 조직구조 설계원리
ㄷ은 옳지 않은 지문이고 ㄱ, ㄴ, ㄹ은 옳은 지문이다. 통솔범위가 좁을수록 고도의 수직적 분화가 일어나 고층구조가 형성되고, 넓을수록 평면구조가 이뤄진다.

| 선지분석 |

ㄱ. 계선(line)은 상급자가 부하에게 지시와 명령권을 행사하고 참모(staff)는 정보제공, 자료분석 등의 전문적인 기능을 수행한다.

ㄴ. 부문화(departmentation)의 원리는 일정한 기준에 따라 서로 기능이 같거나 유사한 업무를 조직단위로 묶는 것을 말한다.

ㄹ. 명령통일의 원리는 조직의 각 구성원은 누구나 한 사람의 직속상관에게만 보고하고 또 그로부터 명령을 받아야 한다는 원칙을 말한다.

11 조직구조의 설계(조정기제)
프로젝트 팀(project team)의 설치 등은 수직적 연결방법(기제)이 아니라 수평적 연결방법(기제)이다.

조직구조의 조정기제(Daft)

수직적 조정기제	수평적 조정기제
· 계층제 · 규칙과 계획 · 계층직위의 추가 · 수직정보시스템	· 정보시스템 · 직접접촉 · 임시작업단(TF; Task Force) · 사업관리자(PM; Project Manager) · 사업팀 조직(PT; Project Team)

정답 08 ③ 09 ③ 10 ② 11 ②

CHAPTER 2 조직구조론

1 조직구조의 기본이론

조직구조는 '조직 내의 유형화된 교호작용의 틀'을 말한다. 조직구조의 변수는 구조적 특성을 의미하는 기본변수와 조직이 서로 다른 구조를 가지게 하는 상황변수로 구분할 수 있다.[1]

기본변수	상황변수
· 복잡성(분화정도) · 공식성(공식화·표준화) · 집권성(집권화)	· 규모(크기) · 기술(일상적·비일상적) · 환경(확실성·불확실성) · 전략(저비용, 탐색형) · 과업(정형적, 비정형적)

❶ 조직구조의 기본변수와 상황변수 간 관계

구분	규모	기술(일상적)	환경(확실)
복잡성	+	-	+
공식성	+	+	+
집권성	-	+	+

1 조직구조의 기본변수

1. 복잡성

(1) 의의

① 조직 내에서 존재하는 분화의 정도이다.

② 복잡성에는 수직적 분화와 수평적 분화 두 가지가 있다.[2][3]

구분	내용
수직적 분화	· 조직 내의 책임과 권한이 나누어져 있는 계층의 양태로서 계층의 수나 계서제의 깊이와 관련된다. · 전통적인 기계적 구조(관료제)는 수직적 분화의 수준이 높지만, 현대적인 유기적 구조(탈관료제)는 수직적 분화의 수준이 낮다.
수평적 분화	· 조직의 업무를 구성원들이 나누어서 수행하는 양태이다. · 수평적 분화에는 일(직무)의 전문화와 사람의 전문화가 있다. 또한 부문화(부서화)는 조직구조의 설계방식으로 분화된 여러 활동을 수평적으로 조정하는 활동을 말한다.

❷ 수직적 분화와 수평적 분화
수직적 분화는 계층화의 정도이고 수평적 분화는 횡적인 분화로서 여기에는 다시 직무(일)의 분화와 사람의 전문화 두 가지가 있다.

❸ 유기적 구조
유기적 구조는 대체로 복잡성, 공식성, 집권성이 낮지만 복잡성의 경우 수평적 분화는 고도로 이루어졌다고 보는 입장도 있다. 이 경우 수평적 분화는 업무의 전문화나 기능별 분업이 아니라 사람의 전문화 내지는 흐름별 분업을 말한다.

(2) 주요 특징

① 조직규모가 커질수록, 사업범위가 넓을수록, 곤란성이 클수록 복잡해진다.

② 불확실한 환경하에서 복잡성이 낮다고 할 때의 복잡성은 주로 수직적 복잡성을 의미한다. 단, 수평적 복잡성이 낮다라고 할 때의 분화기준은 기능의 동질성이다.

③ 불확실한 환경하에서는 분화의 정도가 높다(Daft, 유민봉). 즉, 환경이 불확실하고 동태적일수록 수평적 분화(복잡성)가 높아진다. 이때 분화의 기준은 기능의 동질성이 아니라 흐름의 동질성이다.

④ 복잡성이 높아지면 행정농도*가 높아진다. 왜냐하면 조직의 규모가 커질수록 유지관리인력을 더욱 많이 필요로 하기 때문이다.

⑤ 복잡성이 높을수록 개혁착안단계에서 유리하고 시행단계에서 불리하다.

⑥ 복잡성이 높을수록 구성원의 사기 저하 및 조직 내 갈등이 증가한다.

2. 공식성

(1) 의의

조직 내의 직무에 대한 규칙 설정의 정도로서 업무절차 및 규범의 제도화·정형화·표준화의 정도이다.

(2) 주요 특징

① 단순하고 반복적인 업무일수록 공식성은 높아진다.

② 조직이 확실하고 안정적인 환경일수록 공식성은 높아진다.

③ 조직규모가 커지면 표준화되고 공식성은 높아진다.

④ 일상적 기술일수록 공식성은 높아진다.

⑤ 기계적 구조는 공식성이 높고, 유기적 구조는 공식성이 낮다.

(3) 문제점

① 공식화가 높으면 구성원의 자율성이 제약되고 소외감이 높아지게 된다.

② 공식화가 높으면 목표성취보다 절차준수를 우선할 것이다. 지나치게 규칙이나 절차에 집착할 경우 동조과잉*이나 행정의 형식화를 초래할 수 있다.

③ 조직변동이 곤란하고 유동적인 상황하에서 탄력적인 대응이 어렵다.

④ 관료의 재량권 축소를 가져오며, 대부분의 비정형적 결정은 최고관리층에 집중되는 집권화 경향을 초래한다.

고득점 공략 공식화와 표준화❶

1. 공식화

조직과업의 수행절차, 방법, 결과 등에 대해 사전에 기준을 정해 놓은 정도를 말한다. 즉, 작업방식이 미리 정해져 있으면 공식화가 이루어졌다고 본다.

2. 표준화

조직에서의 사용부품, 작업기술, 산출물의 유형을 통일시켜 놓은 정도로서 투입물 표준화, 과정 표준화, 산출물 표준화가 있다. 작업요소(투입, 과정, 산출 등)가 통일되어 있으면 표준화이다.

① **투입물 표준화:** 제품의 원료나 부품, 기술의 표준화이다.
㉑ 전문 관료제 등

② **과정 표준화:** 작업과정이나 절차 등을 사전에 정해 놓는 것으로 공식화와 일치한다.
㉑ 기계적 관료제 등

③ **산출물 표준화:** 제품의 품질수준을 미리 정해 놓는 것으로 근접통제가 필요하지 않다.
㉑ 최종산출에 대해서만 책임을 묻는 사업부제 등

3. 집권성

(1) 의의

조직 내의 의사결정권한의 집중 정도이다. 즉, 권한이 특정한 개인이나 계층·집단에 집중되어 있거나 위임되어 있는 정도와 관련된다.

용어

행정농도(administrative intensity)*: 조직의 전체규모에 대비한 유지관리구조(supportive housekeeping structure)의 비율을 의미한다. 유지관리구조는 조직의 간접인력으로서 직접적으로 생산적인 활동에 종사하는 계선구조를 지원하고 조직을 유지하는 활동을 수행한다. 이러한 조직의 간접인력에는 참모와 일반관리자가 있다.

용어

동조과잉(overconformity)*: 집단의 구성원들이 표준적인 행동양식에 지나치게 동조하는 현상으로서, 관료제 내에서 상관의 지시나 관례에 따라 소극적으로 업무를 처리하려는 관료들의 병리현상 가운데 하나이다. 동조과잉은 목표와 수단의 전도, 법규만능사상, 구태의연, 선례답습주의, 무사안일, 책임 회피, 창의력의 결여 등을 조장하고 쇄신을 저해하는 조직풍토를 조성하게 된다.

❶ 공식화와 표준화의 관계

양자는 서로 관련은 있으나 반드시 일치하지는 않는다. 작업방식이 미리 정해져 있으면 공식화이고, 작업요소가 통일되어 있으면 표준화이다. 민츠버그(Mintzberg)의 조직유형에서 기계적 관료제는 표준화(작업)와 공식화를 모두 추구하지만, 전문적 관료제는 표준화(기술)를 추구하나 공식화는 추구하지 않는다.

핵심 OX

01 조직구조의 기본변수에는 복잡, 공식, 집권, 통합 등이 있고, 상황변수에는 규모, 기술, 환경, 권력, 전략 등이 있다. (O, X)

02 조직규모가 커지면 복잡성과 공식성 그리고 집권성이 증가한다. (O, X)

03 행정농도가 높을수록 계선조직이 차지하는 비율이 높아진다. (O, X)

01 O
02 X 조직규모가 커지면 복잡성과 공식성은 증가하지만 집권성은 감소한다.
03 X 행정농도란 조직의 직접인력(계선기관)에 대한 간접인력(참모조직)의 비율을 의미하므로 행정농도가 높다는 것은 참모조직의 비율이 높다는 것이다.

(2) 주요 특징

① 조직규모가 커질수록 집권성은 줄어들고 분권화가 일어난다.

② 집권성은 일반적으로 확실한 환경일수록 증가한다.

③ 집권성은 일상적인 기술일수록 증가한다.

④ 인적 전문화는 집권성과 역의 상관관계가 있다.

(3) 집권의 촉진요인[1]

① 소규모 신설조직의 경우 집권화가 촉진된다.

② 위기의 존재나 국가의 전쟁 · 비상 시 집권화가 촉진된다.

③ 규칙과 절차의 합리성 또는 효과성에 대한 신뢰는 집권화를 촉진한다.

④ 특정 기능에 대한 조직 내외의 관심이 확대되면 그에 대한 의사결정이 집권화된다.

⑤ 조직활동의 통일성 · 일관성에 대한 요청은 집권화를 촉진한다.

⑥ 능력향상을 수반하지 않는 분업의 심화, 기능분립적 구조설계 등은 집권화의 필요를 크게 만든다.

⑦ 하위조직단위 간의 의존도는 높은데 횡적 조정이 어려울 경우 집권화가 촉진된다.

⑧ 최고관리층의 권력욕은 집권화의 직접적인 원인이 된다.

⑨ 권위주의적 사회문화, 사회구조와 정치체제를 지배하는 계서적 원리 등 환경적 요인들도 집권화를 촉진한다.

⑩ 정보통신기술의 발달은 신속한 의사전달을 가능하게 하여 하위계층에 대한 위임의 필요가 줄어들게 되므로 집권화된다.

⑪ 조직이 동원 · 배분하는 재정자원의 규모가 팽창되면 그에 대한 의사결정중추의 위치를 상향조정해야 할 필요가 생긴다. 따라서 공공부문에서 정부예산의 팽창은 집권적인 예산제도를 초래한다.

(4) 분권의 촉진요인

① 대규모 오래된 조직의 경우 분권화가 촉진된다.

② 환경이 불확실(동태적)하거나 복잡하여 신속한 업무수행이 필요할 때 분권화가 촉진된다.

③ 구성원의 참여와 자율규제를 강조하는 동기유발전략은 분권화를 촉진한다.

④ 조직의 생존 · 성장에 있어 조직참여자들의 개인적 창의성 발휘가 중요해질수록 분권화는 촉진된다.

⑤ 생산성 향상을 위해 번문욕례*를 제거하고 조직참여자들에게 힘을 실어주는 것이 중요하다는 신념의 확산도 분권화를 촉진한다.

⑥ 현대 조직의 규모 확대는 분권화를 촉진한다. 상층부의 업무량 증대는 중요 정책결정 이외의 분야에서 불가피하게 분권화를 초래할 것이다.

⑦ 현대 조직이 사용하는 기술수준의 고도화와 조직구성원의 인적 전문화 및 능력향상은 분권화를 촉진한다.

⑧ 고객에게 신속하고 상황적응적인 서비스를 해야 한다는 요청은 고객에 대한 업무처리의 분권화를 촉진한다.

⑨ 기술변화와 환경변화의 격동성은 조직의 적응성 제고를 요구하며 분권화를 촉진한다.

⑩ 조직이 속해 있는 사회의 민주화가 촉진되면 조직 내의 분권화가 촉진된다.

---

[1] 조직의 동태화방안

구분	내용
집권의 촉진 요인	· 소규모 조직, 신설조직인 경우 · 위기의 존재, 국가의 전쟁 · 비상시 · 강력한 행정력이 필요한 경우 · 규모의 경제나 외부효과에 대처(능률성 강화) · 기능별 전문조직은 집권화가 필요(전문성 향상) · 교통 · 통신의 발달(권한위임의 필요성 감소) · 국민적 최저수준 구현
분권의 촉진 요인	· 오래된 조직, 대규모 조직인 경우 · 주민통제의 강화 및 민주성 제고 · 관리자의 양성과 능력발전 · 다양성 촉진 및 정책의 지역적 실험 용이 · 신속한 업무 처리와 지역실정에의 적응 · 불확실하고 유동적 상황일 때(유기적 구조) · 시민적 최저수준구현

용어

번문욕례(繁文縟禮)*: 번거롭고 까다로운 규칙과 예절을 의미하며, 일반적으로 행정사무를 지연시키고 행정비용을 증대시키며 관료부패의 원인을 제공하는 등의 역기능을 초래한다.

핵심 OX

01 조직의 운영이 특정 개인의 리더십에 의존하는 정도가 높을수록 집권화되기 쉽다. (O, X)

02 교통 · 통신의 발달로 상호유기적인 연계가 강화되면서 분권화가 이루어진다. (O, X)

01 O
02 X 교통 · 통신의 발달로 상급자나 상급기관의 의사결정에 필요한 정보가 많이 집중될 때 집권화가 촉진되기 쉽다.

2 조직구조의 상황변수

상황변수는 조직이 서로 다른 구조를 가지게 하는 것이다. 상황변수는 매우 다양하며 주요 상황변수로는 규모, 기술, 환경, 과업, 전략, 권력 등이 있다.

1. 규모

(1) 의의

조직규모란 조직의 크기이다. 조직구성원의 수, 물적 수용능력, 투입, 산출 및 자원 등이 주요한 구성요소이다.

(2) 규모와 조직구조

① 조직규모가 커지게 되면 복잡성·공식성이 높아진다. 그러나 어느 수준부터는 복잡성(분화율)은 체감한다.

② 조직의 규모가 커지게 되면 분권화가 일어난다.

③ 규모가 클수록 집단의 응집성은 약해지고 비정의성(impersonality)이 높아지며 구성원은 소외감을 느끼게 되어 참여의식을 가지기가 어렵다.

④ 조직의 규모가 커지면 조직이 보수화되고 쇄신성이 저하된다.

2. 기술

(1) 의의

① 기술은 조직의 투입을 산출로 전환시키는 데 필요한 지식이나 도구, 기법 등 모든 활동을 총괄한다.

② 기술은 현실적이고 객관적이며 환경의 상태에 의해서 많이 좌우된다.

(2) 기술과 조직구조

① **일상적인 기술 사용:** 복잡성이 낮고, 기계적인 구조의 특성을 가진다.

② **비일상적인 기술 사용:** 복잡성이 높고, 유기적인 구조의 특성을 가진다.

③ 일상적인 기술일수록 집권화나 공식화가 높고, 비일상적인 기술일수록 집권화나 공식화가 낮다(Perrow).

(3) 우드워드(Woodward)의 기술유형론(기술적 복잡성과 조직구조)❶

① 작업과정에 착안하여 조직의 업무과정이나 기술이 관리에 미치는 영향을 중시하였는데 기업의 생산방식을 다음과 같이 구분하였다.

단일·소량 생산체제	개별 주문자의 요구에 따라 소량의 물건을 생산하는 매우 비반복적 작업으로서 기술적 복잡성이 낮다. 예 선박, 항공기 등
다수단위·대량 생산체제	표준화된 작업으로서 같은 종류의 상품을 대량생산하는 방식이며 기술적 복잡성이 중간이다. 예 칫솔 등 공산품
연속적·절차 생산체제❷	파이프라인을 사용하여 연속적으로 처리하는 작업으로서 기술적 복잡성이 높다. 예 정유공장 등의 화학제품

❶ 우드워드(Woodward)의 기술적 복잡성
'기술적 복잡성'이란 인간이 아닌 기계가 대신 해주는 정도이다.

❷ 연속적 절차생산체제(유기적 구조)
대량생산체제는 단순반복적인 생산과 문서에 의한 의사전달을 하기 때문에 기계적 구조가 적합하지만, 연속적 절차생산체제는 석유정제공장과 같이 생산방식이 연속적이고, 기계적인 변환과정이 수시로 바뀌므로 고도의 통제기술이 필요하고 작업자 상호 간에 언어에 의한 의사전달을 하기 때문에 유기적 구조가 적합한 것이다.

핵심 OX

01 조직의 규모가 확대되면서 계층적 분화, 표준화, 공식화에 의한 조정과 통제 등이 일어난다. (O, X)

01 O

② **기술의 복잡성과 조직구조의 관계:** 기술적인 복잡성이 매우 높거나 낮은 조직의 경우에는 유기적 구조를 띠게 되고, 중간 정도의 수준인 경우에는 기계적 구조를 띠게 된다고 보았다.

(4) 톰슨(Thompson)의 기술유형론(기술과 상호의존성)

조직이 사용하는 기술의 유형에 따라 갈등의 정도가 다르고 조정기제도 달라지며, 조직의 구조도 영향을 받는다고 보았다.

① 중개적 기술

㉠ **의의:** 상호의존하기를 원하면서 광범위하게 분산되어 있는 고객들을 연결하는 기능을 한다.

㉥ 은행(예금자와 대출자의 연결), 직업소개소(노동수요자와 노동공급자의 연결), 전화회사(통화자들의 연결) 등

㉡ **집합적(pooled) 상호의존성:** 둘 이상의 단위들이 상호 간에 직접적 관련성은 없으나 전체를 통해서는 함께 의존관계에 놓이는 것이다. 이는 한 부문이 침체되면 전체조직이 위기에 처하게 되는 경우이다.

㉢ **표준화를 통한 조정:** 시간적으로나 공간적으로 분산된 광범위한 고객을 대상으로 전화료 · 이자율 · 소개료 등과 같이 표준화된 운용이 필요하다. 그렇지 않으면 다양한 수의 고객들 간의 연결을 효율적으로 해내기 어렵기 때문이다.

② 연속적(길게 연계된) 기술

㉠ **의의:** X라는 행동이 성공적으로 끝난 후 Y행동이 수행되고, 또 Y라는 행동이 성공적으로 끝난 후 Z행동이 수행되는 것과 같은 관계이다.

㉥ 컨베이어 벨트나 파이프라인을 통한 대량생산 등

㉡ **순차적(sequential) 상호의존성:** 대량생산조직의 경우에서처럼 순차적으로 의존관계에 있는 여러 가지 기술이 연계된 경우이다. 즉, 한 부문씩 연결되어 활동하는 경우에 나타난다.

㉢ **계획에 의한 조정:** 일관작업체제와 계획에 의한 조정을 통해서 행동주체 간의 일정표를 짜고 실행에 옮긴다.

③ 집약적 기술

㉠ **의의:** 기술의 복합체로서 다양한 기술이 개별적인 고객의 성격과 상태에 따라 다르게 배합되는 기술이다. 이때 다양한 기술 간의 선택, 배합 및 적용순서는 대상물의 구체적 조건에 따라 결정된다.

㉥ 병원에서 환자를 치료할 때 병리검사, 투약, 입원 등의 기술이 동원될 수 있는데, 이 중 어떤 것을 어떤 순서로 제공하는가는 환자상태에 따라 결정함

㉡ **교호적(reciprocal) 상호의존성:** 한 단위의 생산이 다른 부분의 투입으로 작용할 뿐만 아니라 후자의 산출이 전자의 투입으로 상호작용하는 관계로서 가장 복잡한 관계이다.

㉢ **상호적응을 통한 조정:** 집약적 기술은 표준화가 곤란하고 갈등이 수반되며 고비용을 요구하는 기술이다. 여러 경로의 의사전달을 거쳐서 상호적응을 통한 조정이 이루어진다.

개념PLUS 톰슨(Thompson)의 기술유형

구분	상호의존성	조정방법	조정곤란도	예
중개적 기술	집합적	표준화(약관)	가장 용이	은행, 우체국, 보험회사, 전신전화회사, 고용알선기관 등
연속적 기술	순차적	계획	중간	대량생산 조립공정, 석유정제 및 철강업 등
집약적 기술	교호적	상호적응	가장 곤란	종합병원, 연구실험실, 대학교, 전투부대 등

(5) 페로우(Perrow)의 기술유형론(루틴과 조직구조)

페로우(Perrow)는 과업의 다양성(예외의 수)과 문제의 분석가능성(정보의 명확성)에 따라서 다음과 같이 네 가지 기술로 분류하였다.

구분		과업의 다양성(예외의 수)	
		낮음(소수의 예외)	높음(다수의 예외)
문제의 분석가능성(정보의 명확성)	낮음(분석불가능)	장인적 기술	비일상적 기술
		· 다소 유기적 · 중간의 공식화 · 중간의 집권화 · 작업경험 · 중간의 통솔범위 · 수평적·언어 의사소통 · 소량의 풍성한 정보 · 하이터치 · 개인적 관찰 · 면접회의 (예) 도예가 등	· 유기적 구조 · 낮은 공식화 · 낮은 집권화 · 훈련 및 경험 · 적은 통솔범위 · 수평적 의사소통, 회의 · 다량의 풍성한 정보 · 하이테크 및 하이터치 · 면접회의 · MIS*, DSS* (예) 핵연료 추진장치 등
	높음(분석가능)	일상적 기술	공학적 기술
		· 기계적 구조 · 높은 공식화 · 높은 집권화 · 적은 훈련 및 경험 · 넓은 통솔범위 · 수직적·문서 의사소통 · 소량의 명확한 계량적 정보 · 보고서 · 규정집, 계획표 · TPS(거래처리시스템)* (예) TV조립공정, 건재용 철근 등	· 다소 유기적 · 중간의 공식화 · 중간의 집권화 · 공식훈련 · 중간의 통솔범위 · 문서 및 언어 의사소통 · 다량의 계량적 정보 · 하이테크 · DB* · MIS, DSS (예) 엔지니어링 등

① 기준

㉠ **과업의 다양성**: 예외적인 사건이 어느 정도 발생하는가이다. 즉, 예외가 적다는 것은 원자재가 통일적이고 안정적임을 의미한다.

㉡ **문제의 분석가능성**: 표준적·객관적 절차의 수립 가능성이다. 즉, 분석이 불가능하다고 하는 것은 원자재의 성격이 잘 알려지지 않아서 확립된 기술이 없으며 결과의 예측이 어려운 경우로서, 과거의 경험이나 직관을 통하여 문제를 해결하여야 한다.

용어

MIS(Management Information System, 종합경영정보시스템)*: 기업의 경영진이나 조직의 관리진에게 투자·생산·판매·경리·인사 등 경영관리에 필요한 각종정보를 신속하고 정확하게 공급함으로써 생산성과 수익성을 높이고자 하는 정보시스템이다. 최근에는 SIS(전략정보시스템) 등 MIS에서 한 단계 더 나아간 경영관련 정보시스템이 널리 도입되고 있다.

DSS(Decision Support System, 의사결정지원시스템)*: 컴퓨터의 데이터베이스 기능과 모델 시뮬레이션 기능을 이용하여 경영의 의사결정을 지원하는 시스템이다. 전용 데이터베이스, 모델 베이스와 대화 생성 관리 시스템으로 구성되어 있다.

TPS(Transaction Processing Systems, 거래처리시스템)*: 조직운영에서 기본적으로 발생하는 거래 자료를 신속·정확하게 처리하는 정보시스템이다.

DB(Data Base)*: 여러 사람에 의해 공유되어 사용될 목적으로 통합하여 관리되는 데이터의 집합 또는 데이터 공유를 위한 서비스이다.

핵심 OX

01 집약적 기술을 사용하는 부서의 의존관계는 교호적 상호작용이다. (O, X)

02 톰슨(Thompson)의 기술유형에 의할 때 부서 간 상호의존성이 연속적(sequential)인 경우의 대표적인 예는 종합병원이다. (O, X)

03 과업의 다양성이란 과업이 수행되는 과정에서 발생하는 예외적 사건의 빈도를 말한다. (O, X)

01 O
02 X 톰슨(Thompson)의 기술유형에 따를 때 종합병원은 부서 간 상호의존성은 교호적이며, 집약형 기술을 사용하는 경우에 해당한다.
03 O

② 기술유형과 조직구조

㉠ **일상적 기술:** 과업의 다양성이 낮고, 분석가능성이 높은 경우로서 과업을 공식화하고 표준화시키는 기계적 구조에 적합하다.❶

㉡ **공학적 기술:** 과업의 다양성이 높고 분석가능성도 높은 경우로서 일상적 기술보다는 직무수행이 복잡하나, 체계적인 지식에 기초한 업무수행절차 · 공식 등이 요구된다.

㉢ **장인적 기술:** 과업의 다양성이 낮고, 분석가능성도 낮은 경우로서 과업수행을 위해서는 광범위한 경험과 훈련이 요구된다.

㉣ **비일상적 기술:** 과업의 다양성은 높고, 분석가능성이 낮은 경우로서 고도의 경험과 지식이 요구되는 유기적 구조에 적합하다.❷

❶ 일상적 기술과 기계적 구조

'기계적 구조 = 일상적 기술'이라고 볼 수 없다. 일상적 기술이 기계적 구조에 적합한 것이다. 일상적 기술은 신발제작, TV조립공정과 같이 단순하므로 많은 부서와 계층을 둘 필요가 없다. 즉, 복잡성이 낮고 집권화를 추구한다.

❷ 비일상적 기술의 통솔범위

유기적 구조는 일반적으로 조정과 통합이 이루어져 통솔범위가 넓은 편이다. 그런데 페로우(Perrow)의 기술유형에서 비일상적 기술은 유기적 구조에 적합한데 각 분야별(수학, 물리학, 화학, 전자공학, 우주항공학 등)로 전문성과 창의력이 매우 높아 조정과 통합이 상대적으로 어려워서 통솔범위가 넓지 않다는 것이다.

개념PLUS 페로우(Perrow)의 기술유형

구분	과업의 다양성	문제의 분석 가능성	조직구조	문제의 해결
일상적 기술	낮음	높음	기계적	과업의 공식화 · 표준화
공학적 기술	높음	높음	다소 유기적	체계적인 지식이 기초한 업무수행절차
장인적 기술	낮음	낮음	다소 유기적	광범위한 경험과 훈련
비일상적 기술	높음	낮음	유기적	고도의 경험과 지식

핵심정리 학자별 기술유형론

학자	기술유형
우드워드 (Woodward)	· 단일상품 또는 소량단위상품 생산체제 · 다수단위생산 또는 대량생산체제 · 연속적인 생산체제
톰슨 (Thompson)	· **중개적(mediating) 기술:** 의존관계에 있는 고객들을 연결하는 기술로서 역시 표준화를 추구 · **연속적(long - linked technology) 기술:** 순차적으로 의존관계에 있는 여러 가지 기술이 연계된 경우 · **집약적(intensive) 기술:** 다양한 기술의 복합체로서 다양한 기술이 개별적인 고객의 성격과 상태에 따라 다르게 배합되는 기술로 고비용 소요
페로우 (Perrow)	· **일상적(routine) 기술:** 분석 가능한 탐색과 소수의 예외가 결합된 기술 (표준화된 제품의 대량생산) · **공학적(engineering) 기술:** 분석 가능한 탐색과 다수의 예외가 결합된 기술 · **장인적(craft) 기술:** 분석 불가능한 탐색과 소수의 예외가 결합된 기술 · **비일상적(nonroutine) 기술:** 분석 불가능한 탐색과 다수의 예외가 결합된 기술

3. 환경

(1) 환경은 조직을 둘러싸고 있는 정치 · 경제 · 사회 · 문화적 환경을 총괄한다.

(2) 확실한 환경일수록 공식화와 집권성이 높고, 불확실한 환경일수록 공식화와 집권성이 낮다.

4. 과업

(1) 과업이 정형적이고 예외가 적을수록 기계적이고 높은 공식화 · 집권화가 나타난다.

(2) 과업이 비정형적이고 예외가 많을수록 유기적이고 낮은 공식화 · 집권화가 나타난다.

5. 전략

(1) 성공적인 조직목표를 달성하기 위한 행동계획이다.

(2) 기계적 조직에는 비용절감과 안정을 추구하는 저비용(방어형) 전략이 요구되고, 유기적 조직에는 변화지향적인 탐색형(공격형) 전략이 요구된다.

6. 권력

개인 또는 집단의 행위에 영향을 미치는 능력이다.

2 관료제

1 의의

1. 개념 및 대두배경

(1) 개념[❶❷]

① 관료제(bureaucracy)는 특정한 목표를 달성하기 위해 인간의 집단을 구조화하는 방식이다.

② 엄격한 권한의 위임과 전문화된 직무의 체계를 가지고 합리적인 규칙에 따라 조직의 목표를 능률적으로 실현하는 조직의 관리운영체제이다.

(2) 대두배경

① 19세기 중반 서유럽에서 처음 논의되었고, 1950년대 이후 미국을 중심으로 관리주의적 견해가 강조되면서 관료제는 복잡한 대규모 조직의 안정과 효율을 유지하는 데 적합한 조직화 양식으로 인식되기 시작하였다.

② 베버(Weber)는 『관료제(1901)』를 통해서 합리적이고 작업능률을 극대화할 수 있는 이상적인 조직의 형태로서 관료제모형을 제시하였다.

❶ 관료제의 어원
관료제(bureaucracy)라는 용어 자체는 중농주의자이며 정치경제학자인 구르네(Gournay)가 1745년에 새로이 만들어 낸 말이다.

❷ 토플러(Toffler)의 관료제
관료제에 대해 토플러(Toffler)는 『권력이동』에서 보이지 않는 정당(invisible party)이라고 지적하면서 관료제는 선거의 결과에 관계없이 영구히 집권하는 정치권력장악집단을 의미한다고 보았다.

핵심 OX

01 장인적 기술을 사용하는 부서의 경우 과제의 다양성은 높고 문제의 분석가능성은 낮아 문제해결이 어렵다. (O, X)

02 비일상적 기술을 사용하는 부서의 경우 과제를 해결하기 위한 방법을 탐색하는 절차가 매우 복잡하다. (O, X)

03 베버(Weber)의 근대적 관료제모형은 신생국보다는 유럽의 정부관료제를 분석하는 데 적합하다. (O, X)

01 X 장인적 기술을 사용하는 부서의 경우 과제의 다양성과 문제의 분석가능성이 모두 낮은 경우에 해당한다.
02 O
03 O

(3) 베버(Weber)의 관료제모형

① 이념형으로서의 관료제

㉠ 관료제는 대단히 불확정적이고 다의적인 개념이다.

㉡ 이념형은 현실이 너무 복잡 · 다양하고 유동적이어서 그 참모습을 파악하기가 힘들기 때문에 개념적으로 하나의 통일적인 모습을 설정한 것이다. 관료제의 이념형은 경험에 의한 모형은 아니지만, 실제 현실에서 전혀 존재하지 않는 것도 아니다.

② **보편적인 관료제:** 특정 조직이 아닌 모든 조직에 보편적으로 찾을 수 있는 형태의 관료제를 설정한다.

③ **합리적인 관료제:** 관료제를 합리적인 형태로 설정한다.

2. 성립요인

(1) 화폐경제의 발달

전통적 지배나 가산관료제*와 구별되는 근대적 관료제는 자본주의나 화폐경제의 발달과 밀접한 관련이 있다.

용어

가산관료제(patrimonial bureaucracy)*: 영토 및 자원이 절대군주의 세습적 가산으로 간주하였던 가산국가적 구성체에서 생겨난 관료제이다.

(2) 행정사무의 양적 증대와 질적 전문화

행정사무의 양적인 증대와 질적인 전문화로 인한 역할의 분화와 전문화에 따라 체계적인 관료조직에 의해서 행정서비스를 제공할 필요성이 있었다.

(3) 관료제적 조직의 기술적 우위성

조직 내의 관료가 전임직인 경우, 전문성이 높아서 기술적 우위성을 가지게 되었고, 이는 관료제를 확립하게 되는 요인 중의 하나가 되었다.

(4) 물적 관리수단의 집중화

자본주의의 발달로 경제가 성장함에 따라 국가예산 사용에 대한 통제가 필요하게 되었고, 이에 따른 근대 예산제도의 탄생은 관료제를 필요로 하였다.

(5) 사회적 차별의 상대적 평균화, 경쟁과 기회균등

실력이나 능력에 입각한 평등사상이 지배하면서 신분관계에서 계약관계를 기반으로 하는 근대 관료제가 확립되었다.

(6) 사회의 세속화

유럽의 경우, 중세 교회의 지배로부터 인간이성을 해방시키기 위한 정교분리운동이 있어 왔고, 프랑스는 1789년 시민혁명 때 정교분리를 위해 세속주의를 헌법에 명시하였다. 즉, 사회의 세속화에 따라 관료제가 성립하였다.

3. 유형

(1) 지배의 종류

① **권력(타율적 복종):** 개인의 의사에 반하여 지배하는 것이다.

② **권위(자율적 복종):** 남을 지휘하거나 통솔하여 따르게 하는 힘으로서 정통적 신념을 근거로 하여 지배한다.

③ **영향력(자율적 복종)**: 이해관계에 의해서 복종하는 경우이며, 때로는 설득에 의한 지배를 의미한다.

(2) 권위의 유형과 관료제(Weber)

구분	특징	관료제의 유형
전통적 권위	전통이나 관습에 의해 지배가 정당화	가산관료제 (유교관료제)
카리스마적 권위	개인의 초인적 자질에 근거	카리스마적 관료제 (독재관료제)
법적/합리적 권위	국민의 동의에 의한 합법성에 근거 (가장 논리적이고 합리적)	근대 관료제

4. 특징

(1) 문서주의(문서에 의한 행정)

모든 업무는 문서로 정리한다. 이는 책임을 명확하게 하고 업무의 평등성과 정확성을 확보하기 위함이다.

(2) 권한의 명확성과 법규의 지배

관료에게 주어진 권한이 명확하며, 법규에 따라 조직이 운영된다. 법규에 의한 규제는 조직에 계속성과 안정성을 제공한다.

(3) 계층제(계서제적 구조)

엄격한 수직적 업무 배분과 상하 간의 지배관계를 형성하며 하급기관은 상급기관의 통제와 감독을 받는다.

(4) 공사의 구별과 비정의성

관료제는 사적인 일과 공적인 업무를 구분하는 것을 원칙으로 한다. 즉, 특별한 사정 또는 고객의 지위 등에 구애되는 일이 없이 공평무사하고 비정의적인 업무태도를 요구한다.

(5) 관료의 전문화와 전임직

① 채용의 기준에서부터 인사의 전 과정에서 전문지식과 성과를 강조한다.

② 일생 동안 근무를 위해서 보상을 내실화하고 연공서열을 중시한다.

(6) 고용관계의 자유계약성

직원들은 임명행위에 의하여 충원되고, 자유계약관계에 의하여 채용되며, 그에 따른 보수를 받는다.

(7) 보수와 승진

관료들은 근무연한에 의해서 보수를 받고 전문적인 자격과 능력에 따라 충원 및 승진을 하게 된다.

핵심 OX

01 구조적으로는 계층제, 기능적으로는 분화, 법규에 의한 행정이라는 점이 관료제의 주요 특징이다. (O, X)

01 O

2 관료제에 대한 평가

1. 이론적 차원의 비판

(1) 베버(Weber)는 관료제의 병리현상을 제대로 설명하지 못하였고 관료제의 역기능을 간과하여 관료제의 순기능적인 요인만 강조하였다.

(2) 비공식적 요인을 간과하여 인간행태의 본질을 온전하게 파악하지 못하였다.

2. 베버(Weber)의 관료제에 대한 평가[1]

(1) 1930년대 사회학자의 평가

① 머튼(Merton)

㉠ 관료제는 사적 인간관계의 감소, 규칙 내면화의 정도 증가, 새로운 대안의 탐색활동 감소라는 세 요인이 함께 작용하여 조직원의 행동에 대한 예측성을 높여 준다.

㉡ 최고관리자의 관료에 대한 지나친 통제가 관료들의 행동에 경직성을 초래하고 동조과잉, 목표전환 등의 역기능을 발생시킨다.

② 블라우(Blau)와 톰슨(Thompson): 관료제가 지나치게 공식화만을 추구함으로써 조직 내 개인의 소외문제를 야기하였으며, 조직 내 사회관계가 불안정하다고 비판하였다.

③ 셀즈닉(Selznick): 권한위임은 관료의 전문적 능력을 향상시키고 조직의 목표달성에 기여하지만, 다른 한편으로 조직 내 하위단위 간의 이해관계 대립을 초래하여 부서 간 갈등을 야기하고 조직전체의 목표보다 각 부서별 하위목표를 더 강조하게 된다고 본다(할거주의).

④ 굴드너(Gouldner): 관료제는 최고관리층이 조직구성원들을 통제하기 위하여 비인격적인 법규를 제정한다. 이 경우 관료들이 규칙의 범위 내에서 소극적이고 현상유지적인 행동을 하게 된다(무사안일주의).

(2) 1960년대 발전행정론자의 수정

① 법규에 의한 명확한 권한배분이 오히려 목표달성에 장애가 될 수 있다고 하였다.

② 합목적성을 강조하여 합법성에서 나타나는 경직화를 타파하고 법률을 신축적이고 탄력적으로 운영하여야 한다고 주장한다.

③ 전문적 지식도 중요하지만 관료의 사회 전반에 대한 이해력과 발전지향성을 강조할 필요가 있다.

(3) 1970년대 신행정론자의 극단적 비판

비계층적 · 탈관료적 조직형태를 모색하며 후기 관료제를 제시한 베니스(Bennis) 등의 학자들은 관료제의 종말을 주장하였다. 그들은 관료제의 기계적 · 집권적인 모형은 20세기 후반의 급격한 사회변동에 의해 탈계서제적 · 적응적 · 유기적인 조직구조로 전환되어야 한다고 주장하였다.

[1] 관료제의 병리에 대한 학자별 주장
1. **머튼(Merton)**: 규칙이나 절차의 지나친 엄수가 목표의 전환(동조과잉)을 초래한다.
2. **셀즈닉(Selznick)**: 권한위임과 전문화로 전체목표보다는 부서목표에 집착(할거주의)한다.
3. **블라우와 톰슨(Blau & Thompson)**: 조직내부에서의 개인 심리의 불안정성(인간소외)이 병리의 원인이다.
4. **굴드너(Gouldner)**: 부하를 통제하기 위한 규칙이 통제위주의 관리(무사안일주의)를 초래한다.
5. **베니스(Bennis)**: 『관료제 너머』에서 관료제의 종언을 예고하였다.
6. **피터(Peter)의 원리**: 조직구성원들이 자신의 무능력수준까지 승진하는 경향이 관료제에 존재한다.
7. **마일(Mile)의 법칙**: 조직 내의 지위가 사람의 행태를 결정한다는 법칙이다.
8. **파킨슨(Parkinson)의 법칙**: 공무원의 수는 업무량과는 직접적인 관계없이 심리적 요인에 의하여 일정 비율로 증가한다는 이론이다.

고득점 공략 관료제 옹호론

1. 의의

카프만(Kaufman), 굿셀(Goodsell), 페로우(Perrow) 등은 관료제에 대한 비판이 과장되었다고 지적하면서 관료제 옹호론을 제기하였다. 특히 블랙스버그선언에 참여하였던 굿셀(Goodsell)은 『공공행정의 논쟁: 관료제의 경우(1985)』에서 사람들의 관료제에 대한 부정적 시각은 관료제에 대한 이해부족에서 나온 것이라고 주장하면서 미국 관료제를 적극 옹호하여 행정의 정당성을 회복하고자 하였다.

2. 근거

① 관료제가 평등성을 지향한다는 점, ② 권력지향적이라는 점은 정부조직이나 시장조직이나 마찬가지라는 점, ③ 낮은 성과가 관료제 자체에 기인하기보다는 정부서비스의 독점적 성격 등에서 찾아야 한다는 점 등을 근거로 하였다.

3. 일반적인 관료제에 대한 평가

(1) 긍정적 측면

① **전문성과 능률성 확보**: 표준화에 의해 조직구성원들의 행동이 잘 통제되고 예측가능성이 증가하여 전문성과 능률성이 향상된다.

② **공평한 업무처리**: 비정의성을 중시하여 인간의 감정을 배제하고 공평무사한 업무처리를 할 수 있다.

③ **통일성 확보**: 계층제적 구조에 의해 명령복종관계와 질서를 확립할 수 있다.

④ **기회균등의 보장**: 공직에의 기회균등을 보장할 수 있다.

(2) 부정적 측면

① 지나친 문서주의(형식주의)

㉠ 대규모 조직에서는 사무처리의 비합리성을 배제하고 책임의 한계를 명확하게 하려고 문서나 서면처리를 한다.

㉡ 이러한 지나친 문서주의 또는 형식주의로 인해 번문욕례(繁文縟禮), 레드 테입(Red tape)*, 복잡한 날인절차, 형식주의 등과 같은 역기능이 나타난다.

② **전문화로 인한 무능(훈련된 무능*)**: 전문가는 시야가 좁고 포괄적인 통찰력이 부족한 이른바 '훈련된 무능'의 특징을 지닌다. 이는 한 가지의 지식 또는 기술에 관하여 훈련받고 기존 규칙을 준수하도록 길들여진 사람은 환경이 변동되더라도 다른 대안을 생각하지 못한다는 것이다.

③ 할거주의(국지주의)

㉠ 전문가로서 관료는 자기가 속한 조직단위에만 충성할 뿐 다른 부서에 대한 배려는 잘 하지 않는다.

㉡ 할거주의로 인해 관료들 간에는 조정이나 협조가 잘 되지 않고, 때로는 경쟁적이고 대립적인 관계를 형성한다.

④ **무사안일주의**: 관료는 문제해결에 적극적인 태도를 취하지 않으려 하고 상급자의 명령이나 지시에만 맹종하며 책임을 회피하기 위하여 상급자의 권위에 의존하는 경우가 많다(복지부동).

⑤ **독선주의(국민에 대한 무책임성)**: 행정관료의 경우 국민에 대해 책임을 지지 않는 특징 때문에 독선주의로 흐를 우려가 있다.

용어

레드 테입(Red tape)*: 영국에서 공문서를 묶는 데 쓰는 붉은 끈에서 유래된 말로, 관청의 지나치고 번거로운 문서주의나 형식주의를 지칭한다.

훈련된 무능(trained incapacity, 전문가적 무능)*: 한 가지 지식이나 기술에 관해 훈련받고 기존 규칙을 준수하도록 길들여진 사람은 다른 지식이나 기술을 생각하지 못하는 편협성을 말한다.

핵심 OX

01 1960년대 발전행정론자들은 관료제가 동조과잉이나 인간소외, 법규만능주의를 조장한다는 점을 비판하였다. (O, X)

02 신행정론자들은 사회적 형평성을 강화하기 위해서 관료제를 옹호하는 입장에 있다. (O, X)

03 굿셀(Goodsell)은 관료제조직의 구성원이 각자의 능력을 넘는 수준까지 승진하게 되는 병리현상이 나타난다고 본다. (O, X)

04 법규와 절차 준수의 강조는 관료제 내 구성원들의 비정의성(非情誼性)을 저해한다. (O, X)

05 동조과잉과 형식주의로 인하여 '전문화로 인한 무능'이 발생한다. (O, X)

01 X 1930년대의 사회학자에 의한 비판에 해당하는 설명이다.
02 X 신행정론자들은 탈계층제와 사회적 형평성 등을 주장하였으며 관료제를 비판하는 입장에 있었다.
03 X 굿셀(Goodsell)이 아니라 피터(Peter)의 주장이다(피터의 원리).
04 X 법규와 절차의 준수를 강조함으로써 감정 및 편견 없이 공평무사한 행정을 추구하는 비정의성(impersonalism)을 확보할 수 있다.
05 X 전문화로 인한 무능은 지나친 전문화(분업)의 문제점이다.

⑥ **변화에 대한 저항**: 관료제는 일정한 법규의 준수에 기계적으로 전념하므로 본질적으로 보수주의적이고 현상유지적인 특징을 지니고 있으며, 변화에 대한 적응성이 결여되어 있다.

⑦ **몰인간성**: 관료제는 집권적 구조를 바탕으로 법규 위주의 통제를 중요시하기 때문에 구성원의 인간적 발전 저해와 인간소외 심화의 우려가 있다.

⑧ **권력구조의 이원화**: 상사의 계서적 권한과 지시할 능력 사이에 괴리가 존재하여 그로 인한 갈등이 발생하거나, 상사의 계서적 권력과 부하의 전문적 권력이 충돌하는 현상이다.

⑨ **양적 복종**: 관료들이 직무수행을 할 때 질적이고 장기적인 목표보다는, 단기적이고 가시적인 양적인 목표나 기준만을 충족시키려고 하는 경향을 말한다.

4. 관료제와 민주주의의 관계

듀베르제(Duverger)는 『서구의 두 얼굴』에서 관료제는 기술적 합리성을 통해 인간해방의 도구임과 동시에, 형식만을 강조하는 경직성으로 인해 인간 억압의 도구가 될 수도 있다는 점을 지적하였다. 베버(Weber)는 관료제와 민주주의의 갈등을 인식하였으나 양자를 반드시 대립적인 것이라고 보지는 않았다.

(1) 갈등관계

① **관료제의 특권집단화 경향과 대응성 저하**: 관료제는 소수의 엘리트 집단이나 공무원에게 권력을 집중시키는 면이 있으므로 권력의 불균형을 초래하며, 이러한 특권집단화의 경향으로 인하여 국민 요구에 대한 적응이 곤란하고 통제가 어렵다.

② **권력의 집중화 현상과 보수화 경향**: 상위계층에 권력이 집중되고 이들의 결정은 보수화되는 경향이 있다.

③ **소수간부의 권력 강화와 과두제의 철칙(iron law of oligarchy)**: 라스키(Laski)는 관료제의 세습계급화를 우려하였으며, 파이너(Finer)는 관료제가 국민 위에 군림하는 체제라고 비판하였다.

④ **권력의 집중 및 역할의 과대화**: 관료에게 지나치게 많은 권력을 집중시킴으로써 권력의 불균형을 초래하여 민주주의를 저해할 위험이 있다.

⑤ **정보의 독점을 통한 권력독점 발생**[1]: 정보는 '민주주의의 통화'라고 하는데 관료제는 이러한 정보의 독점을 통해서 권력을 독점하게 된다.

[1] 정보의 독점
토플러(Toffler)는 관료제가 정보를 '칸막이방'에 가둬 놓게 된다고 지적한다.

(2) 조화관계

① **민주적 목표의 능률적 달성**: 목표가 민주적으로 결정되고 그 실행과정의 통제가 가능하다면 관료제는 목표달성에 가장 적합한 구조라고 볼 수 있다.

② **법 앞의 평등 확립**: 관료제는 정실이나 자의에 의한 개별주의를 배격하고 일반적 규칙에 의한 보편주의를 추구함으로써 법 앞의 평등(민주주의의 소극적 측면이면서 가장 중요한 요소)을 확립하는 데 기여한다. 관료제가 강조하는 공직취임에 있어서의 기회균등은 이를 잘 반영하고 있다.

③ **공직임용에 있어 기회균등**: 관료제는 신분적 · 경제적 차별 없이 전문적 지식과 능력에 따른 관료의 임용을 원칙으로 하기 때문에 공직에 나아갈 수 있는 기회가 균등하게 보장된다.

핵심 OX

01 관료제는 현상유지에 집착하여 환경변화에 유기적으로 대응한다. (O, X)

01 X 관료제는 경직적이므로 환경변화에 기계적으로 대응한다.

④ **관료제에 의한 경제발전 및 국민생활수준 향상:** 선진국의 비약적인 발전이나 고도의 생활수준 유지는 관료제적 조직의 성과였으며, 개발도상국가의 비약적인 경제적 · 사회적 발전도 관료제의 주동적 역할에 의한 것이다.

(3) 양자의 조화방안

① 민주적인 규범과 가치를 강화하고 공개행정의 확대를 기한다.
② 대표적 관료제를 통한 반응성 · 책임성의 제고에 노력한다.
③ 행정책임성의 향상[프리드리히(Friedrich)의 도덕적 책임론]을 기한다.
④ 관료제의 외부통제를 강화하고 참여관료제를 고려한다.
⑤ 애드호크라시, 팀조직, 네트워크조직 등 조직을 평판화한다.
⑥ 행정통제 및 시민참여의 범위를 확대한다.

고득점 공략 예이츠(Yates)의 관료제적 민주주의(bureaucratic democracy, 1982)

예이츠(Yates)는 정부관료제가 과연 민주주의라는 정치적 가치와 능률이라는 행정적 가치를 조화시킬 수 있는가 하는 문제를 집중적으로 분석하였다. 그에 의하면 제도개혁을 통하여 관료제에 대한 통제전략을 수립하면 양자의 조화가 가능하다고 한다.

1. 제도적 개혁의 주요 과제
① 중앙집권적인 통제와 장기적인 기획능력의 강화
② 국가전반적인 기획을 고려하면서, 공개적이고 공평한 체제하에서의 이익의 민주적 조정
③ 상위정부와 일치하는 지역정부수준의 갈등조정기구 및 시민감시기구의 설치 등

2. 관료제와 민주주의를 조화시키기 위한 구체적 개혁방안
① 행정부의 분산된 의사결정구조에 맞서 최고집행자의 조정권한을 늘린다.
② 분권화된 다원적 민주주의의 약점을 극복하기 위해 정부의 기획능력을 향상시킨다.
③ 정책집행을 분권화하되 각 정부의 정책 간 연대성을 위해 중앙정부의 통제력을 증진시킨다.
④ 지역서비스 센터의 건설로 갈등을 조정하고 지역주민의 참여를 촉진한다.
⑤ 집권적 · 경쟁적 예산과정으로 인한 분할과 갈등을 해결하고, 소각료회의를 설치한다.
⑥ 장관이 주도하는 갈등조정장치를 설치한다.
⑦ 현장 공무원들로 구성된 지역서비스 각료회의를 설치한다.
⑧ 각 정부부처의 시민들이 참여할 수 있는 대민서비스처를 설치한다.

3 탈(후기)관료제

1 탈(후기)관료제의 의의

1. 의의

(1) 종래 관료제는 산업사회에서 대규모 조직을 관리하기 위한 것이었다. 하지만 1970년대 들어서 후기 산업사회(정보화사회)로 진입하면서 관료제조직의 한계가 지적되었고 이에 따라 관료제의 전면적 검토가 필요하게 되었다.

(2) 개방화 · 민주화 · 정보화시대에 적합한 조직구조로서 탈관료제, 반관료제, 후기관료제모형이 등장하였다. 탈관료제는 관료제와는 달리 탄력성과 적응도가 높은 혁신적 성격을 가지며, 유기적 · 동태적인 조직이다.

(3) 급변하는 환경과 인간주의적인 경향에 따라 미래조직에 대한 논의의 핵심은 조직의 상황적응성, 분권화, 인간화, 참여민주주의의 가치실현 등에 있는데, 이러한 일련의 경향을 탈관료제라고 한다.

2. 등장배경

(1) 환경변화에의 신속대응

개방화 · 민주화 · 정보화 등 환경의 불확실성과 유동성이 증가하면서, 환경변화에 대한 신속한 대응이 필요하게 되었다.

(2) 상황적응에 따른 유동성의 증대

사회현상과 문제의 복잡성 증가로 고도의 전문성과 기술성이 필요하게 되었다.

(3) 분권화와 전문성의 통합

행정국가의 사회문제들 간 상호의존성이 증대되면서 전문성의 통합이 중시되었다.

(4) 참여민주주의를 통한 인간화

조직 내의 인간을 수단으로 간주하는 것이 아니라 가장 중요한 가치로 인식하는 인본주의의 대두로 구성원의 참여와 만족이 중시되었다.

(5) 고도의 기술성과 조직구조의 변화

산업사회의 소품종 대량생산시스템에서 하이테크* · 하이터치*를 통한 정보사회의 다품종 소량생산시스템으로의 전환을 가져오게 되었다.

용어

하이테크(high tech)*: 현재 이용할 수 있는 최첨단의 가장 앞선 기술을 말하며, 고기술이라고도 한다. 하이테크는 시간이 지남에 따라 바뀔 수 있다.

하이터치(high touch)*: 미국의 미래학자 존 나이스비트가 처음으로 제시한 개념이다. 인간의 감성과 기술의 조화를 이룸으로써 고부가가치를 창출하는 것을 말한다.

3. 주요 특징

(1) 일반적 특징

여러 학자들이 탈관료제모형을 주장하였고, 이들의 논의를 종합하여 맥커디(McCurdy)가 후기 관료제모형을 제시하였는데, 다음과 같은 특성이 있다.

① **임무와 문제해결능력의 중시:** 문제해결능력을 가진 사람이 권한을 행사한다. 따라서 권한은 문제상황에 따라서 달라진다.

② **표준화(SOP)의 배척과 상황적응성의 강조:** 업무수행의 규정과 절차는 상황적응의 원리에 따른다. 조직의 구조와 과정, 업무수행기준 등은 상황적 조건과 요청에 부응하여야 한다고 처방한다.

③ **경계관념의 혁신:** 관료제는 고객을 단순한 행정의 객체로 대우하였으나 후기 관료제는 고객의 입장을 강조하는 수요자 지향적인 행정을 추구한다. 즉, 조직과 환경 사이의 경계(이음매, 칸막이)를 없애고 고객을 동료처럼 대하고자 한다.

④ **비계서적 구조:** 고정적인 계서제(계층제)의 존재를 거부하고 비계서제적(탈계층제적)인 저층형의 조직구조를 강조한다.

⑤ **집단적 문제해결의 강조:** 집단적인 과정을 통한 문제해결 등을 중시한다. 즉, 문제해결과 의사결정은 전문가들의 협력적 과정을 통해서 이루어진다.

⑥ **잠정성 · 기동성의 강조:** 조직 내의 구조적 배열뿐만 아니라 조직 자체도 필요에 따라 생성 · 변동 · 소멸되는 잠정적인 것이어야 한다.

⑦ **직업적 유동성의 전제:** 팀제 등 직업상의 유동성을 전제하고 또 이를 지지한다. 직업적 유동성은 구조적 배열의 잠정성에 결부된 것이다.

(2) 구조적 특징

탈관료제는 복잡성 · 공식성 · 집권성의 정도가 모두 낮다. 즉, 조직구조가 복잡하지 않고, 형식주의나 공식성에 얽매이지 않으며, 의사결정이 분권화되어 있다.

① **낮은 수준의 복잡성:** 수직적 분화는 낮지만 수평적 분화는 높다. 즉, 전문적 지식을 가진 문제중심 조직으로서 비계층적 구조이다.

② **낮은 수준의 공식성:** 공식성은 낮지만 전문성은 높다. 즉, 규칙화 · 표준화가 낮고, 상황적응적이다.

③ **낮은 수준의 집권성:** 집권화된 지위가 아닌 전문성에서 권위가 발생한다.

㉠ 전문가집단과 같이 전문가로 구성된 팀에 의사결정권이 분화되어 있음

개념PLUS 근대 관료제(Weber)와 탈(후기)관료제(McCurdy)의 비교

근대 관료제	탈(후기)관료제
· 문서주의 · 법규기속성 · 계층제(기계적 조직) · 비정의성(공사구별 철저) · 전문화(개인주의), 전임직(분업) · 정부의 영속성, 비밀주의(폐쇄적) · 조직 내부만 중시 · 고정적 권위와 공식적 판단(상급자)	· 문서절감, 문서폐지(문서 없는 행정) · 탄력성 · 신축성 강조 · 탈계층제(유기적 조직) · 인간적 측면 중시 · 팀 중심의 문제해결, 집단적 의사결정(협업) · 일시적 편재, 직업의 이동성, 개방적 · 고객과의 협동적 관계 중시 · 권위의 유동성(문제해결능력: 팀장)

4. 주요 모형

탈관료제모형의 공통점으로는 구조의 유연성, 환경변화에 대한 적응성, 인간적 가치의 존중 등을 들 수 있다.

(1) 골렘뷰스키(Golembiewiski)의 견인이론

① 관리이론을 압력(push)이론과 견인(pull)이론으로 대별하고 견인이론에 따라 조직구조와 과정을 처방할 것을 주장하였다.

② 압력이론이 구성원을 궁지에 몰아넣으며 고통스러운 결과를 피하기 위해 일하도록 만드는 관리이론이라면, 견인이론은 자유스러운 분위기를 조성하고 사람들로 하여금 일하면서 보람과 만족을 느끼게 하는 관리이론이다.

③ 견인이론의 원리

㉠ **분화보다는 통합:** 기능의 복합적 중첩 등을 강조한다.

㉡ **억압보다는 행동의 자유:** 자율규제를 촉진하여 통솔범위를 넓힐 수 있다.

㉢ **안정보다는 새로운 것:** 구성원의 변동에 대한 적응을 용이하게 한다.

㉣ **수평적 분화의 기준:** 기능보다는 일의 흐름을 선호한다.

㉤ **권한의 흐름:** 하향적 · 일방적이 아니라 상호적 · 수평적이다.

(2) 베니스(Bennis)의 적응적·유기적 구조

급속한 환경변화에 대처하기 위해서 적응적·유기적인 조직구조를 주장하였으며, 이러한 조직구조는 비계서제적, 구조적 배열의 잠정성, 권한이 아닌 전문능력이 지배하는 구조, 창의성 존중 등을 특징으로 한다.

(3) 커크하트(Kirkhart)의 연합적 이념형

베니스(Bennis)의 모형을 보완한 것으로 조직 간의 자유로운 인력이동, 변화에 대한 적응, 권한체제의 상황적응성 등을 주장하였다.

(4) 화이트(White)의 변증법적 조직(고객 중심적 조직)

변증법적 조직이란 근대 관료제에 반대하여 스스로를 계속적으로 발전시키는 단계에 있는 조직모형을 말한다. 고객 중심적 조직을 중시하였으며, 구조의 유동화와 경계개념의 타파를 주장하였다.

(5) 세이어(Thayer)의 계서제 타파

계서제를 유지한 상태에서 이루어지는 분권화는 미봉책에 불과하다고 주장하며 의사결정권의 이양, 고객참여, 조직경계의 개방 등을 강조하였다.

(6) 린덴(Linden)의 이음매 없는 조직(SO)

기존 관료제는 공급자 중심의 분산적 조직이라 비판하면서, 시민에게 다양하고도 완전한 통합서비스를 제공하는 이음매 없는 조직을 제시하였다.

(7) 바즐레이(Barzelay)의 관료제 돌파(breaking through bureaucracy)

관료주의 패러다임과 탈관료주의 패러다임을 비교하면서, 새로운 관료제가 지향해야 할 방향으로 탈관료주의 패러다임을 강조하였다.

(8) 기타 탈관료제모형으로는 프레드릭슨(Fredrickson)의 수정계층체제이론, 케이들(Keidel)의 조직유형[1] 등이 있다.

[1] 케이들(Keidel)의 조직유형
케이들(Keidel)은 전략과 구조, 체제를 기준으로 조직을 자율적 조직, 통제적 조직, 협동적 조직으로 분류한다. 이 중에서 전통적 관료제조직은 통제적 조직이며, 후기 관료제조직은 자율적 조직과 협동적 조직이다.

2 팀조직

1. 의의 및 특징

(1) 의의

① 팀조직(대국대과주의)은 기존 조직의 최소단위인 계를 폐지하고 과 단위를 기본으로 하여 조직을 편성하고 운영하는 조직이다.

② 계층제와 달리 구성원 간의 자율성이 높은 특성을 가진 구조이다.

③ 2013년 카첸바흐와 스미스(Katzenbach & Smith)의 정의에 따르면 팀제는 상호보완적인 기능을 가진 사람들이 공동목표의 달성을 위해 책임을 공유하고 문제해결을 위해 공동의 접근방법을 사용하는 조직단위이다.

(2) 특징

① **전문가집단에 의한 팀 구성:** 팀의 업무수행결과가 상승효과를 가지기 위해서는 문제해결에 필요한 다양한 전문가들로 구성되어야 한다.

② **공동의 목적:** 팀제에서는 상위조직의 전략과 전체 목표를 염두에 두고 팀 구성원들 간의 협의를 통해서 목표가 설정되어야 한다.

핵심 OX

01 정보화사회에서는 조직 내, 조직 간 다양성이나 개인의 자율성이 높아지고 엄격한 계층제와 분업이 증가되어 탈관료제화가 나타난다. (O, X)

02 탈관료제는 복잡성·공식성·집권성이 모두 낮은 구조적 특징을 지닌다. (O, X)

03 골렘뷰스키(Golembiewiski)의 견인이론(pull theory)은 분화보다는 통합을, 기능보다는 일의 흐름을 강조한다. (O, X)

01 X 엄격한 계층제가 완화된다.
02 O
03 O

③ **공동책임 · 공동보상**: 팀의 업무수행결과에 대해서는 팀 전체가 공동책임의식을 가진다. 이러한 공동책임감은 팀 구성원 간에 상호신뢰를 형성하고 협조정신을 배양하는 역할을 한다.

④ **상호긴밀한 유대**: 팀이 효과적으로 운영되기 위해서는 업무배분, 작업방법, 일정계획, 문제해결방법 등의 제반 업무수행방식에 대한 합의가 필요하다. 이를 위해서는 상호신뢰에 기반한 긴밀한 유대관계가 요구된다.

⑤ **팀의 자율성 보장 및 팀 내 완결적 업무수행**: 자율적 조직운영은 구성원의 자율성에 따른 주인의식과 팀 몰입도를 높이고 나아가 창의적인 문제해결을 통해 환경대응력과 행정수요에 대한 반응성을 높일 수 있다.

2. 유형(업무수준과 팀 조직의 제도화 정도에 따른 유형)

(1) 유형 I - 대국대과주의

① 기존 부서의 합리화를 위해서 조직계층의 수를 줄이고, 조직의 규모를 간소화한 형태의 팀조직이다.

② 조직계층의 수를 줄였기 때문에 기존에 병폐로 지적되었던 계층의 다단계화에 따른 의사결정의 지연을 방지하는 데에는 적합하다.

③ 우리나라의 행정안전부가 여기에 해당한다.

(2) 유형 II - PT vs TF[1]

① 특수문제해결을 위해 구성되는 조직으로 프로젝트팀(PT; Project Team)과 태스크포스(TF; Task Force)가 있다. 이론적으로 양자는 구별되나 실무적으로는 TF가 사용된다.

② TF의 경우에도 임무가 달성되면 소속기관으로 복귀하는 임시적 성격이 강하다.

[1] 한시적 조직에 대한 대프트(Daft)의 견해
프로젝트팀(PT)이 태스크포스(TF)보다 더 강력하게 연결된 장기적 조직이라는 견해도 있다. 대프트(Daft)는 프로젝트팀(PT)이 단순히 특정 문제해결을 위한 태스크포스(TF)보다 더 영구적인 사업단으로 대형프로젝트 수행을 위해 관련 부서 간의 장기간 강력한 협동을 요할 때 적합한 장치라고 보았다.

3. 장단점

(1) 장점

① 팀에 권한을 부여하고 자율적 업무의 처리를 강조한다.

② 높은 환경대응력과 창의적 문제해결을 목적으로 설계된다.

③ 조직규모의 축소를 추구하고, 통제의 기능을 감소시킨다.

④ 내재적 동기부여를 강조하며, 권한의 위임이 활발하여 높은 직무몰입이 가능하다.

⑤ 개인의 사기앙양이나 창의성을 도모하는 데 기여한다.

⑥ 고객만족 요구, 서비스 질 향상 요구에 대응하는 데 적합하다.

(2) 단점

① 관리자의 능력부족으로 인하여 조직의 갈등이 증폭될 수 있는 가능성이 존재한다.

② 계층구조의 부재나 업무의 가변성으로 인해 조직구성원의 갈등과 긴장이 증가한다.

③ 구성원 중 무사안일자가 있을 경우에는 업무공동화 현상이 발생한다.

④ 계급제적 속성이 강한 사회나 법정업무가 명확한 경우에는 적용하기 곤란하다.

개념PLUS 전통적 조직과 팀조직의 비교

구분	전통적 조직	팀조직
조직구조	수직형 조직(직급 중심)	수평형 조직
목표	상부에서 주어짐	상호공유
리더	강하고 명백한 지도자	리더십 역할 공유
지시·전달	상명하복·지시·품위	상호충고·전달·토론
정보흐름	폐쇄·독점	개방·공유
보상	개인 위주, 연공주의	팀 위주, 업적·능력주의
평가	상부조직에 대한 기여도로 평가	팀이 의도한 목표달성도로 평가
업무통제	관리자가 계획·통제·개선	팀 전체가 계획·통제·개선

3 매트릭스조직(복합조직, 행렬조직)

1. 의의

(1) 조직의 신축성을 확보하기 위하여 전통적인 계서적 특성을 가지는 기능구조에 수평적 특성을 가지는 사업부제구조(project team)를 결합시킨 것이다.

㉸ 재외공관, 대사관 등

(2) 기능구조는 전문가의 집합으로 전문성을 살릴 수 있으나 조정이 어렵고, 사업부제구조는 신속한 대응성을 갖추고 부문 내의 조정은 용이하나 비용이 중복된다는 문제가 있다. 매트릭스조직은 양자의 장점만을 채택하여 신속한 대응성을 갖춘 조직구조이다.

(3) 수직적인 기능구조에 수평적·횡적인 사업부제구조를 화학적으로 결합한 일종의 혼합적·이원적 구조의 조직으로서 이중적인 명령체계를 지니고 있다.

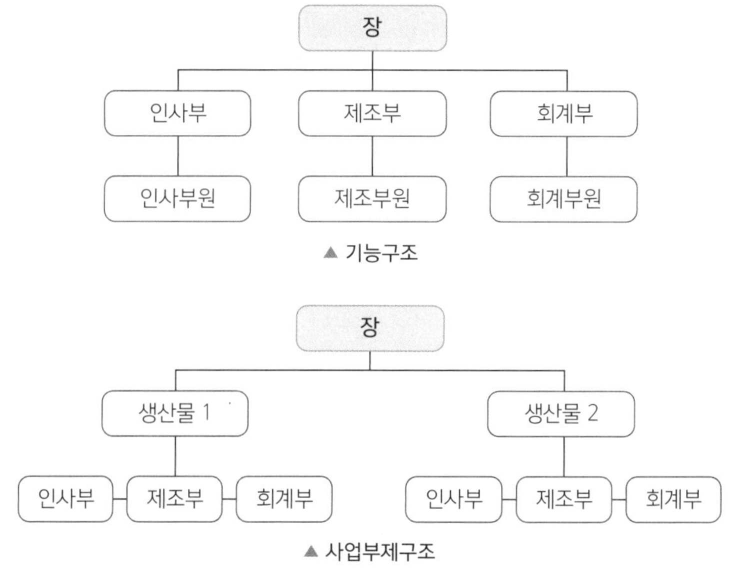

▲ 기능구조

▲ 사업부제구조

핵심 OX

01 팀 조직은 전통적 관료제와 비교할 때 구성원들의 사기를 증진시킨다. (O, X)

02 매트릭스구조는 기능구조와 사업구조의 물리적 결합을 시도하는 조직 구조이다. (O, X)

03 대사관에는 대사 외에 각 행정부처에서 파견한 상무관, 재무관, 농무관, 관세관 등이 있다. 이는 매트릭스조직의 대표적인 예이다. (O, X)

04 사업부제조직은 표준화를 통한 효율성을 유지하면서 핵심운영부분에 고도로 훈련받은 전문가를 고용하여 운영되는 조직이다. (O, X)

01 O 구성원들이 과거의 상의하달과 달리 직접 참여하고 결정할 수 있는 기회가 많기 때문에 구성원의 사기가 높아질 수 있다.
02 X 매트릭스구조는 기능구조와 사업구조의 화학적 결합을 시도한다. 화학적 결합이란 결합의 순서에 따라 다양한 모습이나 결과를 창출할 수 있는 상황을 말한다.
03 O
04 X 표준화를 통한 효율성 유지는 사업부제조직과는 거리가 멀다.

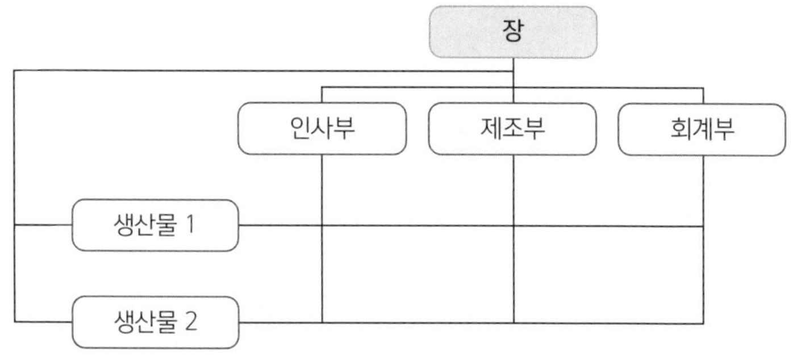

▲ 매트릭스조직

2. 효과적인 상황적 조건

(1) 조직의 환경영역이 복잡하고 불확실한 경우, 외부 변화가 빈번해지고 부서 간 상호의존성이 증가하여 조직의 수평적 · 수직적인 정보처리와 조정의 필요가 커진다.

(2) 두 개 이상의 핵심적 산출물에 대해 기술적 품질성과 수시적 제품개발의 압력이 있는 경우, 이중의 압력으로 인해 기능조직의 장점과 사업부제조직의 장점이 필요하며, 두 권한체계 간 권력균형이 요구된다.

(3) 생산라인 간에 부족한 자원을 공유해야 할 압력이 존재하는 경우, 즉 보통 중간규모의 조직에서 많지 않은 수의 생산라인을 가지고 있는 경우 생산라인 간 인력과 자원의 공유와 신축적 운영을 필요로 한다.

3. 장단점

(1) 장점

① 새로운 프로젝트 수행 시 기존인력을 신축적 · 경제적으로 활용한다.

② 한시적 사업에 신속하게 대처하고, 특수한 사업추진이 용이하다.

③ 조직구성원들의 참여를 증가시켜 동기부여 및 능력발전에 기여하며 자아실현욕구를 충족시킬 수 있다.

④ 창조적 아이디어의 원천으로서 불확실한 상황에서 새로운 아이디어의 개발에 기여한다.

⑤ 전문화와 통합적인 조직운영을 통하여 전문성의 통합을 기할 수 있다.

(2) 단점

① **이원적 지시체계로 인한 결정의 지연:** 이중권한체계가 개인에게 미치는 혼란, 갈등, 좌절이 있다. 특히 기능조직과 사업부제조직 간의 갈등이 있을 경우 해결을 위해 시간과 노력이 낭비된다.

② **권한과 책임의 불명확성:** 이원적 지시체계에 따라 권한과 책임이 불명확해지는 경우가 발생한다.

③ **조직관리상 객관성과 예측가능성의 저하:** 법규에 따른 행정보다는 다양한 환경에 대응하기 위한 행정이 강조되기 때문에 조직관리상 객관성과 예측가능성이 저하될 수 있다.

④ **중복비용의 발생가능성:** 대사관 조직 내에 또 하나의 프로젝트팀이 존재하므로 비용이 중복적으로 발생한다.

⑤ **원만한 인간관계 형성의 곤란:** 기능구조와 사업구조 간의 이원적 조직체계로 인해서 원만한 인간관계형성이 어렵다.

개념PLUS 전통적 기능조직과 매트릭스조직의 비교

구분	전통적 기능조직	매트릭스조직
계선·참모(막료)	목적수행의 책임은 계선, 참모(막료)는 조언 및 보조의 역할	계층제적 구조도 존재하며, 계선도 조언을 하고, 참모(막료)도 임무를 수행
존속기간	상당한 영속성	지속기간이 한정됨
부하·상관 관계	모든 업무를 부하·상관의 계통에 의해 수행	동료 간, 관리자·기술자 간 관계가 중요
조직목표	단일적 조직단위에 의해 결정	상대적으로 독립적인 단위들의 공통적 관심사
지시의 통일성	최고관리자가 획일적인 지시 가능	프로젝트 관리자가 단위 간의 공통된 목표달성을 위해 협조
계층제의 원리	명령계통의 원리 적용	수직적 업무와 수평적·대각적 업무협조가 중요

4 네트워크조직

1. 의의[1]

❶ 언더그라운드조직
네트워크조직은 구조와 계층을 중시하는 조직을 파괴하고 고객 중심의 조직으로 나아가는 언더그라운드(실무자 중심)조직이다.

(1) 네트워크조직(network structure)은 조직의 기능을 핵심역량 위주로 합리화하고, 여타의 기능을 외부기관들과의 계약관계를 통해 수행한다.

(2) 네트워크조직은 고도로 분권화되어 있으며, 상호영향력과 의사소통을 극대화하는 고도로 통합된 사회체제이다.

(3) 느슨하게 연결된 조직(loosely-coupled organization)으로서 조직관련 기능들이 위계적으로 결합된 것이 아니라, 구조적 복잡성의 완화를 통해 수평적으로 결합된 조직이다.

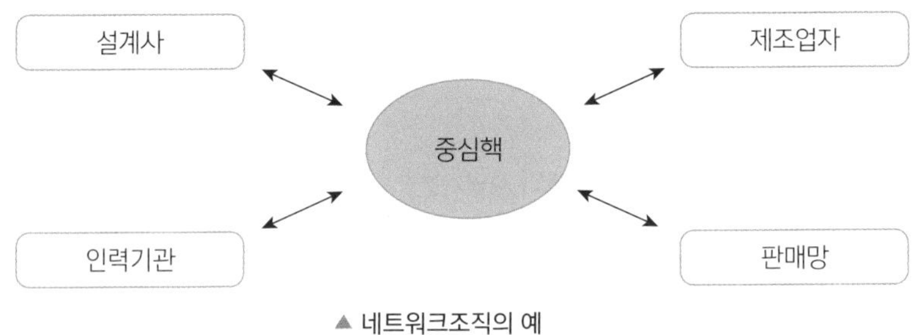

▲ 네트워크조직의 예

2. 기본원리

(1) 공동의 목적

관련된 연계조직 간에 공통된 견해나 공동목적을 소유한다. 네트워크조직의 모든 구성원들은 공동의 목표를 위해서 일한다.

(2) 독립적인 구성원들의 신뢰

다양하지만 독립적인 구성원들 사이에서의 의견조정은 활성화된 의사소통을 통해서 이루어진다. 구성원들도 대인관계 · 조직관계를 통해서 자발적으로 서로를 연결하고자 하며, 이러한 과정에서 신뢰가 생성된다.

(3) 자발적인 연결

다방면의 연결이 이루어진다. 각 구성원은 자율성을 가지므로 네트워크에 진입하거나 탈퇴하는 것이 자유롭다.

(4) 다수의 지도자

절대적인 권한을 가진 지도자는 없으나, 역량 있는 다수의 지도자가 존재한다.

(5) 계층의 통합

① 규정에 기초한 명령통제의 계층제가 아니라 상하계층 모두가 의사결정에 참여하고, 모두 함께 노력하여 조직목표를 달성하는 과정에서 계층의 통합이 발생한다.

② 계층 · 조직 간 연결과 협력의 강화는 가장 필수적인 요소이다.

(6) 유연한 구조와 구조적 복잡성의 완화

네트워크조직은 엄격한 분업과 계층제를 띠지 않는 탈관료화 · 공동화된 조직이므로 전통적인 계층제 조직에 비하여 구조적 복잡성이 낮다.

(7) 지식과 정보의 축적보다는 지식과 정보의 교류를 중시

'know-how'보다는 'know-who'가 중요하다. 지식의 축적보다는 상호 간의 교류를 통해서 자원들을 이용하는 것이 중요한 가치이다.

개념PLUS 시장, 계층제, 네트워크조직의 비교

구분	시장	계층제	네트워크조직
규범적 기초	계약, 재산권	고용관계	보완관계
커뮤니케이션 수단	가격	권위나 기계적 절차	상호관계
갈등해소방법	언쟁, 법정 소송	감독	호혜규범, 평판
유연성	높음	낮음	중간
소속감	낮음	중간 혹은 높음	중간 혹은 높음
행위자의 선호	독립적	의존적	상호의존적

3. 장단점

(1) 장점

① **조직의 개방화:** 다양한 관계자들과의 의사소통, 연계고리 강화 등으로 열린조직 달성, 환경에 대한 민감한 대처 등이 가능하다.

② **조직의 슬림화:** 기업은 핵심역량만을 내부에 보유하고 나머지 활동은 외부조직으로 네트워크화함으로써 조직의 슬림화를 기할 수 있다.

③ **혁신을 통한 경쟁력의 배양:** 광범위한 전략적 제휴로 사업관련 분야의 최신기술을 그때그때 습득함으로써 기술혁신을 촉발시킬 수 있다.

핵심 OX

01 매트릭스조직은 환경에 대응성을 높이고, 신속한 결정이 가능하며, 예측가능성을 증진시킨다는 장점이 있다. (O, X)

02 네트워크조직에서는 구성원들 간의 신뢰가 중요하다. (O, X)

03 네트워크조직은 기능부서의 기술적 전문성과 사업부서의 신속한 대응성이 동시에 요구되면서 등장한 조직형태이다. (O, X)

04 네트워크조직은 수평적 · 공개적 의사전달을 강조하기 때문에 수직적 통합과는 거리가 있다. (O, X)

01 X 환경에 대응성은 높으나, 결정이 지연되며 예측가능성을 떨어뜨릴 수 있다.
02 O
03 X 매트릭스조직에 대한 설명이다.
04 X 네트워크조직은 수평적 통합은 물론 수직적 통합의 메커니즘을 갖춘 조직이다.

④ **권한의 위임**: 분권화를 통한 권한위임(empowerment)이 가능하다.

(2) 단점

① **행동의 제약**: 참여자들 간의 관계형성과 활동과정에 조정비용이 발생하게 되며 이는 행동을 제약시킨다. 특히 전략적 배신이 불가능한 네트워크 속성상 새로운 파트너를 선택하기 힘들다.

② **네트워크의 폐쇄화**: 네트워크 관계가 장기화되고 구성원이 고정화되면 네트워크 전체가 폐쇄화되고 유연성이 상실된다.

③ **경쟁자의 배양**: 지식이 일방적으로 유출되어 네트워크 파트너가 경쟁자가 되거나 기회주의적 행동을 할 경우에 대안이 필요하다.

④ **통제나 조정의 곤란**: 비용이나 시간이 많이 소요될 가능성이 있다.

⑤ **응집력 있는 조직문화 형성의 어려움**: 네트워크 구성원들 간의 느슨한 관계는 응집력 있는 조직문화를 형성하기 어렵게 한다.

5 가상조직, 자생조직, 하이퍼텍스트형 조직

1. 가상조직[1]

(1) 의의

① 21세기 고객의 요구가 매우 다양해지고 기술은 점점 더 복잡해짐에 따라 기술개발에 필요한 비용을 한 기업이 감당하기 힘든 상황이 되었다. 가상조직은 정보네트워크기술의 발전을 이용하여 기업 간 협력을 통해 이를 극복하려는 새로운 경쟁전략이다.

② 핵심적인 기술과 자원의 공유를 통해 특정 과업을 수행하는 자율적인 조직의 집합체이다.

③ 정보통신기술과 전자적 의사소통에 기반한 사이버공간상의 조직이다.

④ 지리적으로 분산된 개인, 집단 또는 조직단위의 일시적·임시적·지속적인 집합으로 전자적 연계에 의존한다(Travica, 1997).

⑤ 정부가 직접 모든 서비스를 제공하기보다는 외부기관과의 계약에 의한 위탁방식(out-sourcing)에 의존한다.

⑥ 전통적인 관료제와 달리 엄격한 분업에 의한 단절이나 경계개념을 타파하고 '이음매 없는 유기적 행정'을 중시한다.

고득점 공략 가상조직의 구체적 이해

1. 의의

① 가상조직이란 둘 이상의 기업이 전략적인 목적으로 제휴하여 일정기간 동안 특정한 목적을 이루기 위하여 구성된 이후 목표가 달성되면 해체되는, 말 그대로 가상적인 조직이다. 즉, 가상조직은 다양한 업종의 기업이 각 개별업체가 보유하는 경쟁력 있는 기술과 자원을 통합하여 우수한 제품 및 서비스를 고객에게 신속하게 제공할 수 있도록 특정 기간 동안 일시적으로 제휴하는 것이다.

② 가상조직은 규모의 경제(economy of scale)*와 범위의 경제(economy of scope) 그리고 속도의 경제(economy of speed)를 이루는 조직형태이다.

---

[1] 가상조직의 예
'축구국가대표팀'은 평소에는 자기 소속팀에서 경기하다가 외국과의 매치가 있을 때 일시적으로 모여서 외국팀과 경기를 하는 일시적이면서도 지속적인 조직이다.

용어
규모의 경제(economy of scale)*: 각종 생산요소를 투입하는 양을 증가시킴으로써 발생하는 이익이 증가되는 현상이다.

핵심 OX

01 가상조직은 전자적 연계에 의존하며 지리적으로 분산된 개인, 집단 또는 조직단위가 영구적이기보다는 일시적·임시적·지속적으로 교류하는 집합을 의미한다. (O, X)

01 O

③ 가상조직은 연구개발, 시제품생산, 제조, 마케팅, 유통, 서비스 등 광범하게 있는 세계적 핵심역량들을 가장 효과적이면서 효율적으로 하나로 묶을 수 있는 조직구조이다.

2. 비교

① 가상조직은 특정 프로젝트를 중심으로 임시적 · 일시적으로 조직된다는 점에서 장기적인 관점에서 구성되는 전략적 제휴와는 구별된다.

② 가상조직은 핵심적 역량들을 결합한다는 점에서 핵심적인 기능만 자신이 직접 수행하고 나머지 부수적인 기능은 다른 조직을 활용하는 네트워크조직과는 구분된다.

(2) 특징

① 가상조직에 참여하는 기업들은 모두 최종 제품의 성공을 위하여 노력한다.

② 정보통신기술을 이용해서 주로 가상공간에서 기업 간 협력을 진행한다.

③ 분산성, 권한위임, 끊임없는 변화의 수용, 조직 간 상호의존성 등을 특징으로 한다.

2. 자생조직

(1) 의의

① 자생조직은 환경변화에 바람직하게 조직의 상태 및 산출물을 조정하는 능력을 갖춘 조직이다. 인간의 작동원리가 중요한 이유는 인간의 뛰어난 자생성* 때문이다. 이러한 인간의 자생성을 토대로 하여 비어(Beer)는 자생조직모형(viable system model)을 제시하였다(1979).

② **목표:** 조직전체, 하위부서, 조직구성원들 모두가 모든 상황에 대처하는 방법을 스스로 감지하고 대응방법을 찾아 자신이 처한 문제를 해결하는 창조적 능력을 갖도록 하는 데 초점을 둔다.

용어

자생성(viability)*: 환경이 어떠한 형태로 변화하든 유기체가 이러한 환경에 자신을 조정하여 맞추며 때로는 환경에 영향을 미치는 능력을 말한다.

(2) 특징

① 자생조직의 핵심요소는 필수다양성을 확보하는 것이며 아울러 자율성, 응집력, 개방성, 유연성, 학습성 등을 특징으로 한다.

② 조직 내 단위조직들까지 하나의 완전한 체제로 구조될 것을 강조한다.

③ 환경의 변화와 복잡성에 대해 탄력적이고 유연하다는 장점을 갖는다.

④ 조직의 학습능력과 자치능력을 증가시킨다.

3. 하이퍼텍스트형 조직

(1) 의의

① 1995년 노나카(Nonaka) 교수는 '지식창조기업(The Knowledge-Creating Company)'에서 지식창조와 지식경영에 적합한 새로운 조직구조인 '하이퍼텍스트* 조직'을 제시하였다.

② 하이퍼텍스트형 조직은 조직구조의 대안으로서 기존의 사업부제와 같은 계층형 조직에 프로젝트팀 조직의 특징을 가미한 새로운 조직 모델이다. 효율적 운영을 목적으로 하는 기존의 조직과 지식변환을 목적으로 하는 새로운 조직의 사이를 자유자재로 오가며 양자의 상승효과를 발휘하는 조직운영의 소프트웨어를 내재한 조직이다.

③ 조직이 필요한 때에 지식의 축적 · 활용 · 창조라는 세 가지 방식을 적절히 분담하고자 하는 조직운용 시스템이다.

용어

하이퍼텍스트*: 1960년대 컴퓨터 개척자 테오도르 넬슨(Theodore Nelson)이 'hyper(건너편의, 초월, 과도한)'와 'text'를 합성하여 만든 컴퓨터 및 인터넷 관련 용어이다. 일반 문서나 텍스트는 사용자의 필요나 사고의 흐름과는 무관하게 계속 일정한 정보를 순차적으로 얻을 수 있지만, 하이퍼텍스트는 사용자가 연상하는 순서에 따라 원하는 정보를 얻을 수 있는 시스템이다.

(2) 조직의 구성

① 프로젝트팀층(지식창조)

㉠ 최상층에 있는 프로젝트팀층에서는 정보나 지식의 획득 · 공유 · 형태화를 통해서 지식의 변환을 추구하는데, 항상 여러 개의 프로젝트팀이 활동한다. 연구개발, 신제품 · 서비스의 개발, 전략 입안, 컨셉이나 원형(prototype)의 창조, 새로운 업무디자인 등 창조적인 '기업진화'형 활동을 수행하는 비계층형 조직층이다.

㉡ 프로젝트팀을 기반으로 지속적인 지식창조가 이루어진다. 이는 종래 간헐적으로 형성되던 소수의 태스크포스(TF) 팀들이 아니라, 조직 전반의 광범위한 영역에 걸쳐 다양한 팀들이 형성되고 이들 팀 간의 유기적 협력체제와 정보 · 지식 공유체제로 이루어진 일종의 네트워크이다.

② 비즈니스 시스템층(지식활용)

㉠ 중간에 있는 비즈니스 시스템층은 전달과 공유를 수행한다. 과거의 계층제조직을 전제로 하며 리엔지니어링이 부정하고 있는 전통적인 '계층 · 분업 · 전문화'를 특징으로 하지만, 지식을 활용하기 위한 최적의 프로세스를 내재화하고 있다.

㉡ 새로운 지식의 창조는 불가능하고 일상업무의 효율성을 높이기 위해 전형적인 관료제적 모습을 가지고 있으며, 계층적 권한책임관계와 명확한 업무 분장에 의해 운영된다.

③ 지식기반층(지식축적)

㉠ 조직적인 실체로 존재하지는 않지만 기업의 비전 · 문화 · 기술 등에 구현되어 나타난다. 최하층인 지식기반층은 프로젝트팀층과 비즈니스 시스템층을 연결하고 그들의 원활한 활동을 촉구하여 지식을 축적 · 개발하는 역할을 담당한다.

㉡ 지식기반층에서는 프로젝트팀층에서 창출된 지식이 재구성되어 데이터베이스와 문서로 형식화되거나 기업문화나 노하우 등의 암묵적 지식으로 내재화된다. 조직문화나 풍토에 내포된 지식도 이 층의 무형의 요소인데, 지식기반층은 비즈니스 시스템층과 프로젝트팀층의 서로 다른 지식과 정보의 필요를 연결해주는 중개자 역할을 담당한다.

(3) 조직의 관리방식 - 중간관리자 주도

① 하이퍼텍스트형 조직은 프로젝트팀, 비즈니스 시스템, 지식기반 등 다양한 계층이나 콘텍스트가 상호연결되어 이루어지는데 중심층은 비즈니스 시스템층으로 여기에서는 일상적인 작업이 이루어진다. 주요 관리방식은 상의하달식도 아니고 하의상달식도 아닌 중간관리자 주도(middle up - down)방식의 형태이다.

② 지식은 팀이나 전담부서의 리더인 중간관리자들이 상급관리자들과 일선근로자들 간의 나선적인 지식전환과정을 주도함으로써 창조된다. 이 과정에서는 중간관리자들의 지식관리와 정보의 수직적 및 수평적 흐름의 중심이 된다(Nonaka & Takeuchi, 1998).

핵심 OX

01 하이퍼텍스트형 조직에서는 최고관리자가 조직을 주도하는 관리방식을 추진한다. (O, X)

01 X 하이퍼텍스트형 조직에서는 중간관리자가 주도하는 중간관리층 주도방식을 따른다.

③ 프로젝트들이 최고경영자의 직접 통제하에 있기 때문에 형식적인 계층구조하에서는 상위·중간·하위관리자들 간의 의사소통시간을 단축하여 관리계층 간에 밀도 있고 깊이 있는 대화를 가능하게 한다. 이런 의미에서 하이퍼텍스트 기업에서는 중간관리자 중심의 경영을 보다 쉽게 이룩할 수 있다.

6 학습조직

1. 의의

(1) 학습조직이란 지식의 창출, 지식의 활용, 지식의 공유, 지식의 저장과 관련된 학습프로세스가 활성화되어 개인, 팀, 조직단위의 수준에서 학습활동이 활성화되어 있는 조직이다.

(2) 학습활동을 촉진하는 데 도움이 되는 조직구조, 조직시스템, 조직구성원의 행동특성을 정착시켜 나감으로써 조직경쟁력과 조직구성원의 가치실현을 극대화하는 조직이다.

(3) 센게(Senge)는 학습조직을 '개방체제모형과 자아실현인관을 전제로 한 조직이며 종업원들이 진정으로 원하는 요구를 끊임없이 창출시켜주는 조직으로, 집단적인 열망으로 가득찬 조직, 종업원들이 함께 학습하는 방법을 지속적으로 학습하는 조직'이라 정의한다.

(4) 학습조직의 핵심가치는 '문제해결'이며 네트워크조직이나 가상조직 등도 모두 학습조직에 포함된다고 할 수 있다.

2. 특징[1]

(1) 자아실현적 인간관과 개방체제

지속적인 학습과 시행착오를 허용하는 조직으로, 조직구조의 재설계가 중요하다.

(2) 변화지향적 조직

체제 중심적 사고를 통해 새로움을 추구하고 창조적인 변화를 촉진할 수 있는 능력을 가진 조직이다.

(3) 신축적·유기체적 조직

낡은 사고방식과 답습되는 표준적 관례를 배척하고, 탈관료제를 지향하는 신축적·유기체적 조직관이다.

(4) 지식을 통한 문제해결능력 중시

지식의 창출·공유·활용에 뛰어난 조직으로 체계적 문제해결능력을 높인다.

(5) 지속적인 학습

구성원들에게 권한강화를 강조하며, 조직의 구성원이 더불어 학습하는 계속적인 학습, 전파 및 적용이 필요하다.

(6) 새로운 가치의 창조

조직·구성원·고객을 만족시키고 새로운 가치를 창조하며 그것을 실현하여 조직성과 및 품질을 향상시킨다.

[1] 힘 실어주기(권한강화)

1. **의의**: 힘 실어주기(empowerment)는 업무담당자들에게 필요한 권력과 업무추진수단들을 부여함으로써 그들의 창의적이고 효율적인 업무수행을 촉진하는 과정이다. 즉, 관리자들이 의사결정에 필요한 권력뿐만 아니라 업무수행에 관련된 정보와 지식, 조직전체의 업무수행에 관한 정보, 조직의 업무성취에 기초한 보상 등을 일선의 업무수행자들과 나누어 갖는 것이다. 따라서 힘 실어주기는 조직계층의 위에서 아래로 행해지는 것이다.
2. **힘 실어주기의 효용**: 힘 실어주기는 관료제의 병폐를 제거하는 여러 가지 효능을 지닌다.
   - 참여관리·신뢰관리를 촉진하고 창의적 업무수행을 촉진한다.
   - 관리의 지향성을 권한중심주의에서 임무중심주의로 전환시킨다.
   - 조직은 조정·통제에 필요한 인력과 비용을 절감할 수 있다.
   - 하급자들에게 권력을 이양함으로써 관리자들의 권력은 오히려 늘어나게 된다.

(7) 강한 조직문화

강한 학습조직은 강한 조직문화를 가져야 한다. 강한 조직문화는 부처할거주의가 없는 문화로서 부처 간의 경계를 최소화하고 구성원들 상호 간 동정과 지원의 정서가 형성되어야 한다.

3. 학습의 종류

(1) 단일고리학습 · 이중고리학습

단일고리학습	주로 조직의 목표와 현재의 실적 사이의 격차를 발견하여 수정해 나가는 것으로 소극적 환류이다.
이중고리학습	조직의 기본적 규범이나 목표 자체를 수정하여 근본적인 문제점을 해결하는 것으로 적극적 환류이다.

(2) 적응적 학습 · 생산적 학습

적응적 학습	변화하는 환경에 반응하거나 대처하는 의미를 지닌 수동적이고 현재지향적인 학습이다.
생산적 학습	· 조직의 현재능력을 확장시킴으로써 미래를 발견하는 적극적이고 미래지향적인 학습이다. · 학습조직은 생산적 학습을 강조한다.

(3) 유지보수학습 · 충격학습 · 예측학습

유지보수학습	기존의 방법보다 더 나은 방법을 모색하는 학습이다.
충격학습	위기상태에서 생존을 위해 반드시 학습을 해야 한다는 강박감을 주는 학습이다.
예측학습	미래의 환경변화에 대비하여 장기적인 결과를 예측하고 이에 따른 목표를 세우며 이 목표를 달성하기 위한 의도적인 학습이다.

4. 학습조직의 다섯 가지 수련(Senge)

(1) 자기완성(전문적 소양)

자기 일상과 업무에 대해서 개인이 가지는 사고방식과 접근법을 성숙시키는 것이다. 즉, 개인은 원하는 결과를 창출할 수 있는 자기 역량의 확대방법을 학습하여야 한다.

(2) 사고의 틀(세계관에 대한 성찰)

경직적인 타성이나 정신적 이미지를 성찰하고 새롭게 하는 것이다. 세상에 관한 사람들의 생각과 관점 그리고 그것이 선택과 행동에 어떤 영향을 미치는지에 대하여 끊임없이 성찰하고 가다듬어야 한다.

(3) 공동의 비전(공동목표에 대한 공감대 형성)

조직구성원들이 조직의 목표와 원칙에 대해 공감대를 형성하는 것이다.

핵심 OX

01 환경변화로 인하여 다양한 조직구조가 모색되고 있는데 학습조직도 그 중 하나이다. (O, X)

02 학습조직은 개방체제모형과 타인지향적 인간관에 기초한다. (O, X)

03 학습조직이 가지는 특징은 원자적 구조를 갖는다는 것이다. (O, X)

04 센게(Senge)는 학습조직의 성립에 필요한 다섯 가지 수련으로 자기완성, 사고의 틀, 공동의 비전, 집단적 학습, 시스템 중심의 사고를 제시하였다. (O, X)

01 O
02 X 학습조직의 인간형은 타인지향적 인간이 아니라 자아실현적 인간이다.
03 X 학습조직은 원자적 구조가 아니라 연계를 강조하는 유기적 구조이다.
04 O

(4) **집단적 학습(집단적인 사고와 대화로 시너지 효과 극대화)**
집단구성원들이 진정한 대화와 집단적인 사고과정을 거쳐 개인적 능력의 합계를 능가하는 지혜와 능력을 갖출 수 있게 하는 것이다.

(5) **시스템 중심의 사고(체제의 효과적 융합능력 양성)**
체제를 구성하는 여러 연관요인들을 통합적인 이론체계 또는 실천체계로 융합시키는 능력을 키우는 통합적 훈련이다.

7 기타 탈관료제조직

1. 동료조직[1]

(1) 대학이나 연구소 그리고 그 이외의 고급전문조직에서 흔히 활용되는 탈관료제적인 형태의 구조를 가지고 있는 조직이다.

(2) 모든 의사결정이 완전히 자유롭고 민주적인 방법에 의해 내려진다.

2. 연결핀조직

(1) 리커트(Likert)의 연결핀조직은 조직의 여러 부서 사이를 연결해주는 '연결핀'의 역할을 하는 자를 가지도록 하여 이를 통해 조정이 원활하게 이루어지도록 하는 것이다.

(2) 리커트(Likert)는 조직이 일련의 중첩된 집단들로 구성되어 있다고 보았다. 따라서 모든 관리자를 연결함으로써 관리자는 자신이 관리하는 집단의 구성원인 동시에 관리자집단의 구성원이 되며, 경우에 따라서는 자신이 수평적인 연락을 취해야 하는 집단의 구성원이 되기도 한다고 보았다. 수평적으로는 1인이 기능적으로는 다른 2개 부서의 구성원으로 참여함으로써 연결된 작용을 하고, 수직적으로 자기계층의 상하를 연결하는 역할을 하도록 하는 것이다.

3. 꽃송이조직

(1) 팀 단위로 조직이 구성되어 최고관리층의 팀과 중간관리층의 팀이 서로 중복되어 참여하는 교차기능조직(cross - functional team)[2]이다.

(2) 다양한 기능을 갖춘 개별 구성원들은 여러 프로젝트를 오가며 업무를 수행하는데, 중심적인 기능은 모든 연결망을 지휘하는 팀이나 조직의 중앙부서에서 맡고, 부수적인 기능은 각각의 꽃잎들이 필요에 따라서 선택적으로 맡게 된다.
㉠ 은행에서 예금, 대출, 보험기능을 모두 연결시켜 원스톱(one stop) 서비스를 제공하도록 하는 것

4. 자유형 조직

고도로 분권화된 이윤 중심 기구로 하여금 구조의 자율성을 보장하여 환경에 탄력적으로 적응하는 관리를 하도록 하는 것이다. 이는 한 분권화된 이윤 중심 기관이 소속된 다른 조직체에 방해를 끼치지 않고 그 기관을 폐지할 수도 있고, 다른 업무를 위한 기구를 추가할 수도 있기 때문이다.

[1] 동료조직의 관련 모형
베니스(Bennis)의 적응적·유기적 조직이나 탐구형 인간모형과 관련된다.

[2] 교차기능조직
교차기능조직은 행정체제 전반에 걸친 관리작용을 하는 조직을 말한다. 수평적으로 지원·조정하는 참모적 성격의 부처들로 기획재정부(예산), 행정안전부(조직·정원), 인사혁신처(인사), 조달청(물품), 법제처(법제) 등이 이에 해당한다.

8 지식정보화사회의 조직[1]

1. 후기 기업가조직(Kanter, post-entrepreneurial organization)

(1) 거대한 몸집을 가진 코끼리가 생쥐같이 유연하고 신속하게 활동할 수 있는 조직을 의미한다.

(2) 후기 기업가조직은 신속한 행동, 창의적 탐색, 더 많은 신축성, 직원과 고객과의 밀접한 관계 등을 강조한다.

(3) 행동을 제약하는 자질구레한 구조나 무거운 절차에 얽매이지 않고 모든 기회를 추구하는 보다 신축적인 관리를 강조한다.

2. 삼엽조직(Handy, shamrock organization)

(1) 상이하게 취급되고 서로 다른 기대를 가진 세 가지 근로자 집단, 즉 소규모 전문직 근로자(핵심직원), 계약직 근로자(하청업체), 신축적 근로자(시간제 직원, 임시직원)로 구성된 조직형태이다.

(2) 삼엽조직은 직원의 수를 소규모로 유지하는 반면에 산출의 극대화가 가능하도록 설계된다. 따라서 조직구조는 계층 수가 적은 날씬한 조직이 되며, 고품질의 상품과 서비스를 적시에 공급할 수 있는 장점이 있다.

3. 혼돈조직(Kiel, chaos organization)

(1) 혼돈이론, 비선형적 동학, 복잡성이론 등을 적용한 조직형태이다. 비선형적 동학을 적용하여 정부조직 속에 숨어 있는 질서를 발견하고, 조직 간 활동의 조정과 정부예산의 개혁을 도모할 수 있다고 주장한다.

(2) 조직이 무질서 · 불안정 · 변동과정에 놓여 있기 때문에 비선형적 동학과 혼돈이론을 적용하면 조직변동과정의 분석과 이해에 도움을 얻을 수 있다는 것이다.

4. 공동화조직(Milward, hollowing organization)

(1) 기업에서 중요한 조직의 기능, 예컨대 통제 · 조정 · 통합 · 계획 등의 주요 기능만을 본부에 두고 기타 생산 · 제조 등의 현업활동은 직접적으로 수행하지 않는 조직을 지칭하는 공동기업(hollow corporation)에서 유래된 조직형태이다.

(2) 정부가 공급하는 행정서비스의 생산 및 공급업무를 제3자에게 위임 · 위탁함으로써 정부업무가 축소된다.

[1] 조직의 동태화방안

구조적 측면	· 과제 폐지(대국대과주의) · PT, TF · 참모(막료)기관(담당관제 등) · 매트릭스조직 · 위원회구조 · 대학(collegial)형태의 구조 · 연결핀의 활용, 자유형 조직 등
행태적 · 관리적 측면	· Y이론적 인간관리 · 하의상달 · 분권화 촉진과 참여 촉진 (MBO 등) · 능력발전(교육훈련, 근평, 승진, 인사교류) · 민주형 리더십 · 발전지향적 가치관(OD) · 장기적 인력계획수립

핵심 OX

01 지식정보화사회의 조직은 수평적으로 연결된 네트워크구조나 가상조직의 형태를 띠는 경향이 있다. (O, X)

02 삼엽조직은 소규모 전문적 근로자, 계약직 근로자, 신축적 근로자로 구성된 조직이다. (O, X)

01 O
02 O

4 조직의 여러 가지 유형

1 계선(Line)조직과 참모(Staff)조직

1. 의의

(1) 계선기관

보조기관으로서 조직의 목표달성에 직접 관여하거나 고객에게 직접 봉사하는 조직이다. 일반적으로 수직적인 계층제 형태를 띠는 조직을 뜻한다.

예 국장, 과장, 계장 등

(2) 참모기관[1]

보좌기관으로서 조직의 목표달성을 위해 직접 활동을 하는 계선조직의 능력을 보완하고 계선조직을 지원하는 역할을 하는 조직이다.

예 차관보, 담당관 등

[1] 참모(막료)기관의 유형
일반참모, 기술참모, 조정 및 보조참모로 분류할 수 있다.
1. **일반참모**(general staff): 기획·인사·예산 등 조직의 전반적인 관리문제를 다루고 지원하기 위해서 설치된 참모이기 때문에 관리참모(管理參謀)라고도 한다. 흔히 참모 또는 막료라고 하면 이 유형을 말한다.
2. **특별참모**(special staff): 계선 책임자에게 전문적인 지식이나 기술을 제공하기 위해 설치된 참모이기 때문에 기술참모(技術參謀)라고도 한다.
3. **개인참모**(personal staff): 상관의 신변상의 문제나 중요하지 않은 잡무를 돌보고 처리하기 위해 설치된 참모로서 '장관의 비서관'이나 '사단장의 전속부관'이 그 예이다.

2. 계선과 참모(막료)의 비교

구분	계선	참모(막료)
특징	· **계층적**: 계선조직은 명령통일의 원리가 적용됨 · 조직목표달성에 직접적으로 기여함 · 국민과 직접 접촉함 · 명령·집행권을 행사함 · 계선 간의 관계는 수직적인 명령복종관계임 · 일반행정가(generalists)	· **비계층적**: 정책결정자에게 정보나 지식을 제공해 주는 위치임 · 조직목표달성에 간접적으로 기여함 · 국민과 직접 접촉하지 않음 · 명령·집행권이 없고, 지원하거나 보좌해 주는 역할을 수행함 · 참모 간의 관계는 수평적·대등적인 관계임 · 전문행정가(specialists)
장점	· 권한과 책임의 한계가 명확함 · 신속하고 능률적 → 소규모 조직에 적합함 · 조직의 안정성 확보가 가능함	· 기관장의 통솔범위가 확대됨 · 업무조정과 전문지식의 활용 → 대규모 조직에 적합함 · 조직의 신축성·융통성 확보가 가능함
단점	조직의 경직성	· 참모기관의 비대화 · 비용 증가 · 중앙집권화 우려

3. 계선과 참모(막료)의 갈등 및 해결방안

(1) 계선과 참모(막료)의 갈등

① 계선은 보수적이고 현상유지적인 성격이 강한 반면 참모는 개혁적이고 변화지향적인 성격이 강하다.

② 계선은 중하위계층에 많이 존재하며 낮은 보수와 일반행정가적 업무를 담당하나, 참모는 계층상 상위에 존재하며 높은 보수를 받고 전문적인 능력을 지닌다.

③ 권한과 책임의 한계가 불명확한 경우에는 기관장의 편견(㉠ 참모에 대한 지지) 등으로 인하여 양자 간의 갈등이 야기될 수 있다[에치오니(Etzioni)의 '조직상의 갈등'].

(2) 계선과 참모(막료)의 갈등해결방안

① 우선적으로 명확한 역할분담이 필요하다.

② 인사교류, 교육훈련, 의사전달의 촉진, 상호 간 빈번한 접촉 등 서로의 이해를 증진하기 위해 노력하여야 한다.

③ 골렘뷰스키(Golembiewski)의 모형[1]에 따르면 '동료모형'으로 인식하여야 한다고 보았다.

4. 행정농도(Pondy)

(1) 의의

전체 조직의 총인원에서 유지관리구조*가 차지하는 비율을 의미한다. 여기서 유지관리구조는 생산활동을 지원하고 조직을 유지하는 기능을 수행하는 인력으로서 참모나 일반관리자를 의미한다.

(2) 행정농도의 계산

① 유지관리구조 / 조직의 전체규모 × 100

② 참모조직 / 계선조직 × 100

③ 관리자 수 / 생산담당자 수 × 100

(3) 조직과 행정농도

① **전통적 관점(참모로 보는 것)**: 행정농도가 높다는 것은 그만큼 조직의 전문화, 동태화와 민주화가 이루어졌음을 의미하며 선진국일수록 행정농도가 높고 후진국일수록 행정농도가 낮다.

② **최근의 관점(관리자로 보는 것)**: 행정농도가 낮을수록 계층적 경직성이 완화되어 환경변동에 유리하다는 입장이다. 우리나라는 관리자가 많으므로 행정농도가 높다는 것이 일반적 견해이다.

(4) 규모와 행정농도

규모가 커질수록 통솔범위가 넓어지는 규모의 경제가 나타나고 이에 따라 지원부문 또는 두상조직이 비례적으로 작아지므로, 행정농도가 낮아진다는 것이 지배적 관점이다.

(5) 기술 · 조직의 복잡성과 행정농도

① 기술과 조직의 복잡성이 증대될수록 관리자와 지원참모의 비율이 높아지므로 행정농도는 높아진다.

② 반면, 정보통신기술의 발달은 통제지향적 기능이 최소화되고 중간관리층의 규모가 축소되므로 행정농도가 낮아진다는 견해도 있다.

---

[1] 계선과 참모(막료)의 관계(Golembiewski)

1. 중립 · 열등 도구모형
   - 전통적 모형으로 계선은 주된 조직, 참모는 보조조직으로서 인식한다. 계선은 1차적, 참모는 2차적 존재로 계선에 봉사하는 유형이다.
   - 계선만이 명령권과 집행권을 지닌다.
2. 변형된 자아모형
   - 참모는 계선기관장의 명으로 하위계층의 지휘관에게 명령을 내리거나 복종을 요구할 수 있다.
   - 참모가 지휘관의 지휘권 행사를 지원하는데 단위부대의 참모형태에서 많이 나타난다.
3. 동료모형
   - 참모는 계선에 종속되지 않고 독립적인 권한을 가진다.
   - 양자의 협조 · 협상관계를 통한 목표달성에 중점을 둔다.
   - 현대적 관점으로 참모와 계선의 협의체 구성을 중시하며 가장 이상적인 모형이라 할 수 있다.

용어

유지관리구조*: 직접적으로 생산활동에 종사하지 않는 행정관리부문을 말한다. 행정적 두상조직(頭上組織, administrative overhead)이라고도 한다.

핵심 OX

01 골렘뷰스키(Golembiewski)에 따르면 계선과 참모의 관계는 동료모형이 가장 이상적이다. (O, X)

02 비공식조직은 감정의 논리가 작용하며 계서제적 성격을 띠고 있다. (O, X)

03 비공식조직은 공식조직의 응집력을 높이는 작용을 한다. (O, X)

01 O
02 X 계서제적 특성은 공식적 조직에 해당한다.
03 X 비공식조직의 경우 파벌이 조성되고 갈등이 확대되어 공식조직의 응집력을 떨어뜨린다.

2 공식조직과 비공식조직[1]

1. 공식조직

(1) 특정 목적을 위하여 인위적 · 계획적으로 형성된 조직이다.

(2) 구성원들은 주어진 목표를 향하여 규칙에 따라 합리적으로 행동하여야 한다(능률의 논리).

2. 비공식조직

(1) 구성원 상호 간의 욕구충족을 위하여 공식조직 내에서 자연발생적으로 형성된 조직이다.

(2) 대면적인 제1차 집단적 성격이 강하고 구성원은 소외된 인간성의 회복을 무의식적으로 추구한다(감정의 논리).

(3) 순기능과 역기능

① 순기능

㉠ 구성원의 귀속감 · 심리적 안정감 등을 충족시킴으로써 사기앙양을 기할 수 있다.

㉡ 계층제의 경직성을 완화하여 구성원의 적응성을 높이고 조직 내 분위기를 쇄신할 수 있다.

㉢ 공식조직의 능력을 보완하고 구성원 간의 협조와 지식 및 경험의 공유를 통해서 업무의 능률적인 수행을 기할 수 있다.

㉣ 의사소통을 원활히 할 수 있다.

② 역기능

㉠ 비공식조직의 이익을 강조하여 조직의 통합과 공식적 목표달성에 걸림돌로 작용할 가능성도 있다.

㉡ 파벌 조성과 정실주의가 만연할 수 있다.

㉢ 공식적 권위의 약화가 우려된다.

[1] 공식조직과 비공식조직의 비교

공식조직	비공식조직
목적을 전제로 형성된 인위적 · 제도적 조직	자연발생적 조직
외재적 · 제도적 · 가시적 단위	내재적 · 비제도적 비가시적 단위
능률의 원리가 지배	인간감정의 원리가 지배
전체적인 질서	부분적인 질서
권한이 상층부로부터 위임	권위가 구성원들로부터 부여

5 위원회(합의제 행정기관)

1 의의 및 특징

1. 의의

(1) 위원회(committee)는 여러 사람이 결정과정에 대등한 입장에서 참여하여 합의에 의하여 결정을 내리는 구조이다.

(2) 이는 단독제(독임제)에 대응하는 합의제 조직구조를 의미하며 의결기관의 성격을 지니는 위원회뿐만 아니라 자문기관, 심의기관, 조정기관 등 여러 성격을 가진 위원회가 모두 포함된다.

2. 특징[1]

(1) 합의제 조직으로서 의사결정을 여러 사람이 공동으로 수행하는 조직형태이다.

(2) 계층제의 완화와 분권화된 형태의 동태적 · 탈관료제적 조직구조를 나타낸다.

(3) 의사결정의 독단성이 배제되므로 상대적으로 민주적 · 참여적 성격을 지닌다.

(4) 행정권의 비대화를 방지하기 위하여 설치한 독립된 조직으로 주로 경제적 · 사회적 규제기능을 담당하는 조직이다.

3. 장단점

(1) 장점

① **행정의 중립성과 공정성:** 독단적 결정보다는 행정의 중립성과 신중성 및 공정성의 향상에 기여한다.

② **결정의 창의성 증진:** 다수의 위원에 의한 결정은 단독형에 비해서 창의적이고 혁신적인 결정을 내릴 수 있다.

③ **관료제조직의 경직성 완화:** 경직적인 피라미드 구조로 정부가 구성되는 것이 아니라 수평적인 관계에 놓이는 위원들로 구성되기 때문에 경직성을 완화할 수 있다.

④ **행정의 계속성과 안정성:** 위원회의 임기가 임명권자보다 오래되거나 교체시기를 부분적으로 하는 시차임기제(staggering term)를 시행하면 행정의 계속성과 안정성을 기할 수 있다.

⑤ **조정의 촉진과 행정의 민주성 도모:** 행정의 독단적 결정이 아니라 협의를 통해 결정되기 때문에 민주성의 도모가 가능하다.

(2) 단점

① **결정의 지연 및 기밀성 유지 곤란:** 의사결정자가 많아 결정의 신속성 · 기밀성의 유지가 곤란해진다.

② **책임성 확보의 어려움:** 다수의 위원이 관여하기 때문에 책임의 소재를 명백히 하기 어렵다.

③ **시간 · 경비의 과다:** 신속한 결정이 어렵고 과다한 경비의 사용이 우려된다.

④ **타협적 결정의 가능성:** 신중하고 합리적인 결정이 아니라 타협적인 결정이 이루어질 수 있다.

2 유형[2]

1. 자문위원회

(1) 개인 또는 조직의 자문에 응할 목적으로 설립되었으며 결정에 있어서 구속력이 없다.

(2) 결정의 전문성을 확보할 수 있으며, 외부의 목소리를 반영하여 민주성 제고의 수단이 된다.

(3) 자문위원회의 예로는 국가안전보장회의, 민주평화통일자문회의, 국가과학기술자문회의, 국민경제자문회의, 국가경쟁력강화위원회, 저출산고령사회위원회, 국가균형발전위원회, 지속가능발전위원회 등이 있다.

---

❶ 위원회의 성격

위원회의 경우, 임시위원회도 있으나 상설위원회가 많다는 점을 들어서 불확실한 상황에 신속히 대처할 수 있는 동태적 · 유기적인 탈관료제조직으로 보기 어렵다는 견해도 있다.

❷ 위원회

1. 유형별 예시

자문위원회	민주평통자문회의, 경제사회노동위원회, 저출산고령사회위원회, 지방시대위원회
조정위원회	국무회의, 경제관계장관회의, 중앙환경분쟁조정위원회
행정위원회	방송통신위원회, 금융위원회, 국민권익위원회, 원자력안전위원회, 소청심사위원회, 공정거래위원회
독립규제위원회	중앙선거관리위원회, 중앙노동위원회, 공정거래위원회, 금융통화위원회

2. 위원회의 유형별 기능

유형	자문 기능	의결 기능	집행 기능
자문위원회	○	×	×
의결위원회	×	○	×
행정위원회	×	○	○

※의결위원회는 의사결정의 구속력은 있지만 실질적인 집행권은 없는 것이 특징이며, 그 예로는 공직자윤리위원회, 분쟁조정위원회, 징계위원회 등이 있다.

2. 조정위원회

(1) 기관 간, 조직 간, 개인 간의 갈등을 조정하기 위한 위원회이다.

(2) 조정결과에 대한 구속력은 위원회마다 다르다. 즉, 구속력이 있는 경우도 있고 없는 경우도 있다.

(3) 조정위원회의 예로는 차관회의, 경제장관회의, 지방자치단체 중앙분쟁조정위원회(행정안전부 소속), 행정협의조정위원회(국무총리 소속), 환경분쟁조정위원회, 중앙노동위원회 등이 있다.

3. 행정위원회

(1) 합의제 행정관청으로서의 성격을 지니는 위원회이다.

(2) 준사법권 · 준입법권을 지니고, 법적 강제력이 있는 집행권을 가진다.

(3) 영국의 지방자치에서 처음 시작되었고, 1900년 미국 갈베스턴 시에서 채택된 이후 주로 지방정부차원에서 교육 · 사회 · 보건 · 복지부문에 널리 이용되어 왔다.

(4) 유형[1]

① **비소속:** 국가인권위원회(비소속 독립기관, 11인의 인권위원)

② **대통령 소속**

㉠ 방송통신위원회(위원장 포함 5인의 상임위원, 위원장을 포함한 2인은 대통령이 지명하고 3인은 국회의 추천을 받아 대통령이 임명함)

㉡ 규제개혁위원회

③ **국무총리 소속**

㉠ 공정거래위원회(위원장 포함 9인의 위원)

㉡ 금융위원회(위원장 포함 9인의 위원)

㉢ 국민권익위원회(위원장 1인, 부위원장 3인 포함 15인의 위원)

㉣ 개인정보보호위원회[2]

㉤ 원자력안전위원회

4. 독립규제위원회(independent regulatory commission)

(1) 의의[3]

① 행정부로부터 독립하여 준입법권 · 준사법권을 가지고 특수한 업무를 수행 또는 규제하는 합의제 행정기관이다.

② 19세기 말 미국에서 산업혁명과 자본주의의 발달에 따른 경제 · 사회문제를 규제하기 위하여 설치하였다.

③ 초당적 입장에서 주로 경제 · 사회적 규제문제를 다루기 위해서 설치하였다. 1887년에 미국의 주간통상위원회가 최초로 설립되었고, 연방동력위원회, 연방통신위원회 등이 대표적인 예이다.

(2) 특징

① **머리 없는 제4부:** 독립적으로 규제업무를 담당하기 때문에 통제하는 부서가 존재하지 않게 되어 '머리 없는 제4부'(입법부 · 행정부 · 사법부에 이어서)라 불린다.

---

❶ 소속별 정부위원회의 종류

구분	자문위원회	행정위원회
대통령 소속	· 경제사회노동 위원회 · 지방시대 위원회	· 방송통신 위원회 · 규제개혁 위원회
국무총리 소속	정부업무평가 위원회	· 공정거래 위원회 · 금융위원회 · 국민권익 위원회 · 개인정보보호 위원회 · 원자력안전 위원회

※국민권익위원회: 국민고충처리위원회 + 국가청렴위원회 + 행정심판위원회

❷ 개인정보보호위원회

개인정보보호위원회가 「개인정보 보호법」에 따라 국무총리 소속 중앙행정기관으로서 개인정보 보호에 관한 사무를 독립적으로 수행한다.

「개인정보 보호법」 제7조 【개인정보보호위원회】 ① 개인정보 보호에 관한 사무를 독립적으로 수행하기 위하여 국무총리 소속으로 개인정보보호위원회를 둔다.

② 개인정보보호위원회는 「정부조직법」 제2조에 따른 중앙행정기관으로 본다.

❸ 독립규제위원회의 개편권고

1. Brownlow **위원회:** 독립규제위원회를 '머리 없는 제4부'라고 비판하면서 전면적인 개편을 권고하였다.
2. Ash **위원회:** 독립규제위원회가 사회변동에 적응하지 못함을 비판하고 단독제로 전환시키도록 권고하는 보고서를 1971년 닉슨(Nixon) 대통령에게 제출하였다.

핵심 OX

01 행정위원회의 경우 의사결정의 법적 구속력이 없으나, 독립규제위원회의 경우에는 법적 구속력이 있다. (O, X)

02 우리나라의 행정위원회 중 국무총리 소속 위원회는 공정거래위원회, 금융위원회, 국민권익위원회, 원자력안전위원회이다. (O, X)

01 X 행정위원회와 독립규제위원회 모두 의사결정의 법적 구속력이 있다.
02 O

② **강한 독립성:** 의회의 동의(자문)를 거쳐 대통령이 위원을 임명하며, 위원의 임기는 보통 대통령보다 길게 정해서 업무의 공정성을 담보하게 하는데 정책의 통합이 곤란한 측면도 있다.

③ **준입법권 및 준사법권 부여:** 규제 등 시장질서의 확립을 위해서 각종 법령을 제정하는 등의 준입법적 기능을 수행하고, 질서 위반자에 대한 과태료 부과 등 준사법적 기능을 수행한다.

④ **우리나라의 독립규제위원회:** 우리나라는 완전한 의미의 독립규제위원회가 존재하지 않으나 중앙선거관리위원회, 국가인권위원회, 금융통화위원회, 공정거래위원회, 중앙노동위원회 등이 유사한 기관이라고 볼 수 있다.

(3) 장단점

① 장점

㉠ 전문성이 강화된다.

㉡ 신중하고 집단적인 정책결정이 가능하다.

㉢ 정책의 계속성을 확보할 수 있다.

㉣ 부당한 압력에 대한 저항이 가능하다.

㉤ 공정성이나 신중성 확보에 기여한다.

② 단점

㉠ 책임성 확보가 곤란해진다.

㉡ 부처 간 조정을 어렵게 하며 통일적 정책수행을 어렵게 한다.

㉢ 지나친 독립성의 추구는 통제를 어렵게 하며 조정이 곤란하다.

㉣ 업계의 부당한 영향력에 대한 태도 약화와 부패의 우려가 있다.

㉤ 사회적 요구를 예상하고 이에 대처하는 기획능력이 결여되어 있다.

㉥ 유능한 위원의 확보 곤란, 업무처리의 지체 등의 문제가 발생한다.

5. 우리나라 위원회의 문제점과 개선방안

(1) 문제점

① 한시적 · 임시적인 위원회가 영구화되고 있고 서류위원회가 증가하고 있다.

② 대부분 형식적이고 유명무실한 자문위원회가 난립하는 경향이 있다.

③ 위원들의 전문성이 저하되고 행정부 결정에 대한 들러리 역할을 하게 될 수 있다.

(2) 개선방안❶

① 위원회의 설치 목적과 책임 · 권한을 명확화한다.

② 책임감과 전문적 지식을 갖춘 위원을 선발하고 적정한 보수를 지급한다.

③ 위원회의 운영 상태에 대한 정기적인 평가와 시정조치가 이루어져야 한다.

---

❶ 「행정기관 소속 위원회의 설치 · 운영에 관한 법률」의 주요 내용

1. 위원회의 설치요건(제5조)
   - 업무의 내용이 전문적인 지식이나 경험이 있는 사람의 의견을 들어 결정할 필요가 있을 것
   - 업무의 성질상 특히 신중한 절차를 거쳐 처리할 필요가 있을 것
   - 기존 행정기관의 업무와 중복되지 아니하고 독자성(獨自性)이 있을 것
   - 업무가 계속성 · 상시성이 있을 것
2. 위원회의 설치절차(제6조 제1항): 행정기관의 장은 위원회를 설치하려면 미리 행정안전부장관과 협의하여야 한다. 이 경우 협의 대상 위원회의 범위는 대통령령으로 정한다.
3. 위원회의 존속기한(제11조)
   - 「정부조직법」 제5조에 따라 한시적으로 운영할 필요가 있는 행정위원회를 설치할 경우 목적달성을 위하여 필요한 최소한의 기한 내에서 존속기한을 정하여 법률에 명시하여야 한다.
   - 행정기관의 장은 자문위원회 등을 설치할 때에 계속하여 존치시켜야 할 명백한 사유가 없는 경우에는 존속기한을 정하여 법령에 명시하여야 한다. 이 경우 존속기한은 자문위원회 등의 목적달성을 위하여 필요한 최소한의 기한 내에서 설정하여야 하며, 원칙적으로 5년을 초과할 수 없다(위원회 일몰제).
   - 행정기관의 장은 존속기한이 정해진 자문위원회 등 대통령령으로 정하는 자문위원회 등을 제외하고는 2년마다 소관 자문위원회 등의 존속 여부를 점검하여 행정안전부장관에게 제출하여야 한다.

핵심 OX

01 독립규제위원회는 의회에 대하여 책임을 지므로 대통령의 영향력은 배제되고 있다. (O, X)

01 X 독립규제위원회는 입법부, 사법부로부터 독립된 기관이며 행정기관이면서도 행정수반의 직접적인 통제와 감독을 받지 않는, 머리 없는 제4부를 의미한다.

6 우리나라 정부조직

▲ 정부조직도

1 정부의 개념

1. 광의의 정부(모든 정부기관)

(1) 국가통치기구를 의미하며 입법부 · 사법부 · 행정부의 삼권분립체제를 이룬다.

(2) 이 외에도 헌법기관으로서 헌법재판소와 선거관리위원회가 있다.

2. 협의의 정부(행정부)[1]

(1) 헌법기관

① **대통령**: 외국에 대하여 국가를 대표하고 행정권의 수반(首班)이 되는 최고의 통치권자를 의미한다(임기 5년, 중임 불가).

② **국무총리**: 대통령 보좌, 행정각부 통할의 업무를 수행하고 국무위원의 임명제청 및 해임건의권을 가진다.

③ **국무회의**: 대통령 및 국무총리와 15명 이상 30명 이하의 국무위원으로 구성되고, 대통령은 국무회의의 의장이 되며 국무총리는 부의장이 된다.

④ **국가원로자문회의**: 의장은 직전 대통령이며 대통령 자문기구이다(임의적).

⑤ **국가안전보장회의**: 국가안전보장에 대한 대통령 자문기구이다(필수적).

⑥ **민주평화통일자문회의**: 평화통일정책의 수립에 대한 대통령 자문기구이다(임의적).

⑦ **국민경제자문회의**: 경제발전을 위한 중요정책 수립에 대한 대통령 자문기구이다(임의적).

⑧ **행정각부**: 행정각부의 장은 국무위원 중에서 국무총리의 제청으로 대통령이 임명한다. 행정각부의 설치 · 조직과 직무범위는 법률(「정부조직법」)로 정한다.

⑨ **감사원**: 회계검사와 직무감찰, 결산확인 및 결산검사, 결과보고 등의 업무를 수행하는 대통령 직속기관이다.

(2) 비헌법기관

헌법기관을 제외한 나머지 기관으로서 「정부조직법」, 개별법, 대통령령에 규정되어 있다.

2 우리나라의 정부조직

1. 우리나라의 정부조직 체계

(1) 중앙행정기관

국가의 행정사무를 담당하기 위하여 설치된 행정기관으로서 그 관할권의 범위가 전국에 미치며, 그 설치와 직무범위는 법률로써 정한다. 단, 관할범위가 전국에 미치더라도 다른 행정기관에 부속하여 이를 지원하는 행정기관은 제외한다.

---

[1] 「행정기관의 조직과 정원에 관한 통칙」(대통령령)상 정의

1. **중앙행정기관**: 국가의 행정사무를 담당하기 위하여 설치된 행정기관으로서 그 관할권의 범위가 전국에 미치는 행정기관을 말한다. 다만, 그 관할권의 범위가 전국에 미치더라도 다른 행정기관에 부속하여 이를 지원하는 행정기관은 제외한다.
2. **특별지방행정기관(일선기관)**: 특정한 중앙행정기관에 소속되어, 당해 관할구역 내에서 시행되는 소속 중앙행정기관의 권한에 속하는 행정사무를 관장하는 국가의 지방행정기관을 말한다.
3. **부속기관**: 행정권의 직접적인 행사를 임무로 하는 기관에 부속하여 그 기관을 지원하는 행정기관을 말한다.
4. **자문기관**: 부속기관 중 행정기관의 자문에 응하여 행정기관에 전문적인 의견을 제공하거나, 자문을 구하는 사항에 관하여 심의·조정·협의하는 등 행정기관의 의사결정에 도움을 주는 행정기관을 말한다.
5. **소속기관**: 중앙행정기관에 소속된 기관으로서 특별지방행정기관과 부속기관을 말한다.
6. **보조기관**: 행정기관의 의사 또는 판단의 결정이나 표시를 보조함으로써 행정기관의 목적달성에 공헌하는 기관을 말한다.
7. **보좌기관**: 행정기관이 그 기능을 원활하게 수행할 수 있도록 그 기관장이나 보조기관을 보좌함으로써 행정기관의 목적달성에 공헌하는 기관을 말한다.
8. **하부조직(기관)**: 행정기관의 보조기관과 보좌기관을 말한다.

핵심 OX

01 감사원은 비헌법기관으로 회계검사와 직무감찰, 결산확인 등을 담당한다. (O, X)

01 X 감사원은 헌법기관으로 대통령 소속이다.

① 단독제 중앙행정기관(19부 4처 20청)

부	소관사무의 결정과 집행을 함께할 수 있는 중앙행정기관으로서 그와 관련하여 부령을 발동할 수 있다. 19부의 장관은 모두 국무위원이다.
처	· 대통령 소속 중앙행정기관으로서 대통령경호처가 변경 · 신설되었다. · 국무총리 소속 중앙행정기관으로서 각 부의 지원기능을 한다. · 국가보훈처장(장관급), 법제처장(차관급), 식품의약품안전처장(차관급), 인사혁신처장(차관급)이 있다. · 부가 아니므로 자체 부령을 발동할 수 없으며, 총리령을 발동한다.
청	각 부의 집행기능 중 일부를 독립적으로 수행하기 위하여 설치한 중앙행정기관이며, 부가 아니므로 자체적인 부령을 발동할 수 없다. 예 세제개편 등은 기획재정부가, 세제에 따른 세금징수 등의 집행은 국세청이 수행함

② **합의제 중앙행정기관**: 공정거래위원회, 금융위원회, 방송통신위원회, 원자력안전위원회 등이 있다.

(2) 특별지방행정기관(일선기관)

특정한 중앙행정기관에 소속되어, 당해 관할구역 내에서 시행되는 소속 중앙행정기관의 권한에 속하는 행정사무를 관장하는 국가의 지방행정기관이다. 중간일선기관과 최일선기관이 있다.

(3) 소속기관

① **중앙행정기관의 소속기관**: 부속기관과 특별지방행정기관 모두를 포함한다.

② **지방자치단체의 소속기관**: 직속기관, 사업소, 출장소, 합의제 행정기관, 자문기관 등이다.

(4) 하부조직(기관)

① **보조기관**: 행정기관의 의사 또는 판단의 결정이나 표시를 보조함으로써 해당 행정기관의 목적달성에 공헌하는 기관이다(차관 · 차장 · 실장 · 국장 · 과장).

② **보좌기관**: 행정기관이 그 기능을 원활하게 수행할 수 있도록 그 기관장이나 보조기관을 보좌함으로써 행정기관의 목적달성에 공헌하는 기관이다(차관보, 담당관, 심의관, 기획관 등).

㉠ **차관보**: 행정각부에서 장관이 특히 지시하는 사항에 관하여 장관과 차관을 직접 보좌한다.

㉡ **담당관**: 중앙행정기관의 장, 차관 · 차장 · 실장 · 국장 또는 부장과 외교부 및 행정안전부의 본부장 밑에서 정책의 기획, 계획의 입안, 연구 · 조사, 심사 · 평가 및 홍보 등을 통하여 보좌한다.

㉢ **심의관**: 과장급 위의 참모(막료)조직으로서 실 · 국장 밑에 두어 각 분야별 정책에 대해 심의하여 보좌한다.

(5) 부속기관

행정권을 직접 행사하는 기관에 부속하여 그 기관을 지원하는 행정기관(시험연구기관 · 교육훈련기관 · 문화기관 · 의료기관 · 제조기관 및 자문기관 등)이다.

핵심 OX

01 정부의 직제 중 전문적 지식을 활용하여 정책의 기획이나 계획의 입안, 조사, 분석 및 평가와 행정개선 등에 관하여 기관장이나 보조기관을 보좌하기 위해 설치하는 직제는 담당관이다. (O, X)

01 O

고득점 공략 행정기구의 설치(「지방자치법」)

1. 행정기구와 공무원(제125조)
   ① 지방자치단체는 그 사무를 분장하기 위하여 필요한 행정기구와 지방공무원을 둔다.
   ② ①에 따른 행정기구의 설치와 지방공무원의 정원은 인건비 등 대통령령으로 정하는 기준에 따라 그 지방자치단체의 조례로 정한다.
2. 직속기관(제126조)
   지방자치단체는 그 소관사무의 범위 안에서 필요하면 대통령령이나 대통령령으로 정하는 범위에서 지방자치단체의 조례로 자치경찰기관(제주특별자치도만 해당한다), 소방기관, 교육훈련기관, 보건진료기관, 시험연구기관 및 중소기업지도기관 등을 직속기관으로 설치할 수 있다.
3. 사업소(제127조)
   지방자치단체는 특정 업무를 효율적으로 수행하기 위하여 필요하면 대통령령으로 정하는 범위에서 그 지방자치단체의 조례로 사업소를 설치할 수 있다.
4. 출장소(제128조)
   지방자치단체는 원격지 주민의 편의와 특정 지역의 개발 촉진을 위하여 필요하면 대통령령으로 정하는 범위에서 그 지방자치단체의 조례로 출장소를 설치할 수 있다.
5. 합의제 행정기관(제129조)
   ① 지방자치단체는 그 소관사무의 일부를 독립하여 수행할 필요가 있으면 법령이나 그 지방자치단체의 조례로 정하는 바에 따라 합의제 행정기관을 설치할 수 있다.
   ② 합의제 행정기관의 설치·운영에 관하여 필요한 사항은 대통령령이나 그 지방자치단체의 조례로 정한다.
6. 자문기관의 설치 등(제130조)
   지방자치단체는 소관 사무의 범위에서 법령이나 그 지방자치단체의 조례로 정하는 바에 따라 자문기관(소관 사무에 대한 자문에 응하거나 협의, 심의 등을 목적으로 하는 심의회, 위원회 등을 말한다)을 설치·운영할 수 있다.

2. 우리나라 정부조직 현황 - 윤석열 정부 조직 개편[1]

(1) 국가보훈처 → 국가보훈부로 격상(2023.06.)

(2) 외교부 외청으로 재외동포청 신설(2023.06.)

(3) 과학기술정보통신부 외청으로 우주항공청 신설(2024.05.)

(4) 문화체육관광부 외청인 문화재청을 국가유산청으로 명칭 변경(2024.05.)

3 중앙행정기관별 주요 업무(「정부조직법」)

1. 2원(院)

감사원	국가의 세입·세출의 결산, 국가 및 법률이 정한 단체의 회계검사와 행정기관 및 공무원의 직무에 관한 감찰(헌법기관)
국가정보원	국가안전보장에 관련되는 정보·보안 및 범죄수사에 관한 사무

2. 4실(室)

대통령비서실	대통령의 직무를 보좌하기 위하여 설치
국가안보실	국가안보에 관한 대통령의 직무를 보좌하기 위하여 설치

[1] 문재인 정부 조직 개편
1. 신설
   - 중소벤처기업부 신설: 중소기업청 승격
   - 과학혁신본부 신설: 과학기술정보통신부 하부조직(차관급)
   - 통상교섭본부 신설: 산업통상자원부 하부조직(차관급)
2. 개편
   - 미래창조과학부 → 과학기술정보통신부(명칭개편)
   - 행정자치부 → 행정안전부(명칭개편)
   - 대통령경호실 → 대통령경호처(차관급)
   - 국가보훈처 장관급 기구로 격상(차장은 차관급)
   - 소방청(행정안전부 소속)과 해양경찰청(해양수산부 소속) 독립
   - 환경부로 수자원관리를 위한 물관리 업무 일원화(2018.6.)
   - 개인정보보호위원회를 국무총리 소속의 중앙행정기관화(2020.8.)
   - 질병관리본부를 질병관리청으로 승격(2020.9.)
   - 새만금개발청, 행정중심복합도시건설청을 「정부조직법」에 규정(2020.12.)
3. 폐지
   국민안전처

국무조정실	각 중앙행정기관의 행정 지휘·감독, 사회위험·갈등의 관리, 정부업무평가 및 규제개혁에 관하여 국무총리를 보좌하기 위하여 설치(실장 1명과 차장 2명)
국무총리비서실	국무총리의 직무를 보좌하기 위하여 설치

3. 4처(處)

대통령경호처	대통령 등의 경호를 담당하기 위하여 설치 → 대통령 소속
인사혁신처	공무원의 인사·윤리·복무 및 연금에 관한 사무를 관장 → 국무총리 소속
법제처	국무회의에 상정될 법령안·조약안과 총리령안 및 부령안의 심사와 기타 법제에 관한 사무를 전문적으로 관장 → 국무총리 소속
식품의약품안전처	식품 및 의약품의 안전에 관한 사무를 관장 → 국무총리 소속

4. 행정각부(部)와 청(廳)[1]

기획재정부	· 중장기 국가발전수립, 경제·재정정책의 수립·총괄·조정, 화폐·금융·국고·정부회계·내국세제·관세·외국환·경제협력 및 국유재산에 관한 사무 · 기획재정부장관이 겸임하는 경제부총리이며, 경제정책에 관하여 국무총리의 명을 받아 관계 중앙행정기관을 총괄·조정 · 청(廳) - **국세청**: 내국세의 부과·감면 및 징수에 관한 사무 - **관세청**: 관세의 부과·감면 및 징수와 수출입물품의 통관 및 밀수출입단속에 관한 사무 - **조달청**: 정부물자의 구매·공급 및 관리, 정부의 주요 시설 공사계약에 관한 사무 - **통계청**: 통계의 기준설정과 인구조사 및 각종 통계에 관한 사무
교육부	· 인적자원개발정책, 영·유아 보육·교육, 학교교육·평생교육 및 학술에 관한 사무 · 교육부장관이 겸임하는 교육·사회·문화부총리를 신설하며 교육·사회 및 문화정책에 관하여 국무총리의 명을 받아 관계 중앙행정기관을 총괄·조정
과학기술 정보통신부	· 과학기술정책의 수립·총괄·조정·평가, 과학기술의 연구개발 및 협력 진흥, 전파관리, 정보통신산업, 우편에 관한 사무 · **청(廳) - 우주항공청**: 우주항공기술의 개발 및 우주항공산업진흥(「우주항공청의 설치 및 운영에 관한 특별법」)
외교부	· 외교, 경제외교 및 국제경제협력외교, 국제관계 업무에 관한 조정, 조약 기타 국제협정, 재외국민의 보호·지원, 국제정세의 조사·분석에 관한 사무 · **청(廳) - 재외동포청**: 재외동포에 관한 사무
통일부	통일 및 남북대화·교류·협력에 관한 정책의 수립, 통일교육, 기타 통일에 관한 사무
법무부	· 검찰·행형·인권옹호·출입국관리 기타 법무에 관한 사무 · **청(廳) - 검찰청**: 각종 사건 수사 및 전국의 검찰청을 지휘·감독하는 사무(「검찰청법」)

[1] 복수차관제
「정부조직법」 제26조 【행정각부】 ② 행정각부에 장관 1명과 차관 1명을 두되, 장관은 국무위원으로 보하고, 차관은 정무직으로 한다. 다만, 기획재정부·과학기술정보통신부·외교부·문화체육관광부·산업통상자원부·보건복지부·국토교통부에는 차관 2명을 둔다.

국방부	· 국방에 관련된 군정 및 군령과 기타 군사에 관한 사무 · 청(廳) 　- **병무청:** 징집·소집 기타 병무행정에 관한 사무 　- **방위사업청:** 방위력 개선사업, 군수물자 조달 및 방위산업 육성에 관한 사무
행정안전부	· 국무회의의 서무, 법령 및 조약의 공포, 정부조직과 정원, 상훈, 정부혁신, 행정능률, 전자정부, 개인정보보호, 정부청사의 관리, 지방자치제도, 지방자치단체의 사무지원·재정·세제, 낙후지역 등 지원, 지방자치단체 간 분쟁조정 및 선거·국민투표의 지원, 재난관리 등에 관한 사무 · 청(廳) 　- **경찰청:** 치안, 방범, 범죄수사, 경비교통, 국가보안에 관한 사무(「경찰청법」) 　- **소방청:** 소방 및 구조·구급 등에 관한 사무(「소방청법」)
국가보훈부	국가유공자 및 그 유족에 대한 보훈, 제대군인의 보상·보호, 보훈선양에 관한 사무
문화체육관광부	· 문화·예술·영상·광고·출판·간행물·체육·관광에 관한 사무, 국정에 대한 홍보 및 정부발표에 관한 사무 · **청(廳) - 국가유산청:** 국가유산의 관리와 유지에 관한 사무
농림축산식품부	· 농산·축산, 식량·농지·수리, 식품산업진흥, 농어촌개발 및 농산물 유통에 관한 사무 · 청(廳) 　- **농촌진흥청:** 농업의 발전과 농촌진흥에 관한 사무 　- **산림청:** 산림의 보전 및 관리에 관한 사무
산업통상자원부	· 상업·무역·공업, 통상 및 통상교섭에 관한 총괄·조정, 외국인 투자, 산업기술 연구개발 및 에너지 지하자원에 관한 사무 · **청(廳) - 특허청:** 특허·실용신안·디자인 및 상표에 관한 사무와 이에 대한 심사·심판사무
보건복지부	· 보건위생·방역·의정·약정·생활보호·자활지원 및 아동(영·유아 보육은 제외)·노인·장애인의 사회보장에 관한 사무 · **청(廳) - 질병관리청[1]:** 방역·검역 등 감염병에 관한 사무 및 각종 질병에 관한 조사·시험·연구에 관한 사무
환경부	· 자연환경 및 생활환경의 보전, 환경오염방지, 수자원 보전·이용·개발 및 하천에 관한 사무 · **청(廳) - 기상청:** 일기예보 및 기상현상에 관한 각종 주의보와 경보 및 기상전망 발표에 관한 사무
고용노동부	근로조건의 기준, 직업안정, 직업훈련, 실업대책, 고용보험, 산업재해보상보험, 근로자의 복지후생, 노사관계의 조정 기타 노동에 관한 사무
여성가족부	여성, 가족·청소년 정책 및 건강·가정·사업을 위한 아동 업무
국토교통부	국토종합개발계획의 수립·조정, 국토의 보전·이용 및 개발, 도시·도로 및 주택의 건설, 해안 및 간척, 육운 철도 및 항공에 관한 사무
해양수산부	· 해양 정책, 수산, 어촌개발 및 수산업 유통, 해운·항만, 해양환경, 해양조사, 해양자원개발, 해양과학기술연구·개발 및 해양안전심판에 관한 사무 · **청(廳) - 해양경찰청:** 해양경비, 안전, 방제, 해양관련 수사에 관한 사무
중소벤처기업부	중소기업육성, 산업인력양성, 지역산업육성, 기업협력촉진, 창조경제진흥, 기술보증기금관리에 관한 사무

[1] 질병관리청 신설

국회는 2020년 8월 4일 본회의를 열고 코로나 감염병 사태를 계기로 감염병 관리체계를 강화하기 위하여 질병관리본부를 보건복지부장관 소속 질병관리청으로 승격하는 「정부조직법」 개정안을 의결하였다. 또한 보건복지부의 보건업무 전문성을 높이기 위해 보건·의료를 담당하는 2차관을 신설하도록 하였다.

핵심 OX

01 경제부총리는 기획재정부장관이 겸임하며, 경제정책에 관하여 국무총리의 명을 받아 관계 중앙행정기관을 총괄·조정한다. (O, X)

02 전자정부의 비전과 전략을 제시하고, 한국 정부기관의 행정 정보화 사업을 주관하는 행정기관은 과학기술정보통신부이다. (O, X)

01 O
02 X 전자정부 담당기관은 과학기술정보통신부가 아니라 행정안전부이다. 과학기술정보통신부는 지능정보사회 종합계획을 담당한다.

7 책임운영기관

1 의의와 특징

1. 의의 및 배경[1]

(1) 의의

책임운영기관이란 정부가 수행하는 사무 중 공공성을 유지하면서도 경쟁원리에 따라 운영하는 것이 바람직한 사무에 대하여 기관장에게 행정 및 재정상의 자율성을 부여하고 그 운영성과에 대하여 책임을 지도록 하는 기관이다.

(2) 배경

① 영국 대처(Thatcher) 정부의 1988년 정부개혁 프로그램인 'Next Steps'에 의해서 채택되었다.

② 우리나라는 1999년 1월(김대중 정부)에 「책임운영기관의 설치 · 운영에 관한 법률」을 제정하였고 국립중앙극장, 국립재활원 등에서 처음 실시되었다.

2. 책임운영기관의 도입이 적합한 경우

(1) 일반적 검토

① 공공성이 높아 직접 민영화를 추진하기가 곤란한 분야에 책임운영기관의 도입이 적합하다.

② 수익자 부담원칙의 실현으로 재원의 자체 확보가 가능한 분야에 책임운영기관의 도입이 적합하다.

③ 정책기획(결정)과 집행기능을 분리할 수 있는 분야에 책임운영기관의 도입이 적합하다.

④ 성과측정기준의 개발 및 성과측정이 용이하거나 가능한 기관의 경우에 책임운영기관의 도입이 적합하다.

⑤ 내부 시장화가 필요한 분야에 책임운영기관의 도입이 적합하다.

(2) 도표를 통한 검토

구분	조타수 역할(steering)	노젓기 역할(rowing)
서비스(service)	A	B
규제(regulation)	C	D

영국을 비롯한 각국의 정부들이 책임운영기관을 만들고 있는 업무는 주로 B에 해당한다. B는 행정활동의 종류로 보면 정책집행이며, 행정수단으로 보면 서비스 제공(즉, 배분정책)에 해당되는 업무이다. 이는 행정서비스 제공을 직접 담당하는 업무라는 것이다.

[1] 각국의 책임운영기관

1. **영국**: 1988년 이후 'Next Steps'에 의하여 설치된 '책임집행기관(executive agency)' - Hive in
2. **뉴질랜드**: 1988년 이후 각 부처로부터 독립된 '독립사업기관(crown entities)' - Hive out
3. **호주**: 1988년 이후 설치된 '책임운영기관(SA; Statutory Authority)'
4. **캐나다**: 1990년 이후 설치된 '특별사업기관(SOA; Special Operating Agency)'
5. **미국**: 1995년 이후 클린턴(Clinton) 행정부의 '성과중심조직(PBO; Perforance Based Org.)'
6. **일본**: 1997년 이후 행정혁신심의회의 건의로 설치된 '독립행정법인'(단, 공권력과 무관한 기능이다)
7. **우리나라**: 1999년 이후 설치된 '책임운영기관' - Hive in

핵심 OX

01 책임운영기관은 영국의 메이저(major) 정부하에서 'Next Steps'에 의해서 채택하였다. (O, X)

02 책임운영기관으로 운영이 장려되는 것은 정책기획과 집행기능이 밀접하게 관련되는 분야이다. (O, X)

03 정부조직의 책임운영기관화를 고려하기 위해서는 시장성 검증이 전제되어야 한다. (O, X)

01 X 메이저(major) 정부 때가 아닌 대처(Thatcher) 정부 때 채택하였다.
02 X 정책기획과 집행기능이 서로 분리 가능한 경우가 적합하다.
03 O

고득점 공략 시장성 검증(market testing)

1. 의의

시장성 검증이란 영국의 메이저(major) 정부가 1991년 '품질을 위한 경쟁(competing for quality)'이라는 시책에서 정부기능을 원점에서부터 재검토하여 정부기능을 줄이고 최적사업주체를 선정하려는 신공공관리론의 주요 프로그램이자 논리적 판단전략이다.

2. 5가지 대안의 논리적 검토전략(사전적 대안분석에 의한 논리적 검토전략)

① 필요한 기능인가? ⇨ No(불필요)면 폐지한다.

② (필요하다면) 정부가 책임져야 할 기능인가? ⇨ No(민간책임)면 민영화한다.

③ (정부가 책임을 져야 한다면) 정부가 직접 수행하여야 하는가? ⇨ No면 민간으로 외부위탁(아웃소싱)한다.

④ (정부나 민간 모두가 수행 가능하다면) 공무원과 민간 간 또는 정부 내부 간 상호경쟁을 시키는 입찰을 실시한다. ⇨ 공무원조직이 낙찰되면 내부계약, 외부민간회사가 낙찰되면 외부계약(이 경우 당해 공무원은 민간사원으로 신분이 변동되고, 따라서 공무원의 저항 없이 자연스러운 구조조정이 가능하다)을 한다.

⑤ (정부가 반드시 직접 수행해야 한다면) 가장 효율적인 조직구조와 절차를 추구한다(자체효율화 도모). ⇨ 책임운영기관, Re-structuring, Re-engineering 등 내부구조조정을 실시한다.

3. 특징

(1) 집행기능 중심의 조직

기획이나 결정기관이 아니라 집행중심의 조직으로서 정책집행 및 서비스 전달기능을 수행한다.

(2) 특정 업무의 수행

다수의 업무를 처리하는 것이 아니라 특정 기능을 수행한다. 중앙정부와 지방정부가 수행하는 서비스를 하나의 책임운영기관을 통하여 수행하기도 한다.

(3) 성과 중심의 조직

장관과 기관장 사이에 성과협약을 체결하여 사업계획 및 목표를 수립하고, 기관장은 성과에 대해 책임을 진다. 또한 성과를 분명히 파악하기 위해 복식부기나 발생주의와 같은 기업회계방식을 적용한다.

(4) 개방형 조직

책임운영기관의 기관장과 구성원의 임용은 조직 내외 경쟁을 통해 이루어진다.

(5) 자율성과 책임성

기관운영에 필요한 조직 · 인사 · 재무와 관련된 관리적 권한을 기관장에게 위임하고, 성과평가를 통해 책임을 묻는다.

2 우리나라의 책임운영기관(「책임운영기관의 설치 · 운영에 관한 법률」)

1. 설치

(1) 행정안전부장관은 기획재정부 및 해당 중앙행정기관의 장과 협의하여 대통령령으로 책임운영기관을 설치할 수 있다.

(2) 중앙행정기관의 장은 소관사무 중 책임운영기관이 수행하는 것이 효율적이라고 인정되는 경우 행정안전부장관에게 책임운영기관의 설치를 요청할 수 있다.

2. 종류

(1) 중앙책임운영기관과 소속책임운영기관(기관의 지위)

① **중앙책임운영기관:** 「정부조직법」에서 규정한 청으로서 대통령령으로 설치된 기관이다.

② **소속책임운영기관:** 중앙행정기관 소속으로서 대통령령으로 설치된 기관이다.

(2) 사무의 성격에 따른 구분

중앙책임운영기관에는 2006년 5월 특허청이 최초로 지정되었고, 소속책임운영기관은 국립중앙극장 등 38개 기관이 지정되어 있다.

구분		소속 책임운영기관	중앙 책임운영기관
조사 연구형 기관	조사 및 품질관리형 기관	국립종자원, 국토지리정보원, 경인지방통계청, 동북지방통계청, 호남지방통계청, 동남지방통계청, 충청지방통계청, 항공기상청	-
	연구형 기관	국립과학수사연구원, 국립수산과학원, 국립생물자원관, 통계개발원, 국립문화재연구소, 국립원예특작과학원, 국립축산과학원, 국립산림과학원	
교육훈련형 기관		국립국제교육원, 한국농수산대학	
문화형 기관		국립중앙과학관, 국립과천과학관, 국방홍보원, 국립중앙극장, 국립현대미술관, 한국정책방송원	
의료형 기관		국립서울병원, 국립나주병원, 국립부곡병원, 국립춘천병원, 국립공주병원, 국립마산병원, 국립목포병원, 국립재활원, 경찰병원	
시설관리형 기관		울산지방해양항만청, 대산지방해양항만청, 국립자연휴양림관리소, 해양경찰정비창	
기타 유형의 기관		-	특허청

3. 중앙책임운영기관(특허청)❶

(1) 기관장의 임기와 책무

① **임기:** 중앙책임운영기관의 장의 임기는 2년으로 하되 1차에 한하여 연임할 수 있다.

② **책무:** 기관장은 국무총리가 부여한 목표를 성실히 이행하여야 하며, 기관 운영의 공익성 및 효율성 향상, 재정의 경제성 제고와 서비스의 질적 개선을 위하여 노력하여야 한다.

(2) 조직 및 인사

① 중앙책임운영기관의 조직 및 정원에 관한 사항은 「정부조직법」과 그 밖의 정부조직 관계법령이 정하는 바에 의한다.

② 중앙책임운영기관의 장은 고위공무원단에 속하는 공무원 외의 소속공무원에 대한 일체의 임용권을 가진다.

❶ 중앙책임운영기관(특허청)
책임운영기관에는 중앙행정기관인 중앙책임운영기관과 소속기관 형태인 소속책임운영기관이 있는데 특허청은 유일한 중앙행정기관이자 책임운영기관이다.

③ 중앙책임운영기관 소속공무원의 임용시험은 중앙책임운영기관의 장이 실시한다.

④ 중앙책임운영기관 소속공무원에 대한 인사관리에 관한 나머지 사항은 「국가공무원법」과 그 밖의 공무원 인사 관계법령이 정하는 바에 의한다.

(3) 예산 및 회계

① 중앙책임운영기관의 예산 및 회계에 관한 사항에 관하여는 소속책임운영기관의 사항을 적용한다.

② 중앙책임운영기관의 장이 대통령령이 정하는 비율을 초과하여 초과수입금을 사용하고자 하는 때에는 그 이유 및 금액을 명시한 조서를 작성하여 미리 기획재정부장관과 협의하여야 한다.

(4) 성과측정 및 평가

① 국무총리는 중앙책임운영기관별로 재정의 경제성 제고, 서비스 수준의 향상 및 경영합리화 등에 관한 사업목표를 정하여 이를 중앙책임운영기관의 장에게 부여하여야 한다.

② 중앙책임운영기관의 사업성과를 평가하고 기관의 운영에 관한 중요 사항을 심의하기 위하여 중앙책임운영기관의 장 소속하에 '중앙책임운영기관운영심의회'를 둔다.

③ 중앙책임운영기관의 존속 여부 및 제도 개선 등에 관한 중요 사항을 심의하기 위하여 행정안전부장관 소속으로 '책임운영기관운영위원회[1]'를 둔다.

4. 소속책임운영기관

(1) 기관장 채용[2]

기관장은 소속중앙행정기관의 장이 5년 범위 내에서(특별한 사유가 없는 한 2년 이상) 임기제 공무원으로 채용하도록 되어 있으며, 채용기간 만료 시 별도의 채용공고 절차를 거치지 아니하고 채용계약을 갱신할 수 있다.

(2) 조직 및 인사

① **소속기관 및 하부조직의 설치:** 소속책임운영기관은 대통령령이 정하는 바에 따라 소속기관을 둘 수 있으며, 그 하부조직의 설치와 분장사무는 기본운영규정으로 정한다.

② **공무원의 정원**

㉠ 책임운영기관에 두는 공무원의 총정원의 한도는 대통령령으로 정하고 종류별 · 계급별 정원 또는 고위공무원단에 속하는 공무원의 정원은 총리령 또는 부령으로 정한다(다만, 종류별 · 계급별 정원 또는 고위공무원단에 속하는 공무원의 정원을 통합하여 정할 수 있음).

㉡ 책임운영기관장은 업무의 성격상 필요한 경우에는 정원 한도 내에서 임기제 공무원을 활용할 수 있다.

③ **임용권자:** 중앙행정기관의 장은 그 기관 소속의 소속책임운영기관 공무원에 대한 일체의 임용권을 가지며, 그 임용권의 일부를 기관장에게 위임할 수 있다.

④ **임용시험:** 소속책임운영기관 공무원의 임용시험은 소속책임운영기관장이 실시한다.

[1] 책임운영기관운영위원회
소속책임운영기관운영위원회와 중앙책임운영기관운영위원회가 책임운영기관운영위원회로 통합되었다(2009.4.1.).

[2] 소속책임운영기관 기관장 채용
기관장 채용요건에 대한 안전행정부장관(현 행정안전부장관)과의 협의절차를 폐지하였다(「책임운영기관의 설치 · 운영에 관한 법령」 개정 2009.4.).

⑤ **기관 간 인사교류**: 중앙행정기관의 장은 소속책임운영기관 공무원의 전보 필요성이 있다고 인정되는 때에는 기관장과 협의하여 공무원을 기관 간 교류시킬 수 있다.

⑥ **상여금의 지급**: 기관장은 사업의 평가 결과에 따라 소속기관별 · 하부조직별 또는 개인별로 상여금을 차등 지급할 수 있다.

(3) 예산 및 회계

① 특별회계의 설치

㉠ **목적**: 기관 운영에 필요한 재정수입의 전부 또는 일부를 자체적으로 확보할 수 있는 사무를 주로 하는 소속책임운영기관의 사업을 효율적으로 운영하기 위하여 책임운영기관 특별회계를 둔다.

㉡ **기준**: 책임운영기관 특별회계로 운영할 필요가 있는 소속책임운영기관은 재정수입 중 자체 수입의 비율 등 대통령령으로 정하는 기준에 따라 기획재정부장관이 행정안전부장관 및 해당 중앙행정기관의 장과 협의를 거쳐 정한다.

㉢ '책임운영기관 특별회계기관'을 제외한 소속책임운영기관은 일반회계로 운영하되, 대통령령으로 정하는 회계변경이 특별히 곤란한 사유가 있는 경우에는 다른 법률에 따라 설치된 특별회계로 운영할 수 있다. 이 경우 일반회계 또는 특별회계에 별도의 책임운영기관 항목을 설치하고 책임운영기관 특별회계기관에 준하는 예산 운영상의 자율성을 보장하여야 한다.

② **계정의 구분 및 운용 · 관리**: 특별회계는 소속책임운영기관별로 계정을 구분하며 계정별로 중앙행정기관의 장이 운용하고, 기획재정부장관이 이를 통합하여 관리한다.

③ **「정부기업예산법」의 적용**: 책임운영기관 특별회계기관의 사업은 「정부기업예산법」 제2조에도 불구하고 정부기업으로 본다.

④ **예산의 전용**: 소속책임운영기관장은 예산집행상 특히 필요한 경우에는 대통령령이 정하는 바에 의하여 특별회계의 계정별 세출예산 또는 일반회계의 세출예산의 각각의 총액 범위 안에서 각 과목 상호 간에 전용할 수 있다.

⑤ **예산의 이월**: 매 회계연도의 특별회계 또는 일반회계 세출예산 중 부득이한 사유로 그 회계연도 내에 지출하지 못한 경상적 성격의 경비는 100분의 20 범위 안에서 다음 회계연도에 이월(移越)하여 사용할 수 있다.

⑥ **초과수입금의 직접사용**: 기관장은 특별회계 또는 일반회계의 세입예산을 초과하거나 초과할 것이 예측되는 수입이 있는 경우에는 이를 당해 초과수입에 직접 관련되는 경비 및 간접경비에 사용할 수 있다.

⑦ 이익 및 손실의 처분❶

㉠ 특별회계는 매 회계연도의 결산의 결과 이익이 생긴 경우에는 이익잉여금으로 적립하고 결손이 생긴 경우에는 이익잉여금 중에서 이를 정리하는 방식으로 처리한다.

㉡ 특별회계 결산의 결과 생긴 결손이 이익잉여금을 초과하는 경우에 그 초과액은 이월 결손으로 정리한다.

❶ 일반회계로의 전출 불인정
책임운영기관의 경우, 일반회계로부터 전입을 받을 수 있으나 일반회계로의 전출은 인정되지 않는다. 정부기업은 전입과 전출이 모두 인정된다.

핵심 OX

01 책임운영기관 소속공무원의 임용권은 원칙적으로 책임운영기관의 장이 갖는다. (O, X)

02 책임운영기관의 소속직원은 공무원이며, 예산회계에 있어서 「국가재정법」이 적용된다. (O, X)

03 책임운영기관의 소속직원들은 공무원이며 다른 부처와의 인사교류도 가능하다. (O, X)

01 X 소속공무원의 임용권은 원칙적으로 중앙행정기관의 장이 갖는다.
02 X 소속직원은 공무원이며 예산회계에 있어서 「정부기업예산법」의 적용을 받는다.
03 O

(4) 성과측정 및 평가

① 사업성과를 평가하고 기타 책임운영기관의 운영에 관한 중요 사항을 심의하기 위하여 중앙행정기관장의 소속으로 '소속책임운영기관운영심의회'를 둔다.

② 운영심의회의 평가결과, 책임운영기관의 존속 여부 및 책임운영기관 관련제도의 개선 등에 관한 중요 사항을 심의 · 평가하기 위하여 행정안전부장관 소속하에 '책임운영기관운영위원회'를 둔다.

5. 한계

(1) 성과측정지표의 개발 곤란

공공부문의 특성상 성과측정(성과지표 개발)이 곤란한 경우가 많다.

(2) 책임소재의 모호성

정책효과에 문제가 발생할 경우 문제에 대한 행정책임의 소재를 분명히 밝히기가 어렵다.

(3) 직업공무원제의 약화

경쟁과 시장원리에 따르므로 직업공무원제가 약화될 수 있다.

(4) 민영화의 회피 수단

민영화할 수 있는 분야인데도 불구하고 정부가 책임운영기관으로 운영함으로써 민영화를 회피하기 위한 수단으로 악용되는 경우가 있다.

(5) 정책개선 곤란

책임운영기관은 정책결정기능과 집행기능을 분리하므로 집행과정에서 문제가 발생할 경우 정책결정과정으로 제대로 환류되지 않음으로써 문제해결이 어려워진다.

(6) 의회통제의 약화와 수익자 민주주의 우려

① 책임운영기관의 자율성으로 인해 의회통제가 약화될 우려가 있다.

② 서비스 이용에 있어서 수익자 민주주의화되어 공공성을 저해할 수 있다.

8 공기업

1 의의와 특징

1. 의의

(1) 기업적 · 경영적 성격을 지닌 사업의 수행을 목적으로 국가나 지방자치단체가 소유 · 지배를 통하여 운영하는 기업이다(공공성 + 기업성).

일반적(강학상) 개념(광의)	실정법상 공기업에 정부부처 형태의 공기업이나 준정부기관 등까지 포함하는 광의의 개념으로 해석한다.
실정법상 개념 (협의)	「공공기관의 운영에 관한 법률」에 의하면 공공기관* 중 자체수입액이 총수입액의 1/2을 초과하는 기관을 공기업이라 한다.

용어

공공기관*: 「공공기관의 운영에 관한 법률」에 따라 직접 설립되고 정부가 출연한 기관과 정부지원액이 총수입액의 1/2을 초과하는 기관 중에서 정부가 공공기관으로 지정한 기관을 의미한다.

(2) 특징

공기업의 공공성을 보장하기 위해서는 경영의 책임성이 중시되고, 기업성을 보장하기 위해서는 자율성이 보장되어야 할 것이다.

2. 성격❶

(1) 소유주체설

정부가 공기업의 자본금 등을 전액 출자하여 소유하고 있는 경우만 공기업으로 보는 입장이다.

(2) 관리주체설

정부가 전액 출자를 하지 않았으나 운영에 대한 최종책임을 지고 실질적으로 지배하고 있는 경우도 공기업으로 보는 입장이다.

❶ 우리나라 공기업의 성격
우리나라의 경우, 전액 출자하지 않은 경우도 국가의 지배가 결정적·계속적이면 공기업에 포함시키므로 관리주체설을 따르고 있다고 볼 수 있다. 대개의 경우 50% 이상의 출자를 공적 지배로 보지만 공기업의 구체적 범위는 「공공기관의 운영에 관한 법률」에 의하여 정부가 기관의 성격에 대한 정책적 판단을 거쳐 매년 지정·고시한다. 미국의 경우에도 관리주체설을 따르고 있다.

3. 설립요인

(1) 일반적인 설립요인(Friedmann)

① **민간자본의 부족:** 많은 양의 자본이 한꺼번에 들어가는 사업의 경우에 일반 민간기업이 감당하기 어려운 경우가 많다.

㊎ 충주비료(주)의 경우 당시 우리나라의 형편으로는 이를 선뜻 맡을 민간기업이 없어서 정부가 담당하였음

② **국방·전략상 고려:** 방위산업체와 관련된 사업은 민간에게 맡기기 어렵다. 비교적 공기업이 적은 미국의 경우에도 제1·2차 세계대전을 계기로 많은 공기업을 설립한 바 있다.

③ **독과점에 대응:** 규모의 경제로 인한 자연독점 발생 시, 독점 폐해로 인한 시장실패를 초래한다. 따라서 민간기업에 의한 독과점을 방지하기 위하여 공기업을 설치하게 된다.

④ **정치적 신조:** 정당의 정강정책이나 최고지도자의 정치적 신념에 따라서 공기업이 설치될 수 있다. 영국이 1945~1950년간 많은 공기업을 설립하였는데, 이는 당시 노동당의 복지정책 추진과 관련이 깊다.

(2) 우리나라의 설립요인

① **경제개발의 촉진:** 민간자본이 부족한 위험사업을 정부가 담당하여 운영하거나 새로운 분야의 전략적 경제성장을 위한 방안으로 공기업을 설립하는 경우도 있다.

② **공익사업의 통제:** 철도사업, 통신사업, 전력사업 등 독과점 성격을 가지는 사업을 정부가 통제하기 위하여 설립하였다.

③ **국가재정수입의 확충:** 국가재정의 확충을 위해서 공기업으로 설치하는 경우가 있는데, 이는 우리나라만의 독특한 사유에 해당한다.

㊎ 담배인삼공사 등

④ **공공수요의 충족**: 정부가 공적 수요의 충족을 위해서 설립하였다.

㊀ 주택공사, 주택은행, 국민은행 등

⑤ **귀속재산의 관리**: 국가로 귀속된 재산을 관리하기 위해서 설치하였다.

㊀ 한국전력공사, 대한석탄공사, 대한주택공사 등

⑥ **정부 정책적 고려**: 파산위기에 직면한 기업체들의 구제를 위해서 공기업을 설립하기도 하였다.

4. 경영원칙과 이념

(1) 공공성의 원칙(민주성)

① **공공서비스의 원칙**: 공기업이 공적 서비스를 원활하게 사회에 제공함으로써 그 사명을 달성하고 공기업을 존속 · 발전시킬 수 있어야 한다.

② **공공규제의 원칙**: 공기업은 공적 소유에 기초하고 있고, 국민에게 미치는 영향이 크기 때문에 정부가 규제할 필요가 있다.

(2) 기업성의 원칙(능률성)

공기업의 기업으로서의 성격, 즉 경영합리화를 통한 수익성과 채산성 실현을 추구하는 것으로서 공기업의 자율성에 대한 근거가 된다. 이러한 기업성은 근본적으로 사기업의 기업성과 동일한 것이다.

① 독립채산제*의 원칙

㉠ 공기업의 기업성과 자율성을 위해 실시되고 있으며, ⓐ 수지적합의 원칙, ⓑ 자본의 자기조달원칙, ⓒ 이익금의 자기처분원칙 등을 내용으로 한다.

㉡ 우리나라의 조달, 우편사업, 우체국 예금, 양곡관리사업과 같은 정부기업의 경우 독립채산제가 엄격히 적용되지 않고 있다.

㉢ 적자발생 시 일반회계로부터 전입이 가능하며, 흑자발생 시 일반회계로의 전출이 가능하다.

② **생산성의 원칙**: 공기업의 실체적 활동의 종합적인 합리화를 위해 기술적 합리화 및 인간적 합리화를 통해 생산성을 높여야 한다.

5. 공공기관의 운영체제(「공공기관의 운영에 관한 법률」)

(1) 의의와 범위[1]

① **법률 제정의 의의**: 공공기관의 자율책임경영체제 확립을 통해 공공기관의 대국민 서비스 증진에 기여할 수 있도록 하며 공공기관의 범위 설정과 유형구분 및 평가 · 감독 시스템 등 공공기관의 운영 전반에 관하여 필요한 사항을 체계적으로 규정하기 위하여 「공공기관의 운영에 관한 법률」을 제정하였다. 이에 따라 「정부투자기관관리기본법」 및 「정부산하기관관리기본법」은 폐지되었다.

② **공공기관의 범위**: 공공기관은 「공공기관의 운영에 관한 법률」에 따라 직접 설립되고 정부가 출연한 기관과 정부지원액이 총수입액의 1/2을 초과하는 기관 중에서 정부가 공공기관으로 지정한 기관이다.

용어

독립채산제*: 공기업이 스스로 수입과 지출을 적합하도록 하며, 자금을 스스로 조달하고 이익금은 스스로 처분할 수 있는 것으로서, 공기업의 재정적 독립성 및 자주성을 확보하기 위하여 필요하다.

[1] 공공기관 지정제외

한국방송공사(KBS)와 한국교육방송공사(EBS)는 정부가 전액 출자하는 공기업에 해당하지만 언론의 중립성과 공정성을 보장하기 위하여 「공공기관의 운영에 관한 법률」상 공공기관으로 지정되어 있지 않다.

핵심 OX

01 공기업의 설립요인으로 민간자본의 부족, 정치적 신조, 정부실패의 치유책 등이 있다. (O, X)

02 정부부처형 공기업은 독립채산제가 적용된다. (O, X)

03 공기업의 양대 이념에는 공공성과 기업성이 있는데 공공성은 공공서비스 원칙과 공공규제원칙을, 기업성은 독립채산제 원칙과 생산성의 원칙이 있다. (O, X)

01 X 공기업의 설립은 시장에 의한 독점을 방지하고 공공서비스를 생산하기 위함이고, 정부실패를 치유하기 위해서는 공기업을 민영화하여야 한다.
02 X 정부부처형 공기업은 완전한 독립채산제가 적용되지 않는다.
03 O

(2) 구분[1]

① **공기업**: 자체수입액이 총수입액의 1/2을 초과하는 기관(정원 300인 이상, 총수입액 200억 원 이상, 자산규모 30억 원 이상)이다.[2]

㉠ **시장형 공기업**: 자산규모가 2조 원 이상이고 총수입액 중 자체수입액이 85% 이상인 기관이다.

㉡ **준시장형 공기업**: 총수입액 중 자체수입액이 50% 이상 85% 미만인 기관이다.

② **준정부기관**: 공기업이 아닌 공공기관 중에서 지정(정원 300인 이상, 총수입액 200억 원 이상, 자산규모 30억 원 이상)한다.

㉠ **기금관리형 준정부기관**: 「국가재정법」에 따라 기금을 관리하거나 관리를 위탁받은 준정부기관이다.

㉡ **위탁집행형 준정부기관**: 기금관리형 기관이 아닌 준정부기관이다.

③ **기타 공공기관**: 공기업과 준정부기관을 제외한 공공기관으로서 이사회 설치, 임원임면, 경영실적 평가, 예산, 감사 등의 규정을 적용하지 아니한다.

개념PLUS 공공기관의 유형(「공공기관의 운영에 관한 법률」 제5조)

공기업		준정부기관		기타 공공기관
직원 300명 이상, 총수입액 200억 원 이상, 자산규모 30억 원 이상에서 지정				공공기관 - (공기업 + 준정부기관)
자체수입액이 총수입액의 50% 이상		자체수입액이 총수입액의 50% 미만		
시장형 공기업: 자산 규모가 2조 원 이상이고 자체수입액이 총수입액의 85% 이상	준시장형 공기업: 자체수입액이 총수입액의 50% 이상 85% 미만	기금관리형 준정부기관	위탁집행형 준정부기관	

(3) 신설과 지정

① 주무기관의 장이 법률에 따라 공공기관을 신설하고자 하는 경우에는 입법예고 전에 기획재정부장관에게 신설의 타당성에 대한 심사를 요청하여야 한다.

② 기획재정부장관은 공공기관운영위원회의 심의·의결을 거쳐 타당성을 심사하고 그 결과를 주무기관장에게 통보하여야 한다.

③ 기획재정부장관은 매 회계연도 개시 후 1개월 이내에 공공기관을 새로 지정하거나, 지정을 해제하거나, 구분을 변경하여 지정한다. 다만, 회계연도 중 공공기관으로 지정될 요건에 해당하는 기관이 신설되거나 종전의 공공기관이 민영화·통폐합 등에 따라 공공기관 지정해제 또는 변경지정 등을 하여야 하는 상황이 발생할 경우 수시로 공공기관 신규지정, 지정해제 또는 변경지정을 할 수 있도록 한다.

[1] 정부와 공공기관

1. **정부기업**: 정부부처형태를 지닌 공기업을 의미한다.
   ㉠ 양곡사업본부, 우편사업본부, 우체국예금본부, 조달청
2. **공사**: 공기업의 한 형태로서 특별법에 의해 설립된다.
3. **정부투자기관**: 정부가 납입자본금의 5할 이상을 출자한 기업이다.
   ㉠ 한국철도공사, 한국도로공사, 수자원공사 등
4. **정부출자기관**: 정부가 납입자본금의 5할 미만을 출자한 기업이다.
   ㉠ 한국가스공사, 한국방송공사(KBS), 국책은행 등
5. **직접투자기관**: 국가나 지방자치단체가 직접 투자한 기업이다.
6. **간접투자기관**: 정부투자기관이 다시 재투자한 공기업이다.
7. **국가지주회사**: 여러 개 회사의 주식을 일부 소유함으로써 그들 회사를 지배하는 회사이다.
   ㉠ 한국전력공사, 한국산업은행, 농수산물유통공사

[2] 공기업

총수입액 중 자체수입액이 차지하는 비중이 100분의 50(「국가재정법」에 따라 기금을 관리하거나 기금의 관리를 위탁받은 공공기관의 경우 100분의 85) 이상인 공공기관을 공기업으로 지정한다(「공공기관의 운영에 관한 법률 시행령」 제7조 제2항).

개념PLUS 2024년 공공기관 지정내역 (기획재정부 고시, 2024.01.31.)

*2023년 347개 지정 → 2024년 327개 지정

공기업	시장형	한국가스공사, 한국전력공사, 공항공사(인천국제, 김포한국), 한국석유공사, 한국지역난방공사, 한국수력원자력, 한국남부발전(주) 등 5개 발전회사, 강원랜드(주), 한국도로공사 등(총 14개)
	준시장형	한국조폐공사, 한국마사회, 대한석탄공사, 한국토지주택공사, 한국수자원공사, 한국철도공사, 그랜드코리아레저(주), 한국전력기술(주), 한전KDN(주), 한전KPS(주), 한국가스기술공사(주), 에스알(주), 한국광해광업공단 등(총 18개)
준정부기관	기금관리형	공무원연금공단, 신용보증기금, 예금보험공사, 국민연금공단, 근로복지공단, 한국자산관리공사, 중소기업진흥공단, 소상공인시장진흥공단 등(총 12개)
	위탁집행형	한국소비자원, 한국농어촌공사, 대한무역투자진흥공사, 한국가스안전공사, 에너지관리공단, 한국환경공단, 국립공원관리공단, 한국산업인력공단, 한국연구재단, 한국관광공사, 한국원자력환경공단, 한국건강가정진흥원, 한국수목원관리원 등(총 43개)
기타 공공기관		부산항만공사, 인천항만공사, 여수광양항만공사, 울산항만공사, 한국특허기술진흥원, 사립학교교직원 연금공단, 한국투자공사, 한국수출입은행, 서민금융진흥원 등(총 240개)

(4) 이사회

공기업 및 준정부기관의 경영목표와 예산 및 운영계획 등에 관한 사항을 심의·의결하기 위하여 이사회를 두며, 이사회는 기관장을 포함한 15인 이내의 이사로 구성한다.

① 이사회 의장

㉠ **시장형 공기업과 자산규모가 2조 원 이상인 대규모 준시장형 공기업의 이사회 의장:** 선임 비상임이사(비상임이사 중 기획재정부장관이 임명하는 1인)

㉡ **자산규모가 2조 원 미만인 준시장형 공기업과 준정부기관의 이사회 의장:** 기관장

② 이사회는 기관장이 법령 등 위반행위나 직무를 게을리 한 경우 이사회의 의결을 거쳐 주무기관의 장에게 그 기관장의 해임 등 필요한 조치를 요청할 수 있도록 한다.

③ 감사위원회의 설치

㉠ **시장형 공기업과 자산규모가 2조 원 이상인 준시장형 공기업:** 이사회에 감사위원회를 설치하여야 한다(의무사항).

㉡ **자산규모가 2조 원 미만인 준시장형 공기업과 준정부기관:** 감사위원회를 설치할 수 있다(임의사항).

(5) 인사

① 공기업

㉠ **기관장:** 비상임이사 등으로 구성되는 임원추천위원회가 복수로 추천하여 공공기관운영위원회의 심의·의결을 거친 사람 중에서 주무기관의 장의 제청으로 대통령이 임명한다.

핵심 OX

01 준시장형 공기업의 경우에는 「정부기업예산법」이 적용된다. (O, X)

02 「공공기관의 운영에 관한 법률」에 따르면 준정부기관은 기금관리형과 위탁집행형으로 구분할 수 있다. (O, X)

03 한국가스공사는 시장형 공기업, 마사회는 준시장형 공기업이다. (O, X)

04 시장형 공기업의 경우 감사위원회 설치는 임의사항이다. (O, X)

01 X 준시장형 공기업의 경우에는 「공공기관의 운영에 관한 법률」이 적용된다.
02 O
03 O
04 X 감사위원회의 설치는 시장형 공기업의 경우 필수사항이고, 준시장형 공기업과 준정부기관의 경우에는 임의사항이다.

㉡ **상임이사:** 기관장을 포함한 이사 정수의 1/2 미만의 상임이사를 두며, 임원추천위원회가 복수로 추천한 사람 중에서 공기업의 장이 임명한다.

㉢ **비상임이사:** 임원추천위원회가 복수로 추천한 사람 중에서 공공기관운영위원회의 심의·의결을 거쳐 기획재정부장관이 임명한다.

㉣ **감사:** 임원추천위원회가 복수로 추천한 사람 중에서 기획재정부장관의 제청으로 대통령이 임명한다.

② **준정부기관**

㉠ **기관장:** 임원추천위원회가 복수로 추천한 사람 중에서 주무기관의 장이 임명한다.

㉡ **상임이사:** 기관장을 포함한 이사 정수의 1/2 미만의 상임이사를 두며, 임원추천위원회가 복수로 추천한 사람 중에서 준정부기관의 장이 임명한다.

㉢ **비상임이사:** 임원추천위원회가 복수로 추천한 사람 중에서 공공기관운영위원회의 심의·의결을 거쳐 주무기관의 장이 임명한다.

㉣ **감사:** 임원추천위원회가 복수로 추천한 사람 중에서 공공기관운영위원회의 심의·의결을 거쳐 기획재정부장관이 임명한다. 단, 일부 대규모 기관은 기획재정부장관의 제청으로 대통령이 임명한다.

③ **임기:** 임원 중 기관장의 임기는 3년이고, 이사와 감사의 임기는 2년이다.

개념PLUS 공공기관의 구성과 임원

구분			이사회 의장	기관장	이사		감사	감사위원회 설치
					상임이사	비상임이사		
공기업	시장형		선임 비상임 이사	주무기관 장의 제청, 대통령이 임명	공기업의 장이 임명	기획재정부 장관이 임명	기획재정부 장관의 제청, 대통령이 임명	의무 사항
공기업	준시장형	2조 이상	선임 비상임 이사					의무 사항
공기업	준시장형	2조 미만	기관장					임의 사항
준정부기관			기관장	주무기관 장이 임명	준정부 기관의 장이 임명	주무기관 장이 임명	기획재정부 장관이 임명 (대규모기관은 대통령이 임명)	임의 사항

(6) 경영

① **경영지침:** 기획재정부장관은 공공기관운영위원회의 심의·의결을 거쳐 공기업·준정부기관 및 주무기관의 장에게 조직운영, 정원, 인사, 예산 등에 관한 경영지침을 통보하여야 한다.

② **성과계약:** 주무기관장은 기관장과, 기관장은 상임이사 등과 성과계약을 체결하여야 한다.

핵심 OX

01 공기업의 임원 중 상임이사는 공기업의 장이 임명한다. (O, X)

01 O

③ 경영실적 평가

㉠ 공기업 및 준정부기관의 경영효율을 높이기 위하여 기획재정부장관은 경영목표 및 공기업 · 준정부기관이 제출한 경영실적보고서 등을 기초로 공기업 및 준정부기관의 경영실적을 평가한다.

㉡ 평가결과 경영실적이 부진한 공기업 · 준정부기관의 기관장 또는 상임이사의 해임을 건의하거나 요구할 수 있도록 한다.

④ **경영공시:** 공공기관의 투명한 운영을 도모하기 위하여 공공기관은 경영목표 및 운영계획, 결산서, 임원현황 등에 관한 사항을 인터넷 홈페이지를 통하여 공시하도록 의무화한다.

⑤ **고객헌장과 고객만족도조사:** 공공기관은 고객헌장을 제정 · 공표하여야 하고 연 1회 이상 고객만족도조사를 실시하여야 한다.

(7) 재정

① **회계연도 및 회계원칙:** 정부회계연도를 따르지만, 공기업과 준정부기관은 발생주의 회계 적용을 의무화한다.

② **예산의 편성과 의결:** 공기업과 준정부기관의 장은 경영목표와 경영지침(기획재정부장관 통보)에 따라 예산안을 편성하여 다음 회계연도 개시 전까지 이사회에 제출하고, 예산안은 이사회의 의결로 확정한다.

③ **예산의 보고:** 공기업과 준정부기관의 장은 예산이 확정되거나 변경된 경우 지체 없이 그 내용을 기획재정부장관, 주무기관의 장 및 감사원장에게 보고하여야 한다.

④ 결산의 확정 및 결산서의 제출

㉠ 공기업과 준정부기관은 회계연도가 종료된 때에는 지체 없이 그 회계연도의 결산서를 작성하고, 감사원규칙에 따라 회계감사를 받아야 한다.

㉡ 공기업은 기획재정부장관에게, 준정부기관은 주무기관의 장에게 다음 연도 2월 말일까지 결산서를 각각 제출하고, 3월 말일까지 승인을 받아 결산을 확정하여야 한다.

㉢ 기획재정부장관과 주무기관의 장은 매년 5월 10일까지 확정된 공기업 · 준정부기관의 결산서와 그 밖에 필요한 서류를 감사원에 제출하여야 한다.

㉣ 감사원은 공기업 · 준정부기관의 결산서 등을 검사하고, 그 결과를 7월 31일까지 기획재정부장관에게 제출하여야 한다.

㉤ 기획재정부장관은 결산서 등에 감사원의 검사결과를 첨부하여 국무회의에 보고하고, 8월 20일까지 국회에 제출하여야 한다.

⑤ 감사

㉠ 감사원은 「감사원법」에 따라 공기업과 준정부기관의 업무와 회계에 관하여 감사를 실시할 수 있다.

㉡ 관계 행정기관의 장 등에게 위탁하거나 대행하게 할 수 있다.

(8) 관리 및 통제

① 관리

㉠ **공공기관운영위원회:** 공공기관의 관리에 관한 사항을 심의 · 의결하기 위하여 기획재정부에 공공기관운영위원회를 둔다.

㉡ **경영실적평가**: 공공기관의 사장은 매년 경영목표와 경영실적을 기획재정부장관과 주무부장관에게 제출하며, 기획재정부장관은 이를 토대로 투자기관의 경영실적을 평가하고 이 결과를 국회와 대통령에게 보고한다.

② **통제**

㉠ **대통령에 의한 통제**

ⓐ 대통령에 의한 임원임면권이 있다.

ⓑ 주무부장관에 의한 일반적인 감독·통제와 기획재정부장관에 의한 통제가 있다.

㉡ **회계검사기관에 의한 통제(일반검사)**: 우리나라의 경우 감사원 감사가 있다.

㉢ 의회에 의한 통제가 있다.

㉣ 법원에 의한 행정쟁송이 있다.

핵심정리 공기업의 유형별 특성

구분	정부부처형(정부기업)	주식회사형	공사형
독립성	없음 (법인격·당사자능력)	있음 (법인격·당사자능력)	
설치근거	「정부조직법」	회사법 또는 특별법	특별법
출자재원	정부예산(전액)	5할 이상 정부출자 (주식보유)	전액 정부출자
이념	공공성 > 기업성	공공성 < 기업성	공공성 + 기업성
직원신분	공무원	임원: 준공무원, 직원: 회사원	
예산회계	「정부기업예산법」 (특별회계)	「공공기관의 운영에 관한 법률」 (독립채산제)	
예산성립	국회의결 필요	국회의결 불요(이사회 의결로 성립)	
특징	저요금정책, 관료주의적	대륙계·개발도상국형 (과도기형)	영미형 (전형적인 이상형)
조직특성	독임형(이사회 없음)	합의제(의결기관과 집행기관의 분리)의 이중기관제	
대표적 예	조달, 양곡관리, 우편사업, 우체국예금	한국전력공사, 한국도로공사 등	대한주택공사, 한국철도공사 등

2 공기업의 민영화

1. 의의

(1) 정부의 자산이나 기능을 민간부문으로 이전시키는 것이다.

(2) 협의로는 공기업의 주식이나 자산을 민간에 매각하는 것을 의미한다.

(3) 광의로는 공기업의 독점이나 규제완화·폐지까지 모두 포함하는 개념으로 볼 수 있다.

핵심 OX

01 정부부처형 공기업의 경우 예산성립에 국회의 의결이 필요하나, 공공기관의 예산성립에는 국회의 의결이 필요하지 않다. (O, X)

02 우리나라 공기업의 평가는 국무조정실에서 담당한다. (O, X)

01 O
02 X 공기업 등 공공기관의 관리·평가는 국무조정실이 아니라 기획재정부 소관이다.

2. 필요성

(1) 경제적 자유의 증진

① 공기업의 민영화가 진행되면 정부가 그만큼 시장에 간섭하지 않게 된다. 따라서 시장의 자율성이 증가하게 되어 자본시장의 저변이 확대되며 총통화의 안정적 관리에 기여할 수 있게 되어 경제적 자유가 증진된다.

② 우리나라의 경우 포항제철, 한국전력, 한국통신 등이 민영화되어 실물경제와 주식시장의 안정화에 큰 기여를 한 사례가 있다.

(2) 재정적자의 문제해결

적자재정을 감축하고 각종 사업에 필요한 재정수입의 확보에 기여한다.

(3) 노조의 영향력 방어

노조의 영향력이나 보수인상 요구를 억제한다.

(4) 도덕적 해이 문제의 해결

공기업의 도덕적 해이 문제를 해결하기 위해서 필요하다. 즉, 공기업의 민영화는 정보비대칭 상황에서 공기업 경영자가 자기 이익을 극대화하기 위해 외형 확장 등에 지나친 관심을 기울여서 주인인 행정부 또는 국민의 입장과 상반되는 운영(도덕적 해이)을 하게 되는 문제를 막기 위함이다.

(5) 능률성의 확보

신중하게 실시된 민영화를 통해서 공공서비스 제공에 있어서 절약과 능률을 기할 수 있다.

(6) 작은 정부의 요구에 부합

정부는 이미 너무 비대하고 강력하여 국민들의 사생활을 침해할 우려가 있어 민주주의에 방해가 되므로 민영화가 필요하다.

(7) 민간영역의 활성화

정부의 영역을 줄이고 민간영역의 활성화를 기할 수 있어 경제주체들의 자율성을 높일 수 있다.

3. 유형[1]

(1) 민영화의 형태 기준

① **완전민영화:** 공기업을 완전히 민간에 매각하는 것이다. 우리나라의 증권거래소와 같이 정부가 보유하고 있던 주식을 완전히 민간에 매각하는 것이다.

② **단계적 민영화:** 공기업의 주식을 일부매각하는 것으로서 부분민영화의 일종이다. 우리나라에서 과거에 추진하였던 포항제철, 한국전력, 한국통신 등이 여기에 해당한다.

(2) 소유와 활동주체 기준

① **협의의 민영화:** 공공부문의 보유주식을 민간에 완전히 매각하는 동시에 정부의 규제를 철폐하는 완전민영화를 말한다.

② **광의의 민영화:** 협의의 민영화를 포함하여 보유주식의 일부매각, 민간위탁, 프랜차이즈, 계약 등이 모두 포함된다.

❶ 공공서비스 생산방식

구분		주체: 공공부문	주체: 민간부문
수단	권력	일반행정(I) 정부의 기본업무	민간위탁(II) 안정적 서비스 공급
수단	시장	책임경영(III) 공적 책임이 강한 경우	민영화(IV) 시장탄력적 공급

(3) 민영화의 방법 기준

① 특정인 매각❶

㉠ 주식을 특정인(특정 기업)에게 매각하는 방법으로, 1960~1970년대의 민영화가 여기에 해당된다.

㉡ 소득의 재분배에 역행하며 경제력의 집중을 심화시킨다는 문제점이 있다.

② **다수인 매각**: 주식을 다수인에게 매각하는 방법으로, 1994년 한국통신의 주식매각이 대표적이다.

③ 국민주방식

㉠ 주식을 다수의 국민에게 매각하는 방법으로서 1988~1989년에 실시된 포항제철과 한국전력의 민영화가 그 예이다.

㉡ 이것은 공기업의 경영성과를 국민에게 환원하여 중하위 소득계층의 재산형성을 지원하고, 주식의 광범위한 분산으로 자본시장의 저변을 확대시켜 나가는 것을 목적으로 하였다.

4. 민영화의 유형

(1) 내부민영화

공공서비스의 생산과 공급을 정부의 책임하에 두면서 계약이나 내부시장화*의 방식을 활용하는 것이다.

㉰ 민간위탁, 민자유치, 책임운영기관의 도입, 수익자 부담주의, 리스(임대), 개방형 임용 및 성과급제의 도입 등

① 민간위탁(외주, contracting out)

㉠ **개념**: 정부가 민간에게 제공하는 서비스를 민간기업에 위탁하여 제공하도록 하는 제도이다. 공급에 대한 권한을 완전히 민간에게 이양하지 않고 그 권한과 책임을 여전히 보유하면서 민간에게 해당 서비스를 제공하게 하는 방식이다.

㉡ 장점

ⓐ 민간부분의 경영 노하우를 활용할 수 있다.

ⓑ 전문성과 능률성을 높일 수 있다.

ⓒ 기업 간 경쟁 입찰을 통해 서비스 생산 주체를 결정하는 방식으로 정부의 재정 부담을 줄일 수 있다.

㉢ 단점

ⓐ 계약의 비가역성* 때문에 비능률이 야기될 수 있다.

ⓑ 정보의 비대칭성으로 인하여 도덕적 해이가 야기될 수 있다.

② **민자유치**: 도로, 교량, KTX, 경전철 등의 사회간접자본(SOC) 건설에 민간자본을 유치하는 방식으로 BTO, BOT, BTL 등이 있다.

③ **책임운영기관의 도입**: 정부 조직 내에 책임운영기관을 도입하여 국민에게 행정서비스를 제공하는 방식이다.

④ **수익자 부담주의**: 정부가 제공하는 재화와 서비스의 대가로 수익자(사용자)로부터 요금이나 사용료를 징수하는 방식이다.

⑤ 기타 정부조직 내의 개방형 임용이나 성과급 제도, 기업회계방식의 도입, 시민헌장제도 등도 내부민영화의 방안이다.

❶ 황금지분(golden share)
황금지분은 '정부가 소유하는 민영화된 공기업의 일정 지분'을 말한다. 정부가 민영화된 공기업서비스에 공익성을 보존하기 위해 소수의 지분으로 주요결정을 할 수 있는 지분이다. 뉴질랜드의 경우 민영화된 뉴질랜드 텔레콤이 소비자들에게 과도한 부담을 주는 통신요금 상승을 막는 역할을 하는데 이를 키위 지분(kiwi share)이라고 한다.

용어
내부시장화*: 정부조직 내에 시장메커니즘과 경쟁 등의 혁신적인 민간기법을 활용하는 것이다.

용어
비가역성(非可逆性)*: 물리학에서 변화를 일으킨 물질이 원래의 상태로 돌아오지 아니하는 성질을 의미한다. 계약에서도 한 번 체결된 계약이 본래의 상태로 되돌아가지 못하는 것을 뜻한다.

(2) 외부민영화[1]

공공서비스의 생산과 공급을 민간부문의 권한과 책임하에 이루어지도록 하는 방식이다.

① **정부기능의 민간이양**: 정부기능을 완전히 민간으로 이양하여 시장에서 재화나 서비스를 공급하게 하는 방식이다.

② **정부자산이나 주식의 매각(load-shedding)**: 정부가 보유한 주식이나 자산을 민간에 매각하는 방식으로, 소유권 자체의 이전이며 본래 의미의 민영화이다.

③ **보조금(subsidy)의 지급**

㉠ **개념**: 서비스 성격 자체는 공공성을 가지고 있으나 공공부문만으로는 서비스나 재화의 생산과 공급이 수요에 미치지 못할 경우 이와 유사한 서비스를 제공하는 민간부문에 재정지원이나 실물지원을 제공함으로써 이에 기여하게 하는 방식이다.

㉥ 교육시설·탁아시설에 대한 보조금 등

㉡ **적용**: 공공서비스에 대한 요건을 구체적으로 명시하기 곤란하거나 서비스가 기술적으로 복잡한 경우에 적합하다.

④ **지정 및 허가(franchise)에 특허권 부여**

㉠ **개념**: 정부가 민간 기업에 특별히 지정한 지역 내에서 특정 서비스를 제공할 수 있도록 특허권을 부여하고 소비자가 서비스의 대가를 지불하는 방식이다. 정부는 가격 또는 서비스의 수준과 품질을 규제한다.

㉥ 유선방송 등의 요금재

㉡ **장점**: 다수 업체의 난립으로 인한 비능률과 중복을 방지하여 규모의 경제를 실현할 수 있다.

⑤ **구매권(voucher or coupon)제도**

㉠ **개념**: 정부보조금 대신 저소득층이나 임신부와 같은 특정 계층의 소비자에게 특정 재화나 서비스를 구매할 수 있는 현금액수로 표시된 권리증서(쿠폰)를 제공하는 방식이다. 서비스에 대한 요금은 서비스 사용자가 아닌 정부가 지불한다.

㉥ 식품구매권, 학교등록권, 방과후바우처, 의료바우처, 임신부바우처(고운맘카드), 주택장기임대사업 등

㉡ **장점**: 서비스 수요자들이 자유로이 선택할 수 있는 서비스의 선택권을 제공하고, 빈곤계층에게 혜택이 돌아간다는 재분배적 성격을 통해서 형평성을 강화한다.

㉢ **단점**: 서비스가 다른 용도로 전용될 수 있다는 단점도 있다.

⑥ **자원봉사자(volunteer) 방식**: 공공서비스의 생산과 분배에 있어서 주민(자원봉사자)에 의한 자발적 서비스 제공방식이다(수혜자 ≠ 공급자).

㉥ 레크리에이션, 안전 모니터링, 복지사업 등의 분야에서 많이 활용됨

⑦ **자조활동(self-help) 방식**: 공공서비스의 수혜자와 제공자가 같은 집단에 소속되어 서로 돕는 형식이다(수혜자 = 공급자).

㉥ 이웃감시, 주민순찰, 보육사업, 고령자 대책, 문화예술사업 등에서 주로 활용됨

[1] 사바스(Savas)의 공공서비스 공급 유형

정부 결정	정부 공급	· 정부서비스 · 정부 간 협정
	민간 공급	· 계약(contracting out) · 면허(franchises) · 보조금
민간 결정	민간 공급	· 바우처(vouchers) · 시장공급(markets), · 자원봉사 · 자기생산(self-service)
	정부 공급	정부판매(government vending)

핵심 OX

01 민영화의 유형 중 정부가 재화 및 서비스의 공급에 필요한 자금은 부담하지만, 사용자에게 재화 및 서비스를 구매할 수 있는 보조금수취권을 주어 선택권을 주는 것은 프랜차이즈(franchise)에 해당한다. (O, X)

02 민영화의 방안 중 위탁계약(아웃소싱)은 민간에 의한 외부민영화이다. (O, X)

01 X 바우처(voucher)에 대한 설명이다.
02 X 외부계약에 의한 위탁(아웃소싱)은 정부의 기능이 완전히 민간에 넘어가는 것이 아니므로 외부민영화가 아닌 내부민영화로 본다.

⑧ **규제 완화 및 경쟁 촉진:** 각종 규제를 제거하거나 완화하여 경쟁을 유도하는 방식으로 정부나 공기업이 독점하고 있는 재화나 서비스의 공급을 민간영역에서 공급할 수 있도록 허용하는 방식이다.

㉮ 기상예보나 우편서비스의 민관경쟁체제 등

핵심정리 민영화의 유형

1. 내부민영화

공공서비스를 정부의 책임하에 두면서 민간을 활용하는 방식이다.

민간위탁(외주)	정부가 민간에게 제공하는 서비스를 민간기업에 위탁하여 민간이 서비스 공급
민자유치	SOC 건설 등에 민간자본 유치
기타	책임운영기관의 도입, 수익자 부담주의, 개방형 임용, 성과급 제도, 시민헌장제도 등

2. 외부민영화

공공서비스를 민간의 권한과 책임하에 이루어지도록 하는 방식이다.

정부기능의 민간이양	정부기능의 완전한 민간이양
정부 자산이나 주식의 매각	정부 보유 주식이나 자산을 민간에 이전·매각
보조금 방식	공공성을 가지는 서비스를 제공하는 민간부문에 재정이나 현물을 지원
면허	경쟁적 허가, 민간부문에게 일정 영역 내에서 공공서비스를 제공할 권리 인정
프랜차이즈(특허권)	독점적 허가, 특허권 부여
구매권(voucher or coupon) 제도	특정 계층의 소비자에게 재화나 서비스를 선택하여 구매할 수 있는 권리증서(쿠폰) 제공
자원봉사자	자원봉사자에 의한 자발적 서비스 제공(서비스공급자 ≠ 수혜자)
자조활동	서로 돕는 방식(서비스공급자 = 수혜자)
규제 완화 및 경쟁 촉진	규제의 제거·완화를 통해서 정부가 독점하는 공공서비스를 민간에서 공급할 수 있도록 허용

5. 한계

(1) 대상기업의 선정문제

공기업의 민영화는 일부 재벌과 외국계 거대 자본들에 기업을 인수하도록 할 수 있으며, 이는 형평성의 문제가 야기될 수 있다.

(2) 크림 스키밍(cream skimming) 현상

민영화의 필요성이 큰 적자기업보다는 필요성이 적은 흑자기업만 민영화될 가능성이 높으며, 결국 정부에는 적자 공기업만 남게 되어 전체 자본시장을 교란할 수 있다.

(3) 공익성의 훼손

지나친 소유권의 집중을 가져올 수 있으며, 서비스 이용에 있어서 수익자 민주주의화될 우려가 있어 공공성을 저해할 우려가 있다.

(4) 노조의 반발

공기업의 일방적인 민영화는 노조의 조직적인 반발을 가져와 실패를 야기할 수도 있다.

고득점 공략 대리(제3자)정부이론[1]

1. 의의

대리정부는 단순히 중앙정부가 특정 정책이나 프로그램의 집행권을 외부 주체(민간기업, 공사 등)에게 이전하거나 외부 주체로부터 재화나 서비스를 구입하는 수준이 아니다. 대리정부는 중앙정부로부터 이전받은 정책이나 프로그램의 수행에 따르는 재원사용권과 공적 권력까지도 포함하는 매우 포괄적인 분권화현상이다.

2. 배경

① 1960~1970년대를 거치면서 미국이나 독일과 같은 연방제 국가들의 행정에 중요한 변화가 일어났다. 그러한 변화 가운데 하나가 '제3자 정부' 또는 '대리정부'라는 간접통치방식의 부각이다.

② 대리정부는 전통적인 계서적 통제방식을 지양하고, 다양한 행정수요를 충족하면서 복잡한 정책을 성공적으로 수행하기 위하여 개발된 것이다.

③ 케틀(Kettle)은 대리정부화를 전통적 행정의 핵심인 계층제와 권위체제를 무너뜨리는 중요한 변혁으로 보고 있다. 즉, 정책의 결정은 중앙정부에서 하지만 그 정책의 집행과 서비스를 제공하는 데에 따른 책임은 종종 정부 외부에 있기 때문이다.

3. 문제점

① **자원의 낭비와 남용**: 중앙정부로부터 대리정부가 이관받은 임무를 성공적으로 수행하지 못할 경우 생기는 오류를 교정하는 비용이 추가로 발생할 수 있다.

② **정책에 관련된 정보의 왜곡현상**: 대리정부와 중앙정부 간 정보교환의 왜곡현상은 국민에 대한 최종서비스의 질을 저하시킨다.

③ **중앙정부의 규제적 재집권화 현상**: 대리정부에서 나타날 수 있는 낭비·부패·남용 등의 파행은 연방정부가 재집권화의 노선을 추구하는 데 빌미를 만들어 주게 되며, 기존 연방프로그램의 수행에 막대한 지연이나 처리 불능사태를 초래하기도 한다.

4. 해결방안

① **목표의 상호조정**: 정부가 기업에 더 많은 공공서비스 공급권을 양도하면 할수록 공공부문과 민간부문 간의 경계는 모호해지며, 공공서비스의 책임성은 저하되므로 중앙정부와 대리정부 간 계약에 따른 목표의 상호조정이 필요하다.

② **책임성의 강화**: 연방정부의 고유한 관료체제에 의하거나 다양한 정치체제를 이용한 환류장치를 마련하여 책임성을 강화하여야 한다.

③ **행정통제의 강화**: 행정관리자의 전문적 리더십을 통한 계약사항의 철저한 관리 및 예측과 투철한 시민의식을 통한 행동이 정부정책의 성과를 결정하여야 한다.

[1] 역대리인(逆代理人)이론
대리인문제를 완화하기 위하여 민영화를 한 결과 오히려 대리인문제가 더욱 심각해진다는 이론으로 민영화 반대론의 근거이다. 민영화 시 민간부문의 속성(비밀주의 등)상 정보격차가 더욱 심화되어 대리손실이 증가할 수 있다는 것으로 공공서비스의 공급문제, 가격인상, 책임저하, 관료부패 등의 문제점이 나타난다.

핵심 OX

01 복대리인문제를 해결하기 위해서 공기업의 민영화가 필요하다. (O, X)

02 공기업 민영화와 관련하여 '역대리인이론'이 제기하는 문제점은 민영화 이후에 공공서비스가 제대로 공급되지 못하는 것이다. (O, X)

01 O
02 O

학습 점검 문제

01 조직구조에 대한 설명으로 옳은 것은? 2017년 국가직 7급(8월 시행)

① 공식화의 수준이 높을수록 조직구성원들의 재량이 증가한다.

② 통솔범위가 넓은 조직은 일반적으로 고층구조를 갖는다.

③ 고객에 대한 신속한 서비스 제공 요구는 집권화를 촉진한다.

④ 복잡성은 '조직이 얼마나 나누어지고 흩어져 있는가'의 분화 정도를 말한다.

02 집권화와 분권화에 대한 설명으로 옳지 않은 것은? 2023년 국가직 7급

① 집권화는 조직의 규모가 작고 신설 조직일 때 유리하다.

② 집권화의 장점으로는 전문적 기술의 활용가능성 향상과 경비절감을 들 수 있다.

③ 탄력적 업무수행은 분권화의 장점이다.

④ 분권화는 행정기능의 중복과 혼란을 회피할 수 있고 분열을 억제할 수 있다.

정답 및 해설

01 조직구조의 기본변수

조직구조의 기본변수에는 복잡성, 공식성, 집권성 등이 있으며 복잡성(complexity)은 '조직이 얼마나 나누어지고 흩어져 있는가'의 분화 정도를 의미하며 수직적·수평적·장소적 분화로 나누어 볼 수 있다.

| 선지분석 |

① 공식화의 수준이 높을수록 업무지침 등이 정형화·표준화되기 때문에 구성원들의 재량은 감소하게 된다.

② 통솔범위가 넓은 조직은 탄력적인 유기적 구조로 일반적으로 저층구조를 갖는다.

③ 고객에 대한 신속한 서비스를 제공하기 위해서는 환경에 대한 탄력성이 높고 분권적인 유기적 구조가 적합하다.

02 집권화와 분권화

분권화는 행정기능의 중복과 혼란을 야기할 수 있으며 분열을 증가시킬 수 있다. 오히려 집권화는 행정기능의 중복과 혼란을 회피할 수 있고 분열을 억제할 수 있다.

정답 01 ④ 02 ④

03 톰슨(Thompson)의 기술 분류에 따른 상호의존성과 조정 형태를 바르게 연결한 것은? 2021년 지방직 7급

① 집약형 기술 - 연속적 상호의존성 - 정기적 회의, 수직적 의사전달

② 공학형 기술 - 연속적 상호의존성 - 사전계획, 예정표

③ 연속형 기술 - 교호적 상호의존성 - 상호 조정, 수평적 의사전달

④ 중개형 기술 - 집합적 상호의존성 - 규칙, 표준화

04 기술과 조직구조의 관계에 대한 페로우(Perrow)의 설명으로 옳지 않은 것은? 2020년 지방직 9급

① 정형화된(routine) 기술은 공식성 및 집권성이 높은 조직구조와 부합한다.

② 비정형화된(non-routine) 기술은 부하들에 대한 상사의 통솔범위를 넓힐 수밖에 없을 것이다.

③ 공학적(engineering) 기술은 문제의 분석가능성이 높다.

④ 기예적(craft) 기술은 대체로 유기적 조직구조와 부합한다.

05 관료제모형에서 베버(Weber)가 강조한 행정가치는? 2021년 지방직 7급

① 민주성

② 형평성

③ 능률성

④ 대응성

06 베버(Weber)의 이념형(ideal type) 관료제에 대한 설명으로 옳지 않은 것은? 2023년 국가직 9급

① 관료제 성립의 배경은 봉건적 지배체제의 확립이다.

② 법적 · 합리적 권위에 기초를 둔 조직구조와 형태이다.

③ 직위의 권한과 임무는 문서화된 법규로 규정된다.

④ 관료는 원칙적으로 상관이 임명한다.

07 **베버(Weber)의 관료제론에 대한 설명으로 옳지 않은 것은?** 2014년 서울시 7급

① 개개 직위의 관할 범위는 법규에 의해서 규정된다.

② 이상적인 관료제는 비정의성(impersonality)에 따라 움직인다.

③ 이상적인 관료제는 정치적 전문성에 의해 충원되는 제도를 갖는다.

④ 관료제는 일정한 자격 또는 능력에 따라 규정된 기능을 수행하는 분업의 원리에 따른다.

⑤ 조직은 엄격한 계층제의 원리에 따라 운영되고 상명하복의 질서정연한 체제이다.

정답 및 해설

03 톰슨(Thompson)의 기술 분류

톰슨(Thompson)은 세 가지 기술 분류로 집약형 기술(intensive technology), 연속형 기술(long-linked technology), 중개형 기술(mediating technology) 제시하였는데 이 중에서 중개형 기술은 집합적(pooled) 상호의존성을 지니며, 규칙이나 표준화된 약관을 사용하여 조정한다.

| 선지분석 |

① 집약형 기술은 교호적 상호의존성을 지니며 정기적 회의는 연속적 기술에서 사용하는 조정방안이다.

② 공학형 기술은 톰슨(Thompson)이 아니라 페로우(Perrow)가 제시한 기술유형이다.

③ 연속형 기술은 연속적 상호의존성을 지니며 상호조정은 집약적 기술의 조정방안이다.

톰슨(Thompson)의 기술유형과 상호의존성

기술 유형	상호 의존성	조정 방안	조정 곤란도	예
중개적 기술	집합적	규칙, 표준화	가장 용이	은행, 보험회사 등
연속적 기술	순차적(연속적)	계획, 예정표, 정기적 회의	중간	원유정제 등
집약적 기술	교호적	상호적응	가장 곤란	종합병원, 대학교 등

04 페로우(Perrow)의 기술유형

페로우(Perrow)는 과제의 다양성과 문제의 분석 가능성을 기준으로 기술의 유형을 구분하였다. 이 중 비정형화된(비일상적) 기술은 유기적 구조로서 우주항공산업과 같은 질적 업무로서 상사의 부하에 대한 통솔범위가 좁다는 것이 특징이다.

| 선지분석 |

① 정형화(일상적)된 TV조립, 신발공장과 같은 단순반복적인 업무로서 공식성 및 집권성이 높은 기계적 구조와 부합한다.

③ 공학적 기술은 과제의 다양성과 문제의 분석가능성이 모두 높은 건축이나 토목공학을 말한다.

④ 기예적(장인적) 기술이란 도예가나 예술가의 작업으로 대체로 유기적 조직구조와 부합한다.

05 관료제모형의 행정가치

베버(M. Weber)의 관료제모형은 고전적 조직이론을 대표하는 수직적 계층제로서, 조직내부의 능률적 관리에 초점을 두는 능률성을 행정가치로 강조한다.

06 베버(Weber)의 이념형(ideal type) 관료제

베버(Weber)의 이념형 관료제 성립의 배경은 봉건적 지배체제를 무너뜨리고 산업사회의 근대화 과정에서 나타나는 법적·합리적 권위에 기초를 둔 것이다. 베버(Weber)는 대규모 조직의 능률적 관리에 초점을 둔다는 점에서 봉건적 지배체제와 구별된다.

| 선지분석 |

④ 베버(Weber)의 관료제는 상명하복의 계층제적 구조를 기반으로 하므로 관료는 원칙적으로 상관이 임명한다.

07 베버(Weber)의 관료제

베버(Weber)의 이상적인 관료제는 정치적 전문성이 아니라 업무와 관련된 기술적·행정적 전문성에 의해 충원되는 제도를 갖는다.

정답 03 ④ 04 ② 05 ③ 06 ① 07 ③

08 **관료제 병리현상에 대한 설명으로 옳지 않은 것은?** 2017년 국가직 9급(4월 시행)

① 규칙이나 절차에 지나치게 집착하게 되면 목표와 수단의 대치 현상이 발생한다.

② 모든 업무를 문서로 처리하는 문서주의는 번문욕례(繁文縟禮)를 초래한다.

③ 자신의 소속기관만을 중요시함에 따라 타 기관과의 업무 협조나 조정이 어렵게 되는 문제가 나타난다.

④ 법규와 절차 준수의 강조는 관료제 내 구성원들의 비정의성(非情誼性)을 저해한다.

09 **기능(functional)구조와 사업(project)구조의 통합을 시도하는 조직 형태는?** 2020년 지방직 9급

① 팀제조직　　② 위원회조직

③ 매트릭스조직　　④ 네트워크조직

10 **다음 내용에 해당하는 조직유형에 대한 설명으로 옳지 않은 것은?** 2024년 국가직 9급

> A회사는 장기적인 제품개발 프로젝트 수행을 위해 각 부서에서 총 10명을 차출하여 팀을 운영하려고 한다. 이 팀에 소속된 팀원들은 원부서에서 주어진 고유 기능을 수행하면서 제품개발을 위한 별도 직무가 부여된다. 따라서 프로젝트 수행 기간 중 팀원들은 프로젝트 팀장과 원소속 부서장의 지휘를 동시에 받게 된다.

① 기능구조와 사업구조를 결합한 혼합형 구조이다.

② 동태적 환경 및 부서 간 상호 의존성이 높은 상황에서 효과적이다.

③ 조직 내부의 갈등 가능성이 커질 우려가 있다.

④ 명령 계통의 다원화로 유연한 인적자원 활용이 어렵다.

11 **결정과 기획 같은 핵심기능만 수행하는 조직을 중심에 놓고 다수의 독립된 조직들을 협력 관계로 묶어 일을 수행하는 조직 형태는?** 2021년 국가직 9급

① 태스크포스　　② 프로젝트팀

③ 네트워크조직　　④ 매트릭스조직

12 팀제조직에 대한 설명으로 옳은 것만을 모두 고르면? 2024년 지방직 9급

> ㄱ. 결정과 기획의 핵심 기능만 남기고 사업집행 기능은 전문업체에 위탁한다.
> ㄴ. 역동적 환경변화에 유연하게 적응하고 신속한 문제해결이 가능하다.
> ㄷ. 기술구조 부문이 중심이 되고 작업 과정의 표준화가 주요 조정수단이다.
> ㄹ. 관료제의 병리를 타파하고 업무수행에 새로운 의식과 행태의 변화 필요성으로 등장하였다.

① ㄱ, ㄴ
② ㄱ, ㄷ
③ ㄴ, ㄹ
④ ㄷ, ㄹ

13 조직구조의 유형에 대한 설명으로 옳지 않은 것은? 2023년 국가직 9급

① 사업(부)구조는 조직의 산출물에 기반을 둔 구조화 방식으로 사업(부) 간 기능 조정이 용이하다.
② 매트릭스구조는 수직적 기능구조에 수평적 사업구조를 결합시켜 조직운영상의 신축성을 확보한다.
③ 네트워크구조는 복수의 조직이 각자의 경계를 넘어 연결고리를 통해 결합 관계를 이루어 환경 변화에 대처한다.
④ 수평(팀제)구조는 핵심업무과정 중심의 구조화 방식으로 부서 사이의 경계를 제거하여 의사소통을 원활하게 한다.

정답 및 해설

08 관료제의 병리현상
베버(Weber)의 관료제는 공사의 구별과 법규·절차의 준수를 강조함으로써 관료제 내 구성원들에게 감정 및 편견없이 공평무사한 행정을 추구하도록 하는 비정의성(impersonalism)을 강조한다.

09 매트릭스조직
기능구조의 전문성과 사업구조의 신속한 대응성을 화학적으로 통합한 것은 매트릭스조직이다. 매트릭스조직은 기존의 기능부서 상태를 유지하면서 특정한 프로젝트를 위해 서로 다른 부서의 인력이 함께 일하는 현대적인 조직설계방식이다.

10 탈관료제 조직구조(매트릭스구조)
매트릭스구조는 기능구조와 사업구조의 화학적 결합(혼합형 구조)으로 명령이나 지시계통의 이원화로 인한 갈등이나 대립의 문제가 있지만, 탄력적인 인적자원의 활용이 가능하다.

11 네트워크조직
네트워크조직에 대한 설명이다. 네트워크조직(network structure)은 조직의 기능을 핵심역량 위주로 합리화하고, 여타의 기능을 외부기관들과의 계약관계를 통해 수행한다.

12 팀제조직
팀제조직은 ㄹ. 관료제의 병리를 타파하고 업무수행에 새로운 의식과 행태의 변화 필요성으로 등장한 탈관료제 조직으로, ㄴ. 역동적 환경변화에 유연하게 적응하고 신속한 문제해결이 가능하다.

| 선지분석 |
ㄱ. 네트워크조직에 대한 설명이다.
ㄷ. 민츠버그(Mintzberg)의 기계적 관료제에 대한 설명이다.

13 조직구조의 유형
사업(부)구조는 조직의 산출물에 기반을 둔 구조화 방식으로 사업(부) 내 기능 간 조정은 용이하지만 사업(부) 간 기능 조정은 산출물이 다르기 때문에 곤란하다.

정답 08 ④ 09 ③ 10 ④ 11 ③ 12 ③ 13 ①

14 **정부의 위원회조직에 대한 설명으로 옳지 않은 것은?** 2019년 국가직 9급

① 결정에 대한 책임의 공유와 분산이 특징이다.

② 복수인으로 구성된 합의형 조직의 한 형태다.

③ 국민권익위원회는 의사결정의 권한이 없는 자문위원회에 해당된다.

④ 소청심사위원회는 행정관청적 성격을 지닌 행정위원회에 해당된다.

15 **행정기관에 대하여 관계법령에 규정된 내용으로 옳은 것은?** 2018년 국가직 9급

① 부속기관이란 행정권의 직접적인 행사를 임무로 하는 기관에 부속하여 그 기관을 지원하는 행정기관을 말한다.

② 보조기관이란 행정기관이 그 기능을 원활하게 수행할 수 있도록 그 기관장을 보좌함으로써 행정기관의 목적달성에 공헌하는 기관을 말한다.

③ 하부기관이란 중앙행정기관에 소속된 기관으로서, 특별지방행정기관과 부속기관을 말한다.

④ 방송통신위원회, 공정거래위원회, 소청심사위원회 등은 행정기관의 소관 사무에 관하여 자문에 응하거나 조정, 협의, 심의 또는 의결 등을 하기 위해 복수의 구성원으로 이루어진 합의제 기관으로서 행정기관이 아니다.

16 **「정부조직법」에서 규정하고 있는 관장 사무에 관한 설명으로 가장 옳지 않은 것은?** 2020년 서울시 9급

① 교육부장관은 인적자원개발정책 등에 관한 사무를 관장한다.

② 산업통상자원부장관은 창업 · 벤처기업의 지원 등에 관한 사무를 관장한다.

③ 법무부장관은 출입국관리 등에 관한 사무를 관장한다.

④ 과학기술정보통신부장관은 우편 · 우편환 및 우편대체 등에 관한 사무를 관장한다.

17 「책임운영기관의 설치 · 운영에 관한 법률」상 책임운영기관에 대한 설명으로 옳지 않은 것은? 2019년 국가직 9급

① 책임운영기관은 기관장에게 재정상의 자율성을 부여하고 그 운영성과에 대해 책임을 지도록 하는 행정기관의 특성을 갖는다.

② 소속책임운영기관에 두는 공무원의 총정원 한도는 총리령으로 정하며, 이 경우 고위공무원단에 속하는 공무원의 정원은 부령으로 정한다.

③ 소속책임운영기관 소속 공무원의 임용시험은 기관장이 실시함을 원칙으로 한다.

④ 기관장의 근무기간은 5년의 범위에서 소속중앙행정기관의 장이 정하되, 최소한 2년 이상으로 하여야 한다.

정답 및 해설

14 정부의 위원회

국민권익위원회는 자문위원회가 아니라 고충처리, 부패방지, 행정심판 등의 기능을 담당하며 행정관청의 지위를 갖는 국무총리 소속의 행정위원회이다.

위원회의 유형

자문위원회	민주평통자문회의, 경제사회노동위원회, 지방시대위원회
조정위원회	국무회의, 경제관계장관회의, 중앙환경분쟁조정위원회
행정위원회	방송통신위원회, 금융위원회, 국민권익위원회, 원자력안전위원회, 소청심사위원회, 공정거래위원회
독립규제위원회	중앙선거관리위원회, 중앙노동위원회, 공정거래위원회, 금융통화위원회

15 행정기관의 정의

부속기관은 특정한 행정기관에 부설된 기관을 말한다. 부속기관으로는 시험연구기관, 교육훈련기관, 문화기관, 의료기관, 제조기관(製造機關), 자문기관 등이 있다.

| 선지분석 |

② 보좌기관에 대한 설명이다.

③ 소속기관에 대한 설명이다.

④ 방송통신위원회, 공정거래위원회, 소청심사위원회 등은 합의제 기관으로 행정기관이다.

행정기관의 조직과 정원에 관한 통칙(대통령령)

(1) **중앙행정기관**: 국가의 행정사무를 담당하기 위하여 설치된 행정기관으로서 그 관할권의 범위가 전국에 미치는 행정기관을 말한다. 다만, 그 관할권의 범위가 전국에 미치더라도 다른 행정기관에 부속하여 이를 지원하는 행정기관은 제외한다.

(2) **특별지방행정기관(일선기관)**: 특정한 중앙행정기관에 소속되어, 당해 관할구역 내에서 시행되는 소속 중앙행정기관의 권한에 속하는 행정사무를 관장하는 국가의 지방행정기관을 말한다.

(3) **부속기관**: 행정권의 직접적인 행사를 임무로 하는 기관에 부속하여 그 기관을 지원하는 행정기관을 말한다.

(4) **자문기관**: 부속기관 중 행정기관의 자문에 응하여 행정기관에 전문적인 의견을 제공하거나, 자문을 구하는 사항에 관하여 심의 · 조정 · 협의하는 등 행정기관의 의사결정에 도움을 주는 행정기관을 말한다.

(5) **소속기관**: 중앙행정기관에 소속된 기관으로서, 특별지방행정기관과 부속기관을 말한다.

(6) **보조기관**: 행정기관의 의사 또는 판단의 결정이나 표시를 보조함으로써 행정기관의 목적달성에 공헌하는 기관을 말한다.

(7) **보좌기관**: 행정기관이 그 기능을 원활하게 수행할 수 있도록 그 기관장이나 보조기관을 보좌함으로써 행정기관의 목적달성에 공헌하는 기관을 말한다.

(8) **하부조직(기관)**: 행정기관의 보조기관과 보좌기관을 말한다.

16 중앙행정기관별 주요 업무

창업 · 벤처기업의 지원 등에 관한 사무의 소관부처는 중소벤처기업부다. 산업통산자원부 소관은 중견기업 업무다.

| 선지분석 |

③ 출입국관리 업무는 법무부의 출입국외국인정책본부 소관이다.

④ 우편 · 우편환 및 우편대체 사무는 과학기술정보통신부의 우정사업본부 소관이다.

17 책임운영기관 공무원의 정원

소속책임운영기관에 두는 공무원의 총정원 한도는 총리령이 아니라 대통령령으로 정하며, 이 경우 고위공무원단에 속하는 공무원의 정원은 총리령 또는 부령으로 정한다.

| 선지분석 |

④ 해당 지문은 논란이 있으나, 「책임운영기관 설치 · 운영에 관한 법률」 제7조 제3항에 따라 맞는 지문으로 보아야 한다.

「책임운영기관 설치 · 운영에 관한 법률」상 책임운영기관 공무원의 정원

제7조 【기관장의 임용】 ① 소속중앙행정기관의 장은 공개모집 절차에 따라 행정이나 경영에 관한 지식 · 능력 또는 관련 분야의 경험이 풍부한 사람 중에서 기관장을 선발하여 「국가공무원법」 제26조의5에 따른 임기제공무원으로 임용한다. 이 경우 대통령령으로 정하는 바에 따라 기관장으로 임용하려는 사람의 능력과 자질을 평가하여 임용 여부에 활용하여야 한다.

② 기관장의 임용요건은 소속중앙행정기관의 장이 정하여 인사혁신처장에게 통보하여야 한다.

③ 기관장의 근무기간은 5년의 범위에서 소속중앙행정기관의 장이 정하되, 최소한 2년 이상으로 하여야 한다. 이 경우 제12조 및 제51조에 따른 소속책임운영기관의 사업성과의 평가 결과(이하 "책임운영기관 평가 결과"라 한다)가 우수하다고 인정되는 때에는 총 근무기간이 5년을 넘지 아니하는 범위에서 대통령령으로 정하는 바에 따라 근무기간을 연장할 수 있다.

정답 14 ③ 15 ① 16 ② 17 ②

18 **공공서비스의 공급주체 중 정부부처 형태의 공기업에 해당하는 것은?** 2019년 국가직 9급

① 한국철도공사 ② 한국소비자원

③ 국립중앙극장 ④ 한국연구재단

19 **공기업에 대한 설명으로 옳지 않은 것은?** 2021년 국가직 9급

① 공공수요가 있으나 민간부문의 자본이 부족한 경우 공기업 설립이 정당화된다.

② 시장에서 독점성이 나타나는 경우 공기업 설립이 정당화된다.

③ 전통적인 자본주의적 사기업 질서에 반하여 사회주의적 간섭을 하는 것으로 볼 수 있다.

④ 주식회사형 공기업은 특별법 혹은 「상법」에 의해 설립되지만 일반행정기관에 적용되는 조직 · 인사 원칙이 적용된다.

20 **「공공기관의 운영에 관한 법률」에 따른 공공기관의 유형에 속하지 않는 것은?** 2017년 사회복지직 9급

① 기금관리형 준정부기관

② 준시장형 공기업

③ 위탁집행형 공기업

④ 기타 공공기관

21 **공공서비스 공급주체의 유형과 예시를 바르게 연결한 것은?** 2017년 국가직 9급(4월 시행)

① 준시장형 공기업 – 한국방송공사

② 시장형 공기업 – 한국마사회

③ 기금관리형 준정부기관 – 한국연구재단

④ 위탁집행형 준정부기관 – 한국소비자원

22 **공기업 민영화에 대한 설명으로 옳지 않은 것은?** 2017년 지방직 9급(6월 시행)

① 공공기관 경영평가에서 3년 연속 최하등급을 받은 공기업은 「공공기관의 운영에 관한 법률」상 민영화하여야 한다.

② 공공영역을 일정 부분 축소하는 것으로 볼 수 있다.

③ 공기업은 민영화하면 국민에 대한 보편적 서비스의 제공이 약화될 수 있다.

④ 공기업 매각 방식의 민영화를 통해 공공재정의 확충이 가능하다.

정답 및 해설

18 정부부처 형태의 공기업

국립중앙극장은 책임운영기관으로 정부부처에 해당하며 나머지는 정부부처가 아닌 공공기관에 해당한다. 「책임운영기관 설치·운영에 관한 법률」 제30조에는 책임운영기관 특별회계기관의 사업은 「정부기업예산법」 제2조에도 불구하고 정부기업으로 본다는 규정이 있어 국립중앙극장의 경우 1999년 최초 지정 당시에는 특별회계기관으로서 정부기업으로 간주되었으나, 2008년 이후 일반회계 적용기관으로 전환되었으므로 현재는 정부기업으로 보기에는 문제가 있다. 하지만 강학상 분류에 따라 공무원으로 구성된 조직으로 정부기업을 넓게 확대하면 국립중앙극장의 직원은 공무원이므로, 국립중앙극장을 정부기업으로 간주할 수 있게 된다.

| 선지분석 |

① 한국철도공사는 공공기관 중 준시장형 공기업에 해당한다.

② 한국소비자원은 공공기관 중 위탁집행형 준정부기관에 해당한다.

④ 한국연구재단은 공공기관 중 위탁집행형 준정부기관에 해당한다.

19 공기업

주식회사형 공기업은 공기업의 한 유형으로서 공공기관에 해당한다. 공공기관인 공기업은 일반행정기관이 아니며 일반행정기관에 적용되는 조직원칙과 인사원칙(「정부조직법」, 「국가공무원법」 등)이 적용되지 않는다.

20 우리나라 공공기관의 유형

「공공기관의 운영에 관한 법률」에 따른 공공기관의 유형에는 위탁집행형 공기업이 아니라 위탁집행형 준정부기관이 속한다. 「공공기관의 운영에 관한 법률」에 의하면 공공기관은 공기업(시장형 공기업, 준시장형 공기업), 준정부기관(기금관리형 준정부기관, 위탁집행형 준정부기관), 기타 공공기관으로 구분되어 있다(「공공기관의 운영에 관한 법률」 제5조).

21 우리나라 공공기관의 유형

한국소비자원은 위탁집행형 준정부기관에 해당한다.

| 선지분석 |

① 한국방송공사(KBS)는 언론의 중립성을 보장하기 위하여 EBS와 같이 「공공기관의 운영에 관한 법률」상 공공기관으로 지정할 수 없다(「공공기관의 운영에 관한 법률」 제4조 제2항).

② 한국마사회는 시장형 공기업이 아니라 준시장형 공기업에 해당한다.

③ 한국연구재단은 기금관리형 준정부기관이 아니라 위탁집행형 준정부기관에 해당한다.

22 공기업 민영화

공공기관이 경영평가에서 3년 연속 최하등급을 받았다 하여 바로 민영화 대상이 되는 것은 아니다. 기획재정부장관은 공공기관의 경영실적평가 결과 경영실적이 부진한 공기업·준정부기관에 대하여 운영위원회의 심의·의결을 거쳐 기관장·상임이사의 임명권자에게 그 해임을 건의하거나 요구할 수 있다(「공공기관의 운영에 관한 법률」 제48조 제8항).

| 선지분석 |

② 공기업의 민영화는 공공부문을 축소하고 민간영역을 확대하는 것으로 볼 수 있다.

③ 공기업을 민영화하면 일반적으로 서비스 요금인상 등 국민에 대한 보편적 서비스의 제공이 어렵게 된다.

④ 공기업의 매각대금 수입으로 공공재정의 확충이 가능하다.

정답 18 ③ 19 ④ 20 ③ 21 ④ 22 ①

CHAPTER

3 조직행태론

1 인간관의 변화

1 기존의 조직이론 발달에 따른 인간관의 변화

1. 합리적 · 경제적 인간관[1] – 성악설

(1) 의의

① 인간을 자신의 쾌락이나 이익을 극대화하기 위하여 또는 고통이나 손실을 극소화시키기 위하여 행동하는 존재로 본다.

② 인간을 수동적이고 게으르며 외재적 유인에 의해서만 동기가 부여되는 존재로 파악하고, 가장 중요한 것은 경제적 보상으로 본다.

③ 인간의 감정은 불합리하기 때문에 조직은 인간의 감정을 통제할 수 있도록 설계되어야 한다.

④ 조직과 그 구성원과의 관계형성의 기초나 권력관계도 차이가 있다.

(2) 샤인(Schein)의 합리적 · 경제적 인간관

① **합리적 · 경제적 인간**: 인간을 이성적이고 합리적인 존재로 파악한다. 이는 X이론적 시각에서 인간을 바라보는 것으로 인간의 피동성, 동기부여의 외재성, 조직 내 인간의 부품화 등과 관련된다.

② **관리전략(경제적 보상)**: 교환모형의 입장에서 인간을 관리하여야 한다. 이러한 인간유형에는 경제적 이해관계를 바탕으로 하는 거래적 동기가 가장 중요하기 때문에 그에 따른 관리전략을 펼치는 것이 중요하다.

2. 사회적 인간관 – 성선설

(1) 의의

① 인간을 주로 애정, 우정, 집단에의 귀속, 다른 사람으로부터의 존경 등을 원하는 욕구를 지닌 존재로서 본다.

② 인간은 기본적으로 사회적 욕구에 의해 동기가 부여되고, 그의 정체감은 타인과의 관계, 즉 상사나 부하와의 관계를 통하여 획득된다.

③ 인간의 집단적 · 사회적 욕구의 발견은 호손실험에서 시작되었다.

(2) 샤인(Schein)의 사회적 인간관

① **사회적 인간**: 인간을 사회적 존재로 파악한다. 이는 Y이론적 시각에서 인간을 바라보는 것으로 인간의 비합리성 및 감정적 측면을 중시한다. 이들은 사회적 욕구에 따라서 동기가 부여되는 존재이다.

② **관리전략(민주적 관리)**: 이러한 인간관에 입각할 경우, 민주적 리더십과 하위구성원들이 참여할 수 있는 기회가 필요하다.

[1] 합리적 인간
맥그리거(McGregor)의 X이론적 인간, 파블로프(Pavlov)의 실험용 개, 베어드(Baird)의 네안데르탈인적 가정 등이 그 예이다.

3. 자아실현적 인간관[1]

(1) 의의

① 인간을 부단히 자기를 확장하고 창조하며 실현해 가는 주체로 본다. 매슬로우(Maslow)는 "인간은 자신의 잠재가능성을 구현하려는 경향이 있다."라고 하였다.

② 직무를 통한 성숙, 자아실현, 자아성취에 보다 큰 의미를 부여한다.

(2) 샤인(Schein)의 자아실현적 인간관

① **자아실현적 인간:** 인간을 자기의 자질과 능력을 최대한 발휘하려는 존재로 파악한다. 동기부여가 자발적으로 이루어지고 개인의 목표와 조직목표의 통합을 중요하게 생각한다.

② **관리전략(참여적 관리):** 개인과 조직목표와의 통합을 중시하는 통합모형에 입각하여 조직을 관리하여야 한다. 또한 인간중심적인 관리, 신뢰와 협동, 자발적 참여, 삶의 질 보장 등이 중요하다.

2 현대의 복잡한 인간관(Schein)

1. 의의

(1) 샤인(Schein)의 복잡한(complex) 인간관(복잡인관)

샤인(Schein)은 조직이론의 발달에 따라 인간을 경제적 인간관, 사회적 인간관, 자아실현적 인간관으로 분류하여 설명한 후, 인간 욕구의 복잡성과 변화에 기인한 복잡한 인간관을 현대인으로 제시하였다.

(2) 특징

① 인간은 복잡하고 변하기 쉬운 욕구를 가졌고, 구성원의 역할에 따라 욕구가 달라진다.

② 인간의 욕구가 계층별로 배열되어 있지만 때와 장소 등 상황에 따라서 달라질 수도 있고, 조직생활의 경험을 통해 새로운 욕구를 학습하기도 한다.

③ 인간이 동일한 일을 하는 경우에도 상이한 동기가 작용될 수 있다.

④ 인간의 능력, 일의 성격 등에 따라 서로 다른 관리전략에 반응을 보인다.

2. 관리전략

(1) 상황적응적인 관리전략

부하들의 욕구와 동기가 서로 다르기 때문에 그들의 욕구체계, 능력, 담당업무에 따라 상황에 맞는 융통성 있는 관리전략이 최선의 관리전략이라고 본다.

㉠ 경제적 보상을 원하는 경우에는 급료인상이나 인센티브를 지급하고, 정신적 보상을 원하는 경우에는 격려나 지지를 해주는 것

(2) 조직구성원의 변전성(變轉性)과 개인차(individual differences)를 파악하여 변화에 대해 인정해 주고 존중하여야 한다.

(3) 조직관리자의 진단가 및 상담가의 역할을 강화시켜야 한다.

---

[1] 자아실현적 인간
자아실현적 인간관은 매슬로우(Maslow)의 자기실현인, 맥그리거(McGregor)의 Y이론, 아지리스(Argyris)의 성숙인, 베니스(Bennis)의 임시체제가 상정하고 있는 인간관에 상응한다.

핵심 OX

01 합리적 인간관에 따르면 보상의 지급이 중요한 문제이다. (O, X)

02 자아실현적 인간관은 호손실험을 바탕으로 해서 비공식적 집단의 중요성을 강조하였다. (O, X)

03 샤인(Schein)의 복잡인관에 따르면 민주적 리더십이 가장 바람직하다. (O, X)

01 O
02 X 자아실현적 인간관이 아닌 사회적 인간관에 대한 설명이다.
03 X 샤인(Schein)의 복잡인관에 따르면 상황에 따른 융통성 있는 관리전략이 필요하다.

개념PLUS 인간관의 변천(Schein)

합리적·경제적 인간관	· 고전적 이론의 관점 · 인간을 합리적·경제적 존재로 파악(성악설적 인간, X이론)
사회적 인간관	· 신고전적 이론의 관점 · 인간을 사회적 존재로 파악(성선설적 인간, Y이론)
자아실현적 인간관	· 인간을 자신의 잠재력을 구현하려는 경향을 가진 존재로 파악 · 직무를 통한 성숙 강조 · 아지리스(Argyris)의 성숙인, 매슬로우(Maslow)의 자아실현인과 관련
복잡한 인간관	· 구성원의 욕구와 상황에 따라 융통성 있게 적용하는 상황적응적 관리전략 중시 · 현대인은 복잡한 인간으로, 구성원의 변전성(變轉性)과 개인차(individual differences)를 고려하여 변화에 대해 인정·존중해야 함을 강조

2 동기부여이론

1 동기

1. 의의

직무수행동기란 직무에 관한 행동을 유발하고 그 형태, 방향, 강도, 지속시간 등을 결정하는 정신적인 의지나 힘이다.

2. 특징

(1) 구성원의 직무수행은 목표에 지향된 동기로서 생산성에 영향을 미치는 요인이다.

(2) 동기의 심리적 기초와 형성에는 욕구가 중요하지만 욕구 외에 신념, 가치, 목표 등의 여러 요인도 영향을 미친다.

(3) 동기는 내재적으로 형성되기도 하고, 외재적으로 형성되기도 한다.

(4) 동기의 양태와 수준은 다양하며, 가변적인 현상이다.

(5) 동기는 가시적인 것이 아닌 정신적 상태에 관한 관념적 구성이다. 직접 관찰하거나 측정할 수 없고, 그것에 수반되는 행태적 증상을 관찰하여 추론할 수밖에 없다.

3. 종류

(1) 내용이론

① 동기를 유발하는 요인이 무엇인가(what)를 설명하는 이론이다. 동기유발의 핵심은 대개 인간의 욕구로 보는데, 이러한 욕구는 인간이 어떤 시점에 경험하는 결핍에서 비롯된 필요 또는 갈망이다.

② 매슬로우(Maslow)의 욕구단계이론, 맥그리거(MaGregor)의 X · Y이론, 허즈버그(Herzberg)의 욕구충족이원론 등이 있다.

(2) 과정이론

① 동기가 어떤 과정(how)을 통하여 유발되는가를 설명하는 이론이다. 즉, 동기가 행동을 야기하고 그 목표를 설정하며 지속 · 중단되는 과정을 다룬다.

② 브룸(Vroom)의 기대이론, 아담스(Adams)의 형평성이론, 스키너(Skinner)의 강화이론 등이 있다.

2 내용이론

1. 의의[1]

(1) 무엇(what)이 사람의 동기를 유발하는 요인인지에 초점을 두는 이론이다.

(2) 인간의 어떤 욕구가 동기를 부여할 수 있는가와 관련하여 욕구의 유형 · 성격 · 강도 등을 규명하려는 욕구이론이다.

[1] 내용이론의 유형
내용이론에는 개인의 희생으로 조직목표를 달성하고자 하는 교환모형(X이론계열), 조직과 개인의 목표의 조화를 추구하는 통합모형(Y이론 계열), 욕구의 변이성에 초점을 두는 복잡인모형(Z이론 계열)이 있다.

2. 매슬로우(Maslow)의 욕구단계이론(만족 - 진행 접근법, 1943)

(1) 욕구의 5단계

① **생리적 욕구:** 생존을 위해 반드시 충족시켜야 할 욕구(목마름, 배고픔, 수면)이다.
㈎ 보수, 기본급, 근무환경 등

② **안전욕구:** 위험과 사고로부터 자신을 방어 · 보호하고자 하는 욕구(생명)이다.
㈎ 후생복지(연금제도), 신분보장(정년제도) 등

③ **사회적 욕구(애정욕구):** 다수의 집단 속에서 동료들과 서로 주고받는 동료관계를 유지하고 싶은 욕구(사랑, 소속감)이다.
㈎ 결속력이 강한 근무집단 등

④ **존경욕구:** 남들로부터 존경과 칭찬을 받고 싶고, 자기 자신에 대한 가치와 위신을 스스로 확인하고 자부심을 가지고 싶은 욕구(자존심, 명예)이다.
㈎ 사회적 인정, 타인의 인정 등

⑤ **자아실현욕구:** 자신의 능력을 최대한 발휘하고 이를 통해 성취감을 맛보고자 하는 자기완성욕구(성취감)이다.
㈎ 도전적 · 창의적 직무, 목표달성 등

(2) 특징

① **욕구의 순차적 발로:** 다섯 가지 기본적 욕구는 우선순위의 계층을 이룬다. 하위욕구가 충족되면 다음 단계로 진행한다.

② **욕구의 상대적 충족:** 한 단계의 욕구가 완전히 달성되어야 다음 단계로 진행되는 것은 아니며, 어느 정도 충족되면 그 강도는 약화되고 다음 단계의 욕구가 발생한다.

③ **미완성의 욕구 충족:** 어떤 욕구가 충족되면 그 욕구의 강도는 약해진다. 일단 충족된 욕구는 동기유발요인으로서의 의미를 상실하기 때문이다. 그러나 모든 욕구의 완전한 충족은 있을 수 없기 때문에 인간은 항상 무엇인가를 원하게 된다.

핵심 OX

01 매슬로우(Maslow)의 욕구의 5단계에서 최상의 욕구는 자아실현단계로서 교육훈련이나, 근무성적평정 등을 관리전략으로 한다. (O, X)

02 성과상여금을 받은 공무원들이 성과상여금을 전 공무원들이 함께 나누어 분배하는 것은 사회적 욕구와 관련된다. (O, X)

01 X 교육훈련이나 근무성적평정은 존경의 욕구의 관리전략이고, 자기실현욕구의 관리전략에는 승진, 배치전환, 직무설계 등이 있다.
02 O

(3) 한계

① 모든 인간에게 욕구의 계층이 항상 고정되어 있는 것이 아니라 바뀔 수도 있다.

② 현실적으로 인간의 욕구는 만족 · 진행뿐만 아니라 좌절 · 퇴행하는 경우도 있다.

③ 실제로는 두 가지 이상의 복합적 욕구가 동시에 나타날 수도 있다.

④ 어느 하나의 욕구가 충족된다고 하더라도 그 욕구가 동기유발요인으로서의 의미를 완전히 상실하는 것이 아니라 강도가 약화되어 하나의 욕구로서 여전히 존재할 수 있다.

3. 앨더퍼(Alderfer)의 ERG이론(좌절 – 퇴행 접근법, 1969)

(1) 의의

앨더퍼(Alderfer)의 ERG이론은 인간의 욕구를 계층화하고 계층에 따라 욕구의 발로가 이루어진다고 규정한 점에서 매슬로우(Maslow)와 공통점을 지니나, 좌절 · 퇴행하는 경우를 제시하여 매슬로우(Maslow)의 이론의 문제점을 보완하였다.

▲ 매슬로우(Maslow)의 욕구 5계층과 앨더퍼(Alderfer)의 ERG 욕구계층의 비교

(2) 특징

① 생존욕구(E), 관계욕구(R), 성장욕구(G)의 세 가지로 분류하였다.

② 두 가지 이상의 욕구가 동시에 작용하여 복합적으로 하나의 행동을 유발한다고 주장하여 개인행동을 좀 더 현실적으로 설명하였다.

③ 욕구만족 시 욕구발로의 전진적이고 상향적인 진행뿐만 아니라 욕구좌절로 인한 욕구발로의 후진적이고 하향적인 퇴행을 제시하고 있다.

(3) 한계

개인차를 고려하지 못하였다.

4. 맥그리거(McGregor)의 X · Y이론[1](1957)

(1) X이론(일을 싫어함, 소극적 · 수동적, 하위욕구 중시)

① **가정:** 인간은 본래 일하기 싫어하며, 가능하면 일을 회피하려고 한다고 본다. 또한 소극적 · 수동적 인간상을 가정하고 창의적이지 못하다고 본다.

② **관리전략:** 관리자는 강제나 통제, 명령이나 처벌 및 금전에 의한 유인방법(거래적 리더십)을 강구하여야 한다(교환모형).

[1] X · Y이론의 가정과 관리전략

구분	X이론	Y이론
가정	성악설적 인간관	성선설적 인간관
관리 전략	당근과 채찍	인간적 관리전략

(2) Y이론(일을 싫어하지 않음, 적극적 · 능동적, 상위욕구 중시)

① **가정:** 인간은 스스로 책임을 질 뿐만 아니라 책임을 추구하기도 한다고 본다. 따라서 적극적 · 능동적인 인간상을 가정하며, 인간이 조직의 목표에 헌신적으로 관여하여 얻고자 하는 보상은 사회적 존경과 자아실현이라고 본다.

② **관리전략:** 외재적 보상과 처벌보다는 직무몰입, 직무만족도 제고, 학습기회 부여, 창의성 부여, 가치 창조 활동에 참여, 참여와 분권의 강조, 자기 통제와 민주적 리더십 등이 강조된다.

고득점 공략 Z이론(제3이론)의 유형

Z이론은 X이론과 Y이론이 이분법에 입각해서 인간을 유형화하고 있는 것에 반발하여 등장한 이론들을 의미한다.

1. 룬드스테드(Lundstedt)의 자유방임형

X이론이 독재형 또는 권위형, Y이론이 민주형에 해당하는 데 비해, Z이론은 자유방임형 내지 비조직형에 해당한다고 보았다.

2. 롤레스(Lawless)의 상황적응형(상황적합형 인간)

X이론이나 Y이론이 절대적인 적합성을 지닌 것은 아니며, 업무환경과 조직의 특성에 따라 그 적합성이 달라지고, 관리방식은 조직이 놓여 있는 구체적인 상황에 따라 변동되어야 한다고 보았다.

3. 라모스(Ramos)의 괄호인

① **의의:** 라모스(Ramos)는 X이론의 인간을 작전인, Y이론의 인간을 반응인이라고 보고, 이에 속하지 않는 제3의 인간형을 괄호인이라 규정하였다. 괄호인은 조직변수를 괄호 안에 넣고 밖에서 객관적으로 바라볼 수 있는 능력을 가진 사람이다. 즉, 자기의 내부 및 환경을 떠나서 자아를 객관적으로 검토할 수 있는 능력을 지닌 자를 말한다.

② **특징:** 비판적 성향, 강한 자아의식, 환경에 대한 유연한 적응, 자기 존중과 자율성을 기초로 한 인간으로서 피동적 행동을 거부하여 무관심형이 될 수 없다.

4. 베니스(Bennis)의 Z이론

미래의 환경변화에 적합한 후기 관료제모형으로서, 적응적 · 유기적 조직에 필요한 탐구형 인간을 의미하는 것이 Z이론이다.

5. 오우치(Ouchi)의 Z이론

① 의의

- 오우치(Ouchi)는 일본계 미국인으로 1970년대 후반에 들어 미국 경제의 후퇴와 일본 경제의 경이적인 성장이라는 상호대조적인 현상에 관심을 가졌다. 미국사회에 실재하는 조직들 가운데 일본식과 유사한 관리방법을 채택하고 있는 조직들을 관찰하고 미국의 조직들과 비교해 보았다.
- 미국에서의 미국식 경영방식을 A이론, 일본의 경영방식을 J이론이라고 하고, 미국 내에서 일본식 경영기법을 Z이론이라고 하였다.

② 특징

- **장기적 고용:** 단기적인 계약제가 아니라 장기적 고용을 중시한다.
- **비공식적 · 암묵적 통제:** 자율적인 규범에 의한 통제가 이루어진다.
- **엄격한 평가와 느린 승진:** 승진의 속도가 느리며 엄격한 평가를 거친다.
- **개인적 책임:** 결정의 과정은 집단적이나 책임은 개인에게 묻는다.
- **비교적 낮은 전문화 수준:** 전문행정가가 아닌 일반행정가에 가깝다.

핵심 OX

01 매슬로우(Maslow)에 따르면 인간의 욕구는 만족 · 진행뿐만 아니라 좌절 · 퇴행하는 경우도 있고 두 가지 이상의 욕구가 동시에 나타날 수도 있다고 보았다. (O, X)

02 오우치(Ouchi)의 Z이론은 계약직의 보편화, 개인적 책임, 비공식적 통제와 관련된다. (O, X)

01 X 매슬로우(Maslow)는 만족진행에 의해서 욕구의 5단계를 설명하며, 두 가지 이상의 욕구가 동시에 나타날 수 없다고 보았다.

02 X 오우치(Ouchi)의 Z이론은 계약직의 보편화가 아니라 장기고용제와 관련된다.

개념PLUS 오우치(Ouchi)의 J · Z · A이론의 비교

구분	J이론 (일본식)	Z이론 (A에서의 J식 경영)	A이론 (미국식)
책임	집단적 책임	개인적 책임	개인적 책임
고용	종신고용	장기고용	단기고용
경력관리	비전문적 경력관리	다기능적 경력관리	전문적 경력관리
평가	엄격한 평가와 느린 승진	엄격한 평가와 느린 승진	신속한 평가와 빠른 승진
통제	비공식적 · 암묵적 통제	비공식적 · 암묵적 통제	공식적 · 가시적 통제
의사결정	집단적 의사결정	집단적 의사결정	개인적 의사결정
인간에 대한 관심	총체적 관심	총체적 관심	개인의 조직 내 역할에 관심

5. 아지리스(Argyris)의 미성숙 - 성숙이론(1957)

(1) 의의

① 아지리스(Argyris)는 한 개인이 미성숙인에서 성숙인으로 발전하기까지는 일곱 가지 국면의 성격변화를 거쳐야 한다고 주장하면서, 고전이론에서 강조하는 공식적 조직은 인간의 미성숙상태를 고정시키거나 조장한다고 지적하였다.

② 이를 대치할 관리전략으로 조직원이 조직의 성공을 위한 성장지향적 욕구를 충족할 수 있도록 분위기를 조성할 것을 주장하였다.

(2) 미성숙인과 성숙인(일곱 가지 국면의 성격변화)

미성숙인	성숙인
수동적 인간	능동적 인간
의존적 상태	독립적인 상태
행동방법의 한정	다양한 행동능력
변덕스럽고 피상적인 관심	깊고 강한 관심
단기적인 안목	장기적인 안목
예속적인 지위	대등하거나 우월한 지위
자아의식의 결여	자아의식의 통제

(3) 내용

① 인간은 미성숙상태에서 성숙상태로 변하며, 성숙한 인간으로 관리하여야 한다고 본다. 이를 위해서 직무의 확대, 참여적 리더십 등을 강조하였다.

② 공식조직은 인간의 미성숙상태를 고정시키는 것으로, 관리계층은 모든 조직구성원들이 조직의 성공을 위해 일하도록 성장의 기회를 부여하여야 한다고 주장한다.

6. 허즈버그(Herzberg)의 욕구충족이원론(동기 · 위생이론, 1959)

(1) 의의

동기유발과 관련된 요인에는 불만요인과 만족요인이 있는데, 두 요인 간의 계층화를 강조하지 않았고 서로 독립된 별개라고 보았다.

① 위생(불만)요인

㉠ 작업자의 환경적(경제적 · 물리적) 여건과 관련된다.

㉡ 인간의 본능적 측면인 아담본성에 가까우며 직무확장과 관련이 있다.

② 동기(만족)요인

㉠ 직무(자체)와 관련된 심리적 욕구로서 성취감, 안정감, 인정감 등과 관련된다.

㉡ 이성을 강조하는 아브라함본성에 가까우며 직무충실과 관련이 있다.

핵심정리 허즈버그(Herzberg)의 욕구충족이원론

구분	위생요인(불만요인)	동기요인(만족요인)
성격	작업자와 관련된 환경적 요인 (물리적 · 경제적 · 대인적 요인)	직무와 관련된 심리적 요인(직무요인)
예	정책과 관리, 임금, 지위, 안전, 감독, 기술, 작업조건, 조직의 방침과 관행, 구성원 간의 관계(감독자와 부하, 동료 상호 간) 등	성취감(자기계발), 책임감, 안정감, 인정감, 승진, 직무 그 자체에 대한 보람, 직무충실, 성장 및 발전 등 심리적 요인

(2) 내용

① 위생요인과 동기요인의 관계

㉠ 위생요인은 불만족을 제거해 주는 것이고, 동기요인은 만족을 주는 것이다. 즉, 위생요인은 우선적으로 불만족을 제거해 주는 요인이고, 동기요인은 불만요인이 어느 정도 제거된 상태하에서 내재적 보상(㉥ 안정감, 책임, 승진 등)으로 직무 그 자체에 만족을 주는 요인이다.

㉡ **상호독립적:** 만족을 주는 요인과 불만족을 주는 요인이 상호독립되어 있다고 본다. 즉, 만족의 반대는 불만족이 아니라 만족이 없는 상태이고, 불만족의 반대는 불만이 없는 상태이다.

② 동기유발전략(결론)

㉠ 위생요인은 동기부여를 위한 필요한 조건이지 충분한 조건은 아니므로 생산성 증대와는 직접 관계가 없고, 다만 작업의 손실을 막아줄 뿐이다. 즉, 위생요인이 충족되더라도 동기를 유발하지 못한다.

㉡ **동기요인의 충족을 통한 동기유발:** 구성원의 만족을 통해 직무동기를 높이기 위해서는 동기요인에 중점을 둔 동기화 전략이 중요하다. 즉, 동기요인은 생산성을 직접 향상시켜 주는 충분조건이다.

(3) 한계

① 이론을 개발할 당시의 연구대상이 기사와 회계사 등 전문직에 종사하는 사람들이었기 때문에 다른 업종의 사람들에게 연구결과를 일반화하는 데에는 무리가 따른다.

핵심 OX

01 아지리스(Argyris)는 미성숙 - 성숙 이론에서 인간은 성숙인으로서의 욕구충족을 희망하지만 조직은 공식적으로 조직을 관리하려는 부조화가 존재한다고 하였다. (O, X)

02 허즈버그(Herzberg)의 2요인론에 따르면 위생요인과 동기요인은 상호독립적이므로 아무런 관련이 없다. (O, X)

03 허즈버그(Herzberg)의 동기부여이론에 따르면 보수와 승진은 동기요인이다. (O, X)

04 허즈버그(Herzberg)의 동기부여이론은 욕구의 계층화를 시도한 점에서 매슬로우(Maslow)의 욕구단계이론과 유사하다. (O, X)

01 O
02 O
03 X 보수는 작업자와 관련된 경제적 요인으로서 위생요인이다.
04 X 동기요인과 위생요인이 서로 독립적인 것을 강조하는 이론이지 두 요인 간의 계층화를 강조하지는 않았다.

② 개인차에 대한 고려가 없으며, 제시하는 여러 가지 위생요인이나 동기요인이 개인에게 미치는 영향은 개인의 연령이나 조직 내에서의 지위 등에 따라 다르다.

③ 직무요소와 동기 및 성과 간의 관계가 충분히 분석되어 있지 않고, 더욱이 개인의 만족도와 동기수준의 관계에 대해서도 제대로 설명하지 못한다.

④ 연구방법론상에서 중요사건기록법을 근거로 연구 자료가 수집되었기 때문에 편견이 내포되었을 가능성이 높고, 동기요인의 과대평가가 우려된다.

7. 맥클리랜드(McClelland)의 성취동기이론(1962)

(1) 의의

① 맥클리랜드(McClelland)는 모든 사람이 공통적으로 비슷한 욕구의 계층을 가지고 있다고 주장한 매슬로우(Maslow)의 이론을 비판하였다.

② 개인의 행동을 동기화시키는 잠재력을 지니고 있는 욕구는 학습되는 것이므로 개인마다 그 욕구의 계층에 차이가 있다고 주장하였다.

③ 개인의 동기는 개인이 사회문화와 상호작용하는 과정에서 취득되고 학습을 통해 동기가 개발될 수 있다는 전제를 기초로 하여 조직 내 성취욕구의 중요성에 중점을 두고 있다.

④ 개인의 욕구 중 사회·문화적으로 학습된 욕구들을 권력욕구, 친교욕구, 성취욕구로 분류하였으며 권력욕구에서 성취욕구로 갈수록 더욱 상위차원의 욕구라고 보았다.

⑤ 맥클리랜드(McClelland)는 특히 조직 내에서의 성취욕구를 집중적으로 연구하여 성공적인 기업가가 되게 하는 요인이 물질적인 것이 아닌 성취욕구라는 점을 입증하고자 하였다.

(2) 맥클리랜드(McClelland)의 세 가지 욕구

① **권력욕구**[1]: 타인의 행동에 영향력을 미치거나 타인의 행동을 통제하려는 욕구이다.

② **친교욕구**: 친교욕구가 강한 사람은 자기의 의사결정이나 강력한 성취욕구보다는 타인과의 따뜻하고 친근한 관계를 유지하려는 것에 많은 시간을 할애한다. 또한 판매직이나 교사와 같이 많은 사람과의 접촉이 있는 직업을 택하는 경우가 많다.

③ **성취욕구**[2]: 우수한 결과를 얻기 위하여 높은 기준을 설정하고 이를 달성하려는 욕구이다.

8. 머레이(Murray)의 명시적 욕구이론(1920)

(1) 의의

머레이(Murray)는 매슬로우(Maslow)와 달리 욕구의 계층성을 인정하지 않았고, 어떤 욕구든지 언제나 발로될 수 있으며 여러 욕구가 동시에 발로되기도 한다고 주장하였다.

(2) 내용

명시적 욕구는 태어날 때부터 주어지거나 정해져 있는 것이 아니라 성장하며 배우는 학습과정을 거치며 복수의 욕구가 동시에 인간행동에 동기를 부여한다고 하였다.

[1] 권력욕구가 강한 사람의 특징
1. 타인에게 영향력을 행사하거나 통제하려는 생각으로 시간을 보낸다.
2. 논쟁에서 이기려 하고 타인의 행동을 변화시키려 한다.
3. 권위와 지위를 얻기 위하여 자신의 영향력을 행사할 대상을 찾는 데 많은 시간을 보낸다.

[2] 성취욕구가 강한 사람의 특징
1. 기술과 문제해결능력에 도전감을 주는 과업에 관심을 둔다.
2. 어려우면서도 현실적인 목표, 즉 성공의 확률이 있는 목표를 추구하고 그들 생각에 전혀 불가능하거나 혹은 이미 성공이 보장된 목표설정은 피한다.
3. 위험요소가 중간 정도의 수준인 경우를 선호한다.
4. 미결상태로 내버려두는 것을 싫어하며 일을 서두른다.
5. 자신들의 성과평가에 대하여 자주 피드백을 받기 원한다.
6. 조직 내의 많은 문제점들을 단독적으로 해결하려는 경향이 강하다.

9. 리커트(Likert)의 관리체제론(1967)

(1) 의의

리커트(Likert)는 조직개혁을 위한 행태적 지표로 사용하기 위하여 맥그리거(McGregor)의 X · Y이론을 더욱 세분화하여 조직의 관리방법을 네 가지로 분류하였다.

(2) 내용

체제 I (수탈적 권위)	부하불신, 부하의 의사결정참여 배제
체제 II (온정적 권위)	인자한 주인의 하인에 대한 입장, 하향적 의사소통
체제 III (협의적 민주)	부하에게 상당한 신뢰, 활발한 의사소통
체제 IV (참여적 민주)	부하에게 전적 신뢰, 상향적 · 하향적 · 쌍방향적 의사소통

10. 핵크만과 올드햄(Hackman & Oldham)의 직무특성이론(1976)[1]

(1) 의의

① 직무의 특성이 개인의 심리상태와 결합하여 직무수행자의 욕구수준에 부합될 때 그 직무가 구성원에게 동기를 유발시킨다는 이론이다.

② 직무의 특성이 직무수행자의 성장욕구수준에 부합될 때 직무가 그 직무수행자에게 더 큰 의미와 책임감을 주고, 이로 인해 동기유발의 측면에서 긍정적인 성과를 얻게 된다는 것이다. 개인의 성장욕구수준이 직무특성과 심리상태, 성과 간의 관계를 조절해 주는 변인으로 작용한다는 것을 제시하였다.

③ 개인적 차이를 고려하고 구체적으로 직무특성, 심리상태, 성과 등의 관계를 제시하였다는 점에서 허즈버그(Herzberg)의 이원론보다 진일보한 이론이다.

(2) 핵심직무특성

① **기술 다양성:** 직무수행 시 기술이나 개인의 능력 요구 정도

② **과업의 정체성:** 직무단위의 전체로서의 의미와 작업완성에의 기여도

③ **과업의 중요성:** 직무수행자의 과업이 다른 작업과 전체 작업에 미치는 정도

④ **자율성:** 독립성과 재량권의 정도(책임감)

⑤ **결과에 대한 환류:** 직무수행방법의 효율성에 대한 평가와 시정조치

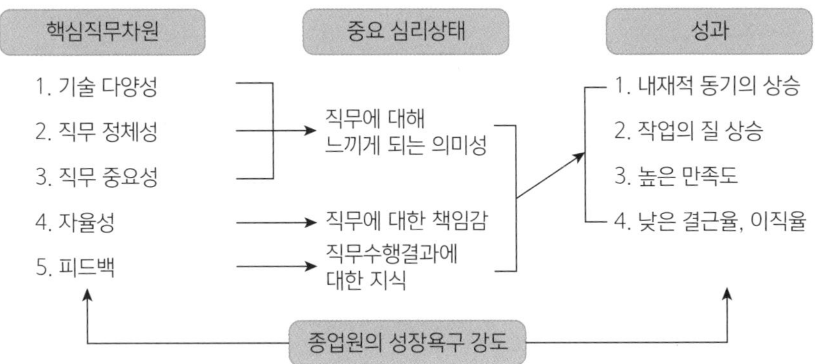

▲ 핵크만과 올드햄(Hackman & Oldham)의 직무특성모형

[1] 직무특성이론의 이론대립
핵크만과 올드햄(Hackman & Oldham)의 직무특성이론은 내용이론으로 보는 것이 일반적이지만, 다양한 직무특성이 성과에 이르는 과정을 연구하기 때문에 과정이론으로 보는 견해도 있다.

핵심 OX

01 맥클리랜드(McClelland)의 성취동기이론에서 가정한 성취동기가 강한 사람은 변화를 두려워하지 않고, 스스로 목표를 단계적으로 높여 설정해 나간다. (O, X)

02 동기부여에 관한 욕구이론 중 맥클리랜드(McClelland)의 친교욕구는 상위수준의 욕구이다. (O, X)

03 핵크만과 올드햄(Hackman & Oldham)의 직무특성이론의 다섯 가지 직무특성은 기술 다양성, 직무 정체성, 직무 중요성, 환류, 자율성이다. 이 중에서 책임감과 관련된 것은 환류이다. (O, X)

01 O
02 X 맥클리랜드(McClelland)의 성취욕구가 상위욕구의 수준이다.
03 X 책임감과 관련된 것은 자율성이다.

(3) 내용

① **직무수행자의 성장욕구수준이 높은 경우:** 직무를 재구성하고 정체성과 중요성을 높여 주며, 더 많은 자율성을 부여하고 직무수행의 결과를 즉각 알 수 있도록 하면, 내재적 동기가 유발되어 작업의 질과 만족도가 상승하여 이직과 결근이 줄어들게 된다.

② **직무수행자의 성장욕구수준이 낮은 경우:** 직무수행자에게 정형화되고 단순한 직무를 제공하면, 직무 자체에 대한 내재적 동기가 유발되어 작업의 질과 만족도가 상승하여 이직과 결근이 줄어들게 된다.

③ **잠재적 동기지수:** 핵심직무특성 다섯 가지 중 동기부여에 가장 중요한 역할을 하는 요소는 자율성과 환류로서 기술다양성, 직무정체성, 직무중요성보다 중요하다고 하였다.

잠재적 동기지수(MPS; Motivating Potential Score)
= (기술다양성 + 직무정체성 + 직무중요성) / 3 × 자율성 × 환류

개념PLUS 동기부여의 내용이론

맥그리거 (McGregor)	X이론		Y이론		
매슬로우 (Maslow)	생리적 욕구	안전욕구	사회적 욕구	존경 욕구	자아실현욕구
앨더퍼 (Alderfer)	생존욕구(E)		관계욕구(R)		성장욕구(G)
맥클리랜드 (McClelland)	권력욕구		친교욕구		성취욕구
허즈버그 (Herzberg)	위생(불만)요인		동기(만족)요인		
아지리스 (Argyris)	미성숙인		성숙인		
리커트 (Likert)	체제 I (착취적 권위)	체제 II (온정적 권위)	체제 III (협의적 민주)		체제 IV (참여적 민주)

3 과정이론

1. 의의

(1) 어떤(how) 과정을 거쳐서 동기가 유발되는가에 초점을 두는 이론이다.

(2) 동기유발에 관한 다양한 변수들이 어떻게 상호작용하여 행동을 일으키게 되는가에 중점을 두는 입장이다.

핵심 OX

01 잠재적 동기지수(MPS)에서 가장 중요한 요소는 자율성과 환류로서, 이는 기술다양성, 직무정체성, 직무중요성보다 중요하다고 본다. (O, X)

01 O

2. 브룸(Vroom)의 기대이론(VIE이론)[1]

(1) 의의

인간이 행동하는 방향의 강도는 그 행동이 일정한 결과로 이어진다는 기대의 강도와 이어진 결과에 대한 매력에 달려 있다고 주장한다. 즉, 동기부여의 정도(M)는 기대감(E), 수단성(I), 유인가(V)에 의해 결정된다고 보았다.

$$M = f(E, I, V)$$

(2) 이론적 요소

① **기대감(Expectancy)**: 일정한 노력을 기울이면 근무성과를 가져올 수 있다는 가능성에 대한 인간의 주관적인 확률과 관련된 믿음이다. 즉, 노력과 성과 간의 관계에 대한 믿음이다.

예) 공무원시험 합격을 개인목표로 세웠을 때, 시험공부에 대한 동기부여는 자신의 합격가능성에 의해 영향을 받는다는 것이다. 짧은 시간 내에 합격할 수 있을 것이라 생각할수록 공부의 동기가 더욱 커지게 된다.

② **수단성(Instrumentality)**: 개인이 지각하기에 어떤 특정한 수준의 성과를 달성하면 바람직한 보상이 주어지리라고 믿는 정도이다. 즉, 성과와 보상 간의 관계에 대한 믿음이다.

예) 공무원시험에 합격했다고 했을 때 그 결과가 가져올 보상들, 예를 들어 취직문제의 해결, 신분상승의 효과, 좋은 배우자를 만나는 것 등에 대한 주관적 평가인데, 이것이 높다고 생각할수록 열심히 공부하려는 동기부여가 커진다.

③ **유인가(Valence)**: 개인이 원하는 특정한 보상에 대한 선호의 강도를 의미한다. 즉, 직무상에서 받을 수 있는 보상에 대해 개인이 느끼는 보상의 중요성이다.

예) 공무원시험 합격을 벼슬로 생각하는 출세욕구가 강한 사람이나 국민에 대한 봉사에서 삶의 보람을 찾는 봉사정신이 강한 사람에게는 가치가 높을 것이고, 조직생활보다는 자유업이나 개인 사업을 원하는 사람에게는 가치가 낮을 것이다.

④ **결과(Outcome)**: 노력의 1차적 결과로서의 성과와, 성과에 따른 보상으로서의 승진 등과 같은 2차적 결과로 구분할 수 있다.

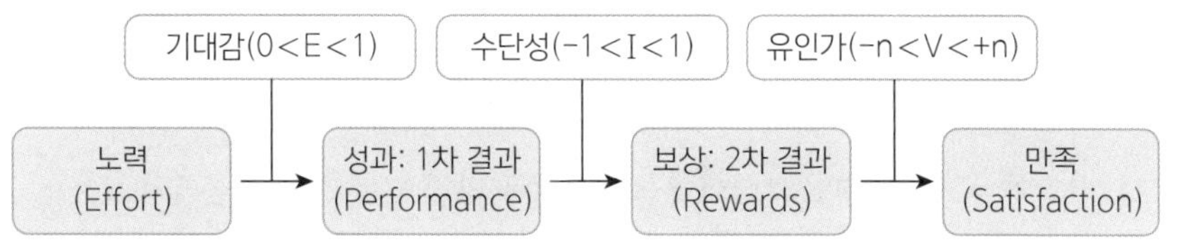

▲ 브룸(Vroom)의 기대이론

(3) 내용

① 일정한 행동을 작동시키는 개인의 동기는 1차적 결과, 즉 성과에 대한 유의성과 자신의 행동이 1차적 결과를 가져오리라는 주관적 기대감에 의해서 결정된다.

② 1차적 결과(성과)에 대한 유의성은 2차적 결과(보상)에 대한 유의성과 그 보상이 성과에 의해 생기리라는 개인적 기대감(수단성)에 의해 결정된다.

③ 노력이 보상을 가져올 것이라는 기대와 그 보상에 대한 '주관적' 매력에 대한 종합적 고려에 따라 동기가 부여된다.

[1] 브룸(Vroom)의 규범적 리더십(1973)
브룸(Vroom)은 자신이 개발한 규범적 모델의 리더십이론을 통해 리더십과 의사결정에 참여하는 구성원의 문제를 다루었다. 이러한 규범적 리더십 모형은 '부하가 의사결정에 어느 정도 참여해야 하는가'라는 것을 강조한다.

핵심 OX

01 브룸(Vroom)의 기대감이란 근무성과를 가져올 것이라는 객관적 확률에 대한 기대이다. (O, X)

02 유인가란 개인이 원하는 특정 보상에 대한 선호의 강도이다. (O, X)

03 브룸(Vroom)의 기대이론은 동기부여가 되는 요인이 무엇인가를 밝히는 내용이론의 대표적인 이론에 해당한다. (O, X)

01 X 객관적 확률이 아니라 주관적 확률이다.
02 O
03 X 동기부여가 되는 과정을 살피는 과정이론의 대표적인 예이다.

④ 개인의 능력이 실제성과를 거두리라고 기대하고 실제성과가 개인이 원하는 결과를 가져올 것이라고 기대할수록 동기부여는 강하게 작용한다.

3. 포터와 로러(Porter & Lawler)의 업적 · 만족이론(EPRS모형)

(1) 노력을 통한 만족이 업적을 가져오는 것이 아니라 업적이 만족을 가져온다고 보았다.

(2) 업적에 대한 보상에는 내재적 보상(예 자기실현 등)과 외재적 보상(예 승진, 보수 등)이 있는데, 보상을 받은 직원이 다른 직원이 받은 보상과 비교해서 그것이 공정하다고 생각하면 만족하게 된다.

(3) 이러한 과정을 통해서 결정된 보상에 대한 만족도는 앞으로 동기유발과정에서 다시 그러한 보상의 유의성에 영향을 주고, 노력의 결과로 거둔 실제성과는 앞으로 노력하면 성과가 있을 것이라는 기대감에 영향을 주면서 동기유발의 과정이 전체적으로 다시 반복된다는 것이다.

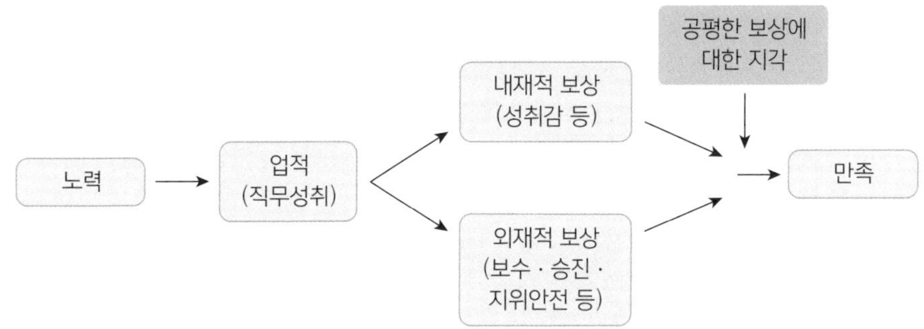

▲ 포터와 로러(Porter & Lawler)의 업적·만족이론

4. 조고풀러스(Georgopoulos)의 통로목표이론

(1) 목표에 이르는 통로의 상대적 유용성에 대한 주관적 기대가 중요하다.

(2) 개인의 목표달성을 위한 통로로서 조직의 목표가 기능할 때 동기가 유발된다.

5. 아담스(Adams)의 형평성(공정성)이론

(1) 의의

① 사람들의 행위가 타인과의 관계에서 형평성을 유지하는 쪽으로 동기가 부여된다고 본다.

② 타인과 비교하여 과소보상이나 과다보상을 받게 되는 경우에 심리적 불균형, 긴장, 불안감 등을 야기하는데, 이를 해소시키는 방향으로 동기가 부여된다는 것으로서 특히 과소보상에 민감하다.

③ 투입에는 직무수행에 동원한 노력과 기술, 경험 등이 포함되고, 산출에는 보수와 승진, 직무만족, 작업조건 등이 포함된다. 준거인물은 부서 내의 직원일 수도 있고 다른 부서의 직원일 수도 있다.

(2) 기본전제

① **호혜주의 규범**: 사람들은 다른 사람과 공정한 교환을 하고자 한다.

② **인지일관성의 정향**[1]: 사람들은 그 행위와 생각을 일치시키고자 한다.

[1] 페스팅거(Festinger)의 인지부조화 이론(1957)
1. **의의**: 인지부조화란 인간이 가지고 있는 두 가지의 지식이나 지각 또는 행동이 서로 모순될 때 경험하게 되는 심리적 불안상태를 의미한다. 이 경우 이러한 불안상태를 제거하여 조화롭고 일관성 있는 상태로 가기 위하여 노력한다는 것이 이 이론의 핵심내용이다.
2. 인지일관성의 정향은 인지부조화이론과 관련되므로 아담스의 형평성이론은 페스팅거(Festinger)의 인지부조화이론의 영향을 받은 것이다.

예 공직자의 부처지원에서 선호하는 A부처보다는 승진기회가 많은 B부처에 지원하면 인지부조화에 따른 불안상태가 되고 이를 해결하기 위하여 "알고 보니 B부처가 더 좋아."라고 합리화하는 것이다.

(3) 형평성 확보방안

① 투입 또는 산출을 변화시켜 조정한다.

㉮ 투입을 증가 또는 감소시켜 임금을 인상시키거나 작업조건을 개선시킨다.

② 투입과 산출에 대한 본인의 지각을 바꾼다.

③ 준거인물을 바꾼다.

④ 조직을 이동한다. ㉮ 전직, 이직

(4) 평가

① 유용성

㉠ 조직에서 공정한 보상이 얼마나 중요한가를 인식시켜 주었다.

㉡ 조직관리자는 직원들이 지각하는 보상이 공정하게 시행되도록 보상체계가 마련되어야 함을 시사하고 있다.

② 한계

㉠ 불공정성을 해소하기 위하여 동기가 유발된다고 하나 대부분의 사람들은 동기유발보다는 결근이나 사직을 하는 경향이 나타난다.

㉡ 투입과 산출을 객관적으로 측정하는 것이 어렵다.

6. 로크(Locke)의 목표설정이론

(1) 의의

① 인간의 행동이 의식적인 목표와 성취의도에 의해 결정된다는 것이다.

② **목표의 난이도:** 목표가 도전적이어서 목표달성을 위해 노력을 요구하는 정도이다. 평이한 목표보다 어려운 목표인 경우 동기부여가 더욱 강하게 나타나며, 곤란도가 높은 도전적 목표는 목표의 강도를 높인다고 본다.

③ **목표의 구체성:** 목표가 명확하게 규정되는 정도이다. 일반적으로 목표가 정량적으로 설정되면 구체적인 목표라고 한다. 구체적인 목표가 추상적이고 애매한 목표보다 더욱 직무성과를 향상시킬 수 있다고 보며, 구체적인 목표는 개인에게 노력의 명확한 방향을 제시한다고 본다.

(2) 내용

① 목표의 난이도와 구체성에 의해서 개인의 성과가 결정된다고 보았다.

② 목표를 달성하고자 하는 사람에게 어려운 목표를 제시하면 목표달성을 위하여 더욱 노력하는 경우는 많다. 물론 난이도가 달성이 불가능할 정도로 높게 설정되어 있다면 동기유발의 정도는 낮다.

③ 구체적인 목표는 인간에게 노력의 방향을 제시해 주고, 도전적인 목표(난이도가 높은 목표)는 노력의 강도를 높여 준다. 하지만 '최선을 다하라'는 식의 목표는 노력의 방향이나 강도 모두 충족시키지 못하기 때문에 개인의 성과를 높이기가 어렵다.

④ 이러한 로크(Locke)의 기본모형에는 많은 변수들을 추가하게 되었다. 즉, 개인의 성과는 목표의 특성(난이도와 구체성) 및 종류(지시된 목표, 참여적 목표, 자기설정 목표)에 의해서 결정되며, 그 영향의 정도는 여러 가지 상황요인(환류, 보상, 조건, 직무의 복잡성, 능력, 경쟁상황)에 따라 달라진다는 것이다.

핵심 OX

01 아담스(Adams)의 형평성이론은 업무에서 형평하게 취급받으려고 하는 욕망이 개인으로 하여금 동기를 가지게 한다고 가정한다. (O, X)

01 O

7. 학습이론(강화이론, 순치이론)

(1) 의의

① 학습이론은 외적 자극에 의해 학습된 행동이 유발되는 과정을 설명하는 이론이다.

② 순치이론이라고도 하는데, 여기서 순치(馴致)란 행동에 수반되는 결과로 인해 유발되는 학습된 행동의 가능성 또는 빈도를 바꾸는 과정을 의미한다.

③ 이러한 과정은 ㉠ 선행된 자극, ㉡ 그것에 반응하는 행동, ㉢ 행동에 결부되는 결과의 연쇄 속에서 진행된다고 한다. 이때 행동에 결부되는 결과란 학습된 행동이 유발될 가능성에 영향을 미치는 강화·처벌 등의 기제를 말한다.

(2) 주요 학습이론

① 고전적 조건화이론

㉠ **파블로프(Pavlov)의 조건-반응 학습:** 조건화된 자극에 의해서 반응한다는 파블로프(Pavlov)의 개 실험과 이를 계승하고 발전시킨 왓슨(Watson)의 연구가 있다.

㉡ **손다이크(Thorndike)의 효과의 법칙(도구적 조건화):** 도구적 학습이론으로서 시행착오의 과정을 통해 특정한 자극과 반응이 결합됨으로써 발생하는 것으로 '시행착오설'이라고도 한다. 만족스러운 결과(쾌감)를 수반하였을 때에는 그 결합의 강도가 증가하고 만족스럽지 않은 결과(불쾌감)를 수반하였을 때에는 그 결합의 강도가 감소하는 것으로서 이후 강화이론의 근거가 된다.

② 조작적 조건화이론 - 스키너(Skinner)의 강화이론(1953)

㉠ 행태론자인 스키너(Skinner)가 대표적인데, 그는 인간의 행동의 원인을 선행자극과 행동의 외적 결과로 규정하면서 인간의 행동을 변화시키기 위한 경험적 분석을 시도한 결과 네 가지 강화유형(적극적 강화, 소극적 강화, 처벌, 소거)을 제시하였다.

구분	적극적 강화	소극적 강화	처벌	소거
정의	바람직한 결과의 제공	바람직하지 않은 결과의 제거	바람직하지 않은 결과의 제공	바람직한 결과의 제거
예	보수인상, 성과급, 승진	부담이나 벌칙 제거	견책, 해고	급료인상 철회, 성과급 폐지

㉡ 스키너(Skinner)는 이 중에서도 적극적 강화를 가장 중시하였으며, 행동결과(업무성과)에 따른 인센티브 지급 시 그 간격이나 비율인 강화일정의 중요성을 강조하였다. 조직에서의 강화일정으로는 연속적 강화, 고정간격 강화, 변동간격 강화, 고정비율 강화, 변동비율 강화 등 다섯 가지가 있다.[❶]

㉢ **주요 원리:** 업무상황(자극)에 처하여 조직이 바라는 행동(반응)을 하면 그에 결부시켜 강화요인(행동의 결과)을 제공하고, 바람직하지 않은 행동을 하면 처벌하여(행동의 결과) 바람직한 행동을 학습시켜야 한다는 것이다.

③ **강화계획:** 강화일정을 통하여 강화요인의 제공시기와 빈도를 조절함으로써 조직이 바라는 행동을 지속시키는 것을 강화계획이라고 한다.

❶ 강화일정

1. **연속적 강화:** 성과가 나올 때마다 강화
2. **단속적 강화**
   - 간격 강화

고정 간격	규칙적인 시간 간격으로 강화
변동 간격	불규칙적인 시간 간격으로 강화

   - 비율 강화

고정 비율	일정한 빈도나 비율의 성과에 따라 강화
변동 비율	불규칙적 빈도나 비율의 성과에 따라 강화

핵심 OX

01 스키너(Skinner)는 조작적 조건화를 통한 인간행동의 변화를 유도하고 구성원을 움직이기 위한 긍정적 강화의 중요성을 강조한다. (O, X)

01 O

개념PLUS 강화이론과 기대이론의 비교

구분	강화이론	기대이론
행동의 원인	선행적 자극과 행동의 외적 결과	인간의 내면적 신념과 태도
보상 및 강화	강화는 행동의 결과로 이해됨	인식론적으로 이해되는 주관적인 것

고득점 공략 학습이론의 유형

고전적 조건화이론	조건화된 자극의 제시에 의하여 조건화된 반응을 이끌어 낸다는 이론으로, 가장 오래된 학습이론[파블로프(Pavlov)의 개 실험]
수단적 조건화이론	사람들은 강화요인(바람직한 결과)의 획득을 위해 행태적 반응을 보이게 된다는 이론[손다이크(Trondike)의 효과의 법칙]
조작적 조건화이론	행동의 결과를 조건화함으로써 행태적 반응을 유발하는 과정을 설명하는 이론[스캐너(Skinner)의 강화이론]
잠재적 학습이론	강화라는 인위적 조작이 없어도 학습(잠재적 학습)은 일어나지만 행동으로 옮기는 데에는 강화작용이 필요하다는 이론
인식론적 학습이론	· 사람이 어떻게 생각하며 왜 행동하는가라는 심리적 과정에 관심을 가지는 이론으로 관찰 가능한 행태나 외부의 자극보다는 인간의 내면적 욕구, 만족, 기대 등이 학습에 영향을 미친다는 이론 · 동기부여의 형평성이론이나 기대이론 등이 이에 해당
사회적 학습이론	인간과 그의 행동 그리고 환경이 서로 교호작용하는 과정에서 학습이 진행된다는 이론
귀납적 학습이론	직접적인 설명·지시가 없어도 불확실한 추론이라는 귀납적 학습을 통하여 어떤 특정 영역의 구조와 규칙을 학습할 수 있다는 이론

고득점 공략 공공봉사동기(PSM)-페리와 와이즈(Perry & Wise)

1. 의의

① 민간부문과 공공부문의 동기 연구를 달리 해야 하며 공무원은 사회에 대한 관심과 공익을 위해 봉사하여야 한다고 전제한다.

② 공공선택론의 대안으로 신공공서비스론에 입각하고 있다. 기존 동기이론들은 개인주의적 편향, 친사회적, 이타적 행동을 설명하지 못한다고 주장하며 동기유발요인으로 금전적, 물질적 보상보다 지역공동체나 국가, 인류를 위해 봉사하려는 이타심에 주목하는 이론이다.

2. 세 가지 차원(구성요소)

합리적 차원	공공정책에 대한 공직자의 이해관계를 말하며 정책에 대한 호감이나 매력, 정책과정에의 참여 등을 의미
규범적 차원	공공정책에 대한 공직자의 의무감이나 정부에 대한 충성도, 사회적 형평성 등을 말하며 공공 또는 공익에 대한 봉사를 의미
감성적 차원	공공정책에 대한 공직자의 선의의 애국심이나 동정심을 말하며 사회적으로 중요한 정책에 대한 몰입 등 정서적 차원을 의미

핵심정리 동기부여이론의 체계

내용 이론	1. **합리적 · 경제인모형**: X이론, 과학적 관리론 2. **사회인모형**: Y이론, 인간관계론 3. **성장이론**: 인간의 성장 중시(X → Y), 고급욕구 중시 ① 매슬로우(Maslow)의 욕구단계설 ② 머레이(Murray)의 명시적 욕구이론 ③ 앨더퍼(Alderfer)의 ERG이론 ④ 맥클리랜드(McClelland)의 성취동기이론 ⑤ 맥그리거(McGregor)의 X · Y이론 ⑥ 리커트(Likrert)의 관리체제이론 ⑦ 아지리스(Argyris)의 미성숙 · 성숙이론 ⑧ 허즈버그(Herzberg)의 욕구충족이원론 4. **복잡인모형**: 욕구의 복합성과 개인차를 고려하는 일종의 Z이론, 상황적응론 ① 샤인(Schein)의 복잡인모형 ② 핵크만과 올드햄(Hakman & Oldham)의 직무특성이론 ③ 오우치(Ouchi)의 Z이론
과정 이론	1. 기대이론 ① 브룸(Vroom)의 기대이론 ② 포터와 로러(Porter & Lawler)의 업적 · 만족이론 ③ 베른(Berne)의 의사거래분석 ④ 조고풀러스(Georgopoulos)의 통로 · 목적이론 ⑤ 앳킨슨(Atkinson)의 기대모형 2. **형평성이론**: 아담스(Adams)의 형평성(공정성)이론 3. **목표설정이론**: 로크(Locke)의 목표설정이론 4. 학습이론(강화이론) ① 고전적 – 스키너(Skinner)의 강화이론 ② 현대 – 자율학습이론(인지학습이론 등)

3 조직인의 성격형과 행정문화

1 조직인의 성격형

1. 프레스더스(Presthus)의 이론

상승형	· 계층제에서 상위직을 차지한다. · 대체로 낙관주의적이며 조직에 대한 일체감과 충성심이 강하다. · 권력지향적이며 권위를 존중하고 자신감이 강하다.
애매형 (모호형)	· 연구직이나 참모직에 주로 존재하는 인간형이다. · 적극적으로 참여나 거절을 못하고 행동양식이 쌍방향적이다. · 내성적이며 지적 관심이 많고 주관적인 자기세계를 추구한다.
무관심형	· 주로 조직 내의 하위직에 있는 사람들이다. · 조직에 대해 소외감을 느끼며 직무에 대해 무관심하다. · 직무만족도가 낮고 남들이 하는 대로 따라가는 업무형태이다.

2. 코튼(Cotton)의 권력균등화유형

조직인형	열심히 일하며 조직에 충성하는 형으로 자신의 가치를 스스로 높이는 유형이다[프레스더스(Presthus)의 상승형과 유사].
독립인형	조직에 대한 자기의 의존성을 최소화하고 감독이나 통제가 가장 적은 상황을 좋아하는 유형이다[프레스더스(Presthus)의 애매형과 유사].
외부흥미형	하위계층으로 직무에 대해서는 무관심한 가운데 자기 목표에 대한 만족을 조직 이외의 다른 곳에서 찾는 유형이다[프레스더스(Presthus)의 무관심형과 유사].
동료형	· 하위자와 상위자의 관계가 수평적 · 동료적인 관계이다. · 권력이 가장 이상적으로 분포된 형태로서 이상형이라고 본다.

3. 다운스(Downs)의 성격유형론(관료의 목표 기준)[1]

순수 동기형	등반형	· 권력, 위신, 수입 등을 높게 평가하고 명예를 중시한다. · 이기적 모형으로서 상승형 또는 출세형이라고도 한다.
	보존형	· 개인의 편의와 안전을 중시하며 이미 가지고 있는 권력이나 신분유지에 관심이 많다(현상유지형). · 비교적 중 · 상위계층에 나타나는 유형으로 이기적인 유형이다.
혼합 동기형	열성형	· 비교적 범위가 한정된 정책이나 사업에 충실 · 집착한다. · 낙천적 · 정력적이면서도 내향적이다.
	창도가형	· 포괄적인 기능이나 광범위한 정책을 추진하며 장기적 관점을 가진다. · 조직 전체에 충성하고 낙천적 · 적극적이면서 외향적이다.
	경세가형	· 사회 전체를 위해 충성하며 공공복지에 관심을 둔다. · 실천력이 강하며 가장 이타적이다.

2 조직시민행동(organizational citizenship behavior) – Williams & Anderson

1. 의의

(1) 조직에서 공식적으로 요구하지 않음에도 불구하고 구성원이 자발적으로 조직의 목표달성을 위하여 노력하는 행동을 뜻한다.

(2) 공식적인 보상시스템에 의하여 직접적으로 또는 명시적으로 인식되지 않은 직무역할 외의 행동이다.

(3) 구성원들의 역할모호성 지각은 조직시민행동에 부정적 영향을 미치고, 구성원들의 절차공정성 지각은 조직시민행동에 긍정적 영향을 미친다.

2. 유형

(1) 개인에 대한 조직시민행동(OCB – I)

① **예의적 행동(courtesy)**: 자기 때문에 남이 피해보지 않도록 미리 배려하는 행동이다.

② **이타적 행동(altruism)**: 타인을 도와주려는 친사회적 행동 또는 친밀한 행동이다.

[1] 다운스(Downs)의 성격유형론
등반형과 보존형은 순수한 이기적 목표를 추구하는 유형이며 열성형, 창도가형, 경세가형은 이기적 · 이타적 동기가 혼합된 유형이다.

(2) 조직에 대한 조직시민행동(OCB - O)

① **양심적 행동(성실행동, conscientiousness):** 양심에 따라 조직이 요구하는 이상의 봉사나 노력을 성실하게 하는 행동이다.

② **신사적 행동(sportsmanship):** 정정당당히 행동하는 것으로 남의 험담을 하지 않는 행동이다.

③ **공익적 행동(시민의식행동, civic virtue):** 조직활동에 시민의식을 가지고 솔선수범하는 행동이다.

3 행정문화

1. 의의

(1) 행정체제에 대한 일반 국민의 인지적 · 평가적 정향과 행정관료들의 가치관 · 태도 · 의식구조 등을 총칭하는 개념이다.

(2) 국가 혹은 시대적 상황에 따라 변화하는 속성을 지니고 있다.

(3) 행정활동 내지 행정행태에 영향을 미치고 이를 규제하며 그 지침으로서의 역할을 수행한다. 따라서 구성원들로 하여금 일치 · 단결하도록 하는 힘이 있지만, 행정개혁에 장애가 되기도 한다.

2. 선진국과 우리나라의 행정문화 비교

(1) 선진국의 행정문화

① **합리주의:** 정책의 결정에 있어서 모든 검증 가능한 지식들을 총동원하여 정책을 수행하는 것이다. 또한 행정과정에 있어서 개인적인 정(情)에 이끌려서 행정을 하는 것이 아니라 규칙에 따라 업무를 수행한다.

② **모험주의:** 적극적인 행정으로 행정의 성취를 중시한다. 즉, 항상 새로운 것을 추구하는 성향을 지니며 시행착오를 두려워하지 않는다.

③ **전문주의:** 일반적 지식보다 전문적 지식과 기능을 강조한다. 즉, 행정에서의 전문가 양성이 중요하다고 본다.

④ **성취주의:** 행정은 진취적으로 업무를 수행하는 사람에게 승진의 기회나 높은 보상의 기회를 마련해야 한다고 본다. 이는 공무원의 적극적인 동기부여를 위해서도 중요하다.

⑤ **사실지향주의:** 편견을 배제한다. 행정업무에 있어서 주관에 의한 판단보다는 객관적인 사실에 근거한 처분을 중요하다고 본다.

⑥ **중립주의:** 공평한 행정을 강조한다.

(2) 우리나라의 행정문화

① **정적 인간주의(온정주의):** 타인과 정적 유대관계를 중시하는 성향이다. 법규에 따른 행정이 이루어지지 못하고 정에 이끌려서 행정을 수행하는 것이다.

② **운명주의:** 인간의 운명은 개인의 노력이 아니라 초자연적인 힘에 의해서 결정된다. 행정의 환경에 대한 적극적인 극복 의지를 부정하여 소극적이고 수동적인 역할에 머물게 된다.

핵심 OX

01 프레스더스(Presthus)의 분류에서 상승형은 코튼(Cotton)의 분류에서 조직인형과 유사한 유형의 인간형이다. (O, X)

02 무관심형은 조직으로부터 소외 의식을 느끼지만 보상을 받기 위해 나름대로 열심히 일한다. (O, X)

01 O
02 X 무관심형은 규칙을 준수하지만 보상에 대해서는 관심이 없다.

③ **일반주의**: 일반적인 지식이나 교양, 상식을 중시하는 경향이다. 즉, 한 분야에 전문적인 지식을 지닌 사람이 아니라 다양한 분야에 걸쳐서 두루두루 조금씩의 지식을 습득한 일반행정가(generalist)의 양성과 관련된다.

④ **연고주의**: 학연이나 지연과 관련된다. 즉, 같은 학교나 지역 출신의 인사를 능력이나 실적과 상관없이 기용하는 것이다.

⑤ **가족주의**: 공식조직이나 집단에서도 가족과 같은 관계로 인식한다.

⑥ **관인지배주의**: 행정관료를 높게 평가하는 경향이다. 즉, 관존민비사상이 만연하여 국민을 최우선으로 생각하지 않고 행정을 우선적으로 생각하여 공공서비스를 공급하는 경향이 있다.

3. 조직문화

(1) 의의

조직문화는 조직구성원들의 보편화된 생활양식으로 조직구성원들의 가치와 신념, 인지 및 행동규범이나 행동유형 등이 있다. 조직이 가지고 있는 문화는 조직의 형성 · 적응 · 변동 · 개혁 등 여러 부분에 영향을 미친다.

(2) 조직문화의 형성 · 적응 · 변동 · 개혁

① 조직문화의 형성

㉠ 조직구성원들의 대외적 적응과 생존, 대내적 통합 등에 관한 문제를 성공적으로 해결해 주는 방안을 수용하는 데서부터 문화의 형성은 시작된다.

㉡ 그러한 해결방안에 결부된 가치를 조직구성원들이 의식적으로 채택하고 시간의 흐름에 따라 그것이 당연시되고 무의식 속에 자리잡게 되면 문화가 형성된다.

㉢ 문화형성과정에서는 여과장치 또는 과오회피기제가 작동한다.

② 조직문화의 적응과 보존

㉠ 조직문화에의 적응(사회화)과정을 통해 형성된 조직문화는 상당한 안정성을 지닌다. 조직문화는 후속세대 또는 신참자에게 전수되어 지속적으로 보존된다.

㉡ **사회화**: 문화전수의 중심적인 과정은 사회화이다. 사회화는 후속세대 또는 신참자의 '문화변용' 또는 '문화접변'을 일으켜 조직 전체의 문화적 통합성을 유지하려는 과정이다.

㉢ **신참자가 겪는 문화변용의 양태**

동화	신참자의 문화나 가치관이 조직의 문화에 일방적으로 적응하여 양자 간의 문화적 차이가 없어지는 반응이다.
격리	신참자들이 조직문화를 거부하고 조직문화에 적응하려는 능력이나 의욕이 없이 그들의 독자성을 유지하려 할 때 그들을 어떤 직무영역에 고립시키는 것이다. 예 한직으로의 좌천 등
탈문화화	조직의 문화나 신참자의 개인문화가 다 같이 그의 행태를 지배하는 영향력을 잃을 때 나타나는 반응이다. 이 경우 조직구성원의 문화적 정체성은 모호해진다.
다원화	쌍방적 학습과 적응의 과정을 통해 신참자와 조직이 상호 장점을 수용하고 변화를 추구하는 유형이다.

핵심 OX

01 개발도상국의 경우 일반주의와 운명주의가 선진국에 비해 크다. (O, X)

02 행정 외 모든 일들은 일반적이고 상식적인 수준에서 해결된다고 보는 것은 개발도상국의 행정문화와 관련 있다. (O, X)

01 O
02 O

③ **조직문화의 변동**: 조직문화는 안정적인 특성을 지니지만 시간의 흐름에 따라 변동될 수도 있다. 구성원들이 점진적으로 문화를 형성하고 변동시켜 나가는 것이다.

④ **조직문화의 개혁**

㉠ 바람직한 방향으로 문화를 변동시키기 위해 인위적인 개입을 통해 의식적·계획적으로 문화를 개혁하는 것이다.

㉡ 구성원에 의한 자연적이고 점진적인 문화변동이 아니라 주도세력에 의하여 의도적이고 계획적으로 이루어진다는 점에서 문화변동과는 다르다.

고득점 공략 새폴드(Saffold)의 조직문화접근법(1988)

문화특성론적 접근방법	· 조직효과성을 향상시킬 수 있는 특정한 문화특성이 존재한다는 것 · 긍정적인 문화특성을 가지고 있는 조직이 그렇지 못한 조직에 비하여 효과성이 높음
문화강도적 접근방법	· 조직효과성을 향상시키기 위해서는 강한 문화가 필요하다는 것 · 조직구성원들이 가치를 강하게 공유하고 있는 조직이 효과성이 높음
문화유형론적 접근방법	조직의 문화유형에 따라 조직효과성이 달라진다는 것
상황론적 접근방법	조직문화와 상황요인과의 적합성에 따라 조직효과성이 달라질 수 있다는 것

4. 신문화이론

(1) 의의

신문화이론은 1978년 영국의 문화인류학자인 더글라스(Douglas)에 의하여 창시된 이론으로, 집단성(group)과 규칙성(rule)에 따라서 문화의 유형을 분류하였다.

(2) 문화유형

구분		집단성(group)	
		낮음(약함)	높음(강함)
규칙성(rule)	낮음	**개인주의 문화** · 낮은 집단성 + 낮은 규칙성 · 개인의 집단선택에 대한 자유와 행동의 자유가 보장되는 문화 ㉮ 자유방임사회, 시장(기업) 등	**평등주의 문화** · 높은 집단성 + 낮은 규칙성 · 집단의 경계는 확실하지만 집단 내 개인행동의 규칙성은 낮은 문화 · 집단 내 행동은 구성원들의 참여로 결정 ㉮ 소규모 정착촌, 생태마을(공동체) 등
	높음	**운명주의 문화** · 낮은 집단성 + 높은 규칙성 · 경직화된 관례에 의해서 운영되는 원자화된 사회 ㉮ 식민지사회, 인도의 카스트사회(후견주의) 등	**위계주의 문화** · 강한 집단성 + 높은 규칙성 · 집단 간의 경계와 집단 내 역할관계가 명확함 ㉮ 군대조직, 조직폭력배, 마피아 등

핵심 OX

01 조직문화는 조직의 투입물을 산출물로 전환하는 데 쓰이는 활동을 의미하는데 초기에는 긍정적인 기능을 하다가 점차 기능이 변질되어 나중에는 오히려 변화와 개혁에 장애가 되기도 한다. (O, X)

01 X 조직의 투입물을 산출물로 전환하는 데 쓰이는 것은 기술이다.

(3) 특징

① 한 나라의 국정운영방식을 결정하는 중요한 독립변수로서의 문화를 강조한다.

② 사회적 관계와 가치와의 관계 그리고 더 나아가서 사회적 변화와 안정을 이해하는 데 매우 유용한 개념적 도구로서 문화를 제시함으로써 사회현상을 분석하고 설명하는 획기적 계기를 제공하고 있다.

③ 인간관

㉠ 인간의 자율성을 전제로 하고 있다.

㉡ 인간을 사회적 힘의 지배나 적용을 받는 수동적 대상이 아니라 자신이 속한 사회적 환경을 구성하는 적극적 주체로 이해한다.

5. 홉스테드(Hofstede)의 문화차원이론(CDT)

(1) 의의

홉스테드(Hofstede)가 5가지 문화차원을 통해 그 사회 구성원의 가치관에 미치는 영향과 그 가치관과 행동의 연관성을 요인분석을 통하여 설명하는 이론이다.

(2) 5가지 문화차원

권력 거리지수 (PDI)	조직 내 불평등을 하급자들이 용인하는 정도이다. 권력 거리지수가 작은 경우 권력의 차이가 작은 민주적인 문화이고 권력 거리지수가 큰 경우 권력의 차이를 인정하는 권위적인 문화이다.
개인주의/ 집단주의	사회구성원들이 집단보다 개인을 우선시하는 정도이다. 개인주의적 문화에서는 개인적 성취와 개인의 권리를 강조하는 반면, 집단주의적 문화에서는 개인 간 협력이나 결속력을 강조한다.
불확실성 회피지수 (UAI)	사회구성원들이 불확실성과 모호성을 회피하려는 정도이다. 불확실성과 모호성에 대한 사회적 저항력으로, 사회 구성원이 불확실성을 최소화함으로써 불안에 대처하려고 하는 정도를 말한다.
남성성/여성성	남성성은 사회구성원들의 성공이나 재산, 권력에 대해 더 높은 가치를 주는 것이고 여성성은 사회구성원들이 삶의 질(QoL)이나 안정, 동료 간 관계 등에 더 높은 가치를 주는 것을 말한다. 성별 간 감정적 역할의 분화로서 남성적인 문화에서는 성역할의 차이가 크고 유동성이 작다.
장기 지향성/ 단기 지향성	사회구성원들의 중시하는 시간범위를 의미하며 장기 지향성은 저축 등 장기적이고 미래지향적인 가치를 중시하는 반면, 단기 지향성은 과거와 현재적 가치를 더욱 중시하는 것이다.

핵심 OX

01 윌다브스키(Wildavsky)와 더글라스(Douglas)의 신문화이론은 행정제도의 이식에 있어서 문화의 중요성을 고려해야 함을 함축한다. (O, X)

01 O

학습 점검 문제

01 다음 설명에 해당하는 조직의 인간관은? 2019년 국가직 9급

> • 인간을 자신의 이익을 극대화하기 위해 행동하는 존재로 본다.
> • 인간은 조직에 의해 통제 · 동기화되는 수동적 존재이며, 조직은 인간의 감정과 같은 주관적 요소를 통제할 수 있도록 설계되어야 한다.

① 합리적 · 경제적 인간관
② 사회적 인간관
③ 자아실현적 인간관
④ 복잡한 인간관

02 동기부여와 관련된 이론을 내용이론과 과정이론으로 나눌 때, 과정이론에 해당하는 것은? 2013년 서울시 9급

① 욕구계층이론
② 기대이론
③ 욕구충족요인이원론
④ 성취동기이론
⑤ X · Y이론

03 동기유발의 과정을 설명하는 과정이론에 해당하는 것만을 모두 고르면? 2022년 국가직 9급

> ㄱ. 브룸(Vroom)의 기대이론
> ㄴ. 애덤스(Adams)의 공정성이론
> ㄷ. 로크(Locke)의 목표설정이론
> ㄹ. 앨더퍼(Alderfer)의 ERG이론
> ㅁ. 맥그리거(McGregor)의 X이론 · Y이론

① ㄱ, ㄴ, ㄷ
② ㄱ, ㄴ, ㄹ
③ ㄴ, ㄷ, ㅁ
④ ㄷ, ㄹ, ㅁ

04 동기이론에 대한 설명으로 옳지 않은 것은? 2016년 사회복지직 9급

① 매슬로우(Maslow)의 욕구계층론에 대하여는 각 욕구단계가 명확히 구분되지 않는다는 비판이 있다.

② 앨더퍼(Alderfer)는 ERG이론에서 두 가지 이상의 욕구가 동시에 작용되기도 한다고 주장한다.

③ 허즈버그(Herzberg)의 욕구충족요인이원론에 대하여는 개인의 욕구 차이에 대한 충분한 고려가 없다는 비판이 있다.

④ 맥클리랜드(McClelland)의 성취동기이론은 개인의 욕구를 성취욕구, 친교욕구, 권력욕구로 분류하고 권력욕구가 높을수록 생산성이 높아진다고 주장한다.

정답 및 해설

01 조직의 인간관

제시문은 샤인(Schein)의 합리적·경제적 인간관에 해당한다. 합리적 경제인관에 따르면 인간은 수동적인 존재로서 조직은 인간의 주관적인 감정을 통제하고 억압할 수 있도록 설계되어야 한다. 또한 인간을 경제적 보상을 통하여 움직이는 합리적·경제적 인간으로 본다.

| 선지분석 |

④ 샤인(Schein)의 복잡한 인간관은 구성원의 욕구와 상황에 따라 다양한 관리전략을 융통성 있게 적용하는 상황적응적 관리전략을 중시한다.

02 동기부여이론의 구분

동기부여이론 중에 기대이론은 과정이론에 해당하고 욕구계층이론, 욕구충족요인이원론, 성취동기이론, X·Y이론은 내용이론에 해당한다.

동기부여이론의 체계

내용이론	· **합리적·경제인모형:** X·Y이론, 과학적 관리론 · **사회인모형:** X·Y이론, 인간관계론 · **성장이론:** 매슬로우(Maslow)의 욕구단계설, 머레이(Murray)의 명시적 욕구이론, 앨더퍼(Alderfer)의 ERG이론, 맥클리랜드(McClelland)의 성취동기이론, 맥그리거(McGregor)의 X·Y이론, 리커트(Likrert)의 관리체제이론, 아지리스(Argyris)의 미성숙·성숙이론, 허즈버그(Herzberg)의 욕구충족이원론 · **복잡인모형:** 샤인(Schein)의 복잡인모형, 핵크만과 올드햄(Hakman & Oldham)의 직무특성이론, 오우치(Ouchi)의 Z이론
과정이론	· **기대이론:** 브룸(Vroom)의 기대이론, 포터와 로러(Porter & Lawler)의 업적·만족이론, 베른(Berne)의 의사거래분석, 조고풀러스(Georgopoulos)의 통로·목적이론, 앳킨슨(Atkinson)의 기대모형 · **형평성이론:** 아담스(Adams)의 형평성(공정성)이론 · **목표설정이론:** 로크(Locke)의 목표설정이론 · **학습이론(강화이론):** 고전적 - 스키너(Skinner)의 강화이론, 현대 - 자율학습이론(인지학습이론 등)

03 과정이론

동기부여의 과정이론은 동기부여가 어떠한 과정을 거쳐 이루어지는 가를 연구하는 것으로 ㄱ. 브룸(Vroom)의 기대이론, ㄴ. 애덤스(Adams)의 공정성이론, ㄷ. 로크(Locke)의 목표설정이론이다.

| 선지분석 |

ㄹ. 앨더퍼(Alderfer)의 ERG이론은 내용이론에 해당한다.

ㅁ. 맥그리거(McGregor)의 X·Y이론은 내용이론에 해당한다.

04 맥클리랜드(McClelland)의 성취동기이론

맥클리랜드(McClelland)의 성취동기이론은 개인의 욕구를 성취욕구, 친교욕구, 권력욕구의 세 가지로 분류하였고, 권력욕구가 아닌 성취욕구가 높을수록 생산성이 높아진다고 주장하였다. 권력욕구에서 성취욕구로 갈수록 더 상위차원의 욕구라고 보았으며, 조직 내에서의 성취욕구연구에 중점을 두었다.

맥클리랜드(McClelland)의 세 가지 욕구

권력욕구	타인의 행동에 영향력을 미치거나 행동을 통제하려는 욕구
친교욕구	타인과 친근한 관계를 유지하려는 욕구
성취욕구	목표를 설정하고 이를 달성하여 자부심을 높이려는 욕구

정답 01 ① 02 ② 03 ① 04 ④

05 **허즈버그(Herzberg)의 욕구충족요인이원론에 대한 설명으로 옳지 않은 것은?** 2017년 국가직 9급(4월 시행)

① 욕구의 계층화를 시도한 점에서 매슬로우(Maslow)의 욕구단계이론과 유사하다.

② 불만을 주는 요인과 만족을 주는 요인은 서로 다르다고 주장한다.

③ 무엇이 동기를 유발하는가에 초점을 두는 내용이론으로 분류된다.

④ 작업조건에 대한 불만을 해소한다고 하더라도 근무태도에 장기적인 영향을 미치지는 않는다고 본다.

06 **브룸(Vroom)의 기대이론에 따를 경우 조직구성원의 직무수행동기를 유발하기 위한 조건이 아닌 것은?**

2017년 지방직 9급(6월 시행)

① 내가 노력하면 높은 등급의 실적평가를 받을 수 있다는 기대치(expectancy)가 충족되어야 한다.

② 내가 높은 등급의 실적평가를 받으면 많은 보상을 받을 수 있다는 수단치(instrumentality)가 충족되어야 한다.

③ 내가 받을 보상은 나에게 가치 있는 것이라는 유인가(valence)가 충족되어야 한다.

④ 내가 투입한 노력과 그로 인하여 받은 보상의 비율이, 다른 사람과 비교하여 공평해야 한다는 균형성(balance)이 충족되어야 한다.

07 **브룸(Vroom)의 기대이론에 대한 설명으로 옳지 않은 것은?** 2021년 국가직 7급

① 동기부여의 과정이론(process theory) 중 하나이다.

② 기대감(expectancy)은 개인의 노력(effort)이 공정한 보상(reward)으로 이어질 것이라는 주관적 믿음을 의미한다.

③ 수단성(instrumentality)은 개인의 성과(performance)와 보상(reward) 간의 관계에 대한 인식이다.

④ 유인가(valence)는 개인이 특정 보상(reward)에 대해 갖는 선호의 강도를 의미한다.

08 동기요인이론에 대한 설명으로 옳지 않은 것은? 2021년 국가직 9급

① 아담스(Adams)의 공정성이론에 따르면 공정하다고 인식할 때 동기가 유발된다.

② 맥클리랜드(McClelland)의 성취동기이론에 따르면 개인들의 욕구가 학습을 통해 개발될 수 있다.

③ 브룸(Vroom)의 기대이론에서 기대감은 특정 결과가 특정한 노력으로 인해 나타날 수 있다는 가능성에 대한 개인의 신념으로, 통상 주관적 확률로 표시된다.

④ 앨더퍼(Alderfer)의 ERG이론에 따르면 상위욕구 충족이 좌절되면 하위욕구를 충족시키고자 할 수 있다.

정답 및 해설

05 허즈버그(Herzberg)의 욕구충족요인이원론

허즈버그(Herzberg)의 욕구충족요인이원론은 위생요인과 동기요인이 서로 독립되어 있다는 것을 강조하는 이론이지 두 요인 간의 계층화를 강조하지는 않았다. 욕구의 계층화를 설명한 이론은 매슬로우(Maslow)의 욕구단계이론과 앨더퍼(Alderfer)의 ERG이론이다.

| 선지분석 |

④ 작업조건에 대한 불만을 해소하면 불만이 사라지는 것일 뿐 동기요인과 관련된 근무태도에 영향을 미치지는 않는다고 본다.

06 브룸(Vroom)의 기대이론

④는 보상의 형평성에 대한 이론으로 아담스(Adams)의 공정성이론에 대한 설명이다. 브룸(Vroom)의 기대이론은 유의성(V), 수단성(I), 기대감(E)을 매개변수로 한다.

| 선지분석 |

① 기대감(E)에 대한 설명이다.

② 수단성(I)에 대한 설명이다.

③ 유의성(V)에 대한 설명이다.

브룸(Vroom)의 기대이론(VIE이론)

기대감(E)	노력하면 성과(1차 산출)를 가져올 것이라는 주관적인 믿음
수단성(I)	성과(1차 산출)가 바람직한 보상(2차 산출·결과)을 가져다 줄 것이라고 믿는 주관적인 정도
유의성(V)	보상(2차 산출·결과)이 만족을 가져다주는 만족감에 대한 주관적인 선호의 강도

07 브룸(Vroom)의 기대이론

브룸의 기대이론에서 기대감(expectancy)은 개인의 노력이 공정한 보상(reward)이 아니라 어떠한 성과(performance)를 가져다 줄 것이라는 주관적인 믿음을 의미한다.

| 선지분석 |

① 기대이론은 동기부여의 과정이론에 속한다.

③ 수단성이란 개인이 이루어낸 성과가 보상으로 이어질 수 있는지에 대한 주관적 인식이다.

④ 유인가는 개인이 성과에 따른 특정 보상에 대해서 갖는 만족감(선호)의 강도를 의미한다.

08 동기요인이론

아담스(Adams)의 공정성이론에 따르면 자신의 노력에 따른 보상과 비교대상인 준거인이 받은 보상을 비교하여 불공정하다고 느낄 때 공정해지는 방향으로 동기가 유발된다.

정답 05 ① 06 ④ 07 ② 08 ①

09 **아담스(Adams)의 공정성이론에 대한 설명으로 옳지 않은 것은?** 2024년 지방직 9급

① 투입과 산출의 비율을 준거인과 비교하여 공정성을 지각한다.

② 불공정성을 느낄 때 자신의 지각을 의도적으로 왜곡하기도 한다.

③ 노력과 기술은 투입에 해당하며, 보수와 인정은 산출에 해당한다.

④ 준거인과 비교하여 과소보상자는 불공정하다고 생각하고, 과대보상자는 공정하다고 생각한다.

10 **동기이론에 대한 설명으로 옳지 않은 것은?** 2019년 국가직 9급

① 매슬로우(Maslow)는 충족된 욕구는 동기부여의 역할이 약화되고 그 다음 단계의 욕구가 새로운 동기요인이 된다고 하였다.

② 앨더퍼(Alderfer)는 매슬로우(Maslow)의 5단계 욕구이론을 수정해서 인간의 욕구를 3단계로 나누었다.

③ 허즈버그(Herzberg)는 불만요인(위생요인)을 없앤다고 해서 적극적으로 만족감을 느끼는 것은 아니라고 했다.

④ 브룸(Vroom)의 기대이론에서 수단성(instrumentality)은 특정한 결과에 대한 선호의 강도를 의미한다.

11 **동기이론에 대한 설명으로 옳은 것은?** 2019년 지방직 7급

① 매슬로우(Maslow)의 욕구 5단계론은 욕구가 상위 수준에서 하위 수준으로 후퇴할 수도 있다고 본다.

② 엘더퍼(Alderfer)의 ERG이론은 상위 욕구가 만족되지 않으면, 하위 욕구를 더욱 충족시키고자 한다고 주장한다.

③ 허즈버그(Herzberg)의 욕구충족이원론은 '감독자와 부하의 관계'를 만족요인 중 하나로 제시한다.

④ 포터와 롤러(Porter & Lawler)의 업적 · 만족 이론은 성과보다는 구성원의 만족이 직무성취를 가져온다고 지적한다.

12 동기부여이론에 대한 설명으로 옳은 것은? 2023년 지방직 9급

① 로크(Locke)의 목표설정이론에서는 목표의 도전성(난이도)과 명확성(구체성)을 강조했다.

② 매슬로우(Maslow)의 욕구 5단계설에서는 욕구의 좌절과 퇴행을 강조했다.

③ 해크만과 올드햄(Hackman & Oldham)의 직무특성이론에서는 유의성, 수단성, 기대감을 동기부여의 핵심으로 보았다.

④ 앨더퍼(Alderfer)의 ERG이론에서는 위생요인이 충족되었다고 하더라도 동기부여가 되는 것은 아니라고 주장했다.

정답 및 해설

09 아담스(Adams)의 공정성이론

아담스(Adams)는 공정성이론에서 자신의 비교대상인 준거인과 비교하여 과소보상자와 과대보상자 모두 불공정하다 인식하고, 공정해지는 방향으로 동기가 부여된다고 보았다.

10 브룸(Vroom)의 기대이론

브룸(Vroom)의 기대이론에서 특정한 결과에 대한 선호의 강도를 의미하는 것은 수단성(instrumentality)이 아니라 유의성(valence)이다.

11 동기이론

앨더퍼(Alderfer)의 ERG이론은 욕구의 전향적·단계적 충족만을 중시한 매슬로우(Maslow)의 욕구계층이론과는 달리 상위 욕구가 만족되지 않으면 하위욕구로 퇴행하여 하위 욕구를 더욱 충족시키고자 한다는 좌절-퇴행접근법을 주장하였다.

| 선지분석 |

① 매슬로우(Maslow)의 욕구계층이론은 욕구가 상위 수준에서 하위 수준으로 퇴행하지 않는다고 본다.

③ 허즈버그(Herzberg)의 욕구충족이원론은 '감독자와 부하의 관계'를 불만요인(위생요인) 중 하나로 제시한다.

④ 포터와 롤러(Porter & Lawler)의 업적·만족 이론은 업적(성과)이 구성원의 만족을 가져온다고 지적한다.

12 동기부여이론

로크(Locke)의 목표설정이론은 목표의 도전성(난이도)과 명확성(구체성)에 따라 동기부여가 달라진다고 보았다.

| 선지분석 |

② 매슬로우(Maslow)의 욕구 5단계설에서는 욕구의 전진과 상행만을 논의하였고, 좌절과 퇴행을 강조한 것은 앨더퍼(Alderfer)의 ERG이론이다.

③ 유의성, 수단성, 기대감을 동기부여의 핵심으로 본 것은 브룸(Vroom)의 동기기대이론이다.

④ 허즈버그는 욕구충족이원론에서 위생요인과 동기요인이 독립적이라고 주장한다.

정답 09 ④ 10 ④ 11 ② 12 ①

13 **조직 내에서 구성원 A는 구성원 B와 동일한 정도로 일을 하였음에도 구성원 B에 비하여 보상을 적게 받았다고 느낄 때 아담스(Adams)의 공정성이론에 의거하여 취할 수 있는 구성원 A의 행동전략으로 가장 옳지 않은 것은?** 2019년 서울시 9급

① 자신의 투입을 변화시킨다.

② 구성원 B의 투입과 산출에 대해 의도적으로 자신의 지각을 변경한다.

③ 이직을 한다.

④ 구성원 B의 투입과 산출의 실제량을 자신의 것과 객관적으로 비교하여 보상의 재산정을 요구한다.

14 **공공봉사동기이론(public service motivation)에 대한 설명으로 옳지 않은 것은?** 2021년 국가직 9급

① 공사부문 간 업무성격이 다르듯이, 공공부문의 조직원들은 동기구조 자체도 다르다는 입장에 있다.

② 정책에 대한 호감, 공공에 대한 봉사, 동정심(compassion) 등의 개념으로 구성되어 있다.

③ 공공봉사동기가 높은 사람을 공직에 충원해야 한다는 주장의 근거가 될 수 있다.

④ 페리와 와이즈(Perry & Wise)는 제도적 차원, 금전적 차원, 감성적 차원을 제시하였다.

15 **윌리엄스와 앤더슨(Williams & Anderson)에 의해 주장되는 조직에 대한 조직시민행동(OCB-O)으로 옳지 않은 것은?** 2020년 군무원 7급

① 신사적 행동(sportsmanship)

② 성실행동(conscientiousness)

③ 시민의식행동(civic virtue)

④ 이타적 행동(altruism)

16 행정문화란 행정체제의 구성원들이 공유하는 가치와 신념 그리고 태도와 행동양식의 총체라고 할 수 있다. 홉스테드(Hofstede)의 문화차원을 근거로 하였을 때 한국문화의 특성으로 보기 어려운 것은? 2015년 국가직 7급

① 개인주의 ② 온정주의

③ 권위주의 ④ 안정주의

정답 및 해설

13 아담스(Adams)의 공정성이론의 행동전략

아담스(Adams)의 공정성이론은 자신의 노력과 보상의 비율이 준거인의 보상과 일치하지 않을 때(불공정할 때)에 일치하는(공정한) 방향으로 동기가 부여된다는 이론이다. 이때 나타나는 행동전략에는 ㉠ 투입이나 산출의 조정, ㉡ 자신의 지각의 변경, ㉢ 준거인물의 변경, ㉣ 조직의 이동 등이 있다. ④ 보상의 재산정을 요구하는 것은 행동전략에 포함되지 않는다.

| 선지분석 |

① 투입이나 산출의 조정에 해당한다.

② 자신의 지각의 변경에 해당한다.

③ 조직의 이동(이직, 전직)에 해당한다.

14 공공봉사동기이론(public service motivation)

공공봉사동기(Public Service Motivation, PSM)는 국민과 국가를 위해 봉사하려는 이타적 동기를 가지고 공익 증진 및 공공목표달성을 위해 헌신하고자 하는 공무원들의 고유한 동기로서 페리와 와이즈(Perry & Wise, 1990)가 주장하였다. 페리와 와이즈(Perry & Wise)는 공공봉사동기이론에서 '채용, 업무환경, 직원 - 고객 간의 관계, 신입직원 교육, 리더들의 역할'을 통해 조직을 발전시킬 수 있다는 것을 제시하면서 공공봉사동기를 합리적 차원, 규범적 차원, 감성적 차원으로 구분하였다.

공공봉사동기의 세 가지 차원(구성요소)

(1) 합리적 차원: 공공정책에 대한 공직자의 이해관계를 말하며 정책에 대한 호감이나 매력, 정책과정에의 참여 등을 의미한다.

(2) 규범적 차원: 공공정책에 대한 공직자의 의무감이나 정부에 대한 충성도, 사회적 형평성 등을 말하며 공공 또는 공익에 대한 봉사를 의미한다.

(3) 감성적 차원: 공공정책에 대한 공직자의 선의의 애국심이나 동정심 같은 것을 말하며 사회적으로 중요한 정책에 대한 몰입 등 정서적 차원을 의미한다.

| 선지분석 |

① 공직자는 민간부문 종사자와 달리 공익을 추구하는 업무이므로 합리적, 이기적 동기와는 다른 공직에 대한 봉사나 사명감과 같은 이타적인 공직동기를 갖고 있다고 본다.

② 공공봉사동기이론에서 정책에 대한 호감은 합리적 차원, 공공에 대한 봉사는 규범적 차원, 동정심(compassion)은 감성적 차원 등의 개념으로 구성되어 있다.

15 조직시민행동(OCB)

조직시민행동(OCB)은 조직에서 공식적으로 요구하지 않음에도 불구하고 구성원이 자발적으로 조직의 목표달성을 위하여 노력하는 행동을 뜻한다. 조직시민행동(OCB)에는 크게 개인 차원의 조직시민행동(OCB-I)과 조직 차원의 시민행동(OCB-O)의 두 가지 유형이 있다. 이타적 행동(altruism)은 OCB-O가 아니라 OCB-I에 해당한다.

16 우리나라 행정문화의 특징

개인주의는 우리나라 행정문화의 특징이 아니라 선진국 행정문화의 특징이다. 우리나라의 행정문화는 전체주의적 성향이 강하다.

정답 13 ④ 14 ④ 15 ④ 16 ①

CHAPTER 4

조직과 환경

1 조직의 환경

1 조직환경의 의의

1. 환경의 개념

(1) 조직을 둘러싼 정치 · 경제 · 사회 · 문화적인 환경을 총칭한다. 조직은 환경과 상호작용을 통해서 변동하는 특성이 있다.

(2) 조직과 환경을 구분해 주는 것이 경계이며, 환경은 일반적 환경과 특정 환경(구체적 업무환경, 조직 간의 관계)으로 구분한다.

2. 환경관의 변화

(1) 고전적 조직이론 – 폐쇄적

조직이 운명을 합리적으로 선택한다고 보았기 때문에 조직에 대한 환경의 영향을 거의 도외시하였다.

(2) 신고전적 조직이론 – 대체로 폐쇄적

조직을 연구하는 학자들의 관심영역이 한층 확대되고 조직의 환경에 대해서도 관심을 기울이기 시작하였다. 그러나 기본적인 입장은 아직 폐쇄체제에 입각하였으며, 환경유관론적인 관점을 부분적으로 부각시키는 정도에 불과하였다.

(3) 현대적 조직이론 – 개방적

환경이 더욱 복잡하고 급속하게 변동함에 따라 조직은 환경에 대응하고 적응해야 할 필요성을 한층 더 절감하게 되었고, 개방체제에 입각하여 조직과 환경과의 밀접한 관계를 부각시키게 되었다.

2 환경의 유형과 대응전략

1. 유형

(1) 번스와 스토커(Burns & Stalker)의 유형

① 번스(Burns)와 스토커(Stalker)는 조직환경을 정적 환경, 동적 환경, 혁신적인 환경으로 구분하였다.

② 각각의 환경에 적합한 조직구조를 구분하였는데, 정적 환경에는 기계적 조직이 적합하고, 동적 환경과 혁신적 환경에는 유기적 조직이 적합하다고 보았다.

(2) 에머리와 트리스트(Emery & Trist)의 유형

정적 · 임의적 환경	가장 단순한 환경유형으로 환경요소가 안정되어 있고 무작위적으로 분포되어 있는 환경이다. 예 자연환경, 태아가 처해 있는 환경, 완전경쟁시장 등
정적 · 집약적 환경	환경요소가 안정되어 있지만 일정한 유형에 따라 군집(조직화)되어 있는 환경이다. 예 계절의 지배를 받는 식물의 환경, 유아의 환경, 1차 산업의 환경, 불완전경쟁시장 등
교란 · 반응적 환경	정적 · 임의적 환경과 정적 · 집약적 환경의 두 가지 유형과는 질적으로 다른 역동적 환경으로 체제 간 상호작용과 경쟁으로 다른 조직과 체제의 반응을 고려하지 않을 수 없는 환경이다. 구성원들은 목표에 있어서는 유사한 목표를 추구한다. 예 유아기 이후 자기와 동료와의 사이에 경쟁관계에 들어가는 인간의 환경(학교생활), 과점시장 등
소용돌이 환경❶	환경 내 구성부분의 상호작용뿐만 아니라 환경이라는 장 자체가 역동적인 과정이 야기되는 환경이다. 예 학교를 마치고 사회로 진출하는 것 등

2. 대응전략

(1) 셀즈닉(Selznick)의 전략

적응적 변화	변화하는 환경에 조직을 적응시켜 조직의 안정과 발전을 유지하며 창조적 활동을 하는 전략이다. 예 조직의 구조나 기술을 변화시키는 것 등
적응적 흡수 (co-optation)	포섭 또는 호선이라고도 하는데, 조직이 안정과 존재에 대한 위협을 회피하기 위해서 조직의 상층부에 외부의 위협적 요소를 받아들이는 전략이다. 예 전직관료를 조직의 이사로 임명하는 것 등

(2) 마일즈와 스노우(Miles & Snow)의 전략

방어형 전략	경쟁자들이 자신의 영역으로 들어오지 못하도록 적극적으로 경계하는 매우 안정적 · 소극적 · 폐쇄적 전략이다.
탐색형 전략	새로운 제품과 시장기회를 찾는 매우 공격적 · 변화지향적인 전략이다. 이 전략의 성공여부는 환경변화 및 상황추세의 분석능력에 달려 있다.
분석형 전략	방어형과 탐색형의 장점을 모두 살려 안정과 변화를 동시에 추구하는 전략이다. 일부는 표준화하고 일부는 유연화한다.
반응형 전략	방어형 · 탐색형 · 분석형의 세 가지 전략이 부적절할 때 나타나는 비일관적이고 불안정한 전략이다. 환경에 대한 조직활동을 조정하지만 반응이 부적절하고 성과도 낮은 소극적이고 수동적인 낙오형 전략이다.

❶ 소용돌이 환경의 특징
복잡성과 불확실성이 높아 개별조직들의 예측능력을 초과하며 통제능력이 제약된다. 이러한 상황에서는 장기계획이란 별 의미가 없으며, 내부구조도 신축성을 가지는 것이 유리하다고 본다. 목표에 있어서도 구성원들 간에 다양한 목표를 추구한다.

핵심 OX

01 조직이 안정과 존속을 유지하고, 안정과 존속에 대한 위협을 회피하며, 조직의 발전을 도모하기 위하여 조직의 정책이나 리더십 및 의사결정기구에 환경의 새로운 요소를 흡수하여 적응하는 과정은 적응적 흡수(co-optation)이다. (O, X)

01 O

(3) 톰슨과 맥웬(Thompson & McEwen)의 전략

경쟁	둘 이상의 조직이 자원, 고객 등을 보다 많이 확보하기 위하여 호소하거나 좋은 조건을 제시하는 등 조직활동을 전개한다.
협상	둘 이상의 조직이 재화나 서비스의 획득 및 제공을 위한 교섭을 벌인다. ㉠ 기업체들이 생산원료의 공급자나 하청업자와 협상할 때, 대학이 기부금을 받는 대신 기부자에게 건물명칭을 붙여 주거나 명예박사학위를 수여하는 경우
흡수 (포섭, 호선)	조직에 영향을 미치는 위협적인 요인을 제거하기 위하여 외부환경으로부터 인재를 조직 상층부나 정책결정기구에 흡수한다. ㉠ 협상에 대해서 강력하게 저항하는 노조지도자를 사외 이사로 선임하는 경우
연합	둘 이상의 조직이 공동의 목표를 위하여 제휴 · 협력한다. ㉠ 몇 개의 건설회사가 연합하여 큰 토목사업에 참여하거나 여러 정당이 연합하여 연립내각을 구성하는 경우

2 거시조직이론

조직이론은 조직 내부의 개인이나 소집단을 연구하는 미시조직이론과 조직 자체의 내부적 · 대(對)환경적 행동을 연구하는 거시조직이론으로 분류된다.❶❷

구분	결정론(환경 → 조직)	임의론(자발론, 환경 ⇄ 조직)
개별조직	**체제구조적 관점** 구조적 상황이론(상황적응이론)	**전략적 선택관점** 전략적 선택이론, 자원의존이론
조직군	**자연적 선택관점** 조직군생태학이론, 조직경제학이론, 제도화이론	**집단적 행동관점** 공동체생태학이론

1 결정론적 거시조직이론

1. 구조적 상황이론

(1) 의의

① 구조적 상황이론은 체제구조적 관점의 환경에 대한 수동적 적응론이다.

② 세 가지 변수인 ㉠ 상황변수(기술, 규모, 과업, 문화, 전략 등), ㉡ 조직특성변수(조직구조, 관리체제, 관리과정 등), ㉢ 조직의 효과성 사이의 관계에서 상황과 조직특성의 적합성이 조직의 효과성을 결정한다고 주장한다.

③ 거시적이고 추상적인 체제이론을 구체화하고 실용화하는 방안으로서 1960년대부터 조직연구에 도입된 중범위적 성격의 이론이다.

❶ 횡단적 조사와 종단적 조사

1. **횡단적 조사(공간적 분석법)**: 일정시점에서 서로 다른 특성을 지닌 광범위한 표본집단을 대상으로 하며 한 번의 조사로 끝나는 표본조사가 대표적인 방법이다. 이는 횡단적 접근이라고도 하는데, 즉 어느 시점에서 광범위한 집단이 지니고 있는 특성을 파악하거나 이 특성에 따라 집단을 분류하는 것으로서 일반적으로 사용되는 조사유형이다.
2. **종단적 조사(시간적 분석법)**: 시간의 흐름에 따라 조사대상이나 상황의 변화를 측정하는 것으로서 일정한 시간 간격을 두고 동일한 내용을 반복적으로 측정하여 자료를 수집하거나 조사한다. 종단적 접근은 시간과 비용이 많이 들기 때문에 횡단적 접근보다 흔하지 않지만, 횡단적 접근에서는 알 수 없는, 성장하면서 보여주는 변화를 알 수 있는 장점이 있다. 조사방법으로는 동일한 조사대상에 대해서 동일한 내용을 장기간 반복적으로 조사하는 패널조사가 있고, 특정 주제에 대해서 장기간의 변화 경향을 조사하는 시계열조사가 있다.

❷ 결정론과 임의론

1. **결정론(X → Y)**: 외적 조건이 동일하다면 모든 조직은 동일한 행태를 보인다는 가정으로서 일정한 인과관계의 법칙에 따라 조직의 형태가 결정된다는 이론이다.
2. **임의론(X ⇄ Y)**: 외적 조건이 동일함에도 불구하고 조직은 다른 행태를 보일 수 있다는 가정이다(자발론, 자유의지론).

(2) 특징

① 환경이 조직을 결정한다는 결정론적 시각에 따른다.

② 조직에 최선의 답은 없다. 유일 최선의 문제해결책은 없으며 상황에 따라 조직의 효과성이 달라진다.

③ 조직은 조율에 의하여 과업환경의 변화에 반응하는 점검적 상황적응을 중시한다.

④ 환경이 불확실하고 유동적일 때에는 유기적 구조를, 안정적일 때에는 기계적 구조를 권장한다.

(3) 주요 이론

① **번스와 스토커(Burns & Stalker)**: 비교적 안정된 환경에는 기계적 조직구조가, 변동이 심한 환경에는 유기적 조직구조가 적합하다고 주장하였다.

② **우드워드(Woodward)**: 조직기술의 유형과 그에 적합한 조직구조의 유형을 제시하였다.

③ **로렌스와 로쉬(Lawrence & Lorsch)**: 환경의 불확실성에 따라 적합한 조직구조는 다르다는 것을 제시하였다(1967).

④ **톰슨(Thompson)**: 조직기술이나 조직이 처한 환경의 특성에 따라서 조직구조, 관리과정, 조직의 대환경전략은 달라져야 한다고 주장하였다.

2. 조직군생태학이론❶

(1) 의의

① 한난과 프리먼(Hannan & Freeman)이 제시한 조직이론이다. 구조적 상황이론이 조직을 환경변화에 합리적 · 신축적이고 신속하게 적응하는 것으로 보는 점을 비판하였다.

② 조직은 내 · 외부적 요인들로 말미암아 기존의 조직구조를 그대로 유지하려는 구조적 타성에 빠져 있기 때문에 환경의 변화에 부적합한 조직은 도태된다고 본다.

③ 조직구조와 환경적소 간에 일대일의 관계가 존재한다는 동일성의 원칙에 입각하여 조직구조는 환경적소로 편입되거나 도태된다는 것이다.

④ 환경의 선택과정은 변이, 선택 및 보존이라는 세 단계로 이루어진다.

(2) 특징

① **조직군 차원**: 연구대상은 개별조직 수준이 아니라 조직군(유사한 조직구조를 가진 조직들) 차원의 연구이다.

② **조직 환경의 절대성 강조**: 조직이 환경에 적응하는 것이 아니라 환경이 조직을 선택한다. 새로운 조직이 기존의 조직군에 유입되어 조직군 내에서 선택되고 유지되는 것은 환경에 의존한다는 것이다. 따라서 환경에 적합하면 선택되고 부적합하면 도태된다.

③ 환경이 다양하기 때문에 다양한 형태의 조직이 존재한다고 본다. 즉, 조직의 생성과 소멸과정에 초점을 두고 변이, 선택, 보존이라는 요소로 설명한다.

㉠ **변이**: 적자생존을 위한 조직구조의 변화를 시도하는 것이다.

㉡ **선택**: 환경과 적합한 조직구조만 생존하게 된다. 기타 조직들은 동형화의 원리에 따라 동일한 조직구조를 가지게 된다.

❶ 조직군생태학이론의 종단분석 (longitudinal analysis)

변이
· 계획적 변화 · 우연적 변화
⇩
선택
· 환경적소 · 동일성 원칙
⇩
보존
· 구조적 타성 · 관료제화

핵심 OX

01 분석 수준에 따른 조직군이론에는 조직군생태학이론, 조직경제학이론, 공동체생태학이론, 전략적 선택이론이 있다. (O, X)

02 조직군생태학이론에 따르면 환경의 절대적 영향력을 강조한다. (O, X)

03 조직군생태학이론에서는 조직변화가 종단적 분석에 의해서만 검증이 가능하다고 전제한다. (O, X)

01 X 전략적 선택이론은 조직군 수준이 아니라 개별조직수준이다.
02 O
03 O 조직군생태학이론은 외부환경의 선행원인에 의해 조직의 변화가 결과 지어지므로, 시계열적인 종단적 분석에 의해서만 조직의 변화를 설명할 수 있다고 전제한다.

㉢ **보존**: 선택된 조직구조는 보존되고 시간이 지남에 따라 구조적 타성을 보인다.

④ 조직은 환경적소(환경의 수용능력, 생존공간)에 의해서 운명 지어진다.

3. 조직경제학이론

(1) 주인 - 대리인이론

① **의의**: 주인 - 대리인이론은 1976년 젠슨과 맥클링(Jensen & Meckling)에 의해서 처음 제기되었다.

㉮ 국민 - 국회의원, 환자 - 의사, 소송당사자 - 변호사, 주주 - 경영자 관계 등

② 전제조건

㉠ **정보의 비대칭성**[1]: 주인 - 대리인 관계의 본질은 정보의 비대칭성이다. 정보가 비대칭적으로 존재할 경우 정보를 가진 쪽에서 이러한 기회를 자신에게 유리하도록 이용해 보려는 유혹을 가지게 되는데, 이를 기회주의적 속성이라고 한다. 사전적 기회주의로서 역선택, 사후적 기회주의로서 도덕적 해이가 있다.

㉡ **합리적 행위자**: 주인 - 대리인이론이 가정하는 행위자는 합리적인 행위자이다. 특히 대리인의 경우 주인의 위임을 받은 사람이지만 자기 이익을 극대화하는 합리적 행위자이기 때문에 주인의 이익과 배치되는 행동을 하게 된다.

㉢ **주인의 감시와 통제능력의 한계**: 주인은 시간과 정보의 부족으로 인하여 대리인의 행동에 대해서 완전히 통제와 감독을 수행할 수 없는 상황이다.

㉣ **불확실성과 위험부담**: 미래에 대한 불확실성이 주인과 대리인 사이에 항상 존재하며, 그 불확실성을 어떻게 배분할 것인가에 대한 문제가 발생한다. 즉, 불확실한 미래를 고려하여 얼마만큼의 성과급과 고정급을 지급할 것인가의 문제이다.

③ 대리인 문제의 발생(기회주의적 속성)

㉠ **역선택(사전적 기회주의)**: 주인은 대리인을 선택할 때 그 대리인이 위임업무의 처리에 관한 능력과 지식을 충분히 가지고 있는지의 여부를 그 대리인 본인보다는 잘 알지 못한다. 따라서 대리인의 능력보다 많은 보수를 지급하게 되거나, 기준 미달의 대리인을 선택하게 되는 현상이 나타난다.

㉡ **도덕적 해이(사후적 기회주의)**: 대리인이 주인을 위하여 업무를 수행할 때, 주인은 대리인의 행위나 노력에 대하여 효과적으로 관찰하거나 통제를 하는 것이 불가능하거나 과도한 비용이 소요되는 경우가 대부분이다. 따라서 대리인은 과업의 수행에 필요한 주의와 노력을 기울이지 않을 유인을 가지게 된다는 것인데, 즉, 대리인이 무사안일 등의 행태를 보이는 현상이 나타나게 된다.

④ 대리인 문제의 해결방안[2]

㉠ **신호보내기**: 보다 많은 정보를 가진 당사자가 어떤 특수한 행동을 함으로써 상대방이 잘 모르고 있는 자신의 특성을 알리기 위한 행동이다. 즉, 정보를 가진 자가 학력이나 경력을 과시하는 방법 등이다.

㉡ **거르기**: 시장에서 정보를 덜 소유하고 있는 자가 정보를 많이 소유하고 있는 자를 분류하기 위하여 사용하는 하나의 장치이다. 주인이 대리인에게 일정한 자격과 요건을 요구하거나 복수의 계약을 제시함으로써 대리인의 능력과 정보를 얻는 방법이다.

❶ 정보의 비대칭성과 주인-대리인이론
주인과 대리인 사이의 정보의 비대칭성 때문에 대리의 문제가 발생하고 있다고 보고 대리인 문제의 합리적 해결을 연구한다. 이러한 주인 - 대리인이론은 현재 전 세계적으로 유행하고 있는 정부개혁의 주요한 이론적 기초 중의 하나가 되고 있다.

❷ 청지기이론
1. **의의**: 청지기이론은 사회학적 · 심리학적 접근에 뿌리를 두고 부하를 집단주의자 · 이타주의자로서 신뢰할 만한 가치 있는 자로 묘사한다. 반면 대리인이론은 경제적 접근에 뿌리를 두고 부하를 개인주의자 · 이기주의자로 묘사한다.
2. **내용**: 청지기이론은 주인과 대리인 간 이해가 공유될 수 있는 원인이 무엇인가를 설명하려고 한다. 즉, 대리인이 개인의 이기주의적 목적에 의해서 동기화되지 않고 주인의 목적과 제휴되는 상황을 찾는다. 청지기이론은 청지기로서의 대리인(공무원)이 그들 주인(국민)들의 이해에 따라 행동할 수 있도록 동기화되는 상황을 설명하는 이론이다.
3. **결론**: 청지기이론에서의 인간모형은 친조직적 · 이타적이어서 대리인이론에서와 같은 이기주의적 행태보다 더 높은 국민에 대한 봉사로서 나타난다는 '청지기(충복)정신'에 근거를 두고 있다.

ⓒ **자기선택적 장치**: 거래당사자들의 특성을 잘 알지 못하지만 그러한 당사자들이 주어진 시장조건에 어떻게 반응하는가를 관찰함으로써 정보의 비대칭성에 대응하는 방법이다.

㉠ 자동차보험에서의 자기부담금제도 등

ⓓ **명성**: 대리인의 신뢰와 일관된 정책, 행동에 의존하여 해결한다.

ⓔ **정보나 DB의 구축**: 비대칭적 정보상황의 극복을 위한 시도로서 정보를 수집한다.

ⓕ **경쟁의 강화**: 정부영역에서 민영화나 민간위탁을 강조하는 이유는 바로 주인-대리인 문제가 야기될 가능성이 높은 독점적 정부보다는 경쟁성이 확보되는 시장에 기능을 이양하는 것이 좋기 때문이다.

ⓖ **인센티브 설계**: 대리인에게 각종의 인센티브의 설계를 통해서 주인의 이익과 일치하는 방향으로 행정을 유도하는 것이다. 경제적 인간을 통제할 때 가장 바람직한 방안이다.

(2) 거래비용이론

① 의의

㉠ 윌리암슨(Williamson)은 경제행위가 순수한 시장거래의 형태로 이루어지는가, 기업의 위계적 질서를 통한 조정의 형태로 이루어지는가는 거래비용의 크기에 의해 좌우된다고 주장하였다.

㉡ 거래비용을 최소화하기 위해서는 효율성이 관건이라고 보았으며 시장의 자발적인 교환행위에서 발생하는 거래비용(외부비용)이 관료제의 조정비용(내부비용)보다 클 경우 거래를 내부화하는 것이 효율적이다. 즉 정보의 비대칭성과 기회주의에 의한 거래비용의 증가 때문에 계층제(관료제)가 필요하다고 보았다.

② 시장실패의 요인

㉠ **인간적 요인**: 제한된 합리성과 기회주의의 문제가 있다. 즉, 인간의 제한된 합리성과 기회주의적 속성으로 인하여 시장실패가 발생한다.

㉡ **환경적 요인**: 환경의 불확실성과 자산특정성*(asset specificity)이라는 소수교환관계의 환경적 요인도 시장실패를 야기하는 요인이 된다.

③ 주요 특징

㉠ 시장에서 이루어지는 개인 간, 조직 간의 거래를 미시적으로 분석하며, 거래비용은 자원을 매개로 한 거래에 수반되는 모든 비용을 의미한다. 즉 거래와 관련된 정보를 인지하는 사전탐색비용, 협상비용, 거래관계의 유지비용, 계약의 준수를 감시하는 사후감시비용 등이 포함된다.

㉠ 두 사람이 전세계약을 할 때 서로에 대한 정보인지 및 감시감독비용 등

㉡ 조직의 의사결정비용을 줄이기 위해 종전의 U형(unitary, 단일)관리에서 M형(multi-divisionalized, 다차원적) 관리로 전환하여야 한다고 보았다.

4. 제도화이론

(1) 조직과 제도의 변화과정을 사회문화적 규범이나 가치체계 등에 적용하려는 입장이다. 조직에 영향을 미치는 관습이나 사회문화적인 요인을 강조한다.

용어

자산특정성(자산의 이전불가능성)*: 자신의 자산이 다른 조직에서는 효용이 없다는 이전불가능성으로서 자산의 특정성이 높을수록 굳이 다른 조직과의 거래가 불필요하므로 내부조직화가 이루어진다는 것이다.

핵심 OX

01 주인-대리인이론에서의 행위자는 이기적이고 합리적인 경제인을 가정한다. (O, X)

02 주인-대리인이론에서 본인과 대리인 사이의 대리손실의 최대화가 중요하다. (O, X)

03 주인-대리인 이론에 따르면 대리인 선임 전에는 역선택 문제가 발생하고 대리인 선임 후에는 도덕적 해이 문제가 발생한다. (O, X)

04 정부의 효율적인 예산운용을 위한 예산성과금제도는 주인-대리인이론이 제시하는 대안이다. (O, X)

05 거래비용경제학을 주장한 윌리암슨(Williamson)은 U형 조직구조보다는 M형 조직구조를 주장한다. (O, X)

01 O
02 X 본인과 대리인 사이의 대리손실의 최소화가 중요하다.
03 O
04 O
05 O

(2) 조직은 정부규제와 문화적 기대 등의 강제적 환경요인 등에 의해서 동질성을 띠는 제도적인 구조적 동일성을 지니게 된다.

(3) 제도화이론은 절대적 합리성 개념에 대해 회의적이며, 조직의 합리성과 효율성보다는 정당성이 생존의 기초가 된다고 주장한다.

2 임의론적 거시조직이론

1. 전략적 선택이론(Chandler & Child)

(1) 의의[1]

전략적 선택이론은 조직의 능력을 강조하여 상황이 구조를 결정하는 것이 아니라 관리자의 상황판단과 전략이 구조를 결정한다고 본다.

[1] 관리자의 자율성 인정
동일한 환경에 처한 조직이라도 관리자에 따라 다른 선택을 할 수 있다. 즉, 관리자의 리더십, 조직의 역량에 따라서 환경에 적극적으로 대처할 수 있다고 본다. 즉, 조직효과성 제고수단에 대한 관리자의 자율성(선택권)이 존재한다.

(2) 챈들러(Chandler)와 차일드(Child)의 주장

① **챈들러(Chandler)의 전략이론:** "조직구조는 조직의 전략을 따른다."라고 주장한다.

② **차일드(Child)의 전략적 선택이론:** "조직구조는 조직 내 정치적 과정을 통해 형성되는 전략적 선택에 의해 결정된다."라고 주장한다.

(3) 스콧(Scott)의 전략이론

① **완충전략(소극적 · 대내적 전략):** 충격완화, 조직개선

㉠ 환경의 조직에 대한 요구는 조직의 자원과 업무능력에 대한 착취과정이다. 조직의 능력을 넘어서는 다양하고 상충적인 요구를 조직이 수용하면 조직의 자원은 곧 소진되므로 이에 대비하여야 한다.

㉡ 요구를 회피할 수 없다면 외부집단의 요구를 조직내부에서 수용하고, 그것의 파괴적인 영향력을 극소화하는 완충전략을 구사한다.

㉢ 유형

분류	· 환경의 요구를 사전에 중요성이나 시급성으로 파악하여 적합한 부서를 결정한다. · 이 과정에서 시급하지 않거나 잘못된 요구를 가려내어 요구를 배척할 수 있다.
비축	· 필요한 자원이나 산출물을 비축해 두어 환경적 요구에 의하여 투입이나 산출물이 환경으로 방출되는 과정을 통제한다. · 가격변동이 심한 자원(예 석유 등)은 충분한 비축을 함으로써 조직의 핵심을 보호할 수 있다.
형평화	· 조직이 적극적으로 환경 속에 접근하여 투입요인의 공급자를 동기화하거나 산출물에 대한 수요를 고취한다. · 여러 집단의 상충되는 요구를 균형화하는 것과 관련된다. 예 시골 보건소의 순회 진료, 심야전기 할인제도 등
성장	· 조직의 규모 · 기술을 확장하는 것 등이다. · 조직이 성장하면 변화를 유도하는 즉각적인 압력에 잘 대항할 수 있고, 외부의 위협을 인식하고 그것에 적응하는 데 시간적 여유를 가질 수 있다.
예측	자원공급이나 수요의 변화를 예견하고 그에 적응한다. 예 태풍에 대비하여 수해 예방적인 준비를 하는 것

② **연결전략(적극적 · 대외적 전략)**: 조직의존성의 근본적 개혁

㉠ 조직이 안정성을 얻기 위해서는 투입과 산출물의 교환에 대한 통제, 즉 외부 집단과의 거래관계를 안정되게 함으로써 조직의 의존성을 근본적으로 개선하여야 한다.

㉡ 연결전략이란 업무환경을 구성하는 집단들과의 관계를 조직이 원하는 방향으로 재편성하는 것이다.

㉢ 유형

권위주의	중심조직이 지배적인 위치를 차지하여 외부조직이 필요로 하는 자원이나 정보를 통제한다. ㉄ 중앙정부의 지방정부 통제
경쟁	· 조직은 경쟁을 통해서 그 서비스를 좀 더 바람직하고 매력적인 것으로 만들 수 있고, 조직의 능력을 신장시킬 수도 있다. · 관료제조직의 비효율성이 증대되는 상황에서 부분적으로 경쟁전략을 채택하는 것이 조직의 효율적인 자원의 배분과 사용에 기여할 수 있다. ㉄ 지방정부가 산하의 시 · 도립병원을 공사로 만들어 자율 경영하도록 하는 정책
계약	· 두 조직 간에 공식적 또는 비공식적으로 자원교환을 협상하여 합의한다. · 두 조직 간에는 자원조달의 불확실성이 감소하는 이익이 있으나 정부기관의 이러한 전략은 책임회피의 통로로 사용될 수 있다. ㉄ 비행청소년에 대한 사회교육을 YMCA에 맡겨서 효율적인 관리를 추구하는 것
합병	· 여러 조직이 자원을 통합하고 합의한다. · 조직이 필요로 하는 자원이 외부에 집중되어 있거나 조직이 통제하는 자원으로는 외부의 압력이나 위협을 중화시킬 수 없을 때 사용한다.

(4) 평가

① **환경적 영향 경시**: 관리자의 자율성을 강조한 나머지 환경의 제약이나 영향을 경시한다.

② **구조적 영향 경시**: 전략이 항상 구조를 결정하는 것이 아니라 구조가 전략을 결정할 수도 있다는 점을 간과한다. 구조적 타성이나 기득권 세력의 반발이 나타나기 때문에 항상 전략에 따라서 구조가 바뀌는 것은 아닐 수도 있다.

2. 자원의존이론(Pfeffer & Salancik)

(1) 의의

① 자원의존이론은 조직이 필요한 자원을 환경(환경 내의 다른 조직)에 의존해야만 한다는 사실에 기반하여, 조직은 핵심적 자원을 통제하는 환경 내지 다른 조직들의 요구에 적극적으로 반응한다고 본다.

② 현실적으로 어떤 조직도 모든 자원을 통제할 수는 없다. 따라서 조직은 필요한 자원을 얻기 위해 외부의 다양한 환경이나 조직과 관계를 맺는다.

(2) 특징

① 조직과 환경과의 관계를 분석함에 있어서 조직의 주도적 · 능동적 행동을 강조한다. 환경의 불확실성을 극복하기 위해서 조직은 환경적 영향에 적극적으로 대처하고, 조직의 자원에 대한 통제력이 강해야 한다.

핵심 OX

01 환경에 대한 전략 중에서 완충전략은 분류, 비축, 형평화, 성장, 예측 등이 있다. (O, X)

02 불확실한 환경에 대한 조직의 대응전략 중 지방자치단체가 시 · 도립 병원을 공사로 전환하여 자율 경영하도록 하는 정책과 관련이 있는 것은 계약이다. (O, X)

01 O
02 X 계약이 아니라 경쟁이다.

② 조직이 희소자원에 대한 통제권을 가지고 있다면 다른 조직(외부환경)에 비하여 많은 권력을 가지게 되고 의사결정의 범위도 확대된다.

③ 조직과 환경의 연결에 대해서 핵심적인 희소자원에 관한 관리자의 통제와 의사결정의 자율성을 강조한다. 예컨대 합병을 통해 완전히 제거하거나 겸임이사제 등과 같은 조직 간의 인사교류 등의 방식으로 환경과의 적극적인 협력관계를 구축하기도 한다.

(3) 구체적인 전략

① 톰슨과 맥웬(Thompson & McEwen)의 전략

경쟁	같은 고객을 상대로 2개 이상의 기업이 경쟁하거나, 한정된 자원을 두고 정부 부처끼리 경쟁한다.
협상	일부는 양보하고 다른 일부는 획득하는 관계이다.
흡수	자기에게 반대하는 세력을 약화시키기 위한 수단으로, 조직이 이들을 불가피하게 받아들이는 현상이다.
연합	2개 이상의 조직들이 공동목표를 위하여 결합한다.

② 벤슨(Benson)의 전략

협조	모든 조직들이 거의 대등한 위치에 있는 경우에 사용한다.
방해	한 조직이 상대조직의 자원공급능력을 위협하는 행동으로 상대방에게 강요함으로써 네트워크상의 변화를 유도한다.
조종	자원의 흐름에 대한 환경의 제약조건들을 의도적으로 변경시키고자 한다.
권위	조직 간의 관계를 권위에 의해 재배열한다.

(4) 평가

① 환경의 영향을 인정한다는 점에서 상황이론과 동일하나 상황이 조직구조를 결정한다는 결정론을 수용하지 않는다.

② 자원의존이론은 조직 내 부서 간의 권력 차이를 중요시하여 조직 내 계층 간 권력차이를 무시하는 경향이 있다.

③ 자원의존이론은 대상 조직에 중점을 두며 조직 간 분석에 한정된다. 자원의존이론이 보다 확대된 것이 조직 간 네트워크 분석을 강조하는 네트워크조직론이다.

3. 공동체생태학이론[1]

(1) 조직을 생태학적 공동체 속에서 상호의존적인 조직군의 한 구성원으로 본다.

(2) 조직의 공동전략에 의한 능동적 환경적응과정을 설명하는 이론이다.

(3) 비슷한 조직들은 호혜적인 관계를 형성함으로써 자원을 공동이용하고 집단적인 힘을 발휘할 수 있다.

[1] 조직군생태학이론과 공동체생태학이론의 비교

구분	조직군 생태학이론	공동체 생태학이론
환경에 대한 관점	통제 불가능	통제 가능(공동체의 협력)
적응 방식	환경에 의한 선택(내적논리 강조)	공동노력에 의한 능동적 적응(외적논리 강조)
관리자의 역할	무기력, 상징적 존재	전향적, 상호작용적 존재
조직 간 관계	경쟁적	호혜적

3 혼돈이론

1. 의의

(1) 혼돈이론(chaos theory)은 미국의 기상학자인 로렌츠(Lorentz)가 1961년에 기상관측을 하다가 생각해 낸 이론이다. 그는 공식 속의 변수의 값이 약간만 달라지더라도 일정시간 후의 기상상태는 엄청난 차이를 보인다는 것을 발견하였다.

(2) 연구대상

혼돈이론이 대상으로 하는 혼돈상태는 결정론적 혼돈(deterministic chaos)이다. 그것은 완전한 혼돈이 아니라 한정적인 혼란이며 질서 있는 무질서이다. 즉, 우연과 필연이 공존하는 상태이며 그것 나름대로 하나의 체계 또는 질서라 할 수 있다.

2. 내용

(1) 초기치 민감성과 나비효과*(butterfly effect)

미세한 초기조건의 차이가 점차 증폭되어 시간이 얼마간 지나면 완전히 다른 결과를 초래할 수 있는 초기치의 민감성과 관련된다.

(2) 정책결과 예측의 어려움

정책도입 시 사소한 예측의 차이가 결과 상태에 엄청난 차이를 가져올 수 있으므로 쉽게 예측하기가 어렵다.

(3) 결정론적 혼돈(비선형적 동학, 무질서 속의 질서)

뉴턴(Newton)의 선형적 변화와는 달리 혼돈이론은 비선형적·역동적 체제에서의 불규칙적인 측면을 연구한다. 간단한 규칙에서부터 혼돈상태로 변화하며 이러한 혼돈 속에 숨겨진 규칙성(질서)을 찾아내는 자기조직화(self- organizing)와 공진화(coevolution)현상을 강조한다.

(4) 방법론적 환원주의의 한계 지적

환원주의는 연구대상을 몇 가지 변수로 단순화한 모형을 통해서 설명하려는 정량적인 방법이다. 혼돈이론은 이러한 정량적인 연구의 한계를 지적하고 질적 연구가 중요함을 부각시켰다.

3. 시사점

정책문제 및 정책과정의 복잡성과 정책의 질적 변화 그리고 합리적 정책관리의 저해요인으로 인식되던 불안정성, 무질서, 변이 등을 긍정적으로 이해할 수 있는 새로운 관점을 제공하고 있다.

용어

나비효과*: 나비효과는 베이징에서 나비의 날갯짓이 다음 달 미국 뉴욕에서 폭풍을 발생시킬 수도 있다는 과학이론으로서 혼돈이론(chaos theory)의 토대가 되었다.

핵심 OX

01 전략적 선택이론은 정치체제의 능력을 강조하나, 자원의존이론은 정치체제의 능력은 소극적 역할에 머문다고 본다. (O, X)

02 혼돈이론은 현실의 복잡성과 불확실성을 극복하기 위해 단순화·정형화를 추구한다. (O, X)

01 X 전략적 선택이론과 자원의존이론은 모두 정치체제의 능력이 적극적이고 능동적이라고 본다.
02 X 단순화·정형화하기보다는 무질서 속에서 일정한 흐름을 능동적으로 찾아 문제를 해결하자는 것이다.

학습 점검 문제

01 조직이론에 대한 설명으로 옳지 않은 것은? 2017년 국가직 9급(10월 추가)

① 상황론적 조직이론에 따르면, 모든 상황에 적용되는 유일 · 최선의 조직구조나 관리방법은 없다.

② 거래비용이론에 따르면, 시장의 자발적인 교환행위에서 발생하는 거래비용이 관료제의 조정비용보다 클 경우 거래를 내부화하는 것이 효율적이다.

③ 주인 - 대리인이론에 다르면, 주인과 대리인 간에는 정보의 비대칭성으로 인해 대리인의 도덕적 해이와 주인의 역선택이 발생할 수 있다.

④ 자원의존이론에 따르면, 조직은 환경으로부터 필요한 자원을 획득하기 위하여 환경에 피동적으로 순응하여야 한다.

02 상황적응적 접근방법(contingency approach)에 대한 설명으로 옳지 않은 것은? 2018년 국가직 9급

① 체제이론의 거시적 관점에 따라 모든 상황에 적합한 유일 최선의 관리방법을 모색한다.

② 체제이론에서와 같이 조직은 일정한 경계를 가지고 환경과 구분되는 체제의 하나로 본다.

③ 조직을 구성하고 운영하는 방법의 효율성은 그것이 처한 상황에 의존한다고 가정한다.

④ 연구대상이 될 변수를 한정하고 복잡한 상황적 조건들을 유형화함으로써 거대이론보다 분석의 틀을 단순화한다.

03 조직이론에 대한 설명으로 옳지 않은 것은? 2018년 지방직 9급

① 구조적 상황이론 - 상황과 조직특성 간의 적합여부가 조직의 효과성을 결정한다.

② 전략적 선택이론 - 상황이 구조를 결정하기보다는 관리자의 상황 판단과 전략이 구조를 결정한다.

③ 자원의존이론 - 조직의 안정과 생존을 위해서 조직의 주도적 · 능동적 행동을 중시한다.

④ 대리인이론 - 주인 · 대리인의 정보비대칭문제를 해결하기 위해 대리인에게 대폭 권한을 위임한다.

04 **조직이론에 대한 설명으로 옳지 않은 것은?** 2015년 국회직 8급

① 상황이론은 유일한 최선의 대안이 존재한다는 것을 부정한다.

② 조직군생태론은 횡단적 조직분석을 통하여 조직의 동형화(isomorphism)를 주로 연구한다.

③ 거래비용이론의 조직가설에 따르면, 정보의 비대칭성과 기회주의에 의한 거래비용의 증가 때문에 계층제가 필요하다.

④ 자원의존이론은 조직이 주도적·능동적으로 환경에 대처하며 그 환경을 조직에 유리하도록 관리하려는 존재로 본다.

⑤ 전략적 선택이론은 조직구조의 변화가 외부환경 변수보다는 조직 내 정책결정자의 상황판단과 전략에 의해 결정된다고 본다.

정답 및 해설

01 거시조직이론

자원의존이론은 임의론적 관점으로 조직은 환경의 희소한 자원에 의존적이지만 환경에 능동적으로 대응할 수 있는 적극적이고 동태적인 조직이다.

거시조직이론

분석수준	결정론	임의론
개별조직	구조적 상황이론(상황적응이론)	· 전략적 선택이론 · 자원의존이론
조직군	· 조직군생태학이론 · 조직경제학이론(주인 - 대리인이론, 거래비용이론) · 제도화이론	공동체생태학이론

02 상황적응적 접근방법(contingency approach)

상황이론은 모든 상황에 적합한 유일 최선의 관리방법을 모색하는 고전적 조직이론을 비판한다. 효과적인 조직구조나 관리방법은 환경 등의 상황요인에 따라 달라지기 때문에 정해진 상황에 적합한 효과적인 조직구조설계나 관리방법을 규명하는 것이다.

03 거시조직이론의 특징

대리인이론은 주인과 대리인 간의 정보비대칭문제를 해결하기 위하여 성과급제도와 같은 유인설계를 하는 것이 바람직하며, 정보의 비대칭성하에서 대리인에게 지나치게 권한을 위임하면 대리인의 도덕적 해이가 더욱 증가하는 문제가 발생하게 된다.

04 조직군생태론

조직군생태론은 횡단적 조직분석이 아닌 종단적 분석을 통하여 조직의 동형화를 연구한다. 한난과 프리먼(Hannan & Freeman)이 제시한 이론으로, '변이 → 선택 → 보존'의 종단적 과정을 통해서 조직의 변화를 분석하였다. 조직이 환경에 적응하는 것이 아니라 환경이 조직을 선택한다고 주장하며 조직환경의 절대성을 강조하였다.

정답 01 ④ 02 ① 03 ④ 04 ②

05 **거시조직이론에 대한 설명으로 가장 옳은 것은?** 2019년 서울시 7급(10월 시행)

① 공동체 생태학이론은 조직의 내적 논리를 강조한다.

② 자원의존이론은 환경에 피동적인 조직의 특성을 강조한다.

③ 구조적 상황이론은 환경에 적응하는 조직의 구조 설계를 강조한다.

④ 조직군 생태학이론은 조직의 주도적 선택을 강조한다.

06 **거래비용이론에 대한 설명으로 옳지 않은 것은?** 2021년 국가직 7급

① 기회주의적 행동을 제어하는 데에는 시장이 계층제보다 효율적인 수단이다.

② 거래비용은 탐색비용, 거래의 이행 및 감시비용 등을 포함한다.

③ 시장의 자발적 교환행위에서 발생하는 거래비용이 계층제의 조정비용보다 크면 내부화하는 것이 효율적이다.

④ 거래비용이론은 조직이 생겨나고 일정한 구조를 가지는 이유를 조직경제학적으로 설명하는 접근방법이다.

07 **주인-대리인이론(principal-agent theory)에 대한 설명으로 옳지 않은 것은?** 2023년 국가직 7급

① 경제적 능률을 중시하는 인간관에 기반한 이론으로, 행위자들이 이기적 존재임을 전제한다.

② 주인과 대리인의 목표 상충으로 인해 X-비효율성이 나타난다.

③ 인간의 인지적 한계와 정보 부족 등 상황적 제약으로 인해 합리성은 제약된다고 본다.

④ 주인과 대리인 사이에 정보비대칭성이 존재하고, 대리인이 기회주의적으로 행동하는 경우 역선택이나 도덕적 해이가 발생할 수 있다.

08 **조직이론과 그 내용에 대한 설명으로 옳지 않은 것은?** 2023년 국가직 9급

① 구조적 상황이론 - 불안정한 환경 속에 있는 조직은 유기적인 조직구조를 선택하는 것이 효과적이다.

② 전략적 선택이론 - 동일한 환경에 처한 조직도 환경에 대한 관리자의 지각 차이로 상이한 선택을 할 수 있다.

③ 거래비용이론 - 시장에서의 거래비용이 조직의 내부 거래비용보다 클 경우 내부 조직화를 선택한다.

④ 조직군생태학이론 - 조직군의 변화를 이끄는 변이는 우연적 변화(돌연변이)로 한정되며, 계획적이고 의도적인 변화는 배제된다.

정답 및 해설

05 거시조직이론

구조적 상황이론은 환경에의 적응능력이 조직 생존의 핵심으로 유일최선의 조직구조는 존재하지 않으며 환경에 적합한 조직구조의 설계를 강조한다.

| 선지분석 |

① 공동체 생태학이론은 조직상호 간에 공동체를 형성하여 환경에 적극적으로 대응하는 전략으로 조직의 내적논리보다는 조직간 공동전략에 의한 외적 논리를 강조한다.

② 자원의존이론은 임의론적 관점으로 관리자의 선택에 의한 능동적이고 적극적인 환경관리를 중시한다.

④ 조직군 생태학이론은 환경이 조직을 선택한다는 절대적인 환경결정론으로서 조직의 주도적 선택을 인정하지 않는다.

06 거래비용이론

정보의 비대칭성에 의한 역선택과 도덕적 해이 등 기회주의적인 행동은 주인이 대리인을 알 수 없는 시장에서 더욱 증가한다. 그러므로 기회주의적 행동을 제어하는 데에는 시장이 계층제보다 더 효율적인 수단이라고 보기는 어렵다.

07 주인-대리인이론

주인과 대리인의 목표 상충으로 인해 대리손실(agent-loss)이 나타난다.

| 선지분석 |

② 거래비용에는 사전탐색비용과 거래이행비용, 그리고 사후감시비용 등을 모두 포함한다.

③ 시장에서의 거래비용이 계층제 내의 조정비용보다 크면 거래를 조직 내부에서 새로운 조직을 만들거나 부서를 개편하는 것을 통해 내부화하는 것이 효율적이다.

④ 거래비용이론에서 조직은 '거래비용의 최소화'를 관건으로 하는 조직경제학의 주요이론이다.

08 거시조직이론

조직군생태학이론에서는 조직군의 변화를 이끄는 변이의 원인으로 환경에 대한 적응이나 선택 등과 같은 계획적 변화뿐만 아니라 우연한 사건이나 기회와 같은 우연적 변화를 통해서도 나타난다.

| 선지분석 |

① 구조적 상황이론에서 불안정한 환경 속에 있는 조직은 유기적인 조직구조를 선택하는 것이 효과적이다.

② 전략적 선택이론은 동일한 환경에 처한 조직도 환경에 대한 관리자의 지각 차이로 상이한 선택을 할 수 있다.

③ 거래비용이론은 시장에서의 거래비용(외부비용)이 조직의 내부 거래비용(조정비용)보다 클 경우 내부 조직화를 선택한다.

정답 05 ③ 06 ① 07 ② 08 ④

CHAPTER 5 조직관리 및 개혁론

1 권위와 권력, 갈등

1 권위

1. 의의 및 기능❶❷

(1) 의의

① 권위는 권한과 유사한 개념으로 조직의 규범에 의하여 정당성이 부여된 것으로 조직의 구성원들에게 일반적으로 수용되어진 정당한 권력으로서 리더십과 관련된다.

② 사이먼(Simon)은 권위를 '의사결정의 입장에서 자기의 의사결정에 타인으로 하여금 승복하게 하는 힘'이라고 하였다.

(2) 기능

① 규범준수와 개인적 책임의 이행을 강제할 수 있다.

② 의사결정의 전문화 확보에 기여한다.

③ 조직단위의 활동을 조정하는 기능을 한다.

❶ 권위 · 권력 · 영향력의 범위

❷ 권력과 영향력

1. 권력은 어떤 사람이 상대방의 의사와 관계없이 영향력을 미칠 수 있는 능력으로서의 직권력과 관련된다.
2. 영향력은 구성원의 심리적 · 행태적 변화라는 결과를 수반하는 힘으로서 가장 넓은 개념이다.
3. 권력은 자신이 원하는 방향으로 상대방을 변화시키는 잠재적 능력으로 보고, 이를 실제 행동으로 옮기는 것을 영향력으로 보는 견해에서는 권력을 정태적 관점, 영향력을 동태적 관점으로 파악하기도 한다(박내회).

2. 유형

(1) 권위의 정당성에 따른 분류(Weber)

구분	내용
전통적 권위	전통의 신성성에 의한 권위이다.
카리스마적 권위	개인의 영웅적 자질이나 초인적인 힘에 의한 권위이다.
법적 · 합리적 권위	법과 합리성에 기초한 권위이다. 베버(weber)의 관료제는 법적 · 합리적 권위가 높은 조직이다.

(2) 권위수용의 근거에 따른 분류(Simon)

구분	내용
신뢰의 권위	다른 사람으로부터 신망을 얻는 특수한 능력에 기반하는 권위이다. 기능적 권위(전문지식에 의한 권위)와 행정적 권위(계층적 직위에 의한 권위)의 신뢰에 해당한다.
동일화의 권위	자기가 속한 조직에 대한 소속감 · 일체화에 의한 권위, 충성심 등과 관련된다.
제재의 권위	권위의 수용을 강제하기 위하여 부하를 제재할 수 있는 이해 타산적인 상급자의 권능을 의미한다. 적극적 보상이나 부정적 처벌 등이 이에 해당한다. 부하 또는 외부인사도 가질 수 있다.
정당성의 권위	법규 · 규칙 등에 의해 복종하는 것이 규범적 · 윤리적으로 정당하다는 신념에 따라 나타나는 합법적 권위이다.

(3) 권위의 유형에 따른 분류(Etzioni)

강제적 권위	물리적 제재에 의한 권위이다.
공리적 권위	경제적 유인에 의한 권위이다.
규범적 권위	도덕적 규범에 의한 권위이다.

(4) 일반성 · 전문성에 따른 분류(Etzioni)

행정적 권위	관료제적 권위로서 계층적 지위에 근거하여 형성되는 일반행정가의 권위이다.
전문적 권위	기술적 권위로서 전문적 지식에 근거하여 형성되는 전문행정가의 권위이다.

3. 권위수용에 관한 이론

(1) 버나드(Barnard)의 무차별권

① **권위수용의 전제조건**: 의사전달의 내용을 파악할 것, 권위가 목표에 부합할 것, 명령이 개인의 이익과 일치할 것, 정신적 · 육체적으로 의사전달에 대응할 수 있을 것 등이 있다.

② **무차별권**: ㉠ 명백히 수용 불가능한 경우, ㉡ 수용에 대해 중립적인 경우, ㉢ 이의 없이 수용하는 경우로 나눈 뒤, ㉢의 경우를 무차별권이라고 하였다. 즉, 부하가 상관의 권위를 의심하지 않고 무조건 받아들이는 경우이다.

(2) 사이먼(Simon)의 수용권

상관의 의사결정을 따르는 형태를 다음의 세 가지로 나누었다.

① 의사결정의 장단점을 충분히 검토하고 따르는 경우

② 충분한 검토 없이 따르는 경우(수용권)

③ 단점을 알면서도 따르는 경우(수용권)

이때 ②, ③의 경우가 수용권에 해당한다고 주장하였다.

2 권력

1. 의의[1]

(1) 권력(Power)은 상대방의 생각이나 행동을 바꾸게 하는 영향력을 그의 의사와 관계없이 강제할 수 있는 능력이다. 즉, 강제력이 없었다면 하지 않았을 행위를 하도록 유발하는 힘을 말한다.

(2) 권력은 상황에 따라서 그러한 능력을 지니고 있다는 것 자체만으로 영향력을 미칠 수 있으므로 잠재적 능력이라고 할 수 있다.

(3) 권한은 조직의 규범에 의하여 정당성이 승인된 권력이며 조직에서 공식적 역할과 결부된 가장 중요한 권력이 권한이다.

[1] 권력의 원천에 관한 학자들의 주장
1. **베버(Weber)**: 전통성, 카리스마, 법적/합리성
2. **프렌치와 레이븐(French & Raven)**: 합법성, 강압성, 보상성, 전문성, 준거성
3. **힉슨(Hickson)**: 자원통제와 불확실성

핵심 OX

01 베버(Weber)의 권위유형에서 합법적 권위가 가장 높은 조직은 관료제이다. (O, X)

02 사이먼(Simon)의 권위수용의 근거에 따른 권위 분류에는 신뢰의 권위, 동일화의 권위, 정당성의 권위, 제재의 권위가 있는데 이 중 자기가 속한 조직에 대한 소속감 · 일체화에 의한 권위, 충성심 등과 관련되는 것은 신뢰의 권위이다. (O, X)

01 O
02 X 신뢰의 권위가 아니라 동일화의 권위이다.

2. 유형(French & Raven, 1960)

합법적 권력	조직이나 계층상의 위계에 의하여 행사되는 권력(정통적 권력)이다.
강제적 권력	공포에 기반을 두고 권력으로서 처벌할 수 있는 능력에 의하여 야기되는 권력이다.
보상적 권력	복종의 대가로서 승진이나 봉급의 인상 등 보상을 제공할 수 있는 능력에 기반을 둔 권력이다.
전문적 권력	전문적 지식이나 기술에 의하여 전개되는 권력으로서 정통적·보상적·강제적 권력과 달리 조직의 공식적 직위와 일치하지 않을 수 있다.
준거적 권력	어떤 사람의 능력이나 매력에 존경과 호감을 느낌으로써 그를 자기의 역할모델로 삼으며(역할모형화) 일체감과 신뢰를 바탕으로 한다.

3 갈등

1. 의의

조직 내의 의사결정과정에서 대안의 선택기준이 모호하거나 한정된 자원에 대한 경쟁 때문에 개인이나 집단이 대안을 선택하는 데 곤란을 겪는 상황이다.

(1) 갈등에 대한 시각[1]

① **고전적 이론**: 과학적 관리론의 관점으로 갈등에 대한 인식이 없었다(인식부재론).

② **신고전적 이론**[2]: 인간관계론적 관점으로 갈등이 조직의 목표달성을 저해한다는 역기능적 관점이다(역기능론).

③ **행태론적 접근**[3]: 갈등을 불가피한 현상으로 보거나 갈등발생의 경우 건설적으로 해결하면 조직목표달성에 기여할 수도 있다고 본다(순기능론).

④ **현대적 접근**: 갈등의 순기능과 역기능의 상호작용으로 적정수준의 갈등관리가 필요하다고 보며 조직발전의 원동력으로 작용한다고 본다(상호작용론).

(2) 갈등의 기능

순기능	· 조직발전의 새로운 계기(조직의 장기적인 안정성 강화에 기여)가 된다. · 선의의 경쟁을 통하여 발전과 쇄신을 촉진시킨다. · 조직의 문제해결능력·창의력·적응능력·단결력 등을 향상시킨다.
역기능	· 통일적인 목표달성을 어렵게 하여 조직의 목표달성을 저해한다. · 구성원의 사기저하와 반목·적대감정을 유발한다. · 갈등과 불안이 일상화되어 쇄신과 발전을 저해한다.

2. 갈등의 원인

(1) 예산 및 정원 등 한정된 자원을 두고 타인과 경합상태에 있을 때(제로섬 상황) 갈등이 발생한다.

(2) 타 조직이나 집단 간 상호의존성에 의한 공동의사결정이 필요할 때 갈등이 발생한다.

(3) 상호 간 의사소통이 원활하지 않거나 결여되어 있을 때 갈등이 발생한다.

(4) 개인의 가치관과 태도의 차이가 있을 때 갈등이 발생한다.

❶ 갈등관리의 관점(Robins & Judge)

전통적 관점(갈등역기능론)	갈등은 해롭고 나쁜 것이고 부정적이므로 회피의 대상으로 간주
행태주의 관점(갈등불가피론)	· 갈등은 자연적이고 불가피한 것으로 수용 · 갈등을 용인의 대상으로 간주하며 순기능 인정
상호주의 관점	갈등의 용인(수용)에 그치지 않고 적극적인 갈등 조장 → 갈등을 조직변화의 원동력으로 간주

❷ 메이요(Mayo)의 주장(갈등역기능론)
메이요(Mayo)는 '갈등은 악이고 사회적 기술의 결핍증을 의미하며, 협조만이 건강의 징후'라고 하였다.

❸ 갈등에 대한 행태론적 접근
행태론적 접근은 갈등을 수용하는 데에 그쳤으며, 어디까지나 갈등을 목표달성에 기여하도록 하는 것으로 보았을 뿐 갈등조장까지 주장한 것은 아니라고 보는 입장도 있다.

(5) 수평적 권력을 지닌 두 집단이 대립할 때 갈등이 발생한다.
(6) 권한과 책임의 범위가 불명확할 때 갈등이 발생한다.

3. 갈등의 유형[1]

(1) 개인적 갈등(개인이 내부적으로 겪는 갈등)

① 밀러(Miller): 바람직한 가치와 부정적인 가치를 기준으로 분류한다.

접근 - 접근갈등	모두 바람직한 가치 중 하나를 선택하여야 하는 경우이다.
회피 - 회피갈등	모두 바람직하지 못한 가치 중 하나를 선택하는 경우이다.
접근 - 회피갈등	바람직한 가치와 그렇지 못한 가치 중 하나를 선택하여야 하는 경우이다.

② 사이먼(Simon)

비수락성	결정자가 각 대안의 결과는 알지만 만족기준을 충족시키지 못하여 수락할 수 없는 경우로서 새로운 대안의 탐색이 효과적이다.
비비교성	결정자가 대안의 결과는 알지만 최선의 대안이 어느 것인지 비교할 수 없는 경우로서 비교기준을 명확하게 하는 것이 중요하다.
불확실성	대안의 선택과 그 결과를 예측할 수 없는 경우에 해당하며, 이러한 경우에는 탐색활동을 확대하는 노력이 필요하다.

(2) 대인적 갈등(개인 간에 발생하는 갈등)

대인적 갈등의 원인으로 목표의 양립 불가능성, 커뮤니케이션의 왜곡, 기타 조직구조적인 문제 등이 있다.

(3) 집단적 갈등(집단과 집단 사이에서 발생하는 갈등)

원인	해결방안
· 공동의사결정의 필요성 · 이해관계 및 기관목표의 차이 · 가치관 · 신념 및 태도의 차이 · 의사전달 미흡 · 역할분화와 상호 간 기대의 차이	· 문제의 해결 · 자원의 획득 · 증대 · 상위목표의 제시, 공동의 적 설정 · 결정의 보류 · 회피, 갈등당사자의 접촉방지 · 대립적 의견과 이해관계의 모호성 완화 · 대화와 타협 · 상관의 명령, 제도적 개혁방안 마련 · OD · MBO 등 행태과학적 기법을 통한 태도변화 · 아이디어 및 회의나 위원회에 의한 조정

(4) 진행단계에 따른 갈등 분류(Pondy)

잠재적 갈등	갈등이 야기될 수 있는 상황 또는 조건이다.
지각된 갈등	구성원들이 지각하게 되는 갈등이다.
감정적 갈등	지각이 감정으로 연결되는 갈등이다.
표면화된 갈등	감정이 노골적으로 표출되는 갈등이다.
갈등의 결과	갈등에 대응한 후 남는 조건 또는 상황이다.

[1] 갈등의 대상에 의한 유형(Timorthy & Judge)
1. 직무갈등(task conflict): 업무의 내용이나 목표와 관련된 갈등으로 따라서 업무의존성을 줄여주거나 계층제적 권위 또는 상위목표의 제시 등에 의하여 해결하는 것이 바람직하다.
2. 관계갈등(relationship conflict): 대인관계의 악화로 인한 갈등으로 이를 해결하기 위해서는 의사전달의 장애요소를 제거하고 직원들 간 소통기회를 제공해 줄 필요가 있다.
3. 과정갈등(process conflict): 업무수행과정에서 발생하는 갈등으로 상호 의사소통 증진이나 조직구조의 변경을 통하여 해결할 수 있다.

핵심 OX

01 행태주의 관점의 갈등관리이론에서는 갈등이 조직발전의 원동력이 된다고 주장하였다. (O, X)

02 비비교성은 결정자가 각 대안의 결과는 알지만 만족기준을 충족시키지 못하여 수락할 수 없는 경우에 새로운 대안의 탐색을 추구하는 것과 관련된다. (O, X)

01 X 갈등을 조직발전의 원동력으로 보는 관점은 행태주의가 아니라 상호주의 관점이다.
02 X 비수락성에 대한 설명이다.

4. 갈등의 관리방안

(1) 토마스(Thomas)의 2차원적 갈등해결모형(1976)

① **의의:** 토마스(Thomas)는 자신의 이익만족도와 상대방의 이익민족도를 기준으로 다섯 가지의 갈등관리방안을 제시하였다.

② **갈등관리방안**[1]

회피	자신의 이익이나 상대방의 이익 모두에 무관심한 대인적 갈등관리방안이다.
경쟁	상대방의 이익을 희생하여 자신의 이익을 추구하는 대인적 갈등관리방안이다.
순응	자신의 이익은 희생하면서 상대방의 이익을 만족시키려고 하는 갈등관리방안이다.
타협	자신과 상대방 이익의 중간 정도를 만족시키려고 하는 갈등관리방안이다.
협동	자신과 상대방의 이익 모두를 만족시키려고 하는 가장 바람직한 갈등관리방안이다.

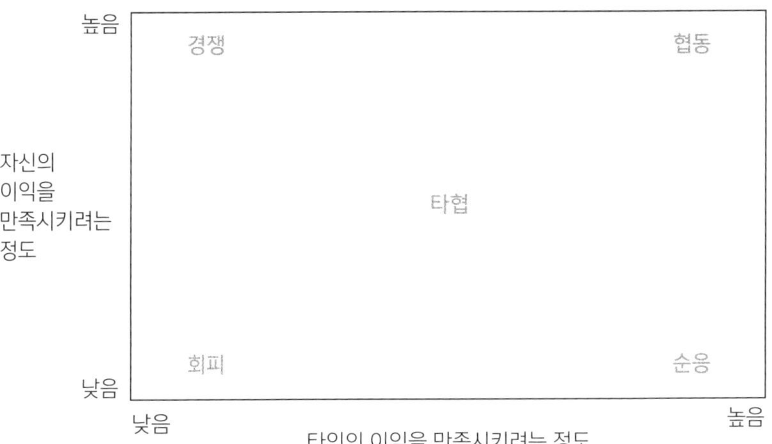

▲ 토마스(Thomas)의 2차원적 갈등해결모형(1976)

(2) 사이먼(Simon)의 갈등해결방안

① **기본적 목표가 합치된 상태에서의 합리적·분석적 해결**

㉠ **문제해결:** 객관적 증거·이성·자료에 의하여 문제를 합리적으로 해결하고자 하는 것이다. 정보수집을 중요시하며, 사실 갈등에 적용되고, 쇄신적 대안모색에 기여한다.

㉡ **설득:** 상위이념 등의 제시에 의한 해결로서 객관적 자료 등에 의존하지 않는다. 즉, 상위목표인 공동목표에 따라 하위목표인 세부목표를 조정하는 것이다. 상대적으로 목표 갈등에 적용된다.

② **기본적 목표에 대한 미합의 상태에서의 정치적·협상적 해결**

㉠ **협상:** 이해당사자끼리의 직접적인 해결로서 노사 간의 교섭이 대표적인 예이다.

㉡ **정략(정치적 타결):** 제3자의 개입에 의한 해결로서 잠재적인 지지 세력의 규합이 일어난다.

---

[1] 협상의 전략(Walton & Mckersie, 1965)

1. **분배적 협상(distributive negotiation):** 전체 자원을 고정된 것으로 보므로 협상을 zero sum 게임(win-loss)으로 인식하여 공격적·경쟁적으로 협상을 진행하는 전략이다.
   ⇨ 토마스(Thomas)의 2차원적 갈등해결모형에서의 경쟁(자신이익 추구, 상대방이익 희생)과 유사하다.
2. **통합적 협상(integrative negotiation):** 전체 자원을 확장될 수 있는 것으로 보므로 협상을 non-zero sum 게임(win-win)으로 인식하여 전체 자원의 확대를 위한 협력을 통하여 양자 간 새로운 이익을 창출하는 협상전략이다.
   ⇨ 토마스(Thomas)의 2차원적 갈등해결모형에서의 협동(자신과 상대방 모두의 이익만족)과 유사하다.

(3) 갈등관리전략

해소전략	· 리더십을 발휘하고, 문제를 공동으로 해결한다. · 상위목표를 설정한다[상위이념(상위목표) 제시(Gulick)]. · 의사전달을 촉진하고, 인사교류 및 공동교육훈련을 실시한다. · 자원을 확충하고, 집단 간 상호의존성을 감소시킨다. · 공식경로를 통해 고충을 해결한다(청원시스템). · 공식적인 계층제와 조정기구를 통해 해소한다. · 조직을 개편한다(구조적 요인의 개편). · 공동경쟁대상(공동의 적)을 설정한다. · 평가기준과 보상시스템을 명확히 한다. · 갈등집단을 통폐합한다. · 협상과 타협을 통해 갈등을 완화시킨다.
조성전략	· 의사전달통로를 변경한다. · 제도적 갈등조장방안을 마련한다. · 충격요법적 방법: 긴장과 갈등을 야기한다. · 인사정책적 방법: 순환보직* 등 인사이동을 실시한다. · 정보전달을 억제하거나 정보를 과다하게 조성한다. · 경쟁상황의 창출: 보수·인사 등에 있어 경쟁원리를 도입한다(성과급, 공모·개방형직위 등).

5. 공공갈등과 해결

(1) 공공갈등은 공공정책을 수립하거나 추진하는 과정에서 발생하는 이해관계의 충돌이다.

㉠ 4대강 살리기 정책, 핵폐기물 설치 등

(2) 정부의 정책결정시스템이나 대의제는 시민의 참여와 성찰적 합의를 제한하기 때문에 정책을 둘러싸고 격렬한 갈등이 빈번하게 발생하고 있는 실정이다.

(3) 사회발전의 원동력이 되는 순기능도 있지만 갈등이 증폭되면 사회적 비용이 증가하므로 갈등을 원만하게 해결하는 최적의 해법을 찾는 것이 중요하다.

(4) 「공공기관의 갈등 예방과 해결에 관한 규정」 시행

① **의의:** 중앙행정기관의 갈등 예방과 해결에 관한 역할·책무 및 절차 등을 규정하고 중앙행정기관의 갈등 예방과 해결능력을 향상시킴으로써 사회통합에 기여하기 위한 규정이다.

② **주요 내용**

㉠ **갈등영향분석* 실시:** 공공정책이 국민생활에 중대하고 광범위한 갈등을 유발할 우려가 있다고 판단되는 경우 중앙행정기관의 장이 갈등영향분석을 실시한다.

㉡ **갈등관리심의위원회 설치:** 갈등영향분석을 심의하고 중앙행정기관이 수행하는 갈등의 예방·해결에 관하여 자문기능을 하기 위하여 중앙행정기관에 갈등관리심의위원회를 설치한다.

용어

순환보직(job rotation)*: 조직구성원을 일정한 간격을 두고 여러 다른 직위 또는 직급에 배치시키는 것을 말한다. 이러한 인사관리 방식은 여러 가지 보직을 담당하는 과정에서 시야와 경험을 넓히고 관리능력을 향상시키는 장점이 있는 반면에, 전보가 빈번히 이루어지는 경우 업무 수행의 전문성과 능률성을 저하시키고 행정의 일관성을 해칠 우려가 있다.

용어

갈등영향분석*: 공공정책을 수립·추진할 때 공공정책이 사회에 미치는 갈등의 요인을 예측·분석하고 예상되는 갈등에 대한 대책을 강구하는 것이다.

핵심 OX

01 회피는 갈등 당사자들의 차이점을 감추고 유사성과 공동의 이익을 내세우는 갈등해소방안이다. (O, X)

02 사이먼(Simon)의 갈등해결의 방안 중에 목표에 대한 기본적인 합의가 없는 상태에서는 협상과 정략을 쓸 수 있다. (O, X)

01 X 갈등관리전략 중 회피가 아니라 협동에 해당한다.
02 O

(5) 공공갈등의 해결기법

① 분쟁해결기법

㉠ **전통적 해결기법:** 관료적 해결, 정치적 결단, 사법적 방법 등이 있다.

㉡ **참여적 해결기법**

구분	대안적 분쟁해결기법	숙의적 분쟁해결기법
참여자	이해당사자들이 주체	이해관계가 없는 일반시민이 주체
관점과 내용	드러난 문제의 해결	· 문제해결역량의 성숙 · 토론과 학습을 통하여 문제설정과 해결방안을 협력적으로 모색
적용시점	갈등발생 이후	갈등이 행동대립으로 전개되기 이전
예	조정, 협상, 중재 등	시민배심원제, 합의회의 등

② 시민참여의 분류

구분		일방향 및 양방향	상호작용
의사소통 구조 참여자	시민	직접참여모형 (직접민주주의)	숙의모형 (숙의민주주의)
	시민, 이해당사자, 시민단체, 전문가 등 혼합	협의모형 (기술관료주의)	협상모형 (다원민주주의)

2 의사전달과 행정 PR

1 의사전달

1. 의의

(1) 개념

① 마이어스(Myers)는 의사전달을 '한 사람의 의사와 관념을 다른 사람이 행동화하도록 전달하는 것'으로 정의하였다.

② 펑크(Punk)는 '의사전달은 어떤 소식이나 태도, 관념 등을 타인에게 전달하는 절차로서 이러한 절차에 의해 사람들 간에 이해와 협조를 갖도록 한다.'고 정의하였다.

③ 이를 종합하면 의사전달은 '상호교류과정으로서 전달자와 피전달자 간에 사실과 의견을 전달하여 인간에게 영향을 미치고 행동에 변화를 일으키는 것'을 의미한다고 볼 수 있다.

핵심 OX

01 공공갈등을 관리하고 해결하기 위한 방법 중 대안적 분쟁해결기법에는 협상, 조정, 중재, 시민배심원제 등이 있다. (O, X)

01 X 시민배심원제는 숙의적 분쟁해결기법이다.

(2) 이론의 전개과정

① **고전기**: 의사전달을 하나의 중요한 문제로 간주하거나 이를 본격적으로 연구하지는 않았다. 고전이론의 합리적·공식적 접근방법은 의사전달에 결부된 여러 가지 문제들을 간과하게 하였다.

② **신고전기**: 의사전달의 장애요인, 특히 비합리적·비공식적 장애요인에 관심을 보이고 의사전달의 방법 및 형태에 관하여 자기 나름대로의 접근법에 따라 연구하기 시작하였다.

③ **현대**: 현대 조직에서는 의사전달을 매우 중요하게 여기기 때문에 연구가 활발하다.

2. 기능

(1) 의사결정의 합리화

조직활동은 의사결정의 연속으로 의사전달을 통한 정보의 계속적인 제공이 없으면 합리적인 의사결정은 불가능하다.

(2) 조직구성원의 사기 제고

활발한 의사전달은 구성원들의 참여를 높이고 사기앙양에 기여하게 된다. 특히 오늘날 대규모 조직에 소속된 개인들이 심리적 무력감과 소외를 느끼고 있는 상황에서는 더욱 절실하다.

(3) 조정의 효율화

원활한 의사전달은 갈등을 효율적으로 조정할 수 있도록 만든다.

(4) 리더십의 발휘

리더십은 의사전달을 통해 조직구성원의 상호작용과 협동을 유지시켜주며, 환경으로부터 정보를 수집하고 환경에 정보를 전달하는 환경에의 적응기능을 수행한다.

3. 유형

(1) 공식적 의사전달(조직의 공식적 관계 및 의사소통 통로를 통한 전달)

① **수직적(종적) 의사전달**: 조직의 상·하 관계에서의 의사소통이다.

㉠ **하향적 의사전달**: 상관으로부터 부하에게 전달되는 명령과 일반정보이다. 명령은 규칙 및 규정과 같은 행정입법적인 성격을 띤 것으로부터 특수한 지시 및 각서에 이르기까지 다양하다. 정보제공의 수단에는 직원에게 조직 내의 사정을 알리기 위한 편람, 뉴스레터 및 게시 등이 있다.

㉡ **상향적 의사전달**: 부하로부터 상관에게 전달되는 것으로서 하의상달(下意上達)이라고도 한다. 보고, 제안제도, 품의제, 의견조사, 태도조사, 설문조사, 고충조사, 면접, 면담 등이 있으며, 일반적으로 공식적인 의사전달의 수단으로 보고가 가장 많이 이용된다.

② **수평적(횡적) 의사전달**: 조직 내에서 계층제상의 지위가 같은 사람들끼리의 횡적인 의사전달로서 상호작용적 의사전달이라고도 한다. 회의, 회람, 사전심사제도 등이 있으며, 최근 각 부서 및 구성원 간의 이해증진을 위한 조정의 필요성으로 인해서 관심이 증대되고 있다.

핵심 OX

01 의사전달의 유형에서 상향적 의사전달에는 제안제도, 품의제, 의견조사, 태도조사, 설문조사, 사전심사 등이 있다. (O, X)

01 X 사전심사는 수평적 의사전달이다.

❶ 대각적 의사전달
대면회합, 전화, 직무명령 등에 의해 이루어지며 갈브레이스(Galbraith)는 최근 급증하는 정보의 욕구는 대각적 경로를 통해 해결할 수 있다고 주장한다.

③ **사각적(斜角的) 의사전달**: 계층제상의 지위가 다르고 직속상관이나 부하의 관계에 있지 않은 사람들 사이의 의사전달로서 대각적 의사전달❶이라고도 한다. 대표적인 예로 계선기관(라인부서)과 참모기관(스탭부서) 간의 의사전달이 있다.

고득점 공략 수직적 의사전달과 수평적 의사전달

1. 수직적 의사전달

상의하달 (하향적)	· 명령: 문서·구두명령, 지시, 고시, 훈령, 발령, 규정, 규칙, 요강 등 · 일반정보 제공: 편람, 뉴스레터, 게시, 핸드북, 구내방송, 강연 등
하의상달 (상향적)	· 보고(결재): 가장 일반적·공식적 · 제안제도, 품의제(정부내부정책결정제도) · 조사: 의견조사, 태도조사, 설문조사, 고충조사, 면접, 면담

2. 수평적 의사전달

회의	정보나 의견의 교환이나 조정
회람	관계자들의 의견을 수렴하여 결정한 후에 관계자들에게 통지
사전심사제도	어떤 결정을 내리기 전에 전문가들의 의견을 구하거나 조직의 목표합치 여부를 검증하는 제도

(2) 비공식적 의사전달(비공식적 인간관계 및 의사소통 통로를 통한 전달)

비공식집단 내에서 이루어지는 비공식적인 의사전달으로 포도덩굴 커뮤니케이션*이라고도 부른다. 조직의 공식적 규범에 의해 이루어지는 것이 아니라, 자생적으로 형성된다. 공식적 의사전달을 도와 그 효율성을 제고하기도 하지만 공식적 권위관계를 저해하고 조정을 곤란하게 하는 문제점을 지니고 있다.

용어
포도덩굴 커뮤니케이션(grapevine communication)*: 자생집단 내에서 비공식적인 방법으로 이루어지는 의사 전달을 의미한다(informal communication). 이러한 의사전달은 조직의 공식적 규범에 의해 이루어지는 것이 아니라, 자생적으로 형성되는 것으로서 공식적인 의사전달을 도와 그 효율성을 제고하기도 하나, 다른 한편 공식적인 권위 관계를 파괴하고 조정을 곤란하게 하는 문제점을 지닌다.

(3) 공식적 의사전달과 비공식 의사전달의 장단점 구분

구분	공식적 의사전달	비공식적 의사전달
장점	· 상관의 권위를 유지 · 의사전달이 확실·편리 · 책임소재가 명확하고 조정·통제가 용이 · 정보의 사전입수로 비전문가라도 의사결정이 용이 · 정보나 근거의 보존이 용이	· 신속하고 적응성이 강함 · 배후사정을 소상히 전달 · 긴장·소외감 극복과 개인적 욕구의 충족 · 직원들의 동태 파악과 행동의 통일성 확보 · 공식적 의사전달을 보완
단점	· 의사전달의 신축성이 없고 형식화되기 쉬움 · 배후사정을 소상히 전달하기 곤란 · 지연되고 신속히 적응하기 어려움 · 기밀 유지 곤란	· 책임소재가 불분명하고, 조정·통제가 곤란 · 개인목적에 역이용 되는 점 · 공식적 의사소통 기능을 마비시키는 점 · 계층제에서 상관의 권위가 손상

4. 의사전달망[1]

(1) 바퀴형(wheel, 윤형)

① 집단 내의 중심적 인물이 구성원 간의 정보전달에 중심이 되는 형태이다.

② 의사전달의 집권성과 신속성이 높다.

③ 의사결정의 질은 리더의 역량에 의존하게 된다.

④ 상위계층이 중심이 되는 위계적이고 전통적인 의사전달유형이다.

(2) 선형(line) 또는 연쇄형(chain)

① 선형 또는 연쇄형은 단순한 계서적인 의사전달망으로 망 내의 직위 또는 연결점들이 한 줄로 이어지는 형태이다. 이는 수직적 계층구조와 횡적 의사전달유형에서 각각 볼 수 있다.

② **수직적 계층구조**: 정보가 단계적으로 최종적인 최고관리층에게로 집중됨으로써 단순 업무에서의 효율성은 높은 편이나 정보의 왜곡 우려가 있다.

③ **횡적 의사전달유형**: 중간에 위치한 구성원이 중심적인 역할을 하게 되며, 이를 제외한 주변의 나머지 구성원들의 만족감은 비교적 낮다.

(3) Y형

① Y형은 연쇄형을 약간 수정한 것으로 의사전달망의 최상층에 두 개의 대등한 직위가 있거나 거꾸로 최하위층에 두 개의 대등한 지위를 가진 사람이 있는 것이다.

② 계선과 참모(막료)의 혼합조직에서 흔히 볼 수 있다.

③ 상위직의 만족도는 높으나, 하위직의 만족도는 낮다.

(4) 원형(circle)

① 원형은 망 내에서 구성원들이 양 옆의 두 사람과만 의사전달을 할 수 있게 되어 있는 형태이며 중심적인 인물이 없다. 집단구성원 간의 서열이나 지위가 거의 동등한 입장에서 의사전달이 이루어진다.

② 원형은 사람들이 자유방임형태에서 일하는 경우나 지역적으로 분리되어 있을 경우에 볼 수 있다.

③ 정보의 전달과 수집 및 문제결정이 느리다는 문제점이 있으나 목적이 명백할 때에는 구성원들이 비교적 높은 만족감을 가질 수 있고 환경변화에 대한 대응성이 높다.

(5) 개방형 또는 전체 경로형(all chanels)

① 구성원들이 자유롭게 정보를 교환하는 형태로서, 의사소통의 왜곡성이 낮으며 구성원들의 만족도가 높다.

② 의사결정의 질 또는 정확성이 높기 때문에, 환경변화에의 적응성이 높고 유기적 구조에 적합하다.

③ 개방도가 높아서 전체적 경로를 통하여 의사결정이 이루어지므로, 신속한 의사전달이 이루어지기 어렵다.

(6) 혼합형(com-con)

혼합형은 윤형과 개방형이 혼합되어 있는 형태이다. 구성원들이 서로 자유롭게 의사전달을 하지만 리더인 한 사람이 중심적인 위치를 차지한다.

[1] 의사전달망의 형태

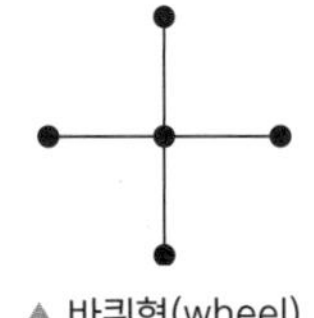

▲ 바퀴형(wheel)

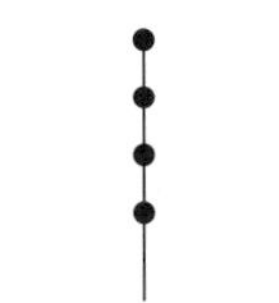

▲ 선형 또는 연쇄형(line or chain)

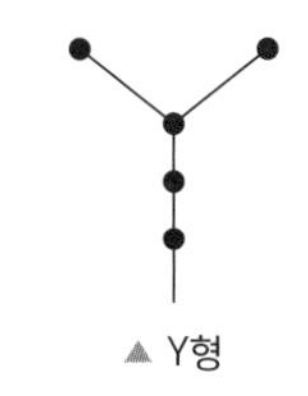

▲ Y형

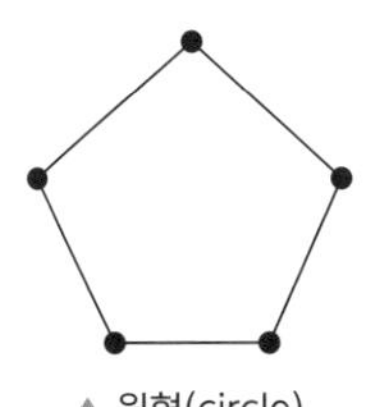

▲ 원형(circle)

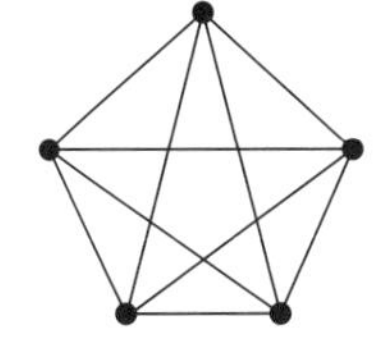

▲ 개방형 또는 전체 경로형 (all channels)

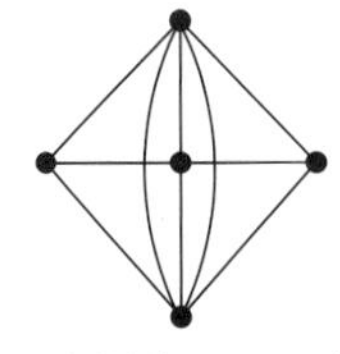

▲ 혼합형(com-con)

개념PLUS 바퀴형과 개방형의 비교

구분	구조	개방도	집중도	환류	신속성	정확성
바퀴형 (윤형)	기계적 구조	낮음	높음	낮음	높음	낮음
개방형 (전체경로형)	유기적 구조	높음	낮음	높음	낮음	높음

5. 의사전달의 원칙

(1) 명료성과 일관성

(2) 적량성과 적시성

(3) 배포성과 융통성

(4) 통일성, 관심과 수용성

6. 의사전달의 장애요인과 촉진방안

(1) 조직구조적 측면

① 장애요인

㉠ **집권적 계층구조:** 경직적인 조직구조는 의사전달의 장애를 가져온다.

㉡ **할거주의 · 전문화:** 전문화의 진전은 특히 수평적 의사전달의 장애를 가져온다.

㉢ 비공식적 의사전달로 인한 왜곡현상이 발생할 수 있다.

② 촉진방안

㉠ 정보 채널의 다원화를 통해서 정보의 정확성과 의사전달의 신뢰성을 높인다.

㉡ 계층제의 완화와 분권화 전략을 통해서 계층제의 경직성으로 인한 의사전달의 문제점을 극복한다.

㉢ 정보의 분산을 통해서 신뢰성을 높인다.

(2) 전달자와 피전달자의 측면

① 장애요인

㉠ 전달자와 피전달자 간의 가치관이나 사고방식의 차이가 문제가 될 수 있다.

㉡ 지위의 차이로 의사전달의 왜곡이 발생할 수 있다.

㉢ 전달자가 정보의 전달을 의식적으로 제한하는 경우가 있다.

㉣ 피전달자의 전달자에 대한 불신이나 편견은 의사전달의 장애요인으로 작용한다.

㉤ 환류의 봉쇄는 의사전달의 장애를 가져온다.

② 촉진방안

㉠ 상호접촉을 통해 서로를 이해한다.

㉡ 대인관계를 개선하고, 개방적인 분위기를 유도한다.

㉢ 하의상달을 권장하고 활성화시킨다.

㉣ 의사전달 조정집단을 활용한다.

㉤ 민주적 · 쇄신적 리더십의 확립이 우선되어야 한다.

핵심 OX

01 상사와 부하 간에만 의사전달이 일어나 수직적 계층을 통해서만 의사소통이 일어나는 형태는 연쇄형이다. (O, X)

02 의사전달의 원칙에는 명료성, 일관성, 적량성, 적시성, 배포성, 융통성, 다양성, 수용성 등이 있다. (O, X)

01 O
02 X 다양성이 아니라 통일성이다.

(3) 전달매체와 수단의 측면

① 장애요인

㉠ 정보의 과다는 오히려 정보의 왜곡이나 장애를 가져온다.

㉡ 정보의 유실과 불충분한 보존도 의사전달의 장애요인이 된다.

㉢ 매체의 불완전성에 기인할 수도 있다.

② 촉진방안

㉠ 의사전달의 반복과 환류메커니즘을 활용한다.

㉡ 효율적인 관리정보체계(MIS)를 구축한다.

㉢ 매체의 정밀성을 제고한다.

2 행정 PR

1. 의의 및 과정

(1) 의의

행정 PR(Public Relations)이란 정책결정 시 계획집행의 대상이 되는 공중의 의견을 청취하여 계획작성에 반영하고, 결정된 계획내용을 공중에게 설명하거나 전달함으로써 그들의 자발적인 이해와 협력을 확보하려는 관리기능이다. 이는 국민의 알권리 충족과도 밀접한 관련을 가진다.

(2) 과정

구분	내용
정보투입과정	공중의 의견이나 여론을 널리 듣고 흡수하여 정보처리를 하고 행정수요를 파악하는 과정이다.
정보전환과정	파악된 행정수요를 충족시키는 정책을 수립하는 과정이다.
정보산출과정	결정된 정책을 공중에게 널리 알려 지지와 협조를 구하는 과정이다.
환류과정	공중 또는 국민의 반응을 끊임없이 파악하고 분석하여 대응책을 강구하는 과정이다.

2. 필요성

(1) 정부에 대한 국민의 이해증진에 기여한다.

(2) 새로운 정책에 대한 지지확보에 도움을 준다.

(3) 정부활동에 대한 국민의 참여를 유도하게 된다.

(4) 국민교육 및 행정의 민주성 향상에 기여하게 된다.

(5) 현대 행정의 경직성과 관료주의화의 극복, 행정의 인간화를 위하여 필요하다.

3. 특징

(1) 수평성(상호작용성)

행정 PR이 정부의 정책을 일방적으로 홍보하는 것이 되어서는 안 되며, 국민들의 요구를 반영할 수 있는 상호작용성의 확보가 중요하다.

(2) 의무성

국민의 알 권리 충족을 위해서 반드시 필요한 것이다. 즉, 행정 PR은 정부의 임의적인 재량사항이 아니라 국민의 헌법상 기본권인 알 권리를 충족시켜주기 위해서 필요하다.

(3) 교류성

양방향적 의사소통이 이루어져야 한다. 이는 행정 PR의 가장 중요한 특성 중의 하나로 행정 PR이 일방적인 선전이 되어서는 안 되며, 국민들의 의사를 충분히 반영할 수 있어야 한다.❶

❶ 행정 PR과 선전
행정 PR과 선전은 구별되어야 한다. 선전은 행정기관 등 선전주체가 자신의 이익이나 특정 목적을 위하여 자신에게 호의적인 정보만을 일방적으로 제공하고 왜곡된 사실을 단순화시켜 감정에 호소하면서 반복적으로 알리는 것을 의미한다. 이에 반해 행정 PR은 상호 교류적인 과정이다.

(4) 객관성

주관적인 입장에서 행정 PR이 이루어져서는 안 된다. 즉, 행정이 임의에 의해 공공관계가 이루어져서는 안 된다는 것이다.

(5) 계몽성

국민교육기능을 담당한다. 다양한 PR 작용을 통해서 국민은 정부의 행정업무를 파악할 수 있으며, 행정과정에 참여할 수도 있다.

4. 우리나라 행정 PR의 문제점 및 개선방향

(1) 문제점

① **화재경보적 PR**: 특정 사건이 발생하면 이를 임기응변으로 무마하기 위한 PR의 성격을 지닌다.
② **일방적 선전**: 국민들의 의견을 수렴하지 않으며, 정부의 시책을 일방적으로 선전하는 경우가 많다.
③ **참여의 부족**: 공공관계는 행정이 국민의 여론에 민감하게 반응하기 위해서 필요한 것인데 한국의 경우 국민 참여의 부족이 문제된다.
④ **낮은 전문성**: 행정 PR의 전문성이 떨어지는 것도 문제점으로 지적된다.
⑤ **방식의 문제**: DAD(Decide-Announce-Defend)식 PR 방식도 문제이다.

(2) 개선방향

① **국가이익우선의 원칙 확립**: PR이 특수한 이익(㉠ 정권유지의 목적 등)을 위해서 행해져서는 안 되고 국가이익 또는 공익의 차원에서 활용되어야 한다.
② **공개행정의 촉진**: 건전한 PR 활동이 발전되기 위해서는 그 기반으로서 행정의 지나친 비밀주의가 지양되고 행정의 공개성이 확립되어야 할 것이다.
③ **전문성 확보와 공청기능의 개선 및 강화**: PR에 대한 올바른 인식을 통해 공청기능을 강화하고 의사소통체제를 종전의 상의하달에서 상호교류적인 체제로 전환하여야 한다.
④ **언론기관의 중립화와 대중매체 보급의 확대**: 오늘날 매스컴의 영향력이 증대되는 상황과 관련해 볼 때 필요하다.

핵심 OX

01 행정 PR은 수직성이 아니라 수평성의 확보가 중요하다. (O, X)
02 행정 PR은 국민의 비판적 여론을 억제할 수 있어야 한다. (O, X)

01 O
02 X 행정 PR은 국민의 비판적 여론을 억제하는 것이 아니라 수용하여 가급적 정책에 반영하여야 한다.

3 리더십이론

1 리더십[1]

1. 의의

(1) 리더십(leadership)이란 어떠한 상황하에서 목표달성을 위해 한 개인이 다른 개인이나 집단의 행위에 영향력을 행사하는 과정이다.

(2) 리더십은 '개인이나 집단의 활동에 영향을 미치는 힘' 또는 '목표달성을 위해 구성원의 자발적 협력 · 행동을 유도하는 관리자의 힘이나 능력'으로, 조직의 전략, 내부조직, 기술 등에 영향을 미치는 변동에 결정적인 역할을 한다.

2. 기능

(1) 응집력의 확보

리더십 발휘를 통해서 조직구성원 간에 동질성을 확보할 수 있다. 그리고 조직의 목표와 개인의 목표를 일치시킨다.

(2) 동기부여

리더십은 조직구성원에게 동기를 부여하는 기능을 한다. 이를 위해서는 X이론에 입각한 '당근과 채찍 전략'에서 나아가 조직구성원의 가치를 인식시키고 개인의 목표와 조직의 목표를 일치시키는 리더십이 필요하다.

(3) 조정이나 통합의 기능

리더십은 분산되고 분업화되어 있는 하위조직들을 조정하고 통합하는 기능을 한다. 이는 조직 전체를 하나의 목표로 수렴하게 하고, 넓은 시각을 제공한다.

(4) 위기관리의 역할

위기상황에서 리더의 역할은 더욱 중요하다. 리더의 결단, 상징적 행동, 열성, 정열 등은 위기 시에 조직의 동요를 막고 조직의 결속감과 위기돌파의 기폭제로 작용한다.

2 리더십의 접근방법[2]

리더십의 접근방법은 다음과 같이 1차원적, 2차원적, 3차원적 리더십으로 분류할 수 있다.

1차원적 리더십	리더의 자질이나 속성에 따른 접근법이다.
2차원적 리더십	과업(생산)과 관계(인간)의 두 개의 축을 고려한 평면적 접근법이다.
3차원적 리더십	과업, 관계, 상황이라는 세 개의 축에 의한 입체적 접근법이다.

[1] 리더십의 연구문제
1. 리더의 유효성을 결정하는 요소는 어떠한 것인가?
2. 특성, 행위, 상황에 따라 어떤 유형의 리더십이 더욱 유효하고 적절한가?

[2] 리더십이론의 전개
연구방법상 리더십과정의 어떤 측면을 강조하느냐에 따라서 다음과 같이 전개되었다.
1. **자질이론(속성론, 1920~1930년대)**: 리더십의 본질을 리더의 자질이나 속성(Traits)으로 이해하는 전통적인 연구이다.
2. **행태이론(행동유형론, 1940~1950년대)**: 리더의 행동유형에 따라 리더십의 효과성이 달라진다는 이론이다(Blake & Mouton의 연구).
3. **상황이론(1960~1970년대)**: 조직의 상황에 따라 리더십의 효율성은 달라진다는 이론이다(fiedler의 상황이론, Hersey & Blanchard의 3차원모형 등).
4. **신속성론(신자질론, 1980년대 이후)**: 리더의 도덕성이나 카리스마 등 리더의 자질이 또 다시 리더십의 중요한 요소로 인식되는 현대적 리더십연구로서 1980년대 이후의 변혁적 리더십, 카리스마적 리더십, 문화적 리더십 등이 이에 해당한다.
5. **섬기는 리더십(1980년대 후반)**: 추종자, 이해관계자, 사회에 대한 윤리적 책임으로서 법적 책임과 시민을 섬기는 리더십을 강조한다.
6. **다원적 통합(1990년대 이후)**: 거래적 · 변혁적 리더십 등 주요 학파의 통합과 경쟁적인 세계화의 흐름 속에서 보다 정교하고 총체적인 접근방식을 말한다.

1. 자질이론(trait theory, 속성론, 특성이론) - 1차원적 리더십

(1) 의의

① 다른 사람과 구별되는 리더의 기본적 특성인 리더의 신체적 특성, 지적 능력, 성격 등을 통해서 누가 리더가 되는가를 연구하였다.

② 자질이론은 단순한 이론적 주장만이 아니라 실제로도 적용되고 있다. 우리나라의 공무원 승진심사기준을 보면 인품(국가관과 충성심, 공무원으로서의 책임감과 청렴도)과 능력(담당업무 추진능력)을 포함시키고 있는데 이는 공직사회의 리더에게 기본적인 자질이 있어야 함을 나타낸다.

(2) 비판

리더의 기본적 자질이나 품성, 특성 등을 연구하는 이론인데 사실상 보편적인 자질은 없다고 보는 것이 일반적이며, 동일한 자질을 가진 사람 중에서 한 사람은 리더가 되고 다른 사람은 리더가 되지 못하는 것을 설명하지 못한다.

2. 행태이론(behavior theory) - 2차원적 리더십

(1) 의의

행태주의의 영향을 받아서 눈에 보이지 않는 특성보다는 실제 리더들이 어떻게 행동하는지에 대해서 연구한다. 리더십의 행태와 추종자들이 보이는 감정적 · 행태적인 반응 사이의 관계를 규명하려고 하였다.

(2) 비판

① 행태론은 보편적이고 효율적인 리더십을 발견할 수 없다.

② 리더만이 리더십의 효율성을 결정한다는 것은 오류이다.

③ 상황에 따라 리더십이 다르다.

④ 부하의 능력도 중요하다.

(3) 유형

① 아이오와 대학 연구(Iowa studies, Lippitt & White, 1972)

㉠ **내용:** 리피트(Lippitt)와 화이트(White)는 리더십유형을 권위형 · 민주형 · 자유방임형의 세 가지로 나누고 10세의 아이들을 대상으로 장난감 만들기를 시키면서 그 효과성을 측정하였다.

권위형	모든 정책은 리더가 결정하고, 리더는 모든 기술적 및 세부활동 문제에 대해서 일일이 지시하며, 대체적으로 장래의 순서에 대해서는 집단구성원들이 잘 모르게 한다.
민주형	모든 정책은 집단토론으로 정하고, 리더는 집단활동을 도와주며, 기술적 조언이 필요할 때에는 두 개 이상의 대안을 제시한다.
자유방임형	리더는 여러 가지 자료를 나누어 주고 질문이 있을 때에만 답변하며, 모든 결정은 구성원들에게 거의 완전한 자유를 부여한다.

㉡ 결론

ⓐ 생산성 면에서는 권위형과 민주형이 비슷하다.

ⓑ 사기 면에서는 민주형이 높다.

ⓒ 전체적으로 보면 민주형이 가장 효율적이라고 보았다.

② 미시간 대학 연구(Michigan studies, Likert)

㉠ **내용**: 리커트(Likert)는 리더의 유형을 업무중심형과 직원중심형의 두 종류로 나누고, 이를 단일차원상의 양 극단으로 파악하여 생산성을 측정하였다.

업무중심형 리더십	업무의 기술적인 측면을 강조하고 업무를 완수하기 위하여 철저한 업무감독, 작업계획의 수립, 실적평가 등을 강조한다.
직원중심형 리더십	대인관계를 강조하고 권한위임, 직원의 복지 등에 대해 관심을 갖는다.

㉡ **결론**: 직원중심형이 업무중심형보다 전체적으로 높은 업무만족도를 가져온다고 보았다.

③ 오하이오 대학 연구(Ohio studies, Stogdill & Fleishman)

㉠ **내용**: 구조설정과 배려라는 두 개의 독립적인 리더십의 행태를 기준으로 연구하였다.

구조설정	업무를 조직하고 업무의 관계를 설정하고 의사전달의 절차를 마련하여 작업 수행 마감기한을 결정하는 등 작업을 감독·평가하는 지도행위의 측면이다.
배려	직원의 사기를 고려하고 리더와 부하 간의 신뢰감, 상호존경 등 정서적인 공감을 조성하려는 지도행위의 측면이다.

㉡ **결론**: 구조설정과 배려의 수준이 모두 높은 경우, 추종자들의 불평수준과 이직률은 가장 낮고 생산성은 가장 높다는 점을 발견하였다.

④ 블레이크와 머튼(Blake & Mouton)의 관리망모형(1964)[1]

㉠ **의의**: 블레이크(Blake)와 머튼(Mouton)은 미시간 대학과 오하이오 대학의 연구결과에 자극을 받아 오늘날 경영개발계획에 널리 적용되는 관리망모형을 개발하였다.

㉡ **내용**: 관리망모형은 리더십의 유형을 생산에 대한 관심과 인간에 대한 관심의 두 차원으로 구분하고, 각각 9등급으로 나누어서 분석하였다.

빈약형(1·1형)	생산 및 인간에 대한 관심이 모두 낮은 경우이다.
친목형(1·9형)	인간에 대한 관심은 높으나 생산에 대한 관심은 낮은 경우이다.
과업형(9·1형)	생산에 대한 관심은 높으나 인간에 대한 관심은 낮은 경우이다.
타협형(5·5형) 또는 절충형	인간과 생산에 대한 관심이 중간 정도인 경우이다.
단합형(9·9형)	생산과 인간에 대한 관심이 모두 높은 경우로서 가장 이상적인 유형이다.

[1] 관리망모형(행동유형론)
관리망모형은 눈에 보이지 않는 리더의 자질이나 능력보다는 지도자가 실제 어떤 행동유형을 보이고 있는지에 초점을 두므로 행동유형론이라고 한다.

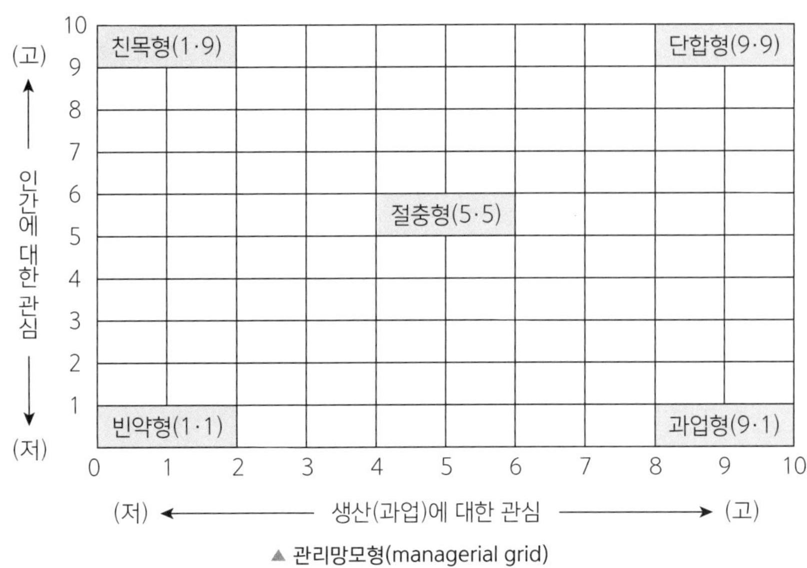

▲ 관리망모형(managerial grid)

3. 상황이론(situational theory) - 3차원적 리더십

(1) 의의

① 종래의 리더십에 대한 연구는 모두 어떤 유일한 이상적인 리더십 행태를 발견하려는 것이었다. 그러나 이러한 연구는 어떤 상황에서는 그러한 유형이 유효하지만, 그 반대의 연구결과들도 많이 나오는 현상을 설명하지 못하였다.

② 어떤 상황에서나 효과적인 단일의 리더십 스타일이란 없다는 전제하에 리더십의 유효성을 상황과 연결시키려는 상황이론이 등장하게 되었다.

③ 상황이론에 따르면 변하지 않는 가장 효율적인 리더란 없고 그때의 상황적 요구에 가장 잘 적응하고 부합하는 리더가 가장 효과적인 리더라는 것이다.

④ 리더뿐만 아니라 추종자, 과업 등이 모두 상황의 산물로 간주된다.

(2) 유형

① 탄네바움과 슈미트(Tannebaum & Schmidt)의 모형

㉠ 의의

ⓐ 탄네바움(Tannebaum)과 슈미트(Schmidt)는 리더십은 지도자, 추종자, 상황이라는 변수의 상호작용에 의해 효율성이 달라진다고 보았다.

ⓑ **상황변수:** 상황요인으로는 리더의 권력과 부하의 자율권을 들고, 이들을 중심으로 의사결정권을 어떻게 행사하느냐에 따라 민주형 · 독재형 · 자유방임형으로 나누었다. 리더의 권위와 부하의 재량권은 반비례한다고 보았다.

Ⓛ 내용

민주형	의사결정에 있어서 리더가 자신보다 부하에 대한 고려를 많이 할수록 민주적인 스타일이다.
독재형	리더가 단독으로 의사결정을 하고 리더의 개인적 고려를 많이 할수록 독재적인 스타일이다.
자유방임형	리더가 범위와 한계를 결정해주고 그 범위 내에서 부하들이 스스로 결정하는 스타일이다.

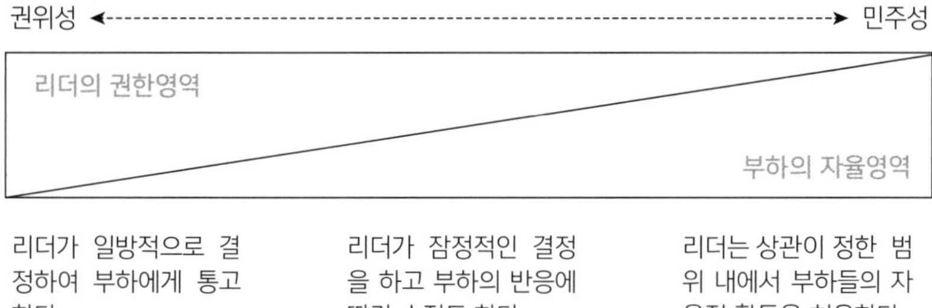

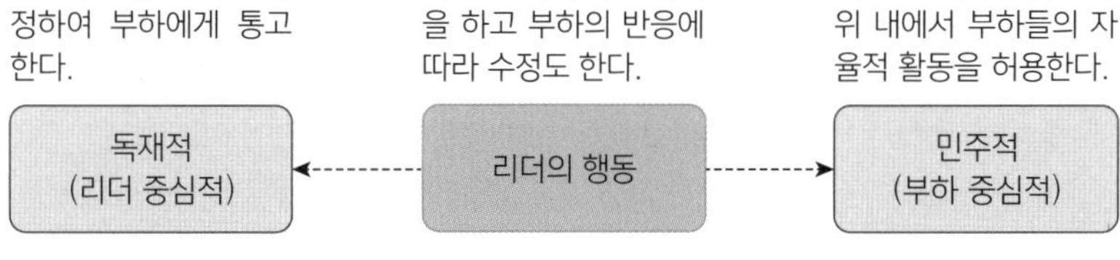

※자료: Robert Tannenbaum and Warren H. Schmidt, "How to Choose a Leadership Pattern"

▲ 리더십유형의 연속적 분포

② 피들러(Fiedler)의 상황적합성이론(목표성취이론)

㉠ 요인

ⓐ 리더십의 효율성은 상황변수에 따라 결정된다고 보고 '가장 좋아하지 않는 동료(LPC; Least preferred Co-worker)'라는 척도에 의하여 관계 중심적 리더십과 과업 중심적 리더십의 행태를 비교·분석하여 연구하였다.

ⓑ **상황변수:** 리더와 추종자의 관계, 지위권력, 과업구조의 세 가지 상황변수가 어떠한 방법으로 결합하느냐에 따라 리더의 상황적 유리성이 결정되고, 이러한 상황적 유리성에 따라 리더십의 유형이 달라진다고 보았다.

ⓒ **유리한 상황:** 리더와 구성원의 관계가 좋고, 과업의 구조화 정도가 높으며, 리더가 충분한 권한을 보유한 경우가 유리한 상황이며, 그렇지 못한 경우가 불리한 상황이다.

Ⓛ 내용

싫어하는 동료를 부정적으로 평가하는 경우	· LPC 점수가 낮은 과업지향형이다. · 리더십상황이 리더에게 유리하거나 불리한 경우에는 과업지향적 리더가 효과적이다.
싫어하는 동료를 긍정적으로 평가하는 경우	· LPC 점수가 높은 관계지향형이다. · 리더십상황이 리더에게 유리하지도 불리하지도 않은 상황에서는 관계지향적 리더가 효과적이다.

핵심 OX

01 리더십 중에서 민주적 리더십이 가장 좋은 리더십이다. (O, X)

02 리더십이론은 자질이론에서 행태이론으로, 행태이론에서 상황이론으로 발전하였으며, 상호작용이론은 자질이론과 행태이론의 결합이다.(O, X)

03 피들러(Fiedler)의 상황적합성이론에서 상황변수는 리더와 추종자의 관계, 지위권력, 과업구조의 3가지이다. (O, X)

04 리더의 행동을 과업 행동과 관계성 행동으로 구분하고, 부하의 성숙도를 상황변수로 채택하여 3차원적 리더십을 제시한 것은 블레이크와 머튼(Blake & Mouton)의 관리망모형이다. (O, X)

01 X 민주적 리더십이 조직에 긍정적으로 영향을 미치는 경우도 많으나 반드시 가장 좋은 리더십이라고 할 수 없다. 상황변수와의 관련성을 보아야 한다.
02 X 상호작용이론은 자질이론과 상황이론의 결합이다.
03 O
04 X 허쉬와 블랜차드(Hersey & Blanchard)의 3차원모형에 해당한다.

③ 허쉬와 블랜차드(Hersey & Blanchard)의 3차원모형(성장과정모형)

㉠ **요인:** 리더십의 효율성은 상황에 의존하는데, 모든 상황에서 효과적인 리더의 유형은 없다고 보았다. 리더의 행동을 인간 중심적 행동과 과업 중심적 행동으로 구분하고 중요한 상황변수로서 부하의 성숙도를 채택하였다.

㉡ 부하의 성숙도란 '부하가 특정 과업을 성취하려는 적극성과 능력의 정도'를 말한다.❶

> ❶ 부하의 성숙도
> 허쉬(Hersey)와 블랜차드(Blanchard)는 부하의 성숙도를 인간의 성장순환주기에 따라 달라진다고 보는 리더십의 생활주기이론을 주장하였는데, 이를 통해서 부하의 성숙도를 직무상 성숙도(기술, 능력 등)와 심리적 성숙도(자신감)로 분류하였다.

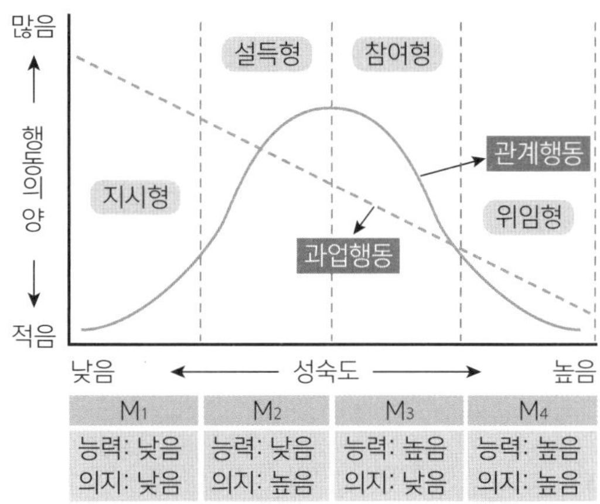

▲ 허쉬와 블랜차드(Hersey & Balanchard)의 모형

㉢ 내용

부하의 성숙도가 낮은 경우	부하의 역할이나 목표설정 등을 리더가 직접 지시하는 지시적 과업지향형이 효과적이다.
부하의 성숙도가 중간 정도인 경우	리더가 부하에게 관심을 가지고 문제해결에 지원을 하는 관계지향형이 효과적이다.
부하의 성숙도가 높은 경우	부하에게 대폭 권한을 위임해 주어 부하 스스로 과업을 수행할 수 있도록 배려하는 분권적 과업지향형이 효과적이다.

④ 에반스와 하우스(Evans & House)의 경로 - 목표이론

㉠ **의의:** 1970년대 에반스(Evans)와 하우스(House)의 경로 - 목표이론은 리더의 특성보다는 상황과 리더의 행동에 초점을 두고 있다. 동기부여의 기대이론에 바탕을 두고, 부하는 리더의 행동이 그들의 기대감에 영향을 미치는 정도에 따라 동기가 유발된다는 것이다. 즉, 리더는 부하가 바라는 보상(목표)을 받게 해 줄 수 있는 행동(경로)이 무엇인지를 명확하게 해줌으로써 부하의 성과를 높일 수 있다는 것이다. 결국 경로 - 목표이론은 상황에 따라 효과적인 리더의 행동이 달라진다는 이론으로 기대이론과 상황이론의 결합이다.

㉡ 상황변수

ⓐ **부하의 특성:** 능력, 성격, 욕구, 동기 등이다.

ⓑ **근무환경의 특성:** 과업의 구조화정도, 작업집단의 특성, 조직 내의 규칙 및 절차 등이다.

ⓒ **내용:** 상황변수에 따라 달라지는 효과적인 리더십의 유형을 네 가지로 제시하였다.❶

지시적 리더십 (구조주도형)	· 부하들의 역할이 모호한 상황에서 필요한 리더십 유형이다. · 과업이 구조화되어 있지 않거나, 업무수행에 대한 부하의 경험·지식이 부족하고, 공식화된 절차나 방법 등이 이루어져 있지 않을 때 부하들의 활동을 계획·조정·통제한다.
지원적 리더십 (배려형)	· 부하가 단조롭고 지루한 업무를 수행하는 상황에서 스트레스를 많이 받을 때 필요한 리더십 유형이다. · 부하가 과업을 어렵게 느끼거나 자신감이 결여되어 있는 경우에 작업환경의 부정적인 측면을 최소화시킴으로써 업무를 더욱 원활하게 수행할 수 있도록 하여 부하의 노력수준을 높일 수 있게 한다.
참여적 리더십	· 부하들이 구조화되지 않은 과업을 수행할 때 의사결정에 부하의 참여를 유도하는 리더십 유형이다. · 부하가 과업목표, 계획, 절차, 방법 등에 관한 의사결정에 참여함으로써 과업과 그들에 대한 역할기대를 학습하게 되고 이를 통해 부하의 역할명료성과 기대도 높아진다.
성취지향적 리더십	· 부하가 구조화되지 않은 과업을 수행할 때 부하에게 도전적인 목표를 설정하여 주는 리더십 유형이다. · 부하에게 '높은 성과를 달성할 수 있다'는 리더의 확신을 보여 줌으로써 부하가 목표달성을 추구하는 데 자신감을 갖게 해 준다.

⑤ **레딘(Reddin)의 3차원모형(효과성):** 리더십의 인간관계지향과 과업지향의 두 가지 변수를 효과성이라는 차원에 접목시켜 네 개의 기본유형을 제시하였는데, 이들 유형의 효과성은 상황의 적합성 여부에 따라 가변적이라고 주장하였다.

통합형	과업지향과 관계지향이 모두 높은 행태를 보이는 유형이다.
관계형	관계지향은 높지만 과업지향은 낮은 유형이다.
분리형	과업지향과 관계지향이 모두 낮고 서로 분리된 유형이다.
헌신형	과업지향은 높으나 관계지향은 낮은 유형이다.

⑥ **커와 저미어(Kerr & Jermier)의 리더십대체물접근법(1978):** 리더십을 필요없게 만들거나 리더십의 필요성을 약화시키는 상황적 요인으로 대체물과 중화물을 제시한다.

대체물	· 리더십을 불필요하게 만드는 요인이다. · 과업이 일상적이거나 구조화되어 있고 결과에 대한 환류가 빈번하게 이루어지며 구성원이 과업 그 자체로 만족감을 느끼는 경우이다.
중화물	· 리더십의 필요성을 약화시키는 요인이다. · 조직의 보상에 대한 무관심, 리더가 통제할 수 없는 보상, 비유연성(엄격한 규칙과 절차), 리더와 부하 간의 긴 공간적 거리 등이 존재하는 경우이다.

❶ 리더의 행동유형(원인변수)
1. **지시적 리더십:** 부하들의 활동을 계획·조직·통제·조정하는 구조주도형(initiate)이다.
2. **지원적 리더십:** 부하들의 욕구와 복지를 생각하는 배려형(consider)이다.
3. **참여적 리더십:** 부하가 의사결정에 참여를 통하여 과업과 역할기대를 학습하도록 하는 유형이다.
4. **성취지향적 리더십:** 부하들에게 도전적인 목표를 설정해주고 성과를 확신하는 유형이다.

핵심 OX

01 에반스와 하우스(Evans & House)의 경로-목표이론에 따르면 구성원들이 충분한 경험과 능력을 갖추고 있는 상황에서는 지원적 리더십이 불필요하다. (O, X)

02 에반스와 하우스(Evans & House)의 경로-목표이론에 따르면 참여적 리더십은 부하들이 구조화되지 않은 과업을 수행할 때 필요하다. (O, X)

03 리더십대체물 접근법에서 리더십을 불필요하게 만드는 요인은 대체물이고 리더십의 필요성을 약화시키는 요인은 중화물이다. (O, X)

01 X 지원적 리더십이 아니라 지시적 리더십이 불필요하다.
02 O
03 O

⑦ 유클(Yukl)의 다중연결모형(1989)

㉠ 리더십의 상황론적 접근법을 기반으로 한 여러 선행연구들을 망라하여 개발하면서 기존의 이론들을 집대성하였다.

㉡ 유클(Yukl)은 리더의 11가지 행동을 원인변수로 보고 단위부서의 효과성은 단기적으로는 6가지 매개변수에서 부족한 면을 얼마나 시정하느냐에 달려 있으며, 장기적으로는 리더가 3가지 상황변수를 얼마나 유리하게 만드느냐에 달려 있다고 한다.

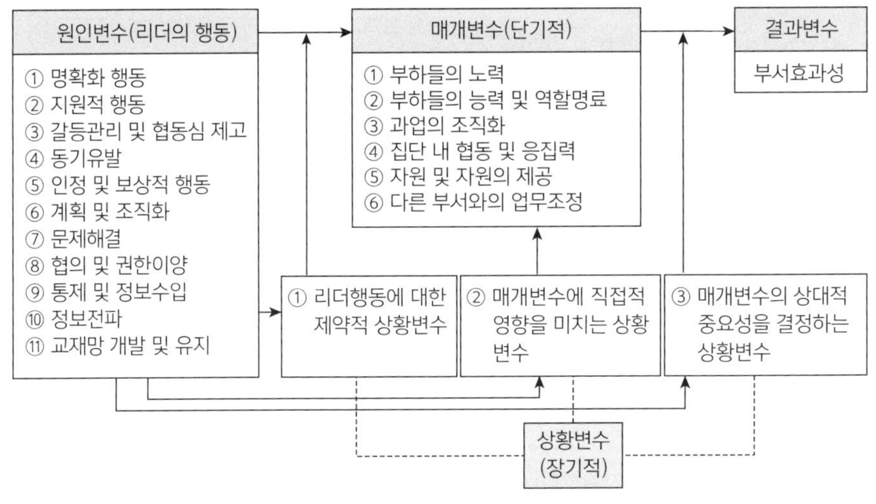

▲ 다중연결모형에서 변수의 내용과 관계

3 리더십의 유형[1]

1. 변혁적 리더십(transformational leadership, Burns, Rainey & Watson, 1978)

(1) 의의[2]

종래의 안정지향적인 거래적 리더십에 대비되는 개념으로서 조직 전체적 관점에서 조직의 방향을 바꾸거나 또는 대규모의 변혁을 유도하는 기업가적 혹은 카리스마적 지도력이다. 즉, 기본가치나 신념의 변화, 조직 전체의 정의실천과 가치통합, 도덕적 정당성에 대한 확신의 제시 또는 조직의 혁신적 변화를 도모하는 지도력이다.

(2) 비전

변혁적 리더십의 비전이란 조직이 추구하려는 공유된 가치를 대변하는 이상을 의미한다. 비전은 서면으로 전달되는 것보다 연설이나 잦은 비공식적인 대화를 통해서 핵심을 전달하는 것이 바람직하다.

(3) 속성(구성요인)

① **카리스마적 리더십:** 리더가 난관을 극복하고 현재 상태에 대한 각성을 확고하게 표명하고 모범을 보임으로써 부하들에게 자긍심을 심어주고 존경과 신뢰를 얻는 것이다.

---

❶ 지식정보사회의 리더십(Tapcott)
1. 상호 연계적 리더십
2. 공유된 비전과 학습의지
3. 개인적 역량의 결합
4. 최고관리자의 지원과 관심
5. 구성원 모두가 리더(셀프리더십)

❷ 변혁적 리더십에 적합한 조직 조건
1. **단순구조 · 임시체제적 특성:** 변혁적 리더십은 기계적 관료제 · 전문적 관료제 · 할거적 구조보다는 단순구조와 임시체제에 더 적합하다.
2. **경계 작용적 구조의 중시:** 변혁적 리더십은 기술구조보다 경계 작용적 구조가 더 지배적인 조직에 적합하다. 여기서 기술구조란 기술을 운용하여 투입을 처리하는 구조이며 경계 작용적 구조는 조직과 그 환경의 연계작용을 강조하는 구조이다.
3. **적응성의 강조와 창의적 모험 중시:** 변혁적 리더십은 능률성보다는 적응성이 더 강조되는 조직에 적합하다. 그리고 창의적 모험을 지지하는 조직문화에 적합하다.
4. **통합형 관리전략:** 변혁적 리더십은 시장적 교환관계나 관료적 통제보다는 개인적 목표와 조직의 목표를 통합시키는 관리전략에 의해 공동목표성취를 위한 구성원들의 동기유발을 강조한다.

② **영감적 리더십:** 리더가 부하로 하여금 도전적인 목표 및 임무와 미래에 대한 비전을 받아들이고 추구하도록 격려한다. 미래에 대한 구상이 핵심요인이다.

③ **개별적 배려:** 부하 개인의 특성을 파악하여 이를 적합하게 고려하고 개인의 존재가치(자긍심)를 인정하며 개인의 특성에 따라 지도하고 충고한다.

④ **지적 자극**[1]**:** 교환에 의한 보상보다는 간단한 방식으로 상징을 이용하여 중요한 목적을 표현한다. 즉, 부하의 자율성을 보장하고 높은 기대치의 상호공유를 통해서 부하의 의존적 성향을 제거하는 속성을 지니고 있다.

⑤ **촉매적 리더십:** 부하로 하여금 형식적 관행을 타파하고 창조적 사고와 학습의지를 통해서 새로운 관념을 촉발시키는 지적 자극을 부여한다.

[1] 지적 자극
변혁적 리더십을 가진 리더들은 부하들을 변혁적이고 새로운 시도에 도전하도록 고무하며, 스스로 문제해결책을 찾도록 격려하고 자극한다.

(4) 변혁적 리더십의 구체적 형태

① 비전을 창출한다.
② 환경에 민감하게 대처한다.
③ 모험적이다.
④ 핵심가치를 제시한다.
⑤ 신념과 이상에 대한 확신이 있다.
⑥ 능력과 성공에 관한 이미지를 관리한다.
⑦ 신뢰감을 준다.
⑧ 전형(example)을 제시한다.
⑨ 동기유발행동을 제시한다.
⑩ 업무가치를 강조한다.
⑪ 사리(私利)초월을 유도한다.
⑫ 사회적 가치를 강조한다.

(5) 거래적 리더십과 변혁적 리더십의 비교

구분	거래적 리더십	변혁적 리더십
현상	현실의 안정과 유지	변화와 개혁 강조
목표지향성	현실적 목표지향	이상적 목표지향
시계	단기적 전망	장기적 전망
동기부여 전략	부하들에게 즉각적이고도 가시적인 보상으로 동기부여(교환단계)	부하들에게 자아실현과 같은 높은 수준의 개인적 목표를 동경하도록 동기부여(통합단계)
행위표준	부하들은 규칙과 관례를 따르기를 좋아함	변화와 새로운 시도에 도전하도록 부하를 격려함
문제해결	부하들을 위해 문제를 해결하거나 해답을 찾을 수 있는 곳을 알려 줌	질문을 하여 부하들이 스스로 해결책을 찾도록 격려하거나 함께 일함

핵심 OX

01 변혁적 리더십은 조직변동을 지향하고 개방체제적 리더십을 추구한다. (O, X)

02 변혁적 리더십은 중간관리층에 주로 적용된다. (O, X)

03 동태적 환경에 능동적으로 대응하기 위해서는 변혁적 리더십, 거래적 리더십 등이 필요하다. (O, X)

01 O
02 X 변혁적 리더십은 최고관리층에 주로 적용된다.
03 X 거래적 리더십은 고전적 리더십에 해당한다.

개념PLUS 거래적 리더십

배스(Bass)는 거래적 리더십의 요인으로 업적에 따른 보상과 예외관리를 제시한다.

업적에 따른 보상 (contingent reward)	· 조건적 보상이라고도 불림 · 목표를 달성한 경우에, 리더가 인센티브나 보상을 제공함으로써 구성원들의 동기유발을 촉진하는 것으로, 이를 위해 리더는 완수되어야 하는 과업을 명확히 제시하고, 과업이 완수된 경우 제공되는 보상에 대해 구성원들과 합의하기 위해 노력함
예외관리 (management by exception)	· 예외적 사건이 발생한 경우 리더가 개입하는 것 · 적극적(또는 능동적) 예외관리와 소극적(또는 수동적) 예외관리로 이루어져 있는데, 적극적 예외관리는 구성원들의 실수나 규칙 위반을 철저히 확인해서 문제가 발생하지 않도록 사전에 점검하는 리더 행동을 의미하며, 소극적 예외관리는 업무 표준에 미달하거나 문제가 표면화된 경우에만 개입하는 리더 행동을 의미함
강화와의 관계	일반적으로 업적에 따른 보상이 긍정적 강화(positive reinforcement)를 수반하는 반면에 예외관리는 부정적 강화(negative reinforcement)를 수반함

2. 문화적 리더십(cultural leadership)[1]

(1) 문화적 리더십은 '문화와 의식을 통하여 구성원들에게 모범을 보이는 성직자와 같은 지도력'을 의미한다. 문화적 지도자들은 규범, 가치 그리고 신념 등의 강화를 통하여 리더십을 행사한다.

(2) 문화적 리더십은 1980년대 이후의 새로운 리더십 연구로서 변혁적 리더십이 진보한 것으로 볼 수 있다.

3. 발전적 리더십[2]

(1) 발전적 리더십은 변동을 긍정적인 기회로 받아들이고 변동에 유리한 조건을 만드는 데 헌신하는 리더십이다.

(2) 변혁적 리더십과 유사하나 변혁적 리더십보다 더 부하중심적이고 리더가 부하에 대해 더 봉사적인 리더십이다. 따라서 종복정신(servantship)*을 강조한다(Gilley, 2000).

4. 카리스마적(위광적) 리더십

(1) 카리스마적 리더십은 하우스(House, 1976)에 의해 시작되어 콩거와 카눙고(Conger & Kanungo, 1987)에 의해 본격적으로 연구된 이론이며, 변혁적 리더십과도 관련된다.

(2) 리더의 특출한 성격과 능력에 의하여 추종자들의 특별히 강한 헌신과 리더와의 일체화를 이끌어내는 새로운 속성론이다.

(3) 특징[3]

카리스마적 리더들은 초인적이거나 적어도 범인과 구별되는 특출한 능력을 가진 사람들이다. 부하들이 리더를 지원하고 수용하도록 만드는 대인적 매력으로 카리스마를 제고시키는 특징들은 다음과 같다.

---

❶ 문화적 리더십의 초점
문화적 리더십은 초점을 지도자와 추종자 간의 관계의 본질에 두는 것이 아니라 지도성-추종성 관계에 내포되어 있는 '사회문화적 맥락(social-cultural context)'에 두고 있다.

❷ 발전적 리더십의 열 가지 원칙

내재적 지향 원칙	· 개인적 책임의 원칙 · 신뢰의 원칙
직원 지향적 원칙	· 직원 옹호의 원칙 · 직원의 자긍심 향상에 관한 원칙
업무성취 지향적 원칙	· 업무수행 파트너십의 원칙 · 직무수행개선의 원칙 · 효율적 의사전달의 원칙
조직 지향적 원칙	· 조직의 일관성에 관한 원칙 · 총체적 사고의 원칙 · 조직 종속의 원칙

용어
종복정신(servantship)*: 자기보다 더 낮은 자리에 가서 다른 사람을 빛내는 것이다. 다음 세대의 최고의 리더는 종복정신(servantship)을 얼마나 오랫동안 가지느냐에 따라서 그 사람이 위대한 리더가 될 수 있느냐를 결정한다.

❸ 카리스마적 리더의 특징(Conger & Kanungo)
1. 뛰어난 비전
2. 개인적 위험의 감수
3. 관습에 얽매이지 않는 전략의 구사(전략적 선택)
4. 상황에 대한 정확한 평가
5. 부하들에 대한 계몽
6. 자신감의 전달
7. 개인적 권력의 활용

① 부하의 신념과 리더의 신념은 유사하다.
② 부하는 리더의 신념이 옳다고 믿고 자진하여 리더에게 복종한다.
③ 리더에게 부하들은 애정을 느낀다.
④ 자신의 임무에 감정적으로 몰입한다.
⑤ 스스로 근무성과에 대한 목표를 높게 설정한다.

5. 영감적 리더십

(1) 영감적 리더십은 리더가 향상된 목표를 설정하고 추종자들로 하여금 그 목표를 성취할 능력이 있다는 데에 대한 자신감을 갖도록 만드는 리더십이다.

(2) 핵심 요소는 '미래에 대한 구상'이다. 리더의 특성보다 리더가 설정한 목표가 더 중요한 영향을 미친다는 점에서 카리스마적 리더십과 구분된다(Dipboye).

6. 촉매적 리더십

(1) 촉매적 리더십은 정부부문의 리더십을 준거로 삼는 것으로, 연관성이 높은 공공문제를 정책의제화하고 그에 대한 해결책을 마련하여 시행해 나가려 할 때 필요한 리더십이다. 특히 리더는 연관성이 높은 공공의 문제들을 다루는 데 촉매작용을 할 수 있어야 한다.

(2) 리더는 전략적으로 생각하고 행동하여야 하며, 부하들의 창의적 사고를 유도·자극하는 촉매작용적 기술과 능력이 필요하다는 것이다(Luke).

7. 분배된 리더십

(1) 분배된 리더십은 리더십을 단일의 명령체제로 보지 않고 부하 등에게 힘을 실어주는, 즉 '분배된(위임된) 공동의 리더십'이다(House & Aditya).

(2) 리더십의 책임을 단일의 명령계통에 집중시키지 않고 여러 사람에게 분배하는 위임된 리더십, 공동의 리더십, 동료의 리더십 등이 이에 해당한다.

8. 상징적 행동으로서의 리더십

리더십의 진정한 의미는 리더십의 내용에 있는 것이 아니라 리더십의 상징적 속성에 있다고 보는 최근의 이론이다. 부하는 리더가 실제로 행동하는 것보다는 리더의 행동에서 나타나는 상징적 분위기(아우라, aura)를 더욱 중시한다는 것이다.

9. 서번트 리더십(servant leadership)

(1) 의의

타인을 위한 봉사에 초점을 두며, 종업원, 고객 및 커뮤니티를 우선으로 여기고 그들의 욕구를 만족시키기 위해 노력하는 섬기는 리더십이다.

(2) 구성요소

서번트 리더십을 처음 제시한 그린리프(Greenleaf)는 리더십에 관한 첫 에세이 『지도자로서의 서번트』를 발표하였으며, 주요 구성요소로 존중, 봉사, 정의, 정직, 공동체 윤리 등을 강조하였다.

핵심 OX

01 정부부문의 리더십을 준거로 삼는 것으로 연관성이 높은 공공문제를 정책의제화하고 그에 대한 해결책을 마련하여 시행해 나가려 할 때 필요한 리더십을 촉매적 리더십이라 한다. (O, X)

01 O

(3) 서번트 리더의 7가지 특성

① 리더로서 자신을 부하의 입장에서 생각하고 부하를 위한 지원자로 인식함

② 조직에서 가장 가치 있는 자원은 사람이라고 여김

③ 항상 학습함

④ 먼저 종업원들의 말을 경청함

⑤ 설득과 대화로 업무를 추진함

⑥ 조직이 가족과 같은 공동체를 형성하도록 유도함

⑦ 권한위임을 통해 리더십을 공유함

개념PLUS 리더십의 비교[1]

구분	거래적 리더십	변혁적 리더십	서번트 리더십
영향력의 원천	지위	조직원	상호관계
목표	단기적 사업목표의 달성	장기적 조직의 비전과 가치 추구	개인과 조직의 공동발전
행동요인	조건적 보상, 예외적 관리	카리스마, 영감, 개별적 배려, 지적자극	경청, 공감, 치유, 인지, 설득, 비전제시, 통찰력, 청지기 의식, 구성원 성장을 위한 몰입, 공동체 형성
동기부여	보상과 혜택	의지와 열정	공동선 추구
지도방법	피드백(Feedback)	모델링(Modeling)	봉사(Serving)
주요 학자	Burns(1978), Bass(1985), Avolio(1992)		Greenleaf(1970). Spears(2005)

10. 진성 리더십(authentic leadership)

(1) 의의

① 리더의 진정성을 강조하는 리더십으로, 명확한 자기 인식에 기초하여 확고한 가치와 원칙을 세우고 투명한 관계를 형성하여 조직 구성원들에게 긍정적인 영향을 미치는 리더십이다.

② 2000년대 들어 엔론(Enron) 사태와 같은 경영진들의 비윤리적인 사건들로 인해 신뢰할 만한 리더십에 대한 필요성이 강조되면서 등장한 개념이다.

(2) 구성요소(네 가지 차원)

진성 리더십의 구성요소에 대해 연구자들마다 다소 차이가 있지만 일반적으로 다음과 같이 네 가지 차원으로 이루어진 개념으로 본다.

① **자아인식(self-awareness)**: 리더 자신에 대한 성찰을 의미하며 자신의 강점과 약점, 가치관, 감정, 본성 등에 대한 이해를 포함한다.

② **내면화된 도덕적 신념(internalized moral perspective)**: 외압의 영향을 받지 않고 자신의 내면의 가치관에 따라 움직이는 과정을 의미하며 자기조절, 자기통제 과정이라고도 볼 수 있다.

---

[1] 리더 - 구성원 교환이론(Leader Member Exchange Theory, LMX)

1. 의의
- 리더가 여러 구성원들을 동일하게 다루지 않고 차별적으로 다룬다고 주장한다. 구성원들의 업무와 관련된 태도와 행동들은 리더가 그들을 다루는 방식에 달려있다는 것이다.
- LMX이론의 목표는 구성원, 팀, 조직에 리더십이 미치는 영향을 설명하는 것으로 이론에 따르면 리더는 팀의 구성원들과 강한 신뢰감, 감정, 존중이 전제된 관계를 형성한다.
- 서비스 조직에서 실질적인 서비스제공자인 조직구성원들과 그들을 관리하는 상사와의 관계가 모두 동일하다고 가정하는 평균적 리더십 스타일(Average Leadership Style, ALS)을 비판하고, 각각 다른 모습과 행동을 나타내는 조직구성원들과 상사의 상호작용을 통하여 어떠한 쌍방관계가 형성되는지에 대하여 관심을 가지는 계기가 되었으며, 상사 - 부하 간의 교환관계(Leader Member Exchange)라는 새로운 리더십이론으로까지 발전하게 되었다.

2. 수직적 쌍연결이론(VDL)
- VDL이론은 집단 내 부하들을 비교한 후 집단에 공헌도가 높거나, 능력이 있거나, 리더와 부하 간의 욕구가 맞는 등 서로 간의 동질성이 있는 집단을 내집단(in-group)으로 분류하고 나머지 집단을 외집단(out-group)으로 분류하여 리더가 각각 다른 영향력을 행사하는 리더십 형태이다.
- 즉, 리더는 내집단에 속한 부하들에게 후원적, 위임적, 참여적 행동을 하거나 도전적이고 흥미로운 직무를 할당함은 물론 보상에 있어서도 혜택을 부여한다. 반면, 외집단에 속한 부하들에게는 최소한의 관심과 배려만 함은 물론 관리자로서의 역할인 지시, 관리, 감독 등의 업무만을 수행하게 된다.
- VDL이론은 이러한 리더의 차별적 행동하에서 부하들의 성과를 높일 수 있다는 것이며 리더와 부하 간 관계의 질을 보다 깊이 있게 다루는 LMX이론으로 발전하게 되었다.

③ **균형 잡힌 정보처리(balanced processing of information)**: 의사결정을 내리기 전에 선입견이나 편견 없이 정보를 객관적으로 검토하는 과정을 말한다.

④ **관계의 투명성(relational transparency)**: 자신의 진정성을 다른 사람에게 보여주는 것을 의미하며 자신의 생각과 감정을 표현하면서 다른 사람들과 진실되게 의사소통하는 것이다.

(3) 평가

진성 리더십은 불확실성이 큰 환경에서 사회가 원하는 리더십 상을 보여주는 모델로 평가되나 아직 형성단계에 있는 분야이기 때문에 연구자마다 개념 정의와 접근법이 다르다. 또한 조직성과와의 연관성을 명확하게 입증하지 못하기 때문에 이에 대한 실증적 연구가 필요하다.

11. 켈리(Kelley)의 팔로워십(Followership)

(1) 의의

켈리(Kelley)에 따르면 '리더는 20%만 기여하고, 팔로워(부하)에게 80%의 기여를 할 기회를 주는 것'이 바람직하다고 보아 팔로워십의 중요성을 강조하였다.

(2) 팔로워의 유형과 효과적 팔로워

팔로워를 독립성과 활동이라는 두 가지 기준을 가지고 5가지 유형으로 구분하고 효과적인 팔로워를 설명하였다.

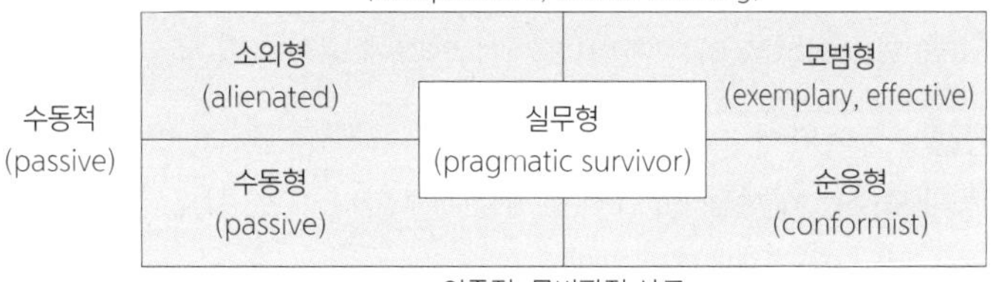

유형	내용
소외적 팔로워 (alienated follower)	· 리더와 조직운영에 대해 상당히 독립적, 비판적인 사고를 갖고 있는 존재로 적극적인 활동이 부족하다. · 조직을 분열시킬 잠재적 위험성을 가지고 있다.
순응적 팔로워 (conforming follower)	· 조직활동에 적극적으로 참여하나 독립적인 비판능력이 부족하다('Yes People'). · 리더의 지시에 무조건 순종한다.
실용적(실무적) 팔로워 (pragmatic follower)	· 상당히 독립적인 비판력을 가지고 있으면서 동시에 조직활동에도 평균적인 수준으로 참여한다('눈치꾼들', 정부관료형). · 조직을 가장 덜 위험하게 하지만, 조직의 변화나 혁신을 방해한다.
수동적 팔로워 (passive follower)	· 독립적 비판력과 판단력이 없고, 조직활동에도 참여하지 않는다. · 조직 내 역할도 미약하고, 책임감도 부족하다.
효과적(모범적) 팔로워 (effective follower)	· 독자적인 판단력과 비판의식을 발휘할 줄 알고 조직의 활동에 적극적 참여한다. · 리더의 임파워(권한부여) 전략에 긍정적으로 반응할 수 있는 사람이다.

4 조직관리모형

1 관리이론의 변천

1. 전통적 관리이론(고전적 관리모형)

(1) 교환적 모형

인간의 피동성을 전제로 하며, 동기부여에서 거래를 기반으로 하는 교환적 동기유발을 중시한다. 즉, 경제적이고 외재적인 동기부여를 강조한다.

(2) 통제지향성

X이론에 입각하여 당근과 채찍에 의한 통제를 중시한다. 통제는 내적 통제보다는 외재적 통제, 강압적 통제를 강조한다.

(3) 폐쇄적 · 공급자중심주의

조직 외부의 상황을 무시하고 오직 조직 내부의 능률성을 중시한다. 또한 재화와 서비스는 소비자의 욕구에 따라 소비자가 결정하는 것이 아니라 공급자의 목표와 입장에서 생산된다.

2. 현대적 관리이론

(1) 통합형 모형

조직의 목표와 개인의 목표를 융화하고 통합시켜 조직의 효율성과 개인의 자아실현을 동시에 달성하려고 하는 것이다. 이는 인간에 대한 능동성을 전제한다.

(2) 협동지향성

외재적 통제보다는 내재적 · 규범적 통제를 강조한다. 또한 상호신뢰, 자발적 참여와 협동을 중시하고 분권화를 추구한다.

(3) 개방적 · 수요자 중심주의

조직의 외부환경에 대한 전략적인 대응을 중시한다. 또한 기존의 공급자 위주의 행정에서 고객의 입장을 중요시 여기는 수요자 중심주의적인 행정을 추구한다.

2 전략적 관리(SM; Srategic Management)

1. 의의

(1) 전략적 관리는 환경과의 관계를 중시하는 변혁적 관리이다. 조직을 환경과 관련시키고 내부 활동을 인도하며, 조직의 장기적인 성과를 결정하는 일련의 관리적 의사결정이다.

(2) 전략적 관리는 전략적 기획에 비하여 계획수립과 이의 집행에 더 많은 관심을 기울인다. 즉, 전략적 관리는 전략적 기획을 좀 더 발전시킨 것이다.

2. 특징

(1) 목표지향성

장기적 목표를 지향하는 개혁적 관리로서 보다 나은 상태로 나아가려는 목표지향적 · 개혁적 관리이다.

(2) 장기적 시계[1]

조직의 변화에는 긴 시간이 걸린다는 전제하에 계획기간을 설정하고 장기적 시계(視界)를 가진다.

(3) 환경분석의 강조

조직의 환경에 대한 이해를 강조하며, 환경변화에 대하여 체계적으로 분석한다.

(4) 조직역량분석 강조

조직의 역량분석을 위한 강점 · 약점 · 기회 · 위협 등의 SWOT(Strong, Weakness, Opportunity, Threat) 분석을 중시한다.

(5) 전략개발의 강조

미래의 목표성취를 위한 전략의 개발과 선택을 강조한다.

(6) 조직활동의 통합성 강조

조직의 주요 구성요소들을 모두 끌어들이고 또 그에 영향을 미치기 때문에 포괄성이 높은 관리라고 할 수 있다.

3. 운영과정

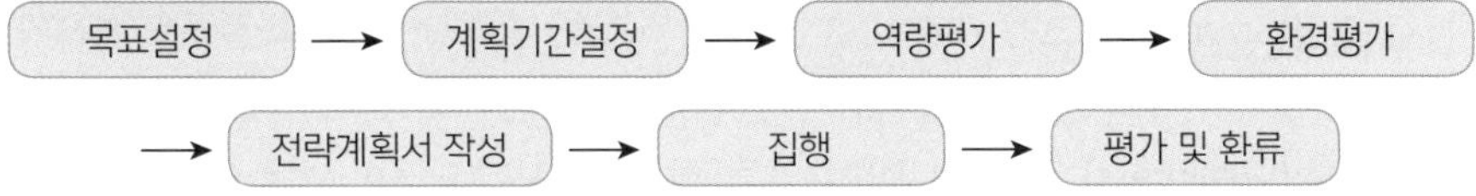

4. 효용과 한계

(1) 효용

① 격동하는 환경에 대한 조직의 대응능력을 향상시킨다.

② 조직이 장기적 · 포괄적 안목으로 환경변화에 대응할 수 있게 한다.

③ 개혁의 지향노선을 스스로 통제할 수 있는 조직의 능력을 향상시킨다.

(2) 한계

① 장기적으로 합리적인 계획이 어려운 조직의 여건하에서는 성공할 수 없는 접근방법이다.

② **전략적 관리의 성공을 가로막는 요인**

㉠ 계획의 안목이 단기적인 경우 전략적 관리의 성공이 어렵다.

㉡ 조직의 보수성이 존재한다.

㉢ 관리자들의 자율성에 대한 제약이 존재한다.

㉣ 평가 · 환류의 제약이 존재한다.

---

❶ 전략적 관리의 시제

전략적 관리(SM)는 조직의 변화에는 긴 시간이 걸린다는 전제하에 계획기간을 설정한다. 따라서 단기적 시계가 아니라 목표나 환경에 있어서 장기적 시계를 가진 관리이다.

핵심 OX

01 SM은 단기적 시계(視界)를 가지며 SWOT(Strong, Weakness, Opportunity, Threat) 분석을 중시한다. (O, X)

01 X 전략적 관리(SM)는 장기적인 분석을 중시한다.

5. 일상적 관리와 전략적 관리의 비교

구분	일상적 관리	전략적 관리
목표	주어진 목표(단기)	새로운 목표(장기)
관심대상	기능	환경
문제접근	구체적 문제	추상적 문제
경험	과거의 경험	경험의 최소화
관리	전술적	전략적
환경관	폐쇄적	개방적
안정과 변화	안정	변화
리더십	거래적 리더십	변혁적 리더십

6. SWOT 분석

(1) 의의

SWOT 분석이란 조직의 강점과 약점, 기회와 위협 등을 면밀하게 분석하여 이를 토대로 장기적인 발전전략을 수립하는 것이다.

(2) SWOT 분석의 요인

SWOT 분석은 하나의 분석단위를 중심으로 조직의 외부환경을 분석하여 기회와 위협요인을 찾아내고, 조직 내부를 분석하여 강점과 약점요인을 찾아내어 이를 바탕으로 환경에 보다 효과적으로 대응하기 위한 전략적 선택의 도구로 개발되었다.

① 강점(Strength): 조직 내부의 요인들, 예를 들어 리더십, 구성원의 역량, 가용자원, 보유 기술과 정보, 조직구조 중에서 조직에 장점이 되는 요인이다.
② 약점(Weakness): 조직 내부의 요인들 중에서 조직에 단점이 되는 요인이다.
③ 기회(Opportunity): 조직에 우호적인 여건으로 성공가능성을 높여주는 요인이다.
④ 위협(Threat): 조직의 활동을 위축시키거나 장애가 되는 요인이다.

(3) SWOT 분석의 전략

내부 / 외부	강점(Strength)	약점(Weakness)
기회(Opportunity)	**공격적 전략(SO 전략)** 강점을 가지고 기회를 살리는 전략	**방향전환 전략(WO 전략)** 약점을 보완하여 기회를 살리는 전략
위협(Threat)	**차별화 전략(ST 전략)** 강점을 가지고 위협을 회피하거나 최소화하는 전략	**방어적 전략(WT 전략)** 약점을 보완하면서 위협을 회피하거나 최소화하는 전략

3 목표에 의한 관리(MBO)

1. 의의

(1) 발달배경

① 드러커(Drucker)와 맥그리거(McGregor)에 의해 고안되었으며, 1960년대 사기업에서 널리 채택되었다가 1973년에 PPBS*의 한계 극복을 위해 닉슨(Nixon) 행정부가 채택하였다.

② 처음에는 조직관리상의 업적평가절차로서 발달되었으나 현재는 계획수립, 예산배정, 인력배치, 훈련, 보수관리, 통제체제의 확립 등 조직관리 전반에 걸쳐 전개되고 있다.

(2) MBO(Management By Objective)의 개념❶

① **상위목표 설정:** 관리자와 조직구성원들의 자발적인 참여를 통해 합의된 상위목표를 설정한다.

② **참여에 의한 하위목표 설정:** 각자의 구체적인 개별목표와 업무량의 범위를 상하 간에 상호협의하여 설정한다.

③ **중간평가와 최종평가:** 각자의 분담된 업무와 성과를 운영지침으로 삼아 목표설정에 참여하였던 구성원이 직접업무를 수행하고 그 수행결과에 대한 중간평가와 최종평가를 행한다.

④ **환류:** 평가결과를 환류시켜 조직의 효율성을 증진시킨다.

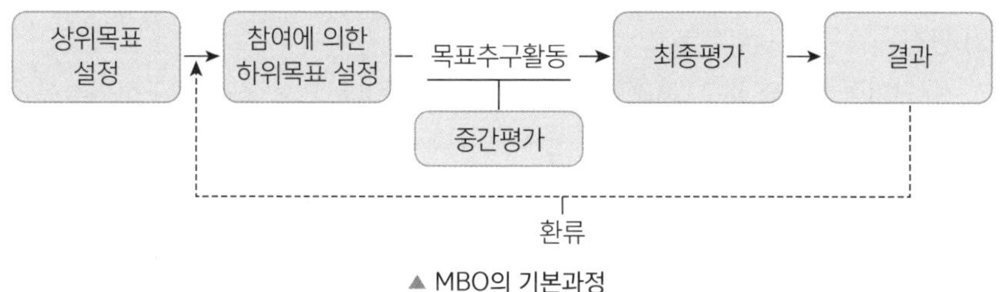

▲ MBO의 기본과정

2. 특징

(1) 민주적 관리(참여적 관리)

① 조직의 상·하위 관리자가 함께 참여하여 민주적으로 목표를 설정한다.

② 이때 참여는 조직 내의 계선행위자에 국한되며 외부의 참여는 없다. 즉, 고전적 관료제의 경우에는 상급자의 단독적 결정에 따라서 목표가 설정되나, MBO의 경우에는 하위공무원의 참여가 이루어진다.

(2) 통합모형적 시각

조직의 목표와 개인의 목표가 조화 가능하다고 보고 조직관리를 실시한다. 즉, 개인의 참여를 통하여 자아실현이나 개인적 목표를 추구할 수 있고 이는 궁극적으로 조직의 목표와 합치된다고 본다.

(3) 목표의 명확화

① 목표에 의한 관리는 정해진 목표를 달성하려는 노력이 중요하므로 명확한 목표의 설정이 중요하다. 이때의 목표는 조직의 부분적·유형적·단기적·계량적인 목표를 말한다.

용어

PPBS(계획예산제도)*: 장기적인 계획(planning)과 단기적인 예산(budgeting)을 유기적으로 결합시킴으로써 자원배분에 관한 의사결정을 합리화하려는 예산제도이다. PPBS는 미국 케네디(Kennedy) 행정부의 맥나마라(McNamara) 국방장관에 의해 1961년 국방부에 도입되었으나 성공적으로 정착되진 못하였다.

❶ 기능별 관료행정과 협업행정

구분	기능별 관료 행정	협업행정 (융합행정)
조직 구조	수직적 위계형	수평적 네트워크형
환경변화/대응능력	둔감/정적 능력	민감/역동적 능력
업무 프로세스	표준화(SOP), 경직적인 규칙 및 절차	유연하고 능동적인 상황 대응
정보지식 공유	정보독점, 수직적·명령적 흐름	정보공유, 수평적·협동적 흐름
조직영역	경직적·폐쇄적, 부처이기주의	신축적·개방적, 부처 간 협업

② 행정은 그 특성상 목표를 계량화하기 힘든 경우가 많으므로 목표를 명확하게 설정하는 데 많은 어려움이 따른다.

(4) 평가와 환류 중시

정해진 목표대로 집행되었는지를 평가하고 이를 검토하여 다음 목표의 설정에 반영하는 환류과정이 중요하다.

3. 장단점

(1) 장점

① **Y이론적 관리방식:** 조직목표 · 개인목표의 조화를 강조하고 인간에 대해서도 스스로 참여하여 열심히 일하는 자율적 인간을 가정하므로 민주적 관리가 가능하다.

② 조직의 변화와 쇄신추구로 조직의 동태화에 기여하므로 관료제의 역기능을 보완한다.

③ 조직목표의 명확화로 조직활동의 집중이나 조직의 효과성 제고에 기여한다.

④ 조직 내 의사소통의 활성화, 구성원 간 상호이해 증진, 조직내부갈등의 건설적 해결에 도움이 된다.

⑤ 참여관리를 통해 조직의 인간화를 도모하고, 조직구성원의 사기와 직무만족을 제고한다.

⑥ 객관적 기준에 입각한 업적평가와 이의 환류를 통해 업무개선에 기여한다. 또한 이는 업무평가의 객관적 기준의 제공 및 훈련수요의 결정에도 도움이 된다.

(2) 단점

① **단기적 목표의 추구:** MBO는 목표달성도가 중요하므로 조직의 구성원들은 목표달성이 쉽지 않은 장기적 · 질적 목표보다 목표달성이 비교적 수월한 단기적 · 양적 · 유형적 목표에 치중한다. 이는 행정의 본래적 목표인 장기적 목표를 간과해 버릴 우려가 있다(장기적 · 질적 목표의 경시).

② **유동적이고 복잡한 환경에서의 제약:** 환경이 급격하게 변화하거나 유동적인 곳에서는 목표가 빈번히 수정되어야 하므로 그 효용이 제약된다. 특히 개발도상국의 경우처럼 국가발전을 위해서 다양한 목표의 설정 및 수정이 많이 필요할 때 문제가 될 수 있다.

③ **폐쇄적 성격:** 조직 내의 민주화에는 기여하지만 외부인의 참여가 없다. 즉, 내부의 계선기관이 참여하는 민주적 관리 형태로서 외부인의 참여가 없게 되므로 TQM과 달리 조직 외부의 소비자나 고객에 대한 배려는 없다고 보아야 한다.

④ **권위주의적 행정문화에서의 제약:** MBO는 민주적 관리기법이므로 권위주의적 · 집권적 조직(수직적 계층제)에서는 업무분담이나 참여관리가 곤란하다. 특히 권력성 · 강제성을 띤 조직에 적용이 곤란하므로 개발도상국의 경우에는 MBO의 적용이 제약될 수 있다.

⑤ **시간 · 노력의 과다한 소모:** 계층제적 절차에 비해서 많은 시간과 노력이 소모된다. 다양한 참여자가 존재하므로 의견절충을 위한 시간이나 비용 등이 많이 드는 것이다. 그러므로 MBO는 감축관리와는 무관하다.

⑥ **목표의 명확한 설정 및 성과측정 곤란:** 행정의 경우 조직목표의 명확한 설정이나 성과측정이 곤란한 경우가 많다. 이때의 목표는 조직전체의 목표를 말하는데, 공조직으로서의 행정은 기본적으로 조직전체의 목표가 추상적이고 질적인 특성을 가지고 있기 때문에 목표의 명확한 설정이나 성과측정이 어려운 것이다. 이는 MBO의 기본전제를 부정할 수 있기 때문에 한계점으로 지적된다.

4. 성공조건

(1) 민주적인 행정풍토를 조성하여야 하고 최고관리층의 적극적인 지원이 필요하다.

(2) 조직 내의 의사소통이 원활해야 하고 환류과정이 활성화되는 것이 필요하다.

(3) 명확하고 구체적인 목표설정이 요구된다.

(4) 행정관리기능과 목표관리의 밀접한 연관이 필요하다.

(5) 조직발전(OD)의 적극적 추진이 필요하다.

4 총체적 품질관리(TQM; Total Quality Management)

1. 의의 및 발달과정

(1) 의의

① 고객만족을 서비스 질의 제1차적 목표로 삼으며 조직구성원의 광범위한 참여를 중시한다.

② 조직구성원들은 한편으로는 공급자이면서 다른 한편으로는 고객인 이중적 역할을 수행하는 것으로 본다.

③ 조직의 과정 · 절차를 지속적으로 개선하여 장기적인 전략적 질(quality) 관리를 하기 위한 관리철학 내지 관리원칙을 의미한다.

(2) 발달과정

원래 미국의 통계학자 데밍(Deming)에 의해 개발되었으나, 제2차 세계대전 후 일본에서 완성하였다. 이후 미국 기업들이 1980년대에 일본의 성공요인을 총체적 품질관리(TQM)로 진단하고 이를 역수입하였다.

2. 기본원리

(1) 고객이 질(質)의 최종결정자

관리자나 구성원들이 고객지향적일 것을 요구하고 고객을 만족시키는 수준을 넘어 기쁨을 주는 방법을 지속적으로 찾을 것을 요구한다.

(2) 산출과정 초기에 질의 정착

생산품이나 서비스가 생산하기 쉽도록 디자인되고, 생산자들이 높은 품질을 유지하기 위해 동기가 유발되고 훈련된다면, 검사 · 재작업을 실시하는 과정이나 고객 불평에 대한 대응 등은 불필요하게 될 것이다.

핵심 OX

01 MBO는 대내외적 민주화를 추구하려는 노력과 관련된다. (O, X)

02 MBO는 구성원들의 사기와 만족감을 증진시킨다. (O, X)

03 MBO는 장기적이고 질적인 목표를 추구한다. (O, X)

04 MBO는 목표설정과 목표달성이 용이하다. (O, X)

01 X MBO는 대내적 민주성을 확보하려는 노력과 관련되며 대외적인 민주화와는 무관하다.
02 O
03 X MBO는 민주적 관리기법이나 단기적이고 양적인 목표에 집착하게 된다는 단점이 있다.
04 X 계량적인 관리기법인 MBO는 목표를 명확하게 설정하는 데 어려움이 따른다.

(3) 서비스의 변이성 방지

서비스가 바람직한 수준에서 벗어나지 않도록 품질관리가 서비스 생산 및 공급이 이루어지는 과정의 매 단계에서 이루어지며 산출물의 일관성 유지를 위해 과정통제계획과 같은 계량화된 통제수단을 활용한다.

(4) 전체구성원 참여에 의한 관리

품질은 조직구성원의 개인적 노력이 아니라 체제 내의 전 구성원에 의해 결정되기 때문에 성과급이나 개인지향적 보상같은 팀워크를 해치는 관리방식은 바람직하지 않다.

(5) 투입과 과정의 지속적인 개선

품질관리는 항상 새로운 개선방법이 연구·실행되어야 하며, 이러한 개선은 산출이 아니라 직접 통제할 수 있는 투입과 과정의 지속적인 개선에 초점을 맞추어야 한다.

3. 지향성

(1) 고객 중심주의(외부지향적)

고객의 요구가 최우선이므로 가장 중시된다. 즉, 정부에 의한 일방적인 행정서비스의 공급(공급자지향적 행정)이 아니라 고객의 요구에 부응하는 행정서비스의 제공이 필요하다.

(2) 총체주의

질의 관리를 위해서 조직전반이 총체적으로 움직인다. 특정한 부분이나 인원이 아니라 조직전체가 행정서비스의 질 개선과 품질향상을 위해서 노력한다.

(3) 인간주의

구성원들 간의 상호관계를 중시하는 인간주의를 지향한다.

(4) 무결점주의

무결점주의를 추구하여 흠이 없을 때까지 끊임없이 개선한다. 이는 고객의 요구를 만족시키기 위함이다.

(5) 합리주의

관리기법의 합리적인 개선을 통해서 조직발전에 기여한다.

(6) 개혁주의

조직의 혁신에 긍정적 영향을 미치며 개혁의 방향성과 밀접한 관련이 있다.

4. 정부부문에 확대도입 시의 한계

(1) 민간부문에서 발전한 관리기법으로 공공목적에 부합하지 않을 수 있다.

(2) 민간기업과 달리 정부산출물은 서비스의 질에 대한 측정이 쉽지 않다.

(3) 공공부문의 고객은 가시적 확인이 어렵거나, 서비스와 무관 또는 무관심할 수 있다.

(4) 우리나라 정부의 권위주의적인 문화는 민주적인 행정문화가 바탕이 되어야 하는 TQM의 관리기법과 상충할 가능성이 높다.

핵심 OX

01 TQM은 생산성 제고와 국민에 대한 대응적 책임성을 확보하기 위한 전략적 관리방식이다. (O, X)

02 TQM은 개인의 성과평가를 위한 도구로 도입되었다. (O, X)

03 TQM은 조직의 분권화를 강조하며, 계획과 문제해결에 있어 집단적 노력도 중시한다. (O, X)

04 TQM은 고객의 요구를 최우선으로 하는 관리기법이다. (O, X)

05 행정개혁의 한 수단으로 공공부문에 도입된 TQM의 개혁차원에서 효과성을 극대화하기 위해 수직적 명령계통을 최대한으로 활용하는 전략이 필요하다. (O, X)

06 TQM의 시간관은 장기적이며, 통제유형은 예방적·사전적이다. (O, X)

07 MBO와 TQM은 민주적이고 내부지향적인 관리기법이라는 점이 공통적이다. (O, X)

01 O
02 X TQM은 구성원전체의 총체적 헌신을 통한 조직성과를 중시하는 관리기법으로 개인의 성과를 평가하고 보상하는 MBO와는 다르다.
03 O
04 O
05 X 수직적 명령계통이 아니라 수평적 명령계통을 최대한으로 활용하는 전략이 필요하다.
06 O
07 X MBO와 TQM은 민주적인 관리기법이나, MBO가 내부지향적이라면 TQM은 외부지향적이다.

핵심정리 MBO와 TQM의 비교

구분	MBO	TQM
시각	단기적 · 미시적 · 양적(계량적)	장기적 · 거시적 · 질적(규범적)
지향	결과지향(대내적 · 폐쇄적)	고객지향(대외적 · 개방적)
초점	결과 · 성과평가	과정 · 절차강조
성격	· 관리전략 · 평가 및 환류 중시(사후적 관리)	· 관리철학 · 사전적 관리(예방적 통제)
계량화	중요시함	중요시하지 않음
보상	개인별 보상	총체적 헌신(조직중심)
공통점	팀워크 중시, 구성원의 참여 중시, Y이론적 관리, 민주적 관리	

5 통계적 품질관리(SQM; Standard Quality Management)

1. 의의

(1) 통계적 품질관리란 표준품질생산방식으로서 선도적 품질, 원가 및 고객만족을 달성하기 위하여 표준을 설정 · 준수하고 데이터를 분석 · 평가하며 피드백 시스템을 구축하여 공정의 투입 · 산출절차를 개선하는 일련의 활동을 의미한다.

(2) 통계적 표준활동으로 현재의 작업활동을 좀 더 효과적이고 편리하게 개선하여 결과적으로 품질을 개선하기 위한 활동이다.

2. 관리방법

(1) 관리방법을 기본준수항목, 중점관리항목, 산포관리항목 등으로 표준을 설정하고, 관리자의 리더십을 통해서 전원이 참여하는 표준준수활동을 실시한다.

(2) 현재 각각의 공정에서 불량을 제거하기 위하여 관리항목을 선정하고 이들의 표준을 현장에서 준수하는 활동으로 시행하여야 한다.

(3) 이 활동은 안정화 단계로 통계적 품질관리의 정보파악 및 기초단계이며, 이는 지속적인 개선단계로 연결된다. 공정의 안정화란 설정된 관리항목 표준의 지속적인 준수활동을 의미하며 총체적 품질관리(TQM)보다 좀더 구체화된 품질관리전략이다.

6 6시그마 운동[1]

1. 의의

(1) 시그마의 의미

① 그리스어인 시그마란 원래 통계학 용어로 평균값을 중심으로 흩어진 정도, 즉 표준편차를 의미한다. 품질관리에서는 불량정도를 표시하는 척도로 사용된다.

② 6시그마 수준은 100만개의 제품 중 3~4개만의 불량품을 허용한다는 거의 '무결점' 수준을 의미한다(종래 5시그마는 100만 번에 233회, 4시그마는 6210회 불량품이 발생하는 수준이다).

[1] 6시그마 운동의 운용단계와 구성요소
6시그마 운동은 핵심품질요소 파악 → 핵심프로세스 도출 → 프로세스에 대한 측정 · 분석 · 개선 및 문제해결의 3단계로 운용된다.

1. **핵심품질요소 파악:** 고객의 입장에서 본 품질에 결정적인 영향을 미치는 요소를 선정하는 단계이다.
2. **측정:** 문제를 계량적으로 정의하고 분석하는 단계이다.
3. **분석:** 불량의 형태와 원인을 규명하는 단계이다.
4. **개선:** 가능한 해결책의 선정, 새로운 프로세스를 구상 및 적용하는 단계이다.
5. **관리:** 새로운 프로세스의 디자인과 절차를 조절하는 단계이다.

(2) 특징

철저한 통계와 데이터에 근거해서 고객만족(불만 제로)에 초점을 맞추고 있다. 6시그마 경영에서는 매출이나 이익보다 고객만족도를 중시한다. 즉, 고객만족이 곧 품질이다.

2. 발생배경과 도입

(1) 6시그마는 미국에서 새롭게 각광받는 품질관리법으로, 1987년 미국 모토로라에 근무하던 마이클 해리(Michael Harry)에 의해 창안되었다.

(2) GE가 가시적 성과를 내면서 전 세계적으로 확산되었으며, 최근 국내외 민간기업은 물론 우리나라 정부부처(특허 · 검찰 · 우편사업 등)에도 도입이 확산되고 있다.

(3) 최근 정부부처(과학기술정보통신부, 우정사업본부 등)에서는 6시그마 운동을 자원낭비를 최소화하고 고객만족을 제고하여 경영성과를 극대화하는 성과혁신활동으로 주목하고, 이를 직무성과계약제와 CEO 미션제(실 · 국장 책임경영체제), TQM(총체적 품질관리), RE(리엔지니어링) 등과 연계시켜 전반적인 품질혁신과 성과관리체제로 발전시켜 나가려고 추진하고 있다.

7 균형성과표(BSC)

1. 의의

(1) 균형성과표(Balanced Score Card)는 1992년 하버드 대학의 캐플란(Kaplan)과 노튼(Norton)에 의해 개발된 전략적 경영관리시스템이다.

(2) 전통적인 재무적 관점뿐만 아니라, 기업의 목표 또는 전략을 ① 재무, ② 고객, ③ 내부프로세스(과정), ④ 학습과 성장의 네 가지 관점으로 균형 있게 관리하여 기업의 과거, 현재 및 미래를 동시에 관리해 나가는 전략적인 성과평가시스템이다.

(3) 조직에 영향을 주는 여러 동인을 4가지 관점으로 균형화시켜 비전을 달성할 수 있는 바람직한 관리평가지표를 도출하며, 재무와 비재무, 결과와 과정, 과거와 현재 및 미래, 내부와 외부 등을 균형 있게 고려하는 성과관리체제이다.

(4) 재무적 관점과 고객 관점은 가치지향적 관점인 상부구조에 해당하고, 내부프로세스 관점과 학습과 성장 관점은 하부구조로 행동지향적 관점에 해당한다.

2. 필요성과 특징

(1) 필요성

기존의 재무적 성과위주의 지표관리는 기업의 역량이나 무형자산의 개선으로부터 오는 성과향상을 제대로 반영하지 못하기 때문에 미래를 고려하여 조직전체의 역량을 나타내 주는 성과지표가 필요하게 되었다. 균형성과표는 이러한 필요에 의해 등장한 것으로, 기존에 보편적으로 사용되고 있는 목표관리제(MBO; Management By Objective)가 가지고 있는 평가시스템으로서의 여러 가지 한계점을 해결해 줄 수 있는 대안으로 부각된다.

(2) 특징

기존의 성과평가에서 강조되어 왔던 재무적 관점 외에 고객 관점, 내부프로세스 관점, 학습과 성장 관점을 추가하여 총 네 가지 관점에서 균형적인 기업의 성과관리 전략 및 평가지표를 설정하고, 이를 달성하기 위한 이니셔티브*를 강조하며 전통적 성과관리에 비하여 재무적 관점보다 고객만족 등을 중시하는 고객 중심적인 성과 관리체제이다.

용어

이니셔티브(initiative)*: 솔선수범적이고 진취적이며 주도적인 구상 또는 제안이나 발의를 말한다.

3. 균형성과표의 네 가지 관점

(1) 재무적 관점

① 이해관계자의 관점으로서 위험 · 성장 · 수익에 대한 전략이다.

② 재무적 목표는 사업단위에 투자된 자본에 대해 한층 더 높은 이익률을 얻으려는 조직의 장기적 목표를 나타낸다.

③ 기업은 궁극적으로 재무적 목표인 이익을 추구하므로 균형성과표의 모든 측정 지표들이 궁극적으로 재무적 성과의 향상으로 연계되어야 한다.

(2) 고객 관점

① 차별화와 가치를 창출하는 전략이다.

② 관리자들은 고객의 관점에서 기업이 경쟁할 목표시장과 고객을 확인하고 이 목표시장에서의 성과척도를 인식하여야 한다. 즉, 경영자는 목표로 삼은 시장의 고객이 어디에 가치를 두는지를 파악하여야 하며, 고객들에게 전달할 가치명제(value proposition)를 선정하여야 한다.

③ 공행정에 균형성과표를 도입하는 경우 가장 강조하여야 할 관점이다.

(3) 내부프로세스 관점

① 다양한 프로세스에 대한 전략적 우선순위 결정이다.

② 관리자는 고객관계를 제고하고, 조직의 재무성과를 성취하는 데 가장 큰 영향을 미칠 내부프로세스에 대한 성과척도를 강조한다.

③ 기업의 내부프로세스는 혁신 · 운영 · 판매 후 서비스의 3단계이며 연쇄적 관계로 이루어져 있다. 운영프로세스는 여전히 중요하며, 조직은 현재의 목표가 된 고객에게 뛰어난 제품과 서비스를 전달할 수 있는 원가 · 품질 · 시간 · 기타 성과 특성들을 파악하여야 한다.

(4) 학습과 성장 관점

① 조직의 변화 · 혁신 · 성장을 지원하는 분위기 창출이다.

② 학습과 성장의 관점은 재무 · 고객 · 내부프로세스의 세 가지 관점의 토대로서 장기적인 성장과 발전을 지향하는 관점이다. 궁극적으로 재무 · 고객 · 내부프로세스의 목표를 충족시키는 힘은 조직의 학습과 성장 역량에 달려 있다.

③ 학습과 성장을 가능하게 하는 세 가지 원천은 종업원, 시스템, 조직이다.

용어

후행지표*: 경기동향을 나타내는 각종 경제지표 중에서 전체로서의 경기변동보다는 뒤늦게 변화하는 경제지표를 말한다. 매출, 자본 수익률 등이 있다.

핵심정리 균형성과표(BSC)의 네 가지 관점

재무적 관점	이해관계자의 관점으로서 위험·성장·수익에 대한 전략, 기업에서 강조, 후행지표*
고객 관점	차별화와 가치를 창출하는 전략, 공행정에서 중시
내부프로세스 관점	다양한 프로세스에 대한 전략적 우선순위 결정
학습과 성장 관점	조직의 변화·혁신·성장을 지원하는 분위기 창출에 대한 우선순위, 나머지 세 가지 관점의 토대로서 장기적인 성장과 발전 강조

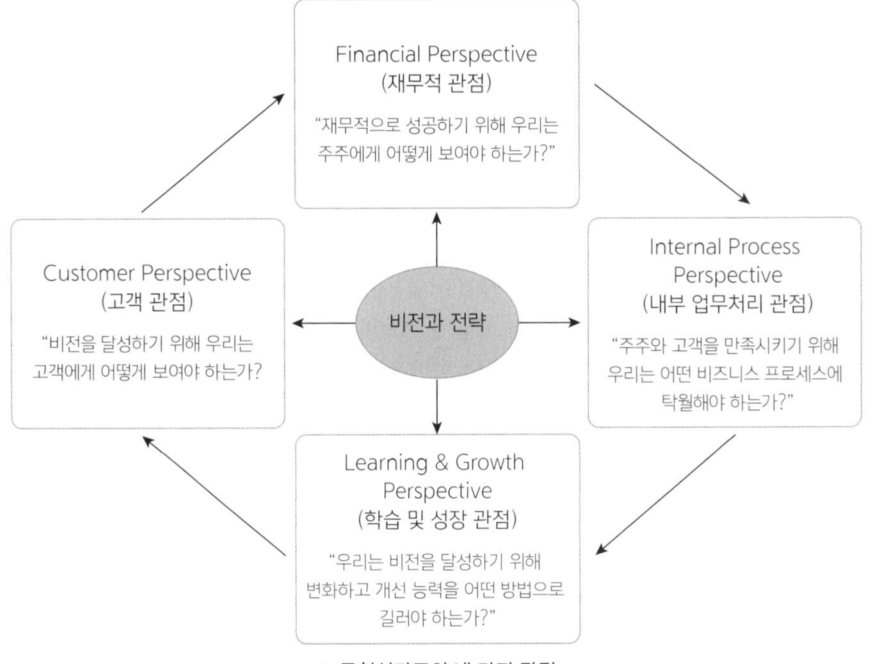

▲ 균형성과표의 네 가지 관점

4. 균형성과표에 의한 성과지표

균형성과표는 조직의 비전과 전략을 네 가지 관점의 성과척도로 연계시키는데, 다음과 같은 지표로 측정한다.

(1) 재무적 관점의 성과지표

민간부문에서 중시하는 전통적인 후행지표로서 매출, 자본 수익률, 예산 대비 차이 등이 있다.

(2) 고객 관점의 성과지표

공공부문이 중시하는 대외적 지표로서 고객만족도, 정책순응도, 민원인의 불만율, 신규 고객의 증감 등이 있다.

(3) 내부프로세스 관점의 성과지표

업무처리 관점의 과정 중심 지표로서 의사결정과정의 시민참여, 정보공개, 적법적 절차, 커뮤니케이션 구조 등이 있다.

(4) 학습과 성장 관점의 성과지표

미래적 관점의 선행지표로서 학습동아리 수, 정보시스템의 구축도, 제안건수, 직무 만족도 등이 있다.

고득점 공략 성과지표의 설정과정

1. 조직의 비전(vision)과 전략(strategy)을 명확히 표현하고 목표를 수립하게 한다.
2. 조직의 전략적 목적(strategic objectives)과 성과척도(measures)를 연계한다.
3. 조직의 목표(targets)를 전략적 방안(strategic initiatives)과 결합하고, 상호 조직 간에 발생할 수 있는 상충된 목표를 조정하는 역할을 한다.
4. 조직 및 개인의 성과에 대한 전략적 피드백(feedback)을 가능하게 한다.

5 조직변동론

1 조직혁신

1. 의의

(1) 조직혁신이란 조직을 어떤 상태에서 보다 나은 바람직한 상태로 전환시키는 조직변동으로, 조직과 관련된 환경에 대응하기 위하여 새로운 아이디어를 창조하여 변화에 적응하고자 하는 과정이다.❶

(2) 레빈(Levin)은 '해빙 → 변화 → 재결빙'으로 표현하였으며, 케이든(Caiden)은 '필요의 인지 → 목표와 전략 · 전술의 설정 → 시행 → 평가'의 4단계로 구분하여 개혁을 나누고 있다.

❶ 조직발전(OD)과의 비교
조직의 모든 변수를 변화시킴으로써 조직을 미래의 바람직한 상태로 변동시킨다는 점에서 구성원의 행동변화에만 주로 초점을 두는 조직발전(OD)과는 구별될 수 있다. 따라서 조직발전을 조직혁신의 인간행태적 접근방법이라고 부른다.

2. 특성

(1) 계획적 · 의도적이며 목표지향적인 성격을 지닌다.

(2) 현상을 타파하고 변동을 인위적으로 유도하는 동태적 과정이다.

(3) 조직의 구조 · 기술 · 행태 등 모든 측면의 개혁이다(Leavitt, 1964).

(4) 변화를 인위적으로 유도하므로 저항이 수반된다.

(5) 변동담당자의 적극적인 역할이 중시된다.

3. 조직혁신의 대상변수(H. J. Leavitt)

(1) 혁신변수

조직 내에 과업, 인간, 기술, 구조의 4개의 혁신변수가 있으며, 이들은 상호연관되어 있는 복합적 관계이다.

① **구조(structure)**: 의사전달, 권위 등과 같은 조직의 구조나 체제를 말한다.

② **기술(technology)**: 업무를 수행하고 문제를 해결하기 위하여 사용되는 기능이나 기법을 말한다.

③ **인간(people)**: 조직의 구성원을 의미한다.

④ **과업(task)**: 조직 내 기본적인 활동이나 업무를 말한다.

㉥ 기업의 생산활동

(2) 조직혁신은 이 중 어느 한 대상을 변화시켜 다른 변수들의 변화를 꾀하는 것이다.

㉥ IT기술의 발달 → 조직구조나 과업의 변화

4. 조직혁신에 대한 저항

(1) 기득권에 대한 침해가 있을 경우에는 저항할 수 있다.

(2) 개혁안 내용의 불명확성은 저항을 야기한다.

(3) 매몰비용*이 있을 경우, 이를 회수하려고 하기 때문에 저항의 요인이 된다.

(4) 개혁에 대비할 수 있는 능력이 부족할 경우 저항을 야기한다.

(5) 집단 간의 갈등 · 대립은 저항을 야기한다.

(6) 정치적 · 사회적 요인의 작용은 저항을 야기한다.

용어

매몰비용(sunk cost)*: 현재 집행 중에 있는 정책이나 계획에 따라 이미 투입된 경비나 노력 · 시간을 말한다.

5. 저항에 대한 극복전략

(1) 강제적 전략

저항하는 경우 강제적인 방법을 동원하는 것이다. ① 상급자로서의 권한행사, ② 권력구조의 개편, ③ 법령화, ④ 의식적인 긴장조성, ⑤ 인사조치 등이 대표적인 예라고 볼 수 있다.

(2) 공리적 전략

저항하는 경우에 그 손실에 대해서 보상하거나 혁신의 속도를 조정하는 것 등이다. ① 기득권 침해 폭의 최소화, ② 시기 및 절차의 조정, ③ 단계별 추진, ④ 인사나 보수상 우대, ⑤ 개혁에 따르는 손실보상 등이 있다.

(3) 규범적 전략

조직구성원들을 혁신에 참여시키거나 정당성을 설득하는 전략이다. ① 상위이념이나 규범적 가치에 의한 설득 · 양해, ② 참여기회의 확대, ③ 의사소통의 촉진, ④ 심리적 불안의 해소, ⑤ 개혁분위기의 적극적인 조성 등이 있다.

2 조직발전(OD; Organization Development)

1. 의의

(1) 개념

조직발전은 조직의 효과성·건전성을 높이기 위하여 행태과학적 기술과 훈련방법을 활용하여 조직구성원의 가치관·신념·태도를 변화시켜 조직개혁을 성취하려는 인위적이고 계획적인 과정을 의미한다.

(2) 목표

조직발전은 조직의 인간적 측면에 주목하면서 개인과 조직의 신축성·적응성·창의성을 높여 조직전체의 개혁을 이룩하고자 한다.

2. 특징

(1) 행태과학적 지식의 응용

구성원의 가치관이나 태도 등을 변화시키기 위한 행태과학적 지식이 응용된다.

(2) 장기적·지속적인 과정

행태를 개선하는 과정은 단기간에 성취가 불가능하므로 장기적 시계를 가지고 추진할 수 있도록 최고관리층의 정치적 지지를 요구한다.

(3) 과정의 초점

투입과정이나 결과의 개선을 추구하는 것이 아니라 조직의 과정, 즉 발전을 위한 과정에 초점을 둔다.

(4) 변동 컨설턴트로서의 역할

조직발전을 위해서 행정이 변동을 관리하는 역할을 수행할 것을 요구한다.

(5) Y이론적 인간관

인간적 측면이 강조되는 기법으로서 구성원 간의 인간관계를 중시한다.

(6) 계획적이고 의식적인 변화

조직구성원의 가치관이나 행태를 변화시키기 위한 의도적이고 계획적인 노력과 관련된다.

(7) 외부 전문가의 필요

행태변화에 대한 전문적 지식을 지닌 외부 행태전문가의 도움을 통해 변화시키는 것이 필요하다.

3. 목표 및 과정

(1) 목표

① 조직의 신축성·적응성·창의성 제고를 목표로 한다.

② 조직의 유지·통합·문제해결 등을 위한 능력을 향상하기 위함이다.

③ 구성원들의 신념 및 가치관의 변화와 이에 따른 행태의 수정을 목표로 한다.

핵심 OX

01 조직혁신에 대한 저항을 극복하기 위해서는 공리적 접근법에 따르는 것이 가장 좋다. (O, X)

02 OD는 조직구조의 변경을 통한 조직발전을 추구하는 것과 관련된다. (O, X)

01 X 궁극적으로는 규범적 접근법에 따라야 할 것이다.
02 X OD는 조직구조의 변경을 통해서가 아니라 행태나 가치관의 변화를 통한 조직발전을 추구하는 것이다.

(2) 과정

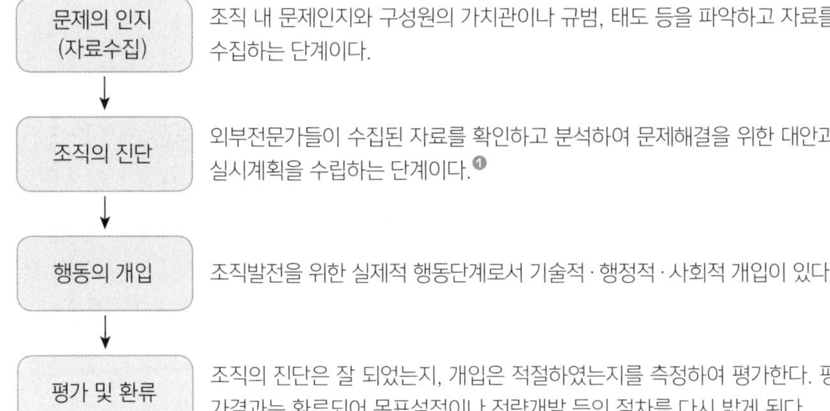

4. 주요 기법

(1) 태도조사환류(survey research and feedback)

① **의의:** 조직전반에 관한 실태를 조직구성원들의 태도를 통하여 체계적으로 조사하고, 그 결과를 모든 계층의 구성원들에게 환류시켜 그들이 환류된 자료를 분석하고 개선방안을 탐색하도록 하여 조직변화를 위한 기초자료로 활용하는 기법이다.

② 가장 오래된 조직발전(OD)의 기법으로서 태도조사와 연구집회로 이루어진다.

개념PLUS 전통적 조사와 태도조사환류의 비교

구분	전통적 조사	태도조사환류
조사대상	하급자의 태도만 조사	전 직원의 태도를 조사
환류대상	고위관리자에게만 자료를 환류	모든 구성원에게 자료를 환류
개혁방안 결정	고위관리자가 자료를 토대로 개혁방안을 결정	모든 구성원이 연구집회를 통하여 자료를 해석하고 개혁방안을 결정
전문가의 개입	전문가의 조사설계, 실시, 결과보고서를 제출함으로써 임무종료	전문가는 관리층과 협의하여 조사설계, 실시는 물론 연구집회의 계획과 진행에까지 개입

(2) 감수성훈련(sensibility training), 실험실훈련(T-group study)

① 의의

㉠ 감수성훈련은 피훈련자들을 10~15명 정도의 소집단형태로 구성하여 하나의 그룹을 만든 다음, 이들이 외부환경과 격리된 상황에서 1~2주 동안의 생활을 하면서 서로 토론하게 함으로써 자신과 다른 사람의 태도에 자각과 감수성을 기르게 하는 훈련이다.

㉡ 자신이 느낀 감정을 솔직히 진술함으로써 가치관과 참여자의 인간관계를 개선하는 방법이다.

---

❶ 조직진단

1. **의의:** 조직진단(organizational diagnosis)이란 조직의 현재 상태를 점검하고 당면한 문제의 해결 또는 조직효과성 증대를 위한 방안을 모색하기 위하여 행태과학의 개념, 모형 및 방법을 사용하는 조사이다.
2. **방법**
   - **행동과학모형:** 태도조사 등과 같이 조직 내의 개인적 행태나 인간관계를 심리학적인 관점에서 분석하는 것이다.
   - **특정관심모형:** 성취도분석 등과 같이 조직의 특별한 문제와 이에 대한 해결방안에 관심을 가지는 방법이다.
   - **종합적 모형:** 조직을 하나의 개방체제로 보고 조직 내의 모든 구조적·과정적 요인을 포괄적으로 분석하는 방법이다.
   - **유기체적 접근:** 조직 전체에 대한 체계적 분석이 어렵거나 시간이 제한되어 있는 경우, 조직을 각 부분들의 유기체적 결합으로 보고 어느 한 특정 부분을 진단함으로써 조직 전체의 문제점을 개선시키고자 하는 것이다.

핵심 OX

01 OD의 과정은 문제의 인지, 조직의 진단, 행동의 개입으로 전개되는데 이 중 구체적인 대안 설정단계는 행동의 개입단계이다. (O, X)

02 OD는 계획적이고 의식적인 변화를 추구하기 때문에 문화적 갈등을 야기할 수도 있다. (O, X)

01 X 조직발전에서 구체적인 대안 설정단계는 행동의 개입단계가 아니라 조직의 진단단계이다.
02 O

② 특징

㉠ 비정형적 상황 속에서 실시되므로 훈련자의 경험과 감성을 중요시한다.

㉡ 지식을 행동으로 옮길 수 있는 능력을 기르는 데 역점을 둔다.

㉢ 참여자들이 스스로의 지각과 태도 및 행동을 반성하고 그 영향을 평가할 수 있는 상황을 마련한다.

㉣ 훈련집단을 자체 분석의 대상으로 삼게 하여 어떻게 배울 것인가를 배우게 하는 기법이다.

㉤ 참가하는 사람 스스로가 이 훈련에 대해 적극적으로 참여할 때 효과적이고, 권위주의적인 조직문화에서는 효과가 적다.

(3) 관리망훈련(managerial grid training)

① **의의:** 감수성훈련을 확대·발전시킨 종합적인 접근법으로 인간에 대한 관심을 기준으로 작성된 관리망을 기초로 하여 개인, 집단, 전체조직의 개선이 연쇄적으로 개선될 수 있도록 고안된 계획적·체계적 접근방법이다.

② **목적:** 생산과 인간에 대한 관심이 모두 높은 9·9의 관리유형으로 유도하는 것이다.

(4) 과정상담(process consultation)

① **의의:** 과정상담은 구성원의 행태를 개선하기 위한 전략으로 업무과정에 대한 상담과 관련된다. 개인 또는 집단이 조직 내의 과정적 문제를 지각하고 이해하며 해결할 수 있도록 제3자인 상담자가 도와주는 활동이다.

② **목적:** 조직 내의 인간적 과정을 개선하여 조직의 효율화를 도모하는 데에 초점을 둔다.

③ **과정:** 의사전달의 과정, 집단구성원의 기능적 역할에 관한 과정, 집단적 문제해결 및 의사결정의 과정, 집단의 규범 및 성장에 관한 과정, 리더십, 권력과정 등이다.

(5) 팀빌딩(team building)

① **의의:** 팀을 이루어 진행하는 업무나 활동을 성공적으로 이끌기 위해 실시하는 조직개발 기법이다.

② **목적:** 팀원들의 작업 및 커뮤니케이션 능력, 문제해결 능력을 향상시켜 조직의 효율을 높이려는 것이다. 팀빌딩에 있어 가장 중요한 것은 구성원으로 하여금 명확한 목적의식을 공유하게 하고, 그 목적을 성취하려는 의욕을 고취시키는 것이다.

(6) 직무확충

① 직무확장

㉠ **의의:** 기존의 직무에 수평적으로 연관된 직무요소 또는 기능들을 첨가하는 수평적 직무화의 방법이다.

㉡ **한계:** 직무확장은 직무의 본질적인 내용을 변화시키는 것이 아니기 때문에 생산성 향상에는 큰 변화를 가져오기 어렵다.

② 직무충실

㉠ **의의:** 직무를 맡는 사람의 책임성과 자율성을 높이고 직무수행에 관한 환류가 원활히 이루어지도록 직무를 재설계하는 것이다.

ⓛ 직무의 수직적 확장, 즉 재량권한이나 책임감을 높여 줌으로써 보다 적극적으로 생산성 향상을 시도하는 것이다. 직무충실은 직무의 양적인 폭의 확대가 아니라 질적인 깊이의 내실 있는 변화를 통해 직무수행자의 만족감과 생산성을 높인다.

5. 조직발전의 성공요건

(1) 개혁을 요구하는 분위기가 조성되어야 한다.

(2) 최고관리층의 지지 · 지원하에 장기적 안목으로 추진이 필요하다.

(3) OD 전문가와 조직구성원과의 긴밀한 협조관계가 바탕이 되어야 한다.

(4) 결과에 대한 적절한 보상제도가 마련되고 계속적인 평가가 필요하다.

(5) 조직발전에 대한 비밀주의*를 배척하고 구성원들의 적극적인 참여가 요구되며, 특히 자기표현적인 인간이 중요하다.

용어
비밀주의*: 무엇을 하든지 남이 알지 못하게 하려는 태도나 주장이다.

핵심정리 MBO와 OD의 비교

1. 공통점
① **Y이론적 인간관:** 양자 모두 Y이론적 관점에서 인간을 바라본다.
② **인간발전 중시:** 목표달성(MBO)을 통해서 또는 가치관의 개선(OD)을 통해서 인간발전을 추구한다.
③ **개인목표와 조직목표의 조화 및 통합 중시:** 양자 모두 통합모형에 입각한다.
④ **평가 및 환류 강조:** 목표의 달성도 여부나 가치관이나 행동의 개선을 위해서 평가와 환류를 중요시한다.

2. 차이점

구분	MBO	OD
목적	단기적 목표성취	인간행태의 발전을 통한 조직개선
추진계층	상향적, 계선실무자 중심	하향적, 외부전문가 영입
관리의 내용	상식에 의한 일반관리	행태과학적 방법(감수성 훈련 등)

학습 점검 문제

01 **프렌치(French)와 레이븐(Raven)의 권력유형 분류에서 권력의 원천이 아닌 것은?** 2018년 국가직 9급

① 준거(reference) ② 전문성(expertness)
③ 강제력(coercion) ④ 상징(symbol)

02 **조직 내부에서 발생하는 갈등에 대한 설명으로 옳지 않은 것은?** 2013년 국가직 9급

① 갈등은 양립할 수 없는 둘 이상의 목표를 추구하는 상황에서도 발생한다.
② 고전적 조직이론에서는 갈등을 중요하게 고려하지 않는다.
③ 행태론적 입장에서는 모든 갈등이 조직성과에 부정적 영향을 미치므로 제거되어야 한다고 본다.
④ 현대적 접근방식은 갈등을 정상적인 현상으로 보고 경우에 따라서는 조직 발전의 원동력으로 본다.

정답 및 해설

01 프렌치(French)와 레이븐(Raven)의 권력유형
상징(symbol)은 프렌치(French)와 레이븐(Raven)의 권력의 원천에 해당하지 않는다.

권력의 유형(권력의 원천)
(1) 합법적 권력: 조직이나 계층상의 위계에 의하여 행사되는 권력(정통적 권력)
(2) 강제적 권력: 공포에 기반을 둔 권력으로서 처벌할 수 있는 능력에 의하여 야기되는 권력
(3) 보상적 권력: 복종의 대가로서 승진이나 봉급의 인상 등 보상을 제공할 수 있는 능력에 기반을 둔 권력
(4) 전문적 권력: 전문적 지식이나 기술에 의하여 전개되는 권력(조직의 공식적 직위와 반드시 일치하지 않음)
(5) 준거적 권력: 어떤 사람을 자기의 역할모델로 삼으며(역할모형화) 그에 대한 일체감과 신뢰를 바탕으로 하는 권력

02 갈등에 대한 이론
행태론적 입장에서는 갈등이 조직성과에 부정적 영향을 미치므로 제거되어야 한다고 보지 않고 순기능적 관점에서 갈등을 불가피한 현상으로 보거나 건설적으로 해결하면 조직목표달성에 기여한다고 본다.

갈등이론의 변천
(1) 고전적 행정학: 갈등에 대한 인식이 없다(인식부재론).
(2) 신고전적 행정학: 인간관계론 등 신고전적 행정학에서는 갈등이 조직의 목표달성을 저해한다는 역기능적 관점이다(역기능론).
(3) 행태론적 접근: 갈등을 불가피한 현상으로 보나 건설적으로 해결하면 조직목표달성에 기여한다고 본다(순기능론).
(4) 현대적 접근: 갈등의 순기능과 역기능의 상호작용으로 적정수준의 갈등관리가 필요하다고 본다(상호작용론).

정답 01 ④ 02 ③

03 다음 중 의사결정자가 각 대안의 결과를 알고는 있으나 대안 간 비교 결과 어떤 것이 최선의 결과인지를 알 수 없어 발생하는 개인적 갈등의 원인은? 2017년 서울시 9급

① 비수락성(unacceptability)
② 불확실성(uncertainty)
③ 비비교성(incomparability)
④ 창의성(creativity)

04 갈등관리유형에 대한 설명으로 옳지 않은 것은? 2024년 국가직 9급

① 회피(avoiding)는 갈등이 존재함을 알면서도 표면상으로는 그것을 무시하거나 인정하지 않음으로써 갈등 상황에 소극적으로 대응한다.

② 수용(accommodating)은 자신의 이익을 양보하고 상대방의 이익을 배려해 협조한다.

③ 타협(compromising)은 갈등 당사자 간 서로 존중하고 자신과 상대방 모두의 이익을 극대화하려는 유형으로 'win - win' 전략을 취한다.

④ 경쟁(competing)은 갈등 당사자가 자기 이익은 극대화하고 상대방의 이익은 최소화한다.

05 리더십에 대한 다음 설명 중 가장 옳지 않은 것은? 2017년 서울시 9급

① 자질론은 지도자의 자질 · 특성에 따라 리더십이 발휘된다는 가정하에, 지도자가 되게 하는 개인의 속성 · 자질을 연구하는 이론이다.

② 행태이론은 눈에 보이지 않는 능력 등 리더가 갖춘 속성보다 리더가 실제 어떤 행동을 하는가에 초점을 맞춘 이론이다.

③ 상황론의 대표적인 예로 피들러(Fiedler)의 상황조건론, 하우스(House)의 경로 - 목표 모형 등이 있다.

④ 변혁적 리더십은 거래적 리더십을 기반으로 하므로 거래적 리더십과 중첩되는 측면이 있다.

06 리더십에 대한 설명으로 옳지 않은 것은? 2019년 국가직 9급

① 특성론에 대한 비판은 지도자의 자질이 집단의 특성 · 조직목표 · 상황에 따라 완전히 달라질 수 있고, 동일한 자질을 갖는 것은 아니며, 반드시 갖춰야 할 보편적인 자질은 없다는 것이다.

② 행태이론에서는 눈에 보이지 않는 능력 등 리더가 갖춘 속성보다 리더가 실제 어떤 행동을 하는가에 초점을 맞춘다.

③ 상황론에서는 리더십을 특정한 맥락 속에서 발휘되는 것으로 파악해, 상황 유형별로 효율적인 리더의 행태를 찾아내기 위한 연구를 수행하였다.

④ 번스(Burns)의 리더십이론에서 거래적 리더십은 카리스마적 리더십을 기반으로 하므로 카리스마적 리더십과 중첩되는 측면이 있다.

정답 및 해설

03 개인적 갈등의 원인과 유형
사이먼과 마치(Simon & March)는 개인적 갈등을 세 가지 유형으로 분류하였는데, 설문은 비비교성(incomparability)에 의한 갈등이라 하였다.

❶ 개인적 갈등의 원인과 유형(Simon & March)
(1) 비수락성(unacceptability): 대안의 결과는 알 수 있으나 그 결과를 수용할 수 없을 때 발생하는 갈등
(2) 비비교성(incomparability): 대안의 결과는 알 수 있으나 어떤 대안이 바람직한지 그 결과를 비교할 수 없을 때 발생하는 갈등
(3) 불확실성(uncertainly): 대안의 결과를 알 수 없을 때 발생하는 갈등

04 갈등관리유형
당사자 간 서로 존중하고 자신과 상대방 모두의 이익을 극대화하려는 유형으로 'win - win' 전략을 취하는 것은 타협(compromising)이 아니라 협동(collaboration)이다.

05 변혁적 리더십의 특징
변혁적 리더십은 기계적 구조 등에서 강조하는 거래적 리더십과는 달리 유기적 구조에서 요구되는 리더십으로 카리스마적 리더십, 영감적 리더십, 지적 자극, 개별적 배려, 촉매적 리더십 등을 강조하는 미래지향적 리더십이다.

| 선지분석 |
① 자질론은 리더의 타고난 자질을 리더십의 본질로 본다.
② 행태론은 리더의 타고난(무형적) 자질보다 실제 관찰되는 행동유형을 중시한다.
③ 리더십의 효율성은 상황에 따라 달라진다는 상황론이며 상황변수를 중시한다.

❶ 거래적 리더십과 변혁적 리더십의 비교

구분	거래적 리더십	변혁적 리더십
현상	현상을 유지하기 위해 노력함	현상을 변화시키고자 노력함
목표 지향성	현상과 너무 괴리되지 않은 목표지향	보통 현상보다 매우 높은 이상적인 목표지향
시계	단기적 전망, 기본적으로 가시적인 보상으로 동기부여	장기적 전망, 장기적 목표를 위해 노력하도록 동기부여
동기부여 전략	부하들에게 즉각적이고도 가시적인 보상으로 동기부여	부하들에게 자아실현과 같은 높은 수준의 개인적 목표를 동경하도록 동기부여
행위표준	부하들은 규칙과 관례를 따름	변화와 도전을 하도록 부하를 격려함
문제해결	부하들을 위해 문제를 해결하거나 해답을 찾을 수 있는 곳을 알려 줌	질문을 하여 부하들이 스스로 해결책을 찾도록 격려하거나 함께 일함
성과	기대되었던 성과	기대 이상의 성과

06 변혁적 리더십의 구성요인
번스(Burns)의 리더십이론에서 카리스마적 리더십을 기반으로 하는 것은 변혁적 리더십이다. 변혁적 리더십은 카리스마적 리더십과 중첩되는 측면이 있다.

❶ 변혁적 리더십의 속성(구성요인)
(1) 카리스마(charisma): 리더의 초자연적 능력, 속성, 추종자의 강한 헌신과 리더와의 일체화
(2) 영감: 높은 기대를 전달하고 촉진시키기 위한 상징 활용, 미래에 대한 비전 제시 · 공유
(3) 개별적 배려: 구성원들에게 개별적인 관심을 통한 구성원들의 자기존중감과 자아정체성을 높임
(4) 지적 자극: 부하의 의존적 성향제거와 자율성의 보장을 통한 자극부여
(5) 촉매적 리더십: 형식적 관행타파, 새로운 관념촉발, 변화와 혁신추구

정답 03 ③ 04 ③ 05 ④ 06 ④

07 **리더십 상황이론에 해당하지 않는 것은?** 2019년 서울시 7급(10월 시행)

① 블레이크(Blake)와 머튼(Mouton)의 관리그리드 이론

② 피들러(Fiedler)의 상황적응 모형

③ 허쉬(Hersey)와 블랜차드(Blanchard)의 삼차원적 모형

④ 하우스(House)와 에반스(Evans)의 경로 - 목표이론

08 **피들러(Fiedler)의 상황적합적 리더십이론에 대한 설명으로 옳지 않은 것은?** 2021년 국가직 7급

① 리더와 부하의 관계, 부하의 성숙도, 과업구조의 조합에 따라 상황적 유리성(situational favorableness)을 설명한다.

② 리더에게 매우 유리한 상황인 경우 과업지향적인 리더십이 효과적이다.

③ LPC(Least Preferred Coworker) 점수를 사용하여 리더를 과업지향적 리더와 관계지향적 리더로 분류했다.

④ 리더가 처한 상황에 따라서 리더십의 효과성이 달라질 수 있다.

09 **서번트(servant) 리더십에 대한 설명으로 옳은 것만을 모두 고르면?** 2022년 지방직 9급

ㄱ. 구성원들이 공동의 목표를 이뤄 나갈 수 있도록 환경을 조성하고 도와준다. ㄴ. 보상과 처벌을 핵심 관리수단으로 한다. ㄷ. 그린리프(Greenleaf)는 존중, 봉사, 정의, 정직, 공동체 윤리를 강조했다. ㄹ. 리더의 최우선적인 역할은 업무를 명확하게 지시하는 것이다.

① ㄱ, ㄷ   ② ㄱ, ㄹ

③ ㄴ, ㄷ   ④ ㄴ, ㄹ

10 **변혁적 리더십에 대한 설명으로 옳지 않은 것은?** 2023년 지방직 9급

① 도전적 목표와 임무, 미래에 대한 비전을 추구하도록 격려한다.

② 구성원 개개인에게 관심을 가지고 배려한다.

③ 상황적 보상과 예외관리를 특징으로 한다.

④ 새로운 관점에서 문제를 재구성하고 해결책을 찾도록 자극한다.

정답 및 해설

07 리더십 상황이론

블레이크(Blake)와 머튼(Mouton)의 관리그리드 이론은 상황이론이 아니라 행태이론이다. 상황이론은 리더십에 있어서 상황변수의 중요성을 강조하는 이론으로 3차원적 리더십 이론이다. 피들러(Fiedler)의 상황적응 모형, 허쉬(Hersey)와 블랜차드(Blanchard)의 삼차원적 모형, 하우스(House)와 에반스(Evans)의 경로-목표이론은 대표적인 상황이론이다.

08 피들러(Fiedler)의 상황적합적 리더십

피들러(Fiedler)의 상황적응적 리더십이론에 따르면 리더십의 효율성은 상황요인에 따라 달라지며 상황요인으로는 리더와 부하의 관계, 직위권력, 과업구조의 3가지가 있다.

09 서번트 리더십

서번트 리더십(Servant Leadership)은 타인을 위한 봉사에 초점을 두며, 종업원, 고객 및 커뮤니티를 우선으로 여기고 그들의 욕구를 만족시키기 위해 노력하는 섬기는 리더십이다. 서번트 리더십의 개념을 처음 제시한 그린리프(Greenleaf)는 리더십에 관한 첫 에세이 『지도자로서의 서번트』를 발표하였으며, 주요 구성요소로 존중, 봉사, 정의, 정직, 공동체 윤리 등을 강조하였다.

| 선지분석 |

ㄴ. 보상과 처벌은 교환관계를 주요 관리수단으로 하는 거래적 리더십과 관련이 있다.

ㄹ. 리더의 최우선적인 역할로 부하에게 업무를 명확하게 지시하는 것은 거래적 리더십의 특징이다.

❶ 서번트 리더의 7가지 특성

(1) 리더로서 자신을 부하의 입장에서 생각하고 부하를 위한 지원자로 인식한다.

(2) 조직에서 가장 가치 있는 자원은 사람이라고 여긴다.

(3) 항상 학습한다.

(4) 먼저 종업원들의 말을 경청한다.

(5) 설득과 대화로 업무를 추진한다.

(6) 조직이 가족과 같은 공동체를 형성하도록 유도한다.

(7) 권한위임을 통해 리더십을 공유한다.

10 변혁적 리더십

상황에 따른 조건적 보상과 예외관리를 특징으로 하는 것은 전통적 리더십인 거래적 리더십의 특징이다.

| 선지분석 |

① 영감적 리더십을 통하여 도전적 목표와 임무, 미래에 대한 비전을 추구하도록 격려한다.

② 개별적 배려를 통하여 구성원 개개인에게 관심을 가지고 배려한다.

④ 지적 자극을 통해서 새로운 관점에서 문제를 재구성하고 해결책을 찾도록 한다.

정답 07 ① 08 ① 09 ① 10 ③

11 **리더 – 구성원 교환이론에 대한 설명으로 옳은 것만을 모두 고르면?** 2024년 지방직 9급

> ㄱ. 내집단(in-group)에 속한 구성원이 많을수록 집단의 성과가 높아진다고 본다.
> ㄴ. 리더와 구성원이 파트너십 관계로 발전하는 과정을 '리더십 만들기'라 한다.
> ㄷ. 리더가 모든 구성원을 차별 없이 대우하는 공정성을 중시한다.
> ㄹ. 리더와 구성원이 점점 높은 도덕성과 동기 수준으로 서로를 이끌어 가는 상호 관계를 중시한다.

① ㄱ, ㄴ ② ㄱ, ㄹ
③ ㄴ, ㄷ ④ ㄷ, ㄹ

12 **SWOT분석에 대한 설명으로 옳지 않은 것은?** 2017년 국가직 7급(8월 시행)

① 조직 내적 특성과 외부 환경의 조합에 따른 맞춤형 대응전략 수립에 도움이 된다.
② 조직 외부 환경은 기회와 위협으로, 조직 내부 자원 · 역량은 강점과 약점으로 구분한다.
③ 다양화 전략은 조직의 강점을 활용하여 위협을 회피하거나 최소화하는 전략이라고 볼 수 있다.
④ 기존 프로그램의 축소 또는 폐지는 약점 – 기회를 고려한 방어적 전략이라고 볼 수 있다.

13 목표관리제(MBO)에 대한 설명으로 옳은 것만을 모두 고르면? 2022년 국가직 9급

> ㄱ. 부하와 상사의 참여를 통해 목표를 설정한다.
> ㄴ. 중 · 장기목표를 단기목표보다 강조한다.
> ㄷ. 조직 내 · 외의 상황이 안정적이고 예측가능한 조직에서 성공확률이 높다.
> ㄹ. 개별 구성원의 직무 특수성을 반영하기 위하여 목표의 정성적, 주관적 성격이 강조된다.

① ㄱ, ㄴ ② ㄱ, ㄷ
③ ㄴ, ㄹ ④ ㄷ, ㄹ

정답 및 해설

11 리더 - 구성원 교환이론

리더 - 구성원 교환이론에 따르면 ㄱ, ㄴ이 옳은 설명이다. 리더 - 구성원 교환이론(Leader Member Exchange Theory, LMX)은 리더가 여러 구성원들을 동일하게 다루지 않고 차별적으로 다룬다고 주장한다. 리더 - 구성원 교환이론(LMX)의 한 연구인 수직적 쌍연결이론(VDL)에 따르면 구성원들을 내집단(in-group)과 외집단(out-group)으로 구분하여 내집단에 속한 부하들에게 후원적, 위임적, 참여적 행동을 하거나 도전적이고 흥미로운 직무를 할당함은 물론 보상에 있어서도 혜택을 부여하게 한다. 반면에 외집단에 속한 부하들에게는 최소한의 관심과 배려만 함은 물론 관리자로서의 역할인 지시, 관리, 감독 등의 업무만을 수행하게 하는 리더의 차별적 행동하에서 부하들의 성과를 높일 수 있다는 것이다.

ㄱ. 내집단(in-group)에 속한 구성원은 리더를 믿고 신뢰하기 때문에 내집단이 많을수록 집단의 성과가 높아지게 된다.

ㄴ. 리더가 내집단(in-group)에 속한 구성원과 관계를 맺고 파트너십으로 발전하는 과정을 '리더십 만들기'라 한다.

| 선지분석 |

ㄷ. 리더가 여러 구성원들을 동일하게 다루지 않고 차별적으로 다룬다고 주장한다.

ㄹ. 리더와 구성원이 점점 높은 도덕성과 동기 수준으로 서로를 이끌어가는 상호 관계를 중시하는 것이 아니라 내집단(in-group)과 외집단(out-group)으로 구분하여 내집단을 통한 목표달성에 기여하게 된다.

평균적 리더십 스타일(ALS)과 리더 - 구성원 교환이론(LMX)

구분	평균적 리더십 스타일 (ALS)	리더 - 구성원 교환이론 (LMX)
가정	조직의 모든 구성원들의 동일한 차원으로 리더십 반응	관계에 따라 차별적 차원으로 리더십 결과가 다름
분석 대상	조직의 모든 구성원들의 반응	개별 리더 - 구성원의 반응
분석 방법	구성원들의 반응을 평균적으로 분석	리더 - 구성원 각각의 반응을 개별적으로 분석
연구 중점	리더십의 결과	리더십의 과정

12 SWOT분석

기존 프로그램의 축소 또는 폐지는 약점 - 위협을 고려한 방어적 전략이라고 볼 수 있다. 방어적 전략은 약점과 위협을 고려하는(모두 최소화하는) 가장 소극적이고 수동적인 전략이다. SWOT분석은 미국 하버드 대학에서 개발한 전략적 관리모형으로 조직 내부 역량은 강점(S)과 약점(W)으로, 조직 외부 환경은 기회(O)와 위협(T)으로 구분하는 전략적 관리모형이다.

전략적 관리(SM)

(1) 특징과 효용 및 한계

특징	목표지향, 장기적, 환경분석, 조직역량분석, 전략개발, 통합성
효용	조직 대응성↑, 장기 · 포괄적 안목, 개혁노선, 자기통제
한계	계획의 단기적 안목, 보수적 조직, 자율성 제약, 평가 · 환류 제약

(2) 모형 - SWOT 분석

외부 \ 내부	강함(S)	약함(W)
기회(O)	공격적(SO) 전략	방향전환(WO) 전략
위협(T)	다양화(ST) 전략	방어적(WT) 전략

- 공격적(SO) 전략: 강점을 가지고 기회를 살리는 전략
- 방어적(WT) 전략: 약점을 보완하면서 동시에 위협을 회피하거나 최소화하는 전략
- 다양화(ST) 전략: 강점을 가지고 위협을 회피하거나 최소화하는 전략
- 방향전환(WO) 전략: 약점을 보완하여 기회를 살리는 전략

13 목표관리제(MBO)의 특징

ㄱ, ㄷ은 옳은 설명이고 ㄴ, ㄹ은 옳지 않은 설명이다.

ㄱ. 목표를 부하와 상사간의 참여를 통하여 설정한다.

ㄷ. 폐쇄적이므로 유동적이고 불확실한 상황보다 안정적이고 예측가능한 상황하에서 성공확률이 높다.

| 선지분석 |

ㄴ. 중 · 장기 목표보다 단기목표를 강조한다.

ㄹ. 추구하는 목표는 정성적 · 주관적 성격보다는 정량적 · 객관적 성격의 목표이다. 정성적 목표는 질적이고 추상적인 목표를 의미한다.

정답 11 ① 12 ④ 13 ②

14 **전통적 관리와 TQM(Total Quality Management)에 대한 설명으로 가장 옳지 않은 것은?** 2018년 서울시 9급

① 전통적 관리체제는 기능을 중심으로 구조화되는 데 비해 TQM은 절차를 중심으로 조직이 구조화된다.

② 전통적 관리체제는 개인의 전문성을 장려하는 분업을 강조하는 데 비해 TQM은 주로 팀 안에서 업무를 수행할 것을 강조한다.

③ 전통적 관리체제는 상위층의 의사결정을 위한 정보체제를 운영하는 데 비해 TQM은 절차 내에서 변화를 이루는 사람들이 적시에 정확한 정보를 소유하는 데 초점을 둔다.

④ 전통적 관리체제는 낮은 성과의 원인을 관리자의 책임으로 간주하는 데 비해 TQM은 낮은 성과를 근로자 개인의 책임으로 간주한다.

15 **균형성과표(BSC)에 대한 설명으로 옳은 것만을 모두 고른 것은?** 2015년 국가직 9급

ㄱ. 조직의 비전과 목표, 전략으로부터 도출된 성과지표의 집합체이다.
ㄴ. 재무지표 중심의 기존 성과관리의 한계를 극복하기 위한 것이다.
ㄷ. 조직의 내부요소보다는 외부요소를 중시한다.
ㄹ. 재무, 고객, 내부프로세스, 학습과 성장이라는 4가지 관점 간의 균형을 중시한다.
ㅁ. 성과관리의 과정보다는 결과를 중시한다.

① ㄱ, ㄴ, ㅁ　　② ㄴ, ㄷ, ㄹ
③ ㄱ, ㄴ, ㄹ　　④ ㄷ, ㄹ, ㅁ

16 **균형성과표(BSC; Balanced Score Card)의 관점과 측정지표가 바르게 연결된 것은?** 2017년 사회복지직 9급

① 학습과 성장 관점 - 직무만족도

② 내부프로세스 관점 - 민원인의 불만율

③ 재무적 관점 - 신규고객의 증감

④ 고객 관점 - 조직 내 커뮤니케이션 구조

17 **조직발전 기법인 감수성 훈련에 대한 설명으로 가장 옳지 않은 것은?** 2019년 서울시 7급(10월 시행)

① 구성원 간의 협력적 노력을 향상시켜 팀 성과를 증가시킨다.

② 실험실훈련 혹은 T-집단훈련이라는 명칭으로 불린다.

③ 자신의 행동이 타인에게 미치는 영향을 검토하도록 한다.

④ 갈등과 상호관계에 관련된 능력을 개선할 목적으로 사용된다.

정답 및 해설

14 전통적 관리와 총체적 품질관리(TQM)

전통적 관리체제는 결과중심의 성과평가에 초점을 두고 개인별 보상을 중시하는 분업구조의 관리방식으로 낮은 성과의 원인을 근로자 개인의 책임으로 간주하고, 총체적 품질관리(TQM)은 특정 개인이나 부분이 아니라 전체구성원이 참여하는 팀워크 중심의 관리를 강조하기 때문에 낮은 성과를 관리자의 책임으로 간주한다.

15 균형성과표(BSC)의 특징

ㄱ, ㄴ, ㄹ이 옳은 설명이다.

| 선지분석 |

ㄷ. 조직의 내부요소와 외부요소의 균형을 중시한다.

ㅁ. 성과관리의 과정과 결과의 균형을 중시한다.

16 균형성과표(BSC)의 관점과 측정지표

학습과 성장 관점은 미래적 관점의 선행지표로서 인적자원의 역량, 지식의 축적, 정보시스템 구축, 학습동아리 수, 제안건수, 직무만족도 등을 측정지표로 한다.

| 선지분석 |

② 내부프로세스 관점은 기업 내부의 업무처리 방식의 혁신에 대한 과정 중심의 지표로서 의사결정과정에의 시민참여, 적법적 절차, 커뮤니케이션 구조 등이 있다.

③ 재무적 관점은 민간부문에서 중시하는 성과에 대한 관점으로서 매출, 자본수익률, 예산대비차이 등이 있다.

④ 고객 관점은 고객(국민)들의 요구를 반영하는 것을 중시하는 대외적 지표로서 고객만족도, 정책순응도, 민원인의 불만율, 신규고객 증감 등이 있다.

❶ 균형성과표(BSC)의 지표별 특성과 측정지표

관점	특성	측정지표
재무적 관점	민간부문 중시, 전통적인 후행지표	매출, 자본 수익률, 예산 대비 차이 등
고객 관점	공공부문 중시	고객만족도, 정책순응도, 민원인의 불만율, 신규 고객의 증감 등
내부과정 관점	업무처리과정의 혁신, 과정 중심 지표	의사결정과정에의 시민참여, 적법적 절차, 커뮤니케이션 구조 등
학습과 성장 관점	나머지 관점의 토대, 미래지향적인 선행지표	인적자원의 역량, 지식의 축적, 정보시스템의 구축도, 학습동아리 수, 제안건수, 직무만족도 등

17 감수성 훈련

구성원 간의 협력적 노력을 향상시켜 팀 성과를 증가시키려는 것은 맥그리거(McGregor)에 의해서 제시된 작업집단발전(team building)에 해당한다. 감수성 훈련은 피훈련자들을 10~15명 정도의 소집단형태로 구성하여 하나의 그룹을 만든 다음, 이들이 외부환경과 격리된 상황에서 생활을 하면서 서로 토론하게 함으로써 자신과 다른 사람의 태도에 자각과 감수성을 기르게 하는 훈련으로 참여자의 인간관계를 개선하는 방법이다.

정답 14 ④ 15 ③ 16 ① 17 ①

찾아보기

찾아보기

ㄱ

ㄹ

ㅁ

ㅂ

ㅅ

ㅇ

ㅈ

ㅊ

ㅋ

ㅌ

ㅍ

ㅎ

기타

MEMO

서현

약력
서울대학교 행정대학원 정책학 전공
현 | 해커스공무원 행정학 강의
현 | 김재규학원 행정학 강의
현 | 장안대학교 행정법률과 강의
전 | EBS 명품행정학개론 강의
전 | 에듀윌 행정학개론 강의

저서
해커스공무원 현 행정학 기본서
해커스공무원 현 행정학 단원별 기출문제집
해커스공무원 현 행정학 실전동형모의고사 1
해커스공무원 현 행정학 실전동형모의고사 2
멘토행정학 Ⅰ·Ⅱ, 도서출판 배움
9급 솔루션 행정학개론 문제집, 도서출판 예응

2025 대비 최신개정판

해커스공무원 현 행정학 기본서 | 1권

개정 13판 1쇄 발행 2024년 7월 4일

지은이	서현, 해커스 공무원시험연구소 공편저
펴낸곳	해커스패스
펴낸이	해커스공무원 출판팀
주소	서울특별시 강남구 강남대로 428 해커스공무원
고객센터	1588-4055
교재 관련 문의	gosi@hackerspass.com 해커스공무원 사이트(gosi.Hackers.com) 교재 Q&A 게시판 카카오톡 플러스 친구 [해커스공무원 노량진캠퍼스]
학원 강의 및 동영상강의	gosi.Hackers.com
ISBN	1권: 979-11-7244-187-6 (14350) 세트: 979-11-7244-186-9 (14350)
Serial Number	13-01-01

해커스공무원

현 행정학

기본서

법령으로 보는 행정학

해커스공무원

법령으로 보는 행정학

01 행정규제기본법

관련단원 PART 1. 행정학의 기초이론 > CHAPTER 2. 현대 행정의 이해

우리나라의 행정규제

제 1 조 목적

이 법은 행정규제에 관한 기본적인 사항을 규정하여 불필요한 행정규제를 폐지하고 비효율적인 행정규제의 신설을 억제함으로써 사회 · 경제활동의 자율과 창의를 촉진하여 국민의 삶의 질을 높이고 국가경쟁력이 지속적으로 향상되도록 함을 목적으로 한다. → 행정규제의 완화가 목적

제 2 조 정의

① 이 법에서 사용하는 용어의 뜻은 다음과 같다.

1. "행정규제"(이하 '규제'라 한다)란 국가나 지방자치단체가 특정한 행정 목적을 실현하기 위하여 국민(국내법을 적용받는 외국인을 포함한다)의 권리를 제한하거나 의무를 부과하는 것으로서 법령 등이나 조례 · 규칙에 규정되는 사항을 말한다.
5. "규제영향분석"이란 규제로 인하여 국민의 일상생활과 사회 · 경제 · 행정 등에 미치는 여러 가지 영향을 객관적이고 과학적인 방법을 사용하여 미리 예측 · 분석함으로써 규제의 타당성을 판단하는 기준을 제시하는 것을 말한다.

② 규제의 구체적 범위는 대통령령으로 정한다.

제 3 조 적용 범위

② 다음 각 호의 어느 하나에 해당하는 사항에 대하여는 이 법을 적용하지 아니한다. → 행정부에만 적용함

1. 국회, 법원, 헌법재판소, 선거관리위원회 및 감사원이 하는 사무
2. 형사(刑事), 행형(行刑) 및 보안처분에 관한 사무
3. 「국가정보원법」에 따른 정보 · 보안 업무에 관한 사항
4. 「병역법」, 「대체역의 편입 및 복무 등에 관한 법률」, 「통합방위법」, 「예비군법」, 「민방위기본법」, 「비상대비에 관한 법률」, 「재난 및 안전관리기본법」 및 「재난관리자원의 관리 등에 관한 법률」에 규정된 징집 · 소집 · 동원 · 훈련에 관한 사항
5. 군사시설, 군사기밀 보호 및 방위사업에 관한 사항
6. 조세(租稅)의 종목 · 세율 · 부과 및 징수에 관한 사항

제 4 조 규제 법정주의

① 규제는 법률에 근거하여야 하며, 그 내용은 알기 쉬운 용어로 구체적이고 명확하게 규정되어야 한다.

② 규제는 법률에 직접 규정하되, 규제의 세부적인 내용은 법률 또는 상위법령(上位法令)에서 구체적으로 범위를 정하여 위임한 바에 따라 대통령령 · 총리령 · 부령 또는 조례 · 규칙으로 정할 수 있다. 다만, 법령에서 전문적 · 기술적 사항이나 경미한 사항으로서 업무의 성질상 위임이 불가피한 사항에 관하여 구체적으로 범위를 정하여 위임한 경우에는 고시 등으로 정할 수 있다.

③ 행정기관은 법률에 근거하지 아니한 규제로 국민의 권리를 제한하거나 의무를 부과할 수 없다.

제 5 조 규제의 원칙

① 국가나 지방자치단체는 국민의 자유와 창의를 존중하여야 하며, 규제를 정하는 경우에도 그 본질적 내용을 침해하지 아니하도록 하여야 한다. → **본질적 내용의 침해 금지**

② 국가나 지방자치단체가 규제를 정할 때에는 국민의 생명 · 인권 · 보건 및 환경 등의 보호와 식품 · 의약품의 안전을 위한 실효성이 있는 규제가 되도록 하여야 한다. → **실효성의 원칙**

③ 규제의 대상과 수단은 규제의 목적 실현에 필요한 최소한의 범위에서 가장 효과적인 방법으로 객관성 · 투명성 및 공정성이 확보되도록 설정되어야 한다. → **최소한의 원칙**

제5조의2 우선허용 · 사후규제 원칙

① 국가나 지방자치단체가 신기술을 활용한 새로운 서비스 또는 제품(이하 "신기술 서비스 · 제품"이라 한다)과 관련된 규제를 법령 등이나 조례 · 규칙에 규정할 때에는 다음 각 호의 어느 하나의 규정 방식을 우선적으로 고려하여야 한다.

1. 규제로 인하여 제한되는 권리나 부과되는 의무는 한정적으로 열거하고 그 밖의 사항은 원칙적으로 허용하는 규정 방식
2. 서비스와 제품의 인정 요건 · 개념 등을 장래의 신기술 발전에 따른 새로운 서비스와 제품도 포섭될 수 있도록 하는 규정 방식
3. 서비스와 제품에 관한 분류기준을 장래의 신기술 발전에 따른 서비스와 제품도 포섭될 수 있도록 유연하게 정하는 규정 방식
4. 그 밖에 신기술 서비스 · 제품과 관련하여 출시 전에 권리를 제한하거나 의무를 부과하지 아니하고 필요에 따라 출시 후에 권리를 제한하거나 의무를 부과하는 규정 방식

② 국가와 지방자치단체는 신기술 서비스 · 제품과 관련된 규제를 점검하여 해당 규제를 제1항에 따른 규정 방식으로 개선하는 방안을 강구하여야 한다.

제 6 조 규제의 등록 및 공표

① 중앙행정기관의 장은 소관 규제의 명칭 · 내용 · 근거 · 처리기관 등을 제23조에 따른 규제개혁위원회(이하 '위원회'라 한다)에 등록하여야 한다.

② 위원회는 제1항에 따라 등록된 규제사무 목록을 작성하여 공표하고, 매년 6월 말일까지 국회에 제출하여야 한다.

③ 위원회는 직권으로 조사하여 등록되지 아니한 규제가 있는 경우에는 관계 중앙행정기관의 장에게 지체 없이 위원회에 등록하게 하거나 그 규제를 폐지하는 법령 등의 정비계획을 제출하도록 요구하여야 하며, 관계 중앙행정기관의 장은 특별한 사유가 없으면 그 요구에 따라야 한다.

④ 제1항부터 제3항까지의 규정에 따른 규제의 등록 · 공표의 방법과 절차 등에 관하여 필요한 사항은 대통령령으로 정한다.

법령PLUS⊕ 부처별 총량통제

총량통제는 「행정규제기본법」에 명시된 제도는 아니지만 규제개혁위원회에서 내부지침으로 규제에 대한 부처별 총량을 정한 뒤 그 상한선을 유지하도록 통제를 실시한다.

제 7 조 규제영향분석 및 자체심사

① 중앙행정기관의 장은 규제를 신설하거나 강화(규제의 존속기한 연장을 포함한다. 이하 같다)하려면 다음 각 호의 사항을 종합적으로 고려하여 규제영향분석을 하고 규제영향분석서를 작성하여야 한다. → **규제가 가져올 영향을 사전에 파악하기 위함**

1. 규제의 신설 또는 강화의 필요성
2. 규제 목적의 실현 가능성
3. 규제 외의 대체 수단 존재 여부 및 기존규제와의 중복 여부
4. 규제의 시행에 따라 규제를 받는 집단과 국민이 부담하여야 할 비용과 편익의 비교 분석
5. 규제의 시행이 「중소기업기본법」 제2조에 따른 중소기업에 미치는 영향
6. 「국가표준기본법」 제3조제8호 및 제19호에 따른 기술규정 및 적합성평가의 시행이 기업에 미치는 영향
7. 경쟁 제한적 요소의 포함 여부
8. 규제 내용의 객관성과 명료성
9. 규제의 존속기한 · 재검토기한(일정기간마다 그 규제의 시행상황에 관한 점검결과에 따라 폐지 또는 완화 등의 조치를 할 필요성이 인정되는 규제에 한정하여 적용되는 기한을 말한다. 이하 같다)의 설정 근거 또는 미설정 사유
10. 규제의 신설 또는 강화에 따른 행정기구 · 인력 및 예산의 소요
11. 규제의 신설 또는 강화에 따른 부담을 경감하기 위하여 폐지 · 완화가 필요한 기존규제 대상
12. 관련 민원사무의 구비서류 및 처리절차 등의 적정 여부

제 8 조 규제의 존속기한 및 재검토기한 명시

① 중앙행정기관의 장은 규제를 신설하거나 강화하려는 경우에 존속시켜야 할 명백한 사유가 없는 규제는 존속기한 또는 재검토기한을 설정하여 그 법령 등에 규정하여야 한다.

② 규제의 존속기한 또는 재검토기한은 규제의 목적을 달성하기 위하여 필요한 최소한의 기간 내에서 설정되어야 하며, 그 기간은 원칙적으로 5년을 초과할 수 없다. → **규제일몰법**

③ 중앙행정기관의 장은 규제의 존속기한 또는 재검토기한을 연장할 필요가 있을 때에는 그 규제의 존속기한 또는 재검토기한의 6개월 전까지 제10조에 따라 위원회에 심사를 요청하여야 한다.

④ 위원회는 제12조와 제13조에 따른 심사 시 필요하다고 인정하면 관계 중앙행정기관의 장에게 그 규제의 존속기한 또는 재검토기한을 설정할 것을 권고할 수 있다.

⑤ 중앙행정기관의 장은 법률에 규정된 규제의 존속기한 또는 재검토기한을 연장할 필요가 있을 때에는 그 규제의 존속기한 또는 재검토기한의 3개월 전까지 규제의 존속기한 또는 재검토기한 연장을 내용으로 하는 개정안을 국회에 제출하여야 한다.

제 10 조 심사 요청

① 중앙행정기관의 장은 규제를 신설하거나 강화하려면 위원회에 심사를 요청하여야 한다. 이 경우 법령안(法令案)에 대하여는 법제처장에게 법령안 심사를 요청하기 전에 하여야 한다.

제 11 조 예비심사

① 위원회는 심사를 요청받은 날부터 10일 이내에 그 규제가 국민의 일상생활과 사회 · 경제활동에 미치는 파급 효과를 고려하여 제12조에 따른 심사를 받아야 할 규제(이하 '중요규제'라 한다)인지를 결정하여야 한다.

제 12 조 심사

① 위원회는 제11조 제1항에 따라 중요규제라고 결정한 규제에 대하여는 심사 요청을 받은 날부터 45일 이내에 심사를 끝내야 한다. 다만, 심사기간의 연장이 불가피한 경우에는 위원회의 결정으로 15일을 넘지 아니하는 범위에서 한 차례만 연장할 수 있다.

규제개혁위원회

제 23 조 설치

정부의 규제정책을 심의 · 조정하고 규제의 심사 · 정비 등에 관한 사항을 종합적으로 추진하기 위하여 대통령 소속으로 규제개혁위원회를 둔다.

제 24 조 기능

① 위원회는 다음 각 호의 사항을 심의 · 조정한다.

1. 규제정책의 기본방향과 규제제도의 연구 · 발전에 관한 사항
2. 규제의 신설 · 강화 등에 대한 심사에 관한 사항
3. 기존규제의 심사, 규제정비 종합계획의 수립 · 시행에 관한 사항
4. 규제의 등록 · 공표에 관한 사항
5. 규제 개선에 관한 의견 수렴 및 처리에 관한 사항
6. 각급 행정기관의 규제 개선 실태에 대한 점검 · 평가에 관한 사항
7. 그 밖에 위원장이 위원회의 심의 · 조정이 필요하다고 인정하는 사항

제 25 조 구성 등

① 위원회는 위원장 2명을 포함한 20명 이상 25명 이하의 위원으로 구성한다.

② 위원장은 국무총리와 학식과 경험이 풍부한 사람 중에서 대통령이 위촉하는 사람이 된다.

③ 위원은 학식과 경험이 풍부한 사람 중에서 대통령이 위촉하는 사람과 대통령령으로 정하는 공무원이 된다. 이 경우 공무원이 아닌 위원이 전체위원의 과반수가 되어야 한다.

핵심OX

1 국회, 법원, 헌법재판소의 사무는 「행정규제기본법」을 적용하지 않는다. (O, X)

2 규제의 존속기한은 원칙적으로 5년을 초과할 수 없다. (O, X)

3 정부의 규제정책을 심의·조정하고 규제의 심사·정비 등에 관한 사항을 종합적으로 추진하기 위하여 국무총리 소속으로 규제개혁위원회를 두고 있다. (O, X)

4 우리나라 「행정규제기본법」에는 규제예산법, 규제일몰법, 규제 최소한의 원칙 등이 명시되어 있다. (O, X)

5 규제개혁위원회는 위원장 1명을 포함한 20명 이상 25명 이하의 위원으로 구성한다. (O, X)

핵심기출

1 규제에 대한 설명으로 옳지 않은 것은? 2015년 지방직 7급

① 윌슨(Wilson)의 규제정치이론에 따르면, 고객정치 상황에서는 응집력이 강한 소수의 편익 수혜자의 논리가 투입될 가능성이 높다.

② 포지티브 규제는 '원칙 허용·예외 금지'의 형태를 취하는 것으로서, 명시적으로 금지하는 것 이외의 모든 것을 허용한다.

③ 국회, 법원, 헌법재판소, 선거관리위원회 및 감사원이 하는 사무에 대하여는 「행정규제기본법」을 적용하지 아니한다.

④ 「행정규제기본법」상 규제의 존속기한 또는 재검토기한은 규제의 목적을 달성하기 위하여 필요한 최소한의 기간 내에서 설정되어야 하며, 그 기간은 원칙적으로 5년을 초과할 수 없다.

2 정부규제에 대한 설명으로 옳지 않은 것은? 2016년 지방직 7급

① 「행정규제기본법」은 규제법정주의를 규정하고 있다.

② 규제개혁위원회는 위원장 2명을 포함한 20명 이상 25명 이하의 위원으로 구성한다.

③ 규제영향분석이 필요한 이유 중 하나는 관료에게 규제비용에 대한 관심과 책임성을 갖도록 유도한다는 점이다.

④ 정부의 규제정책을 심의·조정하고 규제의 심사·정비 등에 관한 사항을 종합적으로 추진하기 위하여 국무총리 소속으로 규제개혁위원회를 두고 있다.

정답 및 해설

핵심OX

1 O

2 O

3 X 대통령 소속이다.

4 X 규제예산법은 명시되어 있지 않다.

5 X 규제개혁위원회의 위원장은 국무총리(당연직 위원장)와 학식과 경험이 풍부한 사람 중에서 대통령이 위촉하는 사람으로 2인이다.

핵심기출

1 ② '원칙 허용·예외 금지'의 형태를 취하는 것으로서, 명시적으로 금지하는 것 이외의 모든 것을 허용하는 것은 포지티브 규제가 아니라 네거티브 규제에 해당한다. 반대로 포지티브 규제는 '원칙 금지·예외 허용'의 형태를 취하는 것으로서, 명시적으로 허용하는 것 이외의 모든 것을 금지하는 것이다.

2 ④ 대통령 소속으로 규제개혁위원회를 두고 있다.

02 정부업무평가 기본법

관련단원 PART 2. 정책학 > CHAPTER 5. 정책평가론

우리나라의 정부업무평가

제 1 조 목적

이 법은 정부업무평가에 관한 기본적인 사항을 정함으로써 중앙행정기관 · 지방자치단체 · 공공기관 등의 통합적인 성과관리체제의 구축과 자율적인 평가역량의 강화를 통하여 국정운영의 능률성 · 효과성 및 책임성을 향상시키는 것을 목적으로 한다.

제 2 조 정의

이 법에서 사용하는 용어는 다음과 같다.

1. "평가"라 함은 일정한 기관 · 법인 또는 단체가 수행하는 정책 · 사업 · 업무 등(이하 '정책 등'이라 한다)에 관하여 그 계획의 수립과 집행과정 및 결과 등을 점검 · 분석 · 평정하는 것을 말한다.
2. "정부업무평가"라 함은 국정운영의 능률성 · 효과성 및 책임성을 확보하기 위하여 다음 각 목의 기관 · 법인 또는 단체(이하 '평가대상기관'이라 한다)가 행하는 정책 등을 평가하는 것을 말한다.
   가. 중앙행정기관(대통령령이 정하는 대통령 소속기관 및 국무총리 소속기관 · 보좌기관을 포함한다)
   나. 지방자치단체
   다. 중앙행정기관 또는 지방자치단체의 소속기관
   라. 공공기관
3. "자체평가"라 함은 중앙행정기관 또는 지방자치단체가 소관 정책 등을 스스로 평가하는 것을 말한다.
4. "특정평가"라 함은 국무총리가 중앙행정기관을 대상으로 국정을 통합적으로 관리하기 위하여 필요한 정책 등을 평가하는 것을 말한다.
5. "재평가"라 함은 이미 실시된 평가의 결과 · 방법 및 절차에 관하여 그 평가를 실시한 기관 외의 기관이 다시 평가하는 것을 말한다.
6. "성과관리"라 함은 정부업무를 추진함에 있어서 기관의 임무, 중 · 장기 목표, 연도별 목표 및 성과지표를 수립하고, 그 집행과정 및 결과를 경제성 · 능률성 · 효과성 등의 관점에서 관리하는 일련의 활동을 말한다.

제 7 조 정부업무평가의 원칙

① 정부업무평가를 실시함에 있어서는 그 자율성과 독립성이 보장되어야 한다.
② 정부업무평가는 객관적이고 전문적인 방법을 통하여 결과의 신뢰성과 공정성이 확보되어야 한다.
③ 정부업무평가의 과정은 가능한 한 평가대상이 되는 정책 등의 관련자가 참여할 수 있는 기회가 보장되고 그 결과가 공개되는 등 투명하여야 한다.

제 8 조 정부업무평가기본계획의 수립

① 국무총리는 위원회의 심의 · 의결을 거쳐 정부업무의 성과관리 및 정부업무평가에 관한 정책목표와 방향을 설정한 정부업무평가기본계획을 수립하여야 한다.

② 국무총리는 정부업무평가기본계획에 다음 각 호의 사항을 포함하여야 하고 최소한 3년마다 그 계획의 타당성을 검토하여 수정 · 보완 등의 조치를 하여야 한다.

1. 정부업무 성과관리 및 평가에 관한 정책의 기본방향에 관한 사항
2. 정부업무평가제도의 발전방향에 관한 기본적인 사항
3. 정부업무평가와 관련한 연구 · 개발에 관한 사항
4. 각종 평가제도와 평가방법 등의 실효성 확보에 관한 사항
5. 평가관련 인력의 전문성 · 독립성 확보에 관한 사항
6. 제13조 제1항의 규정에 의한 전자통합평가체계의 구축 · 운영 및 개선에 관한 사항
7. 평가관련 예산 · 조직 등의 지원에 관한 사항
8. 그 밖에 대통령령이 정하는 평가업무의 발전에 관한 주요 사항

③ 국무총리는 정부업무평가기본계획에 기초하여 전년도 평가결과를 고려하고 평가대상기관의 의견을 들은 후 위원회의 심의 · 의결을 거쳐 매년 3월말까지 다음 각 호의 사항을 포함한 정부업무평가에 관한 연도별 시행계획(이하 "정부업무평가시행계획"이라 한다)을 수립하고, 이를 평가대상기관에 통지하여야 한다.

1. 당해 연도의 정책 등에 대한 성과관리 및 정부업무평가의 기본방향
2. 당해 연도의 정책 등에 대한 자체평가에 관한 사항
3. 당해 연도의 정책 등에 대한 특정평가에 관한 사항
4. 당해 연도의 정책 등에 대한 공공기관평가에 관한 사항
5. 그 밖에 당해 연도의 정책 등에 관한 정부업무평가에 관하여 필요한 사항

정부업무평가위원회

제 9 조 정부업무평가위원회의 설치 및 임무

① 정부업무평가의 실시와 평가기반의 구축을 체계적 · 효율적으로 추진하기 위하여 국무총리 소속하에 정부업무평가위원회를 둔다.

제 10 조 위원회의 구성 및 운영

① 위원회는 위원장 2인을 포함한 15인 이내의 위원으로 구성한다.

② 위원장은 국무총리와 제3항 제2호의 자 중에서 대통령이 지명하는 자가 된다.

③ 위원은 다음 각 호의 자가 된다.

1. 기획재정부장관, 행정안전부장관, 국무조정실장
2. 다음 각 목의 어느 하나에 해당하는 자로서 대통령이 위촉하는 자
   가. 평가관련 분야를 전공한 자로서 대학이나 공인된 연구기관에서 부교수 이상 또는 이에 상당하는 직에 있거나 있었던 자
   나. 1급 이상 또는 이에 상당하는 공무원의 직에 있었던 자
   다. 그 밖에 평가 또는 행정에 관하여 가목 또는 나목의 자와 동등한 정도로 학식과 경험이 풍부하다고 인정되는 자

중앙행정기관 평가

제 14 조 중앙행정기관의 자체평가

① 중앙행정기관의 장은 그 소속기관의 정책 등을 포함하여 자체평가를 실시하여야 한다.

② 중앙행정기관의 장은 자체평가조직 및 자체평가위원회를 구성 · 운영하여야 한다. 이 경우 평가의 공정성과 객관성을 확보하기 위하여 자체평가위원의 3분의 2 이상은 민간위원으로 하여야 한다.

제 17 조 자체평가결과에 대한 재평가

국무총리는 중앙행정기관의 자체평가결과를 확인 · 점검 후 평가의 객관성 · 신뢰성에 문제가 있어 다시 평가할 필요가 있다고 판단되는 때에는 위원회의 심의 · 의결을 거쳐 재평가를 실시할 수 있다. → 메타평가(상위평가)

지방자치단체 평가

제 18 조 지방자치단체의 자체평가

① 지방자치단체의 장은 그 소속기관의 정책 등을 포함하여 자체평가를 실시하여야 한다.

② 지방자치단체의 장은 자체평가조직 및 자체평가위원회를 구성 · 운영하여야 한다. 이 경우 평가의 공정성과 객관성을 담보하기 위하여 자체평가위원의 3분의 2 이상은 민간위원으로 하여야 한다.

③ 지방자치단체의 장은 정부업무평가시행계획에 기초하여 소관 정책 등의 성과를 높일 수 있도록 중앙행정기관의 자체평가계획의 사항이 포함된 자체평가계획을 매년 수립하여야 한다.

④ 행정안전부장관은 평가의 객관성 및 공정성을 높이기 위하여 평가지표, 평가방법, 평가기반의 구축 등에 관하여 지방자치단체를 지원할 수 있다.

제 21 조 국가위임사무 등에 대한 평가

① 지방자치단체 또는 그 장이 위임받아 처리하는 국가사무, 국고보조사업 그 밖에 대통령령이 정하는 국가의 주요시책 등('국가위임사무 등'이라 한다)에 대하여 국정의 효율적인 수행을 위하여 평가가 필요한 경우에는 행정안전부장관이 관계중앙행정기관의 장과 합동으로 평가(이하 '합동평가'라 한다)를 실시할 수 있다.

④ 행정안전부장관은 지방자치단체에 대한 합동평가를 효율적으로 추진하기 위하여 행정안전부장관 소속하에 지방자치단체합동평가위원회를 설치 · 운영할 수 있다.

> **법령PLUS⊕ 지방자치단체합동평가위원회의 구성·운영 등**
>
> 「정무업무평가 기본법 시행령」 제18조 ① 지방자치단체합동평가위원회는 위원장 1인을 포함한 20인 이하의 위원으로 구성하되, 평가의 객관성 및 공정성을 확보하기 위하여 위원의 3분의 2 이상은 평가에 관한 전문적인 지식과 경험이 풍부한 민간전문가로 구성하여야 한다.
>
> ② 지방자치단체합동평가위원회의 위원장은 민간위원 중에서 행정안전부장관이 지명한다.
>
> ④ 지방자치단체합동평가위원회의 위원(공무원인 위원을 제외한다)의 임기는 2년으로 한다.

특정평가

제 2 조 정의

이 법에서 사용하는 용어의 정의는 다음과 같다.

4. "특정평가"라 함은 국무총리가 중앙행정기관을 대상으로 국정을 통합적으로 관리하기 위하여 필요한 정책 등을 평가하는 것을 말한다.

제 20 조 특정평가의 절차

① 국무총리는 2 이상의 중앙행정기관 관련 시책, 주요 현안시책, 혁신관리 및 대통령령이 정하는 대상부문에 대하여 특정평가를 실시하고, 그 결과를 공개하여야 한다.

② 국무총리는 특정평가를 시행하기 전에 평가방법 · 평가기준 · 평가지표 등을 마련하여 특정평가의 대상기관에 통지하고 이를 공개하여야 한다.

공공기관 평가

제 22 조 공공기관에 대한 평가

① 공공기관에 대한 평가(이하 '공공기관평가'라 한다)는 공공기관의 특수성 · 전문성을 고려하고 평가의 객관성 및 공정성을 확보하기 위하여 공공기관 외부의 기관이 실시하여야 한다.

평가결과의 활용 및 환류

제 13 조 전자통합평가체계의 구축 및 운영

① 국무총리는 정부업무평가를 통합적으로 수행하기 위하여 전자통합평가체계를 구축하고, 각 기관 및 단체가 이를 활용하도록 할 수 있다.

② 전자통합평가체계는 평가과정, 평가결과 및 환류과정의 통합적인 정보관리 및 평가관련 기관 간 정보공유가 가능하도록 하여야 한다.

제 26 조 평가결과의 공개

국무총리 · 중앙행정기관의 장 · 지방자치단체의 장 및 공공기관평가를 실시하는 기관의 장은 평가결과를 전자통합평가체계 및 인터넷 홈페이지 등을 통하여 공개하여야 한다. → 의무사항

제 27 조 평가결과의 보고

① 국무총리는 매년 각종 평가결과보고서를 종합하여 이를 국무회의에 보고하거나 평가보고회를 개최하여야 한다.

② 중앙행정기관의 장은 전년도 정책 등에 대한 자체평가결과(위원회에서 심의 · 의결된 것을 말한다)를 지체 없이 국회 소관 상임위원회에 보고하여야 한다.

제 28 조 평가결과의 예산 · 인사 등에의 연계 · 반영

① 중앙행정기관의 장은 평가결과를 조직 · 예산 · 인사 및 보수체계에 연계 · 반영하여야 한다.

② 중앙행정기관의 장은 평가결과를 다음 연도의 예산요구시 반영하여야 한다.

③ 기획재정부장관은 평가결과를 중앙행정기관의 다음 연도 예산편성시 반영하여야 한다.

제 29 조 평가결과에 따른 자체 시정조치 및 감사

중앙행정기관의 장은 평가의 결과에 따라 정책 등에 문제점이 발견된 때에는 지체 없이 이에 대한 조치계획을 수립하여 당해 정책 등의 집행중단 · 축소 등 자체 시정조치를 하거나 이에 대하여 자체감사를 실시하고 그 결과를 위원회에 제출하여야 한다.

제 30 조 평가결과에 따른 보상 등

① 중앙행정기관의 장은 평가의 결과에 따라 우수사례로 인정되는 소속 부서 · 기관 또는 공무원에게 포상, 성과급 지급, 인사상 우대 등의 조치를 하고, 그 결과를 위원회에 제출하여야 한다.

② 정부는 정부업무평가의 결과에 따라 우수기관에 대하여 표창수여, 포상금 지급 등의 우대조치를 할 수 있다.

핵심OX

1 정부업무평가의 대상기관은 중앙행정기관, 지방자치단체와 그 소속기관 및 공공기관이다. (O, X)

2 국무총리는 정부업무평가기본계획을 최소한 5년마다 그 계획의 타당성을 검토하여 수정 · 보완 등의 조치를 하여야 한다. (O, X)

3 공공기관의 평가는 자체평가가 원칙이다. (O, X)

4 정부업무평가결과의 공개는 의무사항이다. (O, X)

5 지방자치단체의 장은 자체평가위원회를 구성 · 운영하는 경우 평가의 공정성과 객관성을 담보하기 위하여 자체평가위원의 2분의 1 이상은 민간위원으로 하여야 한다. (O, X)

핵심기출

1 정부업무평가제도에 대한 설명으로 가장 옳지 않은 것은? 2016년 서울시 9급

① 「정부업무평가 기본법」에 의한 정부업무 평가대상은 중앙행정기관과 지방자치단체를 포함하며, 공공기관은 제외된다.

② 지방자치단체 합동평가위원회는 행정안전부 소속 위원회로 「정부업무평가 기본법」에 설치근거를 둔다.

③ 정부업무 평가 중 특정평가는 국무총리가 중앙행정기관을 대상으로 정책을 평가하는 것을 의미한다.

④ 중앙행정기관의 장은 그 소속 기관의 정책 등을 포함하여 자체평가를 실시하여야 한다.

2 「정부업무평가 기본법」상 우리나라 정부업무평가제도에 대한 설명으로 옳지 않은 것은? 2022년 국가직 9급

① 특정평가는 국무총리가 중앙행정기관과 공공기관을 대상으로 국정을 통합적으로 관리하기 위한 목적을 갖는다.

② 국무총리 소속하에 심의 · 의결기구로서 정부업무평가위원회를 둔다.

③ 지방자치단체의 자체평가에 있어서 행정안전부장관은 평가 관련 사항에 대하여 지방자치단체를 지원할 수 있다.

④ 자체평가는 중앙행정기관 또는 지방자치단체가 소관 정책 등을 스스로 평가하는 것을 말한다.

정답 및 해설

핵심OX

1 O

2 X 3년마다 검토한다.

3 X 원칙적으로 외부기관이 평가한다.

4 O

5 X 자체평가위원의 3분의 2 이상이다.

핵심기출

1 ① 「정부업무평가 기본법」에 의한 정부업무 평가대상에는 중앙행정기관과 지방자치단체뿐만 아니라 공공기관도 포함된다.

2 ① 특정평가는 국무총리가 중앙행정기관을 대상으로 국정을 통합적으로 관리하기 위하여 필요한 정책 등을 평가하는 것으로 중앙행정기관이 정책대상이며 공공기관평가는 외부평가를 원칙으로 하며 특정평가의 대상에는 포함되지 않는다(「정부업무평가 기본법」 제2조 제4호).

03 정부조직법

관련단원 PART 3. 행정조직론 > CHAPTER 2. 조직구조론

정부조직법 총칙

제 1 조 목적

이 법은 국가행정사무의 체계적이고 능률적인 수행을 위하여 국가행정기관의 설치·조직과 직무범위의 대강을 정함을 목적으로 한다.

제 2 조 중앙행정기관의 설치와 조직 등

① 중앙행정기관의 설치와 직무범위는 법률로 정한다. → 행정조직 법정주의

② 중앙행정기관은 이 법에 따라 설치된 부·처·청과 다음 각 호의 행정기관으로 하되, 중앙행정기관은 이 법 및 다음 각 호의 법률에 따르지 아니하고는 설치할 수 없다.

1. 「방송통신위원회의 설치 및 운영에 관한 법률」 제3조에 따른 방송통신위원회
2. 「독점규제 및 공정거래에 관한 법률」 제54조에 따른 공정거래위원회
3. 「부패방지 및 국민권익위원회의 설치와 운영에 관한 법률」 제11조에 따른 국민권익위원회
4. 「금융위원회의 설치 등에 관한 법률」 제3조에 따른 금융위원회
5. 「개인정보 보호법」 제7조에 따른 개인정보 보호위원회
6. 「원자력안전위원회의 설치 및 운영에 관한 법률」 제3조에 따른 원자력안전위원회
7. 「우주항공청의 설치 및 운영에 관한 특별법」 제6조에 따른 우주항공청
8. 「신행정수도 후속대책을 위한 연기·공주지역 행정중심복합도시 건설을 위한 특별법」 제38조에 따른 행정중심복합도시건설청
9. 「새만금사업 추진 및 지원에 관한 특별법」 제34조에 따른 새만금개발청

③ 중앙행정기관의 보조기관은 이 법과 다른 법률에 특별한 규정이 있는 경우를 제외하고는 차관·차장·실장·국장 및 과장으로 한다.

⑤ 행정각부에는 대통령령으로 정하는 특정 업무에 관하여 장관과 차관(제34조 제3항 및 제37조 제2항에 따라 행정안전부 및 산업통상자원부에 두는 본부장을 포함한다)을 직접 보좌하기 위하여 차관보를 둘 수 있으며, 중앙행정기관에는 그 기관의 장, 차관(제29조 제2항·제34조 제3항 및 제37조 제2항에 따라 과학기술정보통신부·행정안전부 및 산업통상자원부에 두는 본부장을 포함한다)·차장·실장·국장 밑에 정책의 기획, 계획의 입안, 연구·조사, 심사·평가 및 홍보 등을 통하여 그를 보좌하는 보좌기관을 대통령령으로 정하는 바에 따라 둘 수 있다. 다만, 과에 상당하는 보좌기관은 총리령 또는 부령으로 정할 수 있다.

⑥ 중앙행정기관의 보조기관 및 보좌기관은 이 법과 다른 법률에 특별한 규정이 있는 경우를 제외하고는 일반직공무원·특정직공무원(경찰공무원 및 교육공무원만 해당한다) 또는 별정직공무원으로 보(補)하되, 다음 각 호에 따른 중앙행정기관의 보조기관 및 보좌기관은 대통령령으로 정하는 바에 따라 다음 각 호의 구분에 따른 특정직공무원으로도 보할 수 있다. 다만, 별정직공무원으로 보하는 국장은 중앙행정기관마다 1명을 초과할 수 없다.

1. 외교부 및 재외동포청: 외무공무원
2. 법무부: 검사
3. 국방부, 병무청 및 방위사업청: 현역군인
4. 행정안전부의 안전·재난 업무 담당: 소방공무원
5. 소방청: 소방공무원

⑦ 제6항에 따라 중앙행정기관의 보조기관 또는 보좌기관을 보하는 경우 차관보 · 실장 · 국장 및 이에 상당하는 보좌기관은 고위공무원단에 속하는 공무원 또는 이에 상당하는 특정직공무원으로 보하고, 과장 및 이에 상당하는 보좌기관의 계급은 대통령령으로 정하는 바에 따른다.

⑧ 제6항 및 제7항에 따라 일반직공무원 또는 특정직공무원으로 보하는 직위 중 그 소관업무의 성질상 전문성이 특히 필요하다고 인정되는 경우 중앙행정기관별로 100분의 20 범위에서 대통령령으로 정하는 직위는 근무기간을 정하여 임용하는 공무원으로도 보할 수 있다.

법령PLUS ⊕ 행정기관의 조직과 정원에 관한 통칙(대통령령)

구분	내용
중앙행정기관	국가의 행정사무를 담당하기 위하여 설치된 행정기관으로서 그 관할권의 범위가 전국에 미치는 행정기관(단, 그 관할권의 범위가 전국에 미치더라도 다른 행정기관에 부속하여 이를 지원하는 행정기관은 제외)
특별지방행정기관(일선기관)	특정한 중앙행정기관에 소속되어, 당해 관할구역 내에서 시행되는 소속 중앙행정기관의 권한에 속하는 행정사무를 관장하는 국가의 지방행정기관
부속기관	행정권의 직접적인 행사를 임무로 하는 기관에 부속하여 그 기관을 지원하는 행정기관
자문기관	부속기관 중 행정기관의 자문에 응하여 행정기관에 전문적인 의견을 제공하거나, 자문을 구하는 사항에 관하여 심의 · 조정 · 협의하는 등 행정기관의 의사결정에 도움을 주는 행정기관
소속기관	중앙행정기관에 소속된 기관으로서, 특별지방행정기관과 부속기관
보조기관	행정기관의 의사 또는 판단의 결정이나 표시를 보조함으로써 행정기관의 목적달성에 공헌하는 기관
보좌기관	행정기관이 그 기능을 원활하게 수행할 수 있도록 그 기관장이나 보조기관을 보좌함으로써 행정기관의 목적달성에 공헌하는 기관
하부조직(기관)	행정기관의 보조기관과 보좌기관

제 3 조 특별지방행정기관의 설치

① 중앙행정기관에는 소관사무를 수행하기 위하여 필요한 때에는 특히 법률로 정한 경우를 제외하고는 대통령령으로 정하는 바에 따라 지방행정기관을 둘 수 있다.

② 제1항의 지방행정기관은 업무의 관련성이나 지역적인 특수성에 따라 통합하여 수행함이 효율적이라고 인정되는 경우에는 대통령령으로 정하는 바에 따라 관련되는 다른 중앙행정기관의 소관사무를 통합하여 수행할 수 있다.

제 4 조 부속기관의 설치

행정기관에는 그 소관사무의 범위에서 필요한 때에는 대통령령으로 정하는 바에 따라 시험연구기관 · 교육훈련기관 · 문화기관 · 의료기관 · 제조기관 및 자문기관 등을 둘 수 있다.

제 5 조 합의제행정기관의 설치

행정기관에는 그 소관사무의 일부를 독립하여 수행할 필요가 있는 때에는 법률로 정하는 바에 따라 행정위원회 등 합의제행정기관을 둘 수 있다. → **행정위원회**

제 6 조 권한의 위임 또는 위탁

① 행정기관은 법령으로 정하는 바에 따라 그 소관사무의 일부를 보조기관 또는 하급행정기관에 위임하거나 다른 행정기관 · 지방자치단체 또는 그 기관에 위탁 또는 위임할 수 있다. 이 경우 위임 또는 위탁을 받은 기관은 특히 필요한 경우에는 법령으로 정하는 바에 따라 위임 또는 위탁을 받은 사무의 일부를 보조기관 또는 하급행정기관에 재위임할 수 있다.

대통령

제 16 조 대통령경호처

① 대통령 등의 경호를 담당하기 위하여 대통령경호처를 둔다.
② 대통령경호처에 처장 1명을 두되, 처장은 정무직으로 한다.
③ 대통령경호처의 조직 · 직무범위 그 밖에 필요한 사항은 따로 법률로 정한다.

제 17 조 국가정보원

① 국가안전보장에 관련되는 정보 및 보안에 관한 사무를 담당하기 위하여 대통령 소속으로 국가정보원을 둔다.

행정각부

제 26 조 행정각부

① 대통령의 통할하에 다음의 행정각부를 둔다.
② 행정각부에 장관 1명과 차관 1명을 두되, 장관은 국무위원으로 보하고, 차관은 정무직으로 한다. 다만, **기획재정부 · 과학기술정보통신부 · 외교부 · 문화체육관광부 · 산업통상자원부 · 보건복지부 · 국토교통부**에는 차관 2명을 둔다.

제 28 조 교육부

① 교육부장관은 인적자원개발정책, **영 · 유아 보육** · 교육, 학교교육 · 평생교육, 학술에 관한 사무를 관장한다.

제 29 조 과학기술정보통신부

① 과학기술정보통신부장관은 과학기술정책의 수립 · 총괄 · 조정 · 평가, 과학기술의 연구개발 · 협력 · 진흥, 과학기술 인력 양성, 원자력 연구 · 개발 · 생산 · 이용, 국가정보화 기획 · 정보보호 · 정보문화, 방송 · 통신의 융합 · 진흥 및 전파관리, 정보통신산업, 우편 · 우편환 및 우편대체에 관한 사무를 관장한다.
② 과학기술정보통신부에 과학기술혁신사무를 담당하는 본부장 1명을 두되, 본부장은 정무직으로 한다.

제 30 조 외교부

① 외교부장관은 외교, 경제외교 및 국제경제협력외교, 국제관계 업무에 관한 조정, 조약 기타 국제협정, 재외국민의 보호 · 지원, 국제정세의 조사 · 분석에 관한 사무를 관장한다.
③ 재외동포에 관한 사무를 관장하기 위하여 외교부장관 소속으로 재외동포청을 둔다.
④ 재외동포청에 청장 1명과 차장 1명을 두되, 청장은 정무직으로 하고, 차장은 고위공무원단에 속하는 일반직공무원 또는 외무공무원으로 보한다.

제 34 조　행정안전부

① 행정안전부장관은 국무회의의 서무, 법령 및 조약의 공포, 정부조직과 정원, 상훈, 정부혁신, 행정능률, 전자정부, 정부청사의 관리, 지방자치제도, 지방자치단체의 사무지원 · 재정 · 세제, 낙후지역 등 지원, 지방자치단체간 분쟁조정, 선거 · 국민투표의 지원, 안전 및 재난에 관한 정책의 수립 · 총괄 · 조정, 비상대비, 민방위 및 방재에 관한 사무를 관장한다.

② 국가의 행정사무로서 다른 중앙행정기관의 소관에 속하지 아니하는 사무는 행정안전부장관이 이를 처리한다.

③ 행정안전부에 재난안전관리사무를 담당하는 본부장 1명을 두되, 본부장은 정무직으로 한다.

④ 행정안전부에 차관보 1명을 둘 수 있다.

⑤ 치안에 관한 사무를 관장하기 위하여 행정안전부장관 소속으로 경찰청을 둔다.

⑥ 경찰청의 조직 · 직무범위 그 밖에 필요한 사항은 따로 법률로 정한다.

⑦ 소방에 관한 사무를 관장하기 위하여 행정안전부장관 소속으로 소방청을 둔다.

⑧ 소방청에 청장 1명과 차장 1명을 두되, 청장 및 차장은 소방공무원으로 보한다.

제 35 조　국가보훈부

국가보훈부장관은 국가유공자 및 그 유족에 대한 보훈, 제대군인의 보상 · 보호, 보훈선양에 관한 사무를 관장한다.

제 36 조　문화체육관광부

① 문화체육관광부장관은 문화 · 예술 · 영상 · 광고 · 출판 · 간행물 · 체육 · 관광, 국정에 대한 홍보 및 정부발표에 관한 사무를 관장한다.

② 문화체육관광부에 차관보 1명을 둘 수 있다.

③ 국가유산에 관한 사무를 관장하기 위하여 문화체육관광부장관 소속으로 국가유산청을 둔다.

④ 국가유산청에 청장 1명과 차장 1명을 두되, 청장은 정무직으로 하고, 차장은 고위공무원단에 속하는 일반직공무원으로 보한다.

제 37 조　산업통상자원부

① 산업통상자원부장관은 상업 · 무역 · 공업 · 통상, 통상교섭 및 통상교섭에 관한 총괄 · 조정, 외국인 투자, 중견기업, 산업기술 연구개발정책 및 에너지 · 지하자원에 관한 사무를 관장한다.

② 산업통상자원부에 통상교섭사무를 담당하는 본부장 1명을 두되, 본부장은 정무직으로 한다.

③ 산업통상자원부에 차관보 1명을 둘 수 있다.

④ 특허 · 실용신안 · 디자인 및 상표에 관한 사무와 이에 대한 심사 · 심판사무를 관장하기 위하여 산업통상자원부장관 소속으로 특허청을 둔다.

⑤ 특허청에 청장 1명과 차장 1명을 두되, 청장은 정무직으로 하고, 차장은 고위공무원단에 속하는 일반직공무원으로 보한다.

제 39 조　보건복지부

① 보건복지부장관은 생활보호 · 자활지원 · 사회보장 · 아동(영 · 유아 보육은 제외) · 노인 · 장애인 · 보건위생 · 의정(醫政) 및 약정(藥政)에 관한 사무를 관장한다.

② 방역 · 검역 등 감염병에 관한 사무 및 각종 질병에 관한 조사 · 시험 · 연구에 관한 사무를 관장하기 위하여 보건복지부장관 소속으로 질병관리청을 둔다.

③ 질병관리청에 청장 1명과 차장 1명을 두되, 청장은 정무직으로 하고, 차장은 고위공무원단에 속하는 일반직공무원으로 보한다.

제 40 조 환경부

① 환경부장관은 자연환경, 생활환경의 보전, 환경오염방지, 수자원의 보전 · 이용 · 개발 및 하천에 관한 사무를 관장한다.

제 43 조 국토교통부

① 국토교통부장관은 국토종합계획의 수립 · 조정, 국토의 보전 · 이용 및 개발, 도시 · 도로 및 주택의 건설, 해안 및 간척, 육운 · 철도 및 항공에 관한 사무를 관장한다.

제 44 조 해양수산부

① 해양수산부장관은 해양정책, 수산, 어촌개발 및 수산물 유통, 해운 · 항만, 해양환경, 해양조사, 해양자원수산개발, 해양과학기술연구 · 개발 및 해양안전심판에 관한 사무를 관장한다.

② 해양에서의 경찰 및 오염방제에 관한 사무를 관장하기 위하여 해양수산부장관 소속으로 해양경찰청을 둔다.

③ 해양경찰청에 청장 1명과 차장 1명을 두되, 청장 및 차장은 경찰공무원으로 보한다.

제 45 조 중소벤처기업부

중소벤처기업부장관은 중소기업 정책의 기획 · 종합, 중소기업의 보호 · 육성, 창업 · 벤처기업의 지원, 대 · 중소기업 간 협력 및 소상공인에 대한 보호 · 지원에 관한 사무를 관장한다.

핵심OX

1 특별지방행정기관은 중앙행정기관의 일선기관으로서 기능하고 있다. (O, X)

2 지원기관은 행정권의 직접적인 행사를 임무로 하는 기관에 부속하여 그 기관을 지원하는 행정기관을 말한다. (O, X)

3 소속기관은 중앙행정기관에 소속된 기관으로서, 특별지방행정기관과 부속기관을 말한다. (O, X)

4 방송통신위원회, 공정거래위원회는 정부조직법에서 정하는 합의제 행정기관이다. (O, X)

5 윤석열 정부의 조직개편(2024.6.)으로 영·유아 보육·교육기능은 보건복지부로 일원화 되었다. (O, X)

핵심기출

1 윤석열 정부에서 이루어진 조직개편의 내용에 해당하는 것을 모두 고른 것은? 2018년 서울시 7급 변형

ㄱ. 중소기업청을 중소벤처기업부로 승격·신설하였다.
ㄴ. 국가보훈처를 국가보훈부로 격상하였다.
ㄷ. 미래창조과학부는 과학기술정보통신부로 명칭을 변경하고 과학기술혁신의 컨트롤타워 기능을 강화하기 위해 과학기술혁신본부를 차관급 기구로 두었다.
ㄹ. 일관성 있는 수자원 관리를 위해 환경부가 물관리 일원화를 담당하게 하였다.
ㅁ. 외교부 산하 외청으로 재외동포청을 신설하였다.

① ㄱ, ㄴ
② ㄴ, ㅁ
③ ㄱ, ㄴ, ㅁ
④ ㄴ, ㄹ, ㅁ

2 중앙행정기관의 소속기관으로만 묶은 것은? 2018년 국가직 7급

ㄱ. 지방자치인재개발원　ㄴ. 공정거래위원회　ㄷ. 특허청
ㄹ. 국가기록원　ㅁ. 국립중앙박물관　ㅂ. 문화재청

① ㄱ, ㅂ
② ㄴ, ㄹ
③ ㄷ, ㅁ
④ ㄹ, ㅁ

정답 및 해설

핵심OX

1 O

2 X 지원기관이 아니라 부속기관이다.

3 O

4 O

5 X 보건복지부가 아닌 교육부로 일원화 되었다.

핵심기출

1 ② ㄴ, ㅁ은 윤석열 정부의 조직개편에 해당한다(2023.6.5.). ㄱ, ㄷ, ㄹ은 문재인 정부의 조직개편에 해당한다.

2 ④ 중앙행정기관의 소속기관은 특별지방행정기관과 부속기관을 의미하며, 이에 해당하는 것은 ㄱ. 지방자치인재개발원, ㄹ. 국가기록원, ㅁ. 국립중앙박물관이다. 나머지는 모두 중앙행정기관으로 ㄴ. 공정거래위원회는 국무총리 소속, ㄷ. 특허청은 산업자원통상부 소속, ㅂ. 문화재청은 문화체육관광부 소속이다.

04 책임운영기관의 설치 · 운영에 관한 법률

관련단원 PART 3. 행정조직론 > CHAPTER 2. 조직구조론

총칙

제 1 조 목적

이 법은 책임운영기관의 설치 및 운영에 관한 기본적인 사항과 책임운영기관의 조직 · 인사 · 예산 · 회계 등에 관한 특례를 규정함으로써 행정 운영의 효율성과 행정 서비스의 질적 향상을 도모함을 목적으로 한다.

제 2 조 정의

① 이 법에서 "책임운영기관"이란 정부가 수행하는 사무 중 공공성(公共性)을 유지하면서도 경쟁 원리에 따라 운영하는 것이 바람직하거나 전문성이 있어 성과관리를 강화할 필요가 있는 사무에 대하여 책임운영기관의 장에게 행정 및 재정상의 자율성을 부여하고 그 운영 성과에 대하여 책임을 지도록 하는 행정기관을 말한다.

② 책임운영기관은 기관의 지위에 따라 다음 각 호와 같이 구분한다.

1. 소속책임운영기관: 중앙행정기관의 소속 기관으로서 제4조에 따라 대통령령으로 설치된 기관
2. 중앙책임운영기관: 「정부조직법」 제2조 제2항에 따른 청(廳)으로서 제4조에 따라 대통령령으로 설치된 기관

③ 책임운영기관은 기관의 사무성격에 따라 다음 각 호와 같이 구분한다.

1. 조사연구형 책임운영기관
2. 교육훈련형 책임운영기관
3. 문화형 책임운영기관
4. 의료형 책임운영기관
5. 시설관리형 책임운영기관
6. 그 밖에 대통령령으로 정하는 유형의 책임운영기관

④ 제3항 각 호에 따른 책임운영기관 간의 구분은 대통령령으로 정한다. 이 경우 제3항 각 호에 따른 책임운영기관은 효율적인 관리 · 운영을 위하여 세분할 수 있다.

제3조의2 중기관리계획의 수립

① 행정안전부장관은 5년 단위로 책임운영기관의 관리 및 운영 전반에 관한 기본계획("중기관리계획")을 수립하여야 한다.

제 4 조 책임운영기관의 설치 및 해제

① 책임운영기관은 그 사무가 다음 각 호의 기준 중 어느 하나에 맞는 경우에 대통령령으로 설치한다.

1. 기관의 주된 사무가 사업적 · 집행적 성질의 행정 서비스를 제공하는 업무로서 성과 측정기준을 개발하여 성과를 측정할 수 있는 사무
2. 기관 운영에 필요한 재정수입의 전부 또는 일부를 자체적으로 확보할 수 있는 사무

② 행정안전부장관은 기획재정부 및 해당 중앙행정기관의 장과 협의하여 책임운영기관을 설치하거나 해제할 수 있다. 이 경우 행정안전부장관은 해당 중앙행정기관의 장의 의견을 존중하여야 한다.

소속책임운영기관

제 7 조 기관장의 임용

① 소속중앙행정기관의 장은 공개모집 절차에 따라 행정이나 경영에 관한 지식·능력 또는 관련 분야의 경험이 풍부한 사람 중에서 기관장을 선발하여 「국가공무원법」 제26조의5에 따른 임기제공무원으로 임용한다. 이 경우 대통령령으로 정하는 바에 따라 기관장으로 임용하려는 사람의 능력과 자질을 평가하여 임용 여부에 활용하여야 한다.

② 기관장의 임용요건은 소속중앙행정기관의 장이 정하여 인사혁신처장에게 통보하여야 한다.

③ 기관장의 근무기간은 5년의 범위에서 소속중앙행정기관의 장이 정하되, 최소한 2년 이상으로 하여야 한다. 이 경우 제12조 및 제51조에 따른 소속책임운영기관의 사업성과의 평가 결과(이하 '책임운영기관 평가 결과'라 한다)가 우수하다고 인정되는 때에는 총 근무기간이 5년을 넘지 아니하는 범위에서 대통령령으로 정하는 바에 따라 근무기간을 연장할 수 있다.

④ 소속중앙행정기관의 장은 책임운영기관 평가 결과가 탁월한 경우 등 대통령령으로 정하는 기준에 해당하는 때에는 제3항 후단에 따른 총 근무기간 5년을 초과하여 3년의 범위에서 대통령령으로 정하는 바에 따라 추가로 기관장의 근무기간을 연장할 수 있다.

제 12 조 소속책임운영기관운영심의회

① 소속책임운영기관의 사업성과를 평가하고 소속책임운영기관의 운영에 관한 중요 사항을 심의하기 위하여 중앙행정기관의 장의 소속으로 소속책임운영기관운영심의회(이하 '심의회'라 한다)를 둔다.

제 15 조 소속 기관 및 하부조직의 설치

① 소속책임운영기관에는 대통령령으로 정하는 바에 따라 소속 기관을 둘 수 있다.

② 소속책임운영기관 및 그 소속 기관의 하부조직 설치와 분장(分掌) 사무는 기본운영규정으로 정한다.

제 16 조 공무원의 정원

① 소속책임운영기관에 두는 공무원의 총 정원 한도는 대통령령으로 정한다. 이 경우 다음 각 호의 정원은 총리령 또는 부령으로 정하되, 대통령령으로 정하는 바에 따라 통합하여 정할 수 있다.

1. 공무원의 종류별·계급별 정원
2. 고위공무원단에 속하는 공무원의 정원

제 17 조 임기제공무원의 활용

① 업무의 성질상 필요한 경우에는 소속책임운영기관과 그 소속 기관의 장 및 하부조직은 각각 「국가공무원법」 제26조의5에 따른 임기제공무원으로 임명할 수 있다.

제 18 조 임용권자

중앙행정기관의 장은 「국가공무원법」 제32조 제1항 및 제2항, 그 밖의 공무원 인사 관계 법령에도 불구하고 소속책임운영기관 소속 공무원에 대한 일체의 임용권을 가진다. 이 경우 중앙행정기관의 장은 대통령령으로 정하는 바에 따라 그 임용권의 일부를 기관장에게 위임할 수 있다.

제 19 조 임용시험

① 소속책임운영기관 소속 공무원의 임용시험은 기관장이 실시한다. 다만, 기관장이 단독으로 실시하기 곤란한 경우에는 중앙행정기관의 장이 실시할 수 있으며, 다른 시험실시기관의 장과 공동으로 실시하거나 대통령령으로 정하는 다른 기관의 장에게 위탁하여 실시할 수 있다.

제 20 조 기관 간 인사교류

① 소속책임운영기관과 소속중앙행정기관 및 그 소속 기관 간 공무원의 전보(轉補)가 필요하다고 인정되는 경우에는 소속중앙행정기관의 장이 기관장과 협의하여 실시할 수 있다.

제 25 조 상여금의 지급

기관장은 대통령령으로 정하는 바에 따라 사업의 평가 결과에 따라 소속 기관별, 하부조직별 또는 개인별로 상여금을 차등 지급할 수 있다.

제 27 조 특별회계의 설치 등

① 제4조 제1항 제2호의 사무를 주로 하는 소속책임운영기관의 사업을 효율적으로 운영하기 위하여 책임운영기관특별회계를 둔다.

② 제1항에 따라 책임운영기관특별회계로 운영할 필요가 있는 소속책임운영기관은 재정수입 중 자체 수입의 비율 등 대통령령으로 정하는 기준에 따라 기획재정부장관이 행정안전부장관 및 해당 중앙행정기관의 장과 협의를 거쳐 정한다.

③ 제2항에 따라 정하여진 소속책임운영기관(이하 '책임운영기관특별회계기관'이라 한다)을 제외한 소속책임운영기관은 일반회계로 운영하되, 대통령령으로 정하는 회계변경이 곤란한 특별한 사유가 있는 경우에는 다른 법률에 따라 설치된 특별회계로 운영할 수 있다. 이 경우 일반회계 또는 특별회계에 별도의 책임운영기관 항목을 설치하고 책임운영기관특별회계기관에 준하는 예산 운영상의 자율성을 보장하여야 한다.

제 28 조 계정의 구분

① 제27조 제1항에 따른 책임운영기관특별회계(이하 '특별회계'라 한다)는 책임운영기관특별회계기관별로 계정(計定)을 구분한다.

제 29 조 특별회계의 운용 · 관리

특별회계는 계정별로 중앙행정기관의 장이 운용하고, 기획재정부장관이 통합하여 관리한다.

제 30 조 「정부기업예산법」의 적용 등

① 책임운영기관특별회계기관의 사업은 「정부기업예산법」 제2조에도 불구하고 정부기업으로 본다.

② 특별회계의 예산 및 회계에 관하여 이 법에 규정된 것 외에는 「정부기업예산법」을 적용한다. 다만, 기획재정부장관은 책임운영기관특별회계기관의 자체수입 규모 및 사무의 성격 등을 고려하여 기관 운영 경비의 시급한 충당 등 대통령령으로 정하는 경우에 한하여 손익계정과 자본계정 간에 서로 융통하게 할 수 있다.

법령PLUS⊕ 책임운영기관의 일반회계와 특별회계

일반회계기관(36)	국립국제교육원, 통일교육원, 국방홍보원, 국방전산정보원, 국립과학수사연구원, 국가정보자원관리원, 국립재난안전연구원, 국립중앙극장, 국립현대미술관, 한국정책방송원, 한국농수산대학, 국립종자원, 고용노동부고객상담센터, 국토지리정보원, 항공교통본부, 국립수산과학원, 해양수산인재개발원, 국립해양측위정보원, 국세상담센터, 관세국경관리연수원, 통계개발원경인지방통계청, 동북지방통계청, 호남지방통계청, 동남지방통계청, 충청지방통계청, 국립문화재연구소, 국립해양문화재연구소, 궁능유적본부, 국립원예특작과학원, 국립축산과학원, 국립산림과학원, 국립수목원, 항공기상청, 국립기상과학원, 해양경찰정비창
특별회계기관(13)	국립중앙과학관, 국립과천과학관, 국립정신건강센터, 국립나주병원, 국립부곡병원, 국립춘천병원, 국립공주병원, 국립마산병원, 국립목포병원, 국립재활원, 경찰병원, 국립자연휴양림관리소, 특허청

제 35 조 초과수입금의 직접사용

① 기관장은 특별회계 또는 일반회계의 세입예산을 초과하거나 초과할 것이 예측되는 수입(이하 '초과수입금'이라 한다)이 있는 경우에는 그 초과수입금을 해당 초과수입에 직접 관련되는 경비와 기관의 업무수행을 위하여 필요하다고 인정하는 경비로서 대통령령으로 정하는 간접경비로 사용할 수 있다.

제 36 조 예산의 전용

① 기관장은 「국가재정법」 제46조와 「정부기업예산법」 제20조에도 불구하고 예산 집행에 특히 필요한 경우에는 대통령령으로 정하는 바에 따라 특별회계의 계정별 세출예산 또는 일반회계의 세출예산 각각의 총액 범위에서 각 과목 간에 전용(轉用)할 수 있다.

제 37 조 예산의 이월

① 매 회계연도의 특별회계 또는 일반회계 세출예산 중 부득이한 사유로 그 회계연도 내에 지출하지 못한 경상적 성격의 경비는 대통령령으로 정하는 범위에서 다음 회계연도에 이월(移越)하여 사용할 수 있다.

제 38 조 이익 및 손실의 처분

① 특별회계는 매 회계연도 결산 결과 이익이 생긴 경우에는 이익잉여금으로 적립하고 결손이 생긴 경우에는 이익잉여금 중에서 결손 부분을 보충한다.

③ 특별회계 결산의 결과 생긴 결손이 이익잉여금을 초과하는 경우에 그 초과액은 이월 결손으로 정리한다.

중앙책임운영기관

제 40 조 중앙책임운영기관의 장의 임기

중앙책임운영기관의 장의 임기는 2년으로 하되, 한 차례만 연임할 수 있다.

제 41 조 중앙책임운영기관의 장의 책무

중앙책임운영기관의 장은 제42조 제1항에 따라 국무총리가 부여한 목표를 성실히 이행하여야 하며, 기관 운영의 공익성 및 효율성 향상, 재정의 경제성 제고와 서비스의 질적 개선을 위하여 노력하여야 한다.

제 42 조 사업목표 및 사업운영계획 등

① 국무총리는 중앙책임운영기관별로 재정의 경제성 제고와 서비스 수준의 향상 및 경영합리화 등에 관한 사업목표를 정하여 중앙책임운영기관의 장에게 부여하여야 한다.

제 43 조 중앙책임운영기관운영심의회

① 중앙책임운영기관의 사업성과를 평가하고 기관의 운영에 관한 중요 사항을 심의하기 위하여 중앙책임운영기관의 장 소속으로 중앙책임운영기관운영심의회(이하 '운영심의회'라 한다)를 둔다.

제 46 조 조직 및 정원

중앙책임운영기관의 조직 및 정원에 관한 사항은 「정부조직법」이나 그 밖의 정부조직 관계 법령에서 정하는 바에 따른다.

제 47 조 인사 관리

① 중앙책임운영기관의 장은 「국가공무원법」 제32조 제1항 및 제2항이나 그 밖의 공무원 인사 관계 법령에도 불구하고 고위공무원단에 속하는 공무원을 제외한 소속 공무원에 대한 일체의 임용권을 가진다.

② 중앙책임운영기관 소속 공무원의 임용시험은 중앙책임운영기관의 장이 실시한다. 다만, 중앙책임운영기관의 장이 필요하다고 인정하면 임용시험의 일부 또는 전부를 다른 시험실시기관의 장과 공동으로 실시하거나 대통령령으로 정하는 다른 기관의 장에게 위탁하여 실시할 수 있다.

③ 중앙책임운영기관 소속 공무원의 인사관리에 관한 사항은 제1항과 제2항에서 정한 사항 외에는 「국가공무원법」이나 그 밖의 공무원 인사 관계 법령에서 정하는 바에 따른다.

제 48 조 예산 및 회계

① 중앙책임운영기관의 예산 및 회계에 관한 사항에 관하여는 제2장 제5절의 규정(제30조 제4항은 제외한다)을 준용한다. 이 경우 제29조, 제29조의2, 제33조 제1항 · 제2항, 제34조, 제35조 제3항, 제36조 제2항 및 제39조 제1항부터 제3항까지의 규정에서 "중앙행정기관의 장"은 각각 "중앙책임운영기관의 장"으로, 제33조 제1항 및 제38조 제2항의 규정에서 "심의회"는 각각 "운영심의회"로 본다.

② 제35조 제1항에도 불구하고 중앙책임운영기관의 장이 대통령령으로 정하는 비율을 초과하여 초과수입금을 사용하려면 그 이유와 금액을 밝힌 조서를 작성하여 미리 기획재정부장관과 협의하여야 한다.

책임운영기관운영위원회의 설치 · 운영 등

제 49 조 책임운영기관운영위원회의 설치 및 기능 등

① 책임운영기관의 존속 여부 및 제도의 개선 등에 관한 중요 사항을 심의하기 위하여 행정안전부장관 소속으로 책임운영기관운영위원회(이하 '위원회'라 한다)를 둔다.

핵심OX

1 소속책임운영기관장의 근무기간은 2년의 범위에서 소속중앙행정기관의 장이 정한다. (O, X)

2 소속책임운영기관에 두는 공무원의 총 정원 한도는 대통령령으로 정한다. (O, X)

3 소속책임운영기관 소속 공무원의 임용시험은 소속책임운영기관장이 실시한다. (O, X)

4 책임운영기관의 특별회계는 계정별로 책임운영기관장이 운용하고, 기획재정부장관이 통합하여 관리한다. (O, X)

5 특별회계의 예산 및 회계에 관하여「책임운영기관의 설치 · 운영에 관한 법률」에 규정된 것 외에는「정부기업예산법」을 적용한다. (O, X)

핵심기출

1 책임운영기관에 대한 설명으로 옳지 않은 것은? 2013년 서울시 9급

① 책임운영기관은 집행기능 중심의 조직이다.

② 책임운영기관의 성격은 정부기관이며 구성원은 공무원이다.

③ 책임운영기관은 융통성과 책임성을 조화시킬 수 있다.

④ 책임운영기관은 공공성이 강하고 성과관리가 어려운 분야에 적용할 필요가 있다.

⑤ 책임운영기관은 정부팽창의 은폐수단 혹은 민영화의 회피수단으로 사용 될 가능성이 있다.

2「책임운영기관의 설치 · 운영에 관한 법률」상 책임운영기관에 대한 설명으로 옳지 않은 것은? 2019년 국가직 9급

① 책임운영기관은 기관장에게 재정상의 자율성을 부여하고 그 운영성과에 대해 책임을 지도록 하는 행정기관의 특성을 갖는다.

② 소속책임운영기관에 두는 공무원의 총 정원 한도는 총리령으로 정하며, 이 경우 고위공무원단에 속하는 공무원의 정원은 부령으로 정한다.

③ 소속책임운영기관 소속 공무원의 임용시험은 기관장이 실시함을 원칙으로 한다.

④ 기관장의 근무기간은 5년의 범위에서 소속중앙행정기관의 장이 정하되, 최소한 2년 이상으로 하여야 한다.

정답 및 해설

핵심OX

1 X 5년의 범위에서 소속중앙행정기관의 장이 정하되, 최소한 2년 이상으로 하여야 한다.

2 O

3 O

4 X 중앙행정기관의 장이 운용한다.

5 O

핵심기출

1 ④ 책임운영기관은 공공성이 강하면서도 경쟁원리에 따라 운영하는 것이 바람직한 사무에 대해 행정 및 재정상의 자율성을 부여하고 그 운영성과에 대하여 책임을 지도록 하는 기관으로, 성과측정기준의 개발 및 성과측정이 용이한 분야에 적용할 필요가 있다.

2 ② 소속책임운영기관에 두는 공무원의 총 정원 한도는 총리령이 아니라 대통령령으로 정하며, 이 경우 고위공무원단에 속하는 공무원의 정원은 총리령 또는 부령으로 정한다.

05 공공기관의 운영에 관한 법률

관련단원 PART 3. 행정조직론 > CHAPTER 2. 조직구조론

공공기관

제 1 조 목적

이 법은 공공기관의 운영에 관한 기본적인 사항과 자율경영 및 책임경영체제의 확립에 관하여 필요한 사항을 정하여 경영을 합리화하고 운영의 투명성을 제고함으로써 공공기관의 대국민 서비스 증진에 기여함을 목적으로 한다.

제 3 조 자율적 운영의 보장

정부는 공공기관의 책임경영체제를 확립하기 위하여 공공기관의 자율적 운영을 보장하여야 한다.

제 4 조 공공기관

① 기획재정부장관은 국가 · 지방자치단체가 아닌 법인 · 단체 또는 기관(이하 '기관'이라 한다)으로서 다음 각 호의 어느 하나에 해당하는 기관을 공공기관으로 지정할 수 있다.
1. 다른 법률에 따라 직접 설립되고 정부가 출연한 기관
2. 정부지원액(법령에 따라 직접 정부의 업무를 위탁받거나 독점적 사업권을 부여받은 기관의 경우에는 그 위탁업무나 독점적 사업으로 인한 수입액을 포함한다. 이하 같다)이 총수입액의 2분의 1을 초과하는 기관

② 제1항의 규정에 불구하고 기획재정부장관은 다음 각 호의 어느 하나에 해당하는 기관을 공공기관으로 지정할 수 없다.
1. 구성원 상호 간의 상호부조 · 복리증진 · 권익향상 또는 영업질서 유지 등을 목적으로 설립된 기관
2. 지방자치단체가 설립하고, 그 운영에 관여하는 기관
3. 「방송법」에 따른 한국방송공사와 「한국교육방송공사법」에 따른 한국교육방송공사

제 5 조 공공기관의 구분

① 기획재정부장관은 공공기관을 다음 각 호의 구분에 따라 지정한다.
1. 공기업 · 준정부기관: 직원 정원, 수입액 및 자산규모가 대통령령으로 정하는 기준에 해당하는 공공기관
2. 기타공공기관: 제1호에 해당하는 기관 이외의 기관

② 제1항 제1호에도 불구하고 기획재정부장관은 다른 법률에 따라 책임경영체제가 구축되어 있거나 기관 운영의 독립성, 자율성 확보 필요성이 높은 기관 등 대통령령으로 정하는 기준에 해당하는 공공기관은 기타공공기관으로 지정할 수 있다.

③ 기획재정부장관은 제1항의 규정에 따라 공기업과 준정부기관을 지정하는 경우 총수입액 중 자체수입액이 차지하는 비중이 대통령령으로 정하는 기준 이상인 기관은 공기업으로 지정하고, 공기업이 아닌 공공기관은 준정부기관으로 지정한다.

④ 기획재정부장관은 제1항 및 제3항의 규정에 따른 공기업과 준정부기관을 다음 각 호의 구분에 따라 세분하여 지정한다.

1. 공기업
   가. 시장형 공기업: 자산규모와 총수입액 중 자체수입액이 대통령령으로 정하는 기준 이상인 공기업
   나. 준시장형 공기업: 시장형 공기업이 아닌 공기업
2. 준정부기관
   가. 기금관리형 준정부기관: 「국가재정법」에 따라 기금을 관리하거나 기금의 관리를 위탁받은 준정부기관
   나. 위탁집행형 준정부기관: 기금관리형 준정부기관이 아닌 준정부기관

⑤ 기획재정부장관은 제1항 및 제2항에 따라 기타공공기관을 지정하는 경우 기관의 성격 및 업무 특성 등을 고려하여 기타공공기관 중 일부를 연구개발을 목적으로 하는 기관 등으로 세분하여 지정할 수 있다.

⑥ 제3항 및 제4항의 규정에 따른 자체수입액 및 총수입액의 구체적인 산정 기준과 방법 및 제5항에 따른 기타공공기관의 종류와 분류의 세부 기준은 대통령령으로 정한다.

법령PLUS⊕ 공기업 및 준정부기관의 지정기준

「공공기관의 운영에 관한 법률 시행령」 제7조【공기업 및 준정부기관의 지정기준】 ① 기획재정부장관은 법 제5조 제1항 제1호에 따라 다음 각 호의 기준에 해당하는 공공기관을 공기업·준정부기관으로 지정한다.

1. 직원 정원: 300명 이상
2. 수입액(총수입액을 말한다): 200억 원 이상
3. 자산규모: 30억 원 이상

② 기획재정부장관은 법 제5조 제3항에 따라 총수입액 중 자체수입액이 차지하는 비중이 100분의 50(「국가재정법」에 따라 기금을 관리하거나 기금의 관리를 위탁받은 공공기관의 경우 100분의 85) 이상인 공공기관을 공기업으로 지정한다.

③ 기획재정부장관은 법 제5조 제4항 제1호에 따라 다음 각 호의 기준에 해당하는 공기업을 시장형 공기업으로 지정한다.

1. 자산규모: 2조 원
2. 총수입액 중 자체수입액이 차지하는 비중: 100분의 85

법령PLUS⊕ 공공기관의 구성과 임원

<table>
<tr><th colspan="3" rowspan="2">구분</th><th rowspan="2">이사회 의장</th><th rowspan="2">기관장</th><th colspan="3">이사</th><th rowspan="2">감사</th><th rowspan="2">감사위원회 설치</th></tr>
<tr><th>선임비상임 이사</th><th>상임이사</th><th>비상임 이사</th></tr>
<tr><td rowspan="3">공기업</td><td colspan="2">시장형</td><td rowspan="2">선임비상임이사</td><td rowspan="3">주무기관장의 제청, 대통령이 임명</td><td rowspan="3">기획재정부 장관이 임명</td><td rowspan="3">공기업의 장이 임명</td><td rowspan="3">기획재정부 장관이 임명</td><td rowspan="3">기획재정부 장관의 제청, 대통령이 임명</td><td rowspan="2">의무사항</td></tr>
<tr><td rowspan="2">준시장형</td><td>2조 이상</td></tr>
<tr><td>2조 미만</td><td rowspan="2">기관장</td><td rowspan="2">임의사항</td></tr>
<tr><td colspan="3">준정부기관</td><td>주무기관장이 임명</td><td>비상임이사 중 호선</td><td>준정부기관의 장이 임명</td><td>주무기관장이 임명</td><td>기획재정부 장관이 임명 (대규모기관은 대통령이 임명)</td></tr>
</table>

공공기관운영위원회

제 8 조　공공기관운영위원회의 설치

공공기관의 운영에 관하여 다음에 관한 사항을 심의·의결하기 위하여 기획재정부장관 소속하에 공공기관운영위원회(이하 '운영위원회'라 한다)를 둔다.

제 9 조　운영위원회의 구성

① 운영위원회는 위원장 1인 및 위원으로 구성하되, 기획재정부장관이 위원장이 된다.

제 10 조　운영위원회의 회의

① 운영위원회의 회의는 위원장을 포함하여 20인 이내의 위원으로 구성하되, 제9조 제1항 제2호 및 제3호에 해당하는 위원 중 운영위원회의 회의에 참석하는 위원은 위원장이 안건별로 지명하고, 같은 항 제4호에 해당하는 위원의 수가 회의 구성원의 과반수가 되도록 하여야 한다.

⑥ 운영위원회는 대통령령으로 정하는 바에 따라 회의록을 작성하고 공개하여야 한다. 다만, 「공공기관의 정보공개에 관한 법률」 제9조 제1항에 따른 비공개 대상 정보는 공개하지 아니할 수 있다.

임원

제 24 조　임원

① 공기업·준정부기관에 임원으로 기관장을 포함한 이사와 감사를 둔다.

② 이사는 상임 및 비상임으로 구분한다.

제24조의2　양성평등을 위한 임원임명 목표제

① 공기업·준정부기관은 각 기관의 특성을 고려하여 양성평등을 실현하기 위한 임원임명목표를 정하여야 한다.

② 기관장은 제1항의 목표에 따라 임원임명에 대한 연차별 목표를 수립하고 그 이행을 위하여 노력하여야 한다.

③ 기관장은 제2항에 따른 목표 수립 및 이행에 관한 연차별 보고서를 기획재정부장관에게 제출하여야 한다.

④ 제2항에 따른 연차별 목표의 수립·이행 및 제3항에 따른 연차별 보고서의 작성 등에 필요한 사항은 대통령령으로 정한다.

제 25 조　공기업 임원의 임면

① 공기업의 장은 임원추천위원회가 복수로 추천하여 운영위원회의 심의·의결을 거친 사람 중에서 주무기관의 장의 제청으로 대통령이 임명한다.

② 공기업의 상임이사는 공기업의 장이 임명한다.

③ 공기업의 비상임이사는 임원추천위원회가 복수로 추천하는 다음 각 호에 해당하는 사람 중에서 운영위원회의 심의·의결을 거쳐 기획재정부장관이 임명한다. 이 경우 제2호에 해당하는 사람 1명을 포함하여야 한다.

1. 경영에 관한 학식과 경험이 풍부한 사람(국공립학교의 교원이 아닌 공무원은 제외한다)
2. 3년 이상 재직한 해당 기관 소속 근로자 중에서 근로자대표(근로자의 과반수로 조직된 노동조합이 있는 경우 그 노동조합의 대표자)의 추천이나 근로자 과반수의 동의를 받은 사람

⑤ 공기업의 감사는 임원추천위원회가 복수로 추천하여 운영위원회의 심의 · 의결을 거친 사람 중에서 기획재정부장관의 제청으로 대통령이 임명한다.

제 26 조 준정부기관 임원의 임면

① 준정부기관의 장은 임원추천위원회가 복수로 추천한 사람 중에서 주무기관의 장이 임명한다.

② 준정부기관의 상임이사는 준정부기관의 장이 임명하되, 다른 법령에서 상임이사에 대한 별도의 추천위원회를 두도록 정한 경우에 상임이사의 추천에 관하여는 그 법령의 규정에 따른다.

③ 준정부기관의 비상임이사(다른 법령이나 준정부기관의 정관에 따라 당연히 비상임이사로 선임되는 사람은 제외)는 주무기관의 장이 임명하되, 기관규모가 대통령령으로 정하는 기준 이상이거나 업무내용의 특수성을 고려하여 대통령령으로 정하는 준정부기관의 비상임이사는 임원추천위원회가 복수로 추천한 사람 중에서 주무기관의 장이 임명한다. 이 경우 3년 이상 재직한 해당 기관 소속 근로자 중에서 근로자대표의 추천이나 근로자 과반수의 동의를 받은 사람 1명을 포함하여야 한다.

⑤ 준정부기관의 감사는 임원추천위원회가 복수로 추천하여 운영위원회의 심의 · 의결을 거친 사람 중에서 기획재정부장관이 임명한다.

이사회

제 17 조 이사회의 설치와 기능

① 공기업 · 준정부기관에 다음 각 호의 사항을 심의 · 의결하기 위하여 이사회를 둔다.
→ **경영조직의 이원화(이사회와 사장으로 분리)**
1. 경영목표, 예산, 운영계획 및 중장기재무관리계획
2. 예비비의 사용과 예산의 이월 → **예비비의 사용, 예산의 이월 등은 주무부장관의 승인을 필요로 하지 않는다.**
3. 결산

제 18 조 이사회의 구성

① 이사회는 기관장을 포함한 15인 이내의 이사로 구성한다.

② 시장형 공기업과 자산규모가 2조 원 이상인 준시장형 공기업의 이사회 의장은 선임비상임이사가 된다.

④ 자산규모가 2조 원 미만인 준시장형 공기업과 준정부기관의 이사회 의장은 기관장이 된다.

위원회

제 20 조 위원회

① 공기업의 이사회는 그 공기업의 정관에 따라 이사회에 위원회를 설치할 수 있다.

② 시장형 공기업과 자산규모가 2조 원 이상인 준시장형 공기업에는 제24조 제1항에 따른 감사를 갈음하여 제1항에 따른 위원회로서 이사회에 감사위원회를 설치하여야 한다. → **의무사항**

③ 자산규모가 2조 원 미만인 준시장형 공기업과 준정부기관은 다른 법률의 규정에 따라 감사위원회를 설치할 수 있다.
→ **임의사항**

선임비상임이사

제 21 조 선임비상임이사

① 공기업 · 준정부기관에 선임비상임이사 1인을 둔다.

② 선임비상임이사는 비상임이사 중에서 호선(互選)한다. 다만, 시장형 공기업과 자산규모가 2조 원 이상인 준시장형 공기업의 선임비상임이사는 비상임이사 중에서 기획재정부장관이 운영위원회의 심의 · 의결을 거쳐 임명한다.

경영평가와 감독

제 31 조 기관장과의 계약 등

⑤ 주무기관의 장은 지정(변경지정을 제외한다)된 공기업 · 준정부기관의 지정 당시 기관장과 지정 후 3월 이내에 계약을 체결하여야 한다.

⑦ 기관장은 해당 기관의 상임이사(상임감사위원은 제외한다)와 성과계약을 체결하고, 그 이행실적을 평가할 수 있으며, 이행실적을 평가한 결과 그 실적이 저조한 경우 상임이사를 해임할 수 있다.

제 50 조 경영지침

① 기획재정부장관은 공기업 · 준정부기관의 운영에 관한 일상적 사항과 관련하여 운영위원회의 심의 · 의결을 거쳐 다음 각 호의 사항에 관한 지침('경영지침'이라 한다)을 정하고, 이를 공기업 · 준정부기관 및 주무기관의 장에게 통보하여야 한다.

1. 조직 운영과 정원 · 인사 관리에 관한 사항
2. 예산과 자금 운영에 관한 사항
3. 그 밖에 공기업 · 준정부기관의 재무건전성 확보를 위하여 기획재정부장관이 필요하다고 인정하는 사항

재정 및 감사

제 40 조 예산의 편성

④ 제2항의 규정에 따라 편성 · 제출한 예산안은 이사회의 의결로 확정된다. 다만, 다른 법률에서 공기업 · 준정부기관의 예산에 관하여 주주총회나 출자자총회 등 사원총회의 의결이나 제23조의 규정에 따른 기금운용심의회의 의결 등 별도의 절차를 거치도록 한 경우에는 이사회 의결 후 이를 거쳐 확정하고, 준정부기관의 예산에 관하여 주무기관의 장의 승인을 거쳐 확정하도록 한 경우에는 이사회 의결을 거친 후 주무기관의 장의 승인을 얻어야 한다.

제40조의2 예비타당성조사 결과 관련 자료의 공개

기관장은 예비타당성조사의 결과에 관한 자료를 「공공기관의 정보공개에 관한 법률」 제7조에 따라 공개하여야 한다.

법령PLUS⊕ 예비타당성조사

「공공기관의 운영에 관한 법률 시행령」 제25조의3【예비타당성조사】 ① 공기업·준정부기관의 장은 다음 각 호의 요건을 모두 충족하는 신규 투자사업 및 자본출자에 대한 예산을 편성하려는 경우 법 제40조 제3항 본문에 따라 기획재정부장관에게 예비타당성조사를 신청해야 한다.

1. 총사업비가 2,000억 원 이상일 것
2. 국가의 재정지원금액과 공공기관 부담금액의 합계액이 1,000억 원 이상일 것

제40조의3 타당성재조사 및 조사 결과의 공개

① 기관장은 총사업비가 일정 규모 이상 증가하는 등 대통령령으로 정하는 요건에 해당하는 사업에 대해서는 사업의 타당성을 재조사하여야 한다.

② 기관장은 타당성재조사 결과에 관한 자료를 「공공기관의 정보공개에 관한 법률」 제7조에 따라 공개하여야 한다.

제 43 조 결산서의 제출

② 공기업은 기획재정부장관에게, 준정부기관은 주무기관의 장에게 다음 연도 2월 말일까지 결산서를 각각 제출하고, 3월 말일까지 승인을 받아 결산을 확정하여야 한다.

제 48 조 경영실적 평가

① 기획재정부장관은 제24조의2 제3항에 따른 연차별 보고서, 제31조 제3항 및 제4항의 규정에 따른 계약의 이행에 관한 보고서, 제46조의 규정에 따른 경영목표와 경영실적보고서를 기초로 하여 공기업·준정부기관의 경영실적을 평가한다. 다만, 제6조의 규정에 따라 공기업·준정부기관으로 지정(변경지정을 제외한다)된 해에는 경영실적을 평가하지 아니한다.

⑧ 기획재정부장관은 제7항에 따른 경영실적 평가 결과 경영실적이 부진한 공기업·준정부기관에 대하여 운영위원회의 심의·의결을 거쳐 제25조 및 제26조의 규정에 따른 기관장·상임이사의 임명권자에게 그 해임을 건의하거나 요구할 수 있다.

제 52 조 감사원 감사

① 감사원은 「감사원법」에 따라 공기업·준정부기관의 업무와 회계에 관하여 감사를 실시할 수 있다.

핵심OX

1 공기업은 시장형 공기업과 준시장형 공기업으로 구분한다. (O, X)

2 준정부기관은 기금관리형과 위탁집행형으로 구분한다. (O, X)

3 「공공기관의 운영에 관한 법률」의 적용을 받는 공기업의 상임이사에 대한 원칙적인 임명권자는 대통령이다. (O, X)

4 한국방송공사와 한국교육방송공사는 공공기관으로 지정되어 있다. (O, X)

5 자산규모가 2조 원 미만인 준시장형 공기업과 준정부기관은 다른 법률의 규정에 따라 감사위원회를 설치해야 한다. (O, X)

핵심기출

1 「공공기관의 운영에 관한 법률」의 내용에 대한 설명으로 옳지 않은 것은? 2017년 국가직 7급(8월 시행)

① 공공기관의 자율경영 및 책임경영체제의 확립, 경영합리화, 투명성 제고를 목적으로 한다.

② 기획재정부장관은 매년 직원 정원 100인 이상의 공공기관 중에서 공기업과 준정부기관을 지정한다.

③ 공기업은 시장형과 준시장형으로, 준정부기관은 위탁집행형과 기금관리형으로 구분된다.

④ 공기업과 준정부기관은 신규 지정된 해를 제외하고 매년 경영실적 평가를 받는다.

2 「공공기관의 운영에 관한 법률」상 공공기관에 대한 설명으로 옳지 않은 것은? 2018년 국가직 7급

① 위탁집행형 준정부기관은 기금관리형 준정부기관이 아닌 준정부기관을 의미한다.

② 기금관리형 준정부기관은 「국가재정법」에 따라 기금을 관리하거나 기금의 관리를 위탁받은 준정부기관을 의미한다.

③ 기획재정부장관은 공공기관을 공기업·준정부기관과 기타 공공기관으로 구분하여 지정하되, 공기업과 준정부기관은 직원 정원이 50인 이상인 공공기관 중에서 지정한다.

④ 기획재정부장관은 지방자치단체가 설립하고 그 운영에 관여하는 기관을 공공기관으로 지정할 수 있다.

정답 및 해설

핵심OX

1 O

2 O

3 X 공기업의 장이 임명한다.

4 X 방송의 공영성 등의 이유에 의하여 공공기관으로 지정되지 않는다.

5 X '설치할 수 있다.'로 임의규정이다.

핵심기출

1 ② 직원 정원이 100인이 아닌 정원 300인 이상, 총수입액 200억 원 이상, 자산규모 30억 원 이상의 공공기관 중에서 공기업과 준정부기관을 지정한다.

2 ④ 지방자치단체가 설립하고 그 운영에 관여하는 기관은 지방공공기관으로, 기획재정부장관이 이를 공공기관으로 지정할 수 없다.

06 국가공무원법

관련단원 PART 4. 인사행정론 > CHAPTER 1. 인사행정의 기초이론 및 제도

총칙

제 1 조 목적

이 법은 각급 기관에서 근무하는 모든 국가공무원에게 적용할 인사행정의 근본 기준을 확립하여 그 공정을 기함과 아울러 국가공무원에게 국민 전체의 봉사자로서 행정의 민주적이며 능률적인 운영을 기하게 하는 것을 목적으로 한다.

> **법령PLUS⊕ 「공무원 헌장」**
>
> 우리는 자랑스러운 대한민국의 공무원이다.
> 우리는 헌법이 지향하는 가치를 실현하며 국가에 헌신하고 국민에게 봉사한다.
> 우리는 국민의 안녕과 행복을 추구하고 조국의 평화 통일과 지속 가능한 발전에 기여한다.
> 이에 굳은 각오와 다짐으로 다음을 실천한다.
> 하나. 공익을 우선시하며 투명하고 공정하게 맡은 바 책임을 다한다.
> 하나. 창의성과 전문성을 바탕으로 업무를 적극적으로 수행한다.
> 하나. 우리 사회의 다양성을 존중하고 국민과 함께 하는 민주 행정을 구현한다.
> 하나. 청렴을 생활화하고 규범과 건전한 상식에 따라 행동한다.

제 2 조 공무원의 구분

① 국가공무원(이하 '공무원'이라 한다)은 경력직공무원과 특수경력직공무원으로 구분한다.

② "경력직공무원"이란 실적과 자격에 따라 임용되고 그 신분이 보장되며 평생 동안(근무기간을 정하여 임용하는 공무원의 경우에는 그 기간 동안을 말한다) 공무원으로 근무할 것이 예정되는 공무원을 말하며, 그 종류는 다음 각 호와 같다.

1. 일반직공무원: 기술·연구 또는 행정 일반에 대한 업무를 담당하는 공무원
2. 특정직공무원: 법관, 검사, 외무공무원, 경찰공무원, 소방공무원, 교육공무원, 군인, 군무원, 헌법재판소 헌법연구관, 국가정보원의 직원, 경호공무원과 특수 분야의 업무를 담당하는 공무원으로서 다른 법률에서 특정직공무원으로 지정하는 공무원

③ "특수경력직공무원"이란 경력직공무원 외의 공무원을 말하며, 그 종류는 다음 각 호와 같다.

1. 정무직공무원
   가. 선거로 취임하거나 임명할 때 국회의 동의가 필요한 공무원
   나. 고도의 정책결정 업무를 담당하거나 이러한 업무를 보조하는 공무원으로서 법률이나 대통령령(대통령비서실 및 국가안보실의 조직에 관한 대통령령만 해당한다)에서 정무직으로 지정하는 공무원 → **감사원 사무총장은 정무직으로, 사무차장은 일반직으로 한다. [「감사원법」 제19조(사무총장 및 사무차장) 제1항]**
2. 별정직공무원: 비서관·비서 등 보좌업무 등을 수행하거나 특정한 업무 수행을 위하여 법령에서 별정직으로 지정하는 공무원

제 6 조　중앙인사관장기관

① 인사행정에 관한 기본 정책의 수립과 이 법의 시행 · 운영에 관한 사무는 다음 각 호의 구분에 따라 관장(管掌)한다.

1. 국회는 국회사무총장
2. 법원은 법원행정처장
3. 헌법재판소는 헌법재판소사무처장
4. 선거관리위원회는 중앙선거관리위원회사무총장
5. 행정부는 인사혁신처장

② 중앙인사관장기관의 장(행정부의 경우에는 인사혁신처장을 말한다. 이하 같다)은 각 기관의 균형적인 인사 운영을 도모하고 인력의 효율적인 활용과 능력 개발을 위하여 법령으로 정하는 바에 따라 인사관리에 관한 총괄적인 사항을 관장한다.

고위공무원단

제2조의2　고위공무원단

① 국가의 고위공무원을 범정부적 차원에서 효율적으로 인사관리하여 정부의 경쟁력을 높이기 위하여 고위공무원단을 구성한다.

② 제1항의 "고위공무원단"이란 직무의 곤란성과 책임도가 높은 다음 각 호의 직위(이하 '고위공무원단 직위'라 한다)에 임용되어 재직 중이거나 파견 · 휴직 등으로 인사관리되고 있는 일반직공무원, 별정직공무원 및 특정직공무원(특정직공무원은 다른 법률에서 고위공무원단에 속하는 공무원으로 임용할 수 있도록 규정하고 있는 경우만 해당한다)의 군(群)을 말한다.

1. 「정부조직법」 제2조에 따른 중앙행정기관의 실장 · 국장 및 이에 상당하는 보좌기관
2. 행정부 각급 기관(감사원은 제외한다)의 직위 중 제1호의 직위에 상당하는 직위

③ 인사혁신처장은 고위공무원단에 속하는 공무원이 갖추어야 할 능력과 자질을 설정하고 이를 기준으로 고위공무원단 직위에 임용되려는 자를 평가하여 신규채용 · 승진임용 등 인사관리에 활용할 수 있다.

제28조의6　고위공무원단에 속하는 공무원으로의 임용 등

① 고위공무원단에 속하는 공무원의 채용과 고위공무원단 직위로의 승진임용, 고위공무원으로서 적격한지 여부 및 그 밖에 고위공무원 임용 제도와 관련하여 대통령령으로 정하는 사항을 심사하기 위하여 인사혁신처에 고위공무원임용심사위원회를 둔다.

② 고위공무원임용심사위원회는 위원장을 포함하여 5명 이상 9명 이하의 위원으로 구성하며, 위원장은 인사혁신처장이 된다.

소청심사

제 9 조　소청심사위원회의 설치

① 행정기관 소속 공무원의 징계처분, 그 밖에 그 의사에 반하는 불리한 처분이나 부작위에 대한 소청을 심사·결정하게 하기 위하여 인사혁신처에 소청심사위원회를 둔다.

② 국회, 법원, 헌법재판소 및 선거관리위원회 소속 공무원의 소청에 관한 사항을 심사·결정하게 하기 위하여 국회사무처, 법원행정처, 헌법재판소사무처 및 중앙선거관리위원회사무처에 각각 해당 소청심사위원회를 둔다.

③ 국회사무처, 법원행정처, 헌법재판소사무처 및 중앙선거관리위원회사무처에 설치된 소청심사위원회는 위원장 1명을 포함한 위원 5명 이상 7명 이하의 비상임위원으로 구성하고, 인사혁신처에 설치된 소청심사위원회는 위원장 1명을 포함한 5명 이상 7명 이하의 상임위원과 상임위원 수의 2분의 1 이상인 비상임위원으로 구성하되, 위원장은 정무직으로 보한다.

제 14 조　소청심사위원회의 결정

① 소청 사건의 결정은 재적 위원 3분의 2 이상의 출석과 출석 위원 과반수의 합의에 따르되, 의견이 나뉘어 출석 위원 과반수의 합의에 이르지 못하였을 때에는 과반수에 이를 때까지 소청인에게 가장 불리한 의견에 차례로 유리한 의견을 더하여 그 중 가장 유리한 의견을 합의된 의견으로 본다.

제 15 조　결정의 효력

소청심사위원회의 결정은 처분 행정청을 기속(羈束)한다. → **인사혁신처장도 재의할 수 없음**

제 16 조　행정소송과의 관계

① 처분, 그 밖에 본인의 의사에 반한 불리한 처분이나 부작위(不作爲)에 관한 행정소송은 소청심사위원회의 심사·결정을 거치지 아니하면 제기할 수 없다. → **행정소송의 전심절차**

제 17 조　인사에 관한 감사

① 인사혁신처장은 대통령령으로 정하는 바에 따라 행정기관의 인사행정 운영의 적정 여부를 정기 또는 수시로 감사할 수 있으며, 필요하면 관계 서류를 제출하도록 요구할 수 있다.

④ 인사혁신처장은 제1항에 따른 감사 결과 다음 각 호의 어느 하나에 해당하는 사실이 확인된 경우에는 해당 기관의 기관명과 각 호의 사실을 대통령령으로 정하는 바에 따라 공표할 수 있다.

1. 주요 비위 발생의 원인이 행정기관의 장의 지시 또는 중대한 관리 감독 소홀에 기인한 경우
2. 제76조의2 제1항에 따른 신고를 받고도 이를 묵인 또는 은폐하거나 필요한 조치를 하지 아니한 경우
3. 제76조의2 제1항을 위반하여 불이익한 처분이나 대우를 한 경우
4. 감사 결과 중대한 위법 또는 현저히 부당한 사실이 발견되어 인사혁신처장이 공표가 필요하다고 인정하는 경우

제17조의2　위법·부당한 인사행정 신고

① 누구든지 위법 또는 부당한 인사행정 운영이 발생하였거나 발생할 우려가 있다고 인정되는 경우에는 중앙인사관장기관의 장에게 신고할 수 있다.

② 누구든지 제1항에 따른 신고를 하지 못하도록 방해하거나 신고를 취하하도록 강요해서는 아니 되며, 신고자에게 신고를 이유로 불이익조치를 해서는 아니 된다.

③ 제1항 및 제2항에 따른 신고의 절차·방법 및 신고의 처리 등에 필요한 사항은 대통령령 등으로 정한다.

직위분류제

제 5 조 정의

이 법에서 사용하는 용어의 뜻은 다음과 같다.

1. "직위(職位)"란 1명의 공무원에게 부여할 수 있는 직무와 책임을 말한다.
2. "직급(職級)"이란 직무의 종류 · 곤란성과 책임도가 상당히 유사한 직위의 군을 말한다.
3. "정급(定級)"이란 직위를 직급 또는 직무등급에 배정하는 것을 말한다.
4. "강임(降任)"이란 같은 직렬 내에서 하위 직급에 임명하거나 하위 직급이 없어 다른 직렬의 하위 직급으로 임명하거나 고위공무원단에 속하는 일반직공무원을 고위공무원단 직위가 아닌 하위 직위에 임명하는 것을 말한다.
5. "전직(轉職)"이란 직렬을 달리하는 임명을 말한다.
6. "전보(轉補)"란 같은 직급 내에서의 보직 변경 또는 고위공무원단 직위 간의 보직 변경을 말한다.
7. "직군(職群)"이란 직무의 성질이 유사한 직렬의 군을 말한다.
8. "직렬(職列)"이란 직무의 종류가 유사하고 그 책임과 곤란성의 정도가 서로 다른 직급의 군을 말한다.
9. "직류(職類)"란 같은 직렬 내에서 담당 분야가 같은 직무의 군을 말한다.
10. "직무등급"이란 직무의 곤란성과 책임도가 상당히 유사한 직위의 군을 말한다.

제 22 조 직위분류제의 원칙

직위분류를 할 때에는 모든 대상 직위를 직무의 종류와 곤란성 및 책임도에 따라 직군 · 직렬 · 직급 또는 직무등급별로 분류하되, 같은 직급이나 같은 직무등급에 속하는 직위에 대하여는 동일하거나 유사한 보수가 지급되도록 분류하여야 한다.

제22조의2 직무분석

① 중앙인사관장기관의 장 또는 소속 장관은 합리적인 인사관리를 위하여 필요하면 직무분석을 실시할 수 있다. 다만, 행정부의 경우 인사혁신처장은 법률에 따라 새로 설치되는 기관의 직위에 대하여 직무분석을 실시하는 등 대통령령으로 정하는 경우에는 그 실시대상 직위 및 실시방법 등에 대하여 행정안전부장관과 협의하여야 한다.

임용과 시험

제 26 조 임용의 원칙

공무원의 임용은 시험성적 · 근무성적, 그 밖의 능력의 실증에 따라 행한다. 다만, 국가기관의 장은 대통령령 등으로 정하는 바에 따라 장애인 · 이공계전공자 · 저소득층 등에 대한 채용 · 승진 · 전보 등 인사관리상의 우대와 실질적인 양성 평등을 구현하기 위한 적극적인 정책을 실시할 수 있다.

제26조의2 근무시간의 단축 임용

국가기관의 장은 업무의 특성이나 기관의 사정 등을 고려하여 소속 공무원을 대통령령 등으로 정하는 바에 따라 통상적인 근무시간보다 짧게 근무하는 공무원으로 임용 또는 지정할 수 있다.

→ **시간선택제 공무원:** 시간선택제는 통상적인 근무시간(주 40시간)보다 짧은 시간을 근무하는 제도로, 주 20시간 ±5시간(최대 35시간)을 일하는 정규직공무원이며 오전 · 오후 · 야간 · 격일제 등 다양한 형태로 근무시간대를 조정할 수 있다. 승진과 보수는 근무시간에 비례하여 일반공무원규정을 적용한다.

제26조의3 외국인과 복수국적자의 임용

① 국가기관의 장은 국가안보 및 보안 · 기밀에 관계되는 분야를 제외하고 대통령령 등으로 정하는 바에 따라 외국인을 공무원으로 임용할 수 있다.

제26조의4 지역 인재의 추천 채용 및 수습근무

① 임용권자는 우수한 인재를 공직에 유치하기 위하여 학업 성적 등이 뛰어난 고등학교 이상 졸업자나 졸업 예정자를 추천 · 선발하여 3년의 범위에서 수습으로 근무하게 하고, 그 근무기간 동안 근무성적과 자질이 우수하다고 인정되는 자는 6급 이하의 공무원으로 임용할 수 있다. → **대표성 확보방안**

제26조의5 근무기간을 정하여 임용하는 공무원

① 임용권자는 전문지식 · 기술이 요구되거나 임용관리에 특수성이 요구되는 업무를 담당하게 하기 위하여 경력직공무원을 임용할 때에 일정기간을 정하여 근무하는 공무원(이하 '임기제공무원'이라 한다)을 임용할 수 있다. → **임기만료 시 당연퇴직**

제26조의6 차별금지

국가기관의 장은 소속 공무원을 임용할 때 합리적인 이유 없이 성별, 종교 또는 사회적 신분 등을 이유로 차별해서는 아니 된다.

제 28 조 신규채용

① 공무원은 공개경쟁 채용시험으로 채용한다.

② 제1항에도 불구하고 일정한 경우에는 경력 등 응시요건을 정하여 같은 사유에 해당하는 다수인을 대상으로 경쟁의 방법으로 채용하는 시험('경력경쟁 채용시험'이라 한다)으로 공무원을 채용할 수 있다.

제28조의2 전입

국회, 법원, 헌법재판소, 선거관리위원회 및 행정부 상호 간에 다른 기관 소속 공무원을 전입하려는 때에는 시험을 거쳐 임용하여야 한다.

제28조의3 전직

공무원을 전직 임용하려는 때에는 전직시험을 거쳐야 한다. 다만, 대통령령 등으로 정하는 전직의 경우에는 시험의 일부나 전부를 면제할 수 있다.

제28조의4 개방형 직위

① 임용권자나 임용제청권자는 해당 기관의 직위 중 전문성이 특히 요구되거나 효율적인 정책 수립을 위하여 필요하다고 판단되어 공직 내부나 외부에서 적격자를 임용할 필요가 있는 직위에 대하여는 개방형 직위로 지정하여 운영할 수 있다. 이 경우 「정부조직법」 등 조직 관계 법령에 따라 1급부터 3급까지의 공무원 또는 이에 상당하는 공무원으로 보할 수 있는 직위(고위공무원단 직위를 포함하며, 실장 · 국장 밑에 두는 보조기관 또는 이에 상당하는 직위는 제외한다) 중 임기제공무원으로도 보할 수 있는 직위(대통령령으로 정하는 직위는 제외한다)는 개방형 직위로 지정된 것으로 본다. → **전문성 확보, 성과주의 촉진**

제28조의5 공모직위

① 임용권자나 임용제청권자는 해당 기관의 직위 중 효율적인 정책 수립 또는 관리를 위하여 해당 기관 내부 또는 외부의 공무원 중에서 적격자를 임용할 필요가 있는 직위에 대하여는 공모직위(公募 職位)로 지정하여 운영할 수 있다.

법령PLUS⊕ 개방형 직위와 공모직위

구분	개방형 직위	공모직위
대상	고위공무원단 직위 총수의 20% 이내 (과장급직위 총수의 20% 이내 지정 요함)	고위공무원 경력직 직위총수 30% 이내 (과장급직위 총수의 20% 이내 지정 요함)
범위	공직 내·외	부처 내·외
목적	전문성 및 효율적 정책수립	효율적인 정책수립 및 관리, 인적자원의 효과적 활용
채용기간	5년 이내(최소한 2년 이상)	기간제한 없음(2년간 전보제한)
직종	일반직, 특정직, 별정직	경력직에 한함
지정기준	전문성, 중요성, 민주성, 조정성, 변화필요성	직무공통성, 정책통합성, 변화필요성

제 29 조 시보 임용

① 5급 공무원을 신규 채용하는 경우에는 1년, 6급 이하의 공무원을 신규 채용하는 경우에는 6개월간 각각 시보(試補)로 임용하고 그 기간에 근무성적·교육훈련성적과 공무원으로서의 자질을 고려하여 정규 공무원으로 임용한다.

제 33 조 결격사유

다음 각 호의 어느 하나에 해당하는 자는 공무원으로 임용될 수 없다. → **당연퇴직사유**

1. 피성년후견인
2. 파산선고를 받고 복권되지 아니한 자
3. 금고 이상의 실형을 선고받고 그 집행이 종료되거나 집행을 받지 아니하기로 확정된 후 5년이 지나지 아니한 자
4. 금고 이상의 형을 선고받고 그 집행유예 기간이 끝난 날부터 2년이 지나지 아니한 자
5. 금고 이상의 형의 선고유예를 받은 경우에 그 선고유예 기간 중에 있는 자
6. 법원의 판결 또는 다른 법률에 따라 자격이 상실되거나 정지된 자

6의2. 공무원으로 재직기간 중 직무와 관련하여 「형법」 제355조 및 제356조에 규정된 죄를 범한 자로서 300만 원 이상의 벌금형을 선고받고 그 형이 확정된 후 2년이 지나지 아니한 자

6의3. 「성폭력범죄의 처벌 등에 관한 특례법」 제2조에 규정된 죄를 범한 사람으로서 100만 원 이상의 벌금형을 선고받고 그 형이 확정된 후 3년이 지나지 아니한 사람

6의4. 미성년자에 대한 다음 각 목의 어느 하나에 해당하는 죄를 저질러 파면·해임되거나 형 또는 치료감호를 선고받아 그 형 또는 치료감호가 확정된 사람(집행유예를 선고받은 후 그 집행유예기간이 경과한 사람을 포함한다)

가. 「성폭력범죄의 처벌 등에 관한 특례법」 제2조에 따른 성폭력범죄

나. 「아동·청소년의 성보호에 관한 법률」 제2조 제2호에 따른 아동·청소년대상 성범죄

7. 징계로 파면처분을 받은 때부터 5년이 지나지 아니한 자
8. 징계로 해임처분을 받은 때부터 3년이 지나지 아니한 자

제 40 조　승진

① 승진임용은 근무성적평정 · 경력평정, 그 밖에 능력의 실증에 따른다.

법령PLUS⊕ 승진후보자의 평정점

「공무원 성과평가 등에 관한 규정」 제30조【승진후보자 명부의 평정점 등】 ① 승진후보자 명부를 작성하기 위한 평정점은 근무성적평가 점수와 경력평정점을 합산한 100점을 만점으로 한다. 다만, 제27조에 따른 가점 해당자에 대해서는 5점의 범위에서 그 가점을 추가로 합산한 점수를 승진후보자 명부의 총평정점으로 한다.

② 임용권자는 근무성적평가 점수의 반영비율은 90퍼센트, 경력평정점의 반영비율은 10퍼센트로 하여 승진후보자 명부를 작성하되, 근무성적평가 점수의 반영비율은 95퍼센트까지 가산하여 반영할 수 있고, 경력평정점의 반영비율은 5퍼센트까지 감산하여 반영할 수 있다. 이 경우 변경한 반영비율은 그 변경일부터 1년이 지난 날부터 적용한다.

제 46 조　보수 결정의 원칙

① 공무원의 보수는 직무의 곤란성과 책임의 정도에 맞도록 계급별 · 직위별 또는 직무등급별로 정한다. 다만, 다음 각 호의 어느 하나에 해당하는 공무원의 보수는 따로 정할 수 있다.

1. 직무의 곤란성과 책임도가 매우 특수하거나 결원을 보충하는 것이 곤란한 직무에 종사하는 공무원
2. 제4조 제2항에 따라 같은 조 제1항의 계급 구분이나 직군 및 직렬의 분류를 적용하지 아니하는 공무원
3. 임기제공무원

② 공무원의 보수는 일반의 표준 생계비, 물가 수준, 그 밖의 사정을 고려하여 정하되, 민간 부문의 임금 수준과 적절한 균형을 유지하도록 노력하여야 한다.

③ 경력직공무원 간의 보수 및 경력직공무원과 특수경력직공무원 간의 보수는 균형을 도모하여야 한다.

④ 공무원의 보수 중 봉급에 관하여는 법률로 정한 것 외에는 대통령령으로 정한다.

⑤ 이 법이나 그 밖의 법률에 따른 보수에 관한 규정에 따르지 아니하고는 어떠한 금전이나 유가물(有價物)도 공무원의 보수로 지급할 수 없다.

법령PLUS⊕ 「국가공무원법」상 공무원의 의무(제55조~제66조)

1. 선서 의무
2. 성실 의무
3. 복종의 의무
4. 직장 이탈 금지 의무
5. 친절 · 공정의 의무
6. 종교중립의 의무
7. 비밀 엄수의 의무
8. 청렴의 의무
9. 외국 정부의 영예 등을 받을 경우 대통령에게 허가받을 의무
10. 품위 유지의 의무
11. 영리 업무 및 겸직 금지의 의무
12. 정치 운동 금지 의무
13. 집단 행위의 금지 의무

법령PLUS⊕ 공무원 선서

나는 대한민국 공무원으로서 헌법과 법령을 준수하고,
국가를 수호하며, 국민에 대한 봉사자로서의 임무를
성실히 수행할 것을 엄숙히 선서합니다.

2023년　월　일
직급
성명

신분보장

제 68 조 의사에 반한 신분 조치

공무원은 형의 선고, 징계처분 또는 이 법에서 정하는 사유에 따르지 아니하고는 본인의 의사에 반하여 휴직 · 강임 또는 면직을 당하지 아니한다. 다만, 1급 공무원과 직무등급이 가장 높은 등급의 직위에 임용된 고위공무원단에 속하는 공무원은 그러하지 아니하다.

제 69 조 당연퇴직

공무원이 다음 각 호의 어느 하나에 해당할 때에는 당연히 퇴직한다.

1. 제33조(공무원결격사유) 각 호의 어느 하나에 해당하는 경우. 다만, 제33조 제2호는 파산선고를 받은 사람으로서 「채무자 회생 및 파산에 관한 법률」에 따라 신청기한 내에 면책신청을 하지 아니하였거나 면책불허가 결정 또는 면책 취소가 확정된 경우만 해당하고, 제33조 제5호는 「형법」 제129조부터 제132조까지, 「성폭력범죄의 처벌 등에 관한 특례법」 제2조, 「아동 · 청소년의 성보호에 관한 법률」 제2조 제2호 및 직무와 관련하여 「형법」 제355조 또는 제356조에 규정된 죄를 범한 사람으로서 금고 이상의 형의 선고유예를 받은 경우만 해당한다.
2. 임기제공무원의 근무기간이 만료된 경우

제 70 조 직권 면직 → 징계는 아님

① 임용권자는 공무원이 다음 각 호의 어느 하나에 해당하면 직권으로 면직시킬 수 있다.

3. 직제와 정원의 개폐 또는 예산의 감소 등에 따라 폐직(廢職) 또는 과원(過員)이 되었을 때
4. 휴직 기간이 끝나거나 휴직 사유가 소멸된 후에도 직무에 복귀하지 아니하거나 직무를 감당할 수 없을 때
5. 제73조의3 제3항에 따라 대기 명령을 받은 자가 그 기간에 능력 또는 근무성적의 향상을 기대하기 어렵다고 인정된 때
6. 전직시험에서 세 번 이상 불합격한 자로서 직무수행 능력이 부족하다고 인정된 때
7. 병역판정검사 · 입영 또는 소집의 명령을 받고 정당한 사유 없이 이를 기피하거나 군복무를 위하여 휴직 중에 있는 자가 군복무 중 군무(軍務)를 이탈하였을 때
8. 해당 직급 · 직위에서 직무를 수행하는데 필요한 자격증의 효력이 없어지거나 면허가 취소되어 담당 직무를 수행할 수 없게 된 때
9. 고위공무원단에 속하는 공무원이 제70조의2에 따른 적격심사 결과 부적격 결정을 받은 때

제70조의2 적격심사

① 고위공무원단에 속하는 일반직공무원은 다음 각 호의 어느 하나에 해당하면 고위공무원으로서 적격한지 여부에 대한 심사(이하 '적격심사'라 한다)를 받아야 한다.

2. 근무성적평정에서 최하위 등급의 평정을 총 2년 이상 받은 때. 이 경우 고위공무원단에 속하는 일반직공무원으로 임용되기 전에 고위공무원단에 속하는 별정직공무원으로 재직한 경우에는 그 재직기간 중에 받은 최하위등급의 평정을 포함한다.
3. 대통령령으로 정하는 정당한 사유 없이 직위를 부여받지 못한 기간이 총 1년에 이른 때
4. 다음 각 목의 경우에 모두 해당할 때
   가. 근무성적평정에서 최하위 등급을 1년 이상 받은 사실이 있는 경우. 이 경우 고위공무원단에 속하는 일반직공무원으로 임용되기 전에 고위공무원단에 속하는 별정직공무원으로 재직한 경우에는 그 재직기간 중에 받은 최하위 등급을 포함한다.
   나. 대통령령으로 정하는 정당한 사유 없이 6개월 이상 직위를 부여받지 못한 사실이 있는 경우
5. 조건부 적격자가 교육훈련을 이수하지 아니하거나 연구과제를 수행하지 아니한 때

제73조의3 직위해제

① 임용권자는 다음 각 호의 어느 하나에 해당하는 자에게는 직위를 부여하지 아니할 수 있다.
  2. 직무수행 능력이 부족하거나 근무성적이 극히 나쁜 자 → **3개월의 대기명령**
  3. 파면 · 해임 · 강등 또는 정직에 해당하는 징계 의결이 요구 중인 자
  4. 형사 사건으로 기소된 자(약식명령이 청구된 자는 제외한다)
  5. 고위공무원단에 속하는 일반직공무원으로서 적격심사를 요구받은 자
  6. 금품비위, 성범죄 등 대통령령으로 정하는 비위행위로 인하여 감사원 및 검찰 · 경찰 등 수사기관에서 조사나 수사 중인 자로서 비위의 정도가 중대하고 이로 인하여 정상적인 업무수행을 기대하기 현저히 어려운 자

② 제1항에 따라 직위를 부여하지 아니한 경우에 그 사유가 소멸되면 임용권자는 지체 없이 직위를 부여하여야 한다.

③ 임용권자는 제1항 제2호에 따라 직위해제된 자에게 3개월의 범위에서 대기를 명한다.

제73조의4 강임

① 임용권자는 직제 또는 정원의 변경이나 예산의 감소 등으로 직위가 폐직되거나 하위의 직위로 변경되어 과원이 된 경우 또는 본인이 동의한 경우에는 소속 공무원을 강임할 수 있다.

제 74 조 정년

① 공무원의 정년은 다른 법률에 특별한 규정이 있는 경우를 제외하고는 60세로 한다.

제74조의2 명예퇴직 등

① 공무원으로 20년 이상 근속(勤續)한 자가 정년 전에 스스로 퇴직(임기제공무원이 아닌 경력직공무원이 임기제공무원으로 임용되어 퇴직하는 경우로서 대통령령으로 정하는 경우를 포함한다)하면 예산의 범위에서 명예퇴직 수당을 지급할 수 있다.

고충 처리

제76조의2 고충 처리

① 공무원은 인사 · 조직 · 처우 등 각종 직무 조건과 그 밖에 신상 문제와 관련한 고충에 대하여 상담을 신청하거나 심사를 청구할 수 있으며, 누구나 기관 내 성폭력 범죄 또는 성희롱 발생 사실을 알게 된 경우 이를 신고할 수 있다. 이 경우 상담 신청이나 심사 청구 또는 신고를 이유로 불이익한 처분이나 대우를 받지 아니한다.

② 중앙인사관장기관의 장, 임용권자 또는 임용제청권자는 제1항에 따른 상담을 신청받은 경우에는 소속 공무원을 지정하여 상담하게 하고, 심사를 청구받은 경우에는 제4항에 따른 관할 고충심사위원회에 부쳐 심사하도록 하여야 하며, 그 결과에 따라 고충의 해소 등 공정한 처리를 위하여 노력하여야 한다.

③ 중앙인사관장기관의 장, 임용권자 또는 임용제청권자는 기관 내 성폭력 범죄 또는 성희롱 발생 사실의 신고를 받은 경우에는 지체 없이 사실 확인을 위한 조사를 하고 그에 따라 필요한 조치를 하여야 한다. → **5급 이하는 중앙고충처리위원회(소청심사위원회가 대행), 6급 이하는 각 부처의 보통고충처리위원회 담당**

④ 공무원의 고충을 심사하기 위하여 중앙인사관장기관에 중앙고충심사위원회를, 임용권자 또는 임용제청권자 단위로 보통고충심사위원회를 두되, 중앙고충심사위원회의 기능은 소청심사위원회에서 관장한다.

⑤ 중앙고충심사위원회는 보통고충심사위원회의 심사를 거친 재심청구와 5급 이상 공무원 및 고위공무원단에 속하는 일반직공무원의 고충을, 보통고충심사위원회는 소속 6급 이하의 공무원의 고충을 각각 심사한다. 다만, 6급 이하의 공무원의 고충이 성폭력 범죄 또는 성희롱 사실에 관한 고충 등 보통고충심사위원회에서 심사하는 것이 부적당하다고 대통령령 등으로 정한 사안이거나 임용권자를 달리하는 둘 이상의 기관에 관련된 경우에는 중앙고충심사위원회에서, 원 소속 기관의 보통고충심사위원회에서 고충을 심사하는 것이 부적당하다고 인정될 경우에는 직근 상급기관의 보통고충심사위원회에서 각각 심사할 수 있다.

⑥ 이 법의 적용을 받는 자와 다른 법률의 적용을 받는 자가 서로 관련되는 고충의 심사청구에 대하여는 이 법의 규정에 따라 설치된 고충심사위원회가 대통령령 등으로 정하는 바에 따라 심사할 수 있다.

⑦ 중앙인사관장기관의 장, 임용권자 또는 임용제청권자는 심사 결과 필요하다고 인정되면 처분청이나 관계 기관의 장에게 그 시정을 요청할 수 있으며, 요청받은 처분청이나 관계 기관의 장은 특별한 사유가 없으면 이를 이행하고, 그 처리 결과를 알려야 한다. 다만, 부득이한 사유로 이행하지 못하면 그 사유를 알려야 한다.

⑧ 고충상담 신청, 성폭력 범죄 또는 성희롱 발생 사실의 신고에 대한 처리절차, 고충심사위원회의 구성 · 권한 · 심사절차, 그 밖에 필요한 사항은 대통령령 등으로 정한다.

징계

제 78 조 징계 사유

① 공무원이 다음 각 호의 어느 하나에 해당하면 징계 의결을 요구하여야 하고 그 징계 의결의 결과에 따라 징계처분을 하여야 한다.

1. 이 법 및 이 법에 따른 명령을 위반한 경우
2. 직무상의 의무(다른 법령에서 공무원의 신분으로 인하여 부과된 의무를 포함한다)를 위반하거나 직무를 태만히 한 때
3. 직무의 내외를 불문하고 그 체면 또는 위신을 손상하는 행위를 한 때

제78조의4 퇴직을 희망하는 공무원의 징계사유 확인 및 퇴직 제한 등

① 임용권자 또는 임용제청권자는 공무원이 퇴직을 희망하는 경우에는 제78조 제1항에 따른 징계사유가 있는지 및 제2항 각 호의 어느 하나에 해당하는지 여부를 감사원과 검찰 · 경찰 등 조사 및 수사기관(이하 이 조에서 “조사 및 수사기관”이라 한다)의 장에게 확인하여야 한다.

② 제1항에 따른 확인 결과 퇴직을 희망하는 공무원이 파면, 해임, 강등 또는 정직에 해당하는 징계사유가 있거나 다음 각 호의 어느 하나에 해당하는 경우(제1호 · 제3호 및 제4호의 경우에는 해당 공무원이 파면 · 해임 · 강등 또는 정직의 징계에 해당한다고 판단되는 경우에 한정한다) 제78조 제4항에 따른 소속 장관 등은 지체 없이 징계의결 등을 요구하여야 하고, 퇴직을 허용하여서는 아니 된다.

1. 비위(非違)와 관련하여 형사사건으로 기소된 때
2. 징계위원회에 파면 · 해임 · 강등 또는 정직에 해당하는 징계 의결이 요구 중인 때
3. 조사 및 수사기관에서 비위와 관련하여 조사 또는 수사 중인 때
4. 각급 행정기관의 감사부서 등에서 비위와 관련하여 내부 감사 또는 조사 중인 때

③ 제2항에 따라 징계의결 등을 요구한 경우 임용권자는 제73조의3 제1항 제3호에 따라 해당 공무원에게 직위를 부여하지 아니할 수 있다.

④ 관할 징계위원회는 제2항에 따라 징계의결 등이 요구된 경우 다른 징계사건에 우선하여 징계의결 등을 하여야 한다.

⑤ 그 밖에 퇴직을 제한하는 절차 등 필요한 사항은 대통령령 등으로 정한다.

제 79 조　징계의 종류

징계는 파면 · 해임 · 강등 · 정직 · 감봉 · 견책(譴責)으로 구분한다.

법령PLUS⊕ 징계

구분		신분유지	직무정지	승급정지	감봉
경징계	견책	○	×	6개월	-
	감봉	○	×	12개월	1~3개월 동안 보수의 1/3을 감함
중징계	정직	○	1~3개월	18개월	전액을 감함
	강등	○ 1계급 강등	3개월	18개월	전액을 감함
	해임	×	-	3년간 재임용 ×	횡령시 퇴직급여 1/8~1/4 지급 제한
	파면	×	-	5년간 재임용 ×	퇴직급여 1/4~1/2 지급 제한

제 81 조　징계위원회의 설치

① 공무원의 징계처분 등을 의결하게 하기 위하여 대통령령으로 정하는 기관에 징계위원회를 둔다.

제83조의2　징계 및 징계부가금 부과 사유의 시효

① 징계의결 등의 요구는 징계 등 사유가 발생한 날부터 다음 각 호의 구분에 따른 기간이 지나면 하지 못한다.

1. 징계 등 사유가 다음 각 목의 어느 하나에 해당하는 경우: 10년
   가. 「성매매알선 등 행위의 처벌에 관한 법률」 제4조에 따른 금지행위
   나. 「성폭력범죄의 처벌 등에 관한 특례법」 제2조에 따른 성폭력범죄
   다. 「아동 · 청소년의 성보호에 관한 법률」 제2조 제2호에 따른 아동 · 청소년대상 성범죄
   라. 「양성평등기본법」 제3조 제2호에 따른 성희롱
2. 징계 등 사유가 제78조의2 제1항 각 호의 어느 하나에 해당하는 경우: 5년
3. 그 밖의 징계 등 사유에 해당하는 경우: 3년

법령PLUS⊕ 인사위원회

「지방공무원법」 제7조【인사위원회의 설치】 ⑤ 지방자치단체의 장과 지방의회의 의장은 각각 소속 공무원(국가공무원을 포함한다) 및 다음 각 호에 해당하는 사람으로서 인사행정에 관한 학식과 경험이 풍부한 사람 중에서 위원을 임명하거나 위촉하되, 위원의 자격요건에 관하여 필요한 사항은 대통령령으로 정한다. 다만, 시험위원은 시험실시기관의 장이 따로 위촉할 수 있다.

1. 법관 · 검사 또는 변호사 자격이 있는 사람
2. 대학에서 조교수 이상으로 재직하거나 초등학교 · 중학교 · 고등학교 교장 또는 교감으로 재직하는 사람
3. 공무원(국가공무원을 포함한다)으로서 20년 이상 근속하고 퇴직한 사람

⑥ 다음 각 호의 어느 하나에 해당하는 사람은 위원으로 위촉될 수 없다.

1. 제31조 각 호의 어느 하나에 해당하는 사람
2. 「정당법」에 따른 정당의 당원
3. 지방의회의원

핵심OX

1 전문경력관은 일반직공무원으로, 일반직공무원과 마찬가지로 계급 구분과 직군 및 직렬의 분류를 적용한다. (O, X)

2 「국가공무원법」은 선물신고의 의무를 규정하고 있다. (O, X)

3 근무성적평정에서 최하위 등급의 평정을 총 2년 이상 받은 고위공무원은 적격심사의 대상이 된다. (O, X)

4 공무원의 정년은 다른 법률에 특별한 규정이 있는 경우를 제외하고는 60세로 한다. (O, X)

5 감봉은 1개월 이상 3개월 이하의 기간 동안 보수의 3분의 2를 감한다. (O, X)

핵심기출

1 직위분류제의 주요 개념에 대한 설명으로 옳지 않은 것은? 2022년 국가직 9급

① '직위'는 한 사람의 공무원에게 부여할 수 있는 직무와 책임을 의미한다.

② '직급'은 직무의 종류가 유사하고 곤란도·책임도가 서로 다른 군(群)을 의미한다.

③ '직류'는 동일 직렬 내에서 담당분야가 동일한 직무의 군(群)을 의미한다.

④ '직무등급'은 직무의 곤란도·책임도가 유사해 동일 보수를 줄 수 있는 직위의 군(群)을 의미한다.

2 「국가공무원법」상 공무원 인사에 대한 설명으로 옳지 않은 것은? 2018년 지방직 9급

① 당연퇴직은 법이 정한 사유가 발생한 경우 별도의 처분 없이 공무원 관계가 소멸되는 것을 말한다.

② 직권면직은 법이 정한 사유가 발생한 경우 임용권자가 일방적으로 공무원 관계를 소멸시키는 것을 말한다.

③ 직위해제는 직무수행능력이 부족하거나 근무성적이 극히 나쁜 경우 공무원의 신분은 유지하지만 강제로 직무를 담당하지 못하게 하는 것이다.

④ 강임은 한 계급 아래로 직급을 내리는 것으로 징계의 종류 중 하나이다.

정답 및 해설

핵심OX

1 X 「국가공무원법」 제4조 제2항 제1호, 「전문경력관 규정」 제4조 제1항에 계급 구분과 직군 및 직렬의 분류를 적용하지 않는다고 규정되어 있다.

2 X 「공직자윤리법」에서 규정하고 있다.

3 O

4 O

5 X 3분의 1을 감한다.

핵심기출

1 ② 직무의 종류가 유사하고 곤란도·책임도가 서로 다른 군(群)을 의미하는 것은 직렬이다. 직급은 직무의 종류가 유사하고 곤란도·책임도도 유사한 직위의 군을 말한다.

2 ④ 한 계급 아래로 직급을 내리는 것은 강임이 아니라 강등에 대한 설명이다. 강임은 징계의 종류가 아니며 직제와 정원이 변경, 예산의 감소 등으로 폐직이 되었을 경우 등의 경우에 실시한다.

07 공무원연금법

관련단원 PART 4. 인사행정론 > CHAPTER 3. 인적자원관리(임용, 능력발전, 사기부여)

총칙

제 1 조 목적

이 법은 공무원의 퇴직, 장해 또는 사망에 대하여 적절한 급여를 지급하고 후생복지를 지원함으로써 공무원 또는 그 유족의 생활안정과 복지 향상에 이바지함을 목적으로 한다.

제 2 조 주관

이 법에 따른 공무원연금제도의 운영에 관한 사항은 인사혁신처장이 주관한다.

제 3 조 정의

① 이 법에서 사용하는 용어의 뜻은 다음과 같다.

1. "공무원"이란 공무에 종사하는 다음 각 목의 어느 하나에 해당하는 사람을 말한다.
   가. 「국가공무원법」, 「지방공무원법」, 그 밖의 법률에 따른 공무원. 다만, 군인과 선거에 의하여 취임하는 공무원은 제외한다.
   나. 그 밖에 국가기관이나 지방자치단체에 근무하는 직원 중 대통령령으로 정하는 사람
4. "기준소득월액"이란 기여금 및 급여 산정의 기준이 되는 것으로서 일정 기간 재직하고 얻은 소득에서 비과세소득을 제외한 금액의 연지급합계액을 12개월로 평균한 금액을 말한다. 이 경우 소득 및 비과세소득의 범위, 기준소득월액의 결정방법 및 적용기간 등에 관한 사항은 대통령령으로 정한다.
5. "평균기준소득월액"이란 재직기간 중 매년 기준소득월액을 공무원보수인상률 등을 고려하여 대통령령으로 정하는 바에 따라 급여의 사유가 발생한 날의 현재가치로 환산한 후 합한 금액을 재직기간으로 나눈 금액을 말한다. 다만, 제43조 제1항 · 제2항에 따른 퇴직연금 · 조기퇴직연금 및 제54조 제1항에 따른 퇴직유족연금(공무원이었던 사람이 퇴직연금 또는 조기퇴직연금을 받다가 사망하여 그 유족이 퇴직유족연금을 받게 되는 경우는 제외한다) 산정의 기초가 되는 평균기준소득월액은 급여의 사유가 발생한 당시의 평균기준소득월액을 공무원보수인상률 등을 고려하여 대통령령으로 정하는 바에 따라 연금 지급이 시작되는 시점의 현재가치로 환산한 금액으로 한다.
8. "기여금"이란 급여에 드는 비용으로 공무원이 부담하는 금액을 말한다.
9. "부담금"이란 급여에 드는 비용으로 국가나 지방자치단체가 부담하는 금액을 말한다.

법령PLUS ⊕ 「공무원연금법」 개정사항(2016)

구분	과거	개편 후(현행)
기여율	기준소득월액의 7%	9%(2020년)
지급률	기준소득월액의 1.9%	1.7%(2035년)
지급개시 연령	만 60세	만 65세(2033년)
유족연금 지급률	퇴직연금의 70%	60%
기여금 납부기간	33년	36년
연금수령조건	가입기간 20년	10년
퇴직수당	민간의 39%	
기존수급자 연금액	물가에 연동 지급	향후 5년간 동결(2016년~2020년)

재직기간

제 25 조 재직기간의 계산

① 공무원의 재직기간은 공무원으로 임명된 날이 속하는 달부터 퇴직한 날의 전날 또는 사망한 날이 속하는 달까지의 연월수(年月數)로 계산한다.

급여

제 28 조 급여

공무원의 퇴직 · 사망 및 비공무상 장해에 대하여 다음 각 호에 따른 급여를 지급한다.

1. 퇴직급여
   가. 퇴직연금
   나. 퇴직연금일시금
   다. 퇴직연금공제일시금
   라. 퇴직일시금
2. 퇴직유족급여
   가. 퇴직유족연금
   나. 퇴직유족연금부가금
   다. 퇴직유족연금특별부가금
   라. 퇴직유족연금일시금
   마. 퇴직유족일시금
3. 비공무상 장해급여
   가. 비공무상 장해연금
   나. 비공무상 장해일시금
4. 퇴직수당

제 30 조 급여액 산정의 기초

① 이 법에 따른 급여(제43조 제1항 · 제2항에 따른 퇴직연금 · 조기퇴직연금 및 제54조 제1항에 따른 퇴직유족연금은 제외한다)의 산정은 급여의 사유가 발생한 날이 속하는 달의 기준소득월액을 기초로 한다.

③ 공무원 전체의 기준소득월액 평균액의 산정기준 및 산정방법은 대통령령으로 정한다.

제 43 조 퇴직연금 또는 퇴직연금일시금

① 공무원이 10년 이상 재직하고 퇴직한 경우에는 다음 각 호의 어느 하나에 해당하는 때부터 사망할 때까지 퇴직연금을 지급한다.

1. 65세가 되는 때

② 제1항에도 불구하고 공무원이 10년 이상 재직하고 제1항 제1호부터 제4호까지에서 정한 퇴직연금 지급이 시작되는 시점 이전에 퇴직연금을 지급받기를 원하는 경우에는 본인이 원하면 그가 사망할 때까지 제1항 제1호부터 제4호까지의 규정에서 정한 퇴직연금 지급이 시작되는 시점에 못 미치는 햇수['미달연수'(未達年數)라 한다]에 따라 다음 각 호의 구분에 따른 금액을 조기퇴직연금으로 하여 그가 사망할 때까지 지급할 수 있다.

③ 제1항 또는 제2항에 따라 퇴직연금 또는 조기퇴직연금을 받을 권리가 있는 사람이 원하는 경우에는 퇴직연금 또는 조기퇴직연금을 갈음하여 퇴직연금일시금을 지급하거나, 10년(퇴직연금 · 조기퇴직연금 또는 퇴역연금의 수급자가 제26조에 따라 재직기간을 합산받은 경우에는 그 합산받은 재직기간)을 초과하는 재직기간 중 본인이 원하는 기간에 대해서는 그 기간에 해당하는 퇴직연금 또는 조기퇴직연금을 갈음하여 퇴직연금공제일시금을 지급할 수 있다.

제 51 조 퇴직일시금

① 공무원이 10년 미만 재직하고 퇴직한 경우에는 퇴직일시금을 지급한다.

제 62 조 퇴직수당

① 공무원이 1년 이상 재직하고 퇴직하거나 사망한 경우에는 퇴직수당을 지급한다.

② 제1항의 퇴직수당은 다음의 계산식에 따라 산출한다.

재직기간 × 기준소득월액 × 대통령령으로 정하는 비율

③ 퇴직수당의 지급에 관하여는 제52조 제1항 및 제5항을 준용한다.

제 65 조 형벌 등에 따른 급여의 제한

① 공무원이거나 공무원이었던 사람이 다음 각 호의 어느 하나에 해당하는 경우에는 대통령령으로 정하는 바에 따라 퇴직급여 및 퇴직수당의 일부를 줄여 지급한다. 이 경우 퇴직급여액은 이미 낸 기여금의 총액에 「민법」 제379조에 따른 이자를 가산한 금액 이하로 줄일 수 없다.

1. 재직 중의 사유(직무와 관련이 없는 과실로 인한 경우 및 소속 상관의 정당한 직무상의 명령에 따르다가 과실로 인한 경우는 제외한다)로 금고 이상의 형이 확정된 경우
2. 탄핵 또는 징계에 의하여 파면된 경우
3. 금품 및 향응수수, 공금의 횡령 · 유용으로 징계에 의하여 해임된 경우

제 88 조 　시효

① 이 법에 따른 급여를 받을 권리는 그 급여의 사유가 발생한 날부터 5년간 행사하지 아니하면 시효로 인하여 소멸한다.

비용부담

제 67 조 　기여금

① 기여금은 공무원으로 임명된 날이 속하는 달부터 퇴직한 날의 전날 또는 사망한 날이 속하는 달까지 월별로 내야 한다. 다만, **기여금 납부기간이 36년을 초과한 사람은 기여금을 내지 아니한다.**

② 제1항에 따른 기여금은 기준소득월액의 9퍼센트로 한다. 이 경우 기준소득월액은 공무원 전체의 기준소득월액 평균액의 160퍼센트를 초과할 수 없다.

공무원연금기금

제 79 조 　공무원연금운영위원회

① 공무원연금에 관한 다음 사항을 심의하기 위하여 **인사혁신처**에 공무원연금운영위원회(이하 '운영위원회'라 한다)를 둔다.

1. 공무원 연금 제도에 관한 사항
2. 공무원 연금 재정 계산에 관한 사항
3. 기금운용계획 및 결산에 관한 사항
4. 기금에 의한 공무원 후생복지사업에 관한 사항
5. 기금의 출연과 출자에 관한 사항
6. 그 밖에 인사혁신처장이 공무원연금 운영에 필요하다고 인정하는 사항

② 운영위원회는 위원장을 포함하여 15명 이상 20명 이하의 위원으로 구성한다.

③ **운영위원회의 위원장은 인사혁신처장**이 된다.

④ **운영위원회의 위원은 인사혁신처장이 다음 각 호의 사람 중에서 지명하거나 위촉**한다.

1. 공무원연금복지 또는 재해보상업무와 관련한 중앙행정기관의 공무원
2. 공무원단체 소속 공무원
3. 퇴직연금수급자
4. 「비영리민간단체 지원법」 제2조에 따른 비영리민간단체에 소속된 사람
5. 공무원 연금에 관한 식견과 경험이 풍부한 사람

핵심OX

1 선거에 의하여 취임하는 공무원은 「공무원연금법」의 적용을 받지 않는다. (O, X)

2 10년 이상 재직하고 퇴직한 경우 65세가 되었을 때 퇴직급여가 지급된다. (O, X)

3 기여금 납부기간이 33년을 초과한 자는 기여금을 내지 아니한다. (O, X)

4 공무원연금법에 따른 급여를 받을 권리는 급여의 사유가 발생한 날부터 3년간 행사하지 아니하면 시효로 인하여 소멸한다. (O, X)

5 공무원연금에 관한 다음 사항을 심의하기 위하여 행정안전부에 공무원연금운영위원회를 둔다. (O, X)

핵심기출

1 2016년 1월 27일부터 시행된 공무원 연금제도 내용에 대한 설명으로 옳지 않은 것은? 2016년 교육행정직 9급

① 재직기간 상한을 최대 36년까지 인정한다.

② 유족연금 지급률을 모든 공무원에게 60%로 한다.

③ 연금지급개시 연령은 임용시기 구분 없이 65세로 한다.

④ 연금지급률을 1.9%에서 1.5%로 2025년까지 단계적으로 인하한다.

2 우리나라 공무원 연금제도에 대한 설명으로 옳은 것을 모두 고르면? 2016년 국가직 7급

ㄱ. 최초의 공적 연금제도로서 직업공무원을 대상으로 하는 특수직역연금제도이다.
ㄴ. 「공무원연금법」상 공무원 연금대상에는 군인, 공무원 임용 전의 견습직원 등이 포함된다.
ㄷ. 사회보험원리와 부양원리가 혼합된 제도이다.

① ㄱ ② ㄱ, ㄷ

③ ㄴ, ㄷ ④ ㄱ, ㄴ, ㄷ

정답 및 해설

핵심OX

1 O

2 O

3 X 2016년 개정으로 인해 36년으로 연장되었다.

4 X 소멸시효는 동법88조에 의하여 3년이 아니라 5년이다.

5 X 행정안전부가 아니라 인사혁신처 소속이다.

핵심기출

1 ④ 연금지급률이 1.9%에서 1.7%로 2035년까지 20년간 단계적으로 인하된다.

2 ② 군인과 선거에 의하여 취임하는 공무원은 「공무원연금법」상의 공무원에서 제외된다고 규정하고 있다. 정규임용 전 견습직원들도 공무원 연금대상에서 제외된다.

08 공무원의 노동조합 설립 및 운영 등에 관한 법률

관련단원 PART 4. 인사행정론 > CHAPTER 4. 공무원의 근무규율과 인사행정개혁

공무원의 노동조합의 설립

제 1 조　목적

이 법은 「대한민국헌법」 제33조 제2항에 따른 공무원의 노동기본권을 보장하기 위하여 「노동조합 및 노동관계조정법」 제5조 제1항 단서에 따라 공무원의 노동조합 설립 및 운영 등에 관한 사항을 정함을 목적으로 한다.

제 2 조　정의

이 법에서 "공무원"이란 「국가공무원법」 제2조 및 「지방공무원법」 제2조에서 규정하고 있는 공무원을 말한다. 다만, 「국가공무원법」 제66조 제1항 단서 및 「지방공무원법」 제58조 제1항 단서에 따른 사실상 노무에 종사하는 공무원과 「교원의 노동조합 설립 및 운영 등에 관한 법률」의 적용을 받는 교원인 공무원은 제외한다.

제 4 조　정치활동의 금지

노동조합과 그 조합원은 정치활동을 하여서는 아니 된다.

법령PLUS⊕　공무원의 정치활동 금지 규정

「국가공무원법」 제65조 **【정치 운동의 금지】** ① 공무원은 정당이나 그 밖의 정치단체의 결성에 관여하거나 이에 가입할 수 없다.

② 공무원은 선거에서 특정 정당 또는 특정인을 지지 또는 반대하기 위한 다음의 행위를 하여서는 아니 된다.

1. 투표를 하거나 하지 아니하도록 권유 운동을 하는 것
2. 서명 운동을 기도(企圖) · 주재(主宰)하거나 권유하는 것
3. 문서나 도서를 공공시설 등에 게시하거나 게시하게 하는 것
4. 기부금을 모집 또는 모집하게 하거나, 공공자금을 이용 또는 이용하게 하는 것
5. 타인에게 정당이나 그 밖의 정치단체에 가입하게 하거나 가입하지 아니하도록 권유 운동을 하는 것

제 5 조　노동조합의 설립

① 공무원이 노동조합을 설립하려는 경우에는 국회 · 법원 · 헌법재판소 · 선거관리위원회 · 행정부 · 특별시 · 광역시 · 특별자치시 · 도 · 특별자치도 · 시 · 군 · 구(자치구를 말한다) 및 특별시 · 광역시 · 특별자치시 · 도 · 특별자치도의 교육청을 최소 단위로 한다.

② 노동조합을 설립하려는 사람은 고용노동부장관에게 설립신고서를 제출하여야 한다.

제 6 조　가입 범위

① 노동조합에 가입할 수 있는 사람의 범위는 다음 각 호와 같다.

1. 일반직공무원
2. 특정직공무원 중 외무영사직렬 · 외교정보기술직렬 외무공무원, 소방공무원 및 교육공무원(다만, 교원은 제외한다)
3. 별정직공무원
4. 제1호부터 제3호까지의 어느 하나에 해당하는 공무원이었던 사람으로서 노동조합 규약으로 정하는 사람

② 제1항에도 불구하고 다음 각 호의 어느 하나에 해당하는 공무원은 노동조합에 가입할 수 없다.
1. 업무의 주된 내용이 다른 공무원에 대하여 지휘·감독권을 행사하거나 다른 공무원의 업무를 총괄하는 업무에 종사하는 공무원
2. 업무의 주된 내용이 인사·보수 또는 노동관계의 조정·감독 등 노동조합의 조합원 지위를 가지고 수행하기에 적절하지 아니한 업무에 종사하는 공무원
3. 교정·수사 등 공공의 안녕과 국가안전보장에 관한 업무에 종사하는 공무원

④ 제2항에 따른 공무원의 범위는 대통령령으로 정한다.

공무원의 노동조합의 운영

제 7 조 노동조합 전임자의 지위

① 공무원은 임용권자의 동의를 받아 노동조합으로부터 급여를 지급받으면서 노동조합의 업무에만 종사할 수 있다.

② 제1항에 따른 동의를 받아 노동조합의 업무에만 종사하는 사람[이하 '전임자'(專任者)라 한다]에 대하여는 그 기간 중 「국가공무원법」 제71조 또는 「지방공무원법」 제63조에 따라 휴직명령을 하여야 한다.

④ 국가와 지방자치단체는 공무원이 전임자임을 이유로 승급이나 그 밖에 신분과 관련하여 불리한 처우를 하여서는 아니 된다.

제7조의2 근무시간 면제자 등

① 공무원은 단체협약으로 정하거나 정부교섭대표(이하 이 조 및 제7조의3에서 "정부교섭대표")가 동의하는 경우 제2항 및 제3항에 따라 결정된 근무시간 면제 한도를 초과하지 아니하는 범위에서 보수의 손실 없이 정부교섭대표와의 협의·교섭, 고충처리, 안전·보건활동 등 이 법 또는 다른 법률에서 정하는 업무와 건전한 노사관계 발전을 위한 노동조합의 유지·관리업무를 할 수 있다.

② 근무시간 면제 시간 및 사용인원의 한도(이하 "근무시간 면제 한도")를 정하기 위하여 공무원근무시간면제심의위원회(이하 이 조에서 "심의위원회")를 「경제사회노동위원회법」에 따른 경제사회노동위원회에 둔다.

③ 심의위원회는 제5조 제1항에 따른 노동조합 설립 최소 단위를 기준으로 조합원(제6조 제1항 제1호부터 제3호까지의 규정에 해당하는 조합원)의 수를 고려하되 노동조합의 조직형태, 교섭구조·범위 등 공무원 노사관계의 특성을 반영하여 근무시간 면제 한도를 심의·의결하고, 3년마다 그 적정성 여부를 재심의하여 의결할 수 있다.

④ 제1항을 위반하여 근무시간 면제 한도를 초과하는 내용을 정한 단체협약 또는 정부교섭대표의 동의는 그 부분에 한정하여 무효로 한다.

제7조의3 근무시간 면제 사용의 정보 공개

정부교섭대표는 국민이 알 수 있도록 전년도에 노동조합별로 근무시간을 면제받은 시간 및 사용인원, 지급된 보수 등에 관한 정보를 대통령령으로 정하는 바에 따라 공개하여야 한다. 이 경우 정부교섭대표가 아닌 임용권자는 정부교섭대표에게 해당 기관의 근무시간 면제 관련 자료를 제출하여야 한다.

제 8 조 교섭 및 체결 권한 등

① 노동조합의 대표자는 그 노동조합에 관한 사항 또는 조합원의 보수·복지, 그 밖의 근무조건에 관하여 국회사무총장·법원행정처장·헌법재판소사무처장·중앙선거관리위원회사무총장·인사혁신처장(행정부를 대표한다)·특별시장·광역시장·특별자치시장·도지사·특별자치도지사·시장·군수·구청장(자치구의 구청장을 말한다) 또는 특별시·광역시·특별자치시·도·특별자치도의 교육감 중 어느 하나에 해당하는 사람(이하 '정부교섭대표'라 한다)과 각각 교섭하고 단체협약을 체결할 권한을 가진다. 다만, 법령 등에 따라 국가나 지방자치단체가 그 권한으로 행하는 정책결정에 관한 사항, 임용권의 행사 등 그 기관의 관리·운영에 관한 사항으로서 근무조건과 직접 관련되지 아니하는 사항은 교섭의 대상이 될 수 없다.

② 정부교섭대표는 법령 등에 따라 스스로 관리하거나 결정할 수 있는 권한을 가진 사항에 대하여 노동조합이 교섭을 요구할 때에는 정당한 사유가 없으면 그 요구에 따라야 한다.

③ 정부교섭대표는 효율적인 교섭을 위하여 필요한 경우 다른 정부교섭대표와 공동으로 교섭하거나, 다른 정부교섭대표에게 교섭 및 단체협약 체결 권한을 위임할 수 있다.

④ 정부교섭대표는 효율적인 교섭을 위하여 필요한 경우 정부교섭대표가 아닌 관계 기관의 장으로 하여금 교섭에 참여하게 할 수 있고, 다른 기관의 장이 관리하거나 결정할 권한을 가진 사항에 대하여는 해당 기관의 장에게 교섭 및 단체협약 체결 권한을 위임할 수 있다.

⑤ 제2항부터 제4항까지의 규정에 따라 정부교섭대표 또는 다른 기관의 장이 단체교섭을 하는 경우 소속 공무원으로 하여금 교섭 및 단체협약 체결을 하게 할 수 있다.

제 10 조 단체협약의 효력

① 제9조에 따라 체결된 단체협약의 내용 중 법령·조례 또는 예산에 의하여 규정되는 내용과 법령 또는 조례에 의하여 위임을 받아 규정되는 내용은 단체협약으로서의 효력을 가지지 아니한다.

② 정부교섭대표는 제1항에 따라 단체협약으로서의 효력을 가지지 아니하는 내용에 대하여는 그 내용이 이행될 수 있도록 성실하게 노력하여야 한다.

법령PLUS ⊕ 공무원의 노동 3권

헌법 제33조 ② 공무원인 근로자는 법률로 인정된 자에 한하여 단결권, 단체교섭권, 단체행동권을 가진다.

제 11 조 쟁의행위의 금지

노동조합과 그 조합원은 파업, 태업 또는 그 밖에 업무의 정상적인 운영을 방해하는 어떠한 행위도 하여서는 아니 된다.

제 12 조 조정신청 등

① 제8조에 따른 단체교섭이 결렬(決裂)된 경우에는 당사자 어느 한쪽 또는 양쪽은 「노동위원회법」 제2조에 따른 중앙노동위원회에 조정(調停)을 신청할 수 있다.

② 중앙노동위원회는 제1항에 따라 당사자 어느 한쪽 또는 양쪽이 조정을 신청하면 지체 없이 조정을 시작하여야 한다. 이 경우 당사자 양쪽은 조정에 성실하게 임하여야 한다.

핵심OX

1 노동조합을 설립하고자 하는 자는 소속장관에게 설립신고서를 제출해야 한다. (O, X)

2 모든 공무원의 단체행동권은 허용되지 않는다. (O, X)

3 국가와 지방자치단체는 전임자에게 그 전임기간 중 보수를 지급하여야 한다. (O, X)

4 신규 공무원의 채용기준과 절차 등 임용권의 행사에 관한 사항은 단체교섭의 대상이 될 수 없다. (O, X)

5 단체교섭이 결렬된 경우, 지방공무원노동조합은 해당 지방노동위원회에 조정을 신청할 수 있다. (O, X)

핵심기출

1 「공무원의 노동조합 설립 및 운영 등에 관한 법률」상 단체교섭대상은? 2017년 국가직 7급(8월 시행)

① 기관의 조직 및 정원에 관한 사항

② 조합의 보수에 관한 사항

③ 예산 · 기금의 편성 및 집행에 관한 사항

④ 정책의 기획 등 정책결정에 관한 사항

2 우리나라 공무원의 기본권 제한에 대한 내용으로 가장 옳지 않은 것은? 2014년 국회직 9급

① 선거개입 금지

② 재산공개

③ 단체교섭권 금지

④ 정당지지 표명 금지

⑤ 겸직 금지

정답 및 해설

핵심OX

1 X 고용노동부장관에게 제출한다.

2 X 사실상 노무에 종사하는 우정직공무원의 단체행동권은 허용된다.

3 X 노조전임자는 임용권자의 동의를 받아 휴직 후에 노동조합으로부터 급여를 지급받을 수 있다.

4 O

5 X 중앙노동위원회에 조정을 신청한다.

핵심기출

1 ② 공무원 노동조합의 단체교섭대상은 그 노동조합에 관한 사항 또는 조합원의 보수 · 복지, 그 밖의 근무조건에 관한 사항이다. ①, ③, ④는 법률에 규정되지 않은 사항으로 단체교섭의 대상이 될 수 없다.

2 ③ 일반직 및 기능직에 대한 공무원노조를 전면 인정하였으며, 공무원은 공무원노조를 통하여 단결권, 단체교섭권을 가진다.

09 공직자윤리법

관련단원 PART 4. 4. 인사행정론 > CHAPTER 4. 공무원의 근무규율과 인사행정개혁

총칙

제 1 조 목적

이 법은 공직자 및 공직후보자의 재산등록, 등록재산 공개 및 재산형성과정 소명과 공직을 이용한 재산취득의 규제, 공직자의 선물신고 및 주식백지신탁, 퇴직공직자의 취업제한 및 행위제한 등을 규정함으로써 공직자의 부정한 재산 증식을 방지하고, 공무집행의 공정성을 확보하는 등 공익과 사익의 이해충돌을 방지하여 국민에 대한 봉사자로서 가져야 할 공직자의 윤리를 확립함을 목적으로 한다.

제2조의2 이해충돌 방지 의무

① 국가 또는 지방자치단체는 공직자가 수행하는 직무가 공직자의 재산상 이해와 관련되어 공정한 직무수행이 어려운 상황이 일어나지 아니하도록 노력하여야 한다.
② 공직자는 자신이 수행하는 직무가 자신의 재산상 이해와 관련되어 공정한 직무수행이 어려운 상황이 일어나지 아니하도록 직무수행의 적정성을 확보하여 공익을 우선으로 성실하게 직무를 수행하여야 한다.
③ 공직자는 공직을 이용하여 사적 이익을 추구하거나 개인이나 기관·단체에 부정한 특혜를 주어서는 아니 되며, 재직 중 취득한 정보를 부당하게 사적으로 이용하거나 타인으로 하여금 부당하게 사용하게 하여서는 아니 된다.
④ 퇴직공직자는 재직 중인 공직자의 공정한 직무수행을 해치는 상황이 일어나지 아니하도록 노력하여야 한다.

재산등록 및 공개

제 3 조 등록의무자

① 다음 각 호의 어느 하나에 해당하는 공직자(이하 '등록의무자'라 한다)는 이 법에서 정하는 바에 따라 재산을 등록하여야 한다.

1. 대통령 · 국무총리 · 국무위원 · 국회의원 등 국가의 정무직공무원
2. 지방자치단체의 장, 지방의회의원 등 지방자치단체의 정무직공무원
3. 4급 이상의 일반직 국가공무원(고위공무원단에 속하는 일반직공무원을 포함한다) 및 지방공무원과 이에 상당하는 보수를 받는 별정직공무원(고위공무원단에 속하는 별정직공무원을 포함한다)
4. 대통령령으로 정하는 외무공무원과 4급 이상의 국가정보원 직원 및 대통령경호처 경호공무원
5. 법관 및 검사
6. 헌법재판소 헌법연구관
7. 대령 이상의 장교 및 이에 상당하는 군무원
8. 교육공무원 중 총장 · 부총장 · 대학원장 · 학장(대학교의 학장을 포함한다) 및 전문대학의 장과 대학에 준하는 각종 학교의 장, 특별시 · 광역시 · 특별자치시 · 도 · 특별자치도의 교육감 및 교육장
9. 총경(자치총경을 포함한다) 이상의 경찰공무원과 소방정 이상의 소방공무원

12. 공직유관단체의 임원

12의2. 「한국토지주택공사법」에 따른 한국토지주택공사 등 부동산 관련 업무나 정보를 취급하는 대통령령으로 정하는 공직유관단체의 직원. 다만, 청소원, 건물 관리원 및 직업운동선수 등 부동산 관련 정보를 취득할 가능성이 없다고 인정되는 직원으로서 대통령령으로 정하는 직원은 제외한다.

제 4 조 등록대상재산

① 등록의무자가 등록할 재산은 다음 각 호의 어느 하나에 해당하는 사람의 재산(소유 명의와 관계없이 사실상 소유하는 재산, 비영리법인에 출연한 재산과 외국에 있는 재산을 포함한다. 이하 같다)으로 한다.

1. 본인
2. 배우자(사실상의 혼인관계에 있는 사람을 포함한다. 이하 같다)
3. 본인의 직계존속 · 직계비속. 다만, 혼인한 직계비속인 여성과 외증조부모, 외조부모, 외손자녀 및 외증손자녀는 제외한다.

제 9 조 공직자윤리위원회

① 다음 각 호의 사항을 심사 · 결정하기 위하여 국회 · 대법원 · 헌법재판소 · 중앙선거관리위원회 · 정부 · 지방자치단체 및 특별시 · 광역시 · 특별자치시 · 도 · 특별자치도교육청에 각각 공직자윤리위원회를 둔다.

1. 재산등록사항의 심사와 그 결과의 처리
2. 금융거래의 내용에 관한 자료 제출을 요구하거나 거짓으로 등록하였거나 직무상 알게 된 비밀을 이용하여 재물 또는 재산상 이익을 취득한 상당한 혐의가 있다고 의심되는 등록의무자에 조사의뢰에 따른 승인
3. 취업제한 여부의 확인 및 취업승인과 국가안보상의 이유나 공공의 이익을 위한 목적 등 해당 업무를 취급하는 것이 필요하고 그 취급이 해당 업무의 공정한 처리에 영향을 미치지 아니한다고 인정되는 경우에 따른 업무취급의 승인
4. 그 밖에 이 법 또는 다른 법령에 따라 공직자윤리위원회의 권한으로 정한 사항

③ 공직자윤리위원회는 위원장과 부위원장 각 1명을 포함한 13명의 위원으로 구성하되, 위원장을 포함한 9명의 위원은 판사 · 검사 · 변호사, 교육자, 학식과 덕망이 있는 사람 또는 시민단체(「비영리민간단체 지원법」 제2조에 따른 비영리민간단체를 말한다. 이하 같다)에서 추천한 사람 중에서 선임하여야 한다. 다만, 시 · 군 · 구 공직자윤리위원회는 위원장과 부위원장 각 1명을 포함한 7명의 위원으로 구성하되, 위원장을 포함한 5명의 위원은 판사 · 검사 · 변호사, 교육자, 학식과 덕망이 있는 사람 또는 시민단체에서 추천한 사람 중에서 선임하여야 한다.

제 10 조 등록재산의 공개

① 공직자윤리위원회는 관할 등록의무자 중 다음 각 호의 어느 하나에 해당하는 공직자 본인과 배우자 및 본인의 직계존속 · 직계비속의 재산에 관한 등록사항과 변동사항 신고내용을 등록기간 또는 신고기간 만료 후 1개월 이내에 관보(공보를 포함한다) 및 인사혁신처장이 지정하는 정보통신망을 통하여 공개하여야 한다. → **의무사항**

1. 대통령, 국무총리, 국무위원, 국회의원, 국가정보원의 원장 및 차장 등 국가의 정무직공무원
2. 지방자치단체의 장, 지방의회의원 등 지방자치단체의 정무직공무원
3. 일반직 1급 국가공무원(「국가공무원법」 제23조에 따라 배정된 직무등급이 가장 높은 등급의 직위에 임용된 고위공무원단에 속하는 일반직공무원을 포함한다) 및 지방공무원과 이에 상응하는 보수를 받는 별정직공무원(고위공무원단에 속하는 별정직공무원을 포함한다)
4. 대통령령으로 정하는 외무공무원

주식의 매각 또는 신탁

제14조의4 주식의 매각 또는 신탁

① 등록의무자 중 제10조 제1항에 따른 공개대상자와 기획재정부 및 금융위원회 소속 공무원 중 대통령령으로 정하는 사람('공개대상자 등'이라 한다)은 본인 및 그 이해관계자 모두가 보유한 주식의 총 가액이 1천만 원 이상 5천만 원 이하의 범위에서 대통령령으로 정하는 금액을 초과할 때에는 초과하게 된 날부터 2개월 이내에 다음 각 호의 어느 하나에 해당하는 행위를 직접 하거나 이해관계자로 하여금 하도록 하고 그 행위를 한 사실을 등록기관에 신고하여야 한다. 다만, 주식백지신탁 심사위원회로부터 직무관련성이 없다는 결정을 통지받은 경우에는 그러하지 아니하다.

1. 해당 주식의 매각
2. 일정한 요건을 갖춘 신탁 또는 투자신탁(주식백지신탁)에 관한 계약의 체결

제14조의16 기관별 부동산취득의 제한

① 국가기관의 장, 지방자치단체의 장 및 공직유관단체의 장은 부동산에 대한 정보를 획득하거나 이와 관련된 업무를 수행한다고 인정되는 부서의 제3조 제1항 각 호에 따른 공직자 본인 및 그 이해관계자가 관련 업무 분야 및 관할의 부동산을 새로 취득하는 것을 제한할 수 있다. 다만, 상속이나 그 밖에 대통령령으로 정하는 사유로 불가피하게 부동산을 취득하여야 하는 경우에는 반드시 국가기관의 장, 지방자치단체의 장 또는 공직유관단체의 장에게 신고하여야 한다.

선물신고

제 15 조 외국 정부 등으로부터 받은 선물의 신고

① 공무원(지방의회의원을 포함한다) 또는 공직유관단체의 임직원은 외국으로부터 선물(대가 없이 제공되는 물품 및 그 밖에 이에 준하는 것을 말하되, 현금은 제외한다. 이하 같다)을 받거나 그 직무와 관련하여 외국인(외국단체를 포함한다. 이하 같다)에게 선물을 받으면 지체 없이 소속 기관·단체의 장에게 신고하고 그 선물을 인도하여야 한다. 이들의 가족이 외국으로부터 선물을 받거나 그 공무원이나 공직유관단체 임직원의 직무와 관련하여 외국인에게 선물을 받은 경우에도 또한 같다.

법령PLUS⊕ 신고하여야 할 선물의 가액

「공직자윤리법 시행령」 제28조【선물의 가액】 ① 법 제15조 제1항에 따라 신고하여야 할 선물은 그 선물 수령 당시 증정한 국가 또는 외국인이 속한 국가의 시가로 미국화폐 100달러 이상이거나 국내 시가로 10만 원 이상인 선물로 한다.

제 16 조 선물의 귀속 등

① 제15조 제1항에 따라 신고된 선물은 신고 즉시 국가 또는 지방자치단체에 귀속된다.

② 신고된 선물의 관리·유지 등에 관한 사항은 대통령령 또는 조례로 정한다.

퇴직공직자의 취업제한 및 행위제한 등

제 17 조 퇴직공직자의 취업제한

① 제3조 제1항 제1호부터 제12호까지의 어느 하나에 해당하는 공직자와 부당한 영향력 행사 가능성 및 공정한 직무수행을 저해할 가능성 등을 고려하여 국회규칙, 대법원규칙, 헌법재판소규칙, 중앙선거관리위원회규칙 또는 대통령령으로 정하는 공무원과 공직유관단체의 직원(이하 이 장에서 "취업심사대상자"라 한다)은 퇴직일부터 3년간 다음 각 호의 어느 하나에 해당하는 기관(이하 "취업심사대상기관"이라 한다)에 취업할 수 없다. 다만, 관할 공직자윤리위원회로부터 취업심사대상자가 퇴직 전 5년 동안 소속하였던 부서 또는 기관의 업무와 취업심사대상기관 간에 밀접한 관련성이 없다는 확인을 받거나 취업승인을 받은 때에는 취업할 수 있다.

법령PLUS 퇴직공직자의 취업제한

대상자	내용	기간	근거법률
재산등록자	퇴직 전 5년 이내에 담당직무와 관련 있는 사기업체에 취업 제한	퇴직 후 3년간	「공직자윤리법」
비위로 면직된 공직자	공공기관이나 퇴직 전 5년간 소속했던 업무와 유관한 공·사기업체에 취업 제한	퇴직 후 5년간	「부패방지 및 국민권익위원회 설치와 운영에 관한 법률」

제18조의4 퇴직공직자 등에 대한 행위제한

① 퇴직한 모든 공무원과 공직유관단체의 임직원(이하 "퇴직공직자"라 한다)은 본인 또는 제3자의 이익을 위하여 퇴직 전 소속 기관의 공무원과 임직원(이하 "재직자"라 한다)에게 법령을 위반하게 하거나 지위 또는 권한을 남용하게 하는 등 공정한 직무수행을 저해하는 부정한 청탁 또는 알선을 해서는 아니 된다.

② 재직자는 퇴직공직자로부터 직무와 관련한 청탁 또는 알선을 받은 경우 이를 소속 기관의 장에게 신고하여야 한다.

③ 누구든지 퇴직공직자가 재직자에게 청탁 또는 알선을 한 사실을 알게 된 경우 해당 기관의 장에게 신고할 수 있다.

⑤ 누구든지 제2항 및 제3항에 따른 신고자의 인적사항이나 신고자임을 미루어 알 수 있는 사실을 다른 사람에게 알려주거나 공개 또는 보도해서는 아니 된다. 다만, 해당 신고자가 동의한 경우에는 그러하지 아니하다.

제18조의5 재직자 등의 취업청탁 등 제한

① 재직 중인 취업심사대상자는 퇴직 전 5년 동안 처리한 업무 중 제17조 제2항 각 호에서 정하는 업무와 관련한 취업심사대상기관을 상대로 하여 재직 중 본인의 취업을 위한 청탁행위를 하여서는 아니 된다.

② 국가기관, 지방자치단체 또는 공직유관단체의 장은 해당 기관의 취업심사대상자를 퇴직 전 5년 동안 처리한 제17조 제2항 각 호에 따른 업무와 관련된 취업심사대상기관으로의 취업을 알선하는 행위를 하여서는 아니 된다.

제 19 조 취업자의 해임 요구 등

① 관할 공직자윤리위원회는 제17조 제1항을 위반하여 취업한 사람이 있는 때에는 국가기관의 장, 지방자치단체의 장에게 해당인에 대한 취업해제조치를 하도록 요청하여야 하며, 요청을 받은 국가기관의 장 또는 지방자치단체의 장은 해당인이 취업하고 있는 취업심사대상기관의 장에게 해당인의 해임을 요구하여야 한다.

② 제1항에 따라 해임 요구를 받은 취업심사대상기관의 장은 지체 없이 이에 응하여야 한다. 이 경우 취업제한기관의 장은 그 결과를 국가기관의 장 또는 지방자치단체의 장에게 통보하고, 국가기관의 장 또는 지방자치단체의 장은 관할 공직자윤리위원회에 통보하여야 한다.

법령PLUS⊕ 「공직자윤리법 시행령」상 주식백지신탁대상

제27조의4【주식백지신탁대상 주식의 하한가액】 법 제14조의4 제1항 각 호 외의 부분 본문 및 제14조의5 제6항에서 "대통령령으로 정하는 금액"과 법률 제7493호 「공직자윤리법」중 개정법률 부칙 제2항에서 "대통령령이 정하는 금액"이란 각각 3천만 원을 말한다.

핵심OX

1 지방자치단체의 장, 지방의회의원은 「공직자윤리법」상 재산등록의무자이다. (O, X)

2 법관 및 검사, 헌법재판소 헌법연구관은 「공직자윤리법」상 재산공개의무자이다. (O, X)

3 재산등록의무자는 본인의 직계존속 · 직계비속 · 혼인한 자녀의 재산을 등록해야 한다. (O, X)

4 재산등록자는 퇴직 전 5년 동안 소속하였던 부서와 관련 있는 사기업체에 퇴직일부터 3년간 취업할 수 없다. (O, X)

5 「공직자윤리법」에는 선물신고의무, 주식백지신탁의무, 내부고발자 보호제도가 규정되어 있다. (O, X)

핵심기출

1 「공직자윤리법」의 내용으로 옳지 않은 것은? 2015년 서울시 7급

① 이해충돌 방지 의무

② 정무직공무원 등의 재산등록 의무

③ 외국 정부 등으로부터 받은 선물의 신고

④ 비위면직자의 취업제한

2 다음 ㄱ과 ㄴ에 들어갈 내용으로 옳은 것은? 2017년 국가직 9급(4월 시행)

> 「공직자윤리법」에서는 퇴직공직자의 취업제한 및 행위제한 등을 규정하고 있는데, 취업심사대상자는 퇴직일부터 (ㄱ)간 퇴직 전 (ㄴ) 동안 소속하였던 부서 또는 기관의 업무와 밀접한 관련성이 있는 취업제한기관에 취업할 수 없다.

	ㄱ	ㄴ
①	3년	5년
②	5년	3년
③	2년	3년
④	2년	5년

정답 및 해설

핵심OX

1 O

2 X 재산등록 의무자이다.

3 X 혼인한 직계비속인 여성과 외증조부모, 외조부모, 외손자녀 및 외증손자녀는 제외된다.

4 O

5 X 내부고발자 보호제도는 「부패방지 및 국민권익위원회 설치 · 운영에 관한 법률」에 규정되어 있다.

핵심기출

1 ④ 비위면직자의 취업제한은 「공직자윤리법」이 아니라 「부패방지 및 국민권익위원회의 설치와 운영에 관한 법률」에 규정되어 있다.

2 ① 「공직자윤리법」에 따르면 퇴직공직자는 퇴직일부터 3년간 퇴직 전 5년 동안 소속하였던 부서 또는 기관의 업무와 밀접한 관련성이 있는 취업제한기관에 취업할 수 없다.

10 공직자의 이해충돌 방지법

관련단원 PART 4. 인사행정론 > CHAPTER 4. 공무원의 근무규율과 인사행정개혁

총칙

제 1 조 목적

이 법은 공직자의 직무수행과 관련한 사적 이익추구를 금지함으로써 공직자의 직무수행 중 발생할 수 있는 이해충돌을 방지하여 공정한 직무수행을 보장하고 공공기관에 대한 국민의 신뢰를 확보하는 것을 목적으로 한다.

제 2 조 정의

이 법에서 사용하는 용어의 뜻은 다음과 같다.

1. "공공기관"이란 다음 각 목의 어느 하나에 해당하는 기관 · 단체를 말한다.
   가. 국회, 법원, 헌법재판소, 선거관리위원회, 감사원, 고위공직자범죄수사처, 국가인권위원회, 중앙행정기관(대통령 소속 기관과 국무총리 소속 기관을 포함한다)과 그 소속 기관
   나. 「지방자치법」에 따른 지방자치단체의 집행기관 및 지방의회
   다. 「지방교육자치에 관한 법률」에 따른 교육행정기관
   라. 「공직자윤리법」 제3조의2에 따른 공직유관단체
   마. 「공공기관의 운영에 관한 법률」 제4조에 따른 공공기관
   바. 「초 · 중등교육법」, 「고등교육법」 또는 그 밖의 다른 법령에 따라 설치된 각급 국립 · 공립 학교
2. "공직자"란 다음 각 목의 어느 하나에 해당하는 사람을 말한다.
   가. 「국가공무원법」 또는 「지방공무원법」에 따른 공무원과 그 밖에 다른 법률에 따라 그 자격 · 임용 · 교육훈련 · 복무 · 보수 · 신분보장 등에 있어서 공무원으로 인정된 사람
   나. 제1호라목 또는 마목에 해당하는 공공기관의 장과 그 임직원
   다. 제1호바목에 해당하는 각급 국립 · 공립 학교의 장과 교직원
3. "고위공직자"란 다음 각 목의 어느 하나에 해당하는 공직자를 말한다.
   가. 대통령, 국무총리, 국무위원, 국회의원, 국가정보원의 원장 및 차장 등 국가의 정무직공무원
   나. 지방자치단체의 장, 지방의회의원 등 지방자치단체의 정무직공무원
   다. 일반직 1급 국가공무원(「국가공무원법」 제23조에 따라 배정된 직무등급이 가장 높은 등급의 직위에 임용된 고위공무원단에 속하는 일반직공무원을 포함한다) 및 지방공무원과 이에 상응하는 보수를 받는 별정직공무원(고위공무원단에 속하는 별정직공무원을 포함한다)
   라. 대통령령으로 정하는 외무공무원
   마. 고등법원 부장판사급 이상의 법관과 대검찰청 검사급 이상의 검사
   바. 중장 이상의 장성급(將星級) 장교
   사. 교육공무원 중 총장 · 부총장 · 학장(대학교의 학장은 제외한다) 및 전문대학의 장과 대학에 준하는 각종 학교의 장, 특별시 · 광역시 · 특별자치시 · 도 · 특별자치도의 교육감
   아. 치안감 이상의 경찰공무원 및 특별시 · 광역시 · 특별자치시 · 도 · 특별자치도의 시 · 도경찰청장
   자. 소방정감 이상의 소방공무원
   차. 지방국세청장 및 3급 공무원 또는 고위공무원단에 속하는 공무원인 세관장

카. 다목부터 바목까지, 아목 및 차목의 공무원으로 임명할 수 있는 직위 또는 이에 상당하는 직위에 임용된 「국가공무원법」 제26조의5 및 「지방공무원법」 제25조의5에 따른 임기제공무원. 다만, 라목 · 마목 · 아목 및 차목 중 직위가 지정된 경우에는 그 직위에 임용된 「국가공무원법」 제26조의5 및 「지방공무원법」 제25조의5에 따른 임기제공무원만 해당한다.

타. 공기업의 장 · 부기관장 및 상임감사, 한국은행의 총재 · 부총재 · 감사 및 금융통화위원회의 추천직 위원, 금융감독원의 원장 · 부원장 · 부원장보 및 감사, 농업협동조합중앙회 · 수산업협동조합중앙회의 회장 및 상임감사

파. 그 밖에 대통령령으로 정하는 정부의 공무원 및 공직유관단체의 임원

4. "이해충돌"이란 공직자가 직무를 수행할 때에 자신의 사적 이해관계가 관련되어 공정하고 청렴한 직무수행이 저해되거나 저해될 우려가 있는 상황을 말한다.

5. "직무관련자"란 공직자가 법령(조례 · 규칙을 포함한다. 이하 같다) · 기준(제1호 라목부터 바목까지의 공공기관의 규정 · 사규 및 기준 등을 포함)에 따라 수행하는 직무와 관련되는 자로서 다음 각 목의 어느 하나에 해당하는 개인 · 법인 · 단체 및 공직자를 말한다.

가. 공직자의 직무수행과 관련하여 일정한 행위나 조치를 요구하는 개인이나 법인 또는 단체

나. 공직자의 직무수행과 관련하여 이익 또는 불이익을 직접적으로 받는 개인이나 법인 또는 단체

다. 공직자가 소속된 공공기관과 계약을 체결하거나 체결하려는 것이 명백한 개인이나 법인 또는 단체

라. 공직자의 직무수행과 관련하여 이익 또는 불이익을 직접적으로 받는 다른 공직자. 다만, 공공기관이 이익 또는 불이익을 직접적으로 받는 경우에는 그 공공기관에 소속되어 해당 이익 또는 불이익과 관련된 업무를 담당하는 공직자를 말한다.

6. "사적이해관계자"란 다음 각 목의 어느 하나에 해당하는 자를 말한다.

가. 공직자 자신 또는 그 가족(「민법」 제779조에 따른 가족을 말한다. 이하 같다)

나. 공직자 자신 또는 그 가족이 임원 · 대표자 · 관리자 또는 사외이사로 재직하고 있는 법인 또는 단체

다. 공직자 자신이나 그 가족이 대리하거나 고문 · 자문 등을 제공하는 개인이나 법인 또는 단체

라. 공직자로 채용 · 임용되기 전 2년 이내에 공직자 자신이 재직하였던 법인 또는 단체

마. 공직자로 채용 · 임용되기 전 2년 이내에 공직자 자신이 대리하거나 고문 · 자문 등을 제공하였던 개인이나 법인 또는 단체

바. 공직자 자신 또는 그 가족이 대통령령으로 정하는 일정 비율 이상의 주식 · 지분 또는 자본금 등을 소유하고 있는 법인 또는 단체

사. 최근 2년 이내에 퇴직한 공직자로서 퇴직일 전 2년 이내에 제5조 제1항 각 호의 어느 하나에 해당하는 직무를 수행하는 공직자와 국회규칙, 대법원규칙, 헌법재판소규칙, 중앙선거관리위원회규칙 또는 대통령령으로 정하는 범위의 부서에서 같이 근무하였던 사람

아. 그 밖에 공직자의 사적 이해관계와 관련되는 자로서 국회규칙, 대법원규칙, 헌법재판소규칙, 중앙선거관리위원회규칙 또는 대통령령으로 정하는 자

7. "소속기관장"이란 공직자가 소속된 공공기관의 장을 말한다.

제 3 조 국가 등의 책무

① 국가는 공직자가 공정하고 청렴하게 직무를 수행할 수 있는 근무 여건을 조성하기 위하여 노력하여야 한다.

② 공공기관은 공직자가 사적 이해관계로 인하여 공정하고 청렴한 직무수행에 지장을 주지 아니하도록 이해충돌을 효과적으로 확인 · 관리하기 위한 조치를 하여야 한다.

③ 공공기관은 공직자가 위반행위 신고 등 이 법에 따른 조치를 함으로써 불이익을 당하지 아니하도록 적절한 보호조치를 하여야 한다.

제 4 조 공직자의 의무

① 공직자는 사적 이해관계에 영향을 받지 아니하고 직무를 공정하고 청렴하게 수행하여야 한다.

② 공직자는 직무수행과 관련하여 공평무사하게 처신하고 직무관련자를 우대하거나 차별하여서는 아니 된다.

③ 공직자는 사적 이해관계로 인하여 공정하고 청렴한 직무수행이 곤란하다고 판단하는 경우에는 직무수행을 회피하는 등 이해충돌을 방지하여야 한다.

공직자의 이해충돌 방지 및 관리

제 5 조 사적이해관계자의 신고 및 회피 · 기피 신청

① 다음 각 호의 어느 하나에 해당하는 직무를 수행하는 공직자는 직무관련자(직무관련자의 대리인을 포함)가 사적이해관계자임을 안 경우 안 날부터 14일 이내에 소속기관장에게 그 사실을 서면(전자문서를 포함한다. 이하 같다)으로 신고하고 회피를 신청하여야 한다.

1. 인가 · 허가 · 면허 · 특허 · 승인 · 검사 · 검정 · 시험 · 인증 · 확인, 지정 · 등록, 등재 · 인정 · 증명, 신고 · 심사, 보호 · 감호, 보상 또는 이에 준하는 직무
2. 행정지도 · 단속 · 감사 · 조사 · 감독에 관계되는 직무
3. 병역판정검사, 징집 · 소집 · 동원에 관계되는 직무
4. 개인 · 법인 · 단체의 영업 등에 관한 작위 또는 부작위의 의무부과 처분에 관계되는 직무
5. 조세 · 부담금 · 과태료 · 과징금 · 이행강제금 등의 조사 · 부과 · 징수 또는 취소 · 철회 · 시정명령 등 제재적 처분에 관계되는 직무
6. 보조금 · 장려금 · 출연금 · 출자금 · 교부금 · 기금의 배정 · 지급 · 처분 · 관리에 관계되는 직무
7. 공사 · 용역 또는 물품 등의 조달 · 구매의 계약 · 검사 · 검수에 관계되는 직무
8. 사건의 수사 · 재판 · 심판 · 결정 · 조정 · 중재 · 화해 또는 이에 준하는 직무
9. 공공기관의 재화 또는 용역의 매각 · 교환 · 사용 · 수익 · 점유에 관계되는 직무
10. 공직자의 채용 · 승진 · 전보 · 상벌 · 평가에 관계되는 직무
11. 공공기관이 실시하는 행정감사에 관계되는 직무
12. 각급 국립 · 공립 학교의 입학 · 성적 · 수행평가에 관계되는 직무
13. 공공기관이 주관하는 각종 수상, 포상, 우수기관 선정, 우수자 선발에 관계되는 직무
14. 공공기관이 실시하는 각종 평가 · 판정에 관계되는 직무
15. 국회의원 또는 지방의회의원의 소관 위원회 활동과 관련된 청문, 의안 · 청원 심사, 국정감사, 지방자치단체의 행정사무감사, 국정조사, 지방자치단체의 행정사무조사와 관계되는 직무
16. 그 밖에 국회규칙, 대법원규칙, 헌법재판소규칙, 중앙선거관리위원회규칙 또는 대통령령으로 정하는 직무

② 직무관련자 또는 공직자의 직무수행과 관련하여 직접적인 이해관계가 있는 자는 해당 공직자에게 제1항에 따른 신고 및 회피 의무가 있거나 그 밖에 공정한 직무수행을 저해할 우려가 있는 사적 이해관계가 있다고 판단하는 경우에는 그 공직자의 소속기관장에게 기피를 신청할 수 있다.

③ 다음 각 호의 어느 하나에 해당하는 경우에는 제1항 및 제2항을 적용하지 아니한다.

1. 제1항 각 호에 해당하는 직무와 관련하여 불특정다수를 대상으로 하는 법률이나 대통령령의 제정 · 개정 또는 폐지를 수반하는 경우
2. 특정한 사실 또는 법률관계에 관한 확인 · 증명을 신청하는 민원에 따라 해당 서류를 발급하는 경우

제 6조 공공기관 직무 관련 부동산 보유 · 매수 신고

① 부동산을 직접적으로 취급하는 대통령령으로 정하는 공공기관의 공직자는 다음 각 호의 어느 하나에 해당하는 사람이 소속 공공기관의 업무와 관련된 부동산을 보유하고 있거나 매수하는 경우 소속기관장에게 그 사실을 서면으로 신고하여야 한다.

1. 공직자 자신, 배우자
2. 공직자와 생계를 같이하는 직계존속 · 비속(배우자의 직계존속 · 비속으로 생계를 같이하는 경우를 포함)

② 제1항에 따른 공공기관 외의 공공기관의 공직자는 소속 공공기관이 택지개발, 지구 지정 등 대통령령으로 정하는 부동산 개발 업무를 하는 경우 제1항 각 호의 어느 하나에 해당하는 사람이 그 부동산을 보유하고 있거나 매수하는 경우 소속기관장에게 그 사실을 서면으로 신고하여야 한다.

③ 제1항 및 제2항에 따른 신고는 부동산을 보유한 사실을 알게 된 날부터 14일 이내, 매수 후 등기를 완료한 날부터 14일 이내에 하여야 한다.

④ 제1항 및 제2항에 따른 신고 내용 · 절차 및 방법 등에 필요한 사항은 대통령령으로 정한다.

제 7 조 사적이해관계자의 신고 등에 대한 조치

① 제5조 제1항에 따른 신고 · 회피신청이나 같은 조 제2항에 따른 기피신청 또는 제6조에 따른 부동산 보유 · 매수 신고를 받은 소속기관장은 해당 공직자의 직무수행에 지장이 있다고 인정하는 경우에는 다음 각 호의 어느 하나에 해당하는 조치를 하여야 한다.

1. 직무수행의 일시 중지 명령
2. 직무 대리자 또는 직무 공동수행자의 지정
3. 직무 재배정
4. 전보

제 8 조 고위공직자의 민간 부문 업무활동 내역 제출 및 공개

① 고위공직자는 그 직위에 임용되거나 임기를 개시하기 전 3년 이내에 민간 부문에서 업무활동을 한 경우, 그 활동 내역을 그 직위에 임용되거나 임기를 개시한 날부터 30일 이내에 소속기관장에게 제출하여야 한다.

② 제1항에 따른 업무활동 내역에는 다음 각 호의 사항이 포함되어야 한다.

1. 재직하였던 법인 · 단체 등과 그 업무 내용
2. 대리, 고문 · 자문 등을 한 경우 그 업무 내용
3. 관리 · 운영하였던 사업 또는 영리행위의 내용

④ 소속기관장은 다른 법령에서 정보공개가 금지되지 아니하는 범위에서 제2항의 업무활동 내역을 공개할 수 있다.

제 9 조 직무관련자와의 거래 신고

① 공직자는 자신, 배우자 또는 직계존속 · 비속(배우자의 직계존속 · 비속으로 생계를 같이하는 경우를 포함) 또는 특수관계사업자(자신, 배우자 또는 직계존속 · 비속이 대통령령으로 정하는 일정 비율 이상의 주식 · 지분 등을 소유하고 있는 법인 또는 단체)가 공직자 자신의 직무관련자(「민법」 제777조에 따른 친족인 경우는 제외)와 다음 각 호의 어느 하나에 해당하는 행위를 한다는 것을 사전에 안 경우에는 안 날부터 14일 이내에 소속기관장에게 그 사실을 서면으로 신고하여야 한다.

1. 금전을 빌리거나 빌려주는 행위 및 유가증권을 거래하는 행위. 다만, 「금융실명거래 및 비밀보장에 관한 법률」에 따른 금융회사등, 「대부업 등의 등록 및 금융이용자 보호에 관한 법률」에 따른 대부업자 등이나 그 밖의 금융회사로부터 통상적인 조건으로 금전을 빌리는 행위 및 유가증권을 거래하는 행위는 제외한다.

2. 토지 또는 건축물 등 부동산을 거래하는 행위. 다만, 공개모집에 의하여 이루어지는 분양이나 공매 · 경매 · 입찰을 통한 재산상 거래 행위는 제외한다.
3. 제1호 및 제2호의 거래 행위 외의 물품 · 용역 · 공사 등의 계약을 체결하는 행위. 다만, 공매 · 경매 · 입찰을 통한 계약 체결 행위 또는 거래관행상 불특정다수를 대상으로 반복적으로 행하여지는 계약 체결 행위는 제외한다.

② 공직자는 제1항 각 호에 따른 행위가 있었음을 사후에 알게 된 경우에도 **안 날부터 14일 이내에** 소속기관장에게 그 사실을 서면으로 신고하여야 한다.

제 10 조 직무 관련 외부활동의 제한

공직자는 다음 각 호의 행위를 하여서는 아니 된다. 다만, 「국가공무원법」 등 다른 법령 · 기준에 따라 허용되는 경우는 그러하지 아니하다.

1. 직무관련자에게 사적으로 노무 또는 조언 · 자문 등을 제공하고 대가를 받는 행위
2. 소속 공공기관의 소관 직무와 관련된 지식이나 정보를 타인에게 제공하고 대가를 받는 행위. 다만, 「부정청탁 및 금품 등 수수의 금지에 관한 법률」 제10조에 따른 외부강의 등의 대가로서 사례금 수수가 허용되는 경우와 소속기관장이 허가한 경우는 제외한다.
3. 공직자가 소속된 공공기관이 당사자이거나 직접적인 이해관계를 가지는 사안에서 자신이 소속된 공공기관의 상대방을 대리하거나 그 상대방에게 조언 · 자문 또는 정보를 제공하는 행위
4. 외국의 기관 · 법인 · 단체 등을 대리하는 행위. 다만, 소속기관장이 허가한 경우는 제외한다.
5. 직무와 관련된 다른 직위에 취임하는 행위. 다만, 소속기관장이 허가한 경우는 제외한다.

제 11 조 가족 채용 제한

① 공공기관(공공기관으로부터 출연금 · 보조금 등을 받거나 법령에 따라 업무를 위탁받는 산하 공공기관과 「상법」 제342조의2에 따른 자회사를 포함)은 다음 각 호의 어느 하나에 해당하는 공직자의 가족을 채용할 수 없다.

1. 소속 고위공직자
2. 채용업무를 담당하는 공직자
3. 해당 산하 공공기관의 감독기관인 공공기관 소속 고위공직자
4. 해당 자회사의 모회사인 공공기관 소속 고위공직자

제 12 조 수의계약 체결 제한

① 공공기관(공공기관으로부터 출연금 · 보조금 등을 받거나 법령에 따라 업무를 위탁받는 산하 공공기관과 「상법」 제342조의2에 따른 자회사를 포함)은 다음 각 호의 어느 하나에 해당하는 자와 물품 · 용역 · 공사 등의 수의계약(이하 "수의계약"이라 한다)을 체결할 수 없다. 다만, 해당 물품의 생산자가 1명뿐인 경우 등 대통령령으로 정하는 불가피한 사유가 있는 경우에는 그러하지 아니하다.

1. 소속 고위공직자
2. 해당 계약업무를 법령상 · 사실상 담당하는 소속 공직자
3. 해당 산하 공공기관의 감독기관 소속 고위공직자
4. 해당 자회사의 모회사인 공공기관 소속 고위공직자
5. 해당 공공기관이 「국회법」 제37조에 따른 상임위원회의 소관인 경우 해당 상임위원회 위원으로서 직무를 담당하는 국회의원
6. 「지방자치법」 제41조에 따라 해당 지방자치단체 등 공공기관을 감사 또는 조사하는 지방의회의원
7. 제1호부터 제6호까지의 어느 하나에 해당하는 공직자의 배우자 또는 직계존속 · 비속(배우자의 직계존속 · 비속으로 생계를 같이하는 경우를 포함한다. 이하 이 조에서 같다)

8. 제1호부터 제7호까지의 어느 하나에 해당하는 사람이 대표자인 법인 또는 단체
9. 제1호부터 제7호까지의 어느 하나에 해당하는 사람과 관계된 특수관계사업자

② 제1항 제1호부터 제6호까지의 어느 하나에 해당하는 공직자는 제1항을 위반하여 같은 항 각 호의 어느 하나에 해당하는 자와 수의계약을 체결하도록 지시 · 유도 또는 묵인을 하여서는 아니 된다.

제 13 조 공공기관 물품 등의 사적 사용 · 수익 금지

공직자는 공공기관이 소유하거나 임차한 물품 · 차량 · 선박 · 항공기 · 건물 · 토지 · 시설 등을 사적인 용도로 사용 · 수익하거나 제3자로 하여금 사용 · 수익하게 하여서는 아니 된다. 다만, 다른 법령 · 기준 또는 사회상규에 따라 허용되는 경우에는 그러하지 아니하다.

제 14 조 직무상 비밀 등 이용 금지

① 공직자(공직자가 아니게 된 날부터 3년이 경과하지 아니한 사람을 포함하되, 다른 법률에서 이와 달리 규정하고 있는 경우에는 그 법률에서 규정한 바에 따른다.)는 직무수행 중 알게 된 비밀 또는 소속 공공기관의 미공개정보(재물 또는 재산상 이익의 취득 여부의 판단에 중대한 영향을 미칠 수 있는 정보로서 불특정 다수인이 알 수 있도록 공개되기 전의 것을 말한다.)를 이용하여 재물 또는 재산상의 이익을 취득하거나 제3자로 하여금 재물 또는 재산상의 이익을 취득하게 하여서는 아니 된다.

② 공직자로부터 직무상 비밀 또는 소속 공공기관의 미공개정보임을 알면서도 제공받거나 부정한 방법으로 취득한 자는 이를 이용하여 재물 또는 재산상의 이익을 취득하여서는 아니 된다.

③ 공직자는 직무수행 중 알게 된 비밀 또는 소속 공공기관의 미공개정보를 사적 이익을 위하여 이용하거나 제3자로 하여금 이용하게 하여서는 아니 된다.

제 15 조 퇴직자 사적 접촉 신고

① 공직자는 직무관련자인 소속 기관의 퇴직자(공직자가 아니게 된 날부터 2년이 지나지 아니한 사람만 해당)와 사적 접촉(골프, 여행, 사행성 오락을 같이 하는 행위를 말한다)을 하는 경우 소속기관장에게 신고하여야 한다. 다만, 사회상규에 따라 허용되는 경우에는 그러하지 아니하다.

이해충돌 방지에 관한 업무의 총괄 등

제 17 조 공직자의 이해충돌 방지에 관한 업무의 총괄

국민권익위원회는 이 법에 따른 다음 각 호의 사항에 관한 업무를 관장한다.

1. 공직자의 이해충돌 방지에 관한 제도개선 및 교육 · 홍보 계획의 수립 및 시행
2. 이 법에 따른 신고 등의 안내 · 상담 · 접수 · 처리 등
3. 제18조 제1항에 따른 신고를 한 자(이하 "신고자"라 한다) 등에 대한 보호 및 보상
4. 제1호부터 제3호까지의 업무 수행에 필요한 실태조사 및 자료의 수집 · 관리 · 분석 등

제 18 조　위반행위의 신고 등

① 누구든지 이 법의 위반행위가 발생하였거나 발생하고 있다는 사실을 알게 된 경우에는 다음 각 호의 어느 하나에 해당하는 기관에 신고할 수 있다.
1. 이 법의 위반행위가 발생한 공공기관 또는 그 감독기관
2. 감사원 또는 수사기관
3. 국민권익위원회

② 신고자가 다음 각 호의 어느 하나에 해당하는 경우에는 이 법에 따른 보호 및 보상을 받지 못한다.
1. 신고의 내용이 거짓이라는 사실을 알았거나 알 수 있었음에도 불구하고 신고한 경우
2. 신고와 관련하여 금품이나 근로관계상의 특혜를 요구한 경우
3. 그 밖에 부정한 목적으로 신고한 경우

③ 제1항에 따라 신고를 하려는 자는 자신의 인적사항과 신고의 취지 · 이유 · 내용을 적고 서명한 문서와 함께 신고 대상 및 증거 등을 제출하여야 한다.

제 19 조　위반행위 신고의 처리

① 제18조 제1항 제1호 또는 제2호의 기관(이하 "조사기관"이라 한다)은 같은 조 제1항에 따라 신고를 받거나 이 조 제2항에 따라 국민권익위원회로부터 신고를 이첩받은 경우에는 그 내용에 관하여 필요한 조사 · 감사 또는 수사를 하여야 한다.

② 국민권익위원회가 제18조 제1항에 따른 신고를 받은 경우에는 그 내용에 관하여 신고자를 상대로 사실관계를 확인한 후 대통령령으로 정하는 바에 따라 조사기관에 이첩하고, 그 사실을 신고자에게 통보하여야 한다.

④ 조사기관은 제1항에 따른 조사 · 감사 또는 수사를 마친 날부터 10일 이내에 그 결과를 신고자와 국민권익위원회에 통보(국민권익위원회로부터 이첩받은 경우만 해당한다)하고, 조사 · 감사 또는 수사 결과에 따라 공소 제기, 과태료 부과 대상 위반행위의 통보, 징계처분 등 필요한 조치를 하여야 한다.

⑦ 국민권익위원회는 조사기관의 조사 · 감사 또는 수사 결과가 충분하지 아니하다고 인정되는 경우에는 조사 · 감사 또는 수사 결과를 통보받은 날부터 30일 이내에 새로운 증거자료의 제출 등 합리적인 이유를 들어 조사기관에 재조사를 요구할 수 있다.

⑧ 제7항에 따른 재조사를 요구받은 조사기관은 재조사를 종료한 날부터 7일 이내에 그 결과를 국민권익위원회에 통보하여야 한다. 이 경우 국민권익위원회는 통보를 받은 즉시 신고자에게 재조사 결과의 요지를 통보하여야 한다.

제 20 조　신고자 등의 보호 · 보상

① 누구든지 다음 각 호의 어느 하나에 해당하는 신고 등(이하 "신고 등"이라 한다)을 하지 못하도록 방해하거나 신고 등을 한 자(이하 "신고자 등"이라 한다)에게 이를 취소하도록 강요하여서는 아니 된다.
1. 제18조 제1항에 따른 신고
2. 제1호에 따른 신고에 관한 조사 · 감사 · 수사 · 소송 또는 보호조치에 관한 조사 · 소송 등에서 진술 · 증언 및 자료제공 등의 방법으로 돕는 행위

② 누구든지 신고자 등에게 신고 등을 이유로 불이익조치(「공익신고자 보호법」 제2조 제6호에 따른 불이익조치를 말한다. 이하 같다)를 하여서는 아니 된다.

③ 이 법의 위반행위를 한 자가 위반사실을 자진하여 신고하거나 신고자 등이 신고 등을 함으로 인하여 자신이 한 이 법의 위반행위가 발견된 경우에는 그 위반행위에 대한 형사처벌, 과태료 부과, 징계처분, 그 밖의 행정처분 등을 감경하거나 면제할 수 있다.

⑦ 신고자 등과 그 친족(「민법」 제777조에 따른 친족을 말한다) 또는 동거인은 신고 등과 관련하여 다음 각 호의 어느 하나에 해당하는 피해를 입었거나 비용을 지출한 경우 국민권익위원회에 구조금의 지급을 신청할 수 있다.
1. 육체적 · 정신적 치료 등에 든 비용
2. 전직 · 파견근무 등에 따른 이사비용
3. 원상회복 관련 쟁송절차에 든 비용
4. 불이익조치 기간의 임금 손실액
5. 그 밖에 중대한 경제적 손해(「공익신고자 보호법」 제2조 제6호 아목 및 자목에 따른 손해는 제외)

제 21 조 위법한 직무처리에 대한 조치

소속기관장은 공직자가 제5조 제1항, 제6조, 제8조 제1항 · 제2항, 제9조 제1항 · 제2항, 제10조, 제11조 제3항, 제12조 제2항, 제13조, 제14조 또는 제15조를 위반한 사실을 발견한 경우에는 해당 공직자에게 위반사실을 즉시 시정할 것을 명하고 계속 불이행할 경우 해당 공직자의 직무를 중지하거나 취소하는 등 필요한 조치를 하여야 한다.

제 22 조 부당이득의 환수 등

① 소속기관장은 공직자가 제5조의 신고 및 회피 의무 또는 제6조의 신고 의무를 위반하여 수행한 직무가 위법한 것으로 확정된 경우에는 그 직무를 통하여 공직자 또는 제3자가 얻은 재산상 이익을 환수하여야 한다.
② 소속기관장은 공직자가 제13조의 공공기관 물품 등의 사적 사용 · 수익 금지 의무를 위반한 경우에는 공직자 또는 제3자가 얻은 재산상 이익을 환수하여야 한다.
③ 제1항 또는 제2항에도 불구하고 다른 법률에서 공직자 또는 제3자가 얻은 부당이득의 몰수, 환수 등에 대하여 규정하고 있는 경우에는 그 법률에 따른다.

제 23 조 비밀누설 금지

다음 각 호의 어느 하나에 해당하는 업무를 수행하거나 수행하였던 공직자는 재직 중은 물론 퇴직 후에도 그 업무처리 과정에서 알게 된 비밀을 누설하여서는 아니 된다. 다만, 제2호의 업무로서 제8조 제4항에 따라 공개하는 경우에는 그러하지 아니하다.
1. 제5조부터 제7조까지의 규정에 따른 사적이해관계자의 신고 및 회피 · 기피 신청 또는 부동산 보유 · 매수 신고의 처리에 관한 업무
2. 제8조에 따른 고위공직자의 업무활동 내역 보관 · 관리에 관한 업무
3. 제9조에 따른 직무관련자와의 거래 신고 및 조치에 관한 업무
4. 제15조에 따른 퇴직자 사적 접촉 신고 및 조치에 관한 업무

제 24 조 교육 및 홍보 등

① 공공기관의 장은 공직자에게 이해충돌 방지에 관한 내용을 매년 1회 이상 정기적으로 교육하여야 한다.
② 공공기관의 장은 이 법에서 금지하고 있는 사항을 적극적으로 알리는 등 국민들이 이 법을 준수하도록 유도하여야 한다.
③ 공공기관의 장은 제1항 및 제2항에 따른 교육 및 홍보 등을 하기 위하여 필요하면 국민권익위원회에 지원을 요청할 수 있다. 이 경우 국민권익위원회는 적극 협력하여야 한다.

제 25 조 이해충돌방지담당관의 지정

① 공공기관의 장은 소속 공직자 중에서 다음 각 호의 업무를 담당하는 이해충돌방지담당관을 지정하여야 한다.

1. 공직자의 이해충돌 방지에 관한 내용의 교육 · 상담
2. 사적이해관계자의 신고 및 회피 · 기피 신청, 부동산 보유 · 매수 신고 또는 직무관련자와의 거래에 관한 신고의 접수 및 관리
3. 사적이해관계자의 신고 및 회피 · 기피 신청 또는 부동산 보유 · 매수 신고에도 불구하고 그 직무를 계속 수행하게 된 공직자의 공정한 직무수행 여부의 확인 · 점검
4. 고위공직자의 업무활동 내역 관리 및 공개
5. 퇴직자 사적 접촉 신고의 접수 및 관리
6. 이 법에 따른 위반행위 신고 · 신청의 접수, 처리 및 내용의 조사
7. 이 법에 따른 소속기관장의 위반행위를 발견한 경우 법원 또는 수사기관에 그 사실의 통보

② 이 법에 따라 소속기관장에게 신고 · 신청 · 제출하여야 하는 사람이 소속기관장 자신인 경우에는 해당 신고 · 신청 · 제출을 이해충돌방지담당관에게 하여야 한다.

징계 및 벌칙

제 26 조 징계

공공기관의 장은 소속 공직자가 이 법 또는 이 법에 따른 명령을 위반한 경우에는 징계처분을 하여야 한다.

제 27 조 벌칙

① 제14조 제1항을 위반하여 직무수행 중 알게 된 비밀 또는 소속 공공기관의 미공개정보를 이용하여 재물 또는 재산상의 이익을 취득하거나 제3자로 하여금 재물 또는 재산상의 이익을 취득하게 한 공직자(제16조에 따라 준용되는 공무수행사인을 포함)는 7년 이하의 징역 또는 7천만 원 이하의 벌금에 처한다.

② 다음 각 호의 어느 하나에 해당하는 자는 5년 이하의 징역 또는 5천만 원 이하의 벌금에 처한다.

1. 제14조 제2항을 위반하여 공직자로부터 직무상 비밀 또는 소속 공공기관의 미공개정보임을 알면서도 제공받거나 부정한 방법으로 취득하고 이를 이용하여 재물 또는 재산상의 이익을 취득한 자
2. 제20조 제4항에 따라 준용되는 「공익신고자 보호법」 제12조 제1항을 위반하여 신고자 등의 인적사항이나 신고자 등임을 미루어 알 수 있는 사실을 다른 사람에게 알려 주거나 공개 또는 보도한 자

③ 다음 각 호의 어느 하나에 해당하는 자는 3년 이하의 징역 또는 3천만 원 이하의 벌금에 처한다.

1. 제14조 제3항을 위반하여 직무수행 중 알게 된 비밀 또는 소속 공공기관의 미공개정보를 사적 이익을 위하여 이용하거나 제3자로 하여금 이용하도록 한 공직자
2. 제20조 제2항을 위반하여 신고자 등에게 「공익신고자 보호법」 제2조 제6호 가목에 해당하는 불이익조치를 한 자
3. 제20조 제4항에 따라 준용되는 「공익신고자 보호법」 제21조 제2항에 따라 확정되거나 행정소송을 제기하여 확정된 보호조치결정을 이행하지 아니한 자
4. 제23조를 위반하여 그 업무처리 과정에서 알게 된 비밀을 누설한 사람

④ 다음 각 호의 어느 하나에 해당하는 자는 2년 이하의 징역 또는 2천만 원 이하의 벌금에 처한다.

1. 제20조 제1항을 위반하여 신고 등을 방해하거나 신고 등을 취소하도록 강요한 자
2. 제20조 제2항을 위반하여 신고자 등에게 「공익신고자 보호법」 제2조 제6호 나목부터 사목까지의 어느 하나에 해당하는 불이익조치를 한 자

⑤ 제1항 및 제2항 제1호의 경우 징역과 벌금은 병과(倂科)할 수 있다.

⑥ 제1항 및 제2항 제1호의 죄를 범한 자(제1항의 경우 그 정을 아는 제3자를 포함한다)가 제1항 및 제2항 제1호의 죄로 인하여 취득한 재물 또는 재산상의 이익은 몰수한다. 다만, 이를 몰수할 수 없을 때에는 그 가액을 추징한다.

제 28 조 과태료

① 다음 각 호의 어느 하나에 해당하는 자에게는 3천만 원 이하의 과태료를 부과한다.

1. 제11조 제3항을 위반하여 자신의 가족이 채용되도록 지시 · 유도 또는 묵인을 한 공직자
2. 제12조 제2항을 위반하여 같은 조 제1항 각 호의 어느 하나에 해당하는 자와 수의계약을 체결하도록 지시 · 유도 또는 묵인을 한 공직자
3. 제20조 제4항에 따라 준용되는 「공익신고자 보호법」 제19조 제2항 및 제3항(같은 법 제22조 제3항에 따라 준용되는 경우를 포함한다)을 위반하여 자료 제출, 출석, 진술 또는 진술서 제출을 거부한 자

② 다음 각 호의 어느 하나에 해당하는 자에게는 2천만 원 이하의 과태료를 부과한다.

1. 제5조 제1항을 위반하여 사적이해관계자를 신고하지 아니한 공직자
2. 제6조 제1항 또는 제2항을 위반하여 부동산 보유 · 매수를 신고하지 아니한 공직자
3. 제9조 제1항 또는 제2항을 위반하여 거래를 신고하지 아니한 공직자
4. 제10조를 위반하여 직무 관련 외부활동을 한 공직자
5. 제13조를 위반하여 공공기관의 물품 등을 사적인 용도로 사용 · 수익하거나 제3자로 하여금 사용 · 수익하게 한 공직자
6. 제20조 제4항에 따라 준용되는 「공익신고자 보호법」 제20조의2의 특별보호조치결정을 이행하지 아니한 자

③ 다음 각 호의 어느 하나에 해당하는 자에게는 1천만 원 이하의 과태료를 부과한다.

1. 제8조 제1항을 위반하여 업무활동 내역을 제출하지 아니한 고위공직자
2. 제15조 제1항을 위반하여 직무관련자인 소속 기관의 퇴직자와의 사적 접촉을 신고하지 아니한 공직자

핵심OX

1 고위공직자는 일반직 4급 국가공무원 및 지방공무원과 이에 상응하는 보수를 받는 별정직공무원(고위공무원단에 속하는 별정직공무원을 포함)을 의미한다. (O, X)

2 공직자로 채용 · 임용되기 전 2년 이내에 공직자 자신이 재직하였던 법인 또는 단체는 사적이해관계자이다. (O, X)

3 인가 · 허가 등의 직무를 수행하는 공직자는 직무관련자가 사적이해관계자임을 안 경우 안 날부터 20일 이내에 소속기관장에게 그 사실을 서면으로 신고하고 회피를 신청하여야 한다. (O, X)

4 고위공직자는 그 직위에 임용되거나 임기를 개시하기 전 3년 이내에 민간 부문에서 업무활동을 한 경우, 그 활동 내역을 그 직위에 임용되거나 임기를 개시한 날부터 30일 이내에 소속기관장에게 제출하여야 한다. (O, X)

5 국민권익위원회 위원장은 각 기관의 공직자 중에서 공직자의 이해충돌 방지에 관한 내용의 교육 · 상담을 담당하는 이해충돌방지담당관을 지정하여야 한다. (O, X)

핵심문제

1 공직자의 공정한 직무수행과 공공기관에 대한 국민의 신뢰확보를 위한 「공직자의 이해충돌 방지법」 내용으로 옳지 않은 것은?

① 직무관련자와의 거래 신고의무

② 공정하고 청렴한 직무수행의무

③ 직무 관련 부동산 보유 · 매수 신고의무

④ 퇴직자 행위제한의무

2 다음 ㄱ과 ㄴ에 들어갈 내용으로 옳은 것은?

> 「공직자의 이해충돌 방지법」에서 고위공직자는 그 직위에 임용되거나 임기를 개시하기 전 (ㄱ) 이내에 민간 부문에서 업무활동을 한 경우, 그 활동 내역을 그 직위에 임용되거나 임기를 개시한 날부터 (ㄴ) 이내에 소속기관장에게 제출하여야 한다.

	ㄱ	ㄴ		ㄱ	ㄴ
①	3년	20일	②	3년	30일
③	5년	20일	④	5년	30일

정답 및 해설

핵심OX

1 X 고위공직자는 4급이 아닌 1급 공무원을 말한다.

2 O

3 X 20일 이내가 아닌 14일 이내이다.

4 O

5 X 국민권익위원회 위원장이 아닌 공공기관의 장이다.

핵심문제

1 ④ 퇴직자 행위제한의무는 「공직자의 이해충돌 방지법」이 아닌 「공직자윤리법」상의 의무이며, 「공직자의 이해충돌 방지법」에는 퇴직자 사적 접촉 신고의무가 규정되어 있다(「공직자의 이해충돌 방지법」 제15조).

2 ② 「공직자의 이해충돌 방지법」 제8조에 따르면 고위공직자는 그 직위에 임용되거나 임기를 개시하기 전 3년 이내에 민간 부문에서 업무활동을 한 경우, 그 활동 내역을 그 직위에 임용되거나 임기를 개시한 날부터 30일 이내에 소속기관장에게 제출하여야 한다.

11 부패방지 및 국민권익위원회의 설치와 운영에 관한 법률, 공익신고자 보호법

관련단원 PART 4. 인사행정론 > CHAPTER 4. 공무원의 근무규율과 인사행정개혁

■ 부패방지 및 국민권익위원회의 설치와 운영에 관한 법률

총칙

제 1 조 목적

이 법은 국민권익위원회를 설치하여 고충민원의 처리와 이에 관련된 불합리한 행정제도를 개선하고, 부패의 발생을 예방하며 부패행위를 효율적으로 규제함으로써 국민의 기본적 권익을 보호하고 행정의 적정성을 확보하며 청렴한 공직 및 사회풍토의 확립에 이바지함을 그 목적으로 한다.

제 2 조 정의

이 법에서 사용하는 용어의 뜻은 다음과 같다.

4. "부패행위"란 다음 각 목의 어느 하나에 해당하는 행위를 말한다.
   가. 공직자가 직무와 관련하여 그 지위 또는 권한을 남용하거나 법령을 위반하여 자기 또는 제3자의 이익을 도모하는 행위
   나. 공공기관의 예산사용, 공공기관 재산의 취득 · 관리 · 처분 또는 공공기관을 당사자로 하는 계약의 체결 및 그 이행에 있어서 법령에 위반하여 공공기관에 대하여 재산상 손해를 가하는 행위
   다. 가목과 나목에 따른 행위나 그 은폐를 강요, 권고, 제의, 유인하는 행위
5. "고충민원"이란 행정기관 등의 위법 · 부당하거나 소극적인 처분(사실행위 및 부작위를 포함한다) 및 불합리한 행정제도로 인하여 국민의 권리를 침해하거나 국민에게 불편 또는 부담을 주는 사항에 관한 민원(현역장병 및 군 관련 의무복무자의 고충민원을 포함한다)을 말한다.
7. "불이익조치"란 다음 각 목의 어느 하나에 해당하는 조치를 말한다.
   가. 파면, 해임, 해고, 그 밖에 신분상실에 해당하는 불이익조치
   나. 징계, 정직, 감봉, 강등, 승진 제한, 그 밖에 부당한 인사조치
   다. 전보, 전근, 직무 미부여, 직무 재배치, 그 밖에 본인의 의사에 반하는 인사조치
   라. 성과평가 또는 동료평가 등의 차별과 그에 따른 임금 또는 상여금 등의 차별 지급
   마. 교육 또는 훈련 등 자기계발 기회의 취소, 예산 또는 인력 등 가용자원의 제한 또는 제거, 보안정보 또는 비밀정보 사용의 정지 또는 취급 자격의 취소, 그 밖에 근무조건 등에 부정적 영향을 미치는 차별 또는 조치
   바. 주의 대상자 명단 작성 또는 그 명단의 공개, 집단 따돌림, 폭행 또는 폭언, 그 밖에 정신적 · 신체적 손상을 가져오는 행위
   사. 직무에 대한 부당한 감사(監査) 또는 조사나 그 결과의 공개
   아. 인가 · 허가 등의 취소, 그 밖에 행정적 불이익을 주는 행위
   자. 물품계약 또는 용역계약의 해지(解止), 그 밖에 경제적 불이익을 주는 조치
8. "시민사회단체"란 「비영리민간단체 지원법」 제4조에 따라 중앙행정기관의 장, 시 · 도지사나 특례시의 장에게 등록을 한 비영리민간단체를 말한다.
9. "시민고충처리위원회"란 지방자치단체 및 그 소속 기관(법령에 따라 지방자치단체나 그 소속 기관의 권한을 위임 또는 위탁받은 법인 · 단체 또는 그 기관이나 개인을 포함한다. 이하 같다)에 대한 고충민원의 처리와 이에 관련된 제도개선을 위하여 제32조에 따라 설치되는 기관을 말한다.

제 8 조 공직자 행동강령

① 제7조에 따라 공직자가 준수하여야 할 행동강령은 대통령령 · 국회규칙 · 대법원규칙 · 헌법재판소규칙 · 중앙선거관리위원회규칙 또는 공직유관단체의 내부규정으로 정한다.

② 제1항에 따른 공직자 행동강령은 다음 각 호의 사항을 규정한다.

1. 직무관련자로부터의 향응 · 금품 등을 받는 행위의 금지 · 제한에 관한 사항
2. 직위를 이용한 인사관여 · 이권개입 · 알선 · 청탁행위의 금지 · 제한에 관한 사항
3. 공정한 인사 등 건전한 공직풍토 조성을 위하여 공직자가 지켜야 할 사항
4. 그 밖에 부패의 방지와 공직자의 직무의 청렴성 및 품위유지 등을 위하여 필요한 사항

국민권익위원회

제 11 조 국민권익위원회의 설치

고충민원의 처리와 이에 관련된 불합리한 행정제도를 개선하고, 부패의 발생을 예방하며 부패행위를 효율적으로 규제하도록 하기 위하여 국무총리 소속으로 국민권익위원회(이하 '위원회'라 한다)를 둔다. → **내부 · 공식적 통제**

제 12 조 기능

위원회는 다음 각 호의 업무를 수행한다.

1. 국민의 권리보호 · 권익구제 및 부패방지를 위한 정책의 수립 및 시행
2. 고충민원의 조사와 처리 및 이와 관련된 시정권고 또는 의견표명
3. 고충민원을 유발하는 관련 행정제도 및 그 제도의 운영에 개선이 필요하다고 판단되는 경우 이에 대한 권고 또는 의견표명

10. 부패행위 신고 안내 · 상담 및 접수 등
11. 신고자의 보호 및 보상

제 13 조 위원회의 구성

① 위원회는 위원장 1명을 포함한 15명의 위원(부위원장 3명과 상임위원 3명을 포함한다)으로 구성한다.

제 16 조 직무상 독립과 신분보장

① 위원회는 그 권한에 속하는 업무를 독립적으로 수행한다.

② 위원장과 위원의 임기는 각각 3년으로 하되 1차에 한하여 연임할 수 있다.

제 28 조 법령 등에 대한 부패유발요인 검토

① 위원회는 다음 각 호에 따른 법령 등의 부패유발요인을 분석 · 검토하여 그 법령 등의 소관 기관의 장에게 그 개선을 위하여 필요한 사항을 권고할 수 있다.

1. 법률 · 대통령령 · 총리령 및 부령
2. 법령의 위임에 따른 훈령 · 예규 · 고시 및 공고 등 행정규칙
3. 지방자치단체의 조례 · 규칙

4. 「공공기관의 운영에 관한 법률」 제4조에 따라 지정된 공공기관 및 「지방공기업법」 제49조 · 제76조에 따라 설립된 지방공사 · 지방공단의 내부규정

② 제1항에 따른 부패유발요인 검토의 절차와 방법에 관하여 필요한 항은 대통령령으로 정한다.

시민고충처리위원회

제 32 조 시민고충처리위원회의 설치

① 지방자치단체 및 그 소속 기관에 관한 고충민원의 처리와 행정제도의 개선 등을 위하여 각 지방자치단체에 시민고충처리위원회를 둘 수 있다.

고충민원의 처리

제 39 조 고충민원의 신청 및 접수

① 누구든지(국내에 거주하는 외국인을 포함한다) 위원회 또는 시민고충처리위원회(권익위원회)에 고충민원을 신청할 수 있다. 이 경우 하나의 권익위원회에 대하여 고충민원을 제기한 신청인은 다른 권익위원회에 대하여도 고충민원을 신청할 수 있다.

제 40 조 동일한 고충민원의 상호 통보

신청인이 제39조 제1항 후단에 따라 동일한 고충민원을 둘 이상의 권익위원회에 각각 신청한 경우 각 권익위원회는 지체 없이 그 사실을 상호 통보하여야 한다. 이 경우 각 권익위원회는 상호 협력하여 고충민원을 처리하거나 제43조에 따라 이송하여야 한다.

제 41 조 고충민원의 조사

① 권익위원회는 고충민원을 접수한 경우에는 지체 없이 그 내용에 관하여 필요한 조사를 하여야 한다.

제 43 조 고충민원의 이송 등

① 권익위원회는 접수된 고충민원이 다음 각 호의 어느 하나에 해당하는 경우에는 그 고충민원을 관계 행정기관 등에 이송할 수 있다. 다만, 관계 행정기관 등에 이송하는 것이 적절하지 아니하다고 인정하는 경우에는 그 고충민원을 각하할 수 있다.

1. 고도의 정치적 판단을 요하거나 국가기밀 또는 공무상 비밀에 관한 사항
2. 국회 · 법원 · 헌법재판소 · 선거관리위원회 · 감사원 · 지방의회에 관한 사항
3. 수사 및 형집행에 관한 사항으로서 그 관장기관에서 처리하는 것이 적당하다고 판단되는 사항 또는 감사원의 감사가 착수된 사항
4. 행정심판, 행정소송, 헌법재판소의 심판이나 감사원의 심사청구 그 밖에 다른 법률에 따른 불복구제절차가 진행 중인 사항
5. 법령에 따라 화해 · 알선 · 조정 · 중재 등 당사자 간의 이해조정을 목적으로 행하는 절차가 진행 중인 사항

6. 판결 · 결정 · 재결 · 화해 · 조정 · 중재 등에 따라 확정된 권리관계에 관한 사항 또는 감사원이 처분을 요구한 사항
7. 사인 간의 권리관계 또는 개인의 사생활에 관한 사항
8. 행정기관 등의 직원에 관한 인사행정상의 행위에 관한 사항
9. 그 밖에 관계 행정기관 등에서 직접 처리하는 것이 타당하다고 판단되는 사항

제 48 조 의견제출 기회의 부여

① 권익위원회는 제46조 또는 제47조에 따라 관계 행정기관 등의 장에게 권고 또는 의견표명을 하기 전에 그 행정기관 등과 신청인 또는 이해관계인에게 미리 의견을 제출할 기회를 주어야 한다.

부패행위 등의 신고 및 신고자 등 보호

제 55 조 부패행위의 신고

누구든지 부패행위를 알게 된 때에는 이를 위원회에 신고할 수 있다. → **임의사항**

제 56 조 공직자의 부패행위 신고의무

공직자는 그 직무를 행함에 있어 다른 공직자가 부패행위를 한 사실을 알게 되었거나 부패행위를 강요 또는 제의받은 경우에는 지체 없이 이를 수사기관 · 감사원 또는 위원회에 신고하여야 한다. → **의무사항**

제 57 조 신고자의 성실의무

제55조 및 제56조에 따른 부패행위 신고(이하 이 장에서 "신고"라 한다)를 한 자(이하 이 장에서 "신고자"라 한다)가 신고의 내용이 허위라는 사실을 알았거나 알 수 있었음에도 불구하고 신고한 경우에는 이 법의 보호를 받지 못한다.

제57조의2 정부 및 지방자치단체의 책무

중앙행정기관의 장 및 지방자치단체의 장은 신고자 보호 및 불이익 방지를 위하여 노력하여야 한다.

제 58 조 신고의 방법

신고를 하려는 자는 본인의 인적사항과 신고취지 및 이유를 기재한 기명의 문서로써 하여야 하며, 신고대상과 부패행위의 증거 등을 함께 제시하여야 한다.

제58조의2 비실명 대리신고

① 제58조에도 불구하고 신고자는 자신의 인적사항을 밝히지 아니하고 변호사를 선임하여 신고를 대리하게 할 수 있다. 이 경우 제58조에 따른 신고자의 인적사항 및 기명의 문서는 변호사의 인적사항 및 변호사 이름의 문서로 갈음한다.
② 제1항에 따른 신고는 위원회에 하여야 하며, 신고자 또는 신고자를 대리하는 변호사는 그 취지를 밝히고 신고자의 인적사항, 신고자임을 입증할 수 있는 자료 및 위임장을 위원회에 함께 제출하여야 한다.
③ 위원회는 제2항에 따라 제출된 자료를 봉인하여 보관하여야 하며, 신고자 본인의 동의 없이 이를 열람하여서는 아니 된다.

제 59 조 신고의 처리

⑥ 위원회에 신고가 접수된 당해 부패행위의 혐의대상자가 다음 각 호에 해당하는 고위공직자로서 부패혐의의 내용이 형사처벌을 위한 수사 및 공소제기의 필요성이 있는 경우에는 위원회의 명의로 검찰, 수사처, 경찰 등 관할 수사기관에 고발을 하여야 한다.

1. 차관급 이상의 공직자
2. 특별시장, 광역시장, 특별자치시장, 도지사 및 특별자치도지사
3. 경무관급 이상의 경찰공무원
4. 법관 및 검사
5. 장성급(將星級) 장교
6. 국회의원

⑦ 위원회는 국가기밀이 포함된 신고사항에 대해서는 대통령령으로 정하는 바에 따라 처리한다.

제 61 조 재정신청

① 혐의대상자의 부패혐의가 「형법」 제129조부터 제133조까지와 제355조부터 제357조까지(다른 법률에 따라 가중처벌되는 경우를 포함한다)에 해당되어 위원회가 관할 수시기관에 고발한 경우, 그 고발한 사건과 동일한 사건이 이미 수사 중에 있거나 수사 중인 사건과 관련된 경우에는 그 사건 또는 그 사건과 관련된 사건에 대하여 위원회가 검사로부터 공소를 제기하지 아니한다는 통보를 받았을 때에는 위원회는 그 검사 소속의 고등검찰청에 대응하는 고등법원에 그 당부에 관한 재정을 신청할 수 있다.

제 62 조 불이익조치 등의 금지

① 누구든지 신고자에게 신고나 이와 관련한 진술, 자료 제출 등(이하 "신고 등"이라 한다)을 한 이유로 불이익조치를 하여서는 아니 된다. → **내부고발자 보호제도**

② 누구든지 신고 등을 하지 못하도록 방해하거나 신고자에게 신고 등을 취소하도록 강요해서는 아니 된다.

제62조의2 신분보장 등의 조치 신청 등

① 신고자는 신고 등을 이유로 불이익조치를 받았거나 받을 것으로 예상되는 경우에는 대통령령으로 정하는 바에 따라 위원회에 해당 불이익조치에 대한 원상회복이나 그 밖에 필요한 조치(이하 "신분보장 등 조치"라 한다)를 신청할 수 있다.

② 신분보장 등 조치는 불이익조치가 있었던 날(불이익조치가 계속된 경우에는 그 종료일)부터 1년 이내에 신청하여야 한다. 다만, 신고자가 천재지변, 전쟁, 사변, 그 밖에 불가항력의 사유로 1년 이내에 신분보장 등 조치를 신청할 수 없었을 때에는 그 사유가 소멸한 날부터 14일(국외에서의 신분보장 등 조치 신청은 30일) 이내에 신청할 수 있다.

제62조의3 신분보장 등의 조치 결정 등

① 위원회는 조사 결과 신분보장신청인이 신고 등을 이유로 불이익조치(제2조 제7호 아목 및 자목에 해당하는 불이익조치는 제외한다)를 받았거나 받을 것으로 예상되는 경우에는 소속기관장 등에게 30일 이내의 기간을 정하여 다음 각 호의 신분보장 등 조치를 취하도록 요구하는 결정(이하 "신분보장 등 조치 결정"이라 한다)을 하여야 하며, 소속기관장 등은 정당한 사유가 없으면 이에 따라야 한다.

1. 원상회복 조치
2. 차별 지급되거나 체불(滯拂)된 보수 등(이자를 포함한다)의 지급. 이 경우 보수 등의 지급기준 및 산정방법 등은 대통령령으로 정한다.

3. 불이익조치에 대한 취소 또는 금지
4. 전보, 그 밖에 필요한 조치

제62조의4　행정소송의 제기 등

① 소속기관장 등은 신분보장 등 조치 결정에 대하여 「행정소송법」에 따른 행정소송을 제기하는 경우에는 같은 법 제20조 제1항에도 불구하고 신분보장 등 조치 결정을 통보받은 날부터 30일 이내에 제기하여야 한다.
② 소속기관장 등은 신분보장 등 조치 결정에 대해서는 「행정심판법」에 따른 행정심판을 청구할 수 없다.

제62조의5　불이익조치 절차의 일시정지

① 위원장은 다음 각 호의 어느 하나에 해당하는 사유가 있고, 이를 방치할 경우 회복하기 어려운 피해가 발생할 우려가 있으며, 신분보장 등 조치 신청에 대한 위원회의 결정을 기다릴 시간적인 여유가 없다고 인정되면 신분보장신청인의 신청에 따라 또는 직권으로 45일 이내의 기간을 정하여 소속기관장 등에게 불이익조치 절차의 잠정적인 중지 조치를 요구할 수 있다.
1. 신고로 인하여 신분보장신청인에 대한 불이익조치 절차가 예정되어 있거나 이미 진행 중인 경우
2. 신고로 인하여 신분보장신청인에 대한 불이익조치가 행하여졌고 추가적인 불이익조치 절차가 예정되어 있거나 이미 진행 중인 경우

제 63 조　불이익 추정

신고자가 신고한 뒤 제62조의2 제1항에 따라 위원회에 신분보장 등 조치를 신청하거나 법원에 원상회복 등에 관한 소를 제기하는 경우 해당 신고와 관련하여 불이익을 당한 것으로 추정한다.

제63조의2　화해의 권고 등

① 위원회는 신분보장 등 조치 신청을 받은 경우에는 신분보장 등 조치 결정, 신분보장 등 조치 권고 또는 기각결정을 하기 전까지 직권으로 또는 관계 당사자의 신청에 따라 신분보장 등 조치 등에 대하여 화해를 권고하거나 화해안을 제시할 수 있다. 이 경우 화해 권고나 화해안에 공무원의 징계에 관한 사항을 포함하거나 이 법의 목적을 위반하는 조건을 붙여서는 아니 된다.
② 제1항에 따른 화해안의 작성, 화해조서의 작성 및 효력 등에 관하여는 「공익신고자 보호법」 제24조 제2항부터 제4항까지의 규정을 준용한다.

제 64 조　신고자의 비밀보장

① 누구든지 이 법에 따른 신고자라는 사정을 알면서 그의 인적사항이나 그가 신고자임을 미루어 알 수 있는 사실을 다른 사람에게 알려주거나 공개 또는 보도하여서는 아니 된다. 다만, 이 법에 따른 신고자가 동의한 때에는 그러하지 아니하다.

제64조의2　신변보호조치

① 신고자는 신고를 한 이유로 자신과 친족 또는 동거인의 신변에 불안이 있는 경우에는 위원회에 신변보호조치를 요구할 수 있다. 이 경우 위원회는 필요하다고 인정한 때에는 경찰청장, 관할 시 · 도경찰청장, 관할 경찰서장에게 신변보호조치를 요구할 수 있다.
② 제1항에 따른 신변보호조치를 요구받은 경찰청장, 관할 시 · 도경찰청장, 관할 경찰서장은 대통령령으로 정하는 바에 따라 즉시 신변보호조치를 하여야 한다.

제 66 조 책임의 감면 등

① 신고 등과 관련하여 신고자의 범죄행위가 발견된 경우 그 신고자에 대하여 형을 감경하거나 면제할 수 있다.

제 68 조 포상 및 보상

① 위원회는 위원회 또는 공공기관에 부패행위 신고를 하여 현저히 공공기관에 재산상 이익을 가져오거나 손실을 방지한 경우 또는 공익의 증진을 가져온 경우에는 신고를 한 자에 대하여 「상훈법」 등의 규정에 따라 포상을 추천할 수 있으며, 대통령령으로 정하는 바에 따라 포상금을 지급할 수 있다. 다만, 공공기관에 부패행위 신고를 한 경우에는 해당 공공기관이 포상 추천 또는 포상금 지급을 요청한 경우만 해당한다.

② 신고자는 신고로 인하여 직접적인 공공기관 수입의 회복이나 증대 또는 비용의 절감을 가져오거나 그에 관한 법률관계가 확정된 때에는 위원회에 보상금의 지급을 신청할 수 있다.

③ 신고자 및 제65조에 따른 협조자, 그 친족 또는 동거인은 신고 등과 관련하여 다음 각 호의 어느 하나에 해당하는 피해를 입었거나 비용을 지출한 경우 위원회에 구조금의 지급을 신청할 수 있다.

1. 육체적 · 정신적 치료 등에 소요된 비용
2. 전직 · 파견근무 등으로 소요된 이사비용
3. 원상회복 관련 쟁송절차에 소요된 비용
4. 불이익조치 기간의 임금 손실액
5. 그 밖에 중대한 경제적 손해(제2조 제7호 아목 및 자목에 따른 손해는 제외한다)

국민감사청구

제 72 조 감사청구권

① 18세 이상의 국민은 공공기관의 사무처리가 법령위반 또는 부패행위로 인하여 공익을 현저히 해하는 경우 대통령령으로 정하는 일정한 수 이상의 국민의 연서로 감사원에 감사를 청구할 수 있다. 다만, 국회 · 법원 · 헌법재판소 · 선거관리위원회 또는 감사원의 사무에 대하여는 국회의장 · 대법원장 · 헌법재판소장 · 중앙선거관리위원회 위원장 또는 감사원장에게 감사를 청구하여야 한다.

② 제1항에도 불구하고 다음 각 호의 어느 하나에 해당하는 사항은 감사청구의 대상에서 제외한다.

1. **국가의 기밀 및 안전보장**에 관한 사항
2. **수사 · 재판 및 형집행**(보안처분 · 보안관찰처분 · 보호처분 · 보호관찰처분 · 보호감호처분 · 치료감호처분 · 사회봉사명령을 포함한다)에 관한 사항
3. **사적인 권리관계 또는 개인의 사생활**에 관한 사항
4. 다른 기관에서 감사하였거나 감사중인 사항. 다만, 다른 기관에서 감사한 사항이라도 새로운 사항이 발견되거나 중요사항이 감사에서 누락된 경우에는 그러하지 아니하다.
5. 그 밖에 감사를 실시하는 것이 적절하지 아니한 정당한 사유가 있는 경우로서 대통령령이 정하는 사항

③ 제1항에도 불구하고 지방자치단체와 그 장의 권한에 속하는 사무의 처리에 대한 감사청구는 「지방자치법」 제16조에 따른다. → **주민감사청구**

비위면직자의 취업제한

제 82 조 비위면직자 등의 취업제한

① 비위면직자 등은 다음 각 호의 어느 하나에 해당하는 자를 말한다.

1. 공직자가 재직 중 직무와 관련된 부패행위로 당연퇴직, 파면 또는 해임된 자
2. 공직자였던 사람으로서 재직 중 직무와 관련된 부패행위로 벌금 300만 원 이상의 형의 선고를 받은 사람(해당 형의 집행유예 선고를 받고 그 유예기간이 경과된 사람을 포함한다)

② 비위면직자 등은 제3항 각 호의 구분에 따른 날부터 5년 동안 다음 각 호의 취업제한기관에 취업할 수 없다.

1. 공공기관(「유아교육법」, 「초 · 중등교육법」, 「고등교육법」 및 그 밖의 다른 법령에 따라 설치된 국 · 공립학교를 포함한다)
2. 대통령령으로 정하는 부패행위 관련 기관
3. 퇴직 전 5년간 소속하였던 부서 또는 기관의 업무와 밀접한 관련이 있는 영리사기업체 등
4. 영리사기업체 등의 공동이익과 상호협력 등을 위하여 설립된 법인 · 단체

제 86 조 업무상 비밀이용의 죄

① 공직자가 제7조의2를 위반한 때에는 7년 이하의 징역 또는 7천만 원 이하의 벌금에 처한다.

제 87 조 업무상 비밀누설죄

제30조에 위반하여 부패방지 업무처리 중 알게 된 비밀을 누설한 자는 5년 이하의 징역 또는 5천만 원 이하의 벌금에 처한다.

제 88 조 인적사항 공개 등 금지 위반의 죄

제64조 제1항(제65조 및 제67조에서 준용하는 경우를 포함한다)을 위반한 자는 5년 이하의 징역 또는 5천만 원 이하의 벌금에 처한다.

제 89 조 비위면직자 등의 취업제한 위반의 죄

비위면직자 등이 제82조 제2항 및 제3항을 위반하여 취업제한기관에 취업한 때에는 2년 이하의 징역 또는 2천만 원 이하의 벌금에 처한다.

■ 공익신고자 보호법

총칙

제 1 조 목적

이 법은 공익을 침해하는 행위를 신고한 사람 등을 보호하고 지원함으로써 국민생활의 안정과 투명하고 깨끗한 사회풍토의 확립에 이바지함을 목적으로 한다.

제 2 조 정의

이 법에서 사용하는 용어의 정의는 다음과 같다.

1. "공익침해행위"란 국민의 건강과 안전, 환경, 소비자의 이익, 공정한 경쟁 및 이에 준하는 공공의 이익을 침해하는 행위로서 다음 각 목의 어느 하나에 해당하는 행위를 말한다.
   가. 별표에 규정된 법률의 벌칙에 해당하는 행위
   나. 별표에 규정된 법률에 따라 인허가의 취소처분, 정지처분 등 대통령령으로 정하는 행정처분의 대상이 되는 행위
2. "공익신고"란 제6조 각 호의 어느 하나에 해당하는 자에게 공익침해행위가 발생하였거나 발생할 우려가 있다는 사실을 신고 · 진정 · 제보 · 고소 · 고발하거나 공익침해행위에 대한 수사의 단서를 제공하는 것을 말한다. 다만, 다음 각 목의 어느 하나에 해당하는 경우는 공익신고로 보지 아니한다.
   가. 공익신고 내용이 거짓이라는 사실을 알았거나 알 수 있었음에도 불구하고 공익신고를 한 경우
   나. 공익신고와 관련하여 금품이나 근로관계상의 특혜를 요구하거나 그 밖에 부정한 목적으로 공익신고를 한 경우
3. "공익신고 등"이란 공익신고와 공익신고에 대한 조사 · 수사 · 소송 및 공익신고자 보호조치에 관련된 조사 · 소송 등에서 진술 · 증언하거나 자료를 제공하는 것을 말한다.
4. "공익신고자"란 공익신고를 한 사람을 말한다.
5. "공익신고자 등"이란 공익신고자와 공익신고에 대한 조사 · 수사 · 소송 및 공익신고자 보호조치에 관련된 조사 · 소송 등에서 진술 · 증언하거나 자료를 제공한 사람을 말한다.
6. "불이익조치"란 다음 각 목의 어느 하나에 해당하는 조치를 말한다.
   가. 파면, 해임, 해고, 그 밖에 신분상실에 해당하는 신분상의 불이익조치
   나. 징계, 정직, 감봉, 강등, 승진 제한, 그 밖에 부당한 인사조치
   다. 전보, 전근, 직무 미부여, 직무 재배치, 그 밖에 본인의 의사에 반하는 인사조치
   라. 성과평가 또는 동료평가 등에서의 차별과 그에 따른 임금 또는 상여금 등의 차별 지급
   마. 교육 또는 훈련 등 자기계발 기회의 취소, 예산 또는 인력 등 가용자원의 제한 또는 제거, 보안정보 또는 비밀정보 사용의 정지 또는 취급 자격의 취소, 그 밖에 근무조건 등에 부정적 영향을 미치는 차별 또는 조치
   바. 주의 대상자 명단 작성 또는 그 명단의 공개, 집단 따돌림, 폭행 또는 폭언, 그 밖에 정신적 · 신체적 손상을 가져오는 행위
   사. 직무에 대한 부당한 감사(監査) 또는 조사나 그 결과의 공개
   아. 인허가 등의 취소, 그 밖에 행정적 불이익을 주는 행위
   자. 물품계약 또는 용역계약의 해지(解止), 그 밖에 경제적 불이익을 주는 조치
7. "내부 공익신고자"란 다음 각 목의 어느 하나에 해당하는 공익신고자를 말한다.
   가. 피신고자인 공공기관, 기업, 법인, 단체 등에 소속되어 근무하거나 근무하였던 자
   나. 피신고자인 공공기관, 기업, 법인, 단체 등과 공사 · 용역계약 또는 그 밖의 계약에 따라 업무를 수행하거나 수행하였던 자
   다. 그 밖에 대통령령으로 정하는 자

제 3 조 국가 등의 책무

① 국가 또는 지방자치단체는 공익침해행위의 예방과 확산 방지 및 공익신고자 등의 보호 · 지원을 위하여 노력하여야 한다.

② 기업은 직장 내 공익신고자 등이 보호받을 수 있는 여건을 조성하도록 노력하여야 한다.

③ 국가 또는 지방자치단체는 기업의 공익침해행위 예방활동 등이 활성화될 수 있도록 지원하거나 협력할 수 있다.

제 4 조 국민권익위원회의 정책수립

① 공익신고자 등을 보호하고 지원하기 위하여 **국민권익위원회**(이하 "위원회"라 한다)는 다음 각 호에 대한 정책을 수립하여야 한다.

1. 공익신고의 접수 및 처리 등에 관한 사항
2. 공익신고자 등의 비밀보장 및 신변보호 등에 관한 사항
3. 공익신고자 등에 대한 불이익조치 금지 및 보호조치 등에 관한 사항
4. 공익신고자 등에 대한 보상금 · 구조금 지급에 관한 사항
5. 공익신고자 보호제도에 관한 교육 및 홍보 등에 관한 사항

공익신고

제 6 조 공익신고

누구든지 공익침해행위가 발생하였거나 발생할 우려가 있다고 인정하는 경우에는 다음 각 호의 어느 하나에 해당하는 자에게 **공익신고를 할 수 있다**.

1. 공익침해행위를 하는 사람이나 기관 · 단체 · 기업 등의 대표자 또는 사용자
2. 공익침해행위에 대한 지도 · 감독 · 규제 또는 조사 등의 권한을 가진 행정기관이나 감독기관(이하 "조사기관"이라 한다)
3. 수사기관
4. 위원회
5. 그 밖에 공익신고를 하는 것이 공익침해행위의 발생이나 그로 인한 피해의 확대방지에 필요하다고 인정되어 대통령령으로 정하는 자

제 7 조 공직자의 공익신고 의무

「부패방지 및 국민권익위원회의 설치와 운영에 관한 법률」 제2조 제3호에 따른 **공직자**는 그 직무를 하면서 공익침해행위를 알게 된 때에는 이를 조사기관, 수사기관 또는 위원회에 **신고하여야** 한다.

제 8 조 공익신고의 방법

① 공익신고를 하려는 사람은 다음 각 호의 사항을 적은 문서(전자문서를 포함한다. 이하 "신고서"라 한다)와 함께 공익침해행위의 증거 등을 첨부하여 제6조 각 호의 어느 하나에 해당하는 자에게 제출하여야 한다.

1. 공익신고자의 이름, 주민등록번호, 주소 및 연락처 등 인적사항
2. 공익침해행위를 하는 자
3. 공익침해행위 내용
4. 공익신고의 취지와 이유

② 제1항에도 불구하고 신고서를 제출할 수 없는 특별한 사정이 있는 경우에는 **구술(口述)로 신고할 수 있다**. 이 경우 증거 등을 제출하여야 한다.

③ 제2항의 구술신고를 받은 자는 신고서에 공익신고자가 말한 사항을 적은 후 공익신고자에게 읽어 들려주고 공익신고자가 서명하거나 도장을 찍도록 하여야 한다.

제8조의2　비실명 대리신고

① 제8조 제1항에도 불구하고 공익신고자는 자신의 인적사항을 밝히지 아니하고 변호사로 하여금 공익신고를 대리하도록 할 수 있다. 이 경우 제8조 제1항 제1호에 따른 공익신고자의 인적사항은 변호사의 인적사항으로 갈음한다.

제 10 조　조사기관 등의 공익신고 처리

① 조사기관 등이 제6조에 따라 공익신고를 받거나 제9조 제3항에 따라 위원회로부터 공익신고를 이첩 또는 송부받은 때에는 그 내용에 관하여 필요한 조사 또는 수사를 하여야 한다.

② 조사기관 등은 공익신고가 다음 각 호의 어느 하나에 해당하는 경우에는 조사 또는 수사를 하지 아니하거나 중단하고 끝낼 수 있다.

1. 공익신고의 내용이 명백히 거짓인 경우
2. 공익신고자의 인적사항을 알 수 없는 경우
3. 공익신고자가 신고서나 증명자료 등에 대한 보완 요구를 2회 이상 받고도 보완 기간에 보완하지 아니한 경우
4. 공익신고에 대한 처리 결과를 통지받은 사항에 대하여 정당한 사유 없이 다시 신고한 경우
5. 공익신고의 내용이 언론매체 등을 통하여 공개된 내용에 해당하고 공개된 내용 외에 새로운 증거가 없는 경우
6. 다른 법령에 따라 해당 공익침해행위에 대한 조사가 시작되었거나 이미 끝난 경우
7. 그 밖에 공익침해행위에 대한 조사가 필요하지 아니하다고 대통령령으로 정하는 경우

③ 조사기관 등은 제2항에 따라 조사 또는 수사를 하지 아니하기로 하거나 조사 또는 수사를 중단하고 끝낸 때에는 지체 없이 그 사실을 공익신고자에게 통지하여야 한다.

④ 조사기관 등은 공익신고에 대한 조사 또는 수사를 끝냈을 때에는 조사 또는 수사 결과에 따라 필요한 조치를 취하고 그 결과를 공익신고자에게 통지하여야 한다.

⑤ 제6조에 따라 공익신고를 접수한 기관의 종사자 등은 공익신고에 대한 조사 또는 수사 결과 공익침해행위가 발견되기 전에는 피신고자의 인적사항 등을 포함한 신고내용을 공개하여서는 아니 된다.

⑥ 조사기관 등이 그 관할에 속하지 아니하는 공익신고를 접수하였거나 이송, 이첩 또는 송부받은 때에는 지체 없이 관할 조사기관 등에 이송하여야 하고 그 사실을 공익신고자에게 통지하여야 한다.

제10조의2　공익신고 통합정보시스템 구축 · 운영

① 위원회는 공익신고의 접수 · 처리 현황 등을 관리하는 통합정보시스템을 구축 · 운영할 수 있다.

제 13 조　신변보호조치

① 공익신고자 등과 그 친족 또는 동거인은 공익신고 등을 이유로 생명 · 신체에 중대한 위해를 입었거나 입을 우려가 명백한 경우에는 위원회에 신변보호에 필요한 조치(이하 "신변보호조치"라 한다)를 요구할 수 있다. 이 경우 위원회는 필요하다고 인정되면 경찰관서의 장에게 신변보호조치를 하도록 요청할 수 있다.

제 14 조　책임의 감면 등

① 공익신고 등과 관련하여 공익신고자 등의 범죄행위가 발견된 경우에는 그 형을 감경하거나 면제할 수 있다.

② 공익신고자 등의 징계권자나 행정처분권자는 공익신고 등과 관련하여 발견된 위법행위 등을 이유로 관계 법령 등에 따라 공익신고자 등에게 징계나 불리한 행정처분을 하는 경우 그 징계나 불리한 행정처분을 감경 또는 면제할 수 있다.

핵심OX

1 국민권익위원회는 국무총리 소속의 헌법기관이다. (O, X)

2 국내에 거주하는 외국인도 고충민원을 신청할 수 있다. (O, X)

3 누구든지 부패행위를 알게된 때에는 이를 신고하여야 한다. (O, X)

4 국민감사청구는 위법행위에 대해서만 가능하다. (O, X)

5 소속기관장 등은 신분보장 등 조치 결정에 대해서는 「행정심판법」에 따른 행정심판을 청구할 수 있다. (O, X)

핵심기출

1 행정윤리에 대한 설명으로 옳지 않은 것은? 2018년 국가직 7급

① 「공직자윤리법」상 취업심사대상자는 퇴직일부터 3년간 퇴직 전 5년 동안 소속하였던 부서 또는 기관의 업무와 밀접한 관련성이 있는 취업제한기관에 취업할 수 없다.

② 각급 학교의 입학 · 성적 · 수행평가 등의 업무에 관하여 법령을 위반하여 처리 · 조작하도록 하는 행위는 「부정청탁 및 금품 등 수수의 금지에 관한 법률」상 부정청탁에 해당한다.

③ 「부패방지 및 국민권익위원회의 설치와 운영에 관한 법률」에서는 내부고발자 보호제도를 규정하고 있다.

④ 공직자 행동강령은 공무원이 준수하여야 할 행동기준으로 「국가공무원법」에 규정되어 있다.

2 고충민원 처리 및 부패방지와 관련된 설명으로 옳지 않은 것은? 2016년 지방직 7급

① 내부고발자를 보호하기 위한 제도가 시행되고 있다.

② 공공기관의 부패행위에 대해 국민권익위원회에 감사를 청구할 수 있는 국민감사청구제도가 시행되고 있다.

③ 국민권익위원회 위원장과 위원의 임기는 각각 3년으로 하되, 1차에 한하여 연임할 수 있다.

④ 지방자치단체는 고충민원을 처리하기 위해 시민고충처리위원회를 둘 수 있다.

정답 및 해설

핵심OX

1 X 국무총리 소속의 비헌법기관이다.

2 O

3 X 공직자의 경우만 의무사항이다.

4 X 법령위반 또는 부패행위로 공익을 현저히 해할 경우 가능하다.

5 X 행정소송은 청구가 가능하지만, 행정심판은 「행정심판법」에 따라 청구가 불가능하다.

핵심기출

1 ④ 공직자 행동강령은 2003년 노무현 정부 때 대통령령으로 제정된 것으로, 「부패방지 및 국민권익위원회의 설치와 운영에 관한 법률」 제8조에 따라 공무원이 준수하여야 할 행동기준을 규정하는 것을 목적으로 한다.

2 ② 공공기관의 부패행위에 대하여 국민이 감사원에 감사를 청구할 수 있는 국민감사청구제도가 시행되고 있다.

12 부정청탁 및 금품 등 수수의 금지에 관한 법률

관련단원 PART 4. 인사행정론 > CHAPTER 4. 공무원의 근무규율과 인사행정개혁

총칙

제 1 조 목적

이 법은 공직자 등에 대한 부정청탁 및 공직자 등의 금품 등의 수수(收受)를 금지함으로써 공직자 등의 공정한 직무수행을 보장하고 공공기관에 대한 국민의 신뢰를 확보하는 것을 목적으로 한다.

제 2 조 정의

이 법에서 사용하는 용어의 뜻은 다음과 같다.

1. "공공기관"이란 다음 각 목의 어느 하나에 해당하는 기관·단체를 말한다.
   가. 국회, 법원, 헌법재판소, 선거관리위원회, 감사원, 국가인권위원회, 고위공직자범죄수사처, 중앙행정기관(대통령 소속 기관과 국무총리 소속 기관을 포함한다)과 그 소속 기관 및 지방자치단체
   나. 「공직자윤리법」 제3조의2에 따른 공직유관단체
   다. 「공공기관의 운영에 관한 법률」 제4조에 따른 기관
   라. 「초·중등교육법」, 「고등교육법」, 「유아교육법」 및 그 밖의 다른 법령에 따라 설치된 각급 학교 및 「사립학교법」에 따른 학교법인
   마. 「언론중재 및 피해구제 등에 관한 법률」 제2조 제12호에 따른 언론사
2. "공직자 등"이란 다음 각 목의 어느 하나에 해당하는 공직자 또는 공적 업무 종사자를 말한다.
   가. 「국가공무원법」 또는 「지방공무원법」에 따른 공무원과 그 밖에 다른 법률에 따라 그 자격·임용·교육훈련·복무·보수·신분보장 등에 있어서 공무원으로 인정된 사람
   나. 제1호 나목 및 다목에 따른 공직유관단체 및 기관의 장과 그 임직원
   다. 제1호 라목에 따른 각급 학교의 장과 교직원 및 학교법인의 임직원
   라. 제1호 마목에 따른 언론사의 대표자와 그 임직원
3. "금품 등"이란 다음 각 목의 어느 하나에 해당하는 것을 말한다.
   가. 금전, 유가증권, 부동산, 물품, 숙박권, 회원권, 입장권, 할인권, 초대권, 관람권, 부동산 등의 사용권 등 일체의 재산적 이익
   나. 음식물·주류·골프 등의 접대·향응 또는 교통·숙박 등의 편의 제공
   다. 채무 면제, 취업 제공, 이권(利權) 부여 등 그 밖의 유형·무형의 경제적 이익
4. "소속기관장"이란 공직자 등이 소속된 공공기관의 장을 말한다.

부정청탁의 금지 등

제 5 조 부정청탁의 금지

① 누구든지 직접 또는 제3자를 통하여 직무를 수행하는 공직자 등에게 다음 각 호의 어느 하나에 해당하는 부정청탁을 해서는 아니 된다.

1. 인가 · 허가 · 면허 · 특허 · 승인 · 검사 · 검정 · 시험 · 인증 · 확인 등 법령(조례 · 규칙을 포함한다. 이하 같다)에서 일정한 요건을 정하여 놓고 직무관련자로부터 신청을 받아 처리하는 직무에 대하여 법령을 위반하여 처리하도록 하는 행위
2. 인가 또는 허가의 취소, 조세, 부담금, 과태료, 과징금, 이행강제금, 범칙금, 징계 등 각종 행정처분 또는 형벌부과에 관하여 법령을 위반하여 감경 · 면제하도록 하는 행위
3. 모집 · 선발 · 채용 · 승진 · 전보 등 공직자 등의 인사에 관하여 법령을 위반하여 개입하거나 영향을 미치도록 하는 행위
4. 법령을 위반하여 각종 심의 · 의결 · 조정 위원회의 위원, 공공기관이 주관하는 시험 · 선발 위원 등 공공기관의 의사결정에 관여하는 직위에 선정 또는 탈락되도록 하는 행위
5. 공공기관이 주관하는 각종 수상, 포상, 우수기관 선정 또는 우수자 · 장학생 선발에 관하여 법령을 위반하여 특정 개인 · 단체 · 법인이 선정 또는 탈락되도록 하는 행위
6. 입찰 · 경매 · 개발 · 시험 · 특허 · 군사 · 과세 등에 관한 직무상 비밀을 법령을 위반하여 누설하도록 하는 행위
7. 계약 관련 법령을 위반하여 특정 개인 · 단체 · 법인이 계약의 당사자로 선정 또는 탈락되도록 하는 행위
8. 보조금 · 장려금 · 출연금 · 출자금 · 교부금 · 기금 등의 업무에 관하여 법령을 위반하여 특정 개인 · 단체 · 법인에 배정 · 지원하거나 투자 · 예치 · 대여 · 출연 · 출자하도록 개입하거나 영향을 미치도록 하는 행위
9. 공공기관이 생산 · 공급 · 관리하는 재화 및 용역을 특정 개인 · 단체 · 법인에게 법령에서 정하는 가격 또는 정상적인 거래관행에서 벗어나 매각 · 교환 · 사용 · 수익 · 점유하도록 하는 행위
10. 각급 학교의 입학 · 성적 · 수행평가 · 논문심사 · 학위수여 등의 업무에 관하여 법령을 위반하여 처리 · 조작하도록 하는 행위
11. 병역판정검사, 부대 배속, 보직 부여 등 병역 관련 업무에 관하여 법령을 위반하여 처리하도록 하는 행위
12. 공공기관이 실시하는 각종 평가 · 판정 · 인정 업무에 관하여 법령을 위반하여 평가, 판정 또는 인정하게 하거나 결과를 조작하도록 하는 행위
13. 법령을 위반하여 행정지도 · 단속 · 감사 · 조사 대상에서 특정 개인 · 단체 · 법인이 선정 · 배제되도록 하거나 행정지도 · 단속 · 감사 · 조사의 결과를 조작하거나 또는 그 위법사항을 묵인하게 하는 행위
14. 사건의 수사 · 재판 · 심판 · 결정 · 조정 · 중재 · 화해, 형의 집행, 수용자의 지도 · 처우 · 계호 또는 이에 준하는 업무를 법령을 위반하여 처리하도록 하는 행위
15. 제1호부터 제14호까지의 부정청탁의 대상이 되는 업무에 관하여 공직자 등이 법령에 따라 부여받은 지위 · 권한을 벗어나 행사하거나 권한에 속하지 아니한 사항을 행사하도록 하는 행위

② 제1항에도 불구하고 다음 각 호의 어느 하나에 해당하는 경우에는 이 법을 적용하지 아니한다.

1. 「청원법」, 「민원사무 처리에 관한 법률」, 「행정절차법」, 「국회법」 및 그 밖의 다른 법령 · 기준(제2조 제1호 나목부터 마목까지의 공공기관의 규정 · 사규 · 기준을 포함한다. 이하 같다)에서 정하는 절차 · 방법에 따라 권리침해의 구제 · 해결을 요구하거나 그와 관련된 법령 · 기준의 제정 · 개정 · 폐지를 제안 · 건의하는 등 특정한 행위를 요구하는 행위
2. 공개적으로 공직자 등에게 특정한 행위를 요구하는 행위
3. 선출직 공직자, 정당, 시민단체 등이 공익적인 목적으로 제3자의 고충민원을 전달하거나 법령 · 기준의 제정 · 개정 · 폐지 또는 정책 · 사업 · 제도 및 그 운영 등의 개선에 관하여 제안 · 건의하는 행위
4. 공공기관에 직무를 법정기한 안에 처리하여 줄 것을 신청 · 요구하거나 그 진행상황 · 조치결과 등에 대하여 확인 · 문의 등을 하는 행위
5. 직무 또는 법률관계에 관한 확인 · 증명 등을 신청 · 요구하는 행위
6. 질의 또는 상담형식을 통하여 직무에 관한 법령 · 제도 · 절차 등에 대하여 설명이나 해석을 요구하는 행위
7. 그 밖에 사회상규(社會常規)에 위배되지 아니하는 것으로 인정되는 행위

제 6 조　　부정청탁에 따른 직무수행 금지

부정청탁을 받은 공직자 등은 그에 따라 직무를 수행해서는 아니 된다.

제 7 조　　부정청탁의 신고 및 처리

① 공직자 등은 부정청탁을 받았을 때에는 부정청탁을 한 자에게 부정청탁임을 알리고 이를 거절하는 의사를 명확히 표시하여야 한다.

② 공직자 등은 제1항에 따른 조치를 하였음에도 불구하고 동일한 부정청탁을 다시 받은 경우에는 이를 소속기관장에게 서면(전자문서를 포함한다. 이하 같다)으로 신고하여야 한다.

③ 제2항에 따른 신고를 받은 소속기관장은 신고의 경위 · 취지 · 내용 · 증거자료 등을 조사하여 신고 내용이 부정청탁에 해당하는지를 신속하게 확인하여야 한다.

④ 소속기관장은 부정청탁이 있었던 사실을 알게 된 경우 또는 제2항 및 제3항의 부정청탁에 관한 신고 · 확인 과정에서 해당 직무의 수행에 지장이 있다고 인정하는 경우에는 부정청탁을 받은 공직자 등에 대하여 다음 각 호의 조치를 할 수 있다.

1. 직무 참여 일시중지
2. 직무 대리자의 지정
3. 전보
4. 그 밖에 국회규칙, 대법원규칙, 헌법재판소규칙, 중앙선거관리위원회규칙 또는 대통령령으로 정하는 조치

⑤ 소속기관장은 공직자 등이 다음 각 호의 어느 하나에 해당하는 경우에는 제4항에도 불구하고 그 공직자 등에게 직무를 수행하게 할 수 있다. 이 경우 제20조에 따른 소속기관의 담당관 또는 다른 공직자 등으로 하여금 그 공직자 등의 공정한 직무수행 여부를 주기적으로 확인 · 점검하도록 하여야 한다.

1. 직무를 수행하는 공직자 등을 대체하기 지극히 어려운 경우
2. 공직자 등의 직무수행에 미치는 영향이 크지 아니한 경우
3. 국가의 안전보장 및 경제발전 등 공익증진을 이유로 직무수행의 필요성이 더 큰 경우

⑥ 공직자 등은 제2항에 따른 신고를 감독기관 · 감사원 · 수사기관 또는 국민권익위원회에도 할 수 있다.

⑦ 소속기관장은 다른 법령에 위반되지 아니하는 범위에서 부정청탁의 내용 및 조치사항을 해당 공공기관의 인터넷 홈페이지 등에 공개할 수 있다.

금품 등의 수수 금지 등

제 8 조　　금품 등의 수수 금지

① 공직자 등은 직무 관련 여부 및 기부 · 후원 · 증여 등 그 명목에 관계없이 동일인으로부터 1회에 100만원 또는 매 회계연도에 300만원을 초과하는 금품 등을 받거나 요구 또는 약속해서는 아니 된다.

② 공직자 등은 직무와 관련하여 대가성 여부를 불문하고 제1항에서 정한 금액 이하의 금품 등을 받거나 요구 또는 약속해서는 아니 된다.

③ 제10조의 외부강의 등에 관한 사례금 또는 다음 각 호의 어느 하나에 해당하는 금품 등의 경우에는 제1항 또는 제2항에서 수수를 금지하는 금품 등에 해당하지 아니한다.

1. 공공기관이 소속 공직자 등이나 파견 공직자 등에게 지급하거나 상급 공직자 등이 위로 · 격려 · 포상 등의 목적으로 하급 공직자 등에게 제공하는 금품 등

2. 원활한 직무수행 또는 사교 · 의례 또는 부조의 목적으로 제공되는 음식물 · 경조사비 · 선물 등으로서 대통령령으로 정하는 가액 범위 안의 금품 등. 다만, 선물 중 「농수산물 품질관리법」 제2조 제1항 제1호에 따른 농수산물 및 같은 항 제13호에 따른 농수산가공품(농수산물을 원료 또는 재료의 50퍼센트를 넘게 사용하여 가공한 제품만 해당한다)은 대통령령으로 정하는 설날 · 추석을 포함한 기간에 한정하여 그 가액 범위를 두 배로 한다.
3. 사적 거래(증여는 제외한다)로 인한 채무의 이행 등 정당한 권원(權原)에 의하여 제공되는 금품 등
4. 공직자 등의 친족(「민법」 제777조에 따른 친족을 말한다)이 제공하는 금품 등
5. 공직자 등과 관련된 직원상조회 · 동호인회 · 동창회 · 향우회 · 친목회 · 종교단체 · 사회단체 등이 정하는 기준에 따라 구성원에게 제공하는 금품 등 및 그 소속 구성원 등 공직자 등과 특별히 장기적 · 지속적인 친분관계를 맺고 있는 자가 질병 · 재난 등으로 어려운 처지에 있는 공직자 등에게 제공하는 금품 등
6. 공직자 등의 직무와 관련된 공식적인 행사에서 주최자가 참석자에게 통상적인 범위에서 일률적으로 제공하는 교통, 숙박, 음식물 등의 금품 등
7. 불특정 다수인에게 배포하기 위한 기념품 또는 홍보용품 등이나 경연 · 추첨을 통하여 받는 보상 또는 상품 등
8. 그 밖에 다른 법령 · 기준 또는 사회상규에 따라 허용되는 금품 등

④ 공직자 등의 배우자는 공직자 등의 직무와 관련하여 제1항 또는 제2항에 따라 공직자 등이 받는 것이 금지되는 금품 등(이하 "수수 금지 금품 등"이라 한다)을 받거나 요구하거나 제공받기로 약속해서는 아니 된다.

⑤ 누구든지 공직자 등에게 또는 그 공직자 등의 배우자에게 수수 금지 금품 등을 제공하거나 그 제공의 약속 또는 의사표시를 해서는 아니 된다.

제 9 조 수수 금지 금품 등의 신고 및 처리

① 공직자 등은 다음 각 호의 어느 하나에 해당하는 경우에는 소속기관장에게 지체 없이 서면으로 신고하여야 한다.
1. 공직자 등 자신이 수수 금지 금품 등을 받거나 그 제공의 약속 또는 의사표시를 받은 경우
2. 공직자 등이 자신의 배우자가 수수 금지 금품 등을 받거나 그 제공의 약속 또는 의사표시를 받은 사실을 안 경우

② 공직자 등은 자신이 수수 금지 금품 등을 받거나 그 제공의 약속이나 의사표시를 받은 경우 또는 자신의 배우자가 수수 금지 금품 등을 받거나 그 제공의 약속이나 의사표시를 받은 사실을 알게 된 경우에는 이를 제공자에게 지체 없이 반환하거나 반환하도록 하거나 그 거부의 의사를 밝히거나 밝히도록 하여야 한다. 다만, 받은 금품 등이 다음 각 호의 어느 하나에 해당하는 경우에는 소속기관장에게 인도하거나 인도하도록 하여야 한다.
1. 멸실 · 부패 · 변질 등의 우려가 있는 경우
2. 해당 금품 등의 제공자를 알 수 없는 경우
3. 그 밖에 제공자에게 반환하기 어려운 사정이 있는 경우

③ 소속기관장은 제1항에 따라 신고를 받거나 제2항 단서에 따라 금품 등을 인도받은 경우 수수 금지 금품 등에 해당한다고 인정하는 때에는 반환 또는 인도하게 하거나 거부의 의사를 표시하도록 하여야 하며, 수사의 필요성이 있다고 인정하는 때에는 그 내용을 지체 없이 수사기관에 통보하여야 한다.

④ 소속기관장은 공직자 등 또는 그 배우자가 수수 금지 금품 등을 받거나 그 제공의 약속 또는 의사표시를 받은 사실을 알게 된 경우 수사의 필요성이 있다고 인정하는 때에는 그 내용을 지체 없이 수사기관에 통보하여야 한다.

⑤ 소속기관장은 소속 공직자 등 또는 그 배우자가 수수 금지 금품 등을 받거나 그 제공의 약속 또는 의사표시를 받은 사실을 알게 된 경우 또는 제1항부터 제4항까지의 규정에 따른 금품 등의 신고, 금품 등의 반환 · 인도 또는 수사기관에 대한 통보의 과정에서 직무의 수행에 지장이 있다고 인정하는 경우에는 해당 공직자 등에게 제7조 제4항 각 호 및 같은 조 제5항의 조치를 할 수 있다.

⑥ 공직자 등은 제1항 또는 같은 조 제2항 단서에 따른 신고나 인도를 감독기관 · 감사원 · 수사기관 또는 국민권익위원회에도 할 수 있다.

⑦ 소속기관장은 공직자 등으로부터 제1항 제2호에 따른 신고를 받은 경우 그 공직자 등의 배우자가 반환을 거부하는 금품 등이 수수 금지 금품 등에 해당한다고 인정하는 때에는 그 공직자 등의 배우자로 하여금 그 금품 등을 제공자에게 반환하도록 요구하여야 한다.

⑧ 제1항부터 제7항까지에서 규정한 사항 외에 수수 금지 금품 등의 신고 및 처리 등에 필요한 사항은 대통령령으로 정한다.

제 10 조 외부강의 등의 사례금 수수 제한

① 공직자 등은 자신의 직무와 관련되거나 그 지위 · 직책 등에서 유래되는 사실상의 영향력을 통하여 요청받은 교육 · 홍보 · 토론회 · 세미나 · 공청회 또는 그 밖의 회의 등에서 한 강의 · 강연 · 기고 등(이하 "외부강의 등"이라 한다)의 대가로서 대통령령으로 정하는 금액을 초과하는 사례금을 받아서는 아니 된다.

② 공직자 등은 사례금을 받는 외부강의 등을 할 때에는 대통령령으로 정하는 바에 따라 외부강의 등의 요청 명세 등을 소속기관장에게 그 외부강의 등을 마친 날부터 10일 이내에 서면으로 신고하여야 한다. 다만, 외부강의 등을 요청한 자가 국가나 지방자치단체인 경우에는 그러하지 아니하다.

④ 소속기관장은 제2항에 따라 공직자 등이 신고한 외부강의 등이 공정한 직무수행을 저해할 수 있다고 판단하는 경우에는 그 공직자 등의 외부강의 등을 제한할 수 있다.

⑤ 공직자 등은 제1항에 따른 금액을 초과하는 사례금을 받은 경우에는 대통령령으로 정하는 바에 따라 소속기관장에게 신고하고, 제공자에게 그 초과금액을 지체 없이 반환하여야 한다.

부정청탁 등 방지에 관한 업무의 총괄 등

제 12 조 공직자 등의 부정청탁 등 방지에 관한 업무의 총괄

국민권익위원회는 이 법에 따른 다음 각 호의 사항에 관한 업무를 관장한다.

1. 부정청탁의 금지 및 금품 등의 수수 금지 · 제한 등에 관한 제도개선 및 교육 · 홍보계획의 수립 및 시행
2. 부정청탁 등에 관한 유형, 판단기준 및 그 예방 조치 등에 관한 기준의 작성 및 보급
3. 부정청탁 등에 대한 신고 등의 안내 · 상담 · 접수 · 처리 등
4. 신고자 등에 대한 보호 및 보상
5. 제1호부터 제4호까지의 업무 수행에 필요한 실태조사 및 자료의 수집 · 관리 · 분석 등

제 13 조 위반행위의 신고 등

① 누구든지 이 법의 위반행위가 발생하였거나 발생하고 있다는 사실을 알게 된 경우에는 다음 각 호의 어느 하나에 해당하는 기관에 신고할 수 있다.

1. 이 법의 위반행위가 발생한 공공기관 또는 그 감독기관
2. 감사원 또는 수사기관
3. 국민권익위원회

제13조의2 비실명 대리신고

① 신고를 하려는 자는 자신의 인적사항을 밝히지 아니하고 변호사를 선임하여 신고를 대리하게 할 수 있다. 이 경우 제13조 제3항에 따른 신고자의 인적사항 및 신고자가 서명한 문서는 변호사의 인적사항 및 변호사가 서명한 문서로 갈음한다.

제 14 조 신고의 처리

③ 조사기관은 조사·감사 또는 수사를 마친 날부터 10일 이내에 그 결과를 신고자와 국민권익위원회에 통보(국민권익위원회로부터 이첩받은 경우만 해당한다)하고, 조사·감사 또는 수사 결과에 따라 공소 제기, 과태료 부과 대상 위반행위의 통보, 징계 처분 등 필요한 조치를 하여야 한다.

제15조의2 이행강제금

① 국민권익위원회는 제15조 제4항에 따라 준용되는 「공익신고자 보호법」 제20조 제1항에 따른 보호조치결정을 받은 후 그 정해진 기한까지 보호조치를 취하지 아니한 자에게는 3천만 원 이하의 이행강제금을 부과한다. 다만, 국가 또는 지방자치단체는 제외한다.

제 18 조 비밀누설 금지

다음 각 호의 어느 하나에 해당하는 업무를 수행하거나 수행하였던 공직자 등은 그 업무처리 과정에서 알게 된 비밀을 누설해서는 아니 된다. 다만, 제7조 제7항에 따라 공개하는 경우에는 그러하지 아니하다.

1. 제7조에 따른 부정청탁의 신고 및 조치에 관한 업무
2. 제9조에 따른 수수 금지 금품 등의 신고 및 처리에 관한 업무

제 22 조 벌칙

① 다음 각 호의 어느 하나에 해당하는 자는 3년 이하의 징역 또는 3천만 원 이하의 벌금에 처한다.

1. 제8조 제1항(금품 등의 수수금지)을 위반한 공직자 등(제11조에 따라 준용되는 공무수행사인을 포함). 다만, 제9조 제1항·제2항 또는 제6항에 따라 신고하거나 그 수수 금지 금품 등을 반환 또는 인도하거나 거부의 의사를 표시한 공직자 등은 제외한다.
2. 자신의 배우자가 제8조 제4항(배우자 금품수수 금지)을 위반하여 같은 조 제1항에 따른 수수 금지 금품 등을 받거나 요구하거나 제공받기로 약속한 사실을 알고도 제9조 제1항 제2호 또는 같은 조 제6항에 따라 신고하지 아니한 공직자 등(제11조에 따라 준용되는 공무수행사인을 포함한다). 다만, 공직자 등 또는 배우자가 제9조 제2항에 따라 수수 금지 금품 등을 반환 또는 인도하거나 거부의 의사를 표시한 경우는 제외한다.
3. 제8조 제5항(공직자 등에게 금품지급)을 위반하여 같은 조 제1항에 따른 수수 금지 금품 등을 공직자 등(제11조에 따라 준용되는 공무수행사인을 포함한다) 또는 그 배우자에게 제공하거나 그 제공의 약속 또는 의사표시를 한 자
4. 제15조 제4항(공익신고자 보호)에 따라 준용되는 「공익신고자 보호법」 제12조 제1항을 위반하여 신고자 등의 인적사항이나 신고자 등임을 미루어 알 수 있는 사실을 다른 사람에게 알려주거나 공개 또는 보도한 자
5. 제18조(비밀누설금지)를 위반하여 그 업무처리 과정에서 알게 된 비밀을 누설한 공직자 등

② 다음 각 호의 어느 하나에 해당하는 자는 2년 이하의 징역 또는 2천만 원 이하의 벌금에 처한다.

1. 제6조(부정청탁에 따른 직무수행금지)를 위반하여 부정청탁을 받고 그에 따라 직무를 수행한 공직자 등(제11조에 따라 준용되는 공무수행사인을 포함한다)
2. 제15조 제2항(신고자등에 대한 불이익조치)을 위반하여 신고자 등에게 「공익신고자 보호법」 제2조 제6호 가목에 해당하는 불이익조치를 한 자
3. 제15조 제4항(공익신고자 보호)에 따라 준용되는 「공익신고자 보호법」 제21조 제2항에 따라 확정되거나 행정소송을 제기하여 확정된 보호조치결정을 이행하지 아니한 자

③ 다음 각 호의 어느 하나에 해당하는 자는 1년 이하의 징역 또는 1천만 원 이하의 벌금에 처한다.

1. 제15조 제1항(신고자등의 보호·보상)을 위반하여 신고 등을 방해하거나 신고 등을 취소하도록 강요한 자
2. 제15조 제2항(신고자 등에 대한 불이익조치)을 위반하여 신고자 등에게 「공익신고자 보호법」 제2조 제6호 나목부터 사목까지의 어느 하나에 해당하는 불이익조치를 한 자

④ 제1항 제1호부터 제3호까지의 규정에 따른 금품 등은 몰수한다. 다만, 그 금품 등의 전부 또는 일부를 몰수하는 것이 불가능한 경우에는 그 가액을 추징한다.

제 23 조 과태료 부과

① 다음 각 호의 어느 하나에 해당하는 자에게는 3천만 원 이하의 과태료를 부과한다.

1. 제5조 제1항(부정청탁의 금지)을 위반하여 제3자를 위하여 다른 공직자 등(제11조에 따라 준용되는 공무수행사인을 포함한다)에게 부정청탁을 한 공직자 등(제11조에 따라 준용되는 공무수행사인을 포함한다). 다만, 「형법」 등 다른 법률에 따라 형사처벌을 받은 경우에는 과태료를 부과하지 아니하며, 과태료를 부과한 후 형사처벌을 받은 경우에는 그 과태료 부과를 취소한다.
2. 제15조 제4항(공익신고자 보호)에 따라 준용되는 「공익신고자 보호법」 제19조 제2항 및 제3항(같은 법 제22조 제3항에 따라 준용되는 경우를 포함한다)을 위반하여 자료 제출, 출석, 진술서의 제출을 거부한 자

② 다음 각 호의 어느 하나에 해당하는 자에게는 2천만 원 이하의 과태료를 부과한다.

1. 제5조 제1항을 위반하여 제3자를 위하여 공직자 등(제11조에 따라 준용되는 공무수행사인을 포함한다)에게 부정청탁을 한 자(제1항 제1호에 해당하는 자는 제외한다). 다만, 「형법」 등 다른 법률에 따라 형사처벌을 받은 경우에는 과태료를 부과하지 아니하며, 과태료를 부과한 후 형사처벌을 받은 경우에는 그 과태료 부과를 취소한다.
2. 제15조 제4항에 따라 준용되는 「공익신고자 보호법」 제20조의2를 위반하여 특별보호조치결정을 이행하지 아니한 자

③ 제5조 제1항을 위반하여 제3자를 통하여 공직자 등(제11조에 따라 준용되는 공무수행사인을 포함한다)에게 부정청탁을 한 자(제1항 제1호 및 제2항에 해당하는 자는 제외한다)에게는 1천만 원 이하의 과태료를 부과한다. 다만, 「형법」 등 다른 법률에 따라 형사처벌을 받은 경우에는 과태료를 부과하지 아니하며, 과태료를 부과한 후 형사처벌을 받은 경우에는 그 과태료 부과를 취소한다.

④ 제10조 제5항(외부강의 등의 사례금 수수제한)에 따른 신고 및 반환 조치를 하지 아니한 공직자 등에게는 500만 원 이하의 과태료를 부과한다.

⑤ 다음 각 호의 어느 하나에 해당하는 자에게는 그 위반행위와 관련된 금품 등 가액의 2배 이상 5배 이하에 상당하는 금액의 과태료를 부과한다. 다만, 제22조 제1항 제1호부터 제3호까지의 규정이나 「형법」 등 다른 법률에 따라 형사처벌(몰수나 추징을 당한 경우를 포함한다)을 받은 경우에는 과태료를 부과하지 아니하며, 과태료를 부과한 후 형사처벌을 받은 경우에는 그 과태료 부과를 취소한다.

1. 제8조 제2항(대가성 불문 금품 등의 수수금지)을 위반한 공직자 등(제11조에 따라 준용되는 공무수행사인을 포함한다). 다만, 제9조 제1항 · 제2항 또는 제6항에 따라 신고하거나 그 수수 금지 금품 등을 반환 또는 인도하거나 거부의 의사를 표시한 공직자 등은 제외한다.
2. 자신의 배우자가 제8조 제4항(배우자 금품수수 금지)을 위반하여 같은 조 제2항에 따른 수수 금지 금품 등을 받거나 요구하거나 제공받기로 약속한 사실을 알고도 제9조 제1항 제2호 또는 같은 조 제6항에 따라 신고하지 아니한 공직자 등(제11조에 따라 준용되는 공무수행사인을 포함한다). 다만, 공직자 등 또는 배우자가 제9조 제2항에 따라 수수 금지 금품 등을 반환 또는 인도하거나 거부의 의사를 표시한 경우는 제외한다.
3. 제8조 제5항(공직자 등에게 금품지급)을 위반하여 같은 조 제2항에 따른 수수 금지 금품 등을 공직자 등(제11조에 따라 준용되는 공무수행사인을 포함한다) 또는 그 배우자에게 제공하거나 그 제공의 약속 또는 의사표시를 한 자

⑥ 제1항부터 제5항까지의 규정에도 불구하고 「국가공무원법」, 「지방공무원법」 등 다른 법률에 따라 징계부가금 부과의 의결이 있은 후에는 과태료를 부과하지 아니하며, 과태료가 부과된 후에는 징계부가금 부과의 의결을 하지 아니한다.

법령PLUS⊕ 「부정청탁 및 금품 등 수수의 금지에 관한 법률 시행령」상 금품수수 허용범위

제17조【사교·의례 등 목적으로 제공되는 음식물·경조사비 등의 가액 범위】 ① 법 제8조 제3항 제2호에서 "대통령령으로 정하는 가액 범위"란 별표 1에 따른 금액을 말한다.

[별표 1] 음식물·경조사비·선물 등의 가액 범위(제17조 관련)

1. 음식물(제공자와 공직자 등이 함께하는 식사, 다과, 주류, 음료 그밖에 이에 준하는 것): 3만 원
2. 경조사비: 축의금, 조의금은 5만 원. 다만 축의금, 조의금을 대신하는 화환이나 조화는 10만 원
3. 선물: 다음 각 목의 금품 등을 제외한 일체의 물품, 상품권(물품상품권 및 용역상품권만 해당) 및 그 밖에 이에 준하는 것은 5만 원, 다만, 「농수산물 품질관리법」 제2조 제1항 제1호에 따른 농수산물 및 같은 항 제13호에 따른 농수산가공품(농수산물을 원료 또는 재료의 50퍼센트를 넘게 사용하여 가공한 제품만 해당)과 농수산 상품권은 15만 원(제17조 2항에 따른 기간은 30만 원)으로 한다.
   가. 금전
   나. 유가증권(상품권은 제외)
   다. 제1호의 음식물
   라. 제2호의 경조사비

정리 금품수수 허용범위

구분	음식물	선물	경조사비
원칙	3만 원	5만 원 [백화점상품권(금액상품권) 제외한 물품상품권, 용역상품권 포함]	5만 원
예외	-	농수산물(가공품) 15만 원	화환·조화 10만 원

핵심OX

1 공개적으로 공직자 등에게 특정한 행위를 요구하는 행위는 「부정청탁 및 금품 등 수수의 금지에 관한 법률」상 부정청탁에 해당한다. (O, X)

2 공공기관이 소속 공직자 등이나 파견 공직자 등에게 지급하거나 상급 공직자 등이 위로 · 격려 · 포상 등의 목적으로 하급 공직자 등에게 제공하는 금품 등은 「부정청탁 및 금품 등 수수의 금지에 관한 법률」상 수수를 금지하는 금품 등에 해당한다. (O, X)

3 특정인에게 배포하기 위한 기념품 또는 홍보용품 등이나 경연 · 추첨을 통하여 받는 보상 또는 상품 등은 「부정청탁 및 금품 등 수수의 금지에 관한 법률」상 수수를 금지하는 금품 등에 해당하지 않는다. (O, X)

4 조사기관은 조사 · 감사 또는 수사를 마친 날부터 7일 이내에 그 결과를 신고자와 국민권익위원회에 통보(국민권익위원회로부터 이첩받은 경우만 해당)하여야 한다. (O, X)

5 사교 · 의례 등 목적으로 제공되는 음식물, 선물, 경조사비 등의 가액 범위에서 선물은 금전, 상품권, 제1호의 음식물 및 제2호의 경조사비를 제외한 일체의 물품 등 이에 준하는 것을 의미한다. (O, X)

핵심기출

1 「부정청탁 및 금품 등 수수의 금지에 관한 법률」상 금지하는 부정청탁에 해당하지 않는 것은? 2017년 국가직 9급(4월 시행)

① 각급 학교의 입학 · 성적 · 수행평가 등의 업무에 관하여 법령을 위반하여 처리 · 조작하도록 하는 행위

② 공개적으로 공직자 등에게 특정한 행위를 요구하는 행위

③ 공공기관이 주관하는 각종 수상, 포상, 우수기관 선정 또는 우수자 선발에 관하여 법령을 위반하여 특정 개인 · 단체 · 법인이 선정 또는 탈락되도록 하는 행위

④ 채용 · 승진 · 전보 등 공직자 등의 인사에 관하여 법령을 위반하여 개입하거나 영향을 미치도록 하는 행위

2 「부정청탁 및 금품 등 수수의 금지에 관한 법률」(일명 김영란법) 및 동법 시행령에 규정된 내용 중 가장 옳지 않은 것은?
2018년 서울시 7급(3월 추가)

① 누구든지 직접 또는 제3자를 통하여 법에 규정된 직무를 수행하는 공직자 등에게 부정청탁을 해서는 아니 된다.

② 공직자 등이 직무와 관련하여 1회 100만 원 이하의 금품을 수수하는 경우 형사처벌할 수 있다.

③ 이 법의 적용대상은 언론사의 임직원은 물론 그 배우자를 포함한다.

④ 경조사비는 축의금, 조의금은 5만 원까지 가능하고, 축의금과 조의금을 대신하는 화환이나 조화는 10만 원까지 가능하다.

정답 및 해설

핵심OX

1 X 해당하지 않는다.
2 X 해당하지 않는다.
3 X 특정인은 해당된다.
4 X 10일 이내이다.
5 X 백화점상품권(금액상품권) 제외한 물품상품권, 용역상품권 포함

핵심기출

1 ② 공개적으로 공직자 등에게 특정한 행위를 요구하는 행위는 부정청탁에 해당하지 않는다.

2 ② 공직자 등은 직무 관련 여부 및 기부 · 후원 · 증여 등 그 명목에 관계없이 동일인으로부터 1회에 100만 원 또는 매 회계연도에 300만 원을 초과하는 금품 등을 받거나 요구 또는 약속해서는 아니 된다.

13 공무원 행동강령

관련단원 PART 4. 인사행정론 > CHAPTER 4. 공무원의 근무규율과 인사행정개혁

총칙

제 1 조 목적

이 영은 「부패방지 및 국민권익위원회의 설치와 운영에 관한 법률」 제8조에 따라 공무원이 준수하여야 할 행동기준을 규정하는 것을 목적으로 한다.

제 2 조 정의

이 영에서 사용하는 용어의 뜻은 다음과 같다.

1. "직무관련자"란 공무원의 소관 업무와 관련되는 자로서 다음 각 목의 어느 하나에 해당하는 개인[공무원이 사인(私人)의 지위에 있는 경우에는 개인으로 본다] 또는 법인 · 단체를 말한다.
   가. 다음의 어느 하나에 해당하는 민원을 신청하는 중이거나 신청하려는 것이 명백한 개인 또는 법인 · 단체
      1) 「민원 처리에 관한 법률」에 따른 법정민원
      2) 「민원 처리에 관한 법률」에 따른 질의민원
      3) 「민원 처리에 관한 법률」에 따른 고충민원
   나. 인가 · 허가 등의 취소, 영업정지, 과징금 또는 과태료의 부과 등으로 이익 또는 불이익을 직접적으로 받는 개인 또는 법인 · 단체
   다. 수사, 감사(監査), 감독, 검사, 단속, 행정지도 등의 대상인 개인 또는 법인 · 단체
   라. 재결(裁決), 결정, 검정(檢定), 감정(鑑定), 시험, 사정(査定), 조정, 중재 등으로 직접적인 이익 또는 불이익을 받는 개인 또는 법인 · 단체
   마. 징집, 소집, 동원 등의 대상인 개인 또는 법인 · 단체
   바. 국가 또는 지방자치단체와 계약을 체결하거나 체결하려는 것이 명백한 개인 또는 법인 · 단체
   사. 정책 · 사업 등의 결정 또는 집행으로 이익 또는 불이익을 직접적으로 받는 개인 또는 법인 · 단체
   아. 그 밖에 중앙행정기관의 장(대통령 소속 기관 및 국무총리 소속 기관의 장을 포함한다), 지방자치단체의 장, 지방의회의 장 및 교육감(이하 "중앙행정기관의 장 등"이라 한다)이 부패 방지를 위하여 정하는 업무와 관련된 개인 또는 법인 · 단체
2. "직무관련공무원"이란 공무원의 직무수행과 관련하여 이익 또는 불이익을 직접적으로 받는 다른 공무원(기관이 이익 또는 불이익을 받는 경우에는 그 기관의 관련 업무를 담당하는 공무원을 말한다) 중 다음 각 목의 어느 하나에 해당하는 공무원을 말한다.
   가. 공무원의 소관 업무와 관련하여 직무상 명령을 받는 하급자
   나. 인사 · 예산 · 감사 · 상훈 또는 평가 등의 직무를 수행하는 공무원의 소속 기관 공무원 또는 이와 관련되는 다른 기관의 담당 공무원 및 관련 공무원
   다. 사무를 위임 · 위탁하는 경우 그 사무를 위임 · 위탁하는 공무원 및 사무를 위임 · 위탁받는 공무원
   라. 그 밖에 중앙행정기관의 장 등이 정하는 공무원

3. “금품 등”이란 다음 각 목의 어느 하나에 해당하는 것을 말한다.
   가. 금전, 유가증권, 부동산, 물품, 숙박권, 회원권, 입장권, 할인권, 초대권, 관람권, 부동산 등의 사용권 등 일체의 재산적 이익
   나. 음식물 · 주류 · 골프 등의 접대 · 향응 또는 교통 · 숙박 등의 편의 제공
   다. 채무 면제, 취업 제공, 이권(利權) 부여 등 그 밖의 유형 · 무형의 경제적 이익

제 3 조 적용 범위

이 영은 국가공무원(국회, 법원, 헌법재판소 및 선거관리위원회 소속의 국가공무원은 제외한다)과 지방공무원(지방의회의원은 제외한다)에게 적용한다.

공정한 직무수행

제 4 조 공정한 직무수행을 해치는 지시에 대한 처리

① 공무원은 상급자가 자기 또는 타인의 부당한 이익을 위하여 공정한 직무수행을 현저하게 해치는 지시를 하였을 때에는 그 사유를 그 상급자에게 소명하고 지시에 따르지 아니하거나 제23조에 따라 지정된 공무원 행동강령에 관한 업무를 담당하는 공무원(이하 “행동강령책임관”이라 한다)과 상담할 수 있다.

② 제1항에 따라 지시를 이행하지 아니하였는데도 같은 지시가 반복될 때에는 즉시 행동강령책임관과 상담하여야 한다.

③ 제1항이나 제2항에 따라 상담 요청을 받은 행동강령책임관은 지시 내용을 확인하여 지시를 취소하거나 변경할 필요가 있다고 인정되면 소속 기관의 장에게 보고하여야 한다. 다만, 지시 내용을 확인하는 과정에서 부당한 지시를 한 상급자가 스스로 그 지시를 취소하거나 변경하였을 때에는 소속 기관의 장에게 보고하지 아니할 수 있다.

④ 제3항에 따른 보고를 받은 소속 기관의 장은 필요하다고 인정되면 지시를 취소 · 변경하는 등 적절한 조치를 하여야 한다. 이 경우 공정한 직무수행을 해치는 지시를 제1항에 따라 이행하지 아니하였는데도 같은 지시를 반복한 상급자에게는 징계 등 필요한 조치를 할 수 있다.

제 6 조 특혜의 배제

공무원은 직무를 수행할 때 지연 · 혈연 · 학연 · 종교 등을 이유로 특정인에게 특혜를 주거나 특정인을 차별하여서는 아니 된다.

제 7 조 예산의 목적 외 사용 금지

공무원은 여비, 업무추진비 등 공무 활동을 위한 예산을 목적 외의 용도로 사용하여 소속 기관에 재산상 손해를 입혀서는 아니 된다.

제 8 조 정치인 등의 부당한 요구에 대한 처리

① 공무원은 정치인이나 정당 등으로부터 부당한 직무수행을 강요받거나 청탁을 받은 경우에는 소속 기관의 장에게 보고하거나 행동강령책임관과 상담한 후 처리하여야 한다.

② 제1항에 따라 보고를 받은 소속 기관의 장이나 상담을 한 행동강령책임관은 그 공무원이 공정한 직무수행을 할 수 있도록 적절한 조치를 하여야 한다.

제 9 조　인사 청탁 등의 금지

① 공무원은 자신의 임용 · 승진 · 전보 등 인사에 부당한 영향을 미치기 위하여 타인으로 하여금 인사업무 담당자에게 청탁을 하도록 해서는 아니 된다.

② 공무원은 직위를 이용하여 다른 공무원의 임용 · 승진 · 전보 등 인사에 부당하게 개입해서는 아니 된다.

부당이득의 수수 금지 등

제 10 조　이권 개입 등의 금지

공무원은 자신의 직위를 직접 이용하여 부당한 이익을 얻거나 타인이 부당한 이익을 얻도록 해서는 아니 된다.

제10조의2　직위의 사적 이용 금지

공무원은 직무의 범위를 벗어나 사적 이익을 위하여 소속 기관의 명칭이나 직위를 공표 · 게시하는 등의 방법으로 이용하거나 이용하게 해서는 아니 된다.

제 11 조　알선 · 청탁 등의 금지

① 공무원은 자기 또는 타인의 부당한 이익을 위하여 다른 공직자(「부패방지 및 국민권익위원회의 설치와 운영에 관한 법률」 제2조 제3호 가목 및 나목에 따른 공직자를 말한다. 이하 같다)의 공정한 직무수행을 해치는 알선 · 청탁 등을 해서는 아니 된다.

② 공무원은 직무수행과 관련하여 자기 또는 타인의 부당한 이익을 위하여 직무관련자를 다른 직무관련자나 공직자에게 소개해서는 아니 된다.

제 12 조　직무 관련 정보를 이용한 거래 등의 제한

① 공무원은 직무수행 중 알게 된 정보를 이용하여 유가증권, 부동산 등과 관련된 재산상 거래 또는 투자를 하거나 타인에게 그러한 정보를 제공하여 재산상 거래 또는 투자를 돕는 행위를 해서는 아니 된다.

② 중앙행정기관의 장 등은 제1항에 따라 소관 분야별로 직무관련 정보를 이용한 거래 등의 제한에 관한 세부 기준을 정하여야 한다.

제 13 조　공용물의 사적 사용 · 수익의 금지

공무원은 관용 차량 · 선박 · 항공기 등 공용물과 예산의 사용으로 제공되는 항공마일리지, 적립포인트 등 부가서비스를 정당한 사유 없이 사적인 용도로 사용 · 수익해서는 아니 된다.

제13조의3　직무권한 등을 행사한 부당 행위의 금지

공무원은 자신의 직무권한을 행사하거나 지위 · 직책 등에서 유래되는 사실상 영향력을 행사하여 다음 각 호의 어느 하나에 해당하는 부당한 행위를 해서는 안 된다.

1. 인가 · 허가 등을 담당하는 공무원이 그 신청인에게 불이익을 주거나 제3자에게 이익 또는 불이익을 주기 위하여 부당하게 그 신청의 접수를 지연하거나 거부하는 행위
2. 직무관련공무원에게 직무와 관련이 없거나 직무의 범위를 벗어나 부당한 지시 · 요구를 하는 행위

3. 공무원 자신이 소속된 기관이 체결하는 물품 · 용역 · 공사 등 계약에 관하여 직무관련자에게 자신이 소속된 기관의 의무 또는 부담의 이행을 부당하게 전가하거나 자신이 소속된 기관이 집행해야 할 업무를 부당하게 지연하는 행위
4. 다음 각 목의 어느 하나에 해당하는 기관 또는 단체에 공무원 자신이 소속된 기관의 업무를 부당하게 전가하거나 그 업무에 관한 비용 · 인력을 부담하도록 부당하게 전가하는 행위
   가. 공무원 자신이 소속된 기관의 소속기관
   나. 「공공기관의 운영에 관한 법률」 제4조 제1항에 따른 공공기관 중 공무원 자신이 소속된 기관이 관계 법령에 따라 업무를 관장하는 공공기관
   다. 「공직자윤리법」 제3조의2 제1항에 따른 공직유관단체 중 공무원 자신이 소속된 기관이 관계 법령에 따라 업무를 관장하는 공직유관단체
5. 그 밖에 직무관련자, 직무관련공무원, 공무원 자신이 소속된 기관의 소속 기관 또는 산하기관의 권리 · 권한을 부당하게 제한하거나 의무가 없는 일을 부당하게 요구하는 행위

제 14 조 금품 등의 수수 금지

① 공무원은 직무 관련 여부 및 기부 · 후원 · 증여 등 그 명목에 관계없이 동일인으로부터 1회에 100만 원 또는 매 회계연도에 300만 원을 초과하는 금품 등을 받거나 요구 또는 약속해서는 아니 된다.

② 공무원은 직무와 관련하여 대가성 여부를 불문하고 제1항에서 정한 금액 이하의 금품 등을 받거나 요구 또는 약속해서는 아니 된다.

③ 제15조의 외부강의 등에 관한 사례금 또는 다음 각 호의 어느 하나에 해당하는 금품 등은 제1항 또는 제2항에서 수수(收受)를 금지하는 금품 등에 해당하지 아니한다.

1. 중앙행정기관의 장 등이 소속 공무원이나 파견 공무원에게 지급하거나 상급자가 위로 · 격려 · 포상 등의 목적으로 하급자에게 제공하는 금품 등
2. 원활한 직무수행 또는 사교 · 의례 또는 부조의 목적으로 제공되는 음식물 · 경조사비 · 선물 등으로서 중앙행정기관의 장 등이 정하는 가액 범위 안의 금품 등
3. 사적 거래(증여는 제외한다)로 인한 채무의 이행 등 정당한 권원(權原)에 의하여 제공되는 금품 등
4. 공무원의 친족(「민법」 제777조에 따른 친족을 말한다)이 제공하는 금품 등
5. 공무원과 관련된 직원상조회 · 동호인회 · 동창회 · 향우회 · 친목회 · 종교단체 · 사회단체 등이 정하는 기준에 따라 구성원에게 제공하는 금품 등 및 그 소속 구성원 등 공무원과 특별히 장기적 · 지속적인 친분관계를 맺고 있는 자가 질병 · 재난 등으로 어려운 처지에 있는 공무원에게 제공하는 금품 등
6. 공무원의 직무와 관련된 공식적인 행사에서 주최자가 참석자에게 통상적인 범위에서 일률적으로 제공하는 교통, 숙박, 음식물 등의 금품 등
7. 불특정 다수인에게 배포하기 위한 기념품 또는 홍보용품 등이나 경연 · 추첨을 통하여 받는 보상 또는 상품 등
8. 그 밖에 사회상규(社會常規)에 따라 허용되는 금품 등

④ 공무원은 제3항 제5호에도 불구하고 같은 호에 따라 특별히 장기적 · 지속적인 친분관계를 맺고 있는 자가 직무관련자 또는 직무관련공무원으로서 금품 등을 제공한 경우에는 그 수수 사실을 소속 기관의 장에게 신고하여야 한다.

⑤ 공무원은 자신의 배우자나 직계 존속 · 비속이 자신의 직무와 관련하여 제1항 또는 제2항에 따라 공무원이 받는 것이 금지되는 금품 등(이하 "수수 금지 금품 등"이라 한다)을 받거나 요구하거나 제공받기로 약속하지 아니하도록 하여야 한다.

⑥ 공무원은 다른 공무원에게 또는 그 공무원의 배우자나 직계 존속 · 비속에게 수수 금지 금품 등을 제공하거나 그 제공의 약속 또는 의사표시를 해서는 아니 된다.

제14조의2 감독기관의 부당한 요구 금지

① 감독 · 감사 · 조사 · 평가를 하는 기관(이하 이 조에서 "감독기관"이라 한다)에 소속된 공무원은 자신이 소속된 기관의 출장 · 행사 · 연수 등과 관련하여 감독 · 감사 · 조사 · 평가를 받는 기관(이하 이 조에서 "피감기관"이라 한다)에 다음 각 호의 어느 하나에 해당하는 부당한 요구를 해서는 안 된다.

1. 법령에 근거가 없거나 예산의 목적 · 용도에 부합하지 않는 금품 등의 제공 요구
2. 감독기관 소속 공무원에 대하여 정상적인 관행을 벗어난 예우 · 의전의 요구

② 제1항에 따른 부당한 요구를 받은 피감기관 소속 공직자는 그 이행을 거부해야 하며, 거부했음에도 불구하고 감독기관 소속 공무원으로부터 같은 요구를 다시 받은 때에는 그 사실을 피감기관의 행동강령책임관(피감기관이 「공직자윤리법」 제3조의2 제1항에 따른 공직유관단체인 경우에는 행동강령에 관한 업무를 담당하는 직원을 말한다. 이하 이 조에서 같다)에게 알려야 한다. 이 경우 행동강령책임관은 그 요구가 제1항 각 호의 어느 하나에 해당하는 경우에는 지체 없이 피감기관의 장에게 보고해야 한다.

건전한 공직풍토의 조성

제 15 조 외부강의 등의 사례금 수수 제한

① 공무원은 자신의 직무와 관련되거나 그 지위 · 직책 등에서 유래되는 사실상의 영향력을 통하여 요청받은 교육 · 홍보 · 토론회 · 세미나 · 공청회 또는 그 밖의 회의 등에서 한 강의 · 강연 · 기고 등(이하 "외부강의 등"이라 한다)의 대가로서 중앙행정기관의 장 등이 정하는 금액을 초과하는 사례금을 받아서는 아니 된다.

② 공무원은 외부강의 등을 할 때에는 외부강의 등의 요청 명세 등을 소속 기관의 장에게 그 외부강의 등을 마친 날부터 10일 이내에 서면으로 신고하여야 한다. 다만, 외부강의 등을 요청한 자가 국가나 지방자치단체인 경우에는 그러하지 아니하다.

③ 공무원은 제2항 본문에 따라 외부강의 등을 미리 신고하는 것이 곤란한 경우에는 그 외부강의 등을 마친 날부터 2일 이내에 서면으로 신고하여야 한다.

④ 소속 기관의 장은 제2항에 따라 공무원이 신고한 외부강의 등이 공정한 직무수행을 저해할 수 있다고 판단하는 경우에는 그 외부강의 등을 제한할 수 있다.

⑤ 공무원은 제1항에 따른 금액을 초과하는 사례금을 받은 경우에는 소속 기관의 장에게 신고하고, 제공자에게 그 초과금액을 지체 없이 반환하여야 한다.

⑥ 공무원은 제5항에 따라 초과금액을 반환한 경우에는 증명자료를 첨부하여 그 반환 비용을 소속 기관의 장에게 청구할 수 있다.

⑦ 중앙행정기관의 장 등은 공무원이 과도한 외부강의 등으로 인하여 업무에 지장을 초래하지 아니하도록 대가를 받고 수행하는 외부강의 등의 횟수 상한을 정할 수 있다.

⑧ 공무원은 제7항에 따른 횟수 상한을 초과하여 대가를 받고 외부강의 등을 하려는 경우에는 미리 소속 기관의 장의 승인을 받아야 한다.

제 17 조 경조사의 통지 제한

공무원은 직무관련자나 직무관련공무원에게 경조사를 알려서는 아니 된다. 다만, 다음 각 호의 어느 하나에 해당하는 경우에는 경조사를 알릴 수 있다.

1. 친족(「민법」 제767조에 따른 친족을 말한다)에게 알리는 경우
2. 현재 근무하고 있거나 과거에 근무하였던 기관의 소속 직원에게 알리는 경우
3. 신문, 방송 또는 제2호에 따른 직원에게만 열람이 허용되는 내부통신망 등을 통하여 알리는 경우
4. 공무원 자신이 소속된 종교단체 · 친목단체 등의 회원에게 알리는 경우

핵심OX

1 「공무원 행동강령」에서는 공정한 직무수행, 부당이득의 수수 금지 등, 건전한 공직풍토의 조성을 주된 내용으로 하고 있다. (O, X)

2 「공무원 행동강령」에서 '금품 등'이란 재산적 이익, 편의 제공은 포함되지만 무형의 경제적 이익은 포함되지 않는다. (O, X)

3 「공무원 행동강령」은 선거관리위원회 소속의 국가공무원도 적용된다. (O, X)

4 공무원은 상급자가 자기 또는 타인의 부당한 이익을 위하여 공정한 직무수행을 현저하게 해치는 지시를 하였을 때에는 그 사유를 그 상급자에게 소명하고 지시에 따르지 아니하거나 행동강령책임관과 상담할 수 있다. (O, X)

5 공무원은 직무 관련 여부 및 기부·후원·증여 등 그 명목에 관계없이 동일인으로부터 1회에 100만 원 또는 매 회계연도에 300만 원 이하의 금품 등을 받거나 요구 또는 약속해서는 아니 된다. (O, X)

핵심기출

1 공직윤리 확보를 위한 행동강령(code of conduct)에 대한 설명으로 옳지 않은 것은? 2016년 국가직 9급

① 행동강령은 공무원에게 기대되는 바람직한 가치판단이나 의사결정을 담고 있으며, 공무원이 준수하여야 할 행동기준으로 작용한다.

② 「공무원 행동강령」은 「부패방지 및 국민권익위원회의 설치와 운영에 관한 법률」제8조에 근거해 대통령령으로 제정되었다.

③ 「공무원 행동강령」은 중앙행정기관의 장 등에게 「공무원 행동강령」의 시행에 필요한 범위에서 해당 기관의 특성에 적합한 세부적인 기관별 「공무원 행동강령」을 제정하도록 규정하고 있다.

④ OECD 국가들의 행동강령은 1970년대부터 집중적으로 제정되었으며, 주로 법률 형식으로 규정하고 있다.

2 「공무원 행동강령」에 따르면 공무원은 직무관련 여부 및 기부·후원·증여 등 그 명목에 관계없이 동일인으로부터 1회에 100만 원 또는 매 회계연도에 300만 원을 초과하는 금품 등을 받거나 요구 또는 약속해서는 아니 된다. 그 예외에 해당하지 않는 것은? 2017년 사회복지직 9급

① 특정인에게 배포하기 위한 기념품 또는 홍보용품 등이나 경연·추첨을 통하여 받는 보상 또는 상품 등

② 공무원의 친족(「민법」 제777조에 따른 친족)이 제공하는 금품 등

③ 원활한 직무수행 또는 사교·의례 또는 부조의 목적으로 제공되는 음식물·경조사비·선물 등으로서 중앙행정기관의 장 등이 정하는 가액 범위 안의 금품 등

④ 공무원과 관련된 직원상조회·동호인회·동창회·향우회·친목회·종교단체·사회단체 등이 정하는 기준에 따라 구성원에게 제공하는 금품 등 및 그 소속 구성원 등 공무원과 특별히 장기적·지속적인 친분관계를 맺고 있는 자가 질병·재난 등으로 어려운 처지에 있는 공무원에게 제공하는 금품 등

정답 및 해설

핵심OX

1 O

2 X 무형의 경제적 이익도 포함된다.

3 X 선거관리위원회 소속의 국가공무원은 적용대상에서 제외된다.

4 O

5 X 300만 원 이하가 아니라 초과이다.

핵심기출

1 ④ 「공무원 행동강령」은 법령에 규정된 의무를 구체화하기 위한 실천강령의 성격으로, 주로 법률이 아닌 대통령령 형식을 취하고 있다.

2 ① 특정인이 아니라 불특정 다수인에게 배포하기 위한 기념품 또는 홍보용품 등이나 경연·추첨을 통하여 받는 보상 또는 상품 등이 예외에 해당한다.

14 국가재정법

관련단원 PART 5. 재무행정론 > CHAPTER 1. 국가재정의 기초이론

총칙

제 1 조 목적

이 법은 국가의 예산·기금·결산·성과관리 및 국가채무 등 재정에 관한 사항을 정함으로써 효율적이고 성과 지향적이며 투명한 재정운용과 건전재정의 기틀을 확립하고 재정운용의 공공성을 증진하는 것을 목적으로 한다.

제 2 조 회계연도

국가의 회계연도는 매년 1월 1일에 시작하여 12월 31일에 종료한다.

제 4 조 회계구분

① 국가의 회계는 일반회계와 특별회계로 구분한다.

② 일반회계는 조세수입 등을 주요 세입으로 하여 국가의 일반적인 세출에 충당하기 위하여 설치한다.

③ 특별회계는 국가에서 특정한 사업을 운영하고자 할 때, 특정한 자금을 보유하여 운용하고자 할 때, 특정한 세입으로 특정한 세출에 충당함으로써 일반회계와 구분하여 회계처리할 필요가 있을 때에 법률로써 설치하되, 규정된 법률에 의하지 아니하고는 이를 설치할 수 없다.

제 5 조 기금의 설치

① 기금은 국가가 특정한 목적을 위하여 특정한 자금을 신축적으로 운용할 필요가 있을 때에 한정하여 법률로써 설치하되, 정부의 출연금 또는 법률에 따른 민간부담금을 재원으로 하는 기금은 규정된 법률에 의하지 아니하고는 이를 설치할 수 없다.

② 제1항의 규정에 따른 기금은 세입세출예산에 의하지 아니하고 운용할 수 있다.

제 16 조 예산의 원칙

정부는 예산을 편성하거나 집행할 때 다음 각 호의 원칙을 준수하여야 한다.

1. 정부는 재정건전성의 확보를 위하여 최선을 다하여야 한다.
2. 정부는 국민부담의 최소화를 위하여 최선을 다하여야 한다.
3. 정부는 재정을 운용함에 있어 재정지출 및 「조세특례제한법」에 따른 조세지출의 성과를 제고하여야 한다.
4. 정부는 예산과정의 투명성과 예산과정에의 국민참여를 제고하기 위하여 노력하여야 한다.

→ **「국가재정법 시행령」 제7조의2(예산과정에의 국민참여)**

① 정부는 법 제16조 제4호에 따라 예산과정의 투명성과 국민참여를 제고하기 위하여 필요한 시책을 시행하여야 한다.

② 정부는 예산과정에의 국민참여를 통하여 수렴된 의견을 검토하여야 하며, 그 결과를 예산편성 시 반영할 수 있다.

③ 정부는 제2항에 따른 의견수렴을 촉진하기 위하여 국민으로 구성된 참여단을 운영할 수 있다.

④ 제1항에 따른 시책의 마련을 위하여 필요한 구체적인 사항은 기획재정부장관이 정한다.

법령PLUS⊕ 국민참여예산제도(2018)

국민참여제도는 국민이 예산사업을 제안하고, 심사 · 우선순위 결정과정에도 참여함으로써 재정운영의 투명성과 예산에 대한 관심도를 높이기 위한 제도이다. 2017년에 2018년 예산을 편성하면서 국민참여예산제도를 시범 도입하여 6개의 참여예산사업(총 422억 원)을 반영하였다. 대표 사업으로는 교통 편리 지역의 원룸 · 오피스텔을 매입하여 저소득 1인 여성 가구 전용 임대주택으로 공급하는 '여성 안심용 임대주택 지원' 사업(356억 원)이 있다.

→ **기존 제안제도와 다른 점:** 기존에는 국민들이 제안한 사항에 대해 관계 부처가 답변하는 방식이었다면, 국민참여예산제도는 제안 이후 사업심사나 우선순위 결정과정에도 국민들이 참여함에 따라 참여의 폭이 넓다. 또한, 지방자치단체의 주민참여예산제도와 달리 중앙정부가 재정을 지원하는 예산사업에 대한 국민제안도 가능하다.

5. 정부는 「성별영향평가법」 제2조 제1호에 따른 성별영향평가의 결과를 포함하여 예산이 여성과 남성에게 미치는 효과를 평가하고, 그 결과를 정부의 예산편성에 반영하기 위하여 노력하여야 한다.
6. 정부는 예산이 「기후위기 대응을 위한 탄소중립 · 녹색성장 기본법」 제2조 제5호에 따른 온실가스 감축에 미치는 효과를 평가하고, 그 결과를 정부의 예산편성에 반영하기 위하여 노력하여야 한다.

법령PLUS⊕ 온실가스감축인지 예산

「국가재정법」 제27조 **【온실가스감축인지 예산서의 작성】** ① 정부는 예산이 온실가스 감축에 미칠 영향을 미리 분석한 보고서를 작성하여야 한다.

② 온실가스감축인지 예산서에는 온실가스감축에 대한 기대효과, 성과목표, 효과분석 등을 포함하여야 한다.

제57조의2 **【온실가스감축인지 결산서의 작성】** ① 정부는 예산이 온실가스를 감축하는 방향으로 집행되었는지를 평가하는 보고서를 작성하여야 한다.

제68조의3 **【온실가스감축인지 기금운용계획서의 작성】** ① 정부는 기금이 온실가스 감축에 미칠 영향을 미리 분석한 보고서를 작성하여야 한다.

제 17 조 예산총계주의

① 한 회계연도의 모든 수입을 세입으로 하고, 모든 지출을 세출로 한다.

② 제53조에 규정된 사항을 제외하고는 세입과 세출은 모두 예산에 계상하여야 한다.

제 53 조 예산총계주의 원칙의 예외

① 각 중앙관서의 장은 용역 또는 시설을 제공하여 발생하는 수입과 관련되는 경비로서 대통령령이 정하는 경비(이하 '수입대체경비'라 한다)에 있어 수입이 예산을 초과하거나 초과할 것이 예상되는 때에는 그 초과수입을 대통령령이 정하는 바에 따라 그 초과수입에 직접 관련되는 경비 및 이에 수반되는 경비에 초과지출할 수 있다.

② 국가가 현물로 출자하는 경우와 외국차관을 도입하여 전대(轉貸)하는 경우에는 이를 세입세출예산 외로 처리할 수 있다.

⑥ 수입대체경비 등 예산총계주의 원칙의 예외에 관하여 필요한 사항은 대통령령으로 정한다.

법령PLUS ⊕ 수입대체경비

「국가재정법 시행령」 제24조 【예산총계주의 원칙의 예외】 ① 수입대체경비는 다음에 해당하는 경비로서 기획재정부장관이 정하는 경비를 말한다.

1. 국가가 특별한 용역 또는 시설을 제공하고 그 제공을 받은 자로부터 비용을 징수하는 경우의 당해 경비
2. 수입의 범위 안에서 관련경비의 총액을 지출할 수 있는 경우의 당해 경비

② 법 제53조 제1항에 따라 대통령령으로 정하는 "초과수입에 직접 관련되는 경비 및 이에 수반되는 경비"라 함은 다음 각 호의 경비를 말한다.

1. 업무수행과 직접 관련된 자산취득비 · 국내여비 · 시설유지비 및 보수비
2. 일시적인 업무급증으로 사용한 일용직 임금
3. 초과수입 증대와 관련 있는 업무를 수행한 직원에게 지급하는 보상적 경비
4. 그 밖에 초과수입에 수반되는 경비로서 기획재정부장관이 정하는 경비

→ 수입대체경비의 대표적인 예는 공무원시험응시료나 여권발급비 등이다.

제 19 조 예산의 구성

예산은 예산총칙 · 세입세출예산 · 계속비 · 명시이월비 및 국고채무부담행위를 총칭한다. → 비교 **「지방재정법」상 예산의 구성: 예산총칙, 세입 · 세출예산, 계속비, 채무부담행위 및 명시이월비를 총칭한다.**

법령PLUS ⊕ 예산안에 첨부되는 주요 서류

세입세출예산 총계표 및 순계표, 세입세출예산사업별 설명서, 총사업비 관리대상사업의 사업별 개요, 전년도 대비 총사업비 증감내역과 증감사유, 국고채무부담행위 설명서, 국고채무부담행위 총규모, 예산정원표와 예산안편성기준단가, 성과계획서, 성인지예산서, 「조세특례제한법」에 따른 조세지출예산서, 「국유재산특례제한법」에 따른 국유재산특례지출예산서, 예비타당성조사를 실시하지 아니한 사업의 내역 및 사유

선진재정 운용방식을 통한 재정운용의 효율성 제고

제 7 조 국가재정운용계획의 수립 등

① 정부는 재정운용의 효율화와 건전화를 위하여 매년 해당 회계연도부터 **5회계연도 이상의 기간에 대한** 재정운용계획(이하 '국가재정운용계획'이라 한다)을 수립하여 회계연도 개시 120일 **전까지** 국회에 제출하여야 한다. → **중 · 장기 재정운용계획**

② 국가재정운용계획에는 다음 각 호의 사항이 포함되어야 한다.

1. 재정운용의 기본방향과 목표
2. **중기 재정전망 및 근거**
3. 분야별 재원배분계획 및 투자방향
4. 재정규모증가율 및 그 근거

4의2. 의무지출(재정지출 중 법률에 따라 지출의무가 발생하고 법령에 따라 지출규모가 결정되는 법정지출 및 이자지출을 말하며, 그 구체적인 범위는 대통령령으로 정한다)의 증가율 및 산출내역

4의3. 재량지출(재정지출에서 의무지출을 제외한 지출을 말한다)의 증가율에 대한 분야별 전망과 근거 및 관리계획

4의4. 세입 · 세외수입 · 기금수입 등 재정수입의 증가율 및 그 근거

5. 조세부담률 및 국민부담률 전망

6. 통합재정수지[일반회계, 특별회계 및 기금을 통합한 재정통계로서 순(純) 수입에서 순 지출을 뺀 금액을 말한다. 이하 같다] 전망과 관리계획. 다만, 통합재정수지에서 제외되는 기금은 국제기구에서 권고하는 기준에 준하여 대통령령으로 정한다.

③ 제1항에 따라 국회에 제출하는 국가재정운용계획에는 다음 각 호의 서류를 첨부하여야 한다.

1. 전년도에 수립한 국가재정운용계획 대비 변동사항, 변동요인 및 관리계획 등에 대한 평가 · 분석보고서
2. 중장기 기금재정관리계획
3. 국가채무관리계획
4. 중장기 조세정책운용계획

④ 기획재정부장관은 40회계연도 이상의 기간을 대상으로 5년마다 장기 재정전망을 실시하여야 한다.

⑤ 기획재정부장관은 국가재정운용계획을 수립하기 위하여 필요한 때에는 관계 국가기관 또는 공공단체의 장에게 중 · 장기 대내 · 외 거시경제전망 및 재정전망 등에 관하여 자료의 제출을 요청하거나, 관계 국가기관 또는 공공단체의 장과 이에 관하여 협의할 수 있다.

⑥ 기획재정부장관은 국가재정운용계획을 수립하는 때에는 관계 중앙관서의 장과 협의하여야 한다.

⑦ 제1항부터 제6항까지에 규정된 사항 외에 국가재정운용계획의 수립에 관하여 필요한 사항은 대통령령으로 정한다.

⑧ 기획재정부장관은 제35조에 따른 수정예산안 및 제89조에 따른 추가경정예산안이 제출될 때에는 재정수지, 국가채무 등 국가재정운용계획의 재정총량에 미치는 효과 및 그 관리방안에 대하여 국회에 보고하여야 한다.

⑨ 기획재정부장관은 국가재정운용계획을 국회에 제출하기 30일 전에 재정규모, 재정수지, 재원배분 등 수립 방향을 국회 소관 상임위원회에 보고하여야 한다.

⑩ 각 중앙관서의 장은 재정지출을 수반하는 중 · 장기계획을 수립하는 때에는 미리 기획재정부장관과 협의하여야 한다.

⑪ 지방자치단체의 장은 국가의 재정지원에 따라 수행되는 사업으로서 대통령령으로 정하는 규모 이상인 사업의 계획을 수립하는 때에는 미리 관계 중앙관서의 장과 협의하여야 한다. 이 경우 중앙관서의 장은 기획재정부장관과 협의하여야 한다.

제 13 조 회계 · 기금 간 여유재원의 전입 · 전출

① 정부는 국가재정의 효율적 운용을 위하여 필요한 경우에는 다른 법률의 규정에 불구하고 회계 및 기금의 목적 수행에 지장을 초래하지 아니하는 범위 안에서 회계와 기금 간 또는 회계 및 기금 상호 간에 여유재원을 전입 또는 전출하여 통합적으로 활용할 수 있다.

② 기획재정부장관은 제1항의 규정에 따라 전입 · 전출을 하고자 하는 때에는 관계 중앙관서의 장 및 기금관리주체와 협의한 후 그 내용을 예산안 또는 기금운용계획안에 반영하여야 한다.

제 28 조 중기사업계획서의 제출

각 중앙관서의 장은 매년 1월 31일까지 당해 회계연도부터 5회계연도 이상의 기간 동안의 신규사업 및 기획재정부장관이 정하는 주요 계속사업에 대한 중기사업계획서를 기획재정부장관에게 제출하여야 한다.

제 29 조 예산안편성지침의 통보

① 기획재정부장관은 국무회의의 심의를 거쳐 대통령의 승인을 얻은 다음 연도의 예산안편성지침을 매년 3월 31일까지 각 중앙관서의 장에게 통보하여야 한다.

② 기획재정부장관은 제7조의 규정에 따른 국가재정운용계획과 예산편성을 연계하기 위하여 제1항의 규정에 따른 예산안편성지침에 중앙관서별 지출한도를 포함하여 통보할 수 있다.

→ 총액배분 자율편성예산(Top-down)

제 31 조 예산요구서의 제출

① 각 중앙관서의 장은 제29조의 규정에 따른 예산안편성지침에 따라 그 소관에 속하는 다음 연도의 세입세출예산 · 계속비 · 명시이월비 및 국고채무부담행위 요구서를 작성하여 **매년 5월 31일까지** 기획재정부장관에게 제출하여야 한다.

법령PLUS⊕ 예산안의 첨부서류(제34조)

제33조의 규정에 따라 국회에 제출하는 예산안에는 다음의 서류를 첨부하여야 한다.

1. 세입세출예산 총계표 및 순계표
2. 세입세출예산사업별 설명서

2의2. 세입예산 추계분석보고서(세입추계 방법 및 근거, 전년도 세입예산과 세입결산 간 총액 및 세목별 차이에 대한 평가 및 원인 분석, 세입추계 개선사항 포함)

3. 계속비에 관한 전년도 말까지의 지출액 또는 지출추정액, 당해 연도 이후의 지출예정액과 사업전체의 계획 및 그 진행상황에 관한 명세서

3의2. 총사업비 관리대상 사업의 사업별 개요, 전년도 대비 총사업비 증감 내역과 증감 사유, 해당 연도까지의 연부액 및 해당 연도 이후의 지출예정액

4. 국고채무부담행위 설명서
5. 국고채무부담행위로서 다음 연도 이후에 걸치는 것에 있어서는 전년도 말까지의 지출액 또는 지출추정액과 당해 연도 이후의 지출예정액에 관한 명세서

5의2. 완성에 2년 이상이 소요되는 사업으로서 대통령령으로 정하는 대규모 사업의 국고채무부담행위 총규모

6. 예산정원표와 예산안편성기준단가
7. 국유재산의 전전년도 말에 있어서의 현재액과 전년도 말과 당해 연도 말에 있어서의 현재액 추정에 관한 명세서
8. 성과계획서
9. 성인지 예산서

9의2. 온실가스감축인지 예산서

10. 「조세특례제한법」 제142조의2에 따른 조세지출예산서
11. 독립기관의 세출예산요구액을 감액하거나 감사원의 세출예산요구액을 감액한 때에는 그 규모 및 이유와 감액에 대한 당해 기관의 장의 의견
12. 삭제
13. 회계와 기금 간 또는 회계 상호 간 여유재원의 전입 · 전출 명세서 그 밖에 재정의 상황과 예산안의 내용을 명백히 할 수 있는 서류
14. 「국유재산특례제한법」 제10조 제1항에 따른 국유재산특례지출예산서
15. 예비타당성조사를 실시하지 아니한 사업의 내역 및 사유
16. 지방자치단체 국고보조사업 예산안에 따른 분야별 총 대응지방비 소요 추계서

성과중심 재정운용을 통한 재정운용의 효율성 제고

제 21 조 세입세출예산의 구분

① 세입세출예산은 필요한 때에는 계정으로 구분할 수 있다.

② 세입세출예산은 독립기관 및 중앙관서의 소관별로 구분한 후 소관 내에서 일반회계 · 특별회계로 구분한다.

③ 세입예산은 제2항의 규정에 따른 구분에 따라 그 내용을 성질별로 관 · 항으로 구분하고, 세출예산은 제2항의 규정에 따른 구분에 따라 그 내용을 기능별 · 성질별 또는 기관별로 장 · 관 · 항으로 구분한다. → **프로그램예산제도의 근거**

제 37 조 총액계상

① 기획재정부장관은 대통령령이 정하는 사업으로서 세부내용을 미리 확정하기 곤란한 사업의 경우에는 이를 총액으로 예산에 계상할 수 있다. → **예산집행의 탄력성 부여**

제 38 조 예비타당성조사

① 기획재정부장관은 총사업비가 500억 원 이상이고 국가의 재정지원 규모가 300억 원 이상인 신규 사업으로서 다음 각 호의 어느 하나에 해당하는 대규모사업에 대한 예산을 편성하기 위하여 미리 예비타당성조사를 실시하고, 그 결과를 요약하여 국회 소관 상임위원회와 예산결산특별위원회에 제출하여야 한다. 다만, 제4호의 사업은 제28조에 따라 제출된 중기사업계획서에 의한 재정지출이 500억 원 이상 수반되는 신규 사업으로 한다.

1. 건설공사가 포함된 사업
2. 「지능정보화 기본법」 제14조 제1항에 따른 지능정보화 사업
3. 「과학기술기본법」 제11조에 따른 국가연구개발사업
4. 그 밖에 사회복지, 보건, 교육, 노동, 문화 및 관광, 환경 보호, 농림해양수산, 산업 · 중소기업 분야의 사업

② 제1항에도 불구하고 다음 각 호의 어느 하나에 해당하는 사업은 대통령령으로 정하는 절차에 따라 예비타당성조사 대상에서 제외한다.

1. 공공청사, 교정시설, 초 · 중등 교육시설의 신 · 증축 사업
2. 「국가유산법」 제3조에 따른 국가유산 복원사업
3. 국가안보에 관계되거나 보안을 요하는 국방 관련 사업
4. 남북교류협력에 관계되거나 국가 간 협약 · 조약에 따라 추진하는 사업
5. 도로 유지보수, 노후 상수도 개량 등 기존 시설의 효용 증진을 위한 단순개량 및 유지보수사업
6. 「재난 및 안전관리기본법」 제3조 제1호에 따른 재난(이하 "재난"이라 한다)복구 지원, 시설 안전성 확보, 보건 · 식품 안전 문제 등으로 시급한 추진이 필요한 사업
7. 재난예방을 위하여 시급한 추진이 필요한 사업으로서 국회 소관 상임위원회의 동의를 받은 사업
8. 법령에 따라 추진하여야 하는 사업
9. 출연 · 보조기관의 인건비 및 경상비 지원, 융자 사업 등과 같이 예비타당성조사의 실익이 없는 사업
10. 지역 균형발전, 긴급한 경제 · 사회적 상황 대응 등을 위하여 국가 정책적으로 추진이 필요한 사업(종전에 경제성 부족 등을 이유로 예비타당성조사를 통과하지 못한 사업은 연계사업의 시행, 주변지역의 개발 등으로 해당 사업과 관련한 경제 · 사회 여건이 변동하였거나, 예비타당성조사 결과 등을 반영하여 사업을 재기획한 경우에 한정한다)으로서 다음 각 목의 요건을 모두 갖춘 사업. 이 경우, 예비타당성조사 면제 사업의 내역 및 사유를 지체 없이 국회 소관 상임위원회에 보고하여야 한다.
    가. 사업목적 및 규모, 추진방안 등 구체적인 사업계획이 수립된 사업
    나. 국가 정책적으로 추진이 필요하여 국무회의를 거쳐 확정된 사업

⑤ 기획재정부장관은 제2항 제10호에 따라 예비타당성조사를 면제한 사업에 대하여 예비타당성조사 방식에 준하여 사업의 중장기 재정소요, 재원조달방안, 비용과 편익 등을 고려한 효율적 대안 등의 분석을 통하여 사업계획의 적정성을 검토하고, 그 결과를 예산편성에 반영하여야 한다.

⑥ 기획재정부장관은 제1항의 규정에 따른 예비타당성조사 대상사업의 선정기준 · 조사수행기관 · 조사방법 및 절차 등에 관한 지침을 마련하여 중앙관서의 장에게 통보하여야 한다.

법령PLUS⊕ 예비타당성조사

예비타당성조사는 경제적, 재정적, 정책적 측면에서 기재부가 실시하는 것이며 '기술적' 측면의 타당성은 사업을 주관하는 해당부처가 실시하는 것으로 '타당성조사'이다. 1999년에 도입된 예비타당성조사제도는 대규모 개발사업에 대한 개괄적인 조사를 통하여 경제성 분석, 정책적 분석, 투자우선순위, 적정투자시기, 재원조달방법 등 사업의 타당성을 검증함으로써 대형신규사업의 신중한 착수와 재정투자의 효율성을 높이기 위한 제도이다.

제 43 조 예산의 배정

① 기획재정부장관은 제42조의 규정에 따른 예산배정요구서에 따라 분기별 예산배정계획을 작성하여 국무회의의 심의를 거친 후 대통령의 승인을 얻어야 한다.

② 기획재정부장관은 각 중앙관서의 장에게 예산을 배정한 때에는 감사원에 통지하여야 한다.

③ 기획재정부장관은 필요한 때에는 대통령령으로 정하는 바에 따라 회계연도 개시 전에 예산을 배정할 수 있다. → 긴급배정

④ 기획재정부장관은 예산의 효율적인 집행관리를 위하여 필요한 때에는 제1항의 규정에 따른 분기별 예산배정계획에도 불구하고 개별사업계획을 검토하여 그 결과에 따라 예산을 배정할 수 있다.

⑤ 기획재정부장관은 재정수지의 적정한 관리 및 예산사업의 효율적인 집행관리 등을 위하여 필요한 때에는 제1항의 규정에 따른 분기별 예산배정계획을 조정하거나 예산배정을 유보할 수 있으며, 배정된 예산의 집행을 보류하도록 조치를 취할 수 있다.

제43조의2 예산의 재배정

① 각 중앙관서의 장은 「국고금 관리법」 제22조 제1항에 따른 재무관으로 하여금 지출원인행위를 하게 할 때에는 제43조에 따라 배정된 세출예산의 범위 안에서 재무관별로 세출예산재배정계획서를 작성하고 이에 따라 세출예산을 재배정(기획재정부장관이 각 중앙관서의 장에게 배정한 예산을 각 중앙관서의 장이 재무관별로 다시 배정하는 것)하여야 한다.

제 44 조 예산집행지침의 통보

기획재정부장관은 예산집행의 효율성을 높이기 위하여 매년 예산집행에 관한 지침을 작성하여 각 중앙관서의 장에게 통보하여야 한다.

→ **기획재정부장관은 법 제44조에 따른 예산집행지침을 매년 1월말까지 각 중앙관서의 장에게 통보하여야 한다(「국가재정법 시행령」 제18조).**

제 49 조 예산성과금의 지급 등

① 각 중앙관서의 장은 예산의 집행방법 또는 제도의 개선 등으로 인하여 수입이 증대되거나 지출이 절약된 때에는 이에 기여한 자에게 성과금을 지급할 수 있으며, 절약된 예산을 다른 사업에 사용할 수 있다.

제 50 조 총사업비의 관리

① 각 중앙관서의 장은 완성에 2년 이상이 소요되는 사업으로서 대통령령이 정하는 대규모사업에 대하여는 그 사업규모 · 총사업비 및 사업기간을 정하여 미리 기획재정부장관과 협의하여야 한다. 협의를 거친 사업규모 · 총사업비 또는 사업기간을 변경하고자 하는 때에도 또한 같다.

② 기획재정부장관은 제1항의 규정에 따른 사업 중 다음 각 호의 어느 하나에 해당하는 사업 및 감사원의 감사결과에 따라 감사원이 요청하는 사업에 대하여는 사업의 타당성을 재조사(이하 "타당성재조사"라 한다)하고, 그 결과를 국회에 보고하여야 한다.

1. 총사업비 또는 국가의 재정지원 규모가 예비타당성조사 대상 규모에 미달하여 예비타당성조사를 실시하지 않았으나 사업추진 과정에서 총사업비와 국가의 재정지원 규모가 예비타당성조사 대상 규모로 증가한 사업
2. 예비타당성조사 대상사업 중 예비타당성조사를 거치지 않고 예산에 반영되어 추진 중인 사업
3. 총사업비가 대통령령으로 정하는 규모 이상 증가한 사업
4. 사업여건의 변동 등으로 해당 사업의 수요예측치가 대통령령으로 정하는 규모 이상 감소한 사업
5. 그 밖에 예산낭비 우려가 있는 등 타당성을 재조사할 필요가 있는 사업

③ 제2항에도 불구하고 다음 각 호의 어느 하나에 해당하는 경우에는 타당성재조사를 실시하지 아니할 수 있다.
1. 사업의 상당부분이 이미 시공되어 매몰비용이 차지하는 비중이 큰 경우
2. 총사업비 증가의 주요 원인이 법정경비 반영 및 상위계획의 변경 등과 같이 타당성재조사의 실익이 없는 경우
3. 지역 균형발전, 긴급한 경제 · 사회적 상황에 대응할 목적으로 추진되는 사업의 경우
4. 재해예방 · 복구 지원 또는 안전 문제 등으로 시급한 추진이 필요한 사업의 경우

④ 기획재정부장관은 국회가 그 의결로 요구하는 사업에 대하여는 타당성재조사를 하고, 그 결과를 국회에 보고하여야 한다.

⑤ 기획재정부장관은 총사업비 관리에 관한 지침을 마련하여 각 중앙관서의 장에게 통보하여야 한다.

법령PLUS⊕ 총사업비 관리대상 사업

「총사업비관리지침」 제3조【관리대상 사업】 ① 이 지침의 적용을 받는 총사업비 관리대상 사업은 국가가 직접 시행하는 사업, 국가가 위탁하는 사업, 국가의 예산이나 기금의 보조 · 지원을 받아 지자체 · 「공공기관의 운영에 관한 법률」 제5조에 따른 공기업 · 준정부기관 · 기타 공공기관 또는 민간이 시행하는 사업 중 완성에 2년 이상이 소요되는 사업으로서, 다음 각 호의 사업으로 한다.
1. 총사업비가 500억 원 이상이고 국가의 재정지원규모가 300억 원 이상인 토목사업 및 정보화사업
2. 총사업비가 200억 원 이상인 건축사업(전기 · 기계 · 설비 등 부대공사비 포함)
3. 총사업비가 200억 원 이상인 연구시설 및 연구단지 조성 등 연구기반구축 R&D사업(기술개발비, 시설 건설 이후 운영비 등 제외)

제85조의2 재정사업의 성과관리

① 정부는 성과중심의 재정운용을 위하여 다음 각 호의 성과목표관리 및 성과평가를 내용으로 하는 재정사업의 성과관리(이하 "재정사업 성과관리"라 한다)를 시행한다.
1. 성과목표관리: 재정사업에 대한 성과목표, 성과지표 등의 설정 및 그 달성을 위한 집행과정 · 결과의 관리
2. 성과평가: 재정사업의 계획 수립, 집행과정 및 결과 등에 대한 점검 · 분석 · 평가

② 재정사업 성과관리의 대상이 되는 재정사업의 기준은 성과관리의 비용 및 효과를 고려하여 기획재정부장관이 정한다. 다만, 개별 법령에 따라 실시되는 평가의 대상은 관계 중앙관서의 장이 별도로 정한다.

제85조의3 재정사업 성과관리의 원칙

① 정부는 재정사업 성과관리를 통하여 재정운용에 대한 효율성과 책임성을 높이도록 노력하여야 한다.

② 정부는 재정사업 성과관리를 실시할 때 전문성과 공정성을 확보하여 평가결과에 대한 신뢰도를 높이도록 노력하여야 한다.

③ 정부는 재정사업 성과관리의 결과를 공개하여 재정운용에 대한 투명성을 확보하도록 노력하여야 한다.

제85조의4 재정사업 성과관리 기본계획의 수립 등

① 기획재정부장관은 재정사업 성과관리를 효율적으로 실시하기 위하여 5년마다 다음 각 호의 사항을 포함하여 재정사업 성과관리 기본계획을 수립하여야 한다.

1. 재정사업 성과관리 추진의 기본방향
2. 재정사업 성과관리의 대상 및 방법에 관한 사항
3. 재정사업 성과관리 관련 연구 · 개발에 관한 사항
4. 재정사업 성과관리 결과의 활용 및 공개에 관한 사항
5. 재정사업 성과관리 관련 인력 및 조직의 전문성 · 독립성 확보에 관한 사항
6. 그 밖에 대통령령으로 정하는 재정사업 성과관리 업무의 발전에 관한 사항

② 기획재정부장관은 제1항에 따른 재정사업 성과관리 기본계획에 기초하여 매년 재정사업 성과관리 추진계획을 수립하여야 한다.

제85조의5 재정사업 성과관리의 추진체계

① 각 중앙관서의 장과 기금관리주체는 재정사업 성과관리를 위한 추진체계를 구축하여야 한다.

② 각 중앙관서의 장은 재정사업 성과관리 중 성과목표관리를 책임지고 담당할 공무원(이하 "재정성과책임관"이라 한다), 재정성과책임관을 보좌할 담당 공무원(이하 "재정성과운영관"이라 한다) 및 개별 재정사업이나 사업군에 대한 성과목표관리를 담당할 공무원(이하 "성과목표담당관"이라 한다)을 지정하여 재정사업 성과목표관리 업무를 효율적으로 수행하도록 하여야 한다.

③ 재정성과책임관, 재정성과운영관 및 성과목표담당관의 역할 등에 관한 구체적인 사항은 제85조의6 제5항에 따라 기획재정부장관이 정하는 지침으로 정한다.

④ 기획재정부장관은 재정사업 성과목표관리 등을 위하여 대통령령으로 정하는 바에 따라 재정성과평가단을 구성 · 운영할 수 있다.

제85조의6 성과목표관리를 위한 성과계획서 및 성과보고서의 작성

① 각 중앙관서의 장 및 기금관리주체는 재정사업 성과목표관리를 위하여 매년 예산 및 기금에 관한 성과목표 · 성과지표가 포함된 성과계획서 및 성과보고서(「국가회계법」 제14조 제4호에 따른 성과보고서)를 작성하여야 한다.

② 성과목표는 기관의 임무 및 상위 · 하위 목표와 연계되어야 하며, 성과지표를 통하여 성과목표의 달성 여부를 측정할 수 있도록 구체적이고 결과지향적으로 설정되어야 한다.

③ 성과지표는 명확하고 구체적으로 설정되어야 하며, 성과목표의 달성을 객관적으로 제때에 측정할 수 있어야 한다.

⑥ 기획재정부장관은 재정사업 성과목표관리의 원활한 운영을 위하여 성과지표의 개발 · 보급 등 필요한 조치와 지원을 하여야 한다.

제85조의7 성과계획서 및 성과보고서의 제출

각 중앙관서의 장은 제31조 제1항에 따라 예산요구서를 제출할 때 다음 연도 예산의 성과계획서 및 전년도 예산의 성과보고서를 함께 제출하여야 하며, 기금관리주체는 제66조 제5항에 따라 기금운용계획안을 제출할 때 다음 연도 기금의 성과계획서 및 전년도 기금의 성과보고서를 함께 제출하여야 한다.

제85조의8 재정사업 성과평가

① 기획재정부장관은 대통령령으로 정하는 바에 따라 재정사업에 대한 성과평가를 실시할 수 있다.

② 기획재정부장관 및 관계 중앙관서의 장 등은 제1항에 따라 실시되는 재정사업 성과평가와 개별 법령에 따라 실시되는 평가의 대상 간 중복이 최소화되도록 노력하여야 한다.

법령PLUS⊕ 재정사업자율평가제도(「국가재정법 시행령」)

제39조의3【재정사업의 성과평가 등】① 기획재정부장관은 각 중앙관서의 장과 기금관리주체에게 기획재정부장관이 정하는 바에 따라 주요 재정사업을 스스로 평가(재정사업자율평가)하도록 요구할 수 있으며, 다음 각 호의 어느 하나에 해당하는 사업에 대해서는 심층평가를 실시할 수 있다.
1. 재정사업자율평가 결과 추가적인 평가가 필요하다고 판단되는 사업
2. 부처간 유사·중복 사업 또는 비효율적인 사업추진으로 예산낭비의 소지가 있는 사업
3. 향후 지속적 재정지출 급증이 예상되어 객관적 검증을 통해 지출효율화가 필요한 사업
4. 그 밖에 심층적인 분석·평가를 통해 사업추진 성과를 점검할 필요가 있는 사업
② 기획재정부장관은 법 제85조의8 제1항에 따라 주요 재정사업의 국가균형발전에 대한 영향을 평가할 수 있다.

제39조의4【재정사업 성과관리 결과의 반영】기획재정부장관은 법 제85조의10 제2항에 따라 재정사업에 대한 평가 결과를 재정운용에 반영하기 위하여 재정지출 구조의 적정성과 분야별 재정지출의 우선순위에 대한 분석·평가를 실시할 수 있다.

정리 재정사업자율평가제도의 내용

구분	종전	개정 후
평가대상	전체 재정사업의 1/3(3년 주기로 평가)	전체 재정사업(매년 평가)
평가등급	5단계(매우우수/우수/보통/미흡/매우미흡)로 분류	3단계(우수/보통/미흡)로 축소
평가지표	계획, 관리, 성과 및 환류 단계의 11개 지표	관리, 결과 단계의 4개 지표로 간소화

재정의 투명성 제고

제 9 조 재정정보의 공표

① 정부는 예산, 기금, 결산, 국채, 차입금, 국유재산의 현재액 및 통합재정수지 그 밖에 대통령령이 정하는 국가와 지방자치단체의 재정에 관한 중요한 사항을 매년 1회 이상 정보통신매체·인쇄물 등 적당한 방법으로 알기 쉽고 투명하게 공표하여야 한다.

② 기획재정부장관은 각 중앙관서의 장과 기금관리주체에게 제1항의 규정에 따른 재정정보의 공표를 위하여 필요한 자료의 제출을 요구할 수 있다.

④ 각 중앙관서의 장은 해당 중앙관서의 세입·세출예산 운용상황을, 각 법률에 따라 기금을 관리·운용하는 자(기금의 관리 또는 운용 업무를 위탁받은 자는 제외, 이하 "기금관리주체")는 해당 기금의 운용상황을 인터넷 홈페이지에 공개하여야 한다.

제 97 조 재정집행의 관리

① 각 중앙관서의 장과 기금관리주체는 대통령령으로 정하는 바에 따라 사업집행보고서와 예산 및 기금운용계획에 관한 집행보고서를 기획재정부장관에게 제출하여야 한다.

법령PLUS⊕ 재정집행의 관리

「국가재정법 시행령 제48조【재정집행의 관리】 ① 각 중앙관서의 장과 기금관리주체는 법 제97조 제1항에 따른 사업집행보고서와 예산 및 기금운용계획에 관한 집행보고서를 다음 각 호의 사항을 포함하여 매월 경과 후(「외국환거래법」 제13조에 따른 외국환평형기금은 분기 종료 후) 다음달 20일 이내에 기획재정부장관에게 제출하여야 한다. 이 경우 중앙관서의 장이 아닌 기금관리주체는 소관 중앙관서의 장을 거쳐야 한다.

1. 예산 및 기금운용계획의 월별 집행실적
2. 예산 및 기금 등의 집행부진 사유 및 향후 개선계획
3. 각 부처 및 기관별 예산낭비신고실적 및 대응실적(법 제100조에 따른 시정요구내용 및 처리결과를 포함)
4. 그 밖에 기획재정부장관이 예산 및 기금운용계획의 효율적 집행을 위하여 정하는 사항

제 100 조 예산 · 기금의 불법지출에 대한 국민감시

① 국가의 예산 또는 기금을 집행하는 자, 재정지원을 받는 자, 각 중앙관서의 장(그 소속기관의 장을 포함한다) 또는 기금관리주체와 계약 그 밖의 거래를 하는 자가 법령을 위반함으로써 국가에 손해를 가하였음이 명백한 때에는 누구든지 집행에 책임 있는 중앙관서의 장 또는 기금관리주체에게 불법지출에 대한 증거를 제출하고 시정을 요구할 수 있다.

② 제1항의 규정에 따라 시정요구를 받은 중앙관서의 장 또는 기금관리주체는 대통령령이 정하는 바에 따라 그 처리결과를 시정요구를 한 자에게 통지하여야 한다.

③ 중앙관서의 장 또는 기금관리주체는 제2항의 규정에 따른 처리결과에 따라 수입이 증대되거나 지출이 절약된 때에는 시정요구를 한 자에게 제49조의 규정에 따른 예산성과금을 지급할 수 있다.

재정의 신축성 유지

제 22 조 예비비 → 한정성 원칙의 예외, 국회 · 법원 등은 예비금 운용, 기획재정부장관이 관리

① 정부는 예측할 수 없는 예산 외의 지출 또는 예산초과지출에 충당하기 위하여 일반회계 예산총액의 100분의 1 이내의 금액을 예비비로 세입세출예산에 계상할 수 있다. 다만, 예산총칙 등에 따라 미리 사용목적을 지정해 놓은 예비비(→ 목적 예비비)는 본문의 규정에 불구하고 별도로 세입세출예산에 계상할 수 있다.

② 제1항 단서의 규정에 불구하고 공무원의 보수 인상을 위한 인건비 충당을 위하여는 예비비의 사용목적을 지정할 수 없다.

제 23 조 계속비

① 완성에 수년이 필요한 공사나 제조 및 연구개발사업은 그 경비의 총액과 연부액(年賦額)을 정하여 미리 국회의 의결을 얻은 범위 안에서 수년도에 걸쳐서 지출할 수 있다.

② 제1항의 규정에 따라 국가가 지출할 수 있는 연한은 그 회계연도부터 5년 이내로 한다. 다만, 사업규모 및 국가재원 여건을 고려하여 필요한 경우에는 예외적으로 10년 이내로 할 수 있다.

③ 기획재정부장관은 필요하다고 인정하는 때에는 국회의 의결을 거쳐 제2항의 지출연한을 연장할 수 있다.

제 24 조 명시이월비

① 세출예산 중 경비의 성질상 연도 내에 지출을 끝내지 못할 것이 예측되는 때에는 그 취지를 세입세출예산에 명시하여 미리 국회의 승인을 얻은 후 다음 연도에 이월하여 사용할 수 있다.

② 각 중앙관서의 장은 제1항의 규정에 따른 명시이월비에 대하여 예산집행상 부득이한 사유가 있는 때에는 사항마다 사유와 금액을 명백히 하여 기획재정부장관의 승인을 얻은 범위 안에서 다음 연도에 걸쳐서 지출하여야 할 지출원인행위를 할 수 있다.

③ 기획재정부장관은 제2항의 규정에 따라 다음 연도에 걸쳐서 지출하여야 할 지출원인행위를 승인한 때에는 감사원에 통지하여야 한다.

제 25 조 국고채무부담행위

① 국가는 법률에 따른 것과 세출예산금액 또는 계속비의 총액의 범위 안의 것 외에 채무를 부담하는 행위를 하는 때에는 미리 예산으로써 국회의 의결을 얻어야 한다.

② 국가는 제1항에 규정된 것 외에 재해복구를 위하여 필요한 때에는 회계연도마다 국회의 의결을 얻은 범위 안에서 채무를 부담하는 행위를 할 수 있다.

③ 국고채무부담행위는 사항마다 그 필요한 이유를 명백히 하고 그 행위를 할 연도 및 상환연도와 채무부담의 금액을 표시하여야 한다.

제 46 조 예산의 전용

① 각 중앙관서의 장은 예산의 목적범위 안에서 재원의 효율적 활용을 위하여 대통령령이 정하는 바에 따라 기획재정부장관의 승인을 얻어 각 세항 또는 목의 금액을 전용할 수 있다. 이 경우 사업 간의 유사성이 있는지, 재해대책 재원 등으로 사용할 시급한 필요가 있는지, 기관운영을 위한 필수적 경비의 충당을 위한 것인지 여부 등을 종합적으로 고려하여야 한다.

② 각 중앙관서의 장은 제1항의 규정에 불구하고 회계연도마다 기획재정부장관이 위임하는 범위 안에서 각 세항 또는 목의 금액을 자체적으로 전용할 수 있다.

③ 제1항 및 제2항에도 불구하고 각 중앙관서의 장은 다음 각 호의 어느 하나에 해당하는 경우에는 전용할 수 없다.

1. 당초 예산에 계상되지 아니한 사업을 추진하는 경우
2. 국회가 의결한 취지와 다르게 사업 예산을 집행하는 경우

제 47 조 예산의 이용 · 이체

① 각 중앙관서의 장은 예산이 정한 각 기관 간 또는 각 장 · 관 · 항 간에 상호 이용(移用)할 수 없다. 다만, 다음 각 호의 어느 하나에 해당하는 경우에 한정하여 미리 예산으로써 국회의 의결을 얻은 때에는 기획재정부장관의 승인을 얻어 이용하거나 기획재정부장관이 위임하는 범위 안에서 자체적으로 이용할 수 있다.

1. 법령상 지출의무의 이행을 위한 경비 및 기관운영을 위한 필수적 경비의 부족액이 발생하는 경우
2. 환율변동 · 유가변동 등 사전에 예측하기 어려운 불가피한 사정이 발생하는 경우
3. 재해대책 재원 등으로 사용할 시급한 필요가 있는 경우
4. 그 밖에 대통령령으로 정하는 경우

제 89 조　추가경정예산안의 편성

① 정부는 다음 각 호의 어느 하나에 해당하게 되어 이미 확정된 예산에 변경을 가할 필요가 있는 경우에는 추가경정예산안을 편성할 수 있다.

1. 전쟁이나 대규모 재해가 발생한 경우
2. 경기침체, 대량실업, 남북관계의 변화, 경제협력과 같은 대내 · 외 여건에 중대한 변화가 발생하였거나 발생할 우려가 있는 경우
3. 법령에 따라 국가가 지급하여야 하는 지출이 발생하거나 증가하는 경우

② 정부는 국회에서 추가경정예산안이 확정되기 전에 이를 미리 배정하거나 집행할 수 없다.

재정의 건전성 유지

제 87 조　재정부담을 수반하는 법령의 제정 및 개정

① 정부는 재정지출 또는 조세감면을 수반하는 법률안을 제출하고자 하는 때에는 법률이 시행되는 연도부터 5회계연도의 재정수입 · 지출의 증감액에 관한 추계자료와 이에 상응하는 재원조달방안을 그 법률안에 첨부하여야 한다.

제 88 조　국세감면의 제한

① 기획재정부장관은 대통령령이 정하는 당해 연도 국세 수입총액과 국세감면액 총액을 합한 금액에서 국세감면액 총액이 차지하는 비율('국세감면율'이라 한다)이 대통령령이 정하는 비율 이하가 되도록 노력하여야 한다.

제 90 조　세계잉여금 등의 처리 → 일정 비율의 공적자금, 국채 상환을 의무화하여 재정 건전성 확보

② 매 회계연도 세입세출의 결산상 잉여금 중 다른 법률에 따른 것과 제48조의 규정에 따른 이월액을 공제한 금액(이하 '세계잉여금'이라 한다)은 교부세의 정산 및 「지방교육재정교부금법」 제9조 제3항의 규정에 따른 교부금의 정산에 사용할 수 있다.

③ 제2항의 규정에 따라 사용한 금액을 제외한 세계잉여금은 100분의 30 이상을 「공적자금상환기금법」에 따른 공적자금상환기금에 우선적으로 출연하여야 한다.

④ 제2항 및 제3항의 규정에 따라 사용하거나 출연한 금액을 제외한 세계잉여금은 100분의 30 이상을 채무를 상환하는데 사용하여야 한다.

⑤ 제2항부터 제4항까지의 규정에 따라 사용하거나 출연한 금액을 제외한 세계잉여금은 추가경정예산안의 편성에 사용할 수 있다.

⑦ 제2항부터 제5항까지의 규정에 따른 세계잉여금의 사용 또는 출연은 다른 법률의 규정에 불구하고 국가결산보고서에 대한 대통령의 승인을 얻은 때부터 이를 할 수 있다.

제 91 조　국가채무의 관리

① 기획재정부장관은 국가의 회계 또는 기금이 부담하는 금전채무에 대하여 매년 일정한 사항이 포함된 국가채무관리계획을 수립하여야 한다.

성인지 예산제도

제 26 조　성인지 예산서의 작성

① 정부는 예산이 여성과 남성에게 미칠 영향을 미리 분석한 보고서[이하 '성인지(性認知)예산서'라 한다]를 작성하여야 한다. → **성주류화를 통한 양성평등이 목적, 예산안에 첨부**

② 성인지예산서에는 성평등 기대효과, 성과목표, 성별 수혜분석 등을 포함하여야 한다.

→ **성인지 예산서는 기획재정부장관이 여성가족부장관과 협의하여 제시한 작성기준(성인지 예산서 작성 대상사업 선정기준을 포함) 및 방식 등에 따라 각 중앙관서의 장이 작성한다(「국가재정법 시행령」 제9조).**

제 57 조　성인지 결산서의 작성

① 정부는 여성과 남성이 동등하게 예산의 수혜를 받고 예산이 성차별을 개선하는 방향으로 집행되었는지를 평가하는 보고서(이하 '성인지 결산서'라 한다)를 작성하여야 한다.

② 성인지 결산서에는 집행실적, 성평등 효과분석 및 평가 등을 포함하여야 한다.

독립기관의 예산

제 40 조　독립기관의 예산

① 정부는 독립기관(→ **국회, 대법원, 헌법재판소, 중앙선거관리위원회**)의 예산을 편성함에 있어 당해 독립기관의 장의 의견을 최대한 존중하여야 하며, 국가재정상황 등에 따라 조정이 필요한 때에는 당해 독립기관의 장과 미리 협의하여야 한다.

② 정부는 제1항의 규정에 따른 협의에도 불구하고 독립기관의 세출예산요구액을 감액하고자 할 때에는 국무회의에서 당해 독립기관의 장의 의견을 구하여야 하며, 정부가 독립기관의 세출예산요구액을 감액한 때에는 그 규모 및 이유, 감액에 대한 독립기관의 장의 의견을 국회에 제출하여야 한다.

결산

제 58 조　중앙관서결산보고서의 작성 및 제출

① 각 중앙관서의 장은 「국가회계법」에서 정하는 바에 따라 회계연도마다 작성한 결산보고서(이하 '중앙관서결산보고서'라 한다)를 다음 연도 2월 말일까지 기획재정부장관에게 제출하여야 한다.

제 59 조　국가결산보고서의 작성 및 제출

기획재정부장관은 「국가회계법」에서 정하는 바에 따라 회계연도마다 작성하여 대통령의 승인을 받은 국가결산보고서를 다음 연도 4월 10일까지 감사원에 제출하여야 한다.

제 60 조 결산검사

감사원은 제59조에 따라 제출된 국가결산보고서를 검사하고 그 보고서를 다음 연도 5월 20일까지 기획재정부장관에게 송부하여야 한다.

제 61 조 국가결산보고서의 국회제출

정부는 제60조에 따라 감사원의 검사를 거친 국가결산보고서를 다음 연도 5월 31일까지 국회에 제출하여야 한다.

법령PLUS⊕ 금융성 기금(제70조 제3항 관련)

1. 「금융회사부실자산 등의 효율적 처리 및 한국자산관리공사의 설립에 관한 법률」에 따른 부실채권정리기금 및 구조조정기금
2. 「기술보증기금법」에 따른 기술보증기금
3. 「농림수산업자 신용보증법」에 따른 농림수산업자신용보증기금
4. 「농어가 목돈마련저축에 관한 법률」에 따른 농어가목돈마련저축장려기금
5. 「사회기반시설에 대한 민간투자법」에 따른 산업기반신용보증기금
6. 「무역보험법」에 따른 무역보험기금
7. 「신용보증기금법」에 따른 신용보증기금
8. 「예금자보호법」에 따른 예금보험기금채권상환기금
9. 「한국장학재단 설립 등에 관한 법률」에 따른 국가장학기금
10. 「한국주택금융공사법」에 따른 주택금융신용보증기금

핵심OX

1 정부의 특별회계는 대통령령으로 설치한다. (O, X)

2 정부의 예산안에는 성과계획서, 성인지예산서, 조세지출예산서, 세입세출예산 총계표 및 순계표 등이 첨부된다. (O, X)

3 정부는 상당하다고 인정되는 금액을 일반예비비로 세입세출예산에 계상할 수 있다. (O, X)

4 예비타당성조사는 기획재정부가 실시하고 타당성조사는 주무부처가 실시한다. (O, X)

5 성인지 예산서는 각 중앙관서의 장이 여성가족부장관과 협의하여 제시한 작성기준(성인지 예산서 작성 대상사업 선정기준을 포함) 및 방식 등에 따라 기획재정부장관이 작성한다. (O, X)

핵심기출

1 다음 중 「국가재정법」 제16조에서 규정하고 있는 재정운영에 대한 내용으로 옳지 않은 것은? 2018년 국회직 8급

① 재정건전성의 확보

② 국민부담의 최소화

③ 재정을 운영함에 있어 재정지출의 성과 제고

④ 예산과정에의 국민참여 제고를 위한 노력

⑤ 재정의 지속가능성 확보

2 현행 「국가재정법」에서 규율하고 있는 제도들 중 재정운용의 건전성 강화 목적과 직접적 관련이 있는 사항을 다음에서 모두 고른 것은?

2018년 서울시 7급(6월 시행)

ㄱ. 성인지 예산서 및 결산서 도입	ㄴ. 예산 · 기금 지출에 대한 국민 감시와 예산성과금 지급
ㄷ. 추가경정예산안 편성의 제한	ㄹ. 세계잉여금 일정 비율의 공적자금 등 상환 의무화
ㅁ. 국가채무관리계획 수립	ㅂ. 국가 보증채무 부담의 국회 사전 동의
ㅅ. 국세 감면의 제한	ㅇ. 재정정보 연 1회 이상 공개 의무화
ㅈ. 법률안 재정 소요 추계제도	ㅊ. 예산, 기금 간 여유재원의 상호 전출 · 입

① ㄱ, ㄴ, ㄷ, ㄹ, ㅁ, ㅂ　　② ㄴ, ㄹ, ㅂ, ㅅ, ㅇ, ㅊ

③ ㄴ, ㄷ, ㅁ, ㅅ, ㅇ, ㅊ　　④ ㄷ, ㄹ, ㅁ, ㅂ, ㅅ, ㅈ

정답 및 해설

핵심OX

1 X 법률로 설치한다.

2 O

3 X 일반예비비는 일반회계 예산총액의 100의 1 이내의 금액이다.

4 O

5 X 기획재정부장관이 여성가족부장관과 협의하여 제시한 작성기준 및 방식 등에 따라 각 중앙관서의 장이 작성한다.

핵심기출

1 ⑤ 「국가재정법」 제16조는 예산의 원칙으로 예산과정에 있어서 준수하여야 할 사항을 규정하고 있으며, 재정의 지속가능성 확보에 대한 내용은 포함되어 있지 않다.

2 ④ 재정운용의 건전성 강화 목적과 관련 있는 제도는 ㄷ, ㄹ, ㅁ, ㅂ, ㅅ, ㅈ이다. 나머지는 건전성 강화와 직접적 관련이 없으며 각각 ㄱ은 재정의 형평성 강화, ㄴ, ㅇ은 재정의 투명성 제고, ㅊ은 재정운영의 효율성과 관련 있는 제도이다.

15 민원 처리에 관한 법률

관련단원 PART 6. 행정환류론 > CHAPTER 1. 행정책임과 행정통제

제 1 조 목적

이 법은 민원 처리에 관한 기본적인 사항을 규정하여 민원의 공정하고 적법한 처리와 민원행정제도의 합리적 개선을 도모함으로써 국민의 권익을 보호함을 목적으로 한다.

제 2 조 정의

이 법에서 사용하는 용어의 뜻은 다음과 같다.

1. "민원"이란 민원인이 행정기관에 대하여 처분 등 특정한 행위를 요구하는 것을 말하며, 그 종류는 다음 각 목과 같다.
   가. 일반민원
      1) 법정민원: 법령 · 훈령 · 예규 · 고시 · 자치법규 등(이하 '관계법령 등'이라 한다)에서 정한 일정 요건에 따라 인가 · 허가 · 승인 · 특허 · 면허 등을 신청하거나 장부 · 대장 등에 등록 · 등재를 신청 또는 신고하거나 특정한 사실 또는 법률관계에 관한 확인 또는 증명을 신청하는 민원
      2) 질의민원: 법령 · 제도 · 절차 등 행정업무에 관하여 행정기관의 설명이나 해석을 요구하는 민원
      3) 건의민원: 행정제도 및 운영의 개선을 요구하는 민원
      4) 기타민원: 법정민원, 질의민원, 건의민원 및 고충민원 외에 행정기관에 단순한 행정절차 또는 형식요건 등에 대한 상담 · 설명을 요구하거나 일상생활에서 발생하는 불편사항에 대하여 알리는 등 행정기관에 특정한 행위를 요구하는 민원
   나. 고충민원: 「부패방지 및 국민권익위원회의 설치와 운영에 관한 법률」 제2조 제5호에 따른 고충민원
2. "민원인"이란 행정기관에 민원을 제기하는 개인 · 법인 또는 단체를 말한다. 다만, 행정기관(사경제의 주체로서 제기하는 경우는 제외한다), 행정기관과 사법(私法)상 계약관계(민원과 직접 관련된 계약관계만 해당한다)에 있는 자, 성명 · 주소 등이 불명확한 자 등 대통령령으로 정하는 자는 제외한다.
3. "행정기관"이란 다음 각 목의 자를 말한다.
   가. 국회 · 법원 · 헌법재판소 · 중앙선거관리위원회의 행정사무를 처리하는 기관, 중앙행정기관(대통령 소속 기관과 국무총리 소속 기관을 포함한다. 이하 같다)과 그 소속 기관, 지방자치단체와 그 소속 기관
   나. 공공기관
      1) 「공공기관의 운영에 관한 법률」 제4조에 따른 법인 · 단체 또는 기관
      2) 「지방공기업법」에 따른 지방공사 및 지방공단
      3) 특별법에 따라 설립된 특수법인
      4) 「초 · 중등교육법」 · 「고등교육법」 및 그 밖의 다른 법률에 따라 설치된 각급 학교
      5) 그 밖에 대통령령으로 정하는 법인 · 단체 또는 기관
   다. 법령 또는 자치법규에 따라 행정권한이 있거나 행정권한을 위임 또는 위탁받은 법인 · 단체 또는 그 기관이나 개인
4. "처분"이란 「행정절차법」 제2조 제2호의 처분을 말한다.
5. "복합민원"이란 하나의 민원 목적을 실현하기 위하여 관계법령 등에 따라 여러 관계 기관(민원과 관련된 단체 · 협회 등을 포함한다. 이하 같다) 또는 관계 부서의 인가 · 허가 · 승인 · 추천 · 협의 또는 확인 등을 거쳐 처리되는 법정민원을 말한다.

6. "다수인관련민원"이란 5세대(世帶) 이상의 공동이해와 관련되어 5명 이상이 연명으로 제출하는 민원을 말한다.
8. "무인민원발급창구"란 행정기관의 장이 행정기관 또는 공공장소 등에 설치하여 민원인이 직접 민원문서를 발급받을 수 있도록 하는 전자장비를 말한다.

제 4 조 민원 처리 담당자의 의무와 보호

① 민원을 처리하는 담당자는 담당 민원을 신속 · 공정 · 친절 · 적법하게 처리하여야 한다.
② 행정기관의 장은 민원인 등의 폭언 · 폭행, 목적이 정당하지 아니한 반복 민원 등으로부터 민원 처리 담당자를 보호하기 위하여 민원 처리 담당자의 신체적 · 정신적 피해의 예방 및 치료 등 대통령령으로 정하는 필요한 조치를 하여야 한다.
③ 민원 처리 담당자는 행정기관의 장에게 제2항에 따른 조치를 요구할 수 있다.
④ 행정기관의 장은 제3항에 따른 민원 처리 담당자의 요구를 이유로 해당 민원 처리 담당자에게 불이익을 주어서는 아니 된다.

제 5 조 민원인의 권리와 의무 → 민원인의 권리와 의무 규정 신설

① 민원인은 행정기관에 민원을 신청하고 신속 · 공정 · 친절 · 적법한 응답을 받을 권리가 있다.
② 민원인은 민원을 처리하는 담당자의 적법한 민원처리를 위한 요청에 협조하여야 하고, 행정기관에 부당한 요구를 하거나 다른 민원인에 대한 민원 처리를 지연시키는 등 공무를 방해하는 행위를 하여서는 아니 된다.

제 6 조 민원처리의 원칙

① 행정기관의 장은 관계법령 등에서 정한 처리기간이 남아 있다거나 그 민원과 관련 없는 공과금 등을 미납하였다는 이유로 민원 처리를 지연시켜서는 아니 된다. 다만, 다른 법령에 특별한 규정이 있는 경우에는 그에 따른다.
② 행정기관의 장은 법령의 규정 또는 위임이 있는 경우를 제외하고는 민원 처리의 절차 등을 강화하여서는 아니 된다.

제7조의2 민원의 날

① 민원에 대한 이해와 인식 및 민원 처리 담당자의 자긍심을 높이기 위하여 매년 11월 24일을 민원의 날로 정한다.
② 국가와 지방자치단체는 민원의 날의 취지에 적합한 기념행사를 할 수 있다.

민원의 처리

제 8 조 민원의 신청

민원의 신청은 문서(「전자정부법」 제2조 제7호에 따른 전자문서를 포함한다. 이하 같다)로 하여야 한다. 다만, 기타민원은 구술(口述) 또는 전화로 할 수 있다.

제 9 조 민원의 접수

① 행정기관의 장은 민원의 신청을 받았을 때에는 다른 법령에 특별한 규정이 있는 경우를 제외하고는 그 접수를 보류하거나 거부할 수 없으며, 접수된 민원서류를 부당하게 되돌려 보내서는 아니 된다.

제 10 조 불필요한 서류 요구의 금지

① 행정기관의 장은 민원을 접수·처리할 때에 민원인에게 관계법령 등에서 정한 구비서류 외의 서류를 추가로 요구하여서는 아니 된다.

③ **행정기관의 장은** 민원을 접수·처리할 때에 다음 각 호의 어느 하나에 해당하는 경우에는 민원인에게 관련 증명서류 또는 구비서류의 제출을 요구할 수 없으며, 그 민원을 처리하는 담당자가 직접 이를 확인·처리하여야 한다.

1. 민원인이 소지한 주민등록증·여권·자동차운전면허증 등 행정기관이 발급한 증명서로 그 민원의 처리에 필요한 내용을 확인할 수 있는 경우
2. 해당 행정기관의 공부(公簿) 또는 행정정보로 그 민원의 처리에 필요한 내용을 확인할 수 있는 경우
3. 「전자정부법」 제36조 제1항에 따른 행정정보의 공동이용을 통하여 그 민원의 처리에 필요한 내용을 확인할 수 있는 경우
4. 행정기관이 증명서류나 구비서류를 다른 행정기관으로부터 전자문서로 직접 발급받아 그 민원의 처리에 필요한 내용을 확인할 수 있는 경우로서 민원인이 행정기관에 미리 해당 증명서류 또는 구비서류에 대하여 관계법령 등에서 정한 수수료 등을 납부한 경우

제 12 조 민원실의 설치

행정기관의 장은 민원을 신속히 처리하고 민원인에 대한 안내와 상담의 편의를 제공하기 위하여 민원실을 **설치할 수 있다**. → **임의사항**

법령PLUS⊕ 민원실

「민원 처리에 관한 법률 시행령」 제8조의3【민원실의 운영】 ① 법 제12조에 따른 민원실의 1일 운영시간은 오전 9시부터 오후 6시까지로 한다.

② 행정기관의 장은 민원인 접근의 편의를 위하여 행정기관 외의 공공장소 등에 다양한 형태의 민원실을 설치하여 운영할 수 있다.

③ 제1항 및 제2항에 따른 민원실의 운영시간이나 운영방법은 각 행정기관의 특성에 따라 행정안전부령 또는 해당 지방자치단체의 조례로 달리 정할 수 있다.

제 13 조 민원편람의 비치 등 신청편의의 제공

행정기관의 장은 민원실(민원실이 설치되지 아니한 기관의 경우에는 문서의 접수·발송을 주관하는 부서를 말한다)에 민원의 신청에 필요한 사항을 게시(인터넷 등을 통한 게시를 포함한다)하거나 편람을 비치하는 등 민원인에게 민원 신청의 편의를 제공하여야 한다.

제 14 조 다른 행정기관 등을 이용한 민원의 접수·교부

① 행정기관의 장은 민원인의 편의를 위하여 그 행정기관이 접수하고 처리결과를 교부하여야 할 민원을 다른 행정기관이나 특별법에 따라 설립되고 전국적 조직을 가진 법인 중 대통령령으로 정하는 법인으로 하여금 접수·교부하게 할 수 있다.

민원의 처리기간·처리방법 등

제 17 조 법정민원의 처리기간 설정·공표

① 행정기관의 장은 법정민원을 신속히 처리하기 위하여 행정기관에 법정민원의 신청이 접수된 때부터 처리가 완료될 때까지 소요되는 처리기간을 법정민원의 종류별로 미리 정하여 공표하여야 한다.

② 행정기관의 장은 제1항에 따른 처리기간을 정할 때에는 접수기관 · 경유기관 · 협의기관(다른 기관과 사전협의가 필요한 경우만 해당한다) 및 처분기관 등 각 기관별로 처리기간을 구분하여 정하여야 한다.

③ 행정기관의 장은 제1항 및 제2항에 따른 처리기간을 민원편람에 수록하여야 한다.

제 21 조 민원 처리의 예외

행정기관의 장은 접수된 민원(법정민원을 제외한다. 이하 이 조에서 같다)이 다음 각 호의 어느 하나에 해당하는 경우에는 그 민원을 처리하지 아니할 수 있다. 이 경우 그 사유를 해당 민원인에게 통지하여야 한다.

1. 고도의 정치적 판단을 요하거나 국가기밀 또는 공무상 비밀에 관한 사항
2. 수사, 재판 및 형집행에 관한 사항 또는 감사원의 감사가 착수된 사항
3. 행정심판, 행정소송, 헌법재판소의 심판, 감사원의 심사청구, 그 밖에 다른 법률에 따라 불복구제절차가 진행 중인 사항
4. 법령에 따라 화해 · 알선 · 조정 · 중재 등 당사자 간의 이해 조정을 목적으로 행하는 절차가 진행 중인 사항
5. 판결 · 결정 · 재결 · 화해 · 조정 · 중재 등에 따라 확정된 권리관계에 관한 사항
6. 감사원이 감사위원회의의 결정을 거쳐 행하는 사항
7. 각급 선거관리위원회의 의결을 거쳐 행하는 사항
8. 사인 간의 권리관계 또는 개인의 사생활에 관한 사항
9. 행정기관의 소속 직원에 대한 인사행정상의 행위에 관한 사항

제 23 조 반복 및 중복 민원의 처리

① 행정기관의 장은 민원인이 동일한 내용의 민원(법정민원을 제외한다. 이하 이 조에서 같다)을 정당한 사유 없이 3회 이상 반복하여 제출한 경우에는 2회 이상 그 처리결과를 통지하고, 그 후에 접수되는 민원에 대하여는 종결처리할 수 있다.

② 행정기관의 장은 민원인이 2개 이상의 행정기관에 제출한 동일한 내용의 민원을 다른 행정기관으로부터 이송 받은 경우에도 제1항을 준용하여 처리할 수 있다.

③ 행정기관의 장은 제1항 및 제2항에 따른 동일한 내용의 민원인지 여부에 대하여는 해당 민원의 성격, 종전 민원과의 내용적 유사성 · 관련성 및 종전 민원과 동일한 답변을 할 수 밖에 없는 사정 등을 종합적으로 고려하여 결정하여야 한다.

제 24 조 다수인관련 민원의 처리

① 다수인관련민원을 신청하는 민원인은 연명부(連名簿)를 원본으로 제출하여야 한다.

법정민원

제 31 조 복합민원의 처리

① 행정기관의 장은 복합민원을 처리할 주무부서를 지정하고 그 부서로 하여금 관계 기관 · 부서 간의 협조를 통하여 민원을 한꺼번에 처리하게 할 수 있다. → **복합민원 일괄처리의 원칙**

제 32 조 민원 1회방문 처리제의 시행

① 행정기관의 장은 복합민원을 처리할 때에 그 행정기관의 내부에서 할 수 있는 자료의 확인, 관계 기관 · 부서와의 협조 등에 따른 모든 절차를 담당 직원이 직접 진행하도록 하는 민원 1회방문 처리제를 확립함으로써 불필요한 사유로 민원인이 행정기관을 다시 방문하지 아니하도록 하여야 한다.

민원의 처리 결과의 통지와 이의신청

제 27 조 처리결과의 통지

① 행정기관의 장은 접수된 민원에 대한 처리를 완료한 때에는 그 결과를 민원인에게 문서로 통지하여야 한다. 다만, 기타민원의 경우와 통지에 신속을 요하거나 민원인이 요청하는 등 대통령령으로 정하는 경우에는 구술 또는 전화로 통지할 수 있다.

② 행정기관의 장은 제1항에 따라 민원의 처리결과를 통지할 때에 민원의 내용을 거부하는 경우에는 거부 이유와 구제절차를 함께 통지하여야 한다.

제 35 조 거부처분에 대한 이의신청

① 법정민원에 대한 행정기관의 장의 거부처분에 불복하는 민원인은 그 거부처분을 받은 날부터 60일 이내에 그 행정기관의 장에게 문서로 이의신청을 할 수 있다.

② 행정기관의 장은 이의신청을 받은 날부터 10일 이내에 그 이의신청에 대하여 인용 여부를 결정하고 그 결과를 민원인에게 지체 없이 문서로 통지하여야 한다. 다만, 부득이한 사유로 정하여진 기간 이내에 인용 여부를 결정할 수 없을 때에는 그 기간의 만료일 다음 날부터 기산(起算)하여 10일 이내의 범위에서 연장할 수 있으며, 연장 사유를 민원인에게 통지하여야 한다.

③ 민원인은 제1항에 따른 이의신청 여부와 관계없이 「행정심판법」에 따른 행정심판 또는 「행정소송법」에 따른 행정소송을 제기할 수 있다.

민원조정위원회의 설치와 운영

제 34 조 민원조정위원회의 설치 · 운영

① 행정기관의 장은 다음 각 호의 사항을 심의하기 위하여 민원조정위원회를 설치 · 운영하여야 한다.

1. 장기 미해결 민원, 반복 민원 및 다수인관련민원에 대한 해소 · 방지 대책
2. 거부처분에 대한 이의신청
3. 민원처리 주무부서의 법규적용의 타당성 여부와 제32조 제3항 제4호에 따른 재심의
4. 그 밖에 대통령령으로 정하는 사항

② 제1항의 민원조정위원회의 구성 및 운영 등에 필요한 사항은 대통령령으로 정한다.

핵심OX

1 법령 · 제도 · 절차 등 행정업무에 관하여 행정기관의 설명이나 해석을 요구하는 민원은 건의민원이다. (O, X)

2 행정기관의 장은 민원을 신속히 처리하고 민원인에 대한 안내와 상담의 편의를 제공하기 위하여 민원실을 설치해야 한다. (O, X)

3 다수인관련민원을 신청하는 민원인은 연명부(連名簿)를 사본으로 제출하여야 한다.

4 「민원 처리에 관한 법률」에서는 민원 1회방문 처리제를 규정하고 있다. (O, X)

5 「민원 처리에 관한 법률」에서는 거부처분에 불복할 경우 이의신청뿐 아니라 행정심판 또는 행정소송의 제기도 규정하고 있다. (O, X)

핵심기출

1 민원에 대한 설명으로 옳지 않은 것은? 2016년 사회복지직 9급

① 복합민원은 5세대 이상의 공동이해와 관련하여 5명 이상이 연명으로 제출하는 민원이다.

② 고충민원은 행정기관 등의 위법 · 부당하거나 소극적인 처분 및 불합리한 행정제도로 인하여 국민의 권리를 침해하거나 국민에게 불편 또는 부담을 주는 사항에 관한 민원이다.

③ 질의민원은 법령 · 제도 · 절차 등 행정업무에 관하여 행정기관의 설명이나 해석을 요구하는 민원이다.

④ 건의민원은 행정제도 및 운영의 개선을 요구하는 민원이다.

2 민원행정에 대한 설명으로 옳지 않은 것은? 2017년 국가직 7급

① 행정체제의 경계를 넘나드는 교호작용을 통하여 주로 규제와 급부에 관련된 행정산출을 전달한다.

② 행정기관의 장은 개인의 사생활에 관한 사항에 해당하는 경우 그 민원을 처리하지 않을 수 있다.

③ 행정구제수단으로서의 기능을 수행한다.

④ 행정기관은 사경제의 주체로서 민원을 제기할 수 없다.

정답 및 해설

핵심OX

1 X 건의민원이 아니라 질의민원이다.

2 X 민원실의 설치는 의무규정이 아니라 임의사항이다.

3 X 사본이 아니라 원본으로 제출하여야 한다.

4 O

5 O

핵심기출

1 ① 복합민원이 아니라 다수인관련민원에 해당한다.

2 ④ 행정기관도 사경제의 주체로서 민원을 제기할 수 있다. 하지만 처리대상 민원이나 민원인의 범주에는 포함되지 않는다.

16 공공기관의 정보공개에 관한 법률

관련단원 PART 6. 행정환류론 > CHAPTER 3. 정보화와 행정

총칙

제 1 조 목적

이 법은 공공기관이 보유·관리하는 정보에 대한 국민의 공개 청구 및 공공기관의 공개 의무에 관하여 필요한 사항을 정함으로써 국민의 알권리를 보장하고 국정(國政)에 대한 국민의 참여와 국정 운영의 투명성을 확보함을 목적으로 한다.

제 2 조 정의

이 법에서 사용하는 용어의 뜻은 다음과 같다.

1. "정보"란 공공기관이 직무상 작성 또는 취득하여 관리하고 있는 문서 및 전자매체를 비롯한 모든 형태의 매체 등에 기록된 사항을 말한다.
3. "공공기관"이란 다음 각 목의 기관을 말한다.
   라. 「지방공기업법」에 따른 지방공사 및 지방공단
   마. 그 밖에 대통령령으로 정하는 기관

제 3 조 정보공개의 원칙

공공기관이 보유·관리하는 정보는 국민의 알권리 보장 등을 위하여 이 법에서 정하는 바에 따라 적극적으로 공개하여야 한다.

법령PLUS⊕ 공공기관의 범위

국가, 지방자치단체, 공공기관 및 대통령령이 정하는 기관(각급학교, 지방공사와 지방공단, 정부산하기관, 특수법인, 사회복지법인 등)

정보공개 청구권자와 공공기관의 의무

제 5 조 정보공개 청구권자

① 모든 국민은 정보의 공개를 청구할 권리를 가진다.

② 외국인의 정보공개 청구에 관하여는 대통령령으로 정한다.

법령PLUS⊕ 정보공개청구가 가능한 외국인

「공공기관의 정보공개에 관한 법률 시행령」 제3조【외국인의 정보공개 청구】 법 제5조 제2항에 따라 정보공개를 청구할 수 있는 외국인은 다음 각 호에 해당하는 자로 한다.

1. 국내에 일정한 주소를 두고 거주하거나 학술·연구를 위하여 일시적으로 체류하는 사람
2. 국내에 사무소를 두고 있는 법인 또는 단체

제 6 조 공공기관의 의무

① 공공기관은 정보의 공개를 청구하는 국민의 권리가 존중될 수 있도록 이 법을 운영하고 소관 관계 법령을 정비하며, 정보를 투명하고 적극적으로 공개하는 조직문화 형성에 노력하여야 한다.

② 공공기관은 정보의 적절한 보존 및 신속한 검색과 국민에게 유용한 정보의 분석 및 공개 등이 이루어지도록 정보관리체계를 정비하고, 정보공개 업무를 주관하는 부서 및 담당하는 인력을 적정하게 두어야 하며, 정보통신망을 활용한 정보공개시스템 등을 구축하도록 노력하여야 한다.

③ 행정안전부장관은 공공기관의 정보공개에 관한 업무를 종합적 · 체계적 · 효율적으로 지원하기 위하여 통합정보공개시스템을 구축 · 운영하여야 한다.

④ 공공기관(국회 · 법원 · 헌법재판소 · 중앙선거관리위원회는 제외)이 제2항에 따른 정보공개시스템을 구축하지 아니한 경우에는 제3항에 따라 행정안전부장관이 구축 · 운영하는 통합정보공개시스템을 통하여 정보공개 청구 등을 처리하여야 한다.

⑤ 공공기관은 소속 공무원 또는 임직원 전체를 대상으로 국회규칙 · 대법원규칙 · 헌법재판소규칙 · 중앙선거관리위원회규칙 및 대통령령으로 정하는 바에 따라 이 법 및 정보공개 제도 운영에 관한 교육을 실시하여야 한다.

제6조의2 정보공개 담당자의 의무

공공기관의 정보공개 담당자(정보공개 청구 대상 정보와 관련된 업무 담당자를 포함)는 정보공개 업무를 성실하게 수행하여야 하며, 공개 여부의 자의적인 결정, 고의적인 처리 지연 또는 위법한 공개 거부 및 회피 등 부당한 행위를 하여서는 아니 된다.

제 7 조 정보의 사전적 공개 등

① 공공기관은 다음 각 호의 어느 하나에 해당하는 정보에 대해서는 공개의 구체적 범위, 주기, 시기 및 방법 등을 미리 정하여 정보통신망 등을 통하여 알리고, 이에 따라 정기적으로 공개하여야 한다. 다만, 제9조 제1항 각 호의 어느 하나에 해당하는 정보에 대해서는 그러하지 아니하다.

1. 국민생활에 매우 큰 영향을 미치는 정책에 관한 정보
2. 국가의 시책으로 시행하는 공사(工事) 등 대규모 예산이 투입되는 사업에 관한 정보
3. 예산집행의 내용과 사업평가 결과 등 행정감시를 위하여 필요한 정보
4. 그 밖에 공공기관의 장이 정하는 정보

② 공공기관은 제1항에 규정된 사항 외에도 국민이 알아야 할 필요가 있는 정보를 국민에게 공개하도록 적극적으로 노력하여야 한다.

제8조의2 공개대상 정보의 원문공개

공공기관 중 중앙행정기관 및 대통령령으로 정하는 기관은 전자적 형태로 보유 · 관리하는 정보 중 공개대상으로 분류된 정보를 국민의 정보공개 청구가 없더라도 정보통신망을 활용한 정보공개시스템 등을 통하여 공개하여야 한다.

정보공개의 절차

제 9 조 비공개 대상 정보

① 공공기관이 보유 · 관리하는 정보는 공개 대상이 된다. 다만, 다음 각 호의 어느 하나에 해당하는 정보는 공개하지 아니할 수 있다.

1. 다른 법률 또는 법률에서 위임한 명령(국회규칙 · 대법원규칙 · 헌법재판소규칙 · 중앙선거관리위원회규칙 · 대통령령 및 조례로 한정한다)에 따라 비밀이나 비공개 사항으로 규정된 정보
2. 국가안전보장 · 국방 · 통일 · 외교관계 등에 관한 사항으로서 공개될 경우 국가의 중대한 이익을 현저히 해칠 우려가 있다고 인정되는 정보
3. 공개될 경우 국민의 생명 · 신체 및 재산의 보호에 현저한 지장을 초래할 우려가 있다고 인정되는 정보
4. 진행 중인 재판에 관련된 정보와 범죄의 예방, 수사, 공소의 제기 및 유지, 형의 집행, 교정(矯正), 보안처분에 관한 사항으로서 공개될 경우 그 직무수행을 현저히 곤란하게 하거나 형사피고인의 공정한 재판을 받을 권리를 침해한다고 인정할 만한 상당한 이유가 있는 정보
5. 감사 · 감독 · 검사 · 시험 · 규제 · 입찰계약 · 기술개발 · 인사관리에 관한 사항이나 의사결정 과정 또는 내부검토 과정에 있는 사항 등으로서 공개될 경우 업무의 공정한 수행이나 연구 · 개발에 현저한 지장을 초래한다고 인정할 만한 상당한 이유가 있는 정보. 다만, 의사결정 과정 또는 내부검토 과정을 이유로 비공개할 경우에는 제13조 제5항에 따라 통지를 할 때 의사결정 과정 또는 내부검토 과정의 단계 및 종료 예정일을 함께 안내하여야 하며, 의사결정 과정 및 내부검토 과정이 종료되면 제10조에 따른 청구인에게 이를 통지하여야 한다.
6. 해당 정보에 포함되어 있는 성명 · 주민등록번호 등 「개인정보 보호법」 제2조 제1호에 따른 개인정보로서 공개될 경우 사생활의 비밀 또는 자유를 침해할 우려가 있다고 인정되는 정보. 다만, 다음 각 목에 열거한 개인에 관한 정보는 제외한다.
   가. 법령에서 정하는 바에 따라 열람할 수 있는 정보
   나. 공공기관이 공표를 목적으로 작성하거나 취득한 정보로서 사생활의 비밀 또는 자유를 부당하게 침해하지 아니하는 정보
   다. 공공기관이 작성하거나 취득한 정보로서 공개하는 것이 공익이나 개인의 권리 구제를 위하여 필요하다고 인정되는 정보
   라. 직무를 수행한 공무원의 성명 · 직위
   마. 공개하는 것이 공익을 위하여 필요한 경우로서 법령에 따라 국가 또는 지방자치단체가 업무의 일부를 위탁 또는 위촉한 개인의 성명 · 직업
7. 법인 · 단체 또는 개인(이하 '법인 등'이라 한다)의 경영상 · 영업상 비밀에 관한 사항으로서 공개될 경우 법인 등의 정당한 이익을 현저히 해칠 우려가 있다고 인정되는 정보. 다만, 다음 각 목에 열거한 정보는 제외한다.
   가. 사업활동에 의하여 발생하는 위해(危害)로부터 사람의 생명 · 신체 또는 건강을 보호하기 위하여 공개할 필요가 있는 정보
   나. 위법 · 부당한 사업활동으로부터 국민의 재산 또는 생활을 보호하기 위하여 공개할 필요가 있는 정보
8. 공개될 경우 부동산 투기, 매점매석 등으로 특정인에게 이익 또는 불이익을 줄 우려가 있다고 인정되는 정보

② 공공기관은 제1항 각 호의 어느 하나에 해당하는 정보가 기간의 경과 등으로 인하여 비공개의 필요성이 없어진 경우에는 그 정보를 공개 대상으로 하여야 한다.

③ 공공기관은 제1항 각 호의 범위에서 해당 공공기관의 업무 성격을 고려하여 비공개 대상 정보의 범위에 관한 세부 기준을 수립하고 이를 정보통신망을 활용한 정보공개시스템 등을 통하여 공개하여야 한다.

④ 공공기관(국회 · 법원 · 헌법재판소 및 중앙선거관리위원회는 제외한다)은 제3항에 따라 수립된 비공개 세부 기준이 제1항 각 호의 비공개 요건에 부합하는지 3년마다 점검하고 필요한 경우 비공개 세부 기준을 개선하여 그 점검 및 개선 결과를 행정안전부장관에게 제출하여야 한다.

법령PLUS⊕ 공개대상정보

공공기관이 보유 관리하는 정보가 공개대상정보가 된다. 여기서 정보란 공공기관이 직무상 작성 또는 취득하여 관리하고 있는 문서(전자문서 포함) · 도면 · 사진 · 필름 · 테이프 · 슬라이드 및 그 밖에 이에 준하는 매체 등에 기록된 사항을 뜻한다.

제 10 조 정보공개의 청구방법

① 정보의 공개를 청구하는 자(이하 "청구인"이라 한다)는 해당 정보를 보유하거나 관리하고 있는 공공기관에 다음 각 호의 사항을 적은 정보공개 청구서를 제출하거나 말로써 정보의 공개를 청구할 수 있다.

1. 청구인의 성명 · 생년월일 · 주소 및 연락처(전화번호 · 전자우편주소 등을 말한다. 이하 이 조에서 같다). 다만, 청구인이 법인 또는 단체인 경우에는 그 명칭, 대표자의 성명, 사업자등록번호 또는 이에 준하는 번호, 주된 사무소의 소재지 및 연락처를 말한다.
2. 청구인의 주민등록번호(본인임을 확인하고 공개 여부를 결정할 필요가 있는 정보를 청구하는 경우로 한정한다)
3. 공개를 청구하는 정보의 내용 및 공개방법

제 11 조 정보공개 여부의 결정

① 공공기관은 정보공개의 청구를 받으면 그 청구를 받은 날부터 10일 이내에 공개 여부를 결정하여야 한다.

② 공공기관은 부득이한 사유로 제1항에 따른 기간 이내에 공개 여부를 결정할 수 없을 때에는 그 기간이 끝나는 날의 다음 날부터 기산(起算)하여 10일의 범위에서 공개 여부 결정기간을 연장할 수 있다. 이 경우 공공기관은 연장된 사실과 연장 사유를 청구인에게 지체 없이 문서로 통지하여야 한다.

③ 공공기관은 공개 청구된 공개 대상 정보의 전부 또는 일부가 제3자와 관련이 있다고 인정할 때에는 그 사실을 제3자에게 지체 없이 통지하여야 하며, 필요한 경우에는 그의 의견을 들을 수 있다.

④ 공공기관은 다른 공공기관이 보유 · 관리하는 정보의 공개 청구를 받았을 때에는 지체 없이 이를 소관 기관으로 이송하여야 하며, 이송한 후에는 지체 없이 소관 기관 및 이송 사유 등을 분명히 밝혀 청구인에게 문서로 통지하여야 한다.

⑤ 공공기관은 정보공개 청구가 다음 각 호의 어느 하나에 해당하는 경우로서 「민원 처리에 관한 법률」에 따른 민원으로 처리할 수 있는 경우에는 민원으로 처리할 수 있다.

1. 공개 청구된 정보가 공공기관이 보유 · 관리하지 아니하는 정보인 경우
2. 공개 청구의 내용이 진정 · 질의 등으로 이 법에 따른 정보공개 청구로 보기 어려운 경우

제11조의2 반복 청구 등의 처리

① 공공기관은 제11조에도 불구하고 제10조 제1항 및 제2항에 따른 정보공개 청구가 다음 각 호의 어느 하나에 해당하는 경우에는 정보공개 청구 대상 정보의 성격, 종전 청구와의 내용적 유사성 · 관련성, 종전 청구와 동일한 답변을 할 수밖에 없는 사정 등을 종합적으로 고려하여 해당 청구를 종결 처리할 수 있다. 이 경우 종결 처리 사실을 청구인에게 알려야 한다.

1. 정보공개를 청구하여 정보공개 여부에 대한 결정의 통지를 받은 자가 정당한 사유 없이 해당 정보의 공개를 다시 청구하는 경우
2. 정보공개 청구가 제11조 제5항에 따라 민원으로 처리되었으나 다시 같은 청구를 하는 경우

② 공공기관은 제11조에도 불구하고 제10조 제1항 및 제2항에 따른 정보공개 청구가 다음 각 호의 어느 하나에 해당하는 경우에는 다음 각 호의 구분에 따라 안내하고, 해당 청구를 종결 처리할 수 있다.

1. 제7조 제1항에 따른 정보 등 공개를 목적으로 작성되어 이미 정보통신망 등을 통하여 공개된 정보를 청구하는 경우: 해당 정보의 소재(所在)를 안내
2. 다른 법령이나 사회통념상 청구인의 여건 등에 비추어 수령할 수 없는 방법으로 정보공개 청구를 하는 경우: 수령이 가능한 방법으로 청구하도록 안내

제 15 조 정보의 전자적 공개

① 공공기관은 전자적 형태로 보유 · 관리하는 정보에 대하여 청구인이 전자적 형태로 공개하여 줄 것을 요청하는 경우에는 그 정보의 성질상 현저히 곤란한 경우를 제외하고는 청구인의 요청에 따라야 한다.

제 17 조 비용 부담

① 정보의 공개 및 우송 등에 드는 비용은 실비(實費)의 범위에서 청구인이 부담한다.

정보공개심의회와 정보공개위원회

제 12 조 정보공개심의회

① 국가기관, 지방자치단체, 「공공기관의 운영에 관한 법률」 제5조에 따른 공기업 및 준정부기관, 「지방공기업법」에 따른 지방공사 및 지방공단(이하 "국가기관 등"이라 한다)은 제11조에 따른 정보공개 여부 등을 심의하기 위하여 정보공개심의회(이하 "심의회"라 한다)를 설치 · 운영한다. 이 경우 국가기관 등의 규모와 업무성격, 지리적 여건, 청구인의 편의 등을 고려하여 소속 상급기관(지방공사 · 지방공단의 경우에는 해당 지방공사 · 지방공단을 설립한 지방자치단체를 말한다)에서 협의를 거쳐 심의회를 통합하여 설치 · 운영할 수 있다.

② 심의회는 위원장 1명을 포함하여 5명 이상 7명 이하의 위원으로 구성한다.

③ 심의회의 위원은 소속 공무원, 임직원 또는 외부 전문가로 지명하거나 위촉하되, 그 중 3분의 2는 해당 국가기관 등의 업무 또는 정보공개의 업무에 관한 지식을 가진 외부 전문가로 위촉하여야 한다. 다만, 제9조 제1항 제2호 및 제4호에 해당하는 업무를 주로 하는 국가기관은 그 국가기관의 장이 외부 전문가의 위촉 비율을 따로 정하되, 최소한 3분의 1 이상은 외부 전문가로 위촉하여야 한다.

④ 심의회의 위원장은 위원 중에서 국가기관 등의 장이 지명하거나 위촉한다.

제12조의2 위원의 제척 · 기피 · 회피

① 심의회의 위원이 다음 각 호의 어느 하나에 해당하는 경우에는 심의회의 심의에서 제척(除斥)된다.

1. 위원 또는 그 배우자나 배우자이었던 사람이 해당 심의사항의 당사자(당사자가 법인 · 단체 등인 경우에는 그 임원 또는 직원을 포함한다. 이하 이 호 및 제2호에서 같다)이거나 그 심의사항의 당사자와 공동권리자 또는 공동의무자인 경우
2. 위원이 해당 심의사항의 당사자와 친족이거나 친족이었던 경우
3. 위원이 해당 심의사항에 대하여 증언, 진술, 자문, 연구, 용역 또는 감정을 한 경우
4. 위원이나 위원이 속한 법인 등이 해당 심의사항의 당사자의 대리인이거나 대리인이었던 경우

② 심의회의 심의사항의 당사자는 위원에게 공정한 심의를 기대하기 어려운 사정이 있는 경우에는 심의회에 기피(忌避) 신청을 할 수 있고, 심의회는 의결로 기피 여부를 결정하여야 한다. 이 경우 기피 신청의 대상인 위원은 그 의결에 참여할 수 없다.

③ 위원은 제1항 각 호에 따른 제척 사유에 해당하는 경우에는 심의회에 그 사실을 알리고 스스로 해당 안건의 심의에서 회피(回避)하여야 한다.

④ 위원이 제1항 각 호의 어느 하나에 해당함에도 불구하고 회피신청을 하지 아니하여 심의회 심의의 공정성을 해친 경우 국가기관 등의 장은 해당 위원을 해촉하거나 해임할 수 있다.

제 22 조 정보공개위원회의 설치

다음 각 호의 사항을 심의 · 조정하기 위하여 **행정안전부장관 소속으로 정보공개위원회**를 둔다.

1. 정보공개에 관한 정책 수립 및 제도 개선에 관한 사항
2. 정보공개에 관한 기준 수립에 관한 사항
3. 심의회 심의결과의 조사 · 분석 및 심의기준 개선 관련 의견제시에 관한 사항
4. 공공기관의 정보공개 운영실태 평가 및 그 결과 처리에 관한 사항
5. 정보공개와 관련된 불합리한 제도 · 법령 및 그 운영에 대한 조사 및 개선권고에 관한 사항
6. 그 밖에 정보공개에 관하여 대통령령으로 정하는 사항

제 23 조 위원회의 구성 등

① 위원회는 **성별을 고려하여** 위원장과 부위원장 각 1명을 포함한 11명의 위원으로 구성한다.

② 위원회의 위원은 다음 각 호의 사람이 된다. 이 경우 **위원장을 포함한 7명**은 공무원이 아닌 사람으로 위촉하여야 한다.

1. 대통령령으로 정하는 관계 중앙행정기관의 차관급 공무원이나 고위공무원단에 속하는 일반직공무원
2. 정보공개에 관하여 학식과 경험이 풍부한 사람으로서 **행정안전부장관이** 위촉하는 사람
3. 시민단체(「비영리민간단체 지원법」 제2조에 따른 비영리민간단체를 말한다)에서 추천한 사람으로서 **행정안전부장관이** 위촉하는 사람

> **법령PLUS⊕ 위원회의 구성**
>
> **「공공기관의 정보공개에 관한 법률 시행령」 제20조【위원회의 구성】** ① 위원회의 위원장은 법 제23조 제2항 제2호 또는 제3호에 해당하는 사람 중에서, 부위원장은 법 제23조 제2항 제1호에 해당하는 공무원 중에서 행정안전부장관이 각각 위촉하거나 임명한다.
> ② 법 제23조 제2항 제1호에 따른 위원은 기획재정부 제2차관, 법무부 차관, 행정안전부 차관 및 국무조정실 국무1차장으로 한다.

> **법령PLUS⊕ 개인정보보호위원회**
>
> **「개인정보보호법」 제7조【개인정보보호위원회】** ① 개인정보 보호에 관한 사무를 독립적으로 수행하기 위하여 국무총리 소속으로 개인정보 보호위원회(이하 "보호위원회"라 한다)를 둔다.
> ② 보호위원회는 「정부조직법」 제2조에 따른 중앙행정기관으로 본다.

불복 구제 절차

제 18 조 이의신청

① 청구인이 정보공개와 관련한 공공기관의 비공개 결정 또는 부분 공개 결정에 대하여 불복이 있거나 정보공개 청구 후 20일이 경과하도록 정보공개 결정이 없는 때에는 공공기관으로부터 정보공개 여부의 결정 통지를 받은 날 또는 정보공개 청구 후 20일이 경과한 날부터 30일 이내에 해당 공공기관에 문서로 이의신청을 할 수 있다.

제 19 조 행정심판

① 청구인이 정보공개와 관련한 공공기관의 결정에 대하여 불복이 있거나 정보공개 청구 후 20일이 경과하도록 정보공개 결정이 없는 때에는 「행정심판법」에서 정하는 바에 따라 행정심판을 청구할 수 있다.

제 20 조 행정소송

① 청구인이 정보공개와 관련한 공공기관의 결정에 대하여 불복이 있거나 정보공개 청구 후 20일이 경과하도록 정보공개 결정이 없는 때에는 「행정소송법」에서 정하는 바에 따라 행정소송을 제기할 수 있다.

제 21 조 제3자의 비공개 요청 등

① 제11조 제3항에 따라 공개 청구된 사실을 통지 받은 제3자는 그 통지를 받은 날부터 3일 이내에 해당 공공기관에 대하여 자신과 관련된 정보를 공개하지 아니할 것을 요청할 수 있다.

② 제1항에 따른 비공개 요청에도 불구하고 공공기관이 공개 결정을 할 때에는 공개 결정 이유와 공개 실시일을 분명히 밝혀 지체 없이 문서로 통지하여야 하며, 제3자는 해당 공공기관에 문서로 이의신청을 하거나 행정심판 또는 행정소송을 제기할 수 있다. 이 경우 이의신청은 통지를 받은 날부터 7일 이내에 하여야 한다.

③ 공공기관은 제2항에 따른 공개 결정일과 공개 실시일 사이에 최소한 30일의 간격을 두어야 한다.

핵심OX

1 직무를 수행한 공무원의 성명과 직위는 비공개 대상 정보이다. (O, X)

2 정보공개는 청구인이 청구를 한지 14일 이내에 공개여부를 결정해야 한다. (O, X)

3 정보공개 및 우송 등에 드는 비용은 청구인이 부담한다. (O, X)

4 공공기관은 전자적 형태로 보유 및 관리하는 정보 중 공개대상으로 분류된 정보를 국민의 정보공개가 없더라도 공개해야 한다. (O, X)

5 정보공개에 관한 정책 수립 및 제도 개선에 관한 사항을 심의·조정하기 위하여 국무총리 소속으로 정보공개위원회를 둔다. (O, X)

핵심기출

1 우리나라의 행정정보공개제도에 대한 설명으로 옳지 않은 것은? 2014년 국가직 9급

① 국정에 대한 국민의 참여와 국정 운영의 투명성 확보를 목적으로 한다.

② 중앙행정기관의 경우 전자적 형태의 정보 중 공개대상으로 분류된 정보는 공개청구가 없더라도 공개하여야 한다.

③ 정보의 공개 및 우송 등에 드는 비용은 실비 범위에서 청구인이 부담한다.

④ 정보공개청구는 말로써도 할 수 있으나 외국인은 청구할 수 없다.

2 다음은 우리나라의 「공공기관의 정보공개에 관한 법률」에 대한 설명이다. 옳은 것으로 짝지어진 것은? 2010년 지방직 9급 변형

> ㄱ. 헌법상의 '알권리'를 구체화하기 위하여 1996년에 제정되었다.
> ㄴ. 외국인은 행정정보의 공개를 청구할 수 없다.
> ㄷ. 직무를 수행한 공무원의 성명·직위는 공개할 수 있다.
> ㄹ. 공공기관은 부득이한 사유가 없는 한 정보공개 청구를 받은 날부터 10일 이내에 공개여부를 결정해야 한다.

① ㄱ, ㄴ, ㄷ　　② ㄱ, ㄴ, ㄹ

③ ㄱ, ㄷ, ㄹ　　④ ㄴ, ㄷ, ㄹ

정답 및 해설

핵심OX

1 X　공개 대상이다.

2 X　10일 이내에 결정해야 한다.

3 O

4 O

5 X　행정안전부장관 소속이다.

핵심기출

1 ④　정보공개청구는 문서로 청구서를 제출하거나 말로써도 청구할 수 있으며, 외국인도 「공공기관의 정보공개에 관한 법률 시행령」 제3조에 따라 ㉠ 국내에 일정한 주소를 두고 거주하거나 학술·연구를 위하여 일시적으로 체류하는 사람, ㉡ 국내에 사무소를 두고 있는 법인 또는 단체의 경우에는 청구할 수 있다.

2 ③　옳지 않은 것은 ㄴ으로, 외국인도 정보공개청구가 가능하다.

17 전자정부법, 지능정보화 기본법

관련단원 PART 6. 행정환류론 > CHAPTER 3. 정보화와 행정

■ 전자정부법

제 1 조 목적

이 법은 행정업무의 전자적 처리를 위한 기본원칙, 절차 및 추진방법 등을 규정함으로써 전자정부를 효율적으로 구현하고, 행정의 생산성, 투명성 및 민주성을 높여 국민의 삶의 질을 향상시키는 것을 목적으로 한다.

제 2 조 정의

이 법에서 사용하는 용어의 뜻은 다음과 같다.

1. "전자정부"란 정보기술을 활용하여 행정기관 및 공공기관(이하 "행정기관 등"이라 한다)의 업무를 전자화하여 행정기관 등의 상호 간의 행정업무 및 국민에 대한 행정업무를 효율적으로 수행하는 정부를 말한다.
4. "중앙사무관장기관"이란 국회 소속 기관에 대하여는 국회사무처, 법원 소속 기관에 대하여는 법원행정처, 헌법재판소 소속 기관에 대하여는 헌법재판소사무처, 중앙선거관리위원회 소속 기관에 대하여는 중앙선거관리위원회사무처, 중앙행정기관 및 그 소속 기관과 지방자치단체에 대하여는 행정안전부를 말한다.
11. "정보자원"이란 행정기관 등이 보유하고 있는 행정정보, 전자적 수단에 의하여 행정정보의 수집 · 가공 · 검색을 하기 쉽게 구축한 정보시스템, 정보시스템의 구축에 적용되는 정보기술, 정보화예산 및 정보화인력 등을 말한다.

제 3 조 행정기관 등 및 공무원 등의 책무

① 행정기관 등의 장은 전자정부 구현을 촉진하고 국민의 삶의 질을 향상시킬 수 있도록 이 법을 운영하고 관련 제도를 개선하여야 하며, 정보통신망의 연계 및 행정정보의 공동이용 등에 적극 협력하여야 한다.

② 공무원 및 공공기관의 소속 직원은 담당업무의 전자적 처리에 필요한 정보기술 활용능력을 갖추어야 하며, 담당업무를 전자적으로 처리할 때 해당 기관의 편익보다 국민의 편익을 우선적으로 고려하여야 한다.

제 4 조 전자정부의 원칙

① 행정기관 등은 전자정부의 구현 · 운영 및 발전을 추진할 때 다음 각 호의 사항을 우선적으로 고려하고 이에 필요한 대책을 마련하여야 한다.

1. 대민서비스의 전자화 및 국민편익의 증진
2. 행정업무의 혁신 및 생산성 · 효율성의 향상
3. 정보시스템의 안전성 · 신뢰성의 확보
4. 개인정보 및 사생활의 보호
5. 행정정보의 공개 및 공동이용의 확대
6. 중복투자의 방지 및 상호운용성 증진

② 행정기관 등은 전자정부의 구현 · 운영 및 발전을 추진할 때 정보기술아키텍처를 기반으로 하여야 한다.

③ 행정기관 등은 상호 간에 행정정보의 공동이용을 통하여 전자적으로 확인할 수 있는 사항을 민원인에게 제출하도록 요구하여서는 아니 된다.

④ 행정기관 등이 보유 · 관리하는 개인정보는 법령에서 정하는 경우를 제외하고는 당사자의 의사에 반하여 사용되어서는 아니 된다.

제 5 조 전자정부기본계획의 수립

① 중앙사무관장기관의 장은 전자정부의 구현 · 운영 및 발전을 위하여 5년마다 행정기관 등의 기관별 계획을 종합하여 전자정부기본계획을 수립하여야 한다.

② 제1항에 따른 전자정부기본계획(이하 “전자정부기본계획”이라 한다)에는 다음 각 호의 사항이 포함되어야 한다.

1. 전자정부 구현의 기본방향 및 중장기 발전방향
2. 전자정부 구현을 위한 관련 법령 · 제도의 정비
3. 전자정부서비스의 제공 및 활용 촉진
4. 전자적 행정관리
5. 행정정보 공동이용의 확대 및 안전성 확보
6. 정보기술아키텍처(ITA)의 도입 및 활용
7. 정보자원의 통합 · 공동이용 및 효율적 관리
8. 전자정부 표준화, 상호운용성 확보 및 공유서비스의 확대
9. 전자정부사업 및 지역정보화사업의 추진과 성과 관리
10. 전자정부 구현을 위한 업무 재설계
11. 전자정부의 국제협력
12. 그 밖에 정보화인력의 양성 등 전자정부의 구현 · 운영 및 발전에 필요한 사항

제 7 조 전자정부서비스의 신청 등

① 행정기관 등의 장(행정권한을 위탁받은 자를 포함한다)은 해당 기관에서 제공하는 전자정부서비스에 대하여 관계 법령(지방자치단체의 조례 및 규칙을 포함한다)에서 문서 · 서면 · 서류 등의 종이문서로 신청, 신고 또는 제출 등(이하 “신청 등”이라 한다)을 하도록 규정하고 있는 경우에도 전자문서로 신청 등을 하게 할 수 있다.

② 행정기관 등의 장은 제공하는 전자정부서비스에 관하여 그 제공결과를 관계 법령에서 문서 · 서면 · 서류 등의 종이문서로 통지, 통보 또는 고지 등(이하 “통지 등”이라 한다)을 하도록 규정하고 있는 경우에도 전자정부서비스 이용자가 원하거나 전자정부서비스를 전자문서로 신청 등을 하였을 때에는 이를 전자문서로 통지 등을 할 수 있다.

⑤ 행정기관 등의 장이 제1항부터 제3항까지의 규정에 따라 제공하는 전자정부서비스에 관하여 전자문서 또는 전자화문서로 신청 등을 하게 하거나 통지 등을 하는 경우에는 인터넷을 통하여 미리 그 신청 등 또는 통지 등의 종류와 업무 처리절차를 국민에게 공표하여야 한다.

제 44 조 정보문화의 창달과 확산

③ 과학기술정보통신부장관은 국가교육위원회와 협의하여 「유아교육법」 제13조 및 「초 · 중등교육법」 제23조에 따른 교육과정의 기준과 내용에 정보문화에 관한 교육내용이 포함될 수 있도록 노력하여야 한다.

제 45 조 정보기술아키텍처 기본계획의 수립 등

① 행정안전부장관은 관계 행정기관 등의 장과 협의하여 정보기술아키텍처를 체계적으로 도입하고 확산시키기 위한 기본계획을 수립하여야 한다.

② 행정안전부장관은 기본계획에 따라 범정부 정보기술아키텍처를 수립하여야 한다.

법령PLUS⊕ 전자정부기본계획

「전자정부법 시행령」 제53조【기본계획의 내용 등】① 행정안전부장관은 법 제45조에 따라 정보기술아키텍처를 체계적으로 도입하고 확산시키기 위한 기본계획을 3년 단위로 수립하여야 한다.

정리 정보화 관련 계획

1. **전자정부기본계획:** 중앙사무관장기관의 장 – 5년
2. **정보기술아키텍처기본계획:** 행정안전부장관 – 3년
3. **지능정보사회종합계획:** 과학기술정보통신부장관 – 3년,
   지능정보사회실행계획: 중앙 · 지방자치단체장 – 매년

■ 지능정보화 기본법

제 1 조 목적

이 법은 지능정보화 관련 정책의 수립 · 추진에 필요한 사항을 규정함으로써 지능정보사회의 구현에 이바지하고 국가경쟁력을 확보하며 국민의 삶의 질을 높이는 것을 목적으로 한다.

제 2 조 정의

이 법에서 사용하는 용어의 뜻은 다음과 같다.

1. "정보"란 광(光) 또는 전자적 방식으로 처리되는 부호, 문자, 음성, 음향 및 영상 등으로 표현된 모든 종류의 자료 또는 지식을 말한다.
2. "정보화"란 정보를 생산 · 유통 또는 활용하여 사회 각 분야의 활동을 가능하게 하거나 그러한 활동의 효율화를 도모하는 것을 말한다.
3. "정보통신"이란 정보의 수집 · 가공 · 저장 · 검색 · 송신 · 수신 및 그 활용, 이에 관련되는 기기 · 기술 · 서비스 및 그 밖에 정보화를 촉진하기 위한 일련의 활동과 수단을 말한다.
4. "지능정보기술" 이란 다음 각 목의 어느 하나에 해당하는 기술 또는 그 결합 및 활용 기술을 말한다.
   가. 전자적 방법으로 학습 · 추론 · 판단 등을 구현하는 기술
   나. 데이터(부호, 문자, 음성, 음향 및 영상 등으로 표현된 모든 종류의 자료 또는 지식을 말한다)를 전자적 방법으로 수집 · 분석 · 가공 등 처리하는 기술
   다. 물건 상호간 또는 사람과 물건 사이에 데이터를 처리하거나 물건을 이용 · 제어 또는 관리할 수 있도록 하는 기술
   라. 「클라우드컴퓨팅 발전 및 이용자 보호에 관한 법률」 제2조 제2호에 따른 클라우드컴퓨팅기술
   마. 무선 또는 유 · 무선이 결합된 초연결지능정보통신기반 기술
   바. 그 밖에 대통령령으로 정하는 기술
5. "지능정보화"란 정보의 생산 · 유통 또는 활용을 기반으로 지능정보기술이나 그 밖의 다른 기술을 적용 · 융합하여 사회 각 분야의 활동을 가능하게 하거나 그러한 활동을 효율화 · 고도화하는 것을 말한다.
6. "지능정보사회"란 지능정보화를 통하여 산업 · 경제, 사회 · 문화, 행정 등 모든 분야에서 가치를 창출하고 발전을 이끌어가는 사회를 말한다.
7. "지능정보서비스"란 다음 각 목의 어느 하나에 해당하는 서비스를 말한다.
   가. 「전기통신사업법」 제2조 제6호에 따른 전기통신역무와 이를 이용하여 정보를 제공하거나 정보의 제공을 매개하는 것
   나. 지능정보기술을 활용한 서비스
   다. 그 밖에 지능정보화를 가능하게 하는 서비스

8. "정보통신망"이란 「전기통신기본법」 제2조 제2호에 따른 전기통신설비를 이용하거나 전기통신설비와 컴퓨터 및 컴퓨터의 이용기술을 활용하여 정보를 수집 · 가공 · 저장 · 검색 · 송신 또는 수신하는 정보통신체제를 말한다.
9. "초연결지능정보통신망"이란 정보통신 및 지능정보기술 관련 기기 · 서비스 등 모든 것이 언제 어디서나 연결[이하 "초연결"(超連結)이라 한다]되어 지능정보서비스를 이용할 수 있는 정보통신망을 말한다.
10. "초연결지능정보통신기반"이란 초연결지능정보통신망과 이에 접속되어 이용되는 정보통신 또는 지능정보기술 관련 기기 · 설비, 소프트웨어 및 데이터 등을 말한다.
11. "정보문화"란 지능정보화를 통하여 사회구성원에 의하여 형성되는 행동방식 · 가치관 · 규범 등의 생활양식을 말한다.
12. "지능정보사회윤리"란 지능정보기술의 개발, 지능정보서비스의 제공 · 이용 및 지능정보화의 추진 과정에서 인간 중심의 지능정보사회의 구현을 위하여 개인 또는 사회 구성원이 지켜야 하는 가치판단 기준을 말한다.
13. "정보격차"란 사회적 · 경제적 · 지역적 또는 신체적 여건 등으로 인하여 지능정보서비스, 그와 관련된 기기 · 소프트웨어에 접근하거나 이용할 수 있는 기회에 차이가 생기는 것을 말한다.
14. "지능정보서비스 과의존"이란 지능정보서비스의 지나친 이용이 지속되어 이용자가 일상생활에 심각한 지장을 받는 상태를 말한다.
15. "정보보호"란 정보의 수집 · 가공 · 저장 · 검색 · 송신 또는 수신 중 발생할 수 있는 정보의 훼손 · 변조 · 유출 등을 방지하기 위한 관리적 · 기술적 수단(이하 "정보보호시스템"이라 한다)을 마련하는 것을 말한다.
16. "공공기관"이란 다음 각 목의 어느 하나에 해당하는 기관을 말한다.
   가. 「공공기관의 운영에 관한 법률」에 따른 공공기관
   나. 「지방공기업법」에 따른 지방공사 및 지방공단
   다. 특별법에 따라 설립된 특수법인
   라. 「초 · 중등교육법」, 「고등교육법」 및 그 밖의 다른 법률에 따라 설치된 각급 학교
   마. 그 밖에 대통령령으로 정하는 법인 · 기관 및 단체

제 3 조 지능정보사회 기본원칙

① 국가 및 지방자치단체와 국민 등 사회의 모든 구성원은 인간의 존엄 · 가치를 바탕으로 자유롭고 개방적인 지능정보사회를 실현하고 이를 지속적으로 발전시킨다.

② 국가와 지방자치단체는 지능정보사회 구현을 통하여 국가경제의 발전을 도모하고, 국민생활의 질적 향상과 복리증진을 추구함으로써 경제 성장의 혜택과 기회가 폭넓게 공유되도록 노력한다.

③ 국가 및 지방자치단체와 국민 등 사회의 모든 구성원은 지능정보기술을 개발 · 활용하거나 지능정보서비스를 이용할 때 역기능을 방지하고 국민의 안전과 개인정보의 보호, 사생활의 자유 · 비밀을 보장한다.

④ 국가와 지방자치단체는 지능정보기술을 활용하거나 지능정보서비스를 이용할 때 사회의 모든 구성원에게 공정한 기회가 주어지도록 노력한다.

⑤ 국가와 지방자치단체는 지능정보사회 구현시책의 추진 과정에서 민간과의 협력을 강화하고, 민간의 자유와 창의를 존중하고 지원한다.

⑥ 국가와 지방자치단체는 지능정보기술의 개발 · 활용이 인류의 공동발전에 이바지할 수 있도록 국제협력을 적극적으로 추진한다.

제 6 조 지능정보사회 종합계획의 수립

① 정부는 지능정보사회 정책의 효율적 · 체계적 추진을 위하여 지능정보사회 종합계획(이하 "종합계획"이라 한다)을 3년 단위로 수립하여야 한다.

② **종합계획은 과학기술정보통신부장관이** 관계 중앙행정기관(대통령 소속 기관 및 국무총리 소속 기관을 포함한다. 이하 같다)의 장 및 지방자치단체의 장의 의견을 들어 수립하며, 「정보통신 진흥 및 융합 활성화 등에 관한 특별법」 제7조에 따른 **정보통신 전략위원회(이하 "전략위원회"라 한다)의 심의를 거쳐 수립 · 확정한다.** 종합계획을 변경하는 경우에도 또한 같다.

③ 과학기술정보통신부장관이 중앙행정기관의 장 및 지방자치단체의 장에게 종합계획의 수립에 필요한 자료를 요청하는 경우 해당 기관의 장은 특별한 사정이 없으면 이에 응하여야 한다.

④ 종합계획에는 다음 각 호의 사항이 포함되어야 한다.

1. 지능정보사회 정책의 기본방향 및 중장기 발전방향
2. 공공 · 민간 · 지역 등 분야별 지능정보화
3. 지능정보기술의 고도화 및 지능정보서비스의 이용촉진과 관련 과학기술 발전 지원
4. 전 산업의 지능정보화 추진, 지능정보기술 관련 산업의 육성, 규제개선 및 공정한 경쟁환경 조성 등을 통한 신산업 · 신서비스 창업생태계 조성
5. 정보의 공동활용 · 표준화 및 초연결지능정보통신망의 구축
6. 지능정보사회 관련 법 · 제도 개선
7. 지능정보화 및 지능정보사회 관련 교육 · 홍보 · 인력양성 및 국제협력
8. 건전한 정보문화 창달 및 지능정보사회윤리의 확립
9. 정보보호, 정보격차 해소, 제51조에 따른 기본계획의 수립에 관한 사항 등 역기능 해소, 이용자의 권익보호 및 지식재산권의 보호
10. 지능정보사회 구현을 위한 시책 추진에 필요한 재원의 조달 · 운용 및 인력확보 방안
11. 그 밖에 지능정보사회 구현을 위하여 필요한 사항

⑤ 중앙행정기관의 장과 지방자치단체의 장은 소관 주요 정책을 수립하고 집행을 할 때 제4항 각 호의 사항을 우선적으로 고려하여야 한다.

⑥ **과학기술정보통신부장관은** 매년 종합계획의 주요 시책에 대한 추진 실적을 점검 · 분석하여 그 결과를 전략위원회에 보고하여야 한다.

제 7 조 지능정보사회 실행계획의 수립

① **중앙행정기관의 장과 지방자치단체의 장은** 종합계획에 따라 **매년 지능정보사회 실행계획**(이하 "실행계획"이라 한다)을 수립 · 시행하여야 한다.

제 8 조 지능정보화책임관

① **중앙행정기관의 장과 지방자치단체의 장은** 해당 기관의 지능정보사회 시책의 효율적인 수립 · 시행과 지능정보화 사업의 조정 등 대통령령으로 정하는 업무를 총괄하는 책임관(이하 "지능정보화책임관"이라 한다)을 임명하여야 한다.

② 중앙행정기관의 장과 지방자치단체의 장은 제1항에 따라 지능정보화책임관을 임명한 때에는 제9조 제2항에 따른 지능정보화책임관 협의회의 의장에게 이를 통보하여야 한다. 지능정보화책임관을 변경한 때에도 또한 같다.

제 9 조 지능정보화책임관 협의회

① **중앙행정기관의 장과 지방자치단체의 장**(특별시장 · 광역시장 · 특별자치시장 · 도지사 · 특별자치도지사를 말한다)은 지능정보사회 시책 및 지능정보화 사업의 효율적 추진과 필요한 정보의 교류 및 관련 정책의 협의 등을 하기 위하여 **과학기술정보통신부장관, 행정안전부장관과 지능정보화책임관으로 구성된 지능정보화책임관 협의회**(이하 이 조에서 "협의회"라 한다)를 구성 · 운영한다.

② 협의회의 의장은 과학기술정보통신부장관 및 행정안전부장관이 된다.

③ 협의회의 협의와 운영 등에 필요한 사항은 대통령령으로 정한다.

제 19 조 지식재산 및 지식재산권의 보호

① 국가기관 등은 지능정보화를 추진할 때 「지식재산 기본법」 제3조 제3호에 따른 지식재산권이 합리적으로 보호될 수 있도록 필요한 시책을 마련하여야 한다.

제 34 조 초연결지능정보통신기반 시책의 마련 등

① 정부는 지능정보서비스가 안전하고 안정적으로 제공 · 이용될 수 있도록 초연결지능정보통신기반 구축 · 운용에 관한 시책을 마련하여 시행하여야 한다.

② 정부는 초연결지능정보통신망의 확충 · 고도화 및 품질관리를 위하여 필요한 시책을 마련하여야 한다.

제 35 조 국가지능망의 관리

① 과학기술정보통신부장관은 국가재정으로 공공기관과 대통령령으로 정하는 비영리기관(이하 "비영리기관 등"이라 한다)이 이용하는 초연결지능정보통신망(이하 "국가지능망"이라 한다)을 구축 · 관리하거나 제39조에 따라 지정된 전담기관으로 하여금 구축 · 관리하게 할 수 있다.

② 과학기술정보통신부장관은 비영리기관 등이 국가지능망을 최소의 비용으로 이용할 수 있도록 필요한 시책을 강구하여야 한다.

③ 국가지능망의 구축 · 관리에 관하여 필요한 사항은 대통령령으로 정한다.

제 44 조 정보문화의 창달과 확산

③ 과학기술정보통신부장관은 국가교육위원회와 협의하여 「유아교육법」 제13조 및 「초 · 중등교육법」 제23조에 따른 교육과정의 기준과 내용에 정보문화에 관한 교육내용이 포함될 수 있도록 노력하여야 한다. → **교육부장관에서 국가교육위원회로 변경**

제 45 조 정보격차 해소 시책의 마련

국가기관과 지방자치단체는 모든 국민이 지능정보서비스에 원활하게 접근하고 이를 유익하게 활용할 기본적 권리를 누구나 격차 없이 실질적으로 누릴 수 있도록 필요한 시책을 마련하여야 한다.

제 56 조 지능정보서비스 등의 사회적 영향평가

① 국가 및 지방자치단체는 국민의 생활에 파급력이 큰 지능정보서비스 등의 활용과 확산이 사회 · 경제 · 문화 및 국민의 일상생활 등에 미치는 영향에 대하여 다음 각 호의 사항을 조사 · 평가(이하 "사회적 영향평가"라 한다) 할 수 있다. 다만, 지능정보기술의 경우에는 「과학기술기본법」 제14조 제1항의 기술영향평가로 대신한다.

제 57 조 정보보호 시책의 마련 등

① 국가기관과 지방자치단체는 정보를 처리하거나 지능정보서비스를 제공 또는 이용하는 모든 과정에서 정보보호를 위한 시책을 마련하여야 한다.

② 정부는 암호기술의 개발과 이용을 촉진하고 암호기술을 이용하여 지능정보서비스의 안전을 도모할 수 있는 조치를 마련하여야 한다.

핵심OX

1 「전자정부법」에는 전자정부의 원칙으로 '대민서비스의 전자화 및 기관 편익의 증진'이 규정되어 있다. (O, X)

2 과학기술정보통신부장관은 관계 행정기관 등의 장과 협의하여 정보기술아키텍처를 체계적으로 도입하고 확산시키기 위한 기본계획을 수립하여야 한다. (O, X)

3 지능정보화책임관(CIO)은 지능정보화사업을 총괄하며 지능정보기술인프라를 구축, 관리한다. (O, X)

4 정부는 지능정보사회 정책의 효율적·체계적 추진을 위하여 지능정보사회종합계획을 매년 수립하여야 한다. (O, X)

5 지능정보사회종합계획은 과학기술정보통신부장관이, 정보기술아키텍처기본계획은 행정안전부장관이 수립한다. (O, X)

핵심기출

1 **「전자정부법」상 전자정부에 대한 설명으로 가장 옳지 않은 것은?** 2020년 서울시 9급

① 행정기관 등은 전자정부의 구현을 위해 중복투자의 방지 및 상호운용성 증진 등을 우선적으로 고려하여야 한다.

② 행정기관 등의 장은 5년마다 해당 기관의 전자정부의 구현·운영 및 발전을 위한 기본계획을 수립하여 중앙사무관장기관의 장에게 제출하여야 한다.

③ 행정기관 등의 장은 해당 기관의 전자정부서비스에 대한 이용실태 등을 주기적으로 조사하여야 한다.

④ 행정기관 등의 장이 행정안전부장관에게 데이터 활용을 신청한 경우 행정안전부장관은 비공개대상정보라도 반드시 제공하여야 한다.

2 **「전자정부법」에서 정의하고 있는 다음의 개념은?** 2022년 국가직 9급

> 일정한 기준과 절차에 따라 업무, 응용, 데이터, 기술, 보안 등 조직 전체의 구성요소들을 통합적으로 분석한 뒤 이들 간의 관계를 구조적으로 정리한 체제 및 이를 바탕으로 정보화 등을 통하여 구성요소들을 최적화하기 위한 방법

① 전자문서

② 정보기술아키텍처

③ 정보시스템

④ 정보자원

정답 및 해설

핵심OX

1 X 국민편익의 증진이 규정되어 있다.

2 X 과학기술정보통신부장관이 아니라 행정안전부장관이다.

3 O

4 X 3년 마다 수립하여야 한다.

5 O

핵심기출

1 ④ 행정기관 등의 장이 행정안전부장관에게 데이터 활용을 신청한 경우 행정안전부장관은 비공개대상정보는 공개하지 않아야 한다.

2 ② 제시문은 전자정부를 운영하기 위한 기반기술로서 각 부처 정보자원을 파악하여 구조적으로 정리한 체제 및 방법으로 정보기술아키텍처(ITA)에 대한 설명이다.

18 지방자치법

관련단원 PART 7. 지방행정론 > CHAPTER 1. 지방행정의 기초이론 ~ CHAPTER 5. 지방자치와 주민참여

총칙

제 1 조 목적

이 법은 지방자치단체의 종류와 조직 및 운영, **주민의 지방자치행정 참여에 관한 사항**과 국가와 지방자치단체 사이의 기본적인 관계를 정함으로써 지방자치행정을 **민주적**이고 **능률적**으로 수행하고, 지방을 **균형 있게 발전**시키며, 대한민국을 민주적으로 발전시키려는 것을 목적으로 한다.

제 2 조 지방자치단체의 종류

① 지방자치단체는 다음의 두 가지 종류로 구분한다.

1. **특별시, 광역시, 특별자치시, 도, 특별자치도**
2. 시, 군, 구

② 지방자치단체인 구(이하 "자치구"라 한다)는 특별시와 광역시의 관할 구역의 구만을 말하며, **자치구의 자치권의 범위는 법령으로 정하는 바에 따라 시 · 군과 다르게 할 수 있다.**

③ 제1항의 지방자치단체 외에 특정한 목적을 수행하기 위하여 필요하면 따로 **특별지방자치단체**를 설치할 수 있다. 이 경우 특별지방자치단체의 설치 등에 관하여는 제12장에서 정하는 바에 따른다.

제 3 조 지방자치단체의 법인격과 관할

① 지방자치단체는 **법인**으로 한다.

② 특별시, 광역시, 특별자치시, 도, 특별자치도(이하 "시 · 도"라 한다)는 정부의 직할(直轄)로 두고, 시는 도 또는 특별자치도의 관할 구역 안에, 군은 광역시 · 도 또는 특별자치도의 관할 구역 안에 두며, 자치구는 특별시와 광역시의 관할 구역 안에 둔다. 다만, 특별자치도의 경우에는 법률이 정하는 바에 따라 관할 구역 안에 시 또는 군을 두지 아니할 수 있다.

③ 특별시 · 광역시 또는 특별자치시가 아닌 인구 50만 이상의 시에는 자치구가 아닌 구를 둘 수 있고, 군에는 읍 · 면을 두며, 시와 구(자치구를 포함한다)에는 동을, 읍 · 면에는 리를 둔다.

④ 제10조 제2항에 따라 설치된 시에는 도시의 형태를 갖춘 지역에는 동을, 그 밖의 지역에는 읍 · 면을 두되, 자치구가 아닌 구를 둘 경우에는 그 구에 읍 · 면 · 동을 둘 수 있다.

⑤ 특별자치시와 관할 구역 안에 시 또는 군을 두지 아니하는 특별자치도의 하부행정기관에 관한 사항은 따로 법률로 정한다.

제 4 조 지방자치단체의 기관구성 형태의 특례

① **지방자치단체의 의회**(이하 "지방의회"라 한다)와 **집행기관**에 관한 이 법의 규정에도 불구하고 따로 법률로 정하는 바에 따라 지방자치단체의 장의 선임방법을 포함한 지방자치단체의 기관구성 형태를 달리 할 수 있다.

② 제1항에 따라 지방의회와 집행기관의 구성을 달리하려는 경우에는 **「주민투표법」에 따른 주민투표를 거쳐야** 한다.

지방자치단체의 관할 구역

제 5 조 지방자치단체의 명칭과 구역

① 지방자치단체의 명칭과 구역은 종전과 같이 하고, 명칭과 구역을 바꾸거나 지방자치단체를 폐지하거나 설치하거나 나누거나 합칠 때에는 법률로 정한다.

② 제1항에도 불구하고 지방자치단체의 구역변경 중 관할 구역 경계변경(이하 "경계변경"이라 한다)과 지방자치단체의 한자 명칭의 변경은 대통령령으로 정한다.

③ 다음 각 호의 어느 하나에 해당할 때에는 관계 지방의회의 의견을 들어야 한다. 다만, 「주민투표법」 제8조에 따라 주민투표를 한 경우에는 그러하지 아니하다.

1. 지방자치단체를 폐지하거나 설치하거나 나누거나 합칠 때
2. 지방자치단체의 구역을 변경할 때(경계변경을 할 때는 제외한다)
3. 지방자치단체의 명칭을 변경할 때(한자 명칭을 변경할 때를 포함한다)

제 6 조 지방자치단체의 관할 구역 경계변경 등

① 지방자치단체의 장은 관할 구역과 생활권과의 불일치 등으로 인하여 주민생활에 불편이 큰 경우 등 대통령령으로 정하는 사유가 있는 경우에는 행정안전부장관에게 경계변경이 필요한 지역 등을 명시하여 경계변경에 대한 조정을 신청할 수 있다. 이 경우 지방자치단체의 장은 지방의회 재적의원 과반수의 출석과 출석의원 3분의 2 이상의 동의를 받아야 한다.

④ 행정안전부장관은 제3항에 따른 기간이 끝난 후 지체 없이 대통령령으로 정하는 바에 따라 관계 지방자치단체 등 당사자 간 경계변경에 관한 사항을 효율적으로 협의할 수 있도록 **경계변경자율협의체**(이하 이 조에서 "협의체"라 한다)를 구성·운영할 것을 관계 지방자치단체의 장에게 요청하여야 한다.

제 7 조 자치구가 아닌 구와 읍·면·동 등의 명칭과 구역

① 자치구가 아닌 구와 읍·면·동의 명칭과 구역은 종전과 같이 하고, 자치구가 아닌 구와 읍·면·동을 폐지하거나 설치하거나 나누거나 합칠 때에는 행정안전부장관의 승인을 받아 그 지방자치단체의 조례로 정한다. 다만, 명칭과 구역의 변경은 그 지방자치단체의 조례로 정하고, 그 결과를 특별시장·광역시장·도지사에게 보고하여야 한다.

② 리의 구역은 자연 촌락을 기준으로 하되, 그 명칭과 구역은 종전과 같이 하고, 명칭과 구역을 변경하거나 리를 폐지하거나 설치하거나 나누거나 합칠 때에는 그 지방자치단체의 조례로 정한다.

③ 인구 감소 등 행정여건 변화로 인하여 필요한 경우 그 지방자치단체의 조례로 정하는 바에 따라 2개 이상의 면을 하나의 면으로 운영하는 등 행정 운영상 면[이하 "행정면"(行政面)이라 한다]을 따로 둘 수 있다.

④ 동·리에서는 행정 능률과 주민의 편의를 위하여 그 지방자치단체의 조례로 정하는 바에 따라 하나의 동·리를 2개 이상의 동·리로 운영하거나 2개 이상의 동·리를 하나의 동·리로 운영하는 등 행정 운영상 동(이하 "행정동"이라 한다)·리(이하 "행정리"라 한다)를 따로 둘 수 있다.

⑤ 행정동에 그 지방자치단체의 조례로 정하는 바에 따라 통 등 하부 조직을 둘 수 있다.

⑥ 행정리에 그 지방자치단체의 조례로 정하는 바에 따라 하부 조직을 둘 수 있다.

제 8 조 구역의 변경 또는 폐지·설치·분리·합병 시의 사무와 재산의 승계

① 지방자치단체의 구역을 변경하거나 지방자치단체를 폐지하거나 설치하거나 나누거나 합칠 때에는 새로 그 지역을 관할하게 된 지방자치단체가 그 사무와 재산을 승계한다.

제 9 조　사무소의 소재지

① 지방자치단체의 사무소 소재지와 자치구가 아닌 구 및 읍 · 면 · 동의 사무소 소재지는 종전과 같이 하고, 이를 변경하거나 새로 설정하려면 지방자치단체의 조례로 정한다. 이 경우 면 · 동은 행정면 · 행정동(行政洞)을 말한다.

② 제1항의 사항을 조례로 정할 때에는 그 지방의회의 재적의원 과반수의 찬성이 있어야 한다.

제 10 조　시 · 읍의 설치기준 등

① 시는 그 대부분이 도시의 형태를 갖추고 인구 5만 이상이 되어야 한다.

② 다음 각 호의 어느 하나에 해당하는 지역은 도농(都農) 복합형태의 시로 할 수 있다.

1. 제1항에 따라 설치된 시와 군을 통합한 지역
2. 인구 5만 이상의 도시 형태를 갖춘 지역이 있는 군
3. 인구 2만 이상의 도시 형태를 갖춘 2개 이상의 지역 인구가 5만 이상인 군. 이 경우 군의 인구는 15만 이상으로서 대통령령으로 정하는 요건을 갖추어야 한다.
4. 국가의 정책으로 인하여 도시가 형성되고, 제128조에 따라 도의 출장소가 설치된 지역으로서 그 지역의 인구가 3만 이상이며, 인구 15만 이상의 도농 복합형태의 시의 일부인 지역

③ 읍은 그 대부분이 도시의 형태를 갖추고 인구 2만 이상이 되어야 한다. 다만, 다음 각 호의 어느 하나에 해당하면 인구 2만 미만인 경우에도 읍으로 할 수 있다.

1. 군사무소 소재지의 면
2. 읍이 없는 도농 복합형태의 시에서 그 시에 있는 면 중 1개 면

지방자치단체의 기능과 사무

제 11 조　사무배분의 기본원칙

① 국가는 지방자치단체가 사무를 종합적 · 자율적으로 수행할 수 있도록 국가와 지방자치단체 간 또는 지방자치단체 상호 간의 사무를 주민의 편익증진, 집행의 효과 등을 고려하여 서로 중복되지 아니하도록 배분하여야 한다.

② 국가는 제1항에 따라 사무를 배분하는 경우 지역주민생활과 밀접한 관련이 있는 사무는 원칙적으로 시 · 군 및 자치구의 사무로, 시 · 군 및 자치구가 처리하기 어려운 사무는 시 · 도의 사무로, 시 · 도가 처리하기 어려운 사무는 국가의 사무로 각각 배분하여야 한다(**보충성의 원칙**).

③ 국가가 지방자치단체에 사무를 배분하거나 지방자치단체가 사무를 다른 지방자치단체에 재배분할 때에는 사무를 배분받거나 재배분받는 지방자치단체가 그 사무를 자기의 책임하에 종합적으로 처리할 수 있도록 관련 사무를 포괄적으로 배분하여야 한다.

제 12 조　사무처리의 기본원칙

① 지방자치단체는 사무를 처리할 때 주민의 편의와 복리증진을 위하여 노력하여야 한다.

② 지방자치단체는 조직과 운영을 합리적으로 하고 규모를 적절하게 유지하여야 한다.

③ 지방자치단체는 법령을 위반하여 사무를 처리할 수 없으며, 시 · 군 및 자치구는 해당 구역을 관할하는 시 · 도의 조례를 위반하여 사무를 처리할 수 없다.

제 13 조 지방자치단체의 사무 범위

① 지방자치단체는 관할 구역의 자치사무와 법령에 따라 지방자치단체에 속하는 사무를 처리한다.

② 제1항에 따른 지방자치단체의 사무를 예시하면 다음 각 호와 같다. 다만, 법률에 이와 다른 규정이 있으면 그러하지 아니하다.

1. 지방자치단체의 구역, 조직, 행정관리 등
2. 주민의 복지증진
3. 농림 · 수산 · 상공업 등 산업 진흥
4. 지역개발과 자연환경보전 및 생활환경시설의 설치 · 관리
5. 교육 · 체육 · 문화 · 예술의 진흥
6. 지역민방위 및 지방소방
7. 국제교류 및 협력

제 14 조 지방자치단체의 종류별 사무배분기준

① 제13조에 따른 지방자치단체의 사무를 지방자치단체의 종류별로 배분하는 기준은 다음 각 호와 같다. 다만, 제13조 제2항 제1호의 사무는 각 지방자치단체에 공통된 사무로 한다.

1. 시 · 도

가. 행정처리 결과가 2개 이상의 시 · 군 및 자치구에 미치는 광역적 사무

나. 시 · 도 단위로 동일한 기준에 따라 처리되어야 할 성질의 사무

다. 지역적 특성을 살리면서 시 · 도 단위로 통일성을 유지할 필요가 있는 사무

라. 국가와 시 · 군 및 자치구 사이의 연락 · 조정 등의 사무

마. 시 · 군 및 자치구가 독자적으로 처리하기 어려운 사무

바. 2개 이상의 시 · 군 및 자치구가 공동으로 설치하는 것이 적당하다고 인정되는 규모의 시설을 설치하고 관리하는 사무

2. 시 · 군 및 자치구

제1호에서 시 · 도가 처리하는 것으로 되어 있는 사무를 제외한 사무. 다만, 인구 50만 이상의 시에 대해서는 도가 처리하는 사무의 일부를 직접 처리하게 할 수 있다.

② 제1항의 배분기준에 따른 지방자치단체의 종류별 사무는 대통령령으로 정한다.

③ 시 · 도와 시 · 군 및 자치구는 사무를 처리할 때 서로 겹치지 아니하도록 하여야 하며, 사무가 서로 겹치면 시 · 군 및 자치구에서 먼저 처리한다.

제 15 조 국가사무의 처리 제한

지방자치단체는 다음 각 호의 국가사무를 처리할 수 없다. 다만, 법률에 이와 다른 규정이 있는 경우에는 국가사무를 처리할 수 있다.

1. 외교, 국방, 사법(司法), 국세 등 국가의 존립에 필요한 사무
2. 물가정책, 금융정책, 수출입정책 등 전국적으로 통일적 처리를 할 필요가 있는 사무
3. 농산물 · 임산물 · 축산물 · 수산물 및 양곡의 수급조절과 수출입 등 전국적 규모의 사무
4. 국가종합경제개발계획, 국가하천, 국유림, 국토종합개발계획, 지정항만, 고속국도 · 일반국도, 국립공원 등 전국적 규모나 이와 비슷한 규모의 사무
5. 근로기준, 측량단위 등 전국적으로 기준을 통일하고 조정하여야 할 필요가 있는 사무
6. 우편, 철도 등 전국적 규모나 이와 비슷한 규모의 사무
7. 고도의 기술이 필요한 검사 · 시험 · 연구, 항공관리, 기상행정, 원자력개발 등 지방자치단체의 기술과 재정능력으로 감당하기 어려운 사무

주민

제 16 조 주민의 자격

지방자치단체의 구역에 주소를 가진 자는 그 지방자치단체의 주민이 된다.

제 17 조 주민의 권리

① 주민은 법령으로 정하는 바에 따라 주민생활에 영향을 미치는 지방자치단체의 정책의 결정 및 집행 과정에 참여할 권리를 가진다.

② 주민은 법령으로 정하는 바에 따라 소속 지방자치단체의 재산과 공공시설을 이용할 권리와 그 지방자치단체로부터 균등하게 행정의 혜택을 받을 권리를 가진다.

③ 주민은 법령으로 정하는 바에 따라 그 지방자치단체에서 실시하는 지방의회의원과 지방자치단체의 장의 선거(이하 "지방선거"라 한다)에 참여할 권리를 가진다.

법령PLUS⊕ 주민자치회

「지방자치분권 및 지방행정체제개편에 관한 특별법」 제27조【주민자치회의 설치】 풀뿌리자치의 활성화와 민주적 참여의식 고양을 위하여 읍·면·동에 해당 행정구역의 주민으로 구성되는 주민자치회를 둘 수 있다.

제28조【주민자치회의 기능】 ① 제27조에 따라 주민자치회가 설치되는 경우 관계 법령, 조례 또는 규칙으로 정하는 바에 따라 지방자치단체 사무의 일부를 주민자치회에 위임 또는 위탁할 수 있다.

② 주민자치회는 다음 각 호의 업무를 수행한다.

1. 주민자치회 구역 내의 주민화합 및 발전을 위한 사항
2. 지방자치단체가 위임 또는 위탁하는 사무의 처리에 관한 사항
3. 그 밖에 관계 법령, 조례 또는 규칙으로 위임 또는 위탁한 사항

제29조【주민자치회의 구성 등】 ① 주민자치회의 위원은 조례로 정하는 바에 따라 지방자치단체의 장이 위촉한다.

② 제1항에 따라 위촉된 위원은 그 직무를 수행할 때에는 지역사회에 대한 봉사자로서 정치적 중립을 지켜야하며 권한을 남용하여서는 아니 된다.

③ 주민자치회의 설치시기, 구성, 재정 등 주민자치회의 설치 및 운영에 필요한 사항은 따로 법률로 정한다.

④ 행정안전부장관은 주민자치회의 설치 및 운영에 참고하기 위하여 주민자치회를 시범적으로 설치·운영할 수 있으며, 이를 위한 행정적·재정적 지원을 할 수 있다.

제 18 조 주민투표

① 지방자치단체의 장은 주민에게 과도한 부담을 주거나 중대한 영향을 미치는 지방자치단체의 주요 결정사항 등에 대하여 주민투표에 부칠 수 있다.

② 주민투표의 대상·발의자·발의요건, 그 밖에 투표절차 등에 관한 사항은 따로 법률로 정한다.

제 19 조 조례의 제정과 개정·폐지 청구

① 주민은 지방자치단체의 조례를 제정하거나 개정하거나 폐지할 것을 청구할 수 있다.

② 조례의 제정·개정 또는 폐지 청구의 청구권자·청구대상·청구요건 및 절차 등에 관한 사항은 따로 법률로 정한다.

제 20 조 규칙의 제정과 개정·폐지 의견 제출

① 주민은 제29조에 따른 규칙(권리·의무와 직접 관련되는 사항으로 한정)의 제정, 개정 또는 폐지와 관련된 의견을 해당 지방자치단체의 장에게 제출할 수 있다.

제 21 조　주민의 감사 청구

① 지방자치단체의 18세 이상의 주민으로서 다음 각 호의 어느 하나에 해당하는 사람(「공직선거법」 제18조에 따른 선거권이 없는 사람은 제외한다. 이하 이 조에서 "18세 이상의 주민"이라 한다)은 시 · 도는 300명, 제198조에 따른 인구 50만 이상 대도시는 200명, 그 밖의 시 · 군 및 자치구는 150명 이내에서 그 지방자치단체의 조례로 정하는 수 이상의 18세 이상의 주민이 연대 서명하여 그 지방자치단체와 그 장의 권한에 속하는 사무의 처리가 법령에 위반되거나 공익을 현저히 해친다고 인정되면 시 · 도의 경우에는 주무부장관에게, 시 · 군 및 자치구의 경우에는 시 · 도지사에게 감사를 청구할 수 있다.

1. 해당 지방자치단체의 관할 구역에 주민등록이 되어 있는 사람
2. 「출입국관리법」 제10조에 따른 영주(永住)할 수 있는 체류자격 취득일 후 3년이 경과한 외국인으로서 같은 법 제34조에 따라 해당 지방자치단체의 외국인등록대장에 올라 있는 사람

② 다음 각 호의 사항은 감사 청구의 대상에서 제외한다.

1. 수사나 재판에 관여하게 되는 사항
2. 개인의 사생활을 침해할 우려가 있는 사항
3. 다른 기관에서 감사하였거나 감사 중인 사항. 다만, 다른 기관에서 감사한 사항이라도 새로운 사항이 발견되거나 중요 사항이 감사에서 누락된 경우와 제22조 제1항에 따라 주민소송의 대상이 되는 경우에는 그러하지 아니하다.
4. 동일한 사항에 대하여 제22조 제2항 각 호의 어느 하나에 해당하는 소송이 진행 중이거나 그 판결이 확정된 사항

③ 제1항에 따른 청구는 사무처리가 있었던 날이나 끝난 날부터 3년이 지나면 제기할 수 없다.

⑨ 주무부장관이나 시 · 도지사는 감사 청구를 수리한 날부터 60일 이내에 감사 청구된 사항에 대하여 감사를 끝내야 하며, 감사 결과를 청구인의 대표자와 해당 지방자치단체의 장에게 서면으로 알리고, 공표하여야 한다. 다만, 그 기간에 감사를 끝내기가 어려운 정당한 사유가 있으면 그 기간을 연장할 수 있으며, 기간을 연장할 때에는 미리 청구인의 대표자와 해당 지방자치단체의 장에게 알리고, 공표하여야 한다.

제 22 조　주민소송

① 제21조 제1항에 따라 공금의 지출에 관한 사항, 재산의 취득 · 관리 · 처분에 관한 사항, 해당 지방자치단체를 당사자로 하는 매매 · 임차 · 도급 계약이나 그 밖의 계약의 체결 · 이행에 관한 사항 또는 지방세 · 사용료 · 수수료 · 과태료 등 공금의 부과 · 징수를 게을리한 사항을 감사 청구한 주민은 다음 각 호의 어느 하나에 해당하는 경우에 그 감사 청구한 사항과 관련이 있는 위법한 행위나 업무를 게을리한 사실에 대하여 해당 지방자치단체의 장(해당 사항의 사무처리에 관한 권한을 소속 기관의 장에게 위임한 경우에는 그 소속 기관의 장을 말한다. 이하 이 조에서 같다)을 상대방으로 하여 소송을 제기할 수 있다.

1. 주무부장관이나 시 · 도지사가 감사 청구를 수리한 날부터 60일(제21조 제9항 단서에 따라 감사기간이 연장된 경우에는 연장된 기간이 끝난 날을 말한다)이 지나도 감사를 끝내지 아니한 경우
2. 제21조 제9항 및 제10항에 따른 감사 결과 또는 같은 조 제12항에 따른 조치 요구에 불복하는 경우
3. 제21조 제12항에 따른 주무부장관이나 시 · 도지사의 조치 요구를 지방자치단체의 장이 이행하지 아니한 경우
4. 제21조 제12항에 따른 지방자치단체의 장의 이행 조치에 불복하는 경우

② 제1항에 따라 주민이 제기할 수 있는 소송은 다음 각 호와 같다.

1. 해당 행위를 계속하면 회복하기 어려운 손해를 발생시킬 우려가 있는 경우에는 그 행위의 전부나 일부를 중지할 것을 요구하는 소송
2. 행정처분인 해당 행위의 취소 또는 변경을 요구하거나 그 행위의 효력 유무 또는 존재 여부의 확인을 요구하는 소송
3. 게을리한 사실의 위법 확인을 요구하는 소송

4. 해당 지방자치단체의 장 및 직원, 지방의회의원, 해당 행위와 관련이 있는 상대방에게 손해배상청구 또는 부당이득반환청구를 할 것을 요구하는 소송. 다만, 그 지방자치단체의 직원이 「회계관계직원 등의 책임에 관한 법률」 제4조에 따른 변상책임을 져야 하는 경우에는 변상명령을 할 것을 요구하는 소송을 말한다.

⑱ 제1항에 따른 소송에 관하여 이 법에 규정된 것 외에는 「행정소송법」에 따른다.

제 25 조　주민소환

① 주민은 그 지방자치단체의 장 및 지방의회의원(비례대표 지방의회의원은 제외한다)을 소환할 권리를 가진다.

② 주민소환의 투표 청구권자 · 청구요건 · 절차 및 효력 등에 관한 사항은 따로 법률로 정한다.

제 26 조　주민에 대한 정보공개

① 지방자치단체는 사무처리의 투명성을 높이기 위하여 「공공기관의 정보공개에 관한 법률」에서 정하는 바에 따라 지방의회의 의정활동, 집행기관의 조직, 재무 등 지방자치에 관한 정보(이하 "지방자치정보"라 한다)를 주민에게 공개하여야 한다.

② 행정안전부장관은 주민의 지방자치정보에 대한 접근성을 높이기 위하여 이 법 또는 다른 법령에 따라 공개된 지방자치정보를 체계적으로 수집하고 주민에게 제공하기 위한 정보공개시스템을 구축 · 운영할 수 있다.

제 27 조　주민의 의무

주민은 법령으로 정하는 바에 따라 소속 지방자치단체의 비용을 분담하여야 하는 의무를 진다.

조례와 규칙

제 28 조　조례

① 지방자치단체는 법령의 범위에서 그 사무에 관하여 조례를 제정할 수 있다. 다만, 주민의 권리 제한 또는 의무 부과에 관한 사항이나 벌칙을 정할 때에는 법률의 위임이 있어야 한다.

② 법령에서 조례로 정하도록 위임한 사항은 그 법령의 하위 법령에서 그 위임의 내용과 범위를 제한하거나 직접 규정할 수 없다.

제 29 조　규칙

지방자치단체의 장은 법령 또는 조례의 범위에서 그 권한에 속하는 사무에 관하여 규칙을 제정할 수 있다.

제 30 조　조례와 규칙의 입법한계

시 · 군 및 자치구의 조례나 규칙은 시 · 도의 조례나 규칙을 위반해서는 아니 된다.

제 31 조　지방자치단체를 신설하거나 격을 변경할 때의 조례 · 규칙 시행

지방자치단체를 나누거나 합하여 새로운 지방자치단체가 설치되거나 지방자치단체의 격이 변경되면 그 지방자치단체의 장은 필요한 사항에 관하여 새로운 조례나 규칙이 제정 · 시행될 때까지 종래 그 지역에 시행되던 조례나 규칙을 계속 시행할 수 있다.

제 32 조 조례와 규칙의 제정 절차 등

① 조례안이 지방의회에서 의결되면 지방의회의 의장은 의결된 날부터 5일 이내에 그 지방자치단체의 장에게 이송하여야 한다.

② 지방자치단체의 장은 제1항의 조례안을 이송받으면 20일 이내에 공포하여야 한다.

③ 지방자치단체의 장은 이송받은 조례안에 대하여 이의가 있으면 제2항의 기간에 이유를 붙여 지방의회로 환부(還付)하고, 재의(再議)를 요구할 수 있다. 이 경우 지방자치단체의 장은 조례안의 일부에 대하여 또는 조례안을 수정하여 재의를 요구할 수 없다.

④ 지방의회는 제3항에 따라 재의 요구를 받으면 조례안을 재의에 부치고 재적의원 과반수의 출석과 출석의원 3분의 2 이상의 찬성으로 전(前)과 같은 의결을 하면 그 조례안은 조례로서 확정된다.

⑤ 지방자치단체의 장이 제2항의 기간에 공포하지 아니하거나 재의 요구를 하지 아니하더라도 그 조례안은 조례로서 확정된다.

⑧ 조례와 규칙은 특별한 규정이 없으면 공포한 날부터 20일이 지나면 효력을 발생한다.

제 34 조 조례 위반에 대한 과태료

① 지방자치단체는 조례를 위반한 행위에 대하여 조례로써 1천만 원 이하의 과태료를 정할 수 있다.

지방의회

제 37 조 의회의 설치

지방자치단체에 주민의 대의기관인 의회를 둔다.

제 38 조 지방의회의원의 선거

지방의회의원은 주민이 보통 · 평등 · 직접 · 비밀선거로 선출한다.

제 39 조 의원의 임기

지방의회의원의 임기는 4년으로 한다.

제 40 조 의원의 의정활동비 등

① 지방의회의원에게는 다음 각 호의 비용을 지급한다.

1. 의정(議政) 자료를 수집하고 연구하거나 이를 위한 보조 활동에 사용되는 비용을 보전(補塡)하기 위하여 매월 지급하는 의정활동비
2. 지방의회의원의 직무활동에 대하여 지급하는 월정수당
3. 본회의 의결, 위원회 의결 또는 지방의회의 의장의 명에 따라 공무로 여행할 때 지급하는 여비

제 41 조 의원의 정책지원 전문인력

① 지방의회의원의 의정활동을 지원하기 위하여 지방의회의원 정수의 2분의 1 범위에서 해당 지방자치단체의 조례로 정하는 바에 따라 지방의회에 정책지원 전문인력을 둘 수 있다.

② 정책지원 전문인력은 지방공무원으로 보하며, 직급 · 직무 및 임용절차 등 운영에 필요한 사항은 대통령령으로 정한다.

제 43 조 겸직 등 금지

① 지방의회의원은 다음 각 호의 어느 하나에 해당하는 직(職)을 겸할 수 없다.

1. 국회의원, 다른 지방의회의원
2. 헌법재판소 재판관, 각급 선거관리위원회 위원
3. 「국가공무원법」 제2조에 따른 국가공무원과 「지방공무원법」 제2조에 따른 지방공무원(「정당법」 제22조에 따라 정당의 당원이 될 수 있는 교원은 제외한다)
4. 「공공기관의 운영에 관한 법률」 제4조에 따른 공공기관(한국방송공사, 한국교육방송공사 및 한국은행을 포함한다)의 임직원
5. 「지방공기업법」 제2조에 따른 지방공사와 지방공단의 임직원
6. 농업협동조합, 수산업협동조합, 산림조합, 엽연초생산협동조합, 신용협동조합, 새마을금고(이들 조합 · 금고의 중앙회와 연합회를 포함한다)의 임직원과 이들 조합 · 금고의 중앙회장이나 연합회장
7. 「정당법」 제22조에 따라 정당의 당원이 될 수 없는 교원
8. 다른 법령에 따라 공무원의 신분을 가지는 직
9. 그 밖에 다른 법률에서 겸임할 수 없도록 정하는 직

② 「정당법」 제22조에 따라 정당의 당원이 될 수 있는 교원이 지방의회의원으로 당선되면 임기 중 그 교원의 직은 휴직된다.

제 44 조 의원의 의무

① 지방의회의원은 공공의 이익을 우선하여 양심에 따라 그 직무를 성실히 수행하여야 한다.

② 지방의회의원은 청렴의 의무를 지며, 지방의회의원으로서의 품위를 유지하여야 한다.

③ 지방의회의원은 지위를 남용하여 재산상의 권리 · 이익 또는 직위를 취득하거나 다른 사람을 위하여 그 취득을 알선해서는 아니 된다.

④ 지방의회의원은 해당 지방자치단체, 제43조 제5항 각 호의 어느 하나에 해당하는 기관 · 단체 및 그 기관 · 단체가 설립 · 운영하는 시설과 영리를 목적으로 하는 거래를 하여서는 아니 된다.

⑤ 지방의회의원은 소관 상임위원회의 직무와 관련된 영리행위를 할 수 없으며, 그 범위는 해당 지방자치단체의 조례로 정한다.

제 47 조 지방의회의 의결사항

① 지방의회는 다음 각 호의 사항을 의결한다.

1. 조례의 제정 · 개정 및 폐지
2. 예산의 심의 · 확정
3. 결산의 승인
4. 법령에 규정된 것을 제외한 사용료 · 수수료 · 분담금 · 지방세 또는 가입금의 부과와 징수
5. 기금의 설치 · 운용
6. 대통령령으로 정하는 중요 재산의 취득 · 처분
7. 대통령령으로 정하는 공공시설의 설치 · 처분
8. 법령과 조례에 규정된 것을 제외한 예산 외의 의무부담이나 권리의 포기
9. 청원의 수리와 처리
10. 외국 지방자치단체와의 교류 · 협력
11. 그 밖에 법령에 따라 그 권한에 속하는 사항

제 49 조 행정사무 감사권 및 조사권

① 지방의회는 매년 1회 그 지방자치단체의 사무에 대하여 시 · 도에서는 14일의 범위에서, 시 · 군 및 자치구에서는 9일의 범위에서 감사를 실시하고, 지방자치단체의 사무 중 특정 사안에 관하여 본회의 의결로 본회의나 위원회에서 조사하게 할 수 있다.

② 제1항의 조사를 발의할 때에는 이유를 밝힌 서면으로 하여야 하며, 재적의원 3분의 1 이상의 찬성이 있어야 한다.

제 53 조 정례회

① 지방의회는 매년 2회 정례회를 개최한다.

② 정례회의 집회일, 그 밖에 정례회 운영에 필요한 사항은 해당 지방자치단체의 조례로 정한다.

제 54 조 임시회

① 지방의회의원 총선거 후 최초로 집회되는 임시회는 지방의회 사무처장 · 사무국장 · 사무과장이 지방의회의원 임기 개시일부터 25일 이내에 소집한다.

③ 지방의회의 의장은 지방자치단체의 장이나 조례로 정하는 수 이상의 지방의회의원이 요구하면 15일 이내에 임시회를 소집하여야 한다. 다만, 지방의회의 의장과 부의장이 부득이한 사유로 임시회를 소집할 수 없을 때에는 지방의회의원 중 최다선의원이, 최다선의원이 2명 이상인 경우에는 그 중 연장자의 순으로 소집할 수 있다.

제 57 조 의장 · 부의장의 선거와 임기

① 지방의회는 지방의회의원 중에서 시 · 도의 경우 의장 1명과 부의장 2명을, 시 · 군 및 자치구의 경우 의장과 부의장 각 1명을 무기명투표로 선출하여야 한다.

③ 의장과 부의장의 임기는 2년으로 한다.

제 62 조 의장 · 부의장 불신임의 의결

① 지방의회의 의장이나 부의장이 법령을 위반하거나 정당한 사유 없이 직무를 수행하지 아니하면 지방의회는 불신임을 의결할 수 있다.

② 제1항의 불신임 의결은 재적의원 4분의 1 이상의 발의와 재적의원 과반수의 찬성으로 한다.

제 64 조 위원회의 설치

① 지방의회는 조례로 정하는 바에 따라 위원회를 둘 수 있다.

② 위원회의 종류는 다음 각 호와 같다.

1. 소관 의안(議案)과 청원 등을 심사 · 처리하는 상임위원회
2. 특정한 안건을 심사 · 처리하는 특별위원회

③ 위원회의 위원은 본회의에서 선임한다.

제 65 조 윤리특별위원회

① 지방의회의원의 윤리강령과 윤리실천규범 준수 여부 및 징계에 관한 사항을 심사하기 위하여 윤리특별위원회를 둔다.

② 제1항에 따른 윤리특별위원회(이하 "윤리특별위원회"라 한다)는 지방의회의원의 윤리강령과 윤리실천규범 준수 여부 및 지방의회의원의 징계에 관한 사항을 심사하기 전에 제66조에 따른 윤리심사자문위원회의 의견을 들어야 하며 그 의견을 존중하여야 한다.

제 66 조 윤리심사자문위원회

① 지방의회의원의 겸직 및 영리행위 등에 관한 지방의회의 의장의 자문과 지방의회의원의 윤리강령과 윤리실천규범 준수 여부 및 징계에 관한 윤리특별위원회의 자문에 응하기 위하여 윤리특별위원회에 윤리심사자문위원회를 둔다.
② 윤리심사자문위원회의 위원은 **민간전문가 중에서 지방의회의 의장이 위촉한다.**

제 72 조 의사정족수

① 지방의회는 재적의원 3분의 1 이상의 출석으로 개의(開議)한다.

제 73 조 의결정족수

① 회의는 이 법에 특별히 규정된 경우 외에는 **재적의원 과반수의 출석과 출석의원 과반수의 찬성**으로 의결한다.
② 지방의회의 의장은 의결에서 표결권을 가지며, 찬성과 반대가 같으면 부결된 것으로 본다.

제 74 조 표결방법

본회의에서 표결할 때에는 조례 또는 회의규칙으로 정하는 표결방식에 의한 **기록 표결로 가부(可否)를 결정한다. 다만, 다음 각 호의 어느 하나에 해당하는 경우에는 무기명투표로 표결한다.**

1. 제57조에 따른 의장·부의장 선거
2. 제60조에 따른 임시의장 선출
3. 제62조에 따른 의장·부의장 불신임 의결
4. 제92조에 따른 자격상실 의결
5. 제100조에 따른 징계 의결
6. 제32조, 제120조 또는 제121조, 제192조에 따른 재의 요구에 관한 의결
7. 그 밖에 지방의회에서 하는 각종 선거 및 인사에 관한 사항

제 75 조 회의의 공개 등

① 지방의회의 회의는 공개한다. 다만, 지방의회의원 3명 이상이 발의하고 출석의원 3분의 2 이상이 찬성한 경우 또는 지방의회의 의장이 사회의 안녕질서 유지를 위하여 필요하다고 인정하는 경우에는 공개하지 아니할 수 있다.

제 85 조 청원서의 제출

① 지방의회에 청원을 하려는 자는 **지방의회의원의 소개를 받아** 청원서를 제출하여야 한다.
② 청원서에는 청원자의 성명(법인인 경우에는 그 명칭과 대표자의 성명을 말한다) 및 주소를 적고 서명·날인하여야 한다.

제 86 조 청원의 불수리

재판에 간섭하거나 법령에 위배되는 내용의 청원은 수리하지 아니한다.

제 98 조 징계의 사유

지방의회는 지방의회의원이 이 법이나 자치법규에 위배되는 행위를 하면 윤리특별위원회의 심사를 거쳐 의결로써 징계할 수 있다.

제 100 조 징계의 종류와 의결

① 징계의 종류는 다음과 같다.

1. 공개회의에서의 경고
2. 공개회의에서의 사과
3. 30일 이내의 출석정지
4. 제명

② 제1항 제4호에 따른 제명 의결에는 재적의원 3분의 2 이상의 찬성이 있어야 한다.

제 101 조 징계에 관한 회의규칙

징계에 관하여 이 법에서 정한 사항 외에 필요한 사항은 회의규칙으로 정한다.

제 102 조 사무처 등의 설치

① 시 · 도의회에는 사무를 처리하기 위하여 조례로 정하는 바에 따라 사무처를 둘 수 있으며, 사무처에는 사무처장과 직원을 둔다.

② 시 · 군 및 자치구의회에는 사무를 처리하기 위하여 조례로 정하는 바에 따라 사무국이나 사무과를 둘 수 있으며, 사무국 · 사무과에는 사무국장 또는 사무과장과 직원을 둘 수 있다.

③ 제1항과 제2항에 따른 사무처장 · 사무국장 · 사무과장 및 직원(이하 제103조, 제104조 및 제118조에서 "사무직원"이라 한다)은 지방공무원으로 보한다.

제 103 조 사무직원의 정원과 임면 등

① 지방의회에 두는 사무직원의 수는 인건비 등 대통령령으로 정하는 기준에 따라 조례로 정한다.

② 지방의회의 의장은 지방의회 사무직원을 지휘 · 감독하고 법령과 조례 · 의회규칙으로 정하는 바에 따라 그 임면 · 교육 · 훈련 · 복무 · 징계 등에 관한 사항을 처리한다.

제 105 조 지방자치단체의 장의 직 인수위원회

① 「공직선거법」 제191조에 따른 지방자치단체의 장의 당선인(같은 법 제14조 제3항 단서에 따라 당선이 결정된 사람을 포함하며, 이하 "당선인"이라 한다)은 이 법에서 정하는 바에 따라 지방자치단체의 장의 직 인수를 위하여 필요한 권한을 갖는다.

② 당선인을 보좌하여 지방자치단체의 장의 직 인수와 관련된 업무를 담당하기 위하여 당선이 결정된 때부터 해당 지방자치단체에 지방자치단체의 장의 직 인수위원회(이하 "인수위원회"라 한다)를 설치할 수 있다.

③ 인수위원회는 당선인으로 결정된 때부터 지방자치단체의 장의 임기 시작일 이후 20일의 범위에서 존속한다.

④ 인수위원회는 다음 각 호의 업무를 수행한다.

1. 해당 지방자치단체의 조직 · 기능 및 예산현황의 파악
2. 해당 지방자치단체의 정책기조를 설정하기 위한 준비
3. 그 밖에 지방자치단체의 장의 직 인수에 필요한 사항

⑤ 인수위원회는 위원장 1명 및 부위원장 1명을 포함하여 다음 각 호의 구분에 따른 위원으로 구성한다.

1. 시 · 도: 20명 이내
2. 시 · 군 및 자치구: 15명 이내

지방자치단체의 장

제 106 조　지방자치단체의 장

특별시에 특별시장, 광역시에 광역시장, 특별자치시에 특별자치시장, 도와 특별자치도에 도지사를 두고, 시에 시장, 군에 군수, 자치구에 구청장을 둔다.

제 108 조　지방자치단체의 장의 임기

지방자치단체의 장의 임기는 4년으로 하며, 3기 내에서만 계속 재임(在任)할 수 있다.

제 110 조　지방자치단체의 폐지 · 설치 · 분리 · 합병과 지방자치단체의 장

지방자치단체를 폐지하거나 설치하거나 나누거나 합쳐 새로 지방자치단체의 장을 선출하여야 하는 경우에는 그 지방자치단체의 장이 선출될 때까지 시 · 도지사는 행정안전부장관이, 시장 · 군수 및 자치구의 구청장은 시 · 도지사가 각각 그 직무를 대행할 사람을 지정하여야 한다. 다만, 둘 이상의 동격의 지방자치단체를 통폐합하여 새로운 지방자치단체를 설치하는 경우에는 종전의 지방자치단체의 장 중에서 해당 지방자치단체의 장의 직무를 대행할 사람을 지정한다.

제 114 조　지방자치단체의 통할대표권

지방자치단체의 장은 지방자치단체를 대표하고, 그 사무를 총괄한다.

제 115 조　국가사무의 위임

시 · 도와 시 · 군 및 자치구에서 시행하는 국가사무는 시 · 도지사와 시장 · 군수 및 자치구의 구청장에게 위임하여 수행하는 것을 원칙으로 한다. 다만, 법령에 다른 규정이 있는 경우에는 그러하지 아니하다.

제 116 조　사무의 관리 및 집행권

지방자치단체의 장은 그 지방자치단체의 사무와 법령에 따라 그 지방자치단체의 장에게 위임된 사무를 관리하고 집행한다.

제 118 조　직원에 대한 임면권 등

지방자치단체의 장은 소속 직원(**지방의회의 사무직원은 제외한다**)을 지휘 · 감독하고 법령과 조례 · 규칙으로 정하는 바에 따라 그 임면 · 교육훈련 · 복무 · 징계 등에 관한 사항을 처리한다.

제 120 조　지방의회의 의결에 대한 재의 요구와 제소

① 지방자치단체의 장은 지방의회의 의결이 월권이거나 법령에 위반되거나 공익을 현저히 해친다고 인정되면 그 의결사항을 이송받은 날부터 20일 **이내**에 이유를 붙여 재의를 요구할 수 있다.

② 제1항의 요구에 대하여 재의한 결과 재적의원 과반수의 출석과 출석의원 3분의 2 이상의 찬성으로 전과 같은 의결을 하면 그 의결사항은 확정된다.

③ 지방자치단체의 장은 제2항에 따라 재의결된 사항이 법령에 위반된다고 인정되면 **대법원**에 소(訴)를 제기할 수 있다. 이 경우에는 제192조 제4항을 준용한다.

제 121 조 예산상 집행 불가능한 의결의 재의 요구

① 지방자치단체의 장은 지방의회의 의결이 예산상 집행할 수 없는 경비를 포함하고 있다고 인정되면 그 의결사항을 이송받은 날부터 20일 이내에 이유를 붙여 재의를 요구할 수 있다.

② 지방의회가 다음 각 호의 어느 하나에 해당하는 경비를 줄이는 의결을 할 때에도 제1항과 같다.

1. 법령에 따라 지방자치단체에서 의무적으로 부담하여야 할 경비
2. 비상재해로 인한 시설의 응급 복구를 위하여 필요한 경비

제 122 조 지방자치단체의 장의 선결처분

① 지방자치단체의 장은 지방의회가 지방의회의원이 구속되는 등의 사유로 제73조에 따른 의결정족수에 미달될 때와 지방의회의 의결사항 중 주민의 생명과 재산 보호를 위하여 긴급하게 필요한 사항으로서 지방의회를 소집할 시간적 여유가 없거나 지방의회에서 의결이 지체되어 의결되지 아니할 때에는 선결처분(先決處分)을 할 수 있다.

② 제1항에 따른 선결처분은 지체 없이 지방의회에 보고하여 승인을 받아야 한다.

③ 지방의회에서 제2항의 승인을 받지 못하면 그 선결처분은 그때부터 효력을 상실한다.

보조기관

제 123 조 부지사 · 부시장 · 부군수 · 부구청장

① 특별시 · 광역시 및 특별자치시에 부시장, 도와 특별자치도에 부지사, 시에 부시장, 군에 부군수, 자치구에 부구청장을 두며, 그 수는 다음 각 호의 구분과 같다.

1. 특별시의 부시장의 수: **3명**을 넘지 아니하는 범위에서 대통령령으로 정한다.
2. 광역시와 특별자치시의 부시장 및 도와 특별자치도의 부지사의 수: 2명(**인구 800만 이상의 광역시나 도는 3명**)을 넘지 아니하는 범위에서 대통령령으로 정한다.
3. 시의 부시장, 군의 부군수 및 자치구의 부구청장의 수: **1명**으로 한다.

제 124 조 지방자치단체의 장의 권한대행 등

① 지방자치단체의 장이 다음 각 호의 어느 하나에 해당되면 부지사 · 부시장 · 부군수 · 부구청장(이하 이 조에서 "부단체장"이라 한다)이 그 권한을 대행한다.

1. 궐위된 경우
2. 공소 제기된 후 구금상태에 있는 경우
3. 「의료법」에 따른 의료기관에 60일 이상 계속하여 입원한 경우

② 지방자치단체의 장이 그 직을 가지고 그 지방자치단체의 장 선거에 입후보하면 예비후보자 또는 후보자로 등록한 날부터 선거일까지 부단체장이 그 지방자치단체의 장의 권한을 대행한다.

③ 지방자치단체의 장이 출장 · 휴가 등 일시적 사유로 직무를 수행할 수 없으면 부단체장이 그 직무를 대리한다.

제 125 조 행정기구와 공무원

① 지방자치단체는 그 사무를 분장하기 위하여 필요한 행정기구와 지방공무원을 둔다.

② 제1항에 따른 **행정기구의 설치와 지방공무원의 정원은 인건비 등 대통령령으로 정하는 기준에 따라 그 지방자치단체의 조례로 정한다.**

⑤ 지방자치단체에는 제1항에도 불구하고 법률로 정하는 바에 따라 국가공무원을 둘 수 있다.

⑥ 제5항에 규정된 국가공무원의 경우 「국가공무원법」 제32조 제1항부터 제3항까지의 규정에도 불구하고 5급 이상의 국가공무원이나 고위공무원단에 속하는 공무원은 해당 지방자치단체의 장의 제청으로 소속 장관을 거쳐 대통령이 임명하고, 6급 이하의 국가공무원은 그 지방자치단체의 장의 제청으로 소속 장관이 임명한다.

소속 행정기관

제 126 조　직속기관

지방자치단체는 소관 사무의 범위에서 필요하면 대통령령이나 대통령령으로 정하는 범위에서 그 지방자치단체의 조례로 자치경찰기관(제주특별자치도만 해당한다), 소방기관, 교육훈련기관, 보건진료기관, 시험연구기관 및 중소기업지도기관 등을 직속기관으로 설치할 수 있다.

제 127 조　사업소

지방자치단체는 특정 업무를 효율적으로 수행하기 위하여 필요하면 대통령령으로 정하는 범위에서 그 지방자치단체의 조례로 사업소를 설치할 수 있다.

제 128 조　출장소

지방자치단체는 외진 곳의 주민의 편의와 특정지역의 개발 촉진을 위하여 필요하면 대통령령으로 정하는 범위에서 그 지방자치단체의 조례로 출장소를 설치할 수 있다.

제 129 조　합의제행정기관

① 지방자치단체는 소관 사무의 일부를 독립하여 수행할 필요가 있으면 법령이나 그 지방자치단체의 조례로 정하는 바에 따라 합의제행정기관을 설치할 수 있다.

제 130 조　자문기관의 설치 등

① 지방자치단체는 소관 사무의 범위에서 법령이나 그 지방자치단체의 조례로 정하는 바에 따라 자문기관(소관 사무에 대한 자문에 응하거나 협의, 심의 등을 목적으로 하는 심의회, 위원회 등을 말한다. 이하 같다)을 설치 · 운영할 수 있다.

하부행정기관

제 131 조　하부행정기관의 장

자치구가 아닌 구에 구청장, 읍에 읍장, 면에 면장, 동에 동장을 둔다. 이 경우 면 · 동은 행정면 · 행정동을 말한다.

재무

제 136 조 지방재정의 조정

국가와 지방자치단체는 지역 간 재정불균형을 해소하기 위하여 국가와 지방자치단체 간, 지방자치단체 상호 간에 적절한 재정 조정을 하도록 노력하여야 한다.

제 137 조 건전재정의 운영

① 지방자치단체는 그 재정을 수지균형의 원칙에 따라 건전하게 운영하여야 한다.

② 국가는 지방재정의 자주성과 건전한 운영을 장려하여야 하며, 국가의 부담을 지방자치단체에 넘겨서는 아니 된다.

제 140 조 회계연도

지방자치단체의 회계연도는 매년 1월 1일에 시작하여 그 해 12월 31일에 끝난다.

제 141 조 회계의 구분

① 지방자치단체의 회계는 일반회계와 특별회계로 구분한다.

② 특별회계는 법률이나 지방자치단체의 조례로 설치할 수 있다.

제 142 조 예산의 편성 및 의결

① 지방자치단체의 장은 회계연도마다 예산안을 편성하여 시 · 도는 회계연도 시작 50일 전까지, 시 · 군 및 자치구는 회계연도 시작 40일 전까지 지방의회에 제출하여야 한다.

② 시 · 도의회는 제1항의 예산안을 회계연도 시작 15일 전까지, 시 · 군 및 자치구의회는 회계연도 시작 10일 전까지 의결하여야 한다.

③ 지방의회는 지방자치단체의 장의 동의 없이 지출예산 각 항의 금액을 증가시키거나 새로운 비용항목을 설치할 수 없다.

제 146 조 예산이 성립하지 아니할 때의 예산 집행

지방의회에서 새로운 회계연도가 시작될 때까지 예산안이 의결되지 못하면 지방자치단체의 장은 지방의회에서 예산안이 의결될 때까지 다음 각 호의 목적을 위한 경비를 전년도 예산에 준하여 집행할 수 있다.

1. 법령이나 조례에 따라 설치된 기관이나 시설의 유지 · 운영
2. 법령상 또는 조례상 지출의무의 이행
3. 이미 예산으로 승인된 사업의 계속

제 152 조 지방세

지방자치단체는 법률로 정하는 바에 따라 지방세를 부과 · 징수할 수 있다.

제 153 조 사용료

지방자치단체는 공공시설의 이용 또는 재산의 사용에 대하여 사용료를 징수할 수 있다.

제 154 조 수수료

① 지방자치단체는 그 지방자치단체의 사무가 특정인을 위한 것이면 그 사무에 대하여 수수료를 징수할 수 있다.

제 155 조 분담금

지방자치단체는 그 재산 또는 공공시설의 설치로 주민의 일부가 특히 이익을 받으면 이익을 받는 자로부터 그 이익의 범위에서 분담금을 징수할 수 있다.

제 163 조 지방공기업의 설치 · 운영

① 지방자치단체는 주민의 복리증진과 사업의 효율적 수행을 위하여 지방공기업을 설치 · 운영할 수 있다.

② 지방공기업의 설치 · 운영에 필요한 사항은 따로 법률로 정한다.

지방자치단체 간의 협력과 분쟁조정

제 164 조 지방자치단체 상호 간의 협력

① 지방자치단체는 다른 지방자치단체로부터 사무의 공동처리에 관한 요청이나 사무처리에 관한 협의 · 조정 · 승인 또는 지원의 요청을 받으면 법령의 범위에서 협력하여야 한다.

제 165 조 지방자치단체 상호 간의 분쟁조정

① 지방자치단체 상호 간 또는 지방자치단체의 장 상호 간에 사무를 처리할 때 의견이 달라 다툼(이하 "분쟁"이라 한다)이 생기면 다른 법률에 특별한 규정이 없으면 행정안전부장관이나 시 · 도지사가 당사자의 신청을 받아 조정할 수 있다. 다만, 그 분쟁이 공익을 현저히 해쳐 조속한 조정이 필요하다고 인정되면 당사자의 신청이 없어도 직권으로 조정할 수 있다.

제 166 조 지방자치단체중앙분쟁조정위원회 등의 설치와 구성 등

① 제165조 제1항에 따른 분쟁의 조정과 제173조 제1항에 따른 협의사항의 조정에 필요한 사항을 심의 · 의결하기 위하여 **행정안전부에 지방자치단체중앙분쟁조정위원회**(이하 "중앙분쟁조정위원회"라 한다)를, **시 · 도에 지방자치단체지방분쟁조정위원회**(이하 "지방분쟁조정위원회"라 한다)를 둔다.

② 중앙분쟁조정위원회는 다음 각 호의 분쟁을 심의 · 의결한다.

1. 시 · 도 간 또는 그 장 간의 분쟁
2. 시 · 도를 달리하는 시 · 군 및 자치구 간 또는 그 장 간의 분쟁
3. 시 · 도와 시 · 군 및 자치구 간 또는 그 장 간의 분쟁
4. 시 · 도와 지방자치단체조합 간 또는 그 장 간의 분쟁
5. 시 · 도를 달리하는 시 · 군 및 자치구와 지방자치단체조합 간 또는 그 장 간의 분쟁
6. 시 · 도를 달리하는 지방자치단체조합 간 또는 그 장 간의 분쟁

③ 지방분쟁조정위원회는 제2항 각 호에 해당하지 아니하는 지방자치단체 · 지방자치단체조합 간 또는 그 장 간의 분쟁을 심의 · 의결한다.

④ 중앙분쟁조정위원회와 지방분쟁조정위원회(이하 "분쟁조정위원회"라 한다)는 **각각 위원장 1명을 포함하여 11명 이내의 위원으로 구성**한다.

제 168 조 사무의 위탁

① 지방자치단체나 그 장은 소관 사무의 일부를 다른 지방자치단체나 그 장에게 위탁하여 처리하게 할 수 있다.

② 지방자치단체나 그 장은 제1항에 따라 사무를 위탁하려면 관계 지방자치단체와의 협의에 따라 규약을 정하여 고시하여야 한다.

③ 제2항의 사무위탁에 관한 규약에는 다음 각 호의 사항이 포함되어야 한다.

1. 사무를 위탁하는 지방자치단체와 사무를 위탁받는 지방자치단체
2. 위탁사무의 내용과 범위
3. 위탁사무의 관리와 처리방법
4. 위탁사무의 관리와 처리에 드는 경비의 부담과 지출방법
5. 그 밖에 사무위탁에 필요한 사항

행정협의회

제 169 조 행정협의회의 구성

① 지방자치단체는 2개 이상의 지방자치단체에 관련된 사무의 일부를 공동으로 처리하기 위하여 관계 지방자치단체 간의 행정협의회(이하 "협의회"라 한다)를 구성할 수 있다. 이 경우 지방자치단체의 장은 시 · 도가 구성원이면 행정안전부장관과 관계 중앙행정기관의 장에게, 시 · 군 또는 자치구가 구성원이면 시 · 도지사에게 이를 보고하여야 한다.

제 174 조 협의회의 협의 및 사무처리의 효력

① 협의회를 구성한 관계 지방자치단체는 협의회가 결정한 사항이 있으면 그 결정에 따라 사무를 처리하여야 한다.

지방자치단체조합

제 176 조 지방자치단체조합의 설립

① 2개 이상의 지방자치단체가 하나 또는 둘 이상의 사무를 공동으로 처리할 필요가 있을 때에는 규약을 정하여 지방의회의 의결을 거쳐 시 · 도는 행정안전부장관의 승인, 시 · 군 및 자치구는 시 · 도지사의 승인을 받아 지방자치단체조합을 설립할 수 있다. 다만, 지방자치단체조합의 구성원인 시 · 군 및 자치구가 2개 이상의 시 · 도에 걸쳐 있는 지방자치단체조합은 행정안전부장관의 승인을 받아야 한다.

② 지방자치단체조합은 법인으로 한다.

제 180 조 지방자치단체조합의 지도 · 감독

① 시 · 도가 구성원인 지방자치단체조합은 행정안전부장관, 시 · 군 및 자치구가 구성원인 지방자치단체조합은 1차로 시 · 도지사, 2차로 행정안전부장관의 지도 · 감독을 받는다. 다만, 지방자치단체조합의 구성원인 시 · 군 및 자치구가 2개 이상의 시 · 도에 걸쳐 있는 지방자치단체조합은 행정안전부장관의 지도 · 감독을 받는다.

② 행정안전부장관은 공익상 필요하면 지방자치단체조합의 설립이나 해산 또는 규약 변경을 명할 수 있다.

지방자치단체의 장 등의 협의체

제 182 조 지방자치단체의 장 등의 협의체

① 지방자치단체의 장이나 지방의회의 의장은 상호 간의 교류와 협력을 증진하고, 공동의 문제를 협의하기 위하여 다음 각 호의 구분에 따라 각각 전국적 협의체를 설립할 수 있다.

1. 시 · 도지사
2. 시 · 도의회의 의장
3. 시장 · 군수 및 자치구의 구청장
4. 시 · 군 및 자치구의회의 의장

② 제1항 각 호의 전국적 협의체는 그들 모두가 참가하는 지방자치단체 연합체를 설립할 수 있다.

국가와 지방자치단체 간의 관계

제 183 조 국가와 지방자치단체의 협력 의무

국가와 지방자치단체는 주민에 대한 균형적인 공공서비스 제공과 지역 간 균형발전을 위하여 협력하여야 한다.

제 184 조 지방자치단체의 사무에 대한 지도와 지원

① 중앙행정기관의 장이나 시 · 도지사는 지방자치단체의 사무에 관하여 조언 또는 권고하거나 지도할 수 있으며, 이를 위하여 필요하면 지방자치단체에 자료 제출을 요구할 수 있다.

② 국가나 시 · 도는 지방자치단체가 그 지방자치단체의 사무를 처리하는 데 필요하다고 인정하면 재정지원이나 기술지원을 할 수 있다.

③ 지방자치단체의 장은 제1항의 조언 · 권고 또는 지도와 관련하여 중앙행정기관의 장이나 시 · 도지사에게 의견을 제출할 수 있다.

제 185 조 국가사무나 시 · 도 사무 처리의 지도 · 감독

① 지방자치단체나 그 장이 위임받아 처리하는 국가사무에 관하여 시 · 도에서는 주무부장관, 시 · 군 및 자치구에서는 1차로 시 · 도지사, 2차로 주무부장관의 지도 · 감독을 받는다.

② 시 · 군 및 자치구나 그 장이 위임받아 처리하는 시 · 도의 사무에 관하여는 시 · 도지사의 지도 · 감독을 받는다.

제 186 조 중앙지방협력회의의 설치

① 국가와 지방자치단체 간의 협력을 도모하고 지방자치 발전과 지역 간 균형발전에 관련되는 중요 정책을 심의하기 위하여 중앙지방협력회의를 둔다.

② 제1항에 따른 중앙지방협력회의의 구성과 운영에 관한 사항은 따로 법률로 정한다.

제 187 조 중앙행정기관과 지방자치단체 간 협의 · 조정

① 중앙행정기관의 장과 지방자치단체의 장이 사무를 처리할 때 의견을 달리하는 경우 이를 협의 · 조정하기 위하여 국무총리 소속으로 행정협의조정위원회를 둔다.

② 행정협의조정위원회는 위원장 1명을 포함하여 13명 이내의 위원으로 구성한다.

③ 행정협의조정위원회의 위원은 다음 각 호의 사람이 되고, 위원장은 제3호의 위촉위원 중에서 국무총리가 위촉한다.

1. 기획재정부장관, 행정안전부장관, 국무조정실장 및 법제처장
2. 안건과 관련된 중앙행정기관의 장과 시 · 도지사 중 위원장이 지명하는 사람
3. 그 밖에 지방자치에 관한 학식과 경험이 풍부한 사람 중에서 국무총리가 위촉하는 사람 4명

제 188 조 위법 · 부당한 명령이나 처분의 시정

① 지방자치단체의 사무에 관한 지방자치단체의 장(제103조 제2항에 따른 사무의 경우에는 지방의회의 의장을 말한다. 이하 이 조에서 같다)의 명령이나 처분이 법령에 위반되거나 현저히 부당하여 공익을 해친다고 인정되면 시 · 도에 대해서는 주무부장관이, 시 · 군 및 자치구에 대해서는 시 · 도지사가 기간을 정하여 서면으로 시정할 것을 명하고, 그 기간에 이행하지 아니하면 이를 취소하거나 정지할 수 있다.

제 189 조 지방자치단체의 장에 대한 직무이행명령

① 지방자치단체의 장이 법령에 따라 그 의무에 속하는 국가위임사무나 시 · 도위임사무의 관리와 집행을 명백히 게을리하고 있다고 인정되면 시 · 도에 대해서는 주무부장관이, 시 · 군 및 자치구에 대해서는 시 · 도지사가 기간을 정하여 서면으로 이행할 사항을 명령할 수 있다.

② 주무부장관이나 시 · 도지사는 해당 지방자치단체의 장이 제1항의 기간에 이행명령을 이행하지 아니하면 그 지방자치단체의 비용부담으로 대집행 또는 행정상 · 재정상 필요한 조치(이하 이 조에서 "대집행등"이라 한다)를 할 수 있다. 이 경우 행정대집행에 관하여는 「행정대집행법」을 준용한다.

③ 주무부장관은 시장 · 군수 및 자치구의 구청장이 법령에 따라 그 의무에 속하는 국가위임사무의 관리와 집행을 명백히 게을리하고 있다고 인정됨에도 불구하고 시 · 도지사가 제1항에 따른 이행명령을 하지 아니하는 경우 시 · 도지사에게 기간을 정하여 이행명령을 하도록 명할 수 있다.

제 190 조 지방자치단체의 자치사무에 대한 감사

① 행정안전부장관이나 시 · 도지사는 지방자치단체의 자치사무에 관하여 보고를 받거나 서류 · 장부 또는 회계를 감사할 수 있다. 이 경우 감사는 법령 위반사항에 대해서만 한다.

② 행정안전부장관 또는 시 · 도지사는 제1항에 따라 감사를 하기 전에 해당 사무의 처리가 법령에 위반되는지 등을 확인하여야 한다.

제 192 조 지방의회 의결의 재의와 제소

① 지방의회의 의결이 법령에 위반되거나 공익을 현저히 해친다고 판단되면 시 · 도에 대해서는 주무부장관이, 시 · 군 및 자치구에 대해서는 시 · 도지사가 해당 지방자치단체의 장에게 재의를 요구하게 할 수 있고, 재의 요구 지시를 받은 지방자치단체의 장은 의결사항을 이송받은 날부터 20일 이내에 지방의회에 이유를 붙여 재의를 요구하여야 한다.

국제교류 · 협력

제 193 조 지방자치단체의 역할

지방자치단체는 국가의 외교 · 통상 정책과 배치되지 아니하는 범위에서 국제교류 · 협력, 통상 · 투자유치를 위하여 외국의 지방자치단체, 민간기관, 국제기구(국제연합과 그 산하기구 · 전문기구를 포함한 정부 간 기구, 지방자치단체 간 기구를 포함한 준정부 간 기구, 국제 비정부기구 등을 포함한다. 이하 같다)와 협력을 추진할 수 있다.

서울특별시 및 대도시 등과 세종특별자치시 및 제주특별자치도의 행정특례

제 196 조 자치구의 재원

특별시장이나 광역시장은 「지방재정법」에서 정하는 바에 따라 해당 지방자치단체의 관할 구역의 자치구 상호 간의 재원을 조정하여야 한다.

제 197 조 특례의 인정

① 서울특별시의 지위 · 조직 및 운영에 대해서는 수도로서의 특수성을 고려하여 법률로 정하는 바에 따라 특례를 둘 수 있다.

② 세종특별자치시와 제주특별자치도의 지위 · 조직 및 행정 · 재정 등의 운영에 대해서는 행정체제의 특수성을 고려하여 법률로 정하는 바에 따라 특례를 둘 수 있다.

제 198 조 대도시 등에 대한 특례 인정

① 서울특별시 · 광역시 및 특별자치시를 제외한 인구 50만 이상 대도시의 행정, 재정 운영 및 국가의 지도 · 감독에 대해서는 그 특성을 고려하여 관계 법률로 정하는 바에 따라 특례를 둘 수 있다.

② 제1항에도 불구하고 서울특별시 · 광역시 및 특별자치시를 제외한 다음 각 호의 어느 하나에 해당하는 대도시 및 시 · 군 · 구의 행정, 재정 운영 및 국가의 지도 · 감독에 대해서는 그 특성을 고려하여 관계 법률로 정하는 바에 따라 추가로 특례를 둘 수 있다.

1. 인구 100만 이상 대도시(이하 "특례시"라 한다)
2. 실질적인 행정수요, 지역균형발전 및 지방소멸위기 등을 고려하여 대통령령으로 정하는 기준과 절차에 따라 행정안전부장관이 지정하는 시 · 군 · 구

③ 제1항에 따른 인구 50만 이상 대도시와 제2항 제1호에 따른 특례시의 인구 인정기준은 대통령령으로 정한다.

법령PLUS⊕ 대도시와 특례시

「지방자치법 시행령」 제118조【인구 50만 이상 대도시와 특례시의 인구 인정기준】 ① 법 제198조 제1항에 따라 특례를 둘 수 있는 인구 50만 이상 대도시는 전년도 말일 현재 다음 각 호의 어느 하나에 해당하는 사람 수를 합산한 주민 수가 2년 간 연속하여 50만 이상인 시로 한다.

1. 해당 지방자치단체의 관할 구역에 주민등록이 되어 있는 사람
2. 「재외동포의 출입국과 법적 지위에 관한 법률」에 따라 해당 지방자치단체의 국내거소신고인명부에 올라 있는 외국국적동포
3. 「출입국관리법」에 따라 해당 지방자치단체의 외국인등록대장에 올라 있는 외국인

③ 법 제198조 제2항 제1호에 따른 인구 100만 이상 대도시의 인구 인정기준에 관하여는 제1항 및 제2항을 준용한다. 이 경우 "인구 50만"은 "인구 100만"으로 본다.

특별지방자치단체

제 199 조 설치

① 2개 이상의 지방자치단체가 공동으로 특정한 목적을 위하여 광역적으로 사무를 처리할 필요가 있을 때에는 특별지방자치단체를 설치할 수 있다. 이 경우 특별지방자치단체를 구성하는 지방자치단체(이하 "구성 지방자치단체"라 한다)는 상호 협의에 따른 규약을 정하여 구성 지방자치단체의 지방의회 의결을 거쳐 행정안전부장관의 승인을 받아야 한다.

③ 특별지방자치단체는 법인으로 한다.

제 200 조 설치 권고 등

행정안전부장관은 공익상 필요하다고 인정할 때에는 관계 지방자치단체에 대하여 특별지방자치단체의 설치, 해산 또는 규약 변경을 권고할 수 있다. 이 경우 행정안전부장관의 권고가 국가 또는 시 · 도 사무의 위임을 포함하고 있을 때에는 사전에 관계 중앙행정기관의 장 또는 시 · 도지사와 협의하여야 한다.

제 204 조 의회의 조직 등

① 특별지방자치단체의 의회는 규약으로 정하는 바에 따라 구성 지방자치단체의 의회 의원으로 구성한다.
② 제1항의 지방의회의원은 특별지방자치단체의 의회 의원을 겸할 수 있다.

제 205 조 집행기관의 조직 등

① 특별지방자치단체의 장은 규약으로 정하는 바에 따라 특별지방자치단체의 의회에서 선출한다.
② 구성 지방자치단체의 장은 특별지방자치단체의 장을 겸할 수 있다.
③ 특별지방자치단체의 의회 및 집행기관의 직원은 규약으로 정하는 바에 따라 특별지방자치단체 소속인 지방공무원과 구성 지방자치단체의 지방공무원 중에서 파견된 사람으로 구성한다.

핵심OX

1 지방자치단체의 명칭과 구역을 바꿀 때에는 법률로 정한다. (O, X)

2 지방자치단체의 장은 법령이나 조례가 위임한 범위에서 그 권한에 속하는 사무에 관하여 규칙을 제정할 수 있다. (O, X)

3 지방의회에서 의결된 조례안은 10일 이내에 지방자치단체의 장에게 이송되어야 한다. (O, X)

4 주민소송은 위법한 재무행위에 대해 감사청구를 한 주민이 지방자치단체의 장을 상대로 제기할 수 있다. (O, X)

5 시 · 도의 자치사무가 공익에 현저히 위반된다고 인정되면, 주무부장관은 서면으로 시정할 것을 명할 수 있다. (O, X)

핵심기출

1 특별지방자치단체에 대한 설명으로 옳지 않은 것은? 2022년 국가직 9급

① 2개 이상의 지방자치단체가 공동으로 특정한 목적을 위하여 광역적으로 사무를 처리할 필요가 있을 때에는 특별지방자치단체를 설치할 수 있다.

② 보통의 지방자치단체와 같이 법인격을 갖는다.

③ 특별지방자치단체의 의회는 규약으로 정하는 바에 따라 구성 지방자치단체의 의회 의원으로 구성한다.

④ 구성 지방자치단체의 장은 「지방자치법」상 겸임 제한 규정에 의해 특별지방자치단체의 장을 겸할 수 없다.

2 다음 중 「지방자치법」상 지방의회의 의결사항에 해당하지 않는 것은? 2018년 국회직 8급

① 조례의 제정 · 개정 및 폐지

② 재의요구권

③ 기금의 설치 · 운용

④ 대통령령으로 정하는 중요 재산의 취득 · 처분

⑤ 청원의 수리와 처리

정답 및 해설

핵심OX

1 O

2 O

3 X 5일이다.

4 O

5 X 자치사무의 경우 위법한 행위로 한정한다.

핵심기출

1 ④ 구성 지방자치단체의 장은 「지방자치법」상 겸임 제한 규정에도 불구하고 특별지방자치단체의 장을 겸할 수 있다(「지방자치법」 제205조 제2항).

2 ② 재의요구권은 지방자치단체장의 권한에 속하는 사항으로, 지방자치단체장이 위법 · 부당한 지방의회의 의결사항에 재의를 요구하는 것이다.

19 주민투표법, 주민조례발안에 관한 법률, 주민소환에 관한 법률

관련단원 PART 7. 지방행정론 > CHAPTER 5. 지방자치와 주민참여

■ 주민투표법

제 1 조 목적

이 법은 지방자치단체의 주요결정사항에 관한 주민의 직접참여를 보장하기 위하여 「지방자치법」 제18조의 규정에 의한 주민투표의 대상·발의자·발의요건·투표절차 등에 관한 사항을 규정함으로써 지방자치행정의 민주성과 책임성을 제고하고 주민복리를 증진함을 목적으로 한다.

제 4 조 정보의 제공 등

① 지방자치단체의 장은 주민투표와 관련하여 주민이 정확하고 객관적인 판단과 합리적인 결정을 할 수 있도록 지방자치단체의 공보, 일간신문, 인터넷 등 다양한 수단을 통하여 주민투표에 관한 각종 정보와 자료를 제공하여야 한다.

② 제3조 제1항에 따라 주민투표사무를 관리하는 선거관리위원회(이하 "관할선거관리위원회"라 한다)는 주민투표에 관한 정보를 제공하기 위하여 설명회·토론회 등을 개최하여야 한다.

③ 제2항에 따른 설명회·토론회 등의 개최에 관하여 필요한 사항은 중앙선거관리위원회규칙으로 정한다.

④ 관할선거관리위원회는 제2항의 규정에 의한 설명회·토론회 등을 개최하는 때에는 주민투표에 부쳐진 사항에 관하여 의견을 달리하는 자가 균등하게 참여할 수 있도록 하여야 한다.

제 5 조 주민투표권

① 18세 이상의 주민 중 투표인명부 작성기준일 현재 다음 각 호의 어느 하나에 해당하는 사람에게는 주민투표권이 있다. 다만, 「공직선거법」에 따라 선거권이 없는 사람에게는 주민투표권이 없다.

1. 그 지방자치단체의 관할 구역에 주민등록이 되어 있는 사람
2. 출입국관리 관계 법령에 따라 대한민국에 계속 거주할 수 있는 자격(체류자격변경허가 또는 체류기간연장허가를 통하여 계속 거주할 수 있는 경우를 포함한다)을 갖춘 외국인으로서 지방자치단체의 조례로 정한 사람

② 주민투표권자의 연령은 투표일 현재를 기준으로 산정한다.

제 7 조 주민투표의 대상

① 주민에게 과도한 부담을 주거나 중대한 영향을 미치는 지방자치단체의 주요결정사항은 주민투표에 부칠 수 있다.

② 제1항에도 불구하고 다음 각 호의 어느 하나에 해당하는 사항은 주민투표에 부칠 수 없다.

1. 법령에 위반되거나 재판 중인 사항
2. 국가 또는 다른 지방자치단체의 권한 또는 사무에 속하는 사항
3. 지방자치단체가 수행하는 다음 각 목의 어느 하나에 해당하는 사무의 처리에 관한 사항
   가. 예산 편성·의결 및 집행
   나. 회계·계약 및 재산관리

3의2. 지방세·사용료·수수료·분담금 등 각종 공과금의 부과 또는 감면에 관한 사항

4. 행정기구의 설치·변경에 관한 사항과 공무원의 인사·정원 등 신분과 보수에 관한 사항
5. 다른 법률에 의하여 주민대표가 직접 의사결정주체로서 참여할 수 있는 공공시설의 설치에 관한 사항. 다만, 지방의회가 주민투표의 실시를 청구하는 경우에는 그러하지 아니하다.
6. 동일한 사항에 대하여 주민투표가 실시된 후 2년이 경과되지 아니한 사항

제 8 조 국가정책에 관한 주민투표

① 중앙행정기관의 장은 지방자치단체를 폐지하거나 설치하거나 나누거나 합치는 경우 또는 지방자치단체의 구역을 변경하거나 주요시설을 설치하는 등 국가정책의 수립에 관하여 주민의 의견을 듣기 위하여 필요하다고 인정하는 때에는 주민투표의 실시구역을 정하여 관계 지방자치단체의 장에게 주민투표의 실시를 요구할 수 있다. 이 경우 중앙행정기관의 장은 미리 행정안전부장관과 협의하여야 한다.

② 지방자치단체의 장은 제1항의 규정에 의하여 주민투표의 실시를 요구받은 때에는 지체없이 이를 공표하여야 하며, 공표일부터 30일 이내에 그 지방의회의 의견을 들어야 한다.

제 9 조 주민투표의 실시요건

① 지방자치단체의 장은 다음 각 호의 어느 하나에 해당하는 경우에는 주민투표를 실시할 수 있다. 이 경우 제1호 또는 제2호에 해당하는 경우에는 주민투표를 실시하여야 한다.

1. 주민이 제2항에 따라 주민투표의 실시를 청구하는 경우
2. 지방의회가 제5항에 따라 주민투표의 실시를 청구하는 경우
3. 지방자치단체의 장이 주민의 의견을 듣기 위하여 필요하다고 판단하는 경우

② 18세 이상 주민 중 제5조 제1항 각 호의 어느 하나에 해당하는 사람(주민투표권이 없는 자는 제외한다. 이하 '주민투표청구권자'라 한다)은 주민투표청구권자 총수의 20분의 1 이상 5분의 1 이하의 범위 안에서 지방자치단체의 조례로 정하는 수 이상의 서명으로 그 지방자치단체의 장에게 주민투표의 실시를 청구할 수 있다.

⑤ 지방의회는 재적의원 과반수의 출석과 출석의원 3분의 2 이상의 찬성으로 그 지방자치단체의 장에게 주민투표의 실시를 청구할 수 있다.

⑥ 지방자치단체의 장은 직권에 의하여 주민투표를 실시하고자 하는 때에는 그 지방의회 재적의원 과반수의 출석과 출석의원 과반수의 동의를 얻어야 한다.

제12조의2 주민투표청구심의회

① 제9조에 따른 주민투표에 관한 다음 각 호의 사항을 심의하기 위하여 지방자치단체의 장 소속으로 주민투표청구심의회(이하 "심의회"라 한다)를 둔다. 다만, 해당 지방자치단체에 심의회와 성격 · 기능이 유사한 위원회가 설치되어 있는 경우에는 해당 지방자치단체의 조례로 정하는 바에 따라 그 위원회가 심의회의 기능을 대신할 수 있다.

1. 제12조 제4항에 따른 청구인서명부의 서명에 대한 이의신청의 심사
2. 제12조 제7항 및 제8항에 따른 청구인서명부에 기재된 유효서명의 확인
3. 제18조의2 제1항에 따른 전자투표 · 전자개표의 실시
4. 그 밖에 심의회의 의장이 필요하다고 인정하여 심의에 부치는 사항

제 14 조 주민투표의 투표일

① 주민투표의 투표일은 제13조 제2항에 따른 주민투표발의일부터 23일(제3항에 따라 투표일을 정할 수 없는 기간은 산입하지 아니한다) 이후 첫 번째 수요일로 한다.

제 24 조 주민투표결과의 확정

① 주민투표에 부쳐진 사항은 주민투표권자 총수의 4분의 1 이상의 투표와 유효투표수 과반수의 득표로 확정된다. 다만, 다음 각 호의 어느 하나에 해당하는 경우에는 찬성과 반대 양자를 모두 수용하지 아니하거나, 양자택일의 대상이 되는 사항 모두를 선택하지 아니하기로 확정된 것으로 본다.

1. 전체 투표수가 주민투표권자 총수의 4분의 1에 미달되는 경우
2. 주민투표에 부쳐진 사항에 관한 유효득표수가 동수인 경우

제 26 조 재투표 및 투표연기

① 지방자치단체의 장은 주민투표의 전부 또는 일부무효의 판결이 확정된 때에는 그 날부터 20일 이내에 무효로 된 투표구의 재투표를 실시하여야 한다. 이 경우 투표일은 늦어도 투표일 전 7일까지 공고하여야 한다.

■ 주민조례발안에 관한 법률

제 1 조 목적

이 법은 「지방자치법」 제19조에 따른 주민의 조례 제정과 개정 · 폐지 청구에 필요한 사항을 규정함으로써 주민의 직접참여를 보장하고 지방자치행정의 민주성과 책임성을 제고함을 목적으로 한다.

제 2 조 주민조례청구권자

18세 이상의 주민으로서 다음 각 호의 어느 하나에 해당하는 사람(「공직선거법」 제18조에 따른 선거권이 없는 사람은 제외한다. 이하 "청구권자"라 한다)은 해당 지방자치단체의 의회(이하 "지방의회"라 한다)에 조례를 제정하거나 개정 또는 폐지할 것을 청구(이하 "주민조례청구"라 한다)할 수 있다.

1. 해당 지방자치단체의 관할 구역에 주민등록이 되어 있는 사람
2. 「출입국관리법」 제10조에 따른 영주(永住)할 수 있는 체류자격 취득일 후 3년이 지난 외국인으로서 같은 법 제34조에 따라 해당 지방자치단체의 외국인등록대장에 올라 있는 사람

제 3 조 주민조례청구권의 보장 등

① 국가 및 지방자치단체는 청구권자가 지방의회에 주민조례청구를 할 수 있도록 필요한 조치를 하여야 한다.

② 지방자치단체는 청구권자가 전자적 방식을 통하여 주민조례청구를 할 수 있도록 행정안전부장관이 정하는 바에 따라 정보시스템을 구축 · 운영하여야 한다. 이 경우 행정안전부장관은 정보시스템을 구축 · 운영하는 데 필요한 지원을 할 수 있다.

③ 국가 및 지방자치단체는 청구권자의 주민조례청구를 활성화하기 위하여 주민조례청구의 요건, 참여 · 서명 방법 및 절차 등을 홍보하여야 한다.

제 4 조 주민조례청구 제외 대상

다음 각 호의 사항은 주민조례청구 대상에서 제외한다.

1. 법령을 위반하는 사항
2. 지방세 · 사용료 · 수수료 · 부담금을 부과 · 징수 또는 감면하는 사항
3. 행정기구를 설치하거나 변경하는 사항
4. 공공시설의 설치를 반대하는 사항

제 5 조 주민조례청구 요건

① 청구권자가 주민조례청구를 하려는 경우에는 다음 각 호의 구분에 따른 기준 이내에서 해당 지방자치단체의 조례로 정하는 청구권자 수 이상이 연대 서명하여야 한다.

1. 특별시 및 인구 800만 이상의 광역시 · 도: 청구권자 총수의 200분의 1
2. 인구 800만 미만의 광역시 · 도, 특별자치시, 특별자치도 및 인구 100만 이상의 시: 청구권자 총수의 150분의 1

3. 인구 50만 이상 100만 미만의 시 · 군 및 자치구: 청구권자 총수의 100분의 1

4. 인구 10만 이상 50만 미만의 시 · 군 및 자치구: 청구권자 총수의 70분의 1

5. 인구 5만 이상 10만 미만의 시 · 군 및 자치구: 청구권자 총수의 50분의 1

6. 인구 5만 미만의 시 · 군 및 자치구: 청구권자 총수의 20분의 1

② 청구권자 총수는 전년도 12월 31일 현재의 주민등록표 및 외국인등록표에 따라 산정한다.

③ 지방자치단체의 장은 매년 1월 10일까지 제2항에 따라 산정한 청구권자 총수를 공표하여야 한다.

제 12 조　청구의 수리 및 각하

② 지방의회의 의장은 다음 각 호의 구분에 따른 기간의 범위에서 해당 지방자치단체의 조례로 정하는 기간 이내에 제1항에 따라 주민조례청구를 수리하거나 각하하여야 한다.

1. 이의신청이 없는 경우에 해당하는 경우: 열람기간이 끝난 날(제11조 제5항에 따라 준용되는 경우에는 보정된 청구인명부에 대한 열람기간이 끝난 날)부터 3개월 이내

2. 결정이 끝난 경우에 해당하는 경우: 모든 이의신청에 대하여 제11조 제3항에 따른 심사 · 결정이 끝난 날(제11조 제5항에 따라 준용되는 경우에는 보정된 청구인명부의 서명에 제기된 모든 이의신청에 대한 심사 · 결정이 끝난 날)부터 3개월 이내

③ 지방의회의 의장은 제1항에 따라 주민조례청구를 각하하려면 대표자에게 의견을 제출할 기회를 주어야 한다.

④ 지방의회의 의장은 「지방자치법」 제76조 제1항에도 불구하고 이 조 제1항에 따라 주민조례청구를 수리한 날부터 30일 이내에 지방의회의 의장 명의로 주민청구조례안을 발의하여야 한다.

⑤ 제1항부터 제3항까지에서 규정한 사항 외에 주민조례청구의 수리 절차에 관하여 필요한 사항은 지방의회의 회의규칙으로 정한다.

제 13 조　주민청구조례안의 심사 절차

① 지방의회는 제12조 제1항에 따라 주민청구조례안이 수리된 날부터 1년 이내에 주민청구조례안을 의결하여야 한다. 다만, 필요한 경우에는 본회의 의결로 1년 이내의 범위에서 한 차례만 그 기간을 연장할 수 있다.

② 지방의회는 심사 안건으로 부쳐진 주민청구조례안을 의결하기 전에 대표자를 회의에 참석시켜 그 청구의 취지(대표자와의 질의 · 답변을 포함한다)를 들을 수 있다.

③ 「지방자치법」 제79조 단서에도 불구하고 주민청구조례안은 제12조 제1항에 따라 주민청구조례안을 수리한 당시의 지방의회의원의 임기가 끝나더라도 다음 지방의회의원의 임기까지는 의결되지 못한 것 때문에 폐기되지 아니한다.

④ 제1항부터 제3항까지에서 규정한 사항 외에 주민청구조례안의 심사 절차에 관하여 필요한 사항은 지방의회의 회의규칙으로 정한다.

제 14 조　사무 협조

지방의회의 의장은 제11조에 따른 청구인명부의 서명 확인 사무를 원활하게 수행하기 위하여 필요한 경우 해당 지방자치단체의 장에게 협조를 요청할 수 있다. 이 경우 요청을 받은 지방자치단체의 장은 특별한 사유가 없으면 그 요청에 따라야 한다.

■ 주민소환에 관한 법률

제 1 조 목적

이 법은 「지방자치법」 제25조에 따른 주민소환의 투표 청구권자 · 청구요건 · 절차 및 효력 등에 관하여 규정함으로써 지방자치에 관한 주민의 직접참여를 확대하고 지방행정의 민주성과 책임성을 제고함을 목적으로 한다.

제 3 조 주민소환투표권

① 주민소환투표인명부 작성기준일 현재 다음 각 호의 어느 하나에 해당하는 자는 주민소환투표권이 있다.

1. 19세 이상의 주민으로서 당해 지방자치단체 관할구역에 주민등록이 되어 있는 자(「공직선거법」 제18조의 규정에 의하여 선거권이 없는 자를 제외한다)
2. 19세 이상의 외국인으로서 「출입국관리법」 제10조의 규정에 따른 영주의 체류자격 취득일 후 3년이 경과한 자 중 같은 법 제34조의 규정에 따라 당해 지방자치단체 관할구역의 외국인등록대장에 등재된 자

② 주민소환투표권자의 연령은 주민소환투표일 현재를 기준으로 계산한다.

제 4 조 주민소환투표인명부의 작성 및 확정

② 주민소환투표인명부에 등재되어 있는 국내거주자 중 「공직선거법」 제38조 제4항 제1호부터 제5호까지에 해당하는 사람은 주민소환투표인명부 작성기간 중에 거소투표신고를 할 수 있다.

제 7 조 주민소환투표의 청구

① 전년도 12월 31일 현재 주민등록표 및 외국인등록표에 등록된 제3조 제1항 제1호 및 제2호에 해당하는 자(이하 '주민소환투표청구권자'라 한다)는 해당 지방자치단체의 장 및 지방의회의원(비례대표선거구시 · 도의회의원 및 비례대표선거구자치구 · 시 · 군의회의원은 제외하며, 이하 '선출직 지방공직자'라 한다)에 대하여 다음 각 호에 해당하는 주민의 서명으로 그 소환사유를 서면에 구체적으로 명시하여 관할선거관리위원회에 주민소환투표의 실시를 청구할 수 있다.

1. 특별시장 · 광역시장 · 도지사(시 · 도지사): 당해 지방자치단체의 주민소환투표청구권자 총수의 100분의 10 이상
2. 시장 · 군수 · 자치구의 구청장: 당해 지방자치단체의 주민소환투표청구권자 총수의 100분의 15 이상
3. 지역선거구시 · 도의회의원(지역구시 · 도의원) 및 지역선거구자치구 · 시 · 군의회의원(지역구자치구 · 시 · 군의원): 당해 지방의회의원의 선거구 안의 주민소환투표청구권자 총수의 100분의 20 이상

제 8 조 주민소환투표의 청구제한기간

다음 각 호의 어느 하나에 해당하는 때에는 주민소환투표의 실시를 청구할 수 없다.

1. 선출직 지방공직자의 임기개시일부터 1년이 경과하지 아니한 때
2. 선출직 지방공직자의 임기만료일부터 1년 미만일 때
3. 해당 선출직 지방공직자에 대한 주민소환투표를 실시한 날부터 1년 이내인 때

제12조의2 주민소환투표공보

① 관할선거관리위원회는 주민소환투표안의 내용, 주민소환투표에 부쳐진 사항에 관한 의견과 그 이유, 투표절차 및 그 밖에 필요한 사항을 게재한 책자형 주민소환투표공보를 1회 이상 발행하여야 한다.

제 15 조 주민소환투표의 형식

① 주민소환투표는 찬성 또는 반대를 선택하는 형식으로 실시한다.

제 16 조 주민소환투표의 실시구역

① 지방자치단체의 장에 대한 주민소환투표는 당해 지방자치단체 관할구역 전체를 대상으로 한다.

② 지역구지방의회의원에 대한 주민소환투표는 당해 지방의회의원의 지역선거구를 대상으로 한다.

제 21 조 권한행사의 정지 및 권한대행

① 주민소환투표대상자는 관할선거관리위원회가 주민소환투표안을 공고한 때부터 주민소환투표결과를 공표할 때까지 그 권한행사가 정지된다.

② 제1항의 규정에 의하여 지방자치단체의 장의 권한이 정지된 경우에는 **부지사·부시장·부군수·부구청장(이하 '부단체장'이라 한다)이 「지방자치법」의 규정을 준용하여 그 권한을 대행하고,** 부단체장이 권한을 대행할 수 없는 경우에는 「지방자치법」의 규정을 준용하여 권한을 대행한다.

제 22 조 주민소환투표결과의 확정

① 주민소환은 제3조의 규정에 의한 **주민소환투표권자 총수의 3분의 1이상의 투표와 유효투표 총수 과반수의 찬성**으로 확정된다.

② 전체 주민소환투표자의 수가 주민소환투표권자 총수의 3분의 1에 미달하는 때에는 개표를 하지 아니한다.

제 23 조 주민소환투표의 효력

① 주민소환이 확정된 때에는 **주민소환투표대상자는 그 결과가 공표된 시점부터 그 직을 상실한다.**

② 제1항의 규정에 의하여 그 직을 상실한 자는 그로 인하여 실시하는 이 법 또는 「공직선거법」에 의한 해당보궐선거에 후보자로 등록할 수 없다.

법령PLUS⊕ 우리나라의 주민참여제도 도입현황

구분	연도	근거법률
조례제정 및 개폐청구권	1999	「지방자치법」
	2021	「주민조례발안에 관한 법률」
주민감사청구	1999	「지방자치법」
주민투표	1994	「지방자치법」
	2004	「주민투표법」
주민소송	2006	「지방자치법」
주민소환	2006	「지방자치법」
	2007	「주민소환에 관한 법률」

핵심OX

1 중앙행정기관의 장은 지방자치단체를 폐지하거나 설치하거나 나누거나 합치는 경우 또는 지방자치단체의 구역을 변경하거나 주요시설을 설치하는 등 국가정책의 수립에 관하여 주민의 의견을 듣기 위하여 필요하다고 인정하는 때에는, 주민투표의 실시구역을 정하여 관계 지방의회에 주민투표의 실시를 요구할 수 있다. (O, X)

2 주민투표청구권자 총 수의 20분의 1 이상 5분의 1 이하의 범위 안에서 지방자치단체의 조례로 정하는 수 이상의 서명으로 그 지방자치단체의 장에게 주민투표의 실시를 청구할 수 있다. (O, X)

3 재외국민은 모두 주민투표권을 갖지만 국내 거주 외국인은 주민투표권이 없다. (O, X)

4 선출직 지방공직자의 임기 개시일부터 2년이 경과하지 아니한 때는 주민소환투표를 청구할 수 없다. (O, X)

5 주민소환이 확정된 때에는 주민소환투표대상자는 그 결과가 공표된 시점부터 그 직을 상실한다. (O, X)

핵심기출

1 주민소환제에 대한 설명으로 옳은 것은? 2014년 서울시 7급

① 주민은 그 지방자치단체의 장 및 비례대표를 포함한 지방의회의원을 소환할 권리를 가진다.

② 선출직 지방공직자의 임기만료일로부터 1년 미만일 때에는 주민소환투표의 실시를 청구할 수 없다.

③ 주민소환은 주민소환투표권자 총수의 2분의 1 이상의 투표자와 유효투표 총수 과반수의 찬성으로 확정된다.

④ 지방행정의 민주성과 책임성을 제고할 목적으로 도입한 주민 간접참여방식의 제도이다.

⑤ 주민소환투표의 효력에 이의가 있는 경우 투표결과가 공표된 날부터 10일 이내에 소청할 수 있다.

2 다음 중 「지방자치법」 및 「주민소환에 관한 법률」상 주민소환제도에 대한 설명으로 옳지 않은 것은? 2018년 국회직 8급

① 시·도지사의 소환청구요건은 주민투표권자 총수의 100분의 10 이상이다.

② 비례대표의원은 주민소환의 대상이 아니다.

③ 주민소환투표권자의 연령은 주민소환투표일 현재를 기준으로 계산한다.

④ 주민소환투표권자의 4분의 1 이상이 투표에 참여해야 한다.

⑤ 주민소환이 확정된 때에는 주민소환투표대상자는 그 결과가 공표된 시점부터 그 직을 상실한다.

정답 및 해설

핵심OX

1 X 지방의회가 아니라 지방자치단체장에게 주민투표의 실시를 요구할 수 있다.

2 O

3 X 일정 요건을 갖춘 재외국민과 국내 거주 외국인은 주민투표권이 있다.

4 X 1년이다.

5 O

핵심기출

1 ② 주민소환의 대상에서 비례대표의원은 제외되며(①), 주민소환은 주민소환투표권자 총수의 3분의 1 이상의 투표와 유효투표 총수 과반수의 찬성으로 확정된다(③). 주민소환제는 직접참여방식의 제도로서(④), 주민소환투표의 효력에 이의가 있는 경우 투표결과가 공표된 날부터 14일 이내에 소청심사청구를, 소청결정서를 받은 날로부터 10일 이내에 소송을 제기할 수 있다(⑤).

2 ④ 주민소환제도는 주민소환투표권자 총수의 1/3 이상의 투표와 유효투표 총 수 과반수의 찬성으로 확정된다.

20 지방재정법, 지방교부세법

관련단원 PART 7. 지방행정론 > CHAPTER 6. 지방자치단체의 재정

■ 지방재정법

총칙

제 1 조 목적

이 법은 지방자치단체의 재정에 관한 기본원칙을 정함으로써 지방재정의 건전하고 투명한 운용과 자율성을 보장함을 목적으로 한다.

제 3 조 지방재정 운용의 기본원칙

① 지방자치단체는 주민의 복리 증진을 위하여 그 재정을 건전하고 효율적으로 운용하여야 하며, 국가의 정책에 반하거나 국가 또는 다른 지방자치단체의 재정에 부당한 영향을 미치게 하여서는 아니된다.

② 지방자치단체는 예산이 여성과 남성에게 미치는 효과를 평가하고, 그 결과를 지방자치단체의 예산에 반영하기 위하여 노력하여야 한다.

제 9 조 회계의 구분

① 지방자치단체의 회계는 **일반회계**와 **특별회계**로 구분한다.

② 특별회계는 「지방공기업법」에 따른 지방직영기업이나 그 밖의 특정사업을 운영할 때 또는 특정자금이나 특정세입·세출로서 일반세입·세출과 구분하여 회계처리할 필요가 있을 때에만 법률이나 조례로 설치할 수 있다. 다만, 목적세에 따른 세입·세출은 다른 법률에 특별한 규정이 있는 경우를 제외하고는 특별회계를 설치·운용하여야 한다.

③ 지방자치단체가 특별회계를 설치하려면 5년 이내의 범위에서 특별회계의 존속기한을 해당 조례에 명시하여야 한다. 다만, 법률에 따라 의무적으로 설치·운용되는 특별회계는 그러하지 아니하다.

④ 지방자치단체의 장은 특별회계를 신설하거나 그 존속기한을 연장하려면 해당 조례안을 입법예고하기 전에 제33조 제9항에 따른 지방재정계획심의위원회의 심의를 거쳐야 한다. 다만, 법률에 따라 의무적으로 설치·운용되는 특별회계는 그러하지 아니하다.

지방채

제 11 조 지방채의 발행

① 지방자치단체의 장은 다음 각 호를 위한 자금 조달에 필요할 때에는 지방채를 발행할 수 있다. 다만, 제5호 및 제6호는 교육감이 발행하는 경우에 한한다.

1. 공유재산의 조성 등 소관 재정투자사업과 그에 직접적으로 수반되는 경비의 충당
2. 재해예방 및 복구사업
3. 천재지변으로 발생한 예측할 수 없었던 세입결함의 보전
4. 지방채의 차환
5. 「지방교육재정교부금법」 제9조 제3항에 따른 교부금 차액의 보전
6. 명예퇴직 신청자가 직전 3개 연도 평균 명예퇴직자의 100분의 120을 초과하는 경우 추가로 발생하는 명예퇴직 비용의 충당

② 지방자치단체의 장은 제1항에 따라 지방채를 발행하려면 재정 상황 및 채무 규모 등을 고려하여 대통령령으로 정하는 **지방채 발행 한도액의 범위에서 지방의회의 의결을 얻어야 한다.** 다만, 지방채 발행 한도액 범위더라도 외채를 발행하는 경우에는 지방의회의 의결을 거치기 전에 행정안전부장관의 승인을 받아야 한다.

③ 지방자치단체의 장은 제2항에도 불구하고 대통령령으로 정하는 바에 따라 행정안전부장관과 협의한 경우에는 그 협의한 범위에서 지방의회의 의결을 얻어 제2항에 따른 지방채 발행 한도액의 범위를 초과하여 지방채를 발행할 수 있다. 다만, 재정책임성 강화를 위하여 재정위험수준, 재정 상황 및 채무 규모 등을 고려하여 대통령령으로 정하는 범위를 초과하는 지방채를 발행하는 경우에는 행정안전부장관의 승인을 받은 후 지방의회의 의결을 받아야 한다.

④ 「지방자치법」에 따른 지방자치단체조합(이하 '조합'이라 한다)의 장은 그 조합의 투자사업과 긴급한 재난복구 등을 위한 경비를 조달할 필요가 있을 때 또는 투자사업이나 재난복구사업을 지원할 목적으로 지방자치단체에 대부할 필요가 있을 때에는 지방채를 발행할 수 있다. 이 경우 행정안전부장관의 승인을 받은 범위에서 조합의 구성원인 각 지방자치단체 지방의회의 의결을 얻어야 한다.

→ **재정통제의 완화방안:** 종전에는 지방자치단체가 지방채를 발행하고자 하는 경우 행정안전부장관의 승인을 얻도록 하였으나, 이를 폐지하였다.

경비의 부담

제 20 조 자치사무에 관한 경비

지방자치단체의 관할구역 자치사무에 필요한 경비는 그 지방자치단체가 전액을 부담한다.

제 21 조 부담금과 교부금

① 지방자치단체나 그 기관이 법령에 따라 처리하여야 할 사무로서 국가와 지방자치단체 간에 이해관계가 있는 경우에는 원활한 사무처리를 위하여 국가에서 부담하지 아니하면 아니 되는 경비는 국가가 그 전부 또는 일부를 부담한다. → 부담금(단체위임사무)

② 국가가 스스로 하여야 할 사무를 지방자치단체나 그 기관에 위임하여 수행하는 경우 그 경비는 국가가 전부를 그 지방자치단체에 교부하여야 한다. → 교부금(기관위임사무)

제 23 조 보조금의 교부

① 국가는 정책상 필요하다고 인정할 때 또는 지방자치단체의 재정 사정상 특히 필요하다고 인정할 때에는 예산의 범위에서 지방자치단체에 보조금을 교부할 수 있다.

② 특별시 · 광역시 · 특별자치시 · 도 · 특별자치도(이하 '시 · 도'라 한다)는 정책상 필요하다고 인정할 때 또는 시 · 군 및 자치구의 재정 사정상 특히 필요하다고 인정할 때에는 예산의 범위에서 시 · 군 및 자치구에 보조금을 교부할 수 있다.

③ 제1항 및 제2항에 따라 지방자치단체에 보조금을 교부할 때에는 법령이나 조례에서 정하는 경우와 국가 정책상 부득이한 경우 외에는 재원 부담 지시를 할 수 없다.

제27조의2 지방재정관리위원회

① 지방자치단체의 재정부담 및 재정위기관리에 관한 사항을 심의하기 위하여 **행정안전부장관** 소속으로 **지방재정관리위원회**(이하 "위원회"라 한다)를 둔다.

1. 지방자치단체의 재정부담에 관한 다음 각 목의 사항
2. 지방자치단체의 재정위기관리에 관한 다음 각 목의 사항

② 위원회는 **위원장 · 부위원장을 포함하여 15명 이내의 위원**으로 구성하되, 성별을 고려하여야 한다.

③ **위원회의 위원장은 행정안전부장관**이 되고, **부위원장은 행정안전부차관과 민간위원**으로 하되, 민간위원인 부위원장은 위원회에서 호선하여 선정한다.

④ 위원회의 위원은 다음 각 호의 사람이 된다.

1. 기획재정부, 국무조정실 등 대통령령으로 정하는 관계 중앙관서의 차관 · 차장 또는 이에 준하는 직위에 재직 중인 공무원
2. 전국시도지사협의회 · 전국시장군수구청장협의회 · 전국시도의회의장협의회 · 전국시군구의회의장협의회에서 추천하는 각 1명. 이 경우 전국시도지사협의회 및 전국시장군수구청장협의회는 해당 협의회에 소속된 지방자치단체의 장 중에서 1명을 각각 추천하여야 한다.
3. 그 밖에 지방재정에 대한 학식과 전문지식이 있는 사람으로서 행정안전부장관이 위촉하는 사람

⑤ 위원회의 회의는 **연 1회 이상 개최**하고, **위원장**이 소집한다. 다만, 다음 각 호의 경우에는 추가로 개최할 수 있다.

1. 위원장이 필요하다고 인정하는 때
2. 지방자치단체협의회의 소집요구가 있는 때

제28조의2 지방세 감면의 제한 등

① 행정안전부장관은 대통령령으로 정하는 해당 연도의 지방세 징수결산액과 지방세 비과세 · 감면액을 합한 금액에서 지방세 비과세 · 감면액이 차지하는 비율이 대통령령으로 정하는 비율 이하가 되도록 노력하여야 한다.

제 29 조 시 · 군 조정교부금

① **시 · 도지사(특별시장은 제외한다. 이 조에서 같다)는 다음 각 호의 금액의 27퍼센트(인구 50만 이상의 시와 자치구가 아닌 구가 설치되어 있는 시의 경우에는 47퍼센트)에 해당하는 금액을 관할 시 · 군 간의 재정력 격차를 조정하기 위한 조정교부금의 재원으로 확보하여야 한다.**

1. 시 · 군에서 징수하는 광역시세 · 도세(화력발전 · 원자력발전에 대한 소방분 지역자원시설세, 특정부동산에 대한 지역자원시설세 및 지방교육세는 제외한다)의 총액
2. 해당 시 · 도(특별시는 제외한다. 이 조에서 같다) 지방소비세액(「지방세법」 제71조 제3항 제3호 가목에 따라 시 · 도에 배분되는 금액은 해당 지방소비세액에서 제외한다)을 전년도 말의 해당 시 · 도의 인구로 나눈 금액에 전년도 말의 시 · 군의 인구를 곱한 금액

제29조의2 자치구 조정교부금

① 특별시장 및 광역시장은 대통령령으로 정하는 보통세 수입의 일정액을 조정교부금으로 확보하여 조례로 정하는 바에 따라 해당 지방자치단체 관할구역의 자치구 간 재정력 격차를 조정하여야 한다.

제29조의3 조정교부금의 종류와 용도

제29조 및 제29조의2에 따른 조정교부금은 일반적 재정수요에 충당하기 위한 일반조정교부금과 특정한 재정수요에 충당하기 위한 특별조정교부금으로 구분하여 운영하되, 특별조정교부금은 민간에 지원하는 보조사업의 재원으로 사용할 수 없다.

제 31 조 국가의 공공시설에 관한 사용료

① 지방자치단체나 그 지방자치단체의 장이 관리하는 국가의 공공시설 중 지방자치단체가 그 관리에 드는 경비를 부담하는 공공시설에 대하여는 법령에 특별한 규정이 있는 경우를 제외하고는 그 지방자치단체나 지방자치단체의 장은 조례나 규칙으로 정하는 바에 따라 그 공공시설의 사용료를 징수할 수 있다.

② 제1항에 따라 징수한 사용료는 그 지방자치단체의 수입으로 한다.

제 32 조 사무 위임에 따른 과태료 등 수입의 귀속

지방자치단체가 국가나 다른 지방자치단체의 위임사무에 대하여 법령에서 정하는 바에 따라 과태료 또는 과징금을 부과·징수한 경우 그 수입은 사무위임을 받은 지방자치단체의 수입으로 한다. 다만, 다른 법령에 특별한 규정이 있거나 「비송사건절차법」에서 정하는 바에 따라 부과·징수한 과태료의 경우에는 그러하지 아니하다.

예산과 결산

제 33 조 중기지방재정계획의 수립 등

① 지방자치단체의 장은 지방재정을 계획성 있게 운용하기 위하여 매년 다음 회계연도부터 **5회계연도 이상의 기간에 대한 중기지방재정계획을 수립**하여 예산안과 함께 지방의회에 제출하고, 회계연도 개시 **30일 전까지** 행정안전부장관에게 제출하여야 한다.

제 37 조 투자심사

① 지방자치단체의 장은 다음 각 호의 사항에 대해서는 대통령령으로 정하는 바에 따라 **사전에 그 필요성과 타당성에 대한 심사('투자심사'라 한다)를 하여야 한다.**

1. 재정투자사업에 관한 예산안 편성
2. 다음 각 목의 사항에 대한 지방의회 의결의 요청
   가. 채무부담행위
   나. 보증채무부담행위
   다. 「지방자치법」에 따른 예산 외의 의무부담

제 38 조 지방자치단체 재정운용 업무편람 등

① 행정안전부장관은 국가 및 지방 재정의 운용 여건, 지방재정제도의 개요 등 지방자치단체의 재정운용에 필요한 정보로 구성된 회계연도별 지방자치단체 재정운용 업무편람을 작성하여 지방자치단체에 보급할 수 있다.

제 39 조 지방예산 편성 등 예산과정의 주민 참여

① 지방자치단체의 장은 대통령령으로 정하는 바에 따라 지방예산 편성 등 예산과정(「지방자치법」 제39조에 따른 지방의회의 의결사항은 제외한다. 이하 이 조에서 같다)에 주민이 참여할 수 있는 제도(이하 이 조에서 "주민참여예산제도"라 한다)를 마련하여 시행하여야 한다. → **주민참여예산제도의 법적 근거(2004년 광주광역시 북구, 2006년 전라북도가 최초)**

② 지방예산 편성 등 예산과정의 주민 참여와 관련되는 다음 각 호의 사항을 심의하기 위하여 지방자치단체의 장 소속으로 주민참여예산위원회 등 주민참여예산기구(이하 "주민참여예산기구"라 한다)를 둘 수 있다.

1. 주민참여예산제도의 운영에 관한 사항
2. 제3항에 따라 지방의회에 제출하는 예산안에 첨부하여야 하는 의견서의 내용에 관한 사항
3. 그 밖에 지방자치단체의 장이 주민참여예산제도의 운영에 필요하다고 인정하는 사항

③ 지방자치단체의 장은 주민참여예산제도를 통하여 수렴한 주민의 의견서를 지방의회에 제출하는 예산안에 첨부하여야 한다.

④ 행정안전부장관은 지방자치단체의 재정적 · 지역적 여건 등을 고려하여 대통령령으로 정하는 바에 따라 지방자치단체별 주민참여예산제도의 운영에 대하여 평가를 실시할 수 있다.

제 43 조 예비비

① 지방자치단체는 예측할 수 없는 예산 외의 지출 또는 예산 초과 지출에 충당하기 위하여 일반회계와 교육비특별회계의 경우에는 각 예산 총액의 100분의 1 이내의 금액을 예비비로 예산에 계상하여야 하고, 그 밖의 특별회계의 경우에는 각 예산 총액의 100분의 1 이내의 금액을 예비비로 예산에 계상할 수 있다.

② 제1항에도 불구하고 재해 · 재난 관련 목적 예비비는 별도로 예산에 계상할 수 있다.

③ 지방자치단체의 장은 지방의회의 예산안 심의 결과 폐지되거나 감액된 지출항목에 대해서는 예비비를 사용할 수 없다.

④ 지방자치단체의 장은 예비비로 사용한 금액의 명세서를 「지방자치법」 제150조 제1항에 따라 지방의회의 승인을 받아야 한다.

제 44 조 채무부담행위

① 지방자치단체의 장은 다음 각 호의 어느 하나에 해당하는 것을 제외하고는 지방자치단체에 채무부담의 원인이 될 계약의 체결이나 그 밖의 행위를 할 때에는 미리 예산으로 지방의회의 의결을 얻어야 한다. 이 경우 제11조 제2항에 따른 지방채 발행 한도액 산정 시에는 채무부담행위에 의한 채무가 포함되어야 한다.

1. 법령이나 조례에 따른 것
2. 세출예산 · 명시이월비 또는 계속비 총액 범위의 것

② 지방자치단체의 장은 제1항에도 불구하고 지방의회를 소집할 시간적 여유가 없을 때에는 재난 복구를 위하여 시급히 추진할 필요가 있는 사업으로서 지방자치단체의 채무부담의 원인이 될 계약 중 총사업비가 10억 원 이하의 범위에서 조례로 정하는 금액 이하인 계약을 지방의회의 의결을 거치지 아니하고 체결할 수 있다.

제 54 조 재정 운용에 관한 보고 등

지방자치단체의 장은 대통령령으로 정하는 바에 따라 예산, 결산, 출자, 통합부채, 우발부채, 그 밖의 재정 상황에 관한 재정보고서를 행정안전부장관에게 제출하여야 한다. 이 경우 시 · 군 및 자치구는 시 · 도지사를 거쳐 행정안전부장관에게 제출하여야 한다.

제 55 조 재정분석 및 재정진단 등

① 행정안전부장관은 대통령령으로 정하는 바에 따라 **재정보고서의 내용**을 **분석**하여야 한다.

② 행정안전부장관은 제1항에 따른 재정분석 결과 재정의 건전성과 효율성 등이 현저히 떨어지는 지방자치단체에 대하여는 대통령령으로 정하는 바에 따라 **재정진단을 실시하여야 한다. → 사후적 재정관리**

■ 지방교부세법

제 1 조 목적

이 법은 **지방자치단체의 행정 운영에 필요한 재원(財源)을 교부**하여 **그 재정을 조정함**으로써 지방행정을 건전하게 발전시키도록 함을 목적으로 한다.

제 2 조 정의

이 법에서 사용하는 용어의 뜻은 다음과 같다.

1. "지방교부세"란 제4조에 따라 산정한 금액으로서 제6조, 제9조, 제9조의3 및 제9조의4에 따라 국가가 재정적 결함이 있는 지방자치단체에 교부하는 금액을 말한다.
3. "기준재정수요액"이란 각 지방자치단체의 재정수요를 합리적으로 측정하기 위하여 제7조에 따라 산정한 금액을 말한다.
4. "기준재정수입액"이란 각 지방자치단체의 재정수입을 합리적으로 측정하기 위하여 제8조에 따라 산정한 금액을 말한다.

제 3 조 교부세의 종류

지방교부세(이하 "교부세"라 한다)의 종류는 **보통교부세 · 특별교부세 · 부동산교부세 및 소방안전교부세로 구분**한다.

제 4 조 교부세의 재원

① 교부세의 재원은 다음 각 호로 한다.

1. 해당 연도의 내국세(목적세 및 종합부동산세, 담배에 부과하는 개별소비세 총액의 **100분의 45** 및 다른 법률에 따라 특별회계의 재원으로 사용되는 세목의 해당 금액은 제외한다. 이하 같다) 총액의 1만분의 1,924에 해당하는 금액
2. 「종합부동산세법」에 따른 종합부동산세 총액
3. 「개별소비세법」에 따라 담배에 부과하는 개별소비세 총액의 **100분의 45**에 해당하는 금액
4. 제5조 제3항에 따라 같은 항 제1호의 차액을 정산한 금액
5. 제5조 제3항에 따라 같은 항 제2호의 차액을 정산한 금액
6. 제5조 제3항에 따라 같은 항 제3호의 차액을 정산한 금액

② 교부세의 종류별 재원은 다음 각 호와 같다.

1. 보통교부세: (제1항 제1호의 금액 + 제1항 제4호의 정산액) × 100분의 97
2. 특별교부세: (제1항 제1호의 금액 + 제1항 제4호의 정산액) × 100분의 3
4. 부동산교부세: 제1항 제2호의 금액 + 제1항 제5호의 정산액
5. 소방안전교부세: 제1항 제3호의 금액 + 제1항 제6호의 정산액

제 6 조 보통교부세의 교부

① 보통교부세는 해마다 기준재정수입액이 기준재정수요액에 못 미치는 지방자치단체에 그 미달액을 기초로 교부한다. 다만, 자치구의 경우에는 기준재정수요액과 기준재정수입액을 각각 해당 특별시 또는 광역시의 기준재정수요액 및 기준재정수입액과 합산하여 산정한 후, 그 특별시 또는 광역시에 교부한다.

② 행정안전부장관은 제1항에 따라 보통교부세를 교부하려면 해당 지방자치단체의 장에게 다음 각 호의 자료를 첨부하여 보통교부세의 결정을 통지하여야 한다.

1. 보통교부세의 산정 기초자료
2. 지방자치단체별 내역
3. 관련 자료

제 9 조 특별교부세의 교부

① 특별교부세는 다음 각 호의 구분에 따라 교부한다.

1. 기준재정수요액의 산정방법으로는 파악할 수 없는 지역 현안에 대한 특별한 재정수요가 있는 경우: 특별교부세 재원의 100분의 40에 해당하는 금액
2. 보통교부세의 산정기일 후에 발생한 재난을 복구하거나 재난 및 안전관리를 위한 특별한 재정수요가 생기거나 재정수입이 감소한 경우: 특별교부세 재원의 100분의 50에 해당하는 금액
3. 국가적 장려사업, 국가와 지방자치단체 간에 시급한 협력이 필요한 사업, 지역 역점시책 또는 지방행정 및 재정운용 실적이 우수한 지방자치단체에 재정 지원 등 특별한 재정수요가 있을 경우: 특별교부세 재원의 100분의 10에 해당하는 금액

② 행정안전부장관은 지방자치단체의 장이 제1항 각 호에 따른 특별교부세의 교부를 신청하는 경우에는 이를 심사하여 특별교부세를 교부한다. 다만, 행정안전부장관이 필요하다고 인정하는 경우에는 신청이 없는 경우에도 일정한 기준을 정하여 특별교부세를 교부할 수 있다.

④ 행정안전부장관은 제1항에 따른 특별교부세의 사용에 관하여 조건을 붙이거나 용도를 제한할 수 있다.

⑤ 지방자치단체의 장은 제4항에 따른 교부조건의 변경이 필요하거나 용도를 변경하여 특별교부세를 사용하고자 하는 때에는 미리 행정안전부장관의 승인을 받아야 한다.

제9조의3 부동산교부세의 교부

① 부동산교부세는 지방자치단체에 전액 교부하여야 한다.

② 제1항에 따른 부동산교부세의 교부기준은 지방자치단체의 재정여건이나 지방세 운영상황 등을 고려하여 대통령령으로 정한다.

제9조의4 소방안전교부세의 교부

① 행정안전부장관은 지방자치단체의 소방 인력 운용, 소방 및 안전시설 확충, 안전관리 강화 등을 위하여 소방안전교부세를 지방자치단체에 전액 교부하여야 한다. 이 경우 소방 분야에 대해서는 소방청장의 의견을 들어 교부하여야 한다.

② 제1항에 따른 소방안전교부세의 교부기준은 지방자치단체의 소방 인력, 소방 및 안전시설 현황, 소방 및 안전시설 투자 소요, 재난예방 및 안전강화 노력, 재정여건 등을 고려하여 대통령령으로 정한다. 다만, 소방안전교부세 중 「개별소비세법」에 따라 담배에 부과하는 개별소비세 총액의 100분의 20을 초과하는 부분은 소방 인력의 인건비로 우선 충당하여야 한다.

제 10 조 교부 시기

교부세는 1년을 4기(期)로 나누어 교부한다. 다만, 특별교부세는 예외로 할 수 있다.

제 11 조 부당 교부세의 시정 등

① 행정안전부장관은 지방자치단체가 교부세 산정에 필요한 자료를 부풀리거나 거짓으로 기재하여 부당하게 교부세를 교부받거나 받으려 하는 경우에는 그 지방자치단체가 정당하게 받을 수 있는 금액을 초과하는 부분을 반환하도록 명하거나 부당하게 받으려 하는 금액을 감액(減額)할 수 있다.

② 행정안전부장관은 지방자치단체가 법령을 위반하여 지나치게 많은 경비를 지출하였거나 수입 확보를 위한 징수를 게을리한 경우에는 그 지방자치단체에 교부할 교부세를 감액하거나 이미 교부한 교부세의 일부를 반환하도록 명할 수 있다. 이 경우 감액하거나 반환을 명하는 교부세의 금액은 법령을 위반하여 지출하였거나 징수를 게을리하여 확보하지 못한 금액을 초과할 수 없다.

③ 행정안전부장관은 지방자치단체의 장이 제9조 제4항에 따른 교부조건이나 용도를 위반하여 특별교부세를 사용한 때에는 교부조건이나 용도를 위반하여 사용한 금액의 반환을 명하거나 다음 연도에 교부할 지방교부세에서 이를 감액할 수 있다.

핵심OX

1 지방채 발행 한도액의 범위 안이라도 외채를 발행할 경우는 지방의회의 의결을 거친 후 행정안전부장관의 승인을 받아야 한다. (O, X)

2 교부금은 기관위임사무에 대해 국가가 지방자치단체에게 전액 교부한다. (O, X)

3 「지방재정법」에는 주민참여예산제도의 법적 근거가 규정되어 있다. (O, X)

4 기준재정수요액의 산정방법으로는 파악할 수 없는 지역 현안에 대한 특별한 재정수요가 있는 경우에 특별교부세 재원의 100분의 50에 해당하는 금액을 교부할 수 있다. (O, X)

5 특별교부세를 제외한 교부세는 1년을 4기(期)로 나누어 교부한다. (O, X)

핵심기출

1 지방교부세에 대한 설명으로 옳지 않은 것은? 2022년 국가직 9급

① 지역 간 재정력 격차를 완화시키는 재정 균등화 기능을 수행한다.

② 보통교부세, 특별교부세, 부동산교부세, 소방안전교부세로 구분한다.

③ 신청주의를 원칙으로 하며 각 중앙관서의 예산에 반영되어야 한다.

④ 부동산교부세는 종합부동산세를 재원으로 하며 전액을 지방자치단체에 교부한다.

2 지방재정조정제도 중 「지방교부세법」에서 규정하고 있지 않은 것은? 2018년 지방직 9급

① 소방안전교부세

② 보통교부세

③ 조정교부금

④ 부동산교부세

정답 및 해설

핵심OX

1 X 지방의회의 의결을 거치기 전 행정안전부장관의 승인을 받아야 한다.

2 O

3 O

4 X 100분의 40에 해당하는 금액을 교부할 수 있다.

5 O

핵심기출

1 ③ 지방교부세는 지방자치단체의 신청이 없어도 법정교부세율에 따라 확보된 재원으로 행정안전부장관이 교부하는 의존재원이다.

2 ③ 「지방교부세법」에 규정되어 있는 지방재정조정제도는 보통교부세, 특별교부세, 부동산교부세, 소방안전교부세 등 네 가지가 있다. 조정교부금은 「지방재정법」에 규정된 제도로 광역자치단체가 기초자치단체에 대한 지방재정조정제도로서 자치구 조정교부금과 시군조정교부금이 있다.

21 지방공기업법

관련단원 PART 7. 지방행정론 > CHAPTER 6. 지방자치단체의 재정

총칙

제 1 조 목적

이 법은 지방자치단체가 직접 설치 · 경영하거나, 법인을 설립하여 경영하는 기업의 운영에 필요한 사항을 정하여 그 경영을 합리화함으로써 지방자치의 발전과 주민복리의 증진에 이바지함을 목적으로 한다.

제 2 조 적용 범위

① 이 법은 다음 각 호의 어느 하나에 해당하는 사업(그에 부대되는 사업을 포함한다. 이하 같다) 중 지방자치단체가 직접 설치 · 경영하는 사업으로서 대통령령으로 정하는 기준 이상의 사업(이하 '지방직영기업'이라 한다)과 지방공사와 지방공단이 경영하는 사업에 대하여 각각 적용한다.

1. 수도사업(마을상수도사업은 제외한다)
2. 공업용수도사업
3. 궤도사업(도시철도사업을 포함한다)
4. 자동차운송사업
5. 지방도로사업(유료도로사업만 해당한다)
6. 하수도사업
7. 주택사업
8. 토지개발사업
9. 주택(대통령령으로 정하는 공공복리시설을 포함한다) · 토지 또는 공용 · 공공용건축물의 관리 등의 수탁

제 3 조 경영의 기본원칙

① 지방직영기업, 지방공사 및 지방공단(이하 "지방공기업"이라 한다)은 항상 기업의 경제성과 공공복리를 증대하도록 운영하여야 한다.

② 지방자치단체는 지방공기업을 설치 · 설립 또는 경영할 때에 민간경제를 위축시키거나, 공정하고 자유로운 경제질서를 해치거나, 환경을 훼손시키지 아니하도록 노력하여야 한다.

제 5 조 지방직영기업의 설치

지방자치단체는 지방직영기업을 설치 · 경영하려는 경우에는 그 설치 · 운영의 기본사항을 조례로 정하여야 한다.

재무

제 13 조 특별회계

지방자치단체는 제2조에 해당하는 사업마다 특별회계를 설치하여야 한다. 다만, 제7조 제1항 단서에 따라 둘 이상의 사업에 대하여 관리자를 1명만 두는 경우에는 둘 이상의 사업에 대하여 하나의 특별회계를 둘 수 있다.

제 14 조 독립채산

① 지방직영기업의 특별회계에서 해당 기업의 경비는 해당 기업의 수입으로 충당하여야 한다. 다만, 다음 각 호의 어느 하나에 해당하는 지방직영기업의 경비로서 대통령령으로 정하는 경비는 해당 지방자치단체의 일반회계나 다른 특별회계가 부담금이나 그 밖의 방법으로 부담한다.

1. 경비의 성질상 지방직영기업의 수입으로 충당하는 것이 적당하지 아니한 경비
2. 지방직영기업의 성질상 그 경영으로 생기는 수입만으로 충당하는 것이 객관적으로 곤란하다고 인정되는 경비

② 지방직영기업의 특별회계는 재해복구 또는 그 밖의 특별한 사유로 인하여 필요한 경우에는 예산에서 정하는 바에 따라 해당 지방자치단체의 일반회계나 다른 특별회계로부터 재정적 지원을 받을 수 있다.

제 16 조 회계처리의 원칙

① 지방직영기업의 특별회계는 경영 성과 및 재무 상태를 명확히 하기 위하여 재산의 증감 및 변동(회계거래)을 발생 사실에 따라 회계처리한다. → **발생주의**

제 17 조 출자 등

① 지방자치단체의 일반회계나 다른 특별회계는 지방직영기업의 특별회계에 필요한 출자(出資)를 할 수 있다.

③ 제2조 제1항 제7호 또는 제8호의 사업을 하는 지방직영기업의 특별회계는 재해복구, 사회간접자본시설의 건설, 그 밖에 대통령령으로 정하는 사유가 있는 경우에는 예산으로 전년도 이익금의 일부를 지방자치단체의 일반회계로 전출할 수 있다.

제 22 조 요금

① 지방자치단체는 지방직영기업의 급부에 대하여 조례로 정하는 바에 따라 요금을 징수할 수 있다.

② 제1항에 따른 요금은 적정하여야 하고, 지역 간 요금수준의 형평을 도모하여야 하며, 급부의 원가를 보상하면서 기업으로서 계속성을 유지할 수 있도록 결정되어야 한다.

③ 제1항에 따른 요금의 산정방식은 영업비용, 자본비용 등을 고려하여 대통령령으로 정한다.

④ 지방자치단체는 제1항에 따른 요금을 내야 하는 자가 납부기한까지 요금을 납부하지 아니하면 내야 할 요금의 100분의 3의 범위에서 조례로 정하는 바에 따라 연체금을 가산하여 징수할 수 있다.

⑤ 요금 및 연체금의 징수에 관하여는 지방세 징수 및 체납처분의 예에 따른다.

제 27 조 수입금 마련 지출

관리자는 사업량이 증가하여 경비가 부족하게 된 경우 사업량의 증가로 인한 수입 증가분에 상당한 금액을 그 수입 증가분과 관련된 업무의 직접비에 사용할 수 있다. 이 경우 관리자는 지방자치단체의 장과 의회에 그 사실을 보고하여야 한다.

지방공사 및 지방공단

제 49 조 지방공사의 설립

① 지방자치단체는 제2조에 따른 사업을 효율적으로 수행하기 위하여 필요한 경우에는 지방공사를 설립할 수 있다. 이 경우 공사를 설립하기 전에 특별시장, 광역시장, 특별자치시장, 도지사 및 특별자치도지사는 행정안전부장관과, 시장 · 군수 · 구청장은 관할 특별시장 · 광역시장 및 도지사와 협의하여야 한다.

② 지방자치단체는 공사를 설립하는 경우 그 설립, 업무 및 운영에 관한 기본적인 사항을 조례로 정하여야 한다.

제 51 조 법인격

공사는 법인으로 한다.

제 53 조 출자

① 공사의 자본금은 그 전액을 지방자치단체가 현금 또는 현물로 출자한다.

② 제1항에도 불구하고 공사의 운영을 위하여 필요한 경우에는 자본금의 2분의 1을 넘지 아니하는 범위에서 지방자치단체 외의 자(외국인 및 외국법인을 포함한다)로 하여금 공사에 출자하게 할 수 있다. 증자(增資)의 경우에도 또한 같다.

제 59 조 임기 및 직무

① 공사의 사장, 이사 및 감사의 임기는 3년으로 한다. 이 경우 지방자치단체의 장은 대통령령으로 정하는 바에 따라 임기가 만료된 임원으로 하여금 그 후임자가 임명될 때까지 직무를 수행하게 할 수 있다.

② 공사의 사장, 이사 및 감사는 1년 단위로 연임될 수 있다.

③ 공사의 사장은 그 공사를 대표하고 업무를 총괄하며, 임기 중 그 공사의 경영성과에 대하여 책임을 진다.

④ 공사의 사장은 그 공사의 이익과 자신의 이익이 상반되는 사항에 대하여는 공사를 대표하지 못한다. 이 경우 감사가 공사를 대표한다.

⑤ 그 밖에 공사의 사장, 이사 및 감사의 직무에 필요한 사항은 정관으로 정한다.

제 76 조 지방공단의 설립 · 운영

① 지방자치단체는 제2조의 사업을 효율적으로 수행하기 위하여 필요한 경우에는 지방공단(이하 "공단"이라 한다)을 설립할 수 있다.

경영평가

제 78 조 경영평가 및 지도

① 행정안전부장관은 제3조에 따른 지방공기업의 경영 기본원칙을 고려하여 대통령령으로 정하는 바에 따라 지방공기업에 대한 경영평가를 하고, 그 결과에 따라 필요한 조치를 하여야 한다. 다만, 행정안전부장관이 필요하다고 인정하는 경우에는 지방자치단체의 장으로 하여금 경영평가를 하게 할 수 있다.

제78조의2 경영진단 및 경영 개선 명령

① 지방자치단체의 장은 경영평가를 하였을 때에는 그 평가가 끝난 후 1개월 이내에 경영평가보고서, 재무제표, 그 밖에 대통령령으로 정하는 서류를 행정안전부장관에게 제출하여야 한다.

② 행정안전부장관은 경영평가를 분석한 결과 특별한 대책이 필요하다고 인정되는 지방공기업으로서 다음 각 호의 어느 하나에 해당하는 지방공기업에 대하여는 대통령령으로 정하는 바에 따라 따로 경영진단을 실시하고, 그 결과를 공개할 수 있다.

1. 3개 사업연도 이상 계속하여 당기 순손실이 발생한 지방공기업
2. 특별한 사유 없이 전년도에 비하여 영업수입이 현저하게 감소한 지방공기업
3. 경영 여건상 사업 규모의 축소, 법인의 청산 또는 민영화 등 경영구조 개편이 필요하다고 인정되는 지방공기업
4. 그 밖에 대통령령으로 정하는 지방공기업

제78조의4 지방공기업평가원의 설립 · 운영

① 지방공기업에 대한 경영평가, 관련 정책의 연구, 임직원에 대한 교육 등을 전문적으로 지원하기 위하여 지방공기업평가원(이하 "평가원"이라 한다)을 설립한다.

제78조의5 지방공기업정책위원회

① 행정안전부장관은 지방공기업 관련 주요 정책, 경영평가, 경영진단, 그 밖에 경영 개선에 관한 사항을 심의하기 위하여 관계 전문가로 구성된 지방공기업정책위원회를 운영한다.

제 83 조 벌칙 적용에서 공무원 의제

다음 각 호의 어느 하나에 해당하는 사람은 「형법」 제129조부터 제132조까지의 규정을 적용할 때에는 공무원으로 본다.

1. 공사와 공단의 임직원
2. 평가원의 임직원 및 지방공기업정책위원회의 위원 중 공무원이 아닌 사람

핵심OX

1 수도사업, 하수도 사업, 궤도사업, 공원묘지사업은 지방공기업법에 규정된 대상사업이다. (O, X)

2 지방자치단체는 지방직영기업을 설치 · 경영하려는 경우에는 그 설치 · 운영의 기본사항을 규칙으로 정하여야 한다. (O, X)

3 지방직영기업은 회계상에 있어서 발생주의 원칙에 따른다. (O, X)

4 공사의 운영을 위하여 필요한 경우에는 자본금의 출자나 증자(增資)시 외국인이나 외국법인은 출자할 수 없다. (O, X)

5 지방자치단체의 장은 경영평가를 하였을 때에는 그 평가가 끝난 후 3개월 이내에 경영평가보고서, 재무제표, 그 밖에 대통령령으로 정하는 서류를 행정안전부장관에게 제출하여야 한다. (O, X)

핵심기출

1 「공공기관의 운영에 관한 법률」과 「지방공기업법」상 공공기관과 지방공기업에 대한 설명으로 옳지 않은 것은? 2018년 지방직 7급

① 기획재정부장관은 공공기관을 공기업 · 준정부기관과 기타 공공기관으로 구분하여 지정하되, 공기업과 준정부기관은 직원 정원이 50인 이상인 공공기관 중에서 지정한다.

② 기획재정부장관은 경영실적 평가 결과 경영실적이 부진한 공기업 · 준정부기관에 대하여 운영위원회의 심의 · 의결을 거친 후 기관장, 상임이사의 임명권자에게 그 해임을 건의하거나 요구할 수 있다.

③ 「지방공기업법」상 지방공기업의 범주에는 지방직영기업과 지방공사 · 지방공단이 포함된다.

④ 지방자치단체장은 지방자치의 발전과 주민복리의 증진을 위해 지방공기업을 설립 · 운영할 수 있으며, 매년 경영평가 결과를 토대로 경영진단 대상 지방공기업을 선정한다.

2 지방공기업 유형 중 지방직영기업에 대한 설명으로 가장 옳지 않은 것은? 2017년 서울시 9급

① 지방자치단체가 행정조직 형태로 직접 운영하는 사업을 말한다.

② 지방자치단체의 장이 지방직영기업의 관리자를 임명한다.

③ 소속된 직원은 공무원 신분이 아니다.

④ 「지방공기업법 시행령」에 따라 경영평가가 매년 실시되어야 하나, 행정안전부장관이 이에 대해 따로 정할 수 있다.

정답 및 해설

핵심OX

1 X 공원묘지사업은 해당되지 않는다.

2 X 조례로 정하여야 한다.

3 O

4 X 외국인과 외국법인도 가능하다.

5 X 1개월 이내에 제출하여야 한다.

핵심기출

1 ④ 지방공기업에 대한 경영평가는 원칙적으로 행정안전부장관이 실시하며, 필요한 경우에는 지방자치단체장에게 위임할 수 있고, 경영평가를 토대로 경영진단대상 지방공기업의 선정주체는 행정안전부장관이다

2 ③ 지방직영기업이란 지방자치단체가 직접 사업의 주체가 되어 지방자치단체의 소속기관으로 운영하는 사업을 말한다. 따라서 기관의 성격도 지방자치단체 소속행정기관이며, 직원도 공무원 신분이고, 기관장 등 관리자도 지방자치단체장이 임명하는 공무원이다. 현재 도로, 철도, 상하수도, 토지, 주택 등이 지방직영기업의 대상사업이다.